KB091043

Metallografie
금속조직학

H. Schumann[†] · Heinrich Oettel 공저

김정근 · 박노진 · 이상봉 공역

NODE MEDIA
노드미디어

집필진 :

Prof. Dr. Gunter Benkisser, Institut für Werkstoffkunde der Universität Rostock (6.1 –6.7; 6.9장)

Dr. Ing. Klaus Cyrener, Institut für Metallkunde der TU Bergakademie Freiberg (4.1–4.3장)

Dipl.-Met. Wolfgang Molle, FNE Freiberg (6.8장)

Prof. Dr. Joachim Ohser, FH Darmstadt (2.4장)

Prof. Dr. Heinrich Oettel, Institut für Metallkunde der TU Bergakademie Freiberg (1; 2.1–2.23; 2.5–2.11; 3; 4.4장)

Prof. Dr. Dieter Peisker, Institut für Eisen –und Stahltechnologie der TU Bergakademie Freiberg (5장)

Dr. Ing. Hans–Ludwig Steyer, Struers GmbH Deutschland (2.2.4; 2.3장)

원본은 독일어로 WILEY-VCH 출판사 GmbH & KGaA, Boschstraße 12, D-694669 Weinheim, 독일연방공화국에서 판권 "Metallografie" 제목으로 출판되었다.

판권 2005, WILEY-VCH 출판사 GmbH & KGaA

이 저서는 독일의 WILEY-VCH GmbH와 한국의 노드 미디어 [(구) 도서출판 골드]간의 협약에 의하여 번역·출판되었다.

▌머리말

50여 년 전인 1955년에 "금속조직학(Metallographie)" 저서가 Herrmann Schumann 에 의해 초판이 출판되었으며, 이 저서는 금속학에 매우 중요하게 기여하였다. 즉, 금속재료조직의 조사 및 분석과 해석뿐만 아니라 조직을 생성하고 변화시킴으로써 특성을 나타내고 변화하는 과정의 해석 등이 포함되어 있다. 이를 통하여 Herrmann Schumann은 금속조직학을 구체적인 내용과 실용적인 관점에서 특별한 방법으로 성취하였으며, 이러한 개념이 성공적으로 입증되어 지금까지 13판이 발행되었으며 그 중판이 필요하게 되었다.

최신재료학은 여전히 발전해 나가는 전문분야에 매우 필요하며, 특히 금속학적 및 재료학적인 조직생성과정에 대한 이해가 매우 확대되어 이에 따른 시편준비, 조사 및 분석방법 등이 복잡해지고 광범위해졌다. 유감스럽게도 Herrmann Schumann이 참여하지 못하였지만, 14판을 준비하는 과정에서 먼저 금속조직학(Metallography) 영역에 한정할 것인지 혹은 재료조직학(Materialography) 영역까지 확대할 것인가를 결정하여야 했다. 금속과 합금은 다양성과 재활용성이 매우 좋기 때문에 현재와 더불어 미래에도 매우 중요한 재료가 될 것은 자명하며 또한 금속조직학의 기본 지식은 다른 재료군에도 용이하게 활용될 수 있으므로, 저자들은 일부분에서 깊이 다룰 수 없을지라도 전반적으로 확대하지는 않기로 하였다. 그러나 지금까지의 "Schumann"에서 다루지 않았던 최신개발 분야 예측을 수행할 수 있는 새로운 출판이 요청되고 있다. 이전에 사용되던 기술은 삭제하였으며, 새로운 조사 및 분석방법과 실제 중요한 합금들에 대한 재료공학적인 기본이 되는 새로운 내용을 추가하였으며, 이 과정에서 재료에 대한 새로운 분류가 불가피한 경우도 있었다. 하지만 금속조직을 관찰하기 위한 기본 논리는 다음과 같은 일련의 과정으로 나타내었다. 즉, 금속조직학의 대상체 → 조사 분석방법 → 조직생성과 변화의 원리 → 실제응용.

금속조직학의 조사 및 분석분야를 시스템적으로 나타내기 위하여 금속재료의 구조적 형태에 관한 절을 책 앞부분에 언급하였는데, 여기에는 매우 광범위한 금속조직학적 작업방법 및 해석에 관한 내용이 포함된다(최신 광학 및 전자현미경, 시편준비 및 콘트라스트, 정량적 조직분석, X-선 분석법, 미소분석 등). 조직생성과 변화의 상태에 대한 기본이해는 상평형, 상태도 및 상변태를 이해하게 해주는데 이에 관하여 3장에서 많은 예와 함께 다루게 된다. 금속조직학에서 실제적으로 매우 중요한 주조, 소성변형, 재결정, 접합부 및 표면처리 등이 조직에 미치는 영향을 다음 장에서 다루며, 이어지는 두 개의 장에서는 철 및 철합금 또한 실용 비철금속과 그 합금 등을 다루게 된다. 본 저서에서 제공되는 매우 많은 조직사진은 특별히 값진 것이며, 이것은 Schumann식 기본원리로서 금속조직학은 결국 실제적인 경험을 통해서만 배울 수 있다는 것을 나타낸다.

새로운 14판 "Schumann"의 출판으로 저자들은 모든 학생들과 재료학 및 재료공학분야의 실제 종사자, 나아가 인접한 공학 영역의 보조원 및 연구원들이 일상의 작업을 수행할 수 있기를 희망한다. 또한 Herrmann Schumann이 구상했던 것과 같이 교과서로뿐만 아니고 실무 참고서로 이용되기를 바란다.

"새로운 Schumann"을 완성하면서 저자들은 주위로 부터 다양한 도움을 경험하게 되었으며, 그림 및 표의 제안과 준비해준 다음 분들에게 감사한다(알파벳 순서). Dr. T. Bertram, Dr. E. Bischoff, Dr. H. Baum, Dipl.-Ing. A. Buchwalder, Dr. I. Handreg, Dr. D. Heger, Dipl.-Ing. G. Heinzel, Dr. A. Kirsten, Dr. V. Klemm, Dr. M. Koch, C. Ladewig, Prof. U. Martin, Dr. H. Mehmeti, Dipl.-Ing(FH) A. Mueller Dipl.-Met. O. Oettel, Dr. R. Ohser-Wiedemann, Dipl.-Ing. A. Poklad, I. Ruehl, Prof. Dr. K. Sandau, Dipl-Phys. G. Schreiber, Dr. O. Seidel, 그리고 Prof. R. Zenker. Mrs. B. Vulpius와 Dipl.-Ing. U. Gubsch는 기술적인 원고 작성을 위하여 많이 노력하였으며, 특히 수많은 제안과 전반적인 교정 작업을 해준 Dipl.-Met. O. Oettel 부인에게도 당연히 감사한다.

저자들은 Wiley-VCH 출판사에 대하여도 이 출판에 지대한 관심을 갖고 공동 작업을 위한 많은 지원과 적극적인 후원에 진심으로 감사한다.

출판사와 저자들은 "Schumann"을 개선하기 위한 충고를 기꺼이 받아들일 것이다.

Freiberg, July 2004 저자

▌번역에 즈음하여

이 저서는 독일에서 14판째 출판된 6장 및 부록으로 구성된 방대한 분량의 "금속조직학" 분야의 핵심적인 지식과 재료의 분석 방법 및 현장의 실무를 근거로 하여 각종 조직의 해설까지 7명의 전문가의 오랜 경험을 토대로 집필 출판된 금세기 최고의 전문 저서로 평가 받고 있는 역작이다. 그러나 이 저서는 독일어로만 출판되어 있기 때문에 지금까지 약 50여 년 동안 14판이 출판된 후에도 다른 언어권에서는 접하기 어려운 실정이었기에 세계적 권위의 출판사인 Wiley-VCH사와 한국의 노드 미디어[(구) 도서출판 골드]사간의 번역 계약하여 960여 쪽의 방대한 내용을 번역하기에 이르렀다. 일부분인 1장과 2장은 대학의 현미경조직학 실용교재로 사용하기에 매우 적합할 것으로 생각된다.

저자인 독일 Freiberg 공대(TU Bergakademie Freiberg)의 Heinrich Oettel 교수가 언급했듯이 이 저서는 금속 및 재료공학, 관련 전공 분야를 공부하는 대학생들에게는 중요한 교과서로서 뿐만 아니라 산업현장에서 재료조직 평가 실무에 종사하는 전문가와 엔지니어에게는 참고서로서 특히, 조만간 국가 기술자격으로 신설 예정인 "재료조직평가산업기사" 시험을 준비하는데 필수불가결한 지침서가 될 것이다.

이 저서를 번역하는데 있어서 가능한 한 원문 집필자들의 의도에 가깝게 옮기려고 노력하였으나 역어나 어조가 매끄럽지 못한 점이 있을 것으로 생각되어 부족한 점에 대해서는 앞으로 전문가 여러분의 값진 지도편달을 기대하는 바이다. 전문용어는 주로 (사)대한금속·재료학회와 (주)한국철강신문에서 2007년에 발행한 "금속·재료용어집"의 어휘를 선택하였다. 번역의 기회를 갖게 해준 Ruhr-Univ. Bochum의 Prof. Dr. Michael Pohl과 저자인 Prof. Dr. Heinrich Oettel에게 감사드리며, 번역에 전문적인 지식과 용어에 대하여 자문을 해준 독일금속·재료학회(DGM) 금속조직(Metallography) 전문분과 전 회장 Karin Dieser에게 특별히 감사하며, 또한 도움을 준 Ruhr-Univ. Bochum의 안주영, 특히 이 저서의 출판에 헌신적 노고를 아끼지 않은 노드 미디어[구) 도서출판 골드] 박승합 대표를 비롯한 관계자 여러분께도 진심으로 감사한다.

2009년 1월 역자 일동

차 례

1 금속재료의 구조

1.1 금속상태 ·· 1

1.2 금속과 합금의 결정구조 ·· 4

1.2.1 결정구조의 기하학적 설명 ··· 5

1.2.2 금속 및 합금의 결정구조 ·· 14

1.2.2.1 화학결합과 결정구조원칙 ··· 14

1.2.2.2 고용체 ·· 19

1.2.2.3 금속간화합물(intermetallic compound) ····························· 26

1.2.2.4 침입형고용상(중간상) ··· 29

1.2.2.5 동질이상(Polymorphism) ··· 30

1.2.3 결정결함 ··· 32

1.2.3.1 결정결함의 분류 ··· 32

1.2.3.2 점결함 ·· 32

1.2.3.3 전위 ·· 34

1.2.3.4 면결함 ·· 37

1.2.3.5 부피결함 ·· 40

1.3 비정질 금속과 합금 ·· 42

1.4 금속과 합금의 조직 ·· 43

1.4.1 조직의 개념, 내부 경계면 ··· 43

1.4.2 조직형성 과정 ··· 46

1.4.3 조직요소, 조직성분, 조직형태 ··· 47

1.5 결정학적인 관계 ·· 50

2 금속조직 조사분석기법

2.1 금속조직 검사의 목적과 방법 ··· 51

2.2 광학현미경 ··· 52

2.2.1. 광학기초 ··· 52

2.2.1.1 편광 ·· 54

2.2.1.2 굴절 ·· 55

2.2.1.3 흡수와 반사 ·· 58

2.2.1.4 간섭과 회절 ·· 61

2.2.1.5 렌즈 ·· 62

2.2.2. 반사광학현미경의 구조와 작동 ··· 64

2.2.2.1 반사광학현미경의 광학요소 ·· 64

2.2.2.2 현미경상의 이론 ·· 69

2.2.2.3 영상 오류(Aberration, 수차) ··· 72

2.2.3 반사광학현미경의 조작 ·· 74

2.2.3.1 명시야상 ·· 75

2.2.3.2 암시야상 검사 ··· 77

2.2.3.3 위상콘트라스트의 이용 ·· 77

2.2.3.4 편광현미경 ··· 79

2.2.3.5 간섭현미경 ··· 80

2.2.3.6 간섭막현미경 ··· 83

2.2.3.7 공초점영상 ··· 85

2.2.3.8 입체현미경 ··· 90

2.2.3.9 미소반사도 측정법 ··· 90

2.2.4 문서화 작업 ··· 94

2.2.4.1 현미경조직상의 영상화 ·· 95

2.2.4.2 기록된 영상의 문서화 작업 ·· 97

2.2.4.3 사진법 ·· 99

2.2.4.4 비디오 영상법 ··· 109

2.3 현미경관찰을 위한 시료준비 ·· 125

2.3.1 시료제작의 사전단계 ·· 126

2.3.1.1 시료채취 ··· 126

2.3.1.2 마운팅 ·· 133

2.3.2 현미경 관찰시료의 제작 ··· 136

2.3.2.1 거친 연마와 미세연마 과정 ·· 137

2.3.2.2 (미세)연마의 원리 ·· 141

2.3.2.3 거친 연마 ··· 150

2.3.2.4 기계적 미세연마 ·· 169

2.3.2.5 그 외의 연마법 ·· 185

2.3.2.6 화학-기계적 미세연마법 ·································· 187

2.3.2.7 전기화학적 연마법 ······································ 189

2.3.3 시료준비과정의 결정 ······································ 197

2.3.3.1 시료준비에 대한 기계적 특성을 고려한 준비과정의 선택 ········ 199

2.3.3.2 현장 미세조직검사법 ···································· 203

2.3.4 콘트라스트화 과정(contrast) ····························· 206

2.3.4.1 화학적 에칭과 전기화학적 에칭 ·························· 208

2.3.4.2 콘트라스트를 얻기 위한 물리적인 방법 ···················· 225

2.4 정량적 조직평가(quantitative structure analysis) ·········· 232

2.4.1 서론 ·· 232

2.4.2 기하학적 조직평가인자 ···································· 233

2.4.3 사진처리 및 분석방법 ···································· 238

2.4.4 절단면의 평가인자 ······································ 247

2.4.5 기본인자의 측정 ·· 250

2.4.6 입자크기분포 ··· 263

2.5 X-선 분석법 ·· 265

2.5.1 공간 격자에 의한 회절 ··································· 265

2.5.2 단결정 회절과 다결정 회절 ······························ 267

2.5.3 다결정 디프랙토메터 ···································· 270

2.5.4 X-선 회절법의 응용 ···································· 273

2.5.4.1 X-선을 이용한 상분석 ·································· 273

2.5.4.2 고용체에 대한 X-선 분석 ······························ 274

2.5.4.3 X-선을 이용한 결정립도의 측정 ························· 276

2.5.4.4 전위밀도의 평가 ······································· 276

2.5.4.5 집합조직 ··· 277

2.6 주사전자현미경과 전자빔을 이용한 분석 ···················· 280

2.6.1 가속전자와 물질과의 상호작용 ···························· 280

2.6.2 주사전자현미경 ··· 282

2.6.3 전자빔마이크로 분석기(Electron beam micro-analyser, EBMA) ········ 286

2.7	투과전자현미경(TEM)	289
2.7.1	투과전자현미경의 기초	289
2.7.2	전자회절	291
2.7.3	전자현미경상의 명암	292
2.7.4	시료준비	295
2.7.5	분석투과전자현미경	297
2.8	주사탐침현미경(scanning probe microscopy)	298
2.9	음파현미경(acoustic microscopy)	300
2.10	미소경도	302
2.10.1	전통적 방식의 미소경도 측정	303
2.10.2	기록형(registered) 경도측정	310
2.10.3	미소경도측정의 응용	311
2.11	저온과 고온에서의 미세조직 검사	315
2.11.1	고온현미경	317
2.11.2	저온 현미경	321
2.11.3	고온-저온 현미경 이용의 가능성과 한계	322

3 상평형과 상태도

3.1	열역학 기본	325
3.1.1	합금(alloys), 상(phases), 상평형(phase equilibria)	325
3.1.2	고용체의 열역학	332
3.1.3	확산	336
3.2	상태도에 대한 기본개념	341
3.3	단일성분계	346
3.4	2원계 상태도	347
3.4.1	고체상태에서 완전한 용해도를 가지는 합금	347
3.4.2	고상에서 용해도간극을 가지는 합금	353
3.4.2.1	고용체에서의 상분리, 규칙화, 금속간화합물의 형성	354
3.4.2.2	공정계 (eutectic system)	356
3.4.2.3	포정계 (peritectic system)	364

3.4.2.4 공석변태와 포석변태 ·· 368

3.4.3 액상 내의 용해도간극 ·· 373

3.4.4 복잡한 상태도 ·· 378

3.5 3원 합금계(ternary alloys)에 대한 기본적인 이해 ············· 381

3.5.1 3원합금계의 도식적인 구성 ·· 381

3.5.2 3원합금에서의 지렛대 법칙 ·· 383

3.5.3 3원계 상태도 ·· 384

3.5.4 등온면과 온도-조성단면 ·· 389

3.6 상변태의 종류와 속도론(kinetics) ································· 395

3.6.1 상변태의 분류 ·· 395

3.6.2 확산형 상변태(diffusion-controlled phase transformation) ········ 396

3.6.3 마르텐사이트 변태 ·· 404

3.6.4 시간-온도 곡선(time-temperature diagram) ······················ 408

3.7 상태도의 결정 ·· 411

3.7.1 열분석법 ·· 413

3.7.2 열팽창계(Dilatometry) ·· 415

4 금속과 합금의 조직생성에 미치는 가공과 처리의 영향

4.1 금속의 주조 ·· 419

4.1.1 금속용체의 상태 ··· 419

4.1.2 응고과정 ·· 420

4.1.3 주조조직 ·· 429

4.1.4 편석 ·· 437

4.1.5 수축공 ·· 447

4.1.6 가스기공 ·· 450

4.1.7 개재물 ·· 453

4.2 금속의 소성변형과 재결정 ·· 455

4.2.1 냉간변형 ·· 455

4.2.1.1 응력-변형 곡선 ·· 455

4.2.1.2 Slip 변형 ·· 457

4.2.1.3 쌍정생성에 의한 변형 ·· 463

4.2.1.4 경화기구 ·· 465

4.2.1.5 단결정과 다결정간의 소성 비교 ······················ 466

4.2.1.6 입자신장과 집합조직(texture) ·························· 467

4.2.1.7 냉간 성형을 통한 성질변화 ···························· 469

4.2.2 연화과정 ·· 470

4.2.2.1 결정회복 ·· 470

4.2.2.2 1차 재결정 ··· 471

4.2.2.3 결정성장 ·· 472

4.2.2.4 기술적 재결정 과정이 조직 생성에 미치는 영향 ······ 472

4.2.3 열간변형 ·· 478

4.3 금속의 납땜과 용접 ·· 491

4.3.1 납땜 ·· 491

4.3.1.1 연납땜 ·· 491

4.3.1.2 경납땜 ·· 492

4.3.2 용접 ·· 493

4.3.2.1 용접 ·· 493

4.3.2.2 압접 ·· 496

4.4 표면처리 ·· 497

4.4.1 표면처리의 기본 방법 ··································· 497

4.4.2 코팅법 ·· 499

4.4.2.1 원자층 코팅법 ··· 499

4.4.2.2 층재료의 거시적 적층을 가진 코팅법 ·············· 507

4.4.3 용융침지 ·· 508

4.4.4 가장자리층 처리 ·· 511

4.4.4.1 화학적-열적 처리 ··· 511

4.4.4.2 에너지를 이용한 가장자리층 처리 ··················· 521

5 철과 철합금

5.1 선철과 강 제조의 개요 ··································· 525

5.2 순철 및 철합금 조직 ····································· 528

5.2.1 순철 ·· 529

5.2.2   철-탄소 합금 ·· 532

5.3   동질이상 상변태 ······································· 547

5.3.1.   가열 변태 ··· 547

5.3.2   냉각 변태 ··· 554

5.3.2.1 일반적인 고찰 ··· 554

5.3.2.2 응고 ·· 555

5.3.2.3 펄라이트 생성 ·· 558

5.3.2.4 마르텐사이트 생성 ··································· 571

5.3.2.5 베이나이트 생성 ····································· 579

5.4   조직에 영향을 미치는 열처리 ······················ 583

5.4.1   제조적합성 재료의 독립적 처리 ···················· 584

5.4.1.1 재결정 어닐링 ·· 584

5.4.1.2 구상화 어닐링 ·· 588

5.4.1.3 조대립자 어닐링과 확산 어닐링 ··················· 594

5.4.2   제조적합성 재료의 기본처리 ························ 598

5.4.2.1 노멀라이징 ··· 598

5.4.2.2 일정한 성질을 갖는 어닐링 ························· 604

5.4.3   응력적합 처리 ·· 606

5.4.3.1 퀜칭 및 템퍼링과 베이나이트화 ···················· 606

5.4.3.2 노멀라이징된 변형 ··································· 623

5.4.3.3 열적-기계적 변형 ··································· 624

5.5   기술적 철합금 ·· 625

5.5.1   용접성 구조용강 ······································ 632

5.5.2   고강도강 ··· 644

5.5.3   저온강 ·· 655

5.5.4   고온강 ·· 662

5.5.5   특수한 부식 성질을 가진 강 ························ 669

5.5.6   특수 자성강 ·· 682

5.5.7   특수 가공성질 강 ····································· 687

5.5.8   특수 마모성강 ·· 701

5.5.9   주철 ·· 716

6 기술적 비철금속과 그 합금 조직

6.1	동과 그 합금	733
6.1.1	순동	733
6.1.2	황동	737
6.1.3	특수황동	747
6.1.4	주석청동	752
6.1.5	알루미늄청동과 다원 알루미늄청동	757
6.1.6	Pb청동과 Pb-Sn 청동	767
6.1.7	베릴리움청동	768
6.1.8	Cu-Ni 합금	772
6.2	니켈 및 그 합금	774
6.2.1	순수 니켈	774
6.2.2	니켈 합금	775
6.3	코발트 및 그 합금	788
6.3.1	순수 코발트	788
6.3.2	코발트 합금	789
6.4	아연 및 그 합금	792
6.4.1	순수 아연	792
6.4.2	아연 합금	795
6.5	알루미늄 및 그 합금	799
6.5.1	순수 알루미늄	799
6.5.2	Al-Si 합금	802
6.5.3	Al-Mg 합금 및 Al-Mn 합금	806
6.5.4	다원 합금	811
6.6	마그네슘 및 그 합금	816
6.6.1	순수 마그네슘	816
6.6.2	마그네슘 합금	819
6.7	티탄과 티탄 합금	824
6.7.1	순수 티탄	824
6.7.2	α 및 근사 α 합금	827
6.7.3	$(\alpha+\beta)$합금	828

6.7.4   준안정 β합금 ·· 831

6.7.5   안정 β합금 ·· 831

6.8   귀금속과 그 합금 ·· 831

6.8.1   개괄 ··· 831

6.8.2   Ag 및 그 합금 ·· 832

6.8.2.1 순수 Ag ·· 832

6.8.2.2 Ag-Ni ·· 833

6.8.2.3 Ag-Cu ·· 835

6.8.2.4 Ag-Cd ·· 836

6.8.2.5 Ag-Pd ·· 839

6.8.2.6 분산 경화된 Ag 합금 ·································· 839

6.8.3   Au 및 그 합금 ·· 840

6.8.3.1 순수 Au ·· 840

6.8.3.2 Au-Ni ·· 841

6.8.3.3 Au-Ag ·· 842

6.8.3.4 Au-Si ·· 843

6.8.4   Pt 및 그 합금 ·· 845

6.8.4.1 순수 Pt ·· 845

6.8.4.2 Pt-Rh 및 Pt-Ir 합금 ·································· 847

6.9   기타 비금속 합금 ·· 849

6.9.1   땜납 재료 ··· 849

6.9.2   마찰 베어링 재료 ······································ 852

제1장
금속재료의 구조

1.1
금속상태

금속의 본질이 무엇인가에 대한 대답은 일반적으로 이에 속하는 재료의 대표적인 특성을 열거함으로 설명할 수 있으며 이들은 다음과 같다.

- 불투명하며 높은 반사능력 혹은 고유한 "금속적" 광택
- 높은 전기적, 열적 전도도
- 일반적으로 양호한 소성변형성

이와 같은 기본특성들은 금속이 다른 재료와 뚜렷하게 차이가 나타나는 것들이다. 이 특성들은 합금을 통하여 혹은 특별한 전처리 혹은 후처리를 통하여 변화시킬 수 있다. 그러므로 금속재료는 필요한 기술적인 요구에 효과적으로 대응할 수 있다.

우선 금속의 대표적인 특성인 **전기전도도**를 살펴보자. 표 1.1에 나타낸 것과 같이 상온에서 금속의 전기전도도는 약 10^5부터 $6 \cdot 10^7 \Omega^{-1} m^{-1}$이며 따라서 부도체보다 10^{10}배 이상의 값을 보인다. 반면에 금속과 반도체를 전기전도도를 이용하여 구분하는 것은, 특히 도핑된 반도체의 경우 어렵다. 반금속이라고도 불리는 비스무트, 안티몬과 같은 금속들은 반도체재료가 갖는 범위의 비교적 낮은 전기전도도를 갖고 있다. 그러나 이 두 종류를 구별하는 것은 전기전도도의 온도에 따른 상수의 부호로써 간단하게 판별할 수 있다. 금속은 음의 온도상수를 갖지만(온도가 상승함에 따라 전기전도도 감소), 반도체는 온도에 따라 양의 값을 갖는다(온도 상승에 따라 전하전달물질의 밀도가 높아져서 전기전도도 상승).

표 1.1 몇 가지 재료의 상온 전기전도도

재료군	재료	전도도 [$\Omega^{-1} m^{-1}$]
절연체	호박	10^{-18}
	운모, 식염	10^{-15}
	안전유리	10^{-13}
	유리	10^{-12}
반도체	규소	$4 \cdot 10^{-18}$
	게르마늄	1
	도핑된 InSb	$10^4 \sim 10^5$
	Sb_2Te_3	$3 \cdot 10^5$
금속	비스무트	$8.6 \cdot 10^5$
	안티몬	$2.6 \cdot 10^6$
	크롬	$7.1 \cdot 10^6$
	니켈	$16.3 \cdot 10^6$
	알루미늄	$36.2 \cdot 10^6$
	구리	$61.0 \cdot 10^6$
	은	$66.7 \cdot 10^6$

금속의 열전도도는 대표적인 절연체의 전도도보다 $10^2 \sim 10^3$배 크다. 예를 들면 은은 422, 비스무트 8, 유리 0.6, 폴리비닐클로라이드는 $0.16 \mathrm{Wm}^{-1}\mathrm{K}^{-1}$의 값을 갖는다.

금속의 광학적 반사능력은 60% 이상인 반면(은: 94%, 구리: 83%, 철: 57%), 이온결정은 30% 이하의 값을 갖는다. 일반 유리의 경우 입사되는 빛의 약 4%정도만 반사시킨다. 따라서 빛을 투과시키는 정도도 매우 높다(투명).

상온에서의 소성변형성을 평가하는데 필요한 임계전단응력은 금속단결정의 경우 0.1~20MPa인 반면, 대부분의 반도체와 이온결정들은 상온에서 전혀 소성변형을 할 수 없거나 매우 어렵게 변형된다. 이들은 취성이 매우 높다. 즉, 기계적 힘이 가해지면 특별한 소성변형 없이 파괴된다.

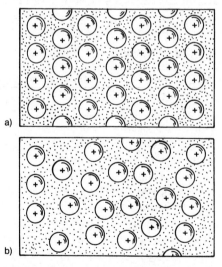

그림 1.1 금속결합상태의 설명 : 양으로 하전된 이온들로 이루어진 틀 사이에 전자가스라는 분산된 전자를 형성한다 ; a) 결정(장범위 규칙) 상태, b) 아몰퍼스(단범위 규칙) 상태.

금속이 갖는 이러한 특이한 성질은 어떻게 설명될 수 있을까? 이는 금속결합이라 불리는 고상 혹은 액상 금속들의 원자간 사이의 특이한 결합 때문이다. 금속원자들은 서로 충분히 가까워져서 응축상이 형성되면 쉽게 외각전자의 일부를 내어 놓는다. 이에 따라 양으로 하전된 이온들로 이루어진 틀이 형성되고 그 사이를 떨어져 나온 자유전자들이 일정한 위치를 차지하지 않고 이동한다. 즉, 이들은 1000km/s의 속도로 자유롭게 움직일 수 있다. 이들은 소위 전자가스를 형성한다. 이 음으로 하전된 전자가스가 양으로 하전된 이온의 결합을 유지하게 하며(그림 1.1), 방향성 없는 정전기적 상호작용을 한다. 나아가 이 상호작용은 포화될 수 없다. 즉, 가장 인접한 원자의 수(배위수)는 단지 기하학적으로 주어진 조건에 의하여 제한된다. 이는 가능한 최대값을 가지려 하는데, 이러한 방법으로 전체 시스템의 에너지상태를 최소값으로 유지할 수 있기 때문이다.

금속상태는, 이온결합체가 결정체와 같이 공간적으로 엄격한 규칙성 혹은 장범위에 걸친 3차원적 주기성을 가져야만 되는 것이 아니고, 액체금속과 고상의 금속성 유리에서 알려진 것과 같은 단범위규칙성을 가지고 있어도 된다. 이러한 금속결합은 같은 종류의 원자(순금속)들 사이에서만 형성되는 것이 아니고 다른 종류의 원자사이에서도 형성된다(예를 들면, 고용체와 중간상).

따라서 금속은 용융상태에서 보면, 최소한 원자들 사이에 금속성 결합이 주를 이루는 고체로 설명될 수 있다. 앞에서 열거했던 대표적인 금속의 특성들은 이러한 금속결합 상태에서 기인한 결과이며 다음에 간략하게 설명하였다.

전기전도도

전자가스의 전자들은 양이온 사이를 거의 자유롭게 움직일 수 있으며, 따라서 전기장 E(외부전압)가 가해지면 쉽게 전기장의 방향에 따라 흐르게 되고, 전기적 하중이 이 방향을 따라 이동된다. 이렇게 가해진 전압에 따라 쉽게 움직이는 것이 금속의 좋은 전기전도도의 원인이 된다. 이는 기본적으로 N_{el}(단위부피 당 전도가능한 전자의 수)과 μ_{el}(전자의 이동도)에 따라 다르게 된다. 전류밀도 j (단위시간 당 단위면적을 통과하는 전하의 수)는 다음 식으로 주어진다.

$$j = N_{el} e_0 \mu_{el} E = \sigma E \tag{1.1}$$

e_0 :   단위전하
σ :   전기전도도 (역수: 비저항 ρ)

금속에서 전하 전달체의 밀도는 사실상 온도와 무관하기 때문에, 전기전도도는 전자이동도의 온도의존성에 따른다. 온도 T가 상승함에 따라 열적인 격자진동과 함께 전자들의 상호작용이 증가하기 때문에 이동성이 떨어지고, 따라서 전기전도도도 저하된다.

전도 가능한 전자의 높은 이동성과 농도는 또한 금속이 높은 열전도도를 갖게 하는 원인이다. 이는 너무 낮은 온도가 아닌 영역에서 즉, 전자와 관련된 열전도가 지배되는 영역에서, Wiedemann-Franz법칙과 일치하는데 열전도도(k)와 전기전도도의 관계는 온도 T에 따라 비례적이며 주어진 온도에서는 모든 금속에서 일정하다.

$$\kappa/\sigma = K_W \cdot T \tag{1.2}$$

$$K_W = 2.44 \cdot 10^{-8} \text{ W V A}^{-1} \text{ K}^{-2}$$

양이온 결합체와 전자가스 사이의 정전기학적인 상호작용은 방향성이 없으며. 이에 따라 결합 파트너로 동일한 가치를 가지기 때문에, 포화될 수 없다. 이러한 사실이 최근접원자의 수를 많게 하는 원인이 되며 따라서 금속의 원자구조가 높은 충전률을 갖게 한다. 이러한 충전률은 방향성이 있거나 포화된 결합(공유 및 이온결합)에서는 도달할 수 없다.

전자가스의 자유전자들은 매우 쉽게 변화하는 전기장, 즉 빛과 같은 전자파에 의하여, 진동으로 여기(excite)된다. 이 결과 같은 주파수를 갖는 전자파를 내보내게 되는데, 이를 반사되는 빛으로 인식한다. 이러한 사실과 전도 가능한 전자의 높은 농도가 금속의 뛰어난 반사능력을 설명한다 (표 1.2). 일반적으로 높은 전기전도도를 갖는 금속은 역시 높은 반사능력을 갖는다 (Ag). 다른 한편으로 이는 금속은 실질적으로 불투명함을 의미한다. 단지 빛의 반사되지 않는 양이 내부로 들어오지만 이 또한 매우 쉽게 흡수된다.

방향성이 없는 결합이기 때문에 인접한 양이온사이에서는 쉽게 결합방향을 바꿀 수 있는데, 이는 양이온들을 비교적 쉽게 서로 이동시킬 수 있음을 의미한다. 따라서 결정체의 소성변형을 가능하게 하는, 특별한 격자결함으로서 전위가 쉽게 이동할 수 있다(1.2.3.3절 참조). 이러한 결과로써 금속에서는 소성변형에 필요한 최소 전단응력이 비교적 작고(표 1.3) 쉽게 변형된다.

표 1.2 재료의 반사능력

재료	R [%]
Ag	94
Mg	93
Cu	83
Al	83
Ni	62
Fe	57
TiC	47
Fe_3C	56
TiO_2	20
Fe_3O_4	21
Al_2O_3	7.6
SiO_2	4

표 1.3 금속에서 슬립을 통하여 소성변형이 일어나기 위한 임계전단응력(상온)

금속	τ [MPa]
Cu	0.2
Cu-14 at%Al	20
Al	0.1
Ni	5
Mg, Cd	0.5
Fe	5-10
V	20

1.2
금속과 합금의 결정구조

1912년 Laue, Friedrich, Knipping에 의하여 결정에서 X-선이 간섭현상이 나타난다는 것을 발견하였으며, 이를 이용하여, 그 당시까지 결정구조에 대하여 가설적으로 발전된 모델이, 실험적으로 틀림없음이 확인되었다. 이에 의하면 결정은 원자, 이온 혹은 분자가 3차원적으로 주기적인 배열을 함으로써 형성된다. 나아가 거의 모든 고체들은 일정한 결정면이 외부로 나타나 보이기도 하는 단일의 형태(단결정, 그림 1.2a) 혹은 작은 결정영역들이 무질서하게 빈공간 없이 차곡차곡 배열된 형태(다결정, 그림 1.2b)의 결정질로 되어 있음을 증명하였다. 다결정에서의 개개 결정영역을 결정립이라 한다.

금속재료는 일반적으로 다결정으로 구성되어 있다. 즉 서로 다른 방위를 가진 여러 단결정(결정립)들로 구성되어 있다. 이렇게 무질서하게 형성된 결정립들은 빈틈없이 채워져서 조직을 형성한다. 이 조직은 결정립들의 경계면이 나타남으로 표시된다. 구조적으로 같은 종류의 결정립들(이들 전체를 상(phase)이라 함) 사이의 경계를 결정립계라 하며, 구조적으로 다른 영역의 경계(서로 다른 상을 구분)를 상경계라 한다(1.4.1절 참조).

당연히 금속은 결정립계 혹은 상경계가 존재하지 않는 단결정으로 제조할 수 있다.

단결정 혹은 다결정 금속재료의 특성과

그림 1.2 결정질구조; a) 자연적으로 성장한 단결정(수정), b) 다결정(황동).

거동을 이해하려면, 다결정에서 특징적으로 나타나는 현상보다 먼저 단결정 및 각각 결정립의 구조적 특성을 이해해야 한다. 이러한 이유 때문에 다음절에서 결정구조에 대한 기하학적인 기초와 금속 및 합금이 갖는 기본적인 결정구조에 대하여 서술한다. 이와 함께 중요한 결정결함(격자결함)에 대하여도 설명한다.

1.2.1
결정구조의 기하학적 실명

결정은 원자와 같은 구성요소의 3차원적 주기적인 배열이 전체에 걸쳐 형성된 균일

한 고체를 말한다. 이러한 정의로부터 다음과 같이 설명할 수 있다.

- 결정의 최소 구성요소(원자, 이온, 분자)의 중심점의 위치는 수학적인 의미에서 공간적인 점격자로 표현할 수 있다(공간격자).
- 결정은 구성요소의 장범위규칙을 통하여 설명될 수 있다(격자상수를 알면 한 격자점에서 모든 격자점의 위치를 계산할 수 있다).
- 공간격자의 요소사이에는 대칭관계가 존재한다.
- 결정의 특성들은 일반적으로 방향에 따라 다르다(이방성).

공간적인 점격자(공간격자)에는 다음 것들이 존재한다.

- 주기적인 원자배열에 따른 격자점사이의 연결로써 격자방향
- 2차원적 주기적인 격자(lattice)를 형성하는 격자점의 평면적 배열로써 격자면
- 3차원적 주기성을 나타낼 수 있는 기본 평행육면체의 격자(단위격자)

공간격자의 가장 중요한 특징은 병진 가능성이다. 병진(translation)은 두 격자점으로 주어진 방향으로 일정한 거리를 이동한 후에도 원래의 격자와 동일한 형태(일치하게 됨)를 갖는 격자의 이동을 나타낸다. 이러한 조건을 만족하면서 가능한 가장 작은 이동을 병진주기(T)라 한다. 병진주기의 정수배만큼 이동해도 역시 원래의 형태와 동일하게 된다. 그림 1.3a에 병진

주기 $T_1 = a_1$인 1차원적인 공간격자를 나타내었다. 결정학적으로 동일하지 않은 격자방향은 서로 다른 병진주기를 갖는다. 무한히 많은 격자점이 존재하기 때문에 역시 무한히 많은 격자방향이 존재한다.

한 점에서 교차하는 T_1과 T_2 병진주기를 갖는 두 개의 격자선으로 격자면이 결정된다. 격자점이 망상(network) 배열되어 있기 때문에 망상면이라고도 한다. 병진주기 $T_1 = a_1$과 $T_2 = a_2$ 로 형성된 단위망은 2차원적으로 주기성을 갖고 반복된다(그림 1.3b).

마지막으로 T_1과 T_2를 포함하는 그물면에 놓여 있지 않은 T_3 병진을 갖는 방향이 추가된다. 이들은 망상면이 같은 간격을 가지며 평행하게 배열되어 있는 공간격자를 형성한다(그림 1.3c). 세 개의 병진주기 T_i는, 두 개의 T_i로 이루어진 평행사변형으로 형성되는, 평행육면체를 정의한다.

모든 공간격자에서는 가장 작은 크기를 갖는 $T_i = a_i$ 세 개의 병진주기를 결정할 수 있다. 평행육면체의 모서리가 이루는 가장 크며 간단한 각 α_i를 결정할 수 있다. 이러한 공간격자의 세 개의 기본벡터로 이루어진 평행육면체를 단위격자라 한다. 이 단위격자가 3차원으로 주기적인 배열을 형성한 것이 공간격자이다. 단위격자는 결정의 구조에 대한 모든 중요한 정보를 포함한다.

공간격자에서 대칭이 뜻하는 것은 임의의 격자방향으로 원자위치 및 병진주기, 이에 따른 물리적 특성이 등가 혹은 같음을 의미한다. 이는 또한 소위 대칭조작이 존재함을 의미하는데, 이는 무한한 공간격

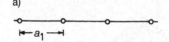

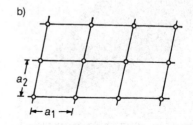

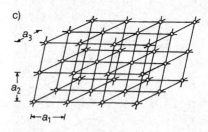

그림 1.3 공간격자의 설명; a) 병진주기 a_1을 갖는 1차원적인 격자, b) 병진주기 a_1, a_2를 갖는 망상면, c) 병진주기 a_1, a_2, a_3를 갖는 공간격자.

자에서 같은 상태가 반복되는 것을 의미하며, 이러한 조작에는 다음과 같은 것이 있다.

 - 병진,
 - 반사,
 - 회전,
 - 반전,
 - 이러한 조작들의 특별한 조합

공간격자에서 공간의 반쪽에 있는 격자점들이 다른 쪽에 동일하게 겹치도록 반사시키는 면이 종종 발견된다(그림 1.4). 이러한 면을 거울면이라 하며, 이러한 대칭조작을 반사라고 한다.

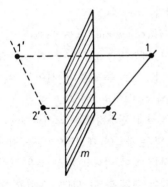

그림 1.4 거울면 m에서 두 점 1과 2의 반사.

또다른 대칭조작 중의 하나는 회전이다. 이는 회전축을 중심으로 회전되는 수 n으로 특징지어 지는데, 여기서 n은 격자를 원래의 위치와 동가의 위치로 회전되는 최소의 회전각 φ_n에 의하여 결정된다. 이는 $\varphi_n = 360°/n$ 혹은 $\varphi_n = 2\pi/n$ 로 나타낼 수 있다. 예를 들면 6 회전축에서는 $2\pi/6$ 혹은 $60°$를 회전했을 때, 4 회전축에서는 $\pi/2$ 혹은 $90°$를 회전했을 때 동일한 위치로 된다. 이는 한바퀴를 완전히 회전했을 때 격자에서 6번 혹은 4번의 등가 혹은 동일한 위치를 나타냄을 의미한다. 공간격자에서 병진특성을 만족시키는 회전축의 종

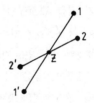

그림 1.6 반전: 한 점 Z에서의 반사.

류는 2, 3, 4, 혹은 6 이다(그림 1.5).

반전이라 함은 반전점이라 불리는 한 점에서의 반사를 나타낸다(그림 1.6). 두 점의 연결선이 반전점을 통과하고, 반전점에서 두 점까지의 거리가 동일할 때, 두 개의 격자점이 일치하게 된다.

대칭요소들을 서로 조합할 때, 공간격자의 조건을 만족시키는 조합은 32개가 가능한데 이를 점군이라 한다. 이 조합은 결정학에서 알려져 있는 32개의 결정군과 일치한다. 이들을 설명하기 위하여 기본벡터 a_i으로부터 7개의 서로 다른 좌표계를 사용한다. 이들은 하나를 제외하고는 모두 데카르트좌표계(직각좌표계)로 표현할 수 있으며, a_i 및 직각으로부터 벗어나는 축각 (axis angle)의 조합으로 구성된다. 결정

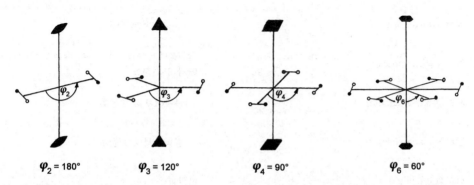

$\varphi_2 = 180°$ $\varphi_3 = 120°$ $\varphi_4 = 90°$ $\varphi_6 = 60°$

그림 1.5 2, 3, 4, 6 회전축.

계로 구분하기 위한 결정적인 요소는 기본 병진 a_i의 크기와 이들 사이의 각 α_i이다. (3개의 기본병진의 선택은, 가능한 크기가 작아야 하고 방향이 높은 대칭을 가져야 한다는 조건을 만족하여야 한다.) a_i의 크기와 각 α_i를 격자상수라 한다. 표 1.4에 가능한 결정계를 예시하였다(그림 1.7과 비교).

능면체정의 단위포는 입방정 단위포를 체대각선의 한 방향은 늘리고 다른 방향은 압축함으로 얻을 수 있다. 이러한 공간격자는 육방정과 동일한 결정계로 설명할 수 있다. 그러나 a_3-방향에서 3 회전축만 존재하는데, 이에 따라서 능면체정계를 육방정계에 속하는 3방정계로 분류하기도 한다. 이와 같은 이유로 능면체정을 제외하고 6개의 좌표계 혹은 결정계로 분류하기

도 한다.

축각(axis angle) α_i는 다음과 같이 결정된다. 즉, 각(angle) a_1은 축 a_2와 a_3 사이의 각, α_2는 축 a_3와 a_1 사이의 각, α_3는 축 a_1와 a_2 사이의 각이다.

결정계의 단위정에는 모서리에만 원자/이온 및 분자들이 정렬되어 있는 격자점이 존재하는 것이 아니고 면심 혹은 체심에도 격자점이 존재할 수 있다. 이러한 이유로 인하여 14개의 서로 다른 격자가 존재하며 이를 **Bravais type**이라하며, 그림 1.8에 나타내었다. 단위정의 공간중심에 등가의 격자점이 존재하면 I로 표시되는 체심격자를 형성한다. 등가의 격자점이 단지 한쌍의 면 중심에 위치하면 저면심격자(C로 표시)라 하며, 6개의 모든 면 중심에 격자점이 존재하면 F로 표시하는 면심격자를 형

표 1.4 결정계

결정계	격자상수	기본적인 대칭요소
입방정(cubic)	$a_i = a$ $\alpha_i = 90°$	주사위형태의 단위정 체대각선방향에서 4개의 3 회전축
정방정(tetragonal)	$a_1 = a_2 \neq a_3$ $\alpha_1 = \alpha_2 = \alpha_3 = 90°$	a_3-방향에서 4 회전축
육방정(hexagonal)	$a_1 = a_2 \neq a_3$ $\alpha_1 = \alpha_2 = 90°;\ \alpha_3 = 120°$	a_3-방향에서 6 회전축
능면체정(rhombohedral)	$a_1 = a_2 = a_3$ $\alpha_1 = \alpha_2 = \alpha_3 \neq 90°$	단위정에서 최대 및 최소 체대각선방향에서 3 회전축
사방정(orthorhombic)	$a_1 \neq a_2 \neq a_3$ $\alpha_1 = \alpha_2 = \alpha_3 = 90°$	a_1 방향에서 2 회전축
단사정(monoclinic)	$a_1 \neq a_2 \neq a_3$ $\alpha_1 = \alpha_3 = 90°;\ \alpha_2 \neq 90°$	a_2 방향에서 2 회전축
삼사정(triclinic)	$a_1 \neq a_2 \neq a_3$ $\alpha_1 \neq \alpha_2 \neq \alpha_3 \neq 90°$	반전점

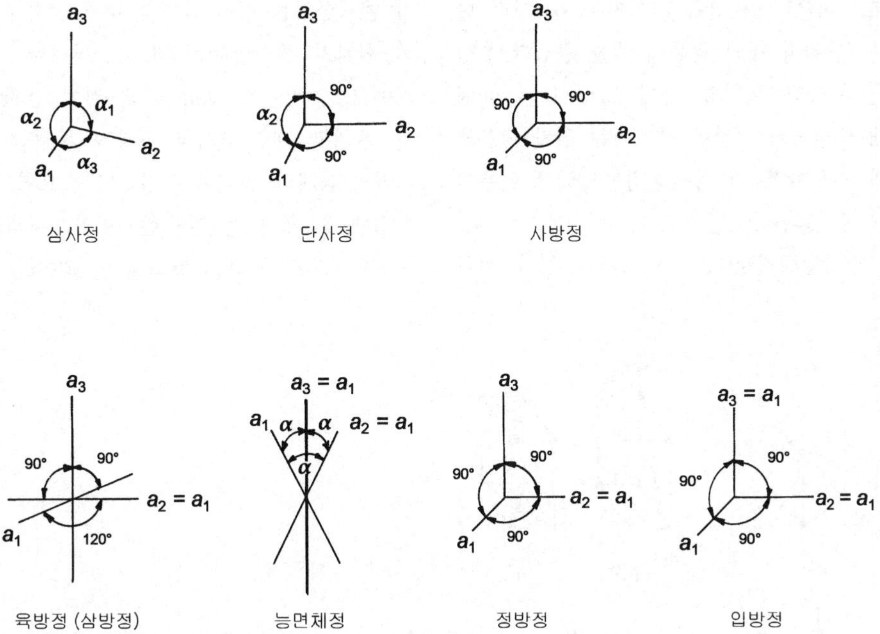

삼사정   단사정   사방정

육방정 (삼방정)   능면체정   정방정   입방정

그림 1.7 결정학적 좌표축.

성한다. P로 표시하는 **단순격자**는 중심에 격자점이 존재하지 않는다. 결정계를 나타낼 때 사용하는 표시 c는 입방(cubic), t는 정방정(tetragonal), h는 육방정(hexagonal), o는 사방정(orthorhombic), m은 단사정(monoclinic), a는 삼사정(triclinic)를 각각 나타낸다. 면심입방격자의 경우 간단히 cF, 저심사방격자의 경우 oC 등으로 표시한다(그림 1.8). 또한 면심입방격자를 fcc 그리고 체심입방을 bcc로 줄여 쓰기도 한다. 표시 hR은 능면체 단위정을 타나낸다.

단순 단위정에서는 오직 모서리 8개에만 등가의 격자점이 존재한다. 이는 단위정에는 8개의 모서리만 존재하기 때문에 각 등가의 점에 격자의 1/8씩 공유할 수 있음을 의미한다. 따라서 모든 단순 단위정에는

단위정 당 1개의 등가 격자점이 존재한다. 체심격자에서는 체심위치에 1개가 추가되어 단위정에 2개의 격자점이 존재한다. 각 면심에는 1/2개의 격자점이 존재하기 때문에 저심격자의 경우 단위정에 2개의 격자점이 존재하며 면심격자에는 4개의 등가의 격자점이 존재한다.

등가위치의 결정과 Bravais type에 의하여 단위정 내의 실제 원자/이온의 위치를 간단히 설명할 수 있다. 가장 간단한 경우 모든 등가의 위치에 하나의 단원자(예를 들면, Cu, Al, Fe)들이 존재하나, 대부분의 경우 원자/이온들이 그룹으로 존재한다. 여기서 그룹이란 화합물의 경우 최소한 구성성분이 포함되어야 한다(예를 들면, NaCl의 경우 하나의 Cl^-과 하나의

Na$^+$ 이온). 이 그룹을 기저(basis)라 한
다. 단위정 내의 점유에 대한 완전한 설명
은 등가의 위치와 함께 Bravais type에
대한 설명과 기저에 존재하는 원자/이온들
의 기하학적 위치를 설명함으로써 이루어
질 수 있다.

면심입방격자(cF)에서 4개의 등가 위치

가 존재한다는 것이 단위정 내에 단지 4개
의 원자가 존재한다는 의미는 아니다. 기
저에 Cu, Ni, Al, Au, Ag와 같이 단원자
가 존재할 때만 4개의 원자가 존재한다. 기
저가 N개의 원자로 구성되어 있으면 단
위정에 4N개의 원자가 존재한다. 따라서
면심입방구조를 갖는 탄화물 $Cr_{23}C_6$에는 4

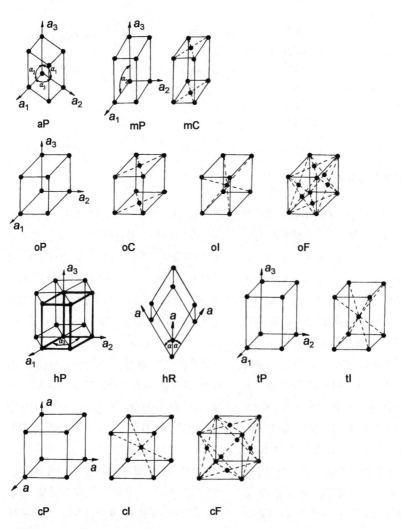

그림 1.8 단위정의 Bravais type

개의 원자가 아니고 4 x (23 Cr 원자 + 6 C 원자) = 116개 원자가 단위정에 존재한다. 모든 등가의 위치에 하나의 온전한 화합물이 존재한다.

단위정을 구성하는 세 개의 기본벡터를 이용하여 공간격자를 나타내면 격자점, 격자방향(격자선), 망상(격자면) 그리고 이들 사이의 관계를 간단하게 기하학적으로 설명할 수 있다. 이때 벡터 및 벡터계산을 사용하는데, 여기서 사용하는 좌표계는 입방정의 경우에만 직교좌표계이다. 이 사실이 구체적인 관계를 설명할 때 종종 어려움을 수반하기도 한다.

격자점(lattice point)

격자점의 위치는 좌표계의 원점으로부터의 위치벡터 r로 다음과 같이 표현할 수 있다.

$$r = x_1 a_1 + x_2 a_2 + x_3 a_3 \qquad (1.3)$$

주어진 결정계에서 세 개의 좌표 x_i가 주어지면 격자점의 위치를 설명할 수 있다. 격자점이 단위정의 모서리에 위치하면 이들 좌표들은 정수이다. 그러나 다른 격자점들은 정수가 아니다. 예를 들면 단위정의 체심은 $\frac{1}{2}\frac{1}{2}\frac{1}{2}$, 면심은 $\frac{1}{2}\frac{1}{2}0$, $\frac{1}{2}0\frac{1}{2}$ 그리고 $0\frac{1}{2}\frac{1}{2}$. 따라서 Bravais 격자는 다음과 같은 좌표를 갖는다.
- 단순 단위정: 000
- 저심 단위정: 000, $\frac{1}{2}\frac{1}{2}0$
- 체심 단위정: 000, $\frac{1}{2}\frac{1}{2}\frac{1}{2}$
- 면심 단위정: 000, $\frac{1}{2}\frac{1}{2}0$, $\frac{1}{2}0\frac{1}{2}$, $0\frac{1}{2}\frac{1}{2}$

격자선(lattice line)

격자선은 임의의 두 격자점사이의 벡터 T로 결정된다. 공간격자의 병진대칭을 이용하여 벡터 T를 평행이동하여 한 점을 원점으로 놓으면, 다음과 같이 벡터 T를 나타낼 수 있다.

$$T = u\, a_1 + v a_2 + w\, a_3 \qquad (1.4)$$

여기서도 세 개의 방향지표 [uvw]를 이용하면 격자선을 나타낼 수 있다(꺾은 괄호 사용). 음의 성분은 지수 위에 bar를 사용하여 표시한다. 모든 지수의 부호를 바꾸면 반대방향을 나타낸다.

평행육면체 단위정의 모서리, 면대각선, 체대각선은 다음과 같이 나타낸다.
- 모서리: [100], [010], [001]
- 면대각선: [110], [$\bar{1}$10], [101], [10$\bar{1}$], [011], [01$\bar{1}$]
- 체대각선: [111], [11$\bar{1}$], [1$\bar{1}$1], [$\bar{1}$11]

단순격자에서만 u,v,w가 항상 정수이다. 병진벡터가 정수가 아닌 지수를 나타낼 때, 최소값을 갖는 정수가 되도록 모든 지수를 곱해준다. 예를 들면, 평행육면체 단위포의 원점으로부터 반대면의 중심을 연결하는 방향은 [1$\frac{1}{2}\frac{1}{2}$]로 표시할 수 있으며, 2를 모든 지수에 곱해줌으로 [211]로 표시된다.

u,v,w를 뾰족한 괄호(예, ⟨111⟩)로 표시하면, 이는 주어진 결정계 및 대칭에서 결정학적으로 등가인 모든 방향을 나타낸다. 예를 들어 정육면체의 모든 모서리는

⟨100⟩으로 표기할 수 있다.

모든 격자방향은 이들의 병진주기를 이용하여 나타낸다. 두 개의 격자점 사이에 등가의 위치가 놓여있지 않는 경우, 두 점을 연결하면 이는 격자벡터 T의 크기를 나타낸다. 벡터 T의 계산은 결정계와 격자선 사이의 각을 고려하여야 하며 1.5절에 나타내었다.

망상 격자면(lattice plane)

격자면의 입체적인 위치는 면에 놓여있는 세 개의 격자점을 이용하여 나타낸다. 이를 위하여 격자면이 세 개의 결정축 a_i와 만나는 교점을 이용하는 것이 이상적이다(그림 1.9). 이 교점은 기본벡터의 정수배이고 m_1a_1, m_2a_2, m_3a_3의 크기를 갖는다.

그런데 격자면을 나타내기 위해서 m_i가 아니고 역수인 $1/m_i$를 사용한다. 이들은 유리수이며, 따라서 인수 $p=m_1m_2m_3$를 곱해 정수로 만든 후 최소의 정수비로 만든다. 이렇게 만든 수를 **밀러지수(Miller indices)** h, k, l이라 한다. 이들 사이에는 다음과 같은 관계가 성립한다.

$$h : k : l = p(1/m_1 : 1/m_2 : 1/m_3)$$
$$= m_2m_3 : m_3m_1 : m_1m_2 \qquad (1.5)$$

밀러지수 세 개는 방향을 나타내는 대괄호와 구별할 수 있도록 소괄호를 이용하여 표시한다. 지수 위의 bar는 만나는 교점이 좌표축의 음의 영역에 놓여있음을 의미한다. 교점이 무한대에 있으면(즉, 격자면이 좌표축과 평행하게 놓여 있으면) 밀러지수

는 0이다. 결정학적으로 등가인 면을 표현하려면 중괄호를 사용한다. 입방정 결정계에서 {100}면은 육방체의 여섯 면을 나타내며, 이들은 (100), ($\bar{1}$00), (010), (0$\bar{1}$0), (001), (00$\bar{1}$)이다. 결정학적으로 등가인 면의 수를 면빈번도라 한다.

결정격자의 병진특성 때문에 모든 격자면 (hkl)은 결정학적으로 등가인 면이 무수히 많으며, 특정한 거리 d_{hkl}을 두고 평행하게 정렬되어 있다. 이 면간거리는 밀러지수 h, k, l과 격자상수 a_i 및 α_i를 이용하여 계산할 수 있다. 입방결정계에서는 다음 식으로 표현할 수 있다.

$$d_{hkl} = a \cdot (h^2 + k^2 + l^2)^{-1/2} \qquad (1.6)$$

다른 결정계에 적용할 수 있는 관계식은 1.5 절에 나타내었다.

단위정의 부피

평행육면체 단위정의 부피는 일반적인 경우(삼사정 결정계)에 다음 식으로 주어

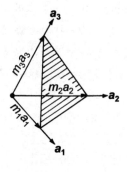

그림 1.9 격자면의 밀러지수 표현.

진다.

$$V_{EZ} = a_1 a_2 a_3 [1 - (\cos^2\alpha_1 + \cos^2\alpha_2$$
$$+ \cos^2\alpha_3 + 2\cos\alpha_1\cos\alpha_2\cos\alpha_3)]^{1/2} \quad (1.7)$$

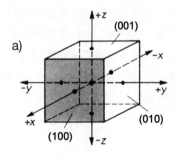

직교좌표계에서는 $\alpha_i = 90°$ 및 $\cos\alpha_i = 0$이기 때문에 다음과 같이 간단한 관계식으로 표현된다.

$$V_{EZ} = a_1 a_2 a_3 \quad (1.8)$$

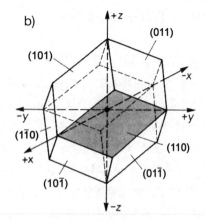

또한 육방정계에서는 다음 식으로 표현된다.

$$V_{EZ} = a_1^2 \cdot a_3 \sqrt{3/2} \quad (1.9)$$

결정형

입방정결정계에서 결정학적으로 동등한 {hkl}로 표시되는 면으로 이루어진 규칙적인 다면체는 입방정 결정계의 모든 대칭을 나타낸다. 일반적으로 나타나는 형태는 다음과 같다(그림 1.10).

- 여섯 {100} 면으로 이루어진 주사위 **(입방체)**
- 여덟 {111} 면으로 이루어진 **8면체**
- 열두개의 {110} 면으로 이루어진 **마름모꼴** 12면체

다면체는 여러 {hkl} 면이 공존하여 형성될 수 있으며, 이의 예가 여섯 개의 {100} 면과 여덟 개의 {111} 면이 조합하여 형성된 14면체가 있다.

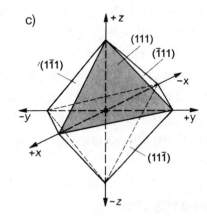

그림 1.10 입방정 결정형; a) 입방체 혹은 육면체(결정면은 정방형), b) 12면체(결정면은 사방형), c) 8면체(결정면은 정삼각형).

입방정이 아닌 결정계에서는 다면체를 이루기 위하여 대부분 더 많은 {hkl} 면이 필요한데, 이는 세 개의 결정축이 등가가 아니기 때문이다. 즉, 정방정 결정계에서 육면체 각 면은 {100} 면과 {001} 면으로 이루어져 있다.

1.2.2
금속 및 합금의 결정구조

1.2.2.1 화학결합과 결정구조원칙

고체 및 결정체에서 원자단위의 구성성분사이에 작용하는 힘은 그들 사이의 거리와 특히 화학적인 결합의 형태, 즉 결합쌍의 전자구조에 따라 결정된다. 강한 결합에는 **공유결합**과 **이온결합** 이외에 1.1절에서 이미 설명한 **금속결합**이 있다. 세가지 결합 모두 금속공학에서 중요한데, 이는 금속뿐만 아니고 공유결합 혹은 이온결합이 주된 결합인 산화물, 황화물, 질화물상도 다루어야 하기 때문이다. 이러한 강결합 이외에 폴리머에서의 수소결합과 같은 약한 결합과 매우 약한 분자 혹은 Van-der-Waals결합(쌍극자상호작용) 등이 더 있으나 이와 관련된 내용은 이 절에서는 다루지 않는다.

공유결합(원자결합)

공유결합은 결합에 관여하는 파트너의 전자들이 서로 결합함으로 이루어진다. 이 과정에서 각 결합마다 한 개씩의 전자를 공유하며, 전자스핀은 서로 반대방향으로 놓인다. 하나의 원자에서 여러 개의 결합이 이루어지는 경우, 결합 전자쌍이 서로 정전기적으로 충돌하는 것을 최소화하기 위하여 공간적으로 서로 떨어지려 한다(결합효과 최대화). 여기서 불활성 기체에서 알려져 있는 것과 같이 각 원자의 최외각 전자가 8개의 전자가 채워지도록 한다. 즉, 원자가전자의 수 N에 가장 가까이에 있는 원자의 전자와 결합한 수 Z를 더하면 8이 되어야 한다. 따라서 결합의 수 Z는 8에서 원자가전자의 수(원소주기율표의 족에 따라 결정됨)를 뺀 수와 같다.

$$Z = 8 - N \qquad (1.10)$$

형성된 결합의 수 N은 최인접 원자의 수와 같으며(배위수 KZ = Z), 결합방향사이의 각은 대략적으로 Z = 2인 경우 180°, Z = 3인 경우 120°, Z = 4인 경우는 109°이다.

같은 종류 원자사이의 공유결합은 N ≥ 4인 경우에 발견되며, N = 7(원자 당 1개의 결합, Z = 1)인 경우에는 할로겐원소(F_2, Cl_2, Br_2, J_2)로 알려져 있는 간단한 2원자분자가 형성된다. 기체 산소분자와 같이 N = 6인 경우 원자당 2개의 결합이 존재한다(Z = 2). 이러한 원소들은 우선적으로 공유결합이 형성되며(예를 들면 황, 셀렌, 텔루어), 고체상태에서는 약한 Van-der-Waals결합으로 연결되어 있다. 이에 따라 녹는 온도가 낮아진다. 인, 비소, 안티몬과 같이 N = 5인 원소는 원자당 3개의 결합이 있으며(Z = 3), 편평한 망상구조 혹은 지

그재그 망상형태의 원자가 형성된다(결합각은 약 120°). 고체상태에서는 Van-der-Waals 결합으로 연결되어 있으며, 이 또한 비교적 낮은 용융점을 갖는다.

탄소, 실리콘, 게르마늄, 아연(13.6℃ 이하)과 같은 4가 원소들은 각 원자의 주변에 결합각이 109°인 사면체 형태를 갖는 4개의 결합이 존재하며, 이들은 공간적인 공유결합을 형성한다(사면체 배위, KZ = 4, 다이아몬드구조, 그림 1.11a). 이들은 위에서 언급한 5가 혹은 6가의 원소보다 비교적 높은 용융점을 나타낸다(13.6℃ 이상의 온도에서 금속결합을 하는 아연은 예외).

다이아몬드구조와 유사하게 사면체 배위 구조를 갖는 징크블랜드(zincblende, β-ZnS)구조(그림 1.11b) 및 우르자이트(wurtzite, α ZnS)구조에서도 평균 원자가 전자가 4개이면 주 원자사이에 2중의 결합이 존재한다(Grimm-Sommerfeld-Phase). 이러한 예는 GaP, GaAs, InSb와 같이 A^3B^5 결합, 혹은 ZnS, CdSe, CdTe와 같이 A^2B^6 결합 등이 있다.

KZ = 4의 적은 배위수 때문에 다이아몬드 및 징크블렌드구조를 갖는 고체는 금속과 비교하여 충전률이 낮다. C, Si 혹은 Ge와 같이 원자가 구의 형태를 갖는다고 가정하면 〈111〉 방향에서 원자들이 서로 접촉을 하며(거리 = $\frac{1}{4}\sqrt{3}a$) 전체부피의 34%만 구가 차지한다(충전률 RE = 34%).

원자가전자가 N < 4 이면 더 이상 공유결합을 할 수 없게 되며, 이 경우에는 금속결합이 된다.

이온결합

주기율표의 1, 2, 3족과 6, 7족의 원소들은 최외각전자를 내놓거나 받아들임으로써 불활성기체와 같이 최외각의 전자를 완전하게 하려 한다. 양으로 하전된 이온(양이온)과 음으로 하전된 이온(음이온)은 서로 강한 정전기적 상호작용으로 접근하여 결합하며 이를 이온결합이라 한다. 정전기적 상호작용은 방향성이 없다. 이온 결합에서는 양이온전하수와 음이온전하수가 같은 중성이기 때문에 양이온과 음이온이 서로 가능한 많이 둘러싸여 있으려는 경향이 있다. 이때 물론 동일하게 하전된 이온이 직접 가장 근접하게 있을 수는 없다. 같은 부호의 이온이 최인접원자(첫 번째 배위)

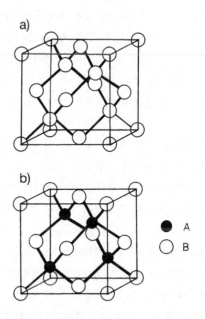

그림 1.11 사면체 배위 구조; a) 다이아몬드구조(A4), b) 징크블랜드(zincblende, β ZnS)구조(B3).

로써 너무 가까이 다가오게 된다면, 강한 척력이 작용하게 되고 구조가 불안하게 된다. 이러한 것을 방지하기 위하여 그 다음 번 이온(두 번째 배위)은 첫 번째 배위의 이온과 다른 부호를 갖는 이온이 배열된다 (서로 다른 부호의 이온들이 번갈아 배열). 이러한 이유 때문에 이온결합은 충만한 충전이 되지 않는다. 즉 최근접원자의 수가 제한된다. 이온결합의 대표적인 배위수는 암염(NaCl)구조 혹은 세슘클로라이드(CsCl) 구조와 같은 6 혹은 8이다(그림 1.12).

금속결합

금속결합에 대하여는 이미 1.1절에서 설명하였다. 금속결합은 방향성이 없고 포화되지 않은 결합특성 때문에 많은 배위수를 가지며 따라서 원자의 높은 충전률을 나타낸다. 양이온 사이의 서로 밀쳐내는 정전기적 상호작용은 그 사이에 존재하는 전자가스 때문에 나타나지 않는다. 자유전자들은 특정한 장소에 위치하지 않고 자유롭게 이동할 수 있는데, 이 때문에 금속에서 높은 열전도도 및 전기전도도를 보이며 금속광택 또한 이것에 기인한다.

대부분 금속의 결정구조는 가장 조밀하게 쌓여진 구를 가정하여 명확하게 설명할 수 있다. 이 두 가지 기본 구조는 조밀입방충전과 조밀육방충전이다. 이는 모두 가장 조밀하게 충전된 원자면으로 적층될 수 있으며 원자들은 위 아래로 각각 6개의 원자와 가장 인접하게 접하고 있다(그림 1.13).

그림 1.13에서 A, B, C로 표기된 원자

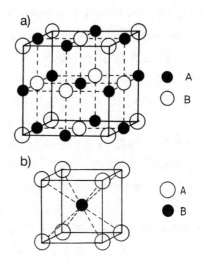

그림 1.12 이온결정의 대표적인 구조; a) 암염(NaCl)구조(B1), b) 세슘클로라이드(CsCl) 구조(B2).

중심위치를 갖는 면들이 …A-B-C-A-B-C…의 적층을 이루면(3층이 주기적으로 적층), 그림 1.14에 보여주는 것과 같은 면심입방격자(fcc)를 갖는 조밀입방구조를 나타낸다. 이 구조는 12개의 배위수를 가지며 공간충전률은 74%이다. 가장 조밀하게 충전된 면은 {111}-면이다. 면심입방구조를 갖는 중요한 금속에는 Al, Ag, Au, Ni, Cu, Pb, Pt 등 모든 방사능을 갖지 않는 금속의 24%가 이에 속한다. 이 결정구조의 대표금속인 Cu에 따라 Cu 형 결정구조라고 하기도 한다(소위 A1 결정구조).

적층순서가 …A-B-A-B…, …B-C-B-C… 혹은 …C-A-C-A…이면(2층이 주기적으로 적층, 그림 1.14b) 조밀육방적층이 되며 기본격자는 그림 1.14c와 같이 나타난다. 가장 조밀하게 충전된 면은

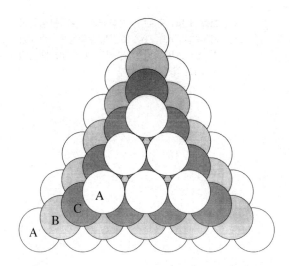

그림 1.13 가장 조밀하게 충전된 구면의 적층.

{001} 면이다. 이 결정구조에서도 배위수는 12이며 이상적인 축비 $a_3/a_1 = \sqrt{8/3} = 1.633$일 때 74%의 충전률을 나타낸다. 축비가 이상적인 값에서 벗어나면 순수한 금속결합이라 할 수 없으며(부분적으로 방향성이 있는 결합 생성), 충전률도 떨어지게 된다. 육방정결정구조를 갖는 금속인 Zn의 경우 축비가 1.856이며, 충전률은 64% 밖에 되지 않는다. 방사능을 갖지 않는 59개의 금속 중 상온에서 41%가 육방정결정구조를 갖는다. 이에는 Zn, Ti, Zr, Mg, Be, Cd, Co 등이 속하며 대표금속인 Mg에 따라 Mg 형(A3) 결정구조라 한다.

동일한 크기의 구로 쌓을 수 있는 구조에서 68%의 높은 충전률을 갖는 체심입방격자(그림 1.14d)가 있다. 배위수는 8이며, 방사능을 갖지 않는 금속 중 27%가 이 결정구조를 가지며 Fe, V, Cr, Mo, W 등이 이에 속한다. 또한 이를 W 형(A2) 구조라 한다.

결정질 금속 중 단지 10%만 여기서 언급하지 않는 구조에 속한다(예를 들면 13.6℃ 이상에서의 Sn, Ga, Bi, In, Hg, Mn).

구형으로 가정한 금속원자의 반지름 r을 이용하여 단위격자상수 a를 결정한다. 이때 가장 조밀하게 정렬된 격자방향(즉, 가장 짧은 병진주기를 갖는 격자방향)의 원자들은 서로 접촉되어 있다고 가정한다. 면심입방(fcc) 적층구조에서는 육면체면의 대각선을 나타내는 ⟨110⟩ 방향을 따라 원자들이 접촉되어 있다. 따라서 육면체면의 대각선은 원자반지름의 4배이며, 단위정의 모서리 길이 a의 $\sqrt{2}$ 배이다. 즉,

$$4r = a\sqrt{2} \quad \text{혹은} \quad r = \frac{1}{4}\sqrt{2}\,a \qquad (1.11)$$

예를 들면, XRD를 이용하여 매우 정확하게 측정할 수 있는(2.5절 참조) 격자상수 a로부터 원자의 반지름 혹은 지름을 쉽게 구할 수 있다(표 1.5).

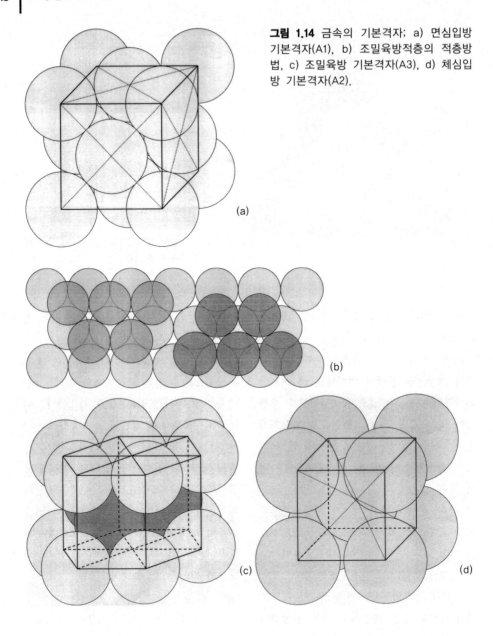

그림 1.14 금속의 기본격자; a) 면심입방 기본격자(A1), b) 조밀육방적층의 적층방법, c) 조밀육방 기본격자(A3), d) 체심입방 기본격자(A2).

체심입방(bcc) 단위격자에서는 체대각선에 원자들이 접촉하고 있다. 즉, 가장 조밀하게 적층되어 있는 방향은 〈111〉 방향이다.

$$r = \frac{1}{4} \sqrt{3}\, a \qquad (1.12)$$

조밀육방(hcp) 구조에서는 〈100〉 방향이 가장 조밀한 방향이며, 원자사이의 가

표 1.5 금속의 원자지름 (C, Si 포함)

원소	원자량	Bravais 격자	배위수	원자지름 [nm]
Al	26.982	cF	12	0.2864
Pb	207.19	cF	12	0.3500
Cr	51.996	cI	8	0.2498
Fe	55.847	cI	8	0.2483
Au	196.967	cF	12	0.2884
Cd	112.40	hP	12	0.2979
Co	58.993	hP	12	0.2507
C	12.011			
다이아몬드		cF	4	0.1545
흑연		hP	6	0.2461
Cu	63.546	cF	12	0.2556
Mg	24.312	hP	12	0.3209
Mo	95.94	cI	8	0.2725
Ni	58.71	cF	12	0.2492
Ag	107.868	cF	12	0.2889
Si	28.086	cF	4	0.2352
Ti	47.90	hP	12	0.2896
W	183.85	cI	8	0.2741
Zn	65.37	hP	12	0.2665

장 짧은 거리는 다음과 같다.

$$r = \frac{1}{2}a_1 \tag{1.13}$$

1.2.2.2 고용체

금속재료가 산업에서 광범위하게 사용되는 것은 금속이 다른 금속 혹은 비금속과 합금이 가능하기 때문이다. 금속끼리 합금되는 경우와 금속과 비금속이 합금되는 것을 생각할 수 있는데, 합금 후의 특성은 순수한 성분(금속)의 특성과는 상당히 다를 수 있다.

합금할 때 일어날 수 있는 현상들을 자세히 설명하기 위해서는 상(phase)에 대하여 이해하여야 한다. 일반적으로 재료의 계(system)에서는 서로 다른 구조(상이한 결정구조 혹은 상이한 비정질 구조)를 갖는 범위들이 존재한다. 동일한 혹은 같은 종류의 구조를 갖는 계의 범위 전체를 상(phase)이라 하며, 따라서 하나의 상은 그가 갖는 구조를 나타낸다. 구조가 같기 때문에 자연히 열역학적인 특성, 화학조성, 물리화학적인 특성은 같다. 그러나 어떤 계의 범위에서 화학적 조성이 같다는 것이 전체 범위에서 하나의 상이라는 의미는 아닐 수 있다. 예를 들면 순금속에서 온도와 압력에 따라 서로 다른 구조, 즉 다른 상을 나타내는 것을 종종 볼 수 있다. 순철에서 여러 구조(동소체라 함)가 존재하는데 α Fe (강자성체, bcc), β Fe (상자성체, bcc), γ Fe (fcc), δ Fe (고온에서의 bcc), ε Fe (고압에서의 hcp) 등 이다. 화학결합에서도 종종 압력과 온도에 따라 서로 다른 상을 나타낸다. SiO_2는 12개의 결정구조를 갖는데, 즉 12개의 상이 알려져 있다. 이들은 polymorph(동질이상)라는 개념으로 나타낼 수 있다(1.2.2.5절 참조).

고상에서의 합금은 다음과 같은 현상을 나타낼 수 있다.

1. 합금된 원소들이 원자범위에서 전혀 혼합되지 않는다. 즉, 이들은 합금상태에서 순수한 상으로 분리되어 존재한다. 이러한 계에는 Cu-Pb, Fe-Pb, Cu-W 등이 있다. 이는 Fe와 Pb를 합금할 경우, 상온에서 실질적으로 Fe 결정립은 Pb를 함유하지 않으며 Pb 결정립은 Fe를 함유하지 않음을 의미한다. 그러나 정밀하게 분석하면 서로 조금씩 고용되어 있음을 볼 수 있는데, 이는 엄밀한 의미에서 열역학적으로 고용상이 형성되었음을 의미한다. 그러나 이 고용도는 매우 적어 무시할 수 있다.

2. 성분들이 원자적인 차원에서 합금될 때, 기지금속에 합금되는 성분은 기지금속의 격자점 위치 혹은 격자점사이의 공간에 통계적으로 분포된다. 이를 기지금속의 결정구조와 혼합결정(혼합상)이라 하며 고용체라고도 한다. 이 혼합상은 제한적으로 고용되는 경우(예, Cu-Zn, Fe-Cr)와 모든 범위에서 완전히 고용되는 경우(예, Ni-Cu)가 있다.

3. 특별한 조성에서 합금되는 원소와 결정구조가 다른 화학적 결합을 형성하는 합금이 있다. 이러한 금속결합의 성격이 우세한 화학적 결합을 중간결합 혹은 중간상이라 한다. 이에 속하는 예는 Ni_3Al, CuZn, Mg_2Sn 등이 있다. 종종 화학양론적인 조합으로 확실하게 균일한 상이 나타나는데 특정한 성분을 갖는 고용상으로 표기한다.

고용체의 특성에 대하여 먼저 설명하고, 중간상 그리고 이와 유사한 침입형 상에 대하여 설명한다.

고용체는 세 가지 방법으로 형성될 수 있다.

1. 합금하는 성분의 원소가 위치적으로 무질서하게(random) 기지금속의 원자를 대체(치환)하는 방법으로 형성된다. 이 치환형고용체(substitutional solid solution)의 특징은 단위정 내에 존재하는 원자의 수가 기지금속과 비교해서 변하지 않는다는 것이다. 그리고 기지금속의 원자와 합금원소의 원자크기가 어느 정도 차이가 나기 때문에 치환되어 들어가는 원자의 주위에 격자의 뒤틀림이 발생하고 따라서 격자상수가 변화한다.

치환형고용체는 화합물에서도 관찰되는데, 예를 들면 TiN의 Ti원자자리에 Al($Ti_{1-x}Al_xN$ 형성) 혹은 탄소원자가 질소원자를 치환($TiN_{1-y}C_y$ 형성)하는 경우이다.

2. 합금하는 원자들이 기지금속의 격자간 위치를 차지하는 경우이다. 소위 침입형고용체(interstitial solid solution)

가 형성되며, 이 경우 단위정 내에 존재하는 원자의 평균수는 기지금속과 비교하여 증가한다. 이를 추가고용체(additional solid solution)라 표현하기도 한다. 침입형고용체의 경우 첨가원소의 비율이 높아짐에 따라 격자상수가 증가한다.

3. 화학결합에서는 격자 내에 공공 즉, 비어있는 격자점이 생성될 수 있다. 이에 따라서 결합에서 원자들이 없고 완전한 화학양론적 조성에서 벗어나게 된다. 이 경우 단위정 내의 원자 수(점유되어 있는 격자점의 수)는 줄어든다. 이를 감소형고용체(subtractive solid solution)라고 표현한다.

치환형고용체(substitutional solid solution)

기지금속 A에 성분 B가 치환형으로 고용되려면 다음 조건을 만족해야 한다.
• 두 성분이 동일한 결정구조를 갖거나 최소한 유사한 결정구조를 갖어야 한다.
• 구형으로 가정된 원자의 반지름의 차이가 적어야 한다(반지름 차이가 10~15%를 넘지 않아야 함).
• 성분 간에 화학적 특성이 유사해야 한다(최외각전자의 구조가 유사해야 함).

이 규칙들을 꼭 지켜야만 하는 것은 아니며 또한 정량화하기가 어렵다. 그러나 실제로 많은 경우에서 이 규칙을 통하여 고용체형성에 만족할 만한 예측을 하게 한다.

기지금속과 합금(고용)되는 성분의 원자 반지름 차이 때문에 치환되어 들어가는 원자의 주위에 격자의 뒤틀림이 발생한다(그림 1.15). 이는 격자상수의 변화를 초래하고 이상적으로 고용체가 형성되는 경우 성분 B의 함량에 따라 비례하여 변화한다(Vegard 법칙). 입방정의 경우 다음 식과 같이 표현된다.

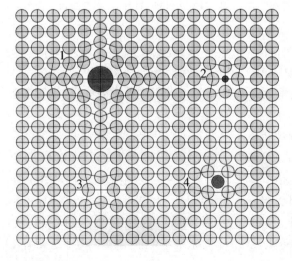

그림 1.15 고용체 및 점결함의 형성 가능성 1 큰 원자에 의한 치환, 2 작은 원자에 의한 치환, 3 빈자리 (공공), 4 침입원자.

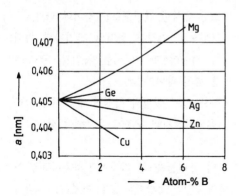

그림 1.16 알루미늄 고용체의 격자상수.

$$\Delta a = a_{AB} - a_A = a_A x_B (r_B / r_A - 1) \quad (1.14)$$

a_{AB}, a_A 고용체와 기지금속의 격자상수

r_A, r_B 기지금속과 합금원소의 원자반경

x_B 합금원소의 원자분률(전체 원자 수에서 B 원자가 차지하는 수)

그림 1.16에 입방정 알루미늄 고용체에서 첨가원소의 함량에 따른 격자상수의 변화를 나타내었다.

$r_B > r_A$이면 x_B 가 많아질수록 격자상수가 커지며(Al-Mg, Al-Ge), $r_B < r_A$인 경우에는 격자상수가 작아지며(Al-Zn, Al-Cu), $r_B \approx r_A$이면 거의 변화가 없다(Al-Ag). 원자의 반경은 고용체 상태에 있을 때와 순금속 상태에 있을 때 서로 다를 수 있다. 예를 들면 Cu가 순금속 상태에 있을 때의 반경은 0.1278nm인데 Al-Cu 고용체일 경우에는 0.1246nm이다. 이와 같이 고용체에서 원자의 반경이 변하는 것은 전자구조가 변화함을 보여주는 것이며 이상적인 고용체 거동에서 벗어남을 의미한다.

합금원소간의 화학적 친화력이 중간 정도인 경우에는 고용체형성이 쉽게 된다. 그러나 화학적 친화력이 없으면 Ag-W계와 같이 급격하게 고용도가 저하된다. 원자반경의 차이가 단지 5%로 적을지라도 이 경우에는 상호간의 고용도가 매우 적게 된다. 반면 Ag-Zn계의 경우 원자반경의 차가 8%임에도 35at.%까지 Zn이 고용된다. 이는 화학적 친화력이 강한 경우로 서로 다른 종류의 합금원소들 사이에도 고용체가 형성되며, 때로는 규칙격자가 형성되기도 하며 나아가 중간상이 생성될 수도 있다.

실제 고용체의 거동은 동일한 종류의 원자 사이의 상호작용 에너지(E_{AA} 및 E_{BB})와 서로 다른 원자사이의 에너지(E_{AB})를 이용하여 쉽게 설명할 수 있다. E_{AB}가 같은 종류 원자사이의 상호작용 에너지의 평균값 $1/2(E_{AA} + E_{BB})$과 비슷하면 넓은 범위에서 각 원자들이 통계적으로 분포한다(그림 1.17a). $2E_{AB} < E_{AA} + E_{BB}$의 경우, 같은 종류 원자끼리의 결합이 선호되며, 원자들은 가능한 같은 종류의 원자에 둘러 쌓이게 된다. 이를 분리와 유사하다고 하거나 클러스터를 형성하였다고 하며(그림 1.17d), 나아가 완전히 분리되거나 석출될 수 있다.

$2E_{AB} > E_{AA} + E_{BB}$의 경우, B 원자는 가능한 많은 A 원자들로 둘러싸이려 하고 반대로 A 원자는 B 원자들로 둘러싸이려 한다. 따라서 에너지적으로 유리한 AB 결합이 가능한 많이 형성된다. 원자의 배열은 더 이상 통계적이지 않고 성분들은 규칙적

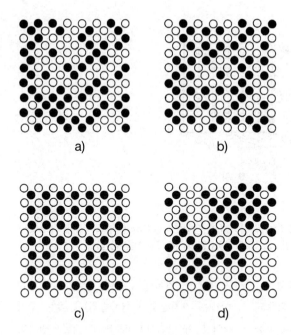

인 분포를 갖는다(그림 1.17b). 이러한 규칙이 최인접원자 혹은 그 다음 인접원자에만 적용되면 단범위규칙이라 한다. 그러나 많은 경우에 이러한 규칙이 강하게 작용하여 전 범위에 걸쳐 규칙적이면 이를 장범위규칙 혹은 규칙격자라 한다(그림 1.17c). A_3B 형의 규칙격자의 예에는 Cu_3Au와 Ni_3Fe가 있고 AB 형에는 CuAu와 CuZn이 있다. 이들의 단위포를 그림 1.18에 나타내었다. 규칙격자는 규칙-불규칙변태가 일어나는 임계온도가 존재하며, 고용체격자와 규칙격자의 기하학적 관계와 배위는 동일하다. 그러나 규칙격자가 형성되면 대칭이 낮아지게 된다. 예를 들면 75at.%의 Ni과 25at.%의 Fe가 고용체를 형성할 때는 면심입방격자이지만 Ni_3Fe 규칙격자가 되면 단순입방격자가 된다. 이는 원자의 위치 000, $\frac{1}{2}\frac{1}{2}0$, $0\frac{1}{2}\frac{1}{2}$ 혹은

$\frac{1}{2}0\frac{1}{2}$ 들이 더 이상 동등하지 않기 때문이다. 나아가 CuAu I에서 처럼 정방정 규칙격자와 같이 결정구조가 바뀌는 경우도 있다(그림 1.18).

침입형고용체(interstitial solid solution)

거의 모든 순금속의 결정구조는 구의 적층으로 설명할 수 있는데, 가장 조밀한 입방정(fcc)과 가장 조밀한 육방정(hcp)의 경우 74%의 충전률을 나타내며, 체심입방구조(bcc)에서는 68%를 나타낸다. 이는 구로 가정된 원자사이에 자유공간이 있음을 뜻하며, 이를 격자간위치 혹은 격자공간이라 한다. 이 공간에는 수소(0.045 nm), 탄소(0.077 nm), 질소(0.070 nm), 붕소(0.088 nm) 등과 같이 작은 원자반경을 갖는 원자들이 침입할 수 있다(그림 1.19). 이와 같이 격자공간이 채워짐에 따라 침입형고

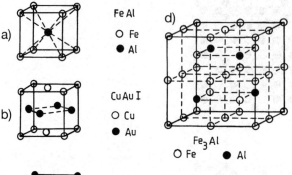

그림 1.18 규칙격자의 단위포; a) FeAl(단순입방), b) CuAu I
(정방), c) Ni₃Fe(단순입방), d) Fe₃Al(면심입방).

용체가 형성되며, 이는 치환형고용체와는
다르게 단위포 내의 원자의 수가 다르게
된다(커짐). 이러한 이유로 두 가지의 고용
체는 서로 다르다. 침입형고용체가 형성되
려는 뚜렷한 경향은 천이금속이 탄소 혹은
질소와 결합할 때 나타난다.

격자공간을 기하학적 관점에서 상세하게
설명한다. fcc 격자에서 가장 큰 격자공간

은 $\frac{1}{2}\frac{1}{2}\frac{1}{2}$ 위치에 놓이며, 반경 $r = 0.414$
$r_A(r_A$는 기지금속의 원자반경)을 갖는 구가
들어갈 수 있으며 6개의 기지금속원자와
접촉하게 된다. 이 6개의 기지금속원자는
팔면체를 형성하게 되며 따라서 이 공간을
팔면체공간이라고 한다. 이와 동등한 격자
공간은 $\frac{1}{2}00$, $0\frac{1}{2}0$, $00\frac{1}{2}$에 있으며 즉, 각
단위격자에 4개의 격자공간이 존재한다(그

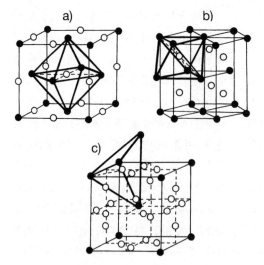

그림 1.19 a) fcc b) hcp, c) bcc 구조
에서의 격자공간.

림 1.19a). (모서리 중간에 위치한 격자공간은 주위 4개의 단위격자와 공유하므로 1/4만 한 개의 단위격자에 속한다.) 또한 더 작은 자유공간($r=0.23\,r_A$)으로 $\frac{1}{4}\frac{1}{4}\frac{1}{4}$, $\frac{1}{4}\frac{3}{4}\frac{1}{4}$, $\frac{3}{4}\frac{1}{4}\frac{1}{4}$, $\frac{1}{4}\frac{1}{4}\frac{3}{4}$, $\frac{1}{4}\frac{3}{4}\frac{3}{4}$, $\frac{3}{4}\frac{1}{4}\frac{3}{4}$, $\frac{3}{4}\frac{3}{4}\frac{3}{4}$ 위치에 사면체공간이 존재한다. 침입형 고용체가 형성될 때 동반되는 격자변형을 최소화하기 위하여 일반적으로 공간의 크기가 더 큰 팔면체공간으로 격자간 원자가 들어간다.

hcp격자의 경우, fcc 격자와 동일하게 $\frac{2}{3}\frac{1}{3}\frac{1}{4}$ 과 $\frac{1}{3}\frac{2}{3}\frac{3}{4}$ 위치에 팔면체공간이 동일한 반경 $r = 0.414\,r_A$으로 형성된다(그림 1.19b). 더 작은 사면체공간은 $\frac{1}{3}\frac{2}{3}\frac{1}{4}$ 과 $\frac{2}{3}\frac{1}{3}\frac{3}{4}$ 위치에 놓인다.

bcc 격자의 충전에서는 $\frac{1}{2}00$, $0\frac{1}{2}0$, $00\frac{1}{2}$, $\frac{1}{2}\frac{1}{2}0$, $\frac{1}{2}0\frac{1}{2}$, $0\frac{1}{2}\frac{1}{2}$의 6개 위치에 놓여 있는 $r = 0.155\,r_A$의 팔면체공간이 $r = 0.291\,r_A$로 $\frac{1}{2}\frac{1}{4}0$, $\frac{3}{4}\frac{1}{2}0$, $\frac{1}{4}\frac{1}{2}0$, $\frac{1}{2}\frac{3}{4}0$, $\frac{1}{2}0\frac{1}{4}$, $\frac{1}{2}0\frac{3}{4}$, $\frac{1}{4}0\frac{1}{2}$, $\frac{3}{4}0\frac{1}{2}$, $0\frac{1}{4}\frac{1}{2}$, $0\frac{3}{4}\frac{1}{2}$, $0\frac{1}{2}\frac{1}{4}$, $0\frac{3}{4}\frac{1}{2}$의 위치에 놓여 있는 12개의 사면체공간보다 작다. 따라서 침입형 원자들은 사면체공간에 우선적으로 위치하게 되지만 fcc 격자의 팔면체공간보다는 훨씬 적다.

침입형고용체가 형성되기 위하여 다음 조건을 만족하여야 한다.

• 침입형 원자들은 가능한 격자변형이 적게 격자공간에 자리를 차지한다. 따라서 일반적으로 가장 큰 격자공간에 침입형 원자가 위치한다. 격자변형이 적을수록 고용도는 커지게 된다. 즉, r_E(침입형 원자의 반경)과 r(공간반경)의 반경차이가 작으면 작을수록 고용도는 커진다.

• 침입하는 원소의 원자반경이 최대 공간반경보다 작으면, 공간은 더 작은 반경을 가진 원자로 채워지게 되며, 따라서 침입하는 원자들은 인접한 기지원자들과 접촉하게 된다. 이 때 침입형 원자가 너무 작아서 공간이 많이 남지 않도록 되어야 한다. 지르코니움 내의 수소는 $r_H/r_{Zr} = 0.29$ 이기 때문에 팔면체공간으로 들어가지 않고 사면체공간으로 들어가게 된다.

fcc와 hcp 격자에서의 격자공간이 bcc 격자보다 더 크기 때문에, fcc와 hcp 결정구조를 갖는 금속의 침입형 고용도가 bcc 금속보다 크다. fcc 결정구조를 갖는 γ Fe(오스테나이트)의 탄소고용도는 723℃에서 0.8wt.%이지만 bcc인 α Fe(페라이트)에는 불과 0.02wt.%가 고용된다. γ Fe의 최대고용도는 1147℃에서 2.06wt.%까지 상승한다. Fe N 계에서도 비슷한 경향을 나타낸다. α Fe에는 591℃에서 약 0.1wt.%의 N이 고용하지만 γ Fe에서는 2.35wt.%가 고용된다. Fe에 N이 C보다 많이 고용되는 것은 N의 원자반경이 C의 원자반경보다 작기 때문이다.

치환형고용체와 같이 침입형고용체에서도 규칙적인 배열이 가능하다. 장범위 규칙이 생성되는 경우에 침입형고용상이라 하며 1.2.2.4절에서 설명하였다.

감소형고용체(subtractive solid solution)

앞서 설명한 침입형고용체와 비교되는 고용체로 감소형고용체를 설명할 수 있다. 이는 특히 다음 절에서 설명하는 금속간화합물과 침입형고용상에서 생성되며 일반적으로 엄격한 화학양론적 조성에서 벗어난다. 이들은 많은 경우에 합금을 구성하는 성분의 격자에서 공공이 발생되어 형성된다. 예를 들면, 천이금속의 질소화합물에서 다량의 질소격자위치가 공공이 되어 화학양론적 조성에는 못 미치지만 질소화합물 특유의 암염구조가 깨지지 않는 경우이다. 감소형고용체의 특징은, 예를 들면 암염구조에서는 단위정당 8개의 원자가 존재해야하는데, 각 단위정에서의 평균 원자수가 감소하는 것이다.

1.2.2.3 금속간화합물(intermetallic compound)

둘 혹은 여러 금속성분들이 합금될 때 금속결합의 특성을 잃지 않으면서 화학적인 결합을 할 수 있다. 이를 금속간화합물 혹은 중간상이라 하며, 이들의 결정구조는 순금속과 확연하게 다르다. 예를 들면 β' -CuZn을 들 수 있는데, Cu는 fcc(cF) 결정구조 그리고 Zn은 hcp 결정구조를 갖는 반면 β' CuZn은 CsCl 결정구조(cP)를 갖는다.

금속간화합물은 특정한 영역에서 화학양론적인 관계에 따른 조성을 나타낸다(예를 들면, Al_2Cu, Ag_5Zn_8, FeCr). 이 때 이온결합에서와 같이 일반적인 원자가(valence) 관점에서는 맞지 않을 수도 있다.

다른 화학결합에서도 그렇듯이 금속간화합물(중간상)에서도 Dalton형과 Berthol형으로 구분할 수 있다. Dalton형은 정확한 화학양론적 조성을 갖고 결합하는 형이다. 즉, 균일한 범위가 매우 제한적이며, 합금되는 성분들의 원자분율이 매우 정확하게 정수비율로 관계하는 Dalton법칙에 따르는 경우이다. 이들의 화학조성은 A_mB_n의 형태로 설명할 수 있다.

반면에 Berthol형은 조성이 화학양론적 조성에서 다소간 차이가 있는 경우이다. 이미 설명한 β' CuZn의 경우 Cu : Zn의 비율이 1 : 1이 아니고 Zn이 45~50 at.% 포함되어 있다. 이와 같이 화학양론적 조성에서 벗어나는 이유는 다음과 같다.

- 한 성분이 차지하여야 할 격자위치의 일부가 채워지지 않은 경우(공공형성 또는 감소형고용체 형성)
- 원자들이 치환형과 유사하게 자리를 바꾸는 경우
- 드물지만 한 원자종류가 침입형고용체 형성과 유사하게 추가로 격자공간(격자간 위치)으로 침입해 들어가는 경우

많은 경우 위의 이유들이 복합적으로 작용한다. 이와 같은 Berthol형 결합의 화학적 표시는 목적에 따라 화학양론적 조성에서 벗어나는 차이 x로 표시하여 나타낸다. 예를 들면 질소가 적게 함유된 질화티탄의 경우 TiN_{1-x}로 표시하며, x는 질소가 차지하여야 할 자리가 비어있는 분율을 나타낸다(질소자리의 공공).

Dalton형과 Berthol형의 경계는 정확하게 나눌 수 없다. 원래 이 경계는, 모든

화학결합은 다소간 뚜렷한 균일한 범위가 있기 때문에, 존재하지 않는다. 그러나 많은 경우에 이 범위가 매우 좁기 때문에 화학양론적 결합의 실질적인 관점에서 Dalton형이라 할 수 있다.

금속간화합물의 결정구조가 형성되는 과정에서 다음 세 가지 중요한 조건들이 만족하여야 한다.

1. **최대 충전률 법칙** : 순금속과 같은 금속결합(비방향성, 비포화)에서와 같이 금속간화합물에서도 큰 배위수와 높은 충전률을 가지려 한다. 금속간화합물에 관여하는 성분의 원자반경이 서로 다르기 때문에 배위수와 충전률은 순금속이 갖는 fcc 혹은 hcp와 근본적으로 다를 수 있다. 첫 번째 배위수를 구할 때 가장 가까운 거리에 있는 전체 원자들만 고려하는 것이 아니고 가장 가까운 거리에서 아주 약간 차이나는 위치에 있는 원자들도 고려한다. 이런 경우에는 정규적인 배위다면체를 구성하는 배위수 12보다 큰 배위수를 가질 수 있다 (배위수 = 14, 15 혹은 16). 그림 1.20

에 fcc 결정구조가 갖는 정규적인 배위다면체와 함께 배위수 16인 비정규 배위다면체를 나타내었다. 이러한 결정구조는 Laves 상을 갖는 AB_2 type 화합물에서 많이 볼 수 있다.

2. **임계 원자가전자농도(critical valance electron concentration)** : 원자당 평균 원자가전자의 수를 원자가전자농도(VEC)로써 나타내고 화합물의 조성에 따라 다음 식으로 계산할 수 있다.

$$VEC = N_A \cdot c_A + N_B \cdot c_B + \cdots \quad (1.15)$$

N : 성분의 원자가전자의 수
c : 성분의 원자분률

하나의 상에서 허용되는 최대 VEC는 결정구조에 의존한다. 이는 VEC가 상승하여 임계 원자가전자농도에 도달하면 더 큰 VEC를 허용하는 결정구조로 바뀔 수 있음을 의미한다. 이러한 거동은 대표적으로 Hume-Rothery 상에서 나타난다.

3. **원자가차이(valance difference)** : 주기

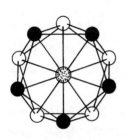

KZ = 12

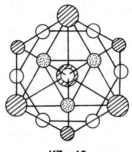

KZ = 16

그림 1.20 배위수(KZ) 12와 16을 갖는 배위다면체 ; Schulze 제시(같은 형태로 표시된 원자는 그림면에 평행한 같은 면에 존재).

율표의 4~7족에 속하는 원소 혹은 금
속은 강한 음이온형성 경향이 있고 따
라서 낮은 족의 금속(양이온형성 경향)
과 중간상을 형성하여 강한 이온성 결
합상을 만들게 한다. 이런 형태의 중간
상을 Zintl phase이라 한다. 이들은 일
반적으로 이온결합과 유사하게 매우 좁
은 균일한 범위를 가지며 염(salt)의 특
성을 나타낸다. 이에 대한 예는 Mg_2Si
혹은 Mg_2Sn이며, 일반적인 가전자법칙
이 통용된다.

중간상의 중요한 몇 가지 상에 대하여
자세하게 설명한다.

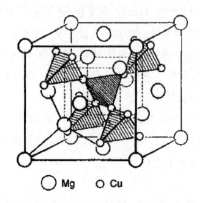

그림 1.21 $MgCu_2$ 단위정 (Schulze) 모든
Mg-원자들은 16개의 작은 Cu-원자에, 그
리고 각 Cu-원자들은 12개의 Mg-원자에
둘러쌓여 있다.

Laves-phase

Laves 상은 AB_2형태의 조합을 나타내며
$MgCu_2$(그림 1.21), $MgZn_2$, 혹은 $MgNi_2$의
구조와 유사하게 결정화된다. 이 경우 두
성분의 원자반경비 r_A/r_B가 $\sqrt{3/2} = 1.225$에
근접한 값을 갖는다. A 원자의 배위수는
16, B 원자는 12이며 따라서 평균 배위수
는 $(16 + 2\cdot12)/3 = 13\frac{1}{3}$이다. 이는 조밀
한 구충전의 경우인 fcc 혹은 hcp의 12보
다 더 높은 배위수이다. Laves 상이 최대
충전률의 법칙에 의하여 형성되는 대표적
인 상이다.

예: Al_2Fe, Fe_2Mo, Fe_2Ti, Fe_2W,
Zn_2Mg, Cu_2Mg, Cr_2Nb, Cr_2Ti, Ni_2Mg

Hume-Rothery-Phase

Cu, Ag, Au와 같은 1價 금속과 천이금

속에 속하는 많은 금속들(예, Ni, Fe, Co)
은 B-금속(IIb, IIIb, IVb, Vb 족에 속하
는 금속)들과 특이한 상을 형성한다. 이들
상의 안정범위는 임계 원자가전자농도
(VEC)에 의하여 결정된다(표 1.6). VEC의
계산에 적용하는 값은 귀금속 1價, 천이금
속 0價를 적용하며, B-금속들은 그들이
속하는 족에 따라 결정된다(즉, Cd 2價,
Al 3價, Sn 4價). 따라서 Cu_5Zn_8 화합물
의 VEC는 $(5\cdot1 + 8\cdot2)/(5 + 8) = 21/13$,
화합물 NiAl은 $(0 + 3)/(1 + 1) = 3/2 =$
21/14, 화합물 $AgCd_3$는 $(1 + 3\cdot2)/(1 + 3)$
$= 7/4 = 21/12$.

대표적인 예로써 표 1.6에 나타낸 상을
갖는 Cu-Zn계가 있다. β' 상은 CuZn 화합
물, γ 상은 Cu_5Zn_8 화합물, ε 상은 $CuZn_3$
화합물과 일치한다.

공업적으로 중요한 합금 중에서 Hume
-Rothery 상을 나타내는 합금은 Cu에
Zn(황동), Sn(청동), Cd, Al, Si 등이 합

표 1.6 Hume-Rothery-Phase

상	VEC e/atom	격자	예
α고용체	1~1.36	fcc	α 황동(Cu-Zn-고용체)
β	1.5 = 21/14	bcc 혹은 pc[a]	β' CuZn, NiAl, Cu$_3$Al
γ	1.62 = 21/13	pc	Cu$_5$Zn$_8$, Cu$_9$Ga$_4$
		γ-고용체-형[b]	
ε	1.75 = 21/12	육방정	CuZn$_3$, AgCd$_3$, Ag$_5$Al$_3$
η	2	hcp	η Zn-Cu-고용체

[a] pc - 단순입방, cP.

[b] γ 고용체(γ Ms) 형은 bcc격자로 구성되어 있으며 모든 3개의 축에서 3배로 존재하지만 000과 $\frac{1}{2}\frac{1}{2}\frac{1}{2}$ 에는 원자가 위치하지 않는다. 따라서 단위포 내에 52개의 원자가 존재한다.

금된 Cu합금이 있다.

σ-Phase

σ-Phase는 2 혹은 그 이상의 천이금속으로 이루어지며, 복잡한 정방정 결정구조를 가지고 높은 유효배위수를 가지며 외각의 s와 d 전자들의 밀도가 원자당 6.2~7 전자이다.

이에 속하는 잘 알려진 상으로 σ FeCr Phase이 있는데, 이 Cr의 함량이 높은 강(steel)은 600~900℃에서 형성되며 강에서 원치 않는 취성을 갖게 한다. 같은 분률의 Fe와 Cr 원자로 구성되어 원자가전자의 밀도는 원자당 7전자이다. FeCr 기지의 σ-Phase가 형성될 때 Mo, V, Ni, W 등이 치환될 수 있다.

중간상 결합물은 더 이상 금속원자간의 금속결합이 주가 아니고 이온결합 및 공유결합이 혼합된 결합이 많이 존재하며 이에 따라 물성에도 영향을 준다. 용융온도 혹은 분해온도가 매우 높은 합금도 있으며 따라서 고온재료로 사용될 수 있다(Ni-Al, Ni-Ti, Ti-Al, Fe-Al, Ni-Cr 계).

1.2.2.4 침입형고용상(중간상)

앞에서 설명했듯이 천이금속에서는 H, B, C, N 등의 비금속원소(준금속)가 격자공간에 침입하려는 경향이 강하다. 이러한 침입원자들이 규칙적인 방법으로 정렬되면 이를 침입형고용상이라 한다(**Haegg-Phase**라고도 함). 이때 정렬되는 구조는 순금속의 구조와 유사하다. 침입형고용상이 생성되기 위해서는 원자반경비 $r_x/r_A <$ 0.59를 만족해야 한다. 원자반경비가 이 값보다 커지게 되면 Fe$_3$C(시멘타이트), Cr$_3$C$_2$, Cr$_6$C, Cr$_7$C$_3$, Cr$_{23}$C$_6$ 등과 같이 복잡한 구조를 갖게 된다($r_C/r_{Fe} = 0.620$, $r_C/r_{Cr} = 0.616$). 침입형고용상의 대표적인 조성은 M$_8$X, M$_4$X, M$_2$X, MX로 표현된다(M 천이금속, X 비금속원소). 이 종류의 화합물에는 특히 천이금속의 질화물이 있으며 다음에 예를 들어 설명 하였다.

α''-Fe$_{16}$N$_2$ (M$_8$X 형): 단위격자는 Fe의 bcc 구조가 8개 들어간 찌그러진 형태(모든 3개의 축방향에서 두 배로 들어가고 원래 Fe 격자의 00$\frac{1}{2}$ 위치에 원점이 위치)이며 질소원자는 000과 $\frac{1}{2}\frac{1}{2}\frac{1}{2}$ 위

치에 침입한다. 격자의 찌그러짐으로 인하여 정방정 대칭이 형성된다.

γ'-Fe$_4$N (M$_4$X 형): 단위격자는 Fe의 fcc 구조로 존재한다. 질소원자는 8면체공간인 $\frac{1}{2}\frac{1}{2}\frac{1}{2}$에 위치하며 입방정 단위격자를 유지한다. 그러나 중심의 질소원자 때문에 단순입방격자가 된다.

ε-Fe$_2$N (M$_2$X 형): Fe원자는 조밀육방구조를 이루며 질소원자는 존재하는 8면체공간 $\frac{1}{2}\frac{1}{3}\frac{1}{4}$과 $\frac{1}{3}\frac{1}{2}\frac{3}{4}$의 최대 50%를 차지하며 이때 육방의 대칭구조를 이루도록 규칙적으로 분포한다.

CrN (MX 형): fcc Cr 격자의 모든 4개의 8면체공간에 질소가 위치한다. 결정구조는 암염과 동일하며 동형의 화합물에는 TiC, TiN, VC, VN 등이 있다.

Fe-C 시스템에서 침입형 탄소가 무질서하게 분포하지 않은 상인, 열역학적으로 준안정상인 마르텐사이트가 있는데, 이는 탄소가 함유된 오스테나이트(fcc Fe-C 고용체)가 상온으로 급냉되어 무확산변태가 일어난 결과로 생성된다. 마르텐사이트의 Fe 기본격자는 bcc α Fe와 유사하다. C 원자는 C의 조성에 따라 8면체 공간에서 단지 $00\frac{1}{2}$과 $\frac{1}{2}\frac{1}{2}0$에 부분적으로 위치하며, $\frac{1}{2}00$, $0\frac{1}{2}0$, $\frac{1}{2}0\frac{1}{2}$, $\frac{1}{2}\frac{1}{2}0$은 채워지지 않는다(그림 1.22). 따라서 격자는 정방정 찌그러진 대칭을 갖는다.

침입형고용상의 특징으로 화학양론적인 조성으로부터 오차가 넓은 범위에서 나타나는 것인데, 이는 원래 점유되어야 할 침입원자의 위치가 채워지지 않기 때문이다.

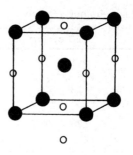

그림 1.22 Fe-C 마르텐사이트에서 점유 o가 능한 C 의 위치.

TiC의 경우 원래 갖는 화학양론적 조성보다 탄소가 50%까지 적게 존재할 수도 있다(TiC$_{1-x}$, $x \leq 0.5$). 이 과정에서 암염구조는 유지하는데 이는 공공이 C의 위치에 무질서하게 분포되기 때문이다. 이와 같은 현상은 Ti-N 화합물 혹은 육방정 Fe$_2$N (ε-Fe$_2$N$_{1-x}$, $x \leq 0.4$)에서도 나타난다.

금속 혹은 비금속원자가 치환되어 여러 동형의 침입형고용상이 나타날 수 있다 (Ti[C,N], [Ti,V]C).

1.2.2.5 동질이상(Polymorphism)

온도와 압력에 따라 다른 결정구조를 갖는 많은 금속상이 존재한다. 이러한 현상을 동질이상이라 하며, 다르게 나타나는 상을 동질이상 변태상이라 한다. 평형상이 유지되는 순금속에서는 특정한 온도에서 상변태가 일어난다(순금속의 경우 이러한 변태상을 동소체(allotrope)라 한다). 안정상 사이의 변태는 가역변태이다. 즉, 온도 및 압력의 변화에 따라 가역적으로 상변태가 일어난다.

대표적인 예는 Fe가 있다. 768℃까지의

온도범위에서는 bcc 결정구조를 가지며 강자성을 나타내며(α Fe), 768℃와 911℃ 사이에서는 bcc 결정구조이지만 상자성을 나타낸다(β Fe). 911℃와 1392℃ 사이에서 fcc 결정구조가 안정상이며(γ Fe), 1392℃부터 용융점인 1536℃ 까지는 다시 bcc 결정구조가 나타난다(δ Fe). 또한 12GPa 이상의 압력을 가하면 ε Fe로 표기되는 육방정 변태상이 나타난다. 중요한 금속들의 동소체를 표 1.7에 나타내었다.

실제로 많은 경우에 자기적 상태의 변화로는 다른 상으로 다루지 않는다. 즉, α Fe가 β Fe로 변태되는 것을 언급하지 않고 동일한 Bravais 격자(bcc)로 존재하는 911℃까지 α Fe로 취급한다.

상변태는 특성의 변화(예를 들면 비용적(specific volume), 전기전도도, 탄성계수 등)와 열에 따른 색의 변화로 나타나며, 실험적으로 측정될 수 있다(시차열분석(DTA) 혹은 팽창계(dilatometer)).

고용체에서도 역시 상변태가 나타날 수 있다. 이는 일반적으로 조성의 변화와 다른 상이 생성되는 것과 연관되어 있다.

표 1.7 중요한 금속들의 동소체

금속	동소체	존재범위 [℃]	결정구조[a]
Fe	α Fe	≤768	A2, 강자성
	β Fe	768 − 911	A2, 상자성
	γ Fe	911 − 1392	A1
	δ Fe	1392 − 1536	A2
Co	α Co	≤420	A3, 강자성
	β Co	420 − 1140	A1, 강자성
	γ Co	1140 − 1495	A1, 상자성
Mn	α Mn	≤727	A12
	β Mn	727 − 1095	A13
	γ Mn	1095 − 1133	A1
	δ Mn	1133 − 1245	A2
Ti	α Ti	≤882	A3
	β Ti	882 − 1668	A2
Zr	α Zr	≤840	A3
	β Zr	840 − 1852	A2
Sn	α Sn	≤13.2	A4
	β Sn	13.2 − 232	A5

[a] A1 fcc(Cu 형), A2 bcc(W 형), A3 hcp(Mg 형), A4 fcc(Diamond 형), A5 정방정, A12 입방정(단위정 내에 58원자), A13 입방정(단위정 내에 20원자)

1.2.3
결정결함

1.2.3.1 결정결함의 분류

결정을 설명할 때 원자, 이온, 혹은 분자들이 (무한히 펼쳐진) 공간격자에서 완전한 배열로 이루어졌다고 한 것은 엄밀하게 볼 때 사실이 아니다. 실제 모든 결정질은 원자적인 차원에서 이상적이고 완전한 결정배열에서 벗어나 많은 결정결함 혹은 격자결함을 포함하고 있다. 이러한 결함을 포함한 전체를 실제결정구조라 한다. 결함 중의 일부는 열역학적으로 평형상태로 존재하는데, 이는 주어진 온도에서 결함이 일정량 존재하는 것은 피할 수 없음을 의미한다. 결정질의 여러 가지 특성은 격자결함이 존재하여야만 나타나는 것이 있다. 이에 속하는 것이 예를 들면 소성특성과 확산거동이 있다. 따라서 결함구조에 대한 이해와 이들의 취급이 재료공학에서 매우 중요하다.

격자결함에는 기본적으로 두 가지가 존재하는데, 특정한 장소에 나타나는 결함과 그렇지 않은 결함이다. 첫 번째 경우는 결정의 특정한 위치에서 관찰되는 반면에(예를 들면, 공공과 클러스터라 불리는 이종원자의 모임), 특정한 위치에서 관찰되지 않는 결함은 결정의 원자/이온 전체에 포괄적으로 놓여 있다(잔류응력, 열에 의한 격자진동 등). 특정한 위치에서 관찰되지 않는 결함도 기술적으로 매우 중요하지만, 격자결함이라 하면 좁은 의미에서 단지 특정한 장소에서 나타나는 결함을 말한다.

격자결함은 결함영역의 공간적인 크기에 따라 구분하는데, 즉 공간적인 차원에 따라 구분한다(격자결함의 차원화). 이에 따라 다음과 같이 격자결함/결정결함을 구분한다.

- **0 차원결함** 혹은 **점결함**은 원자크기 혹은 원자보다 약간 큰 범위가 결함으로 존재하는 경우(공공, 동종 혹은 이종의 원자가 격자간위치에 존재, 이종원자의 치환)이다.
- **1 차원결함** 혹은 **선결함**은 결함영역이 공간의 한 방향으로만 원자차원보다 크게 발달한 경우(전위, 점결함의 사슬)이다.
- **2 차원결함** 혹은 **면결함**은 결함영역이 한 방향에서만 원자차원인 경우(적층결함, 상경계, 아결정경계)이다.
- **3 차원결함** 혹은 **부피결함** (기공, 석출물, 개재물) 이들은 일반적으로 점결함이 뭉쳐서 형성된다.

1.2.3.2 점결함

공공(vacancy)

공공은 그림 1.23에서 도식적으로 나타낸 것과 같이 격자위치에서 하나의 원자를 제거함으로 생성된다. 이때 공공 주변의 원자들은 이상적인 위치에서 벗어나게 되는데 따라서 결함영역이 제거된 원자의 자리에만 국한되는 것이 아니다. 그러나 이 결함영역은 원자간격보다 매우 작기 때문에 거의 감지할 수 없다.

여러 금속공학적인 현상을 이해하는데 중요한 것은, 공공이 특정한 온도 T에서 열역학적으로 평형상태로 존재한다는 것이다. 공공의 농도 c_L은 다음과 같다.

$$c_L = \exp(-H_{BL}/kT)\exp(S_{BL}/k) \qquad (1.16)$$

H_{BL} : 하나의 공공을 생성하는데 필요한 엔탈피

S_{BL} : 하나의 공공을 생성하는데 필요한 엔트로피

k : Boltzmann 상수

일반적으로 공공의 생성엔탈피는 금속의 용융점 T_S에 비례한다.

$$H_{BL} \approx 9\,k\,T_S \qquad (1.17)$$

생성엔트로피는 금속의 경우 약 $(1\sim5)k$ 이다.

그러므로 T_S 직전의 온도에서 공공의 농도는 $10^{-3}\sim10^{-4}$이다. 이는 공공 사이의 간격이 10개의 원자간격보다 적음을 의미한다. 온도를 저하하면 공공의 농도가 급격하게 떨어지는데 $T \approx 0.4T_S$ 에서는 10^{-9} 정도 밖에 되지 않는다.

공공은 결정질 내에서 이동할 수 있다. 이는 옆의 원자가 공공의 자리로 이동함으로써 공공이 원자간격 만큼 이동하게 됨을 의미한다. 이과정은 열적으로 활성화되는 과정이다. 하나의 공공이 격자자리와 바꾸는 빈도수 ν 는 이동에 필요한 활성화엔탈피 H_{WL}에 의하여 결정된다. 엔트로피인자를 무시하면 다음 식으로 표현할 수 있다.

$$\nu = \nu_o \exp(-H_{WL}/kT) \qquad (1.18)$$

금속의 경우 $H_{WL} \approx H_{BL}$로 가정할 수 있다. 빈도수 ν_o(주어진 온도에서 원자가 격자 내 자신의 위치에서 정지하고 있을 때의 진동 빈도수)는 대략 $10^{13}\mathrm{s}^{-1}$이다. 따라서 용융점 바로 아래의 온도에서 공공의 자리바꿈 빈도수는 약 $10^{10}\mathrm{s}^{-1}$이다. 원자간 거리가 약 0.3nm인 것을 고려하면 결정 내에서 공공이 이리 저리 움직이는 속도가 약 $3\mathrm{ms}^{-1}$임을 알 수 있다. 열적인 조건에 의하여 공공의 농도가 줄어드는 것과 같이 온도가 저하되면 자리바꿈 빈도수와 공공의 움직이는 속도가 감소한다($T \approx 0.4T_S$에서 $10^4\mathrm{s}^{-1}$ 및 $3 \cdot 10^{-6}\mathrm{ms}^{-1}$). 이는 용융점 바로 아래의 온도에서 공공은 1초에 10^7의 자리바꿈이 일어나지만, $T \approx 0.4T_S$에서는 10^5초 혹은 하루에 하나의 자리바꿈이 일어남을 의미한다.

공공은 서로 둘, 셋 혹은 여러 공공이 합해질 수 있으며(밀집체), 이로 인하여 많은 공공이 합치게 되면 미세기공이 형성될 수 있다.

재료를 높은 온도에서 빠르게 냉각하거나, 소성변형을 하거나, 혹은 에너지가 강한 방사선(예를 들면 전자선, 중성자선)을

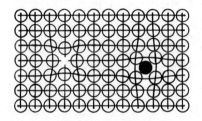

그림 1.23 공공과 격자간원자의 형태.

집중해서 조사함을 통하여 열역학적으로 안정한 공공의 분률보다 훨씬 많이 존재할 수 있다. T<0.3Ts로 낮은 온도에서 공공의 자리바꿈 빈도수는 약 $1s^{-1}$보다 작으므로 이미 존재하는 공공은 오래 동안 결정 내에 머무르게 된다. 그러나 온도를 올리면 공공이 합해지거나 표면 혹은 결정립계, 전위로 이동하여 소멸함으로써 열역학적으로 안정된 분률로 돌아간다.

격자간원자

격자간원자는 결함이 없는 격자에서는 원자가 없는 자리에 같은 종류의 원자가 차지할 경우 생성된다(그림 1.23과 비교). 위치는 이미 1.2.2.2절에서 침입형고용체의 경우에 설명했던 격자간공간이다(예를 들면, 팔면체공간 혹은 사면체공간). 공공의 경우와 유사하게 격자간원자도 열역학적으로 안정하게 생성되나, 이웃원자가 큰 탄성변형을 받으므로 생성에 필요한 엔탈피가 공공의 경우보다 약 세배 크다. 이는 격자간원자의 평형농도는 무시할 정도로 적음을 의미한다. 용융온도에 근접한 온도에서도 농도는 공공보다 10^8배 적다. 한편 격자간원자의 이동성은 공공보다 훨씬 높다. 따라서 낮은 온도에서도 공공의 자리로 이동하여 소멸될 수 있다.

소성변형 혹은 방사선조사를 통하여 원자가 격자간위치로 이동될 수 있다. 이들은 공공과 유사하게 표면, 결정립계 혹은 전위에서 소멸될 수 있다. 격자간원자가 이동하여 격자의 공공에 들어가면 둘이 합쳐져 사라진다(annihilation, 소멸).

이종원자

점결함으로서 격자 내에 존재하는 이종원자도 있다. 이는 치환해서 들어가거나 격자간위치에 침입해서 들어갈 수 있다. 이는 1.2.2.2절에서 설명했던 원하지 않는 고용체형성과 동일하다.

이종원자는 다른 격자결함과 서로 영향을 줄 수 있다. 예를 들면 공공과 결합체를 형성할 수 있고 전위의 탄성변형영역에 우선적으로 밀집할 수 있다. 대표적인 예로 전위 주위에 침입형원자들이 밀집하여 소위 **Cottrell-cloud**를 형성한다.

이종원자들이 모여 이종클러스터가 형성되고 경우에 따라 석출물로 발전한다.

1.2.3.3 전위

금속의 소성변형은 슬립(slip)면이라 불리는 결정학적인 격자면에서 두 결정범위의 슬립으로 일어난다. 이 슬립이 슬립면 전체, 즉 결정의 전체단면에서 동시에 이루어지려면 일반적으로 관찰되는 실제변형에 필요한 전단응력보다 수백에서 수천배 크다. 이러한 차이는 전단응력에 의한 슬립이 슬립면 전체에서 일어나는 것이 아니고 부분적으로 일어난다고 가정하면 이해할 수 있다. 즉, 슬립면상에 경계가 존재하게 되는데, 이 경계에서 이미 슬립된 부분과 그렇지 않은 부분으로 나뉘게 된다. 이 경계는 선형의 격자결함으로 표현되며 **"전위**(dislocation)"라 명명하였다(Taylor, Elam, 1934). 다음과 같은 간단한 실험을 통하여 이를 이해할 수 있다. 만일 바닥에 깔린 길고 무거운 양탄자를 움직이려면 두 가지 가능성이 있다. 양탄자의 한 쪽을 잡고 전체를 원하는 방향으로 당기거나(슬립이 전체에서 동시에 일어남) 반대편을 잡고 주름을 만든 뒤 원하는 방향으로 주름을 밀어 이동시키는 방법이 있다(그림 1.24). 밀어냄에 따라 순차적으로 이동하여 양탄자 전체가 이동하게 된다. 이 방법이 훨씬 적은 힘(전단응력)이 필요함을 쉽게 알 수 있다. 이때 만든 주름이 전위와 같은 역할을 한다. 이와 같이 전위도 슬립면에서 작은 전단응력으로 비교적 쉽게 움직일 수 있다.

전위의 원자적인 구조는 다음과 같이 설명할 수 있다(그림 1.25). 결정체에서 ABCD면을 따라 절개하고, 절개면의 윗부분을 하나의 격자 간격만큼 방향 1로 밀어내면 AB 연결선의 범위가 그림 1.25b)에 나타낸 것과 같은 형태가 된다. 전단면 혹은 슬립면의 윗부분에는 수직으로 하나의 격자면이 놓여 지는데 이는 아래 부분과 연결되지 않고 있다. 이러한 최인접원자와 배위가 다른 선형의 결함이 슬립된 부분과 그렇지 않은 부분의 경계가 되며, 이를 **칼날전위**(edge dislocation)라 한다. ABCD는 슬립면이다. 전위를 생성시키며 밀려난 크기를 Burgers 벡터 b_1이라 한다. 이는 완전한 격자벡터이며 전위선 AB에 수직으로 놓여 있다. 슬립면에서 전단응력성분이 b_1의 방향으로 작용하면, 전위선이 방향 1로 이동하며 따라서 활주된 영역이 넓어지게 된다(양탄자 주름의 이동과 비교). 이때 필요한 전단응력은(일반적으로 수 MPa) 결함이 없는 결정의 전단강도보다 훨씬 적은 약 $G/2\pi$정도이다(G 전단탄성계수). 금속결정의 소성변형은 특정한 슬립면에서의 전위의 (생성과) 움직임에 의하여 구체화된다.

반 잘려진 부분이 방향 2로, 즉 AB에 평행하게 밀리거나 슬립될 수 있다. 이 때 결과적으로 나타나는 원자의 형태는 그림 1.25c)와 같다. 방향 2와 수직으로 높여있는 격자면이 나선형으로 연결되어 있기 때문에 이런 형태의 전위를 **나선전위**(screw dislocation)라 한다. 칼날전위와는 상이하게 나선전위의 Burgers 벡터 b_2는 전위선 AB와 평행하게 놓인다. 여기에서도 AB와 수직인 b_2의 방향으로 전단응력성분이 작용하면 b_2의 방향으로 계속 슬립된다.

전위의 이동을 통하여 이루어지는 슬립은 결정학적으로 Burgers 벡터와 전위선이 놓여 있는 슬립면(전위선과 Burgers 벡터로 슬립면을 정의)과 Burgers 벡터의 방향을 포함하는 슬립방향으로 설명할 수 있다. 금속에서 슬립방향은 가장 조밀하게

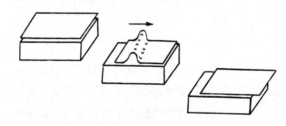

그림 1.24 전위를 설명하기 위한 양탄자 주름 모델.

적층된 격자 방향, 즉 최소병진주기를 갖는 방향이다. 그 이유는 전위의 단위길이 당 에너지가 대략 $\frac{1}{2}Gb^2$이며, 즉 적은 Burgers 벡터가 유리하며, 전위를 이동하는데 소요되는 최소전단응력이 가장 적기 때문이다. 슬립면은 전위가 가장 수월하게 움직일 수 있는 가능한 가장 조밀하게 쌓여진 격자면이다. 중요한 금속 결정구조의 활주시스템(슬립면과 슬립방향)을 표 1.8에 나타내었다.

전위의 이동이 Burgers 벡터와 전위선

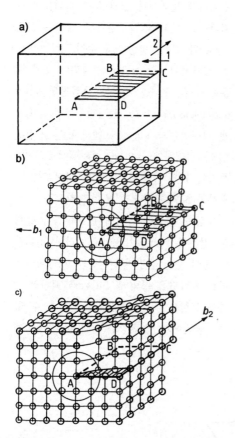

그림 1.25 칼날−, 나선전위의 설명; a) 반 절개된 결정, b) 칼날전위, c) 나선전위.

으로 설명할 수 있는 슬립면에서 움직이면 보존적(conservative)인 전위이동이라 한다(점결함을 생성하거나 흡수하지 않음). 그러나 열적으로 활성화 되면(T < 0.5Ts, Ts는 K로 표시된 용융온도) 예를 들면 칼날전위에서 공공을 흡수하거나 방출함으로써 슬립면에서 벗어날 수 있으며 (슬립면의 수직으로 이동), 이를 비보존적(non−conservative)인 전위이동(상승)이라 한다.

근본적으로 금속에서 소성변형은 전위의 생성 및 증식과 결정에서의 이동을 의미한다. 전위는 소성변형과정에서 생성될 뿐만 아니고 용액에서 결정화되는 과정 혹은 상변태 과정에서도 생성된다. 재결정(소성변형 후 열처리를 통하여 새로운 조직 형성) 후에도 결정 내에는 $10^7 \sim 10^8 \mathrm{cm}^{-2}$ 정도로 비교적 높은 전위밀도를 나타낸다(전위밀도는 1 cm³의 부피에 존재하는 전위의 전체길이를 나타낸다. 밀도 $10^8 \mathrm{cm}^{-2} = 10^8 \mathrm{cm}$ cm^{-3} 는 1 cm³에 10^8cm 혹은 1000 km의 전위선이 존재함을 의미한다! 종종 전위밀도는 m⁻²로 표시한다. $10^8 \mathrm{cm}^{-2} = 10^{12} \mathrm{m}^{-2}$). 심하게 가공된 금속에서 전위선의 밀도는 $10^{12} \mathrm{cm}^{-2}$까지 관찰된다. 이때 1 cm³에 존재하는 전위를 선으로 연결하면 지구를 250번 감을 수 있다!

전위의 중요한 특성을 정리하면 다음과 같다.

1. 전위는 결정 내에서 끝날 수 없고, 표면과 경계면에서 끝날 수 있다. 혹은 소위 **전위매듭**(dislocation node)에서

표 1.8 금속 결정구조에서의 슬립시스템

결정구조	슬립면	슬립방향
fcc	{111}	⟨110⟩
bcc	{110}, {112}, {123}	⟨111⟩
hcp	{001}, {100}, {101}	⟨110⟩

끝날 수 있다. 이 때문에 결정 내에서 2차원 혹은 3차원의 전위망이 형성된다.

2. 전위의 단위길이당 에너지 W는 대략 $\frac{1}{2}Gb^2$이다(G는 금속의 전단탄성계수). 이 때문에 슬립 가능한 전위는 최소 Burgers 벡터, 혹은 가장 작은 격자벡터를 갖는 Burgers 벡터를 가져야 한다.

3. 슬립면에서 Burgers 벡터에 평행하게 작용하는 전단응력 τ는 전위선의 단위길이당 $F = b\tau$의 힘을 작용한다. 힘 혹은 응력이 임계값을 넘으면 전위가 가해지는 힘의 방향으로 움직인다.

4. 전위는 넓은 범위의 찌그러짐 및 응력장(stress field)으로 둘러싸여 있다. 이때 팽창되는(인장응력) 부분과 눌리는(압축응력) 부분이 있을 수 있다. 이 장의 성분은 전위선으로부터의 거리 r에 반비례한다.

5. 이 응력장 때문에 전위는 다른 결함 혹은 배치와 상호작용을 하며(점결함, 부피결함, 전위), 이를 통하여 자신들의 응력장을 감소시킨다.

6. 전위사이의 응력상호작용 때문에 전위밀도가 높아짐(즉, 전위사이의 거리가 짧아짐)에 따라 전위를 이동시키는데 필요한 전단응력이 증가한다. 전위밀도는 소성변형과정에서 매우 빠르게 증가

하기 때문에, 금속의 변형과정에서 강하게 되는 현상을 관찰하게 된다.

7. 변형과정에서 전위들이 서로 다른 슬립면에서 움직이기에 때문에 절단되기도 하며 이로 인하여 소위 전위상승이 발생한다(전위선이동의 꺾임). 특정한 방법으로 상승이 계속되면 점결함을 생성하기도 한다(공공 혹은 격자간원자).

8. 전위의 이동은 다른 전위에 의해서 방해를 받을 뿐만 아니고 고용된 이종 혹은 합금원자, 석출물, 미세하게 분포된 다른 상(dispersoid), 경계면에 의해서도 방해를 받는다. 이러한 효과는 금속재료의 강화에 사용될 수 있다.

1.2.3.4 면결함

2차원 격자결함 혹은 면결함은 서로 불완전한 격자벡터만큼 밀리거나(병진경계), 서로 약간의 각도만큼 뒤틀려 있는(뒤틀림경계) 두 결정영역 사이의 평면 경계면이다.

병진경계에서는 두 결정경계의 방위는 동일하게 유지되나(결정학적인 축이 서로 평행하게 놓임), 원자의 위치는 한 영역과 다른 영역이 서로 격자벡터가 아닌 벡터 t만큼 이동되어 있다. 이 이동벡터는 대부분 결함면에 놓이게 된다. 그렇지만 결함이 놓이는 결정결함의 면과 (불완전한) 이동벡터 t로 면결함을 정의해야만 하는 것은 아니다.

이런 종류의 면결함은 표면 혹은 경계면에서 끝날 수 있다. 결함이 경계면까지 이어지지 않으면, 즉 결정 내부에서 끝나려

면 완전하지 않은 Burgers 벡터로 만들어
진 전위로 둘러싸여야 한다.

면형태의 병진경계에는 두 가지, 적층결함
(stacking fault)과 역위상경계(anti phase
boundary)가 있다. 결정격자는 조밀한 혹
은 가장 조밀한 격자면이 서로 주기적으로
적층(stacking)됨으로 형성된다(1.2.2.1절
참조). 주기적인 적층이 잘못(특정한 층이
빠지거나 들어가는) 쌓이게 되면 적층결함
이 발생한다. 역위상경계는 둘 이상의 성
분으로 이루어진 화합물 혹은 규칙고용체
에서 나타날 수 있는데, 이때 이동 t를 통
하여 격자위치의 기하학적인 형태는 유지
하지만 다른 종류의 원자가 자리를 차지하
게 된다. 이러한 격자점은 더 이상 "상 내
(in phase)"가 아니고 역위상경계가 형성
된다.

병진경계를 형성하기 위하여 단위면적당
에너지가 필요하며, 이를 적층결함에너지
혹은 역위상경계에너지라 한다. 이들 에너
지는 금속재료에서 $5 \sim 500 \mathrm{mJm}^{-2}$의 값을
가진다. 에너지가 낮을수록 해당 결함의
발생이 용이하다.

뒤틀림경계는 - 일반적으로 소각입계 혹
은 아결정립계라 불림 - 전위들이 주기적
으로 정렬되어 면형태의 "벽"이 형성된 것
으로 인접한 두 결정경계가 서로 뒤틀려
(꺾여) 있게 된다. 전위가 이러한 형태로
정렬하면 동일한 전위들이 무질서하게 전
위가 분포되어 있는 경우보다 에너지적으
로 유리하다. 이는 무질서하게 결정 내에
분포되어 있는 전위들이 열적으로 활성화
되어 정렬(슬립과 상승)됨으로 전위벽이

형성된다. 이 과정을 다각화(polygonization)
라 한다.

적층결함(stacking fault)

입방 혹은 조밀육방으로 적층된 구조
(fcc 혹은 hcp)는 조밀하게 형성된 면이
적층됨으로써 형성된다(1.2.2.1절과 비교).
Fcc구조에서는 {111} 면이 〈111〉 방향으로
적층된다. 세 개의 면이 다음과 같이 주기
적으로 쌓인다.

...... A-B-C-A-B-C- ......

적층에 결함이 발생하는 경우는 다음과
같다.

1. 이상적인 적층에 A면이 추가되어 다음
   과 같은 적층이 되며 외인성(extrinsic)
   적층결함의 형태를 갖는다.

   ...... A-B-A-C-A-B-C- ......

2. A면이 제거되어 ..... A-B-C-B-C
   -A-B-C- ..... 의 적층이 되며 고유
   (intrinsic) 적층결함이라 한다. 고유적
   층결함에서 단지 4면만 고려하면 두 면
   이 주기적으로 적층되어 형성하는 hcp
   적층 B-C-B-C와 같은 형태이다. 이
   는 또한 결정부분이 불완전한 격자벡터
   a/6 〈112〉 만큼 이동되어도 생성된다.
   이때 이동된 결정부분은 A 면이 B 면,
   B 면이 C 면, C 면이 A 면이 된다.

Hcp구조에서는 {001} 면이 〈001〉 방향
으로 적층된다. 두 개의 면이 다음과 같이
주기적으로 쌓인다.

...... A-B-A-B-A-B ......

적층결함은 이상적인 적층에 C면이 추가되어 형성된다(외인성 적층결함).

...... A–B–C–A–B–A ......

Hcp 구조에서 하나의 면이 제거되면 같은 면이 위아래로 적층하게 되어 최조밀적층이 깨지며, 따라서 이와 같은 배열은 불가능하다. 그러나 고유 적층결함은 존재할 수 있는데, 결정부분이 불완전한 격자벡터 a/3 〈210〉만큼 이동되어 생성된다. 이때 이동된 결정부분은 B 면이 C 면, A 면이 B 면이 된다. 이에 따른 적층순서는 다음과 같다.

...... A–B–C–A–C–A ......

적층결함은 많은 fcc 및 육방정 금속 혹은 합금에서 결정화과정, 소성변형 그리고 상변태과정에서 발생할 수 있다. 적층결함은 결함발생에 필요한 단위면적당 에너지가 적을수록 쉽게 발생한다. 이 에너지를 적층결함에너지 γ로 나타내며, Ag 20mJm^{-2}, Cu 60mJm^{-2}, Al 200mJm^{-2},

Ni 300mJm^{-2}, Zn 250mJm^{-2}의 값을 갖는다.

Bcc결정구조를 갖는 금속에서는 가장 조밀한 적층구조를 가질 수 없지만 비교적 조밀하게 원자가 놓여 있는 {211} 면의 적층을 고려할 수 있다. 이 경우 6층의 면이 주기적으로 적층되어 있다(그림 1.26).

...... –A–B–C–D–E–F– ......

일반적으로 bcc 금속의 적층결함에너지는 매우 크다. 따라서 적층결함은 매우 좁은 영역에서만 발생하거나 발생하지 않는다. 더 이상 자세한 내용은 다루지 않는다.

적층결함이 결정내부에서 끝나면, 전위가 끝부분에 위치하여야 하는데 이의 Burgers 벡터는 완전격자벡터가 아니다. 이때의 전위를 반전위, 부분전위 혹은 불완전전위라 한다.

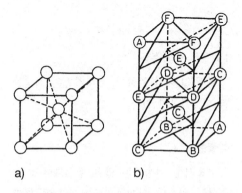

그림 1.26 bcc 금속에서 {211} 면의 적층 (Bohm의 표현).

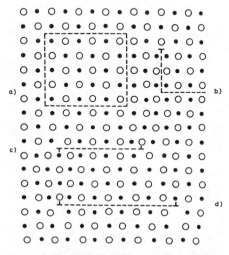

그림 1.27 두 종류의 원자로 구성된 2차원적인 구조에서의 역위상경계. (Bohm의 제시)

역위상경계(anti phase boundary)

역위상경계는 공유결합 특히 중간상과 규칙중간상(초격자)에서 발생할 수 있으며, 따라서 한 원자의 최인접원자의 종류와 배위수에 의하여 정의된다. 그림 1.27에 두 종류의 원자로 구성된 2차원적인 모델을 통하여 이를 나타내었다.

결함이 없는 결정구역에서는 서로 다른 종류의 원자들만 인접하고 있으며(모든 검은 원자는 4개의 흰 원자로 둘러싸여 있음), 역위상경계에서는 같은 종류의 원자가 인접원자로 놓여 있다. 도메인(domain)이라고도 불리는 역위상구역은 서로 병진 벡터 t만큼 이동되어 있는데, 이 이동은 흰 원자가 차지했던 위치가 검은 원자로 바뀌는 만큼의 (수직)이동이다. 도메인은 다면체 형태로써 역위상경계를 형성할 수 있고(그림 1.27a), 표면에서 끝날 수 있으며(그림 1.27b) 혹은 불완전한 전위로 경계될 수 있다(그림 1.27c, d).

아결정립계(sub-grain boundary)

단결정 혹은 각 결정립 내에서 전위들이 면 형태로 배열하여 결정구역이 나뉘는 것을 종종 관찰할 수 있는데, 이들은 단지 몇 도 정도 차이가 있거나 아주 작은 방위차이가 날 뿐이다. 이웃하는 결정을 아결정(sub-grain)이라 하며 경계를 아결정- 혹은 소각결정립계라 한다. 아결정립 사이의 방위차 각 β는 전위의 간격과 버거스 벡터에 의하여 결정된다. 그림 1.28에 종이면에 수직으로 놓인 평행한 칼날전위로 이루어진 아결정립계를 나타내었다.

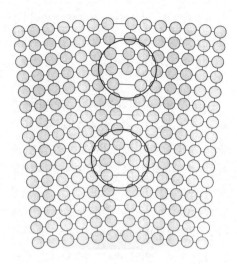

그림 1.28 칼날전위로 이루어진 아결정립계.

이 경우 방위차는 다음과 같다.

$$\beta[\,^\circ\,] = b/l \cdot 180/\pi \qquad (1.19)$$

l : 전위사이의 간격

아결정립계는 순수하게 칼날전위(경각경계), 나선전위(뒤틀림경계) 혹은 두 가지가 혼합된 형태(혼합 아결정립계)로 형성될 수 있다.

1.2.3.5 부피결함

결정(질)내의 주요한 부피결함은 석출물과 미세기공이 있다.

석출물

고용체를 형성하는 많은 합금계에서 합금되는 원소의 최대고용도는 온도에 따라 뚜렷하게 차이를 보인다.

그러므로 높은 온도에서 빠르게 냉각하면 합금원소가 과포화상태로 고용되며 열역학적으로 불안정하게 된다. 이는 열처리를 통하여 합금원소가 원소의 형태 혹은 합금의 형태로 석출되며 안정한 상태로 바뀔 수 있다. 이런 과정을 통하여 열역학적으로 안정한 석출물 뿐만 아니고 준안정한 석출물도 나타날 수 있다. 이러한 준안정상의 예로써 특히 Al합금에서 나타나는 Guinier-Preston 구역이 있다. 이 상은 합금원소가 판상 혹은 구형으로 밀집함으로 형성되며 기지상의 원래 결정구조를 유지하고 있다.

석출상은 기지상과 완전히 혹은 부분적으로 결맞음(coherent)관계를 가질 수 있다. 그러나 완전히 비결맞음(incoherent)관계에 있는 경우도 종종 발생하는데, 이 경우에도 석출물과 기지사이에는 특정한 방위관계가 존재한다(그리 1.29). 석출물과 기지사이의 경계면을 형성하는데 필요한 경계면에너지 γ는 결맞음관계에 따라 많은 차이를 나타낸다, $\gamma_{coh} < \gamma_{part\ coh} < \gamma_{in\ coh}$.

이와 같이 준안정상과 안정상의 작은 영역에서만 결정구조 및 화학조성이 다르게 되지만, 일반적으로 기지격자가 심하게 찌그러지게 된다. 따라서 이를 3차원적인 격자결함의 범주에 포함한다.

미세기공

결정(질) 내에 미세기공이 발생하는 근본적인 두 가지 이유는 다음과 같다.

- 열역학적으로 안정상태에 존재하지 않는 공공의 집합(예, 급속냉각, 방사선조사, 소성가공된 금속)
- 고용되어 있던 가스가 분자로 결합(재료 질화과정의 N_2 재결합, H_2 재결합)

그리고 분말야금의 소결과정에서 결정립계의 이동에 의하여 결정질 내에 미세기공이 발생할 수 있다. 대부분의 경우에서와 같이, 결정립계가 이동하지 않으면 기공이 결정립계에 머물러 있다(잔류 다공도).

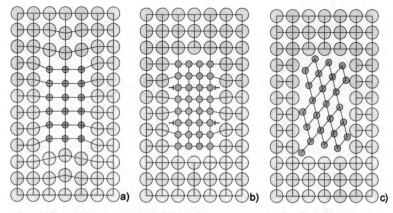

그림 1.29 석출물과 기지사이의 결맞음관계.
a) 결맞음, b) 부분결맞음, c) 비결맞음 석출물

1.3
비정질 금속과 합금

금속은 결정질 구조뿐만 아니고 비정질 (무정형) 구조를 가질 수 있다. 이는 원자의 배열이 병진특성을 갖지 않으며, 결정질과 같이 대칭관계를 나타내지 않으며 따라서 구조의 기본인 단위정을 정의할 수 없음을 의미한다. 이는 또한 비정질상에서는 결정립계가 존재할 수 없음을 의미한다. 결정질고체에서는 특성의 이방성이 확실하게 나타내는 반면, 즉 결정학적인 방향에 따라 특성이 다르게 나타나는 반면, 비정질고체 혹은 비정질금속에서는 모든 방향에서 같은 특성을 나타낸다. 결정질에서는 한 원자와 최인접원자간의 거리는 일정한 값을 가지며, 결합되는 방향과 배위수(최인접원자의 수) 또한 특정한 값을 갖는다. 비정질에서는 최인접원자와의 거리가 중간값에서 변화함을 나타내며, 중간값은 결정질재료에서의 최인접원자사이의 거리보다 크다. 또한 평균 배위수도 결정질보다 작으며 결합방향도 일정하지 않다(그림 1.1 비교). 비정질금속(고체)에서는 통계적으로 단범위규칙성을 나타내는데, 이는 결정질 재료와는 다르게 거리가 멀어짐에 따라 규칙성이 사라진다. 또한 비정질재료의 원자충전률은 결정질재료의 충전률에 미치지 못한다(그러나 이는 모든 비정질재료에 해당되지 않는다. 비정질 실리콘의 경우 비정질의 충전률이 결정질보다 높은데, 이는 결정질 실리콘이 낮은 배위수를 가지며 34%의 공간충전률

을 유지하며 공유결합을 하고 있기 때문이다).

비정질금속은 액체 혹은 기체상으로부터 매우 빠른 속도로 낮은 온도까지 냉각시킴으로 얻을 수 있다. 이는 원자의 이동(확산)이 실질적으로 "얼어붙어" 결정화 과정이 이루어지지 않은 결과이다. 이는 다음과 같은 방법으로 형성될 수 있다.

- 용융체를 냉각된 빨리 회전하는 판에 분사(박판을 만드는 melt spinning)
- 용융체를 10^{-2}mm의 틈을 갖는 두 개의 냉각판 혹은 회전하는 압연롤 사이에서 급냉
- 열적 증발, 스퍼터링, 레이저를 통하여 승화된 가스상의 냉각된 판에서의 응축
- 높은 전류밀도 하에서의 전해질분해

용액으로부터의 냉각속도는 $10^4 \sim 10^6 \mathrm{Ks}^{-1}$ 정도이다. 승화된 가스상으로 부터의 냉각에서는 더 빠른 냉각속도(유효냉각속도)를 얻을 수 있다.

어떤 원소들이 비정질로 될 수 있을까? 공유결합을 하는 원소(C, Si, Ge) 및 공유결합 분률이 많은 원소(B, As, P, S), 그리고 반도체금속(Se, Te, Sb, Bi)들이다. 그러나 순금속에서는 빠른 냉각속도를 통하여 비정질이 형성되는 것이 아니고 나노결정질(결정질의 크기가 약 10nm)이 형성된다. 그러나 특별한 합금의 경우 금속액상에서 냉각속도가 빠르지 않더라도 비정질 상태를 만들 수 있다. 이에 적용되는 두 가지 메카니즘은 다음과 같다.

1. 액상에서 원자사이의 자유공간이 작은 원자반경을 갖는 원소들을 이용하여 안정시킨다. 이 경우 액상을 냉각을 하더라도 연결되어 있는 불규칙한 배위다면체 때문에 고체상태에서도 비정질상태가 보존될 수 있다. 이러한 금속은 대부분 천이금속 Cr, Mn, Fe, Co, Ni (Me)과 비금속 원소 C, P, B, Si (X)와의 합금이다. 이때 특히 원자분률이 80:20의 경우가 유리하다($Me_{80}X_{20}$-합금).

2. 금속합금 중에서 응고온도(액상온도)가 매우 낮아지는 경우 높은 점도(원자의 확산능력이 낮아짐)를 갖게 되어 결정화가 방해될 수 있다. 이들 합금은 대부분 많은 원소로 구성되어 있는 합금이다. 이들 성분에는 Be, Mg, Ca, Sr, Sc, Ti, V, Zr 그리고 귀금속 및 Al 등이 있다.

1.4
금속과 합금의 조직

1.4.1
조직의 개념, 내부 경계면

이미 1.2 절에서 학습한 바와 같이 대부분의 금속은 하나의 결정으로 이루어진 것이 아니고 평균 직경이 수 나노미터부터 센티미터의 크기를 갖는 결정립들이 불규칙하게 서로 빈틈없이 맞대고 있는 형태로 구성되어 있다. 이런 고체를 다결정이라 하며, 이들은 불균일한 점격자를 갖는 고체이다(각 결정립은 균일한 점격자를 갖는 영역이다. 즉 이 결정격자 영역에서는 구조와 방위가 경계면에 의하여 중단되지 않는다). 조직이란 이 같은 다결정의 내부 구성을 의미하며, 이들은 결정립(알갱이)사이의 경계면으로 표시된다.

결정립에 대한 정의는 결정질로 구성되어 있지 않은 비정질 재료까지 확대할 필요가 있으며, 개선된 표현은 다음과 같다. 즉, 재료(물질)의 조직은 규칙성을 갖는 영역들(결정질 혹은 비정질 성격)이 각 영역 사이의 경계면에서 서로 빈틈없이 맞대고 있는 형태이다. 앞으로의 논의에서는 비정질영역에 대하여는 무시하고 결정질 영역에서만 고려한다.

내부 경계면의 종류는 인접하고 있는 결정립 및 알갱이의 종류에 따라 다르다. 구조적으로 동일한 결정립들(동일한 상에 속하는 결정립)이 마주하고 있으면 결정립계라 한다. 따라서 순금속의 조직은 서로 다른 방위를 갖는 영역을 서로 경계하게 하는 결정립계만을 포함한다(결정립의 방위는 결정립이 갖는 결정학적인 주축이 시편 좌표계에서 위치하는 공간적인 위치를 의미한다). 고용체 혹은 화합물(예, 중간상)과 같은 단상의 고체에서도 동일하게 단지 결정립계만 존재한다. 다결정 고체가 하나 이상의 상으로 구성되어 있으면, 경계면에서 조직적으로 서로 다른 결정립들이 만날 수 있는데, 이를 상경계라 한다. 이를 알기 쉽게 도표 1.1에 나타내었다.

결정립계는 수 원자지름 폭정도의 범위에서 완전하지 않은 영역으로 표현할 수

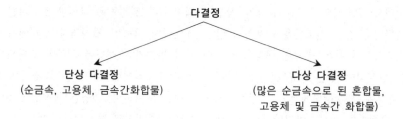

다결정

단상 다결정
(순금속, 고용체, 금속간화합물)

다상 다결정
(많은 순금속으로 된 혼합물,
고용체 및 금속간 화합물)

조직은 입계만 함유
(단상 또는 균질조직)

조직은 입계 뿐만 아니라
상경계(다상 또는 불균질 조직)를 함유

도표 1.1

있다(그림 1.30). 결정립계에서 서로 인접한 결정립사이의 방위차이는 비교적 커야 한다. 이미 설명한 소각입계 혹은 아결정립계와 구별하기 위하여 대각입계라고하며, 이의 구조는 아결정립계에서 사용한 간단한 평면 전위모델로는 설명할 수 없다.

일반적으로 결정립계에서 평균 배위수는 적으며 따라서 결정립내보다 평균 원자간 거리가 크다. 많은 원자위치가 결정립계에서 동시에 두 결정립의 격자위치를 나타내

면 특별한 관계가 형성된다(일치결정립계, coincidence grain boundary). 이런 종류의 결정립계는 비교적 작은 결정립계 에너지를 갖는다. 일치결정립계의 특수한 예로 쌍정경계가 있는데, 경계면의 모든 원자위치가 두 결정립에 속하며 최근접원자의 관계(배위)에 결함이 존재하지 않는다(그림 1.31). 높은 일치도를 갖는 결정립계가 에너지적으로 유리하기 때문에, 그림 1.32에 알루미늄의 예에서 나타낸 것과 같이, 결정립계 에너지는 방위의 차이에 따라 명확

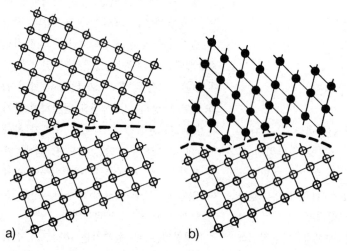

a)   b)

그림 1.30 다결정의 경계면 a) 결정립계, b) 상경계.

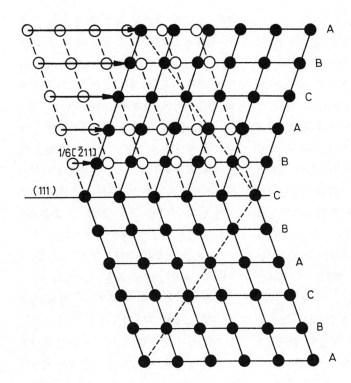

그림 1.31 쌍정경계.

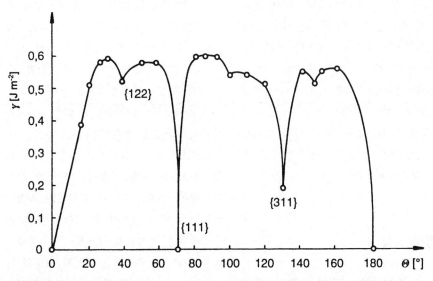

그림 1.32 Al에서 방위차이에 따른 〈110〉 경사경계면의 에너지 (Gottstein에 의함).

하게 최소값을 나타낸다.

일반적으로 상경계에서는 결정립사이의 큰 방위차이를 극복하여야하기 때문에, 상경계는 결정립계와 기하학적인 구조는 동일하다. 나아가 경계영역에서 두 개의 서로 다른 조직(phase)이 만나게 된다. 상경계에서 원자의 위치에 따라 특정한 조건(방위관계, 조직유사도)이 만족되면 결정립계와 유사하게 제한적인 "일치"를 발견할 수 있다. 일치도에 따라 결맞음경계(상경계의 모든 원자위치가 일치) 혹은 부분결맞음경계(제한적으로 일치)라 한다. 이는 1.2.3.5절에서 설명하는 결맞음 및 결맞음 석출물과 비교할 수 있다.

결정립계 및 상경계 영역에서는 일반적으로 배위수가 감소되기 때문에 충전도가 떨어지며 원자사이의 공간이 넓어진다. 따라서 이곳에 합금원소 및 이종원자 혹은 이물질 등이 축적(**편석**, segregation)될 수 있는 좋은 환경이 만들어지며, 이는 종종 결정립계 석출의 원인이 된다. 이때 금속 결정립계의 에너지 γ_{GB}가 작으면 ("밀도 높은" 결정립계) 에너지 γ_{GB}가 큰 ("밀도 낮은" 결정립계) 경우보다 적은 수의 이종원자를 받아들일 수 있다. 따라서 이종원자의 응집은 결정립 사이의 방위차이에 따라 다르게 된다. 이는 예를 들면 결정립계의 서로 다른 에칭정도를 이용하여 확인할 수 있다.

1.4.2
조직형성 과정

결정질 금속고체는 대부분 용융금속으로부터 응고의 과정을 거쳐 형성된다. 금속의 용융온도보다 약간 낮은 온도가 되면 (**과냉**, undercooling) 소위 핵(seed)이라 하는 매우 작은 안정한 결정영역이 용융체의 준규칙적인 영역에서 형성될 수 있으며, 용융체에서 원자가 결정영역으로 붙어 빠르게 성장할 수 있다. 따라서 응고는 핵생성과 핵성장의 두 단계로 진행되며 이는 시간적으로 차례대로 진행된다. 만일 용융체에 단지 하나의 핵이 생성되면 용융도가니의 모양을 갖는 단결정이 형성된다.

그렇지만 대부분 수많은 핵이 용융체 내부(균일 핵생성)에서 혹은 도가니의 벽면, 용융체 내부에 이미 존재하는 고상의 계면(불균일 핵생성)에서 생성된다. 대부분 불균일 핵생성이 에너지적으로 유리하여 우선적으로 진행된다. 서로 다른 장소에서 생성된 핵들은 서로 다른 방위를 가지며, 따라서 결정화의 마지막 단계에서 큰 방위차이를 갖는 결정립들이 만나게 되어 결정립계 혹은 상경계를 형성한다(그림 1.33). 이는 장소와 시간에 따른 핵생성과 핵성장에 의하여 다결정의 조직이 생성됨을 의미하며, 응고 후에 형성된 조직을 초기조직이라 한다.

액상-고상의 상변화로 설명되는 응고가 다결정 고체를 형성하는 유일한 방법은 아니다. 화학적 및 물리적인 방법으로 박막을 형성하는 여러 기술적인 방법과 같이 기상에서 (승화) 고상이 형성되는 과정에서도 대부분 다결정이 생성된다. 또한 많은 경우에 용액으로부터(예, 전기화학적 혹은 화학적 분해) 혹은 적절한 고상의 기판(substrate) 위의 액상으로부터 결정화

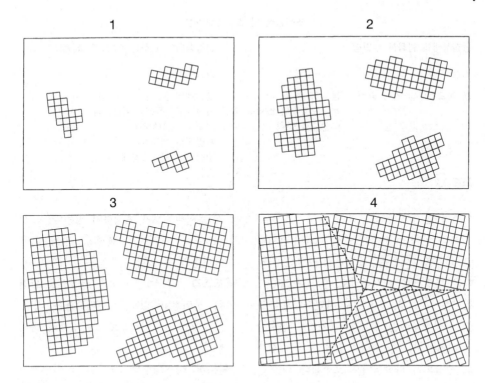

그림 1.33 용융체로부터 응고되어 조직이 형성되는 과정의 도식적 표현.

될 수 있다. 그리고 비정질 금속(고상)으로부터 결정화되기도 한다. 모든 방법에서 초기조직은 역시 장소와 시간에 따른 핵생성과 핵성장에 의하여 형성된다.

다결정질의 초기조직은 고상상태에서 2차의 공정/반응에 의하여 진행할 수 있다(2차조직의 생성). 이에는 각 상의 성분변화를 수반하거나 혹은 성분변화 없이 일어나는 상변태, 확산합금(예 침탄 혹은 침질), 소성변형 후의 재결정 및 결정성장 등이 있다. 정상적인 결정성장 이외의 과정은 역시 열적으로 활성화되는 핵생성과 성장에 의하여 진행된다. 모든 공정은 기본적으로 여러 종류의 열처리에 의하여 진행되며 이를 통하여 금속재료의 특성이 광범위하게 바뀔 수 있다.

도표 1.2에 조직생성 및 변화 공정에 대하여 개괄적으로 나타내었다.

1.4.3
조직요소, 조직성분, 조직형태

조직이란 대부분 결정립으로 이루어진 규칙영역 혹은 비정질 영역이 경계면으로 나뉘어 빈틈없이 잇대어 있는 상태를 말한다. 이러한 규칙영역과 이 사이의 경계면을(결정립계와 상경계는 한정된 두께를 가짐!) 조직요소라고 하며, 이들로 물질계(예,

조직생성 및 조직변화과정

응집상태의 변화를 수반함		응집상태의 변화를 수반하지 않음
기상-고상	액상-고상	고상-고상
층 등으로부터 기상 증착	융체의 응고 용액으로부터 화학적 및 아연도금 증착	확산제어 및 비열적상변태 확산유인조직생성(확산합금, 화학적-열적처리) 재결정화 변형상태 결정화 아몰퍼스상태 소결

도표 1.2

다결정)를 구성한다.

조직 안에 존재하는 상을 조직성분이라고 하는데, 이들은 생성되는 방법에 따라 다른 방법으로 표시하기도 한다(예, Fe-C 합금계에서 1차, 2차, 3차 시멘타이트). 또한 조직성분에는 동일한 조건(예, 동일한 온도)에서 특정한 부피분률과 특정한 형태로 생성되는 다상영역도 포함된다. 이에는 공정 및 공석반응으로 생성되는 조직성분들이 속하는데(예, Fe-C 계의 레데뷸라이트(ledebulite), 펄라이트(pearlite), 이들 내부의 상들은 대부분 매우 규칙적인 정렬을 하고 있다(판형 혹은 각주형 결정립의 주기적인 배열).

(2상)다결정의 조직을 설명하기 위하여 7가지의 조직형태를 이용하여 설명하는 것이 유용하다(그림 1.34).

2중조직 : 두 상의 부피분률이 비슷하며 결정립 형태는 다면체형이고, $\alpha\alpha$ 경계, $\beta\beta$ 경계 그리고 $\alpha\beta$ 경계가 존재한다.

분산조직: 분산상 α의 부피분률이 기지상 β보다 훨씬 적으며, 경계면은 $\beta\beta$ 경계, $\alpha\beta$ 경계가 훨씬 많이 존재하며, $\alpha\alpha$ 경

계는 실질적으로 존재하지 않는다. α 상의 결정립형태는 다면체형, 판형 혹은 막대형일 수 있다.

세포조직 : β 상이 α 상의 결정립을 완전히 둘러쌓고 있으나 부피분률은 적다. 여기에서는 실질적으로 $\alpha\beta$ 경계만 존재한다.

2원조직 : 다면체형의 β 상이 α 다면체의 모서리부분에 채워지며 β 상의 부피분률은 α 상보다 적으며 대부분 $\alpha\alpha$ 경계 그리고 $\alpha\beta$ 경계가 존재한다.

층상조직 : 부피분률이 비슷한 판형으로 된 두 상의 결정립(lamellar)이 모여 있는 형태이며, 따라서 대부분 $\alpha\beta$ 경계가 존재한다.

관통조직 : 관통조직에서는 α 결정립과 β 결정립이 서로 위아래로 접하고 있다. 상들은 서로 연결되어 관통하고 있는 조직을 형성한다. 두 상의 부피분률은 비슷하며 $\alpha\alpha$ 경계, $\beta\beta$ 경계 그리고 $\alpha\beta$ 경계가 존재한다. 관통조직의 변형으로, β 상의 분률이 적으면 α 상 다면체의 모서리를 따라 입체망의 형태로 관통조직이 형성된다(망조직).

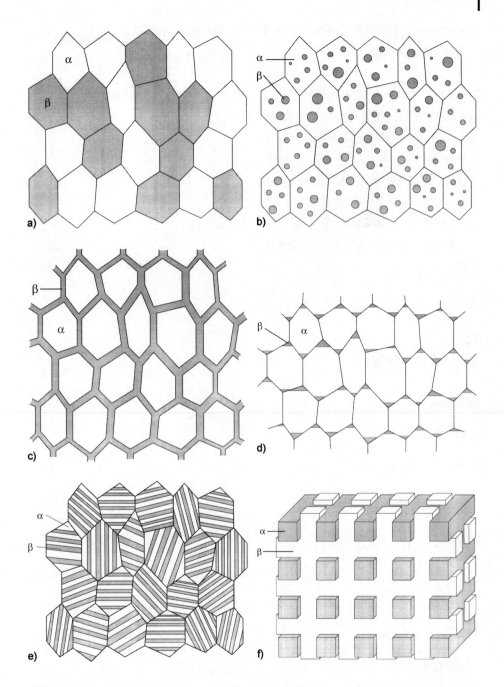

그림 1.34 2상 다결정질의 조직형태 a) 2중조직, b) 분산조직, c) 세포조직, d) 2원조직, e) 층상조직, f) 관통조직.

실제에서는 이들 기본 조직형태가 혼합하여 관찰되고 있다.

메탈로그래피의 중요한 목적은 금속과 합금에서 조직을 생성시키며 변화시키는 공정의 결과로 나타나는 조직과 조직의 변화와 이에 따른 특성의 관계를 설명하는 것이다. 이를 위하여 특별히 광학현미경이 중요하지만, 다른 현미경 및 구조분석법들도 점점 더 많이 적용되고 있다(예, 주사전자현미경, 투과전자현미경, 원자현미경, XRD).

1.5
결정학적인 관계

병진주기의 계산

입방정계 :

$$T_{uvw} = a\sqrt{u^2 + v^2 + w^2}$$

정방정계 :

$$T_{uvw} = a_1\sqrt{u^2 + v^2 + (a_3/a_1)^2 \cdot w^2}$$

육방정계 :

$$T_{uvw} = a_1\sqrt{u^2 + v^2 - uv + (a_3/a_1)^2 \cdot w^2}$$

사방정계 :

$$T_{uvw} = \sqrt{(a_1 u)^2 + (a_2 v)^2 + (a_3 w)^2}$$

두 격자선 사이의 각 ρ 계산

입방정계 :

$$\cos\rho = \frac{u_1 u_2 + v_1 v_2 + w_1 w_2}{\sqrt{(u_1^2 + v_1^2 + u_1^2) \cdot (u_2^2 + v_2^2 + u_2^2)}}$$

정방정계 :

$$\cos\rho = \frac{u_1 u_2 + v_1 v_2 + Q \cdot w_1 w_2}{\sqrt{(u_1^2 + v_1^2 + Q \cdot w_1^2) \cdot (u_2^2 + v_2^2 + Q \cdot w_2^2)}}$$

$$Q = \left(\frac{a_1}{a_3}\right)^2$$

육방정계 :

$$\cos\rho = \frac{u_1 u_2 + v_1 v_2 + Q \cdot w_1 w_2 - \frac{1}{2}(u_1 v_2 + v_1 u_2)}{\sqrt{(u_1^2 + v_1^2 - u_1 v_1 + Q \cdot w_1^2) \cdot (u_2^2 + v_2^2 - u_2 v_2 + Q \cdot w_2^2)}}$$

$$Q = \left(\frac{a_1}{a_3}\right)^2$$

사방정계 :

$$\cos\rho = \frac{u_1 u_2 a_1^2 + v_1 v_2 a_2^2 + w_1 w_2 a_3^2}{\sqrt{(u_1^2 a_1^2 + v_1^2 a_2^2 + w_1^2 a_3^2) \cdot (u_2^2 a_1^2 + v_2^2 a_2^2 + w_2^2 a_3^2)}}$$

면간거리

입방정계 :

$$d_{hkl} = \frac{a}{\sqrt{(h^2 + k^2 + l^2)}}$$

정방정계 :

$$d_{hkl} = \frac{a_1}{\sqrt{(h^2 + k^2 + Q \cdot l^2)}} \qquad Q = \left(\frac{a_1}{a_3}\right)^2$$

육방정계 :

$$d_{hkl} = \frac{a_1}{\sqrt{\frac{4}{3}(h^2 + k^2 + hk) + Q \cdot l^2}}$$

$$Q = \left(\frac{a_1}{a_3}\right)^2$$

사방정계 :

$$d_{hkl} = \frac{1}{\sqrt{\left(\frac{h}{a_1}\right)^2 + \left(\frac{k}{a_2}\right)^2 + \left(\frac{l}{a_3}\right)^2}}$$

제2장
금속조직 조사분석기법

2.1
금속조직 검사의 목적과 방법

메탈로그래피(금속조직학)의 과제는 금속재료의 조직을 현미경 사진을 이용하여 정성적, 정량적으로 설명하는 것으로 그 구성 성분의 다음과 같은 사항을 결정하여야 한다.

- 종류
- 양
- 크기
- 모양
- 분포
- 방위관계와 실제구조

이러한 조직과 관련된 광범위한 조사는 조사 자체를 위한 목적이 아니고 이를 화학조성과 구조, 금속재료의 제조 및 제조방법에 따른 조직의 형성 등 기술적인 공정을 알아내고, 재료의 특성과 파괴거동에 대한 기초적인 관계를 파악하기 위하여 수행한다. 그러므로 메탈로그래피는 재료학에서 기술(재료의 제조, 가공)과 금속재료의 구조, 특성 및 사용거동과의 관계를 알려주는 매우 중요한 분야이다. 따라서 이는 품질관리 및 필요한 경우 손상분석에 필수 불가결한 기초 도구이다. 그러나 메탈로그래피에서 언급하는 사항들은 매우 복잡하고 광범위한 구조 및 조직분석의 일부임을 밝혀두는데, 이러한 분석들에는 예를 들면 X-선, 전자선, 중성자선의 회절을 이용하여 간접적으로 구조를 파악하는 방법과, 조직에 따라 변화하는 특성들(예, 전기저항, 자기적 특성, 기계적 특성, 열적 특성 등)을 이용하여 구조를 파악하는 간접적인 물리적 방법이 있다. 이는 메탈로그래피를 이해하기 위해서는 여러 다른 특성을 분석하는 방법에 대한 이해뿐만 아니고 기술, 금속재료의 물성, 실용적 적용에 대한 지식도 있어야함을 의미한다. 특히 이러한 것들은 메탈로그래피 조사를 통하여 얻은 결과를 고찰하는데 필수적이다.

19세기 말부터 메탈로그래피가 독자적인 학문적 조사방법으로 자리매김을 하는 데는 광학현미경이 가장 중요한 도구로서 그 역할을 담당하였다. 나아가 근래에 들어 높은 해상도와 비교적 깊은 초점심도 때문에 투과전자현미경 및 주사전자현미경의 사용이 현미경조사방법에 점점 더 많이 이용하게 되었다. 그러나 예를 들면 공초점 레이저현미경, 초음파현미경 등 성능이 더 좋은 현미경 관찰 시스템의 이용이 점점 증가하는 것은 명백하지만, 적절한 방법으로 처리된 시편은 육안으로나 돋보기만을 이용해서도 중요한 조직정보를 얻을 수 있음을 간과해서는 안 된다.

정량적 메탈로그래피라 불리는 조직구조에 대한 조직적인 설명은 근래에 들어와서 입체학과 기학학적인 관계를 도입하여 조직사진으로부터 결정립크기나 상의 분률 등을 결정하는 방법 등으로 매우 빠르게 발전하였다. 최근에는 소프트웨어를 이용하여 조직 및 사진분석을 자동으로 할 수 있는 방법이 개발되었다. 이러한 발전이 아직 완전히 끝나지는 않았지만, 이러한 방법을 메탈로그래피 현장에서 이용하지 않는 것은 불가능하다.

금속재료의 조직을 판단 및 평가하는 일은 매우 광범위한 것으로, 특히 조직(상)의 구성 성분 및 양, 결정학적인 방위관계, 작은 석출물의 평가 등은 현미경적인 방법만으로는 어려운 경우가 많이 있다. 이러한 경우 X-선회절, 전자회절, 전자빔 마이크로분석 등을 이용하면 큰 도움이 될 수 있다. 따라서 이러한 방법에 대한 기초지식과 효용성을 알고 있으면 메탈로그래피에 많은 도움이 된다.

이러한 이유 때문에 본 교재에서는 시편 준비와 현미경적인 조사방법 등 좁은 의미의 메탈로그래피만 다루지 않고 전자회절, X-선회절, 전자빔 마이크로분석 등에 대한 내용도 포함하였다.

2.2
광학현미경

2.2.1.
광학기초

광학현미경의 구조와 작동원리에 대하여 다루기 전에, 몇 가지 광학의 기본 이론에 대하여 살펴보기로 한다.

금속광학현미경의 중요한 매체로 사용되는 가시광선은 전자기적 특성을 갖는 파동(전자기파)으로 설명할 수 있다. 이는 일반적으로 전기장의 크기벡터 $\vec{E}$의 위치 및 시간의 주기를 이용하여 다음 식과 같이 나타낼 수 있다.

$$\vec{E} = \vec{E_o} \cdot \sin\frac{2\pi}{\lambda}(c \cdot t - z) \qquad (2.1)$$

$\vec{E_o}$: 전기장의 진폭

c : 파의 전파속도(상의 속도)

t : 시간

λ : 파장

z : 파 진행방향의 위치좌표

전자파는 횡파의 특성을 갖기 때문에 전기장의 크기벡터 $\vec{E}$는 파 진행방향에 수직으로 놓여 있다. 식 (2.1)을 이용하면 특정한 시간 t 및 위치 z에서의 전자파의 크기 $\vec{E}$를 구할 수 있다(그림 2.1). 여기서 $\vec{E_o}$는 z에 따라 불변하다고 가정하는데, 이는 파의 진원이 무한한 곳에 있음을 뜻한다(소위 평면파로 가정).

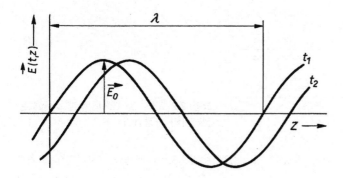

그림 2.1 어떤 위치 z에서, 서로 다른 두 시간 t_1, t_2에 따른 전자파 크기 $\vec{E}$의 변화.

파장 λ는 파의 진동수 ν 그리고 파의 전파속도(빛의 속도) c와 함께 다음 식과 같은 관계를 갖는다.

$$c = \lambda \cdot \nu \tag{2.2}$$

그리고 원진동수 $\omega = 2\pi\nu$를 대입하면 식 (2.1)은 다음과 같이 많이 사용하는 식으로 나타내어진다.

$$\vec{E} = \vec{E_o} \cdot \sin[\omega \cdot t - \delta] \tag{2.3}$$

여기서 위상인자 δ는 다음과 같이 나타낼 수 있다.

$$\delta = \omega \cdot z/c = 2 \cdot \pi \cdot z/\lambda \tag{2.4}$$

강도, 즉 단위시간당 단위면적을 통과하는 에너지 I는 파의 진폭의 제곱에 비례한다:

$$I \sim E_o^2 \tag{2.5}$$

파장 λ는 전자파의 기본적인 특성을 나타낸다. 가시광선은 350~780nm(0.35 ~0.78μm)의 파장을 가지며, 전자파의 전체 스펙트럼에서 매우 좁은 범위를 차지한다 (그림 2.2).

가시광선의 서로 다른 파장은 사람의 눈에는 서로 다른 색으로 감지되며, 특정한 파장에서 나타나는 색을 분광색이라 한다 (표 2.1).

표 2.1 분광색의 범위

파장의 범위[nm]	색범위
360~440	보라
440~495	파랑
495~580	초록
580~640	노랑~오랜지
640~780	빨강

사람의 눈에 특정한 분광색으로 보이는 한가지의 파장만 갖는 광을 단색 (monochrome)이라 한다. 자연광 혹은 전

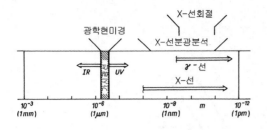

그림 2.2 구조 및 조직분석에 사용되는 전자파의 파장범위.

등의 광은 보이는 범위의 여러 파장이 섞여있는 광으로 다색(polychrome)이라고 하며, 사람의 눈에는 "흰색"으로 보인다. 이러한 백색광에서 어떤 특정한 범위를 제거하면(예를 들면 필터링을 통하여), 남은 광도 역시 색을 타나낸다. 여기서 나타나는 색은 순수한 분광색이 아니고, 남은 스펙트럼의 혼합색이다. 즉, 제거된 분광색범위의 보색이라 한다(표 2.2). 이렇게 한 색으로 나타나는 광은 언제나 단색광이 아니다. 사람의 눈으로 이 색이 분광색인지 혼합색인지 구별하는 것이 어렵다. 이를 구별하기 위해서는 연습이 필요하다.

표 2.2 보색(혼합색)

제거한 분광색	남은 스펙트럼의 혼합색(보색)
빨강	청록
오랜지	녹색을 띤 청색
노랑	짙은 남색
파랑	진홍
녹색을 띤 청색	오랜지
짙은 남색	노랑
보라	황록

2.2.1.1 편광

이미 언급한바와 같이, 전자파는 횡파이다; 전기장의 크기벡터 $\vec{E}$는 파 진행방향 z에 수직으로 놓여 있다. (자기장의 크기벡터 $\vec{H}$는 $\vec{E}$에 수직으로 놓여 있다.) $\vec{E}$가 놓여있는 면을 진동면이라 한다. 그러나 편광면이라 함은 $\vec{H}$가 놓여 있는 면을 말한다. 즉, 편광면은 진동면과 수직으로 놓여 있고 두 면의 만나는 선은 전자파의 진행방향이 된다. 광의 횡파특성 때문에 z에 수직인 면(x-y-면)의 $\vec{E}$에 여러 진동방향이 나타날 수 있다. 이는 광의 여러 다른 편광상태에 따라 구별될 수 있다. 그림 2.3에 나타낸 바와 같이, 선형으로 편광된 광에서는 $\vec{E}$는 어떤 특정한 면(진동면)에서 진동한다.

x-방향으로 γ 각을, y-방향으로 $90°-\gamma$ 각을 이루며 진행하는 진동면에서, $\vec{E_0}$의 진폭을 갖는 선형으로 편광된 파는 같은 원진동수 ω와 위상인자 δ를 갖는 x-z 면과 y-z 면에서의 두 선형 편광파의 합으로 이해할 수 있으며, 이들의 진폭은 다음과 같이 나타낼 수 있다.

$$\vec{E}_{0x} = \vec{E}_0 \cdot \cos\gamma$$
$$\vec{E}_{0y} = \vec{E}_0 \cdot \sin\gamma \qquad (2.6)$$

편광되지 않은 광은 부분파의 진동면의 각 γ가 0~90° 사이의 모든 값을 같은 확률로 가지고 있는 광을 말한다.

서로 수직으로 높여있는 진동면에서, 위상차 Δ를 갖는 두 개의 선형 편광파 $\vec{E}_x$와 $\vec{E}_y$를 서로 합하면, x-y 면에 투영할 때 타원의 형태를 갖는 합성벡터가 된다.

$$\vec{E}_x = \vec{E}_{0x} \cdot \sin[\omega t - \delta]$$
$$\vec{E}_y = \vec{E}_{0y} \cdot \sin[\omega t - \delta - \Delta]$$

이러한 파를 타원으로 편광되었다고 하며, 일반적인 편광상태를 타나낸다. $\Delta = 0$일 때 선형 편광상태이고, $\Delta = \pi/2$ 그리고 같은 진폭을 가질 때 원형 편광상태라 한다. (x-y 면에 투영된 크기벡터는 원형; 그림 2.3)

2.2.1.2 굴절

다른 유전특성을 갖는 두 개의 광학적으로 등방성인 매체[1]사이의 경계면에 α의 각으로 입사하는 광파의 경우(그림 2.4), 광의 일부는 반사되고 다른 일부는 경계면을 뚫고 굴절된 광으로 입사된다. 반사각 α_r는 입사각과 같은 반면 ($\alpha = \alpha_r$), 굴절된 광은 경계면의 수직과 β의 각을 이루며 두 번째 매체로 나아간다. 이때 Snellius의 굴절법칙이 적용된다.

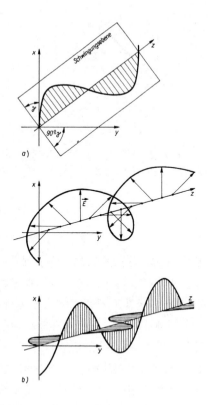

그림 2.3 전자파의 편광. a) 선형 편광상태 b) 원형 편광상태.

$$\frac{\sin\alpha}{\sin\beta} = \frac{n_2}{n_1} = n_{21} \qquad (2.7)$$

n_1, n_2는 두 매체의 절대 굴절률로서 진공에서의 빛의 속도 $c_o = 299792.5 km\ s^{-1}$와 매체에서의 빛의 진행속도 c와의 비로 나타내진다.

$$n_i = \frac{c_o}{c_i} \qquad (2.8)$$

이에 따라 매질 1로부터 매질 2로의 비교 굴절률 n_{21}은 다음과 같다.

---

1) 광학적 등방성이라 함은 해당되는 매체에서는 모든 방향으로 같은 광학적 특성을 가짐을 의미한다. 이러한 특성에는 빛의 속도와 이에 따른 굴절지수 및 흡수 등이 있다(가스, 대부분의 액체, 비정질 및 유리, 입방정 결정을 갖는 고체, 그러나 액정과 입방정 결정을 갖지 않는 물체는 등방성이 아님).

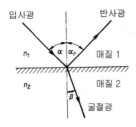

그림 2.4 서로 다른 광학적 특성을 갖는 매체를 통과하는 광의 경로.

$$n_{21} = \frac{c_1}{c_2} \tag{2.9}$$

그림 2.5 방해석 결정에서의 복굴절.

광학적으로 옅은 매질에서 짙은 매질로 지나갈 때($n_2 > n_1$), $n_{21} > 1$ 이기 때문에, 모든 각에서 굴절된 광을 발견하게 된다. 그러나 반대의 경우, 즉 광학적으로 짙은 매체에서 옅은 매체로 지나갈 때($n_2 < n_1$), 어떤 경계각 α_{gr} 이상에서는 굴절광을 발견하지 못하게 된다. 이러한 경우, 순수한 반사만 존재하며, 이것을 내적 전반사라 한다. 경계각 α_{gr}는 $\sin\beta$가 최대값 1이 되는 경우로써 다음과 같이 정해진다.

$$\sin\alpha_{gr} = n_{21} \; ; \; (n_{21} \leq 1) \tag{2.10}$$

한 매체에서의 빛의 진행속도 c와 이에 따른 절대 굴절률은 매체의 구조뿐만 아니고, 광의 파장 λ에도 의존한다[$n = f(\lambda)$]. 이러한 현상을 분산이라 한다. 이러한 원인 때문에 백색(즉, 다색)광이 프리즘을 통과할 때 서로 다른 파장에 따라서 굴절률이 다르게 되고, 다른 각 β을 갖고 여러 분광성분으로 분리될 수 있다. 그러나 같은 이유로 렌즈시스템에서 상이 맺힐 때

원하지 않는 색 오차가 발생한다(색수차, 2.2.2.3절 참조).

지금까지는 광의 방향 혹은 편광상태와는 무관하게 균일한 굴절률을 갖는 광학적으로 등방성을 갖는 매질에서의 굴절을 고찰하였다. 이에 속하는 매질들은 예를 들면, 가스, 대부분의 액체, 비정질 고체(유리), 입방정 결정구조를 갖는 고체들이 이에 속한다. 그러나 입방정 결정구조를 갖지 않는 고체들에서 광파의 진행속도와 이에 따른 굴절률은 파의 진행방향과 편광상태에 따라 다르게 된다. 이러한 현상은 고체의 규칙적인 원자구조 때문에 나타나며, 이를 복굴절이라 한다. 이렇게 불리는 이유는 매체의 경계면에서 굴절된 광이 두 부분 광으로 분리되기 때문이며, 이 파동면들은 서로 수직으로 놓여 있으며 광학적 특성이 서로 다르다. 방해석 결정에서의 복굴절효과를 그림 2.5에 나타내었다. 이러한 결정으로 글씨를 투과해서 보면 겹쳐서 보이게 된다.

두 광의 굴절거동에 대한 설명을 위하여

소위 굴절타원체(indicatrix, 세 수직축의 길이가 매질 굴절률의 값에 비례하는 타원체)를 이용한다. 이는 중심점으로 입사된 광이 서로 다른 공간방향에서의 값에서 각각의 굴절률을 감함으로 얻는다. 이때 세 축의 타원체, 단일축의 타원체(회전대칭), 혹은 굴절률이 방향과 무관하면 구면체를 형성한다.

하나의 대칭축에서 높은 회전대칭을 갖는 정방정, 육방정, 삼방정의 결정은 광학적으로 단일축의 거동을 갖는다. 즉, 두 굴절된 광 중에서 하나는 방향에 따라 굴절률 n_o가 무관한 선이며, 이에 따라 일반적인 Snellius 굴절법칙을 적용할 수 있다. 이를 정규(regular)광이라고 하며(index o), 굴절타원체는 구면으로 나타낼 수 있다. 이의 파동면은 광학축(높은 대칭을 갖는 축, 결정의 a_3 혹은 c 축)과 광의 방향이 형성하는 면(주절단면 혹은 주면)과 수직으로 놓여 있으며, 그러나 편광면은 정의에 의하여 이에 수직으로 놓여 있으며, 즉 주면이다. 이는 전기장세기벡터가 광의 방향과 무관하게 항상 주축에 수직으로 놓이는 결과를 나타내며, 이를 통하여 굴절 index의 무방향성을 설명할 수 있다.

특별한 광이라 불리는 (프랑스어 extraordinaire, index e) 두 번째 광의 굴절률 n_e는 방향에 따라 다르며 일반적인 굴절법칙에 따르지 않는다. 단지 주축의 방향에서만 $n_e = n_o$이 성립된다. 따라서 이 방향으로 입사되는 광선은 복굴절효과가 나타나지 않는다. 굴절타원체는 단일축의 회전타원체를 나타내며 이의 모양은 최소와 최

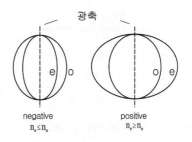

그림 2.6 광학적으로 단일축을 갖는 매질에서 정규(regular) 및 특별한 광의 굴절타원체(indicatrix).

대 굴절률(주굴절률)에 의하여 결정된다. 특별한 광의 파동면은 주면과 함께 편광면에 수직으로 놓인다.

$n_e \geq n_o$가 유효한 (특별한 광의 굴절타원체는 편형의 타원체) 결정은 광학적으로 양(positive)이라 하며, 반면 $n_e \leq n_o$(길어진 타원체)가 유효한 결정은 광학적으로 음(negative)이라 한다 (그림 2.6).

중요한 것은 이방성을 나타내는 결정의 흡수거동 역시 방향에 따라 다르며, 정규적인 그리고 특별한 광에서 또한 다르다. 이러한 현상을 이색성(dichroism)이라 한다.

이 복굴절을 이용하면 고품질의 편광자를 만들 수 있다. 예를 들어, 소위 Nicol식 (이중-)프리즘에서 서로 연결된 부분 프리즘의 적절한 결정학적 방위를 이용하면 내부 경계면에서의(연결된 부분) 전반사에 의하여 정규적인 광이 제거된다. 이렇게 남게된 특별한 광은 선형적으로 편광이 된다(그림 2.7). 반면 최근에 주로 편광자로 사용되는 편광필름(예, 착색된 이색성 폴리비닐알콜, color dichromatic poly-

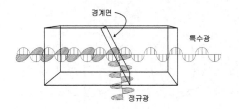

그림 2.7 Nicol식 프리즘의 원리.

vinylalcohol)의 특성은 두 개로 굴절된 광에서 하나를 아주 약하게 하여 편광특성(다색편광)을 갖게 한다.

사방정, 단사정, 삼사정 결정에서 두 광의 굴절률(그리고 흡수거동)은 차이가 있고 방향에 따라 다른데 이러한 결정은 광학적으로 두 축을 가졌다고 한다. 이들의 광학적 거동은 매우 복잡하다.

또한, 광학적으로 등축인 재료에서 축방향에서의 응력상태가 복굴절을 나타나게 할 수 있는데 이를 응력복굴절이라 한다. 이때 굴절률의 차이는 작용하는 응력에 비례하며, 소위 응력광학이라고 하는 분야에서 응력의 분포를 측정하는데 이용된다.

2.2.1.3 흡수와 반사

I의 강도를 갖는 광선이 광학적으로 등방인 소재로 된 얇은 판에 입사되면 경계면에서 광의 일부분이 반사되며(I_R), 굴절된 광은 매질 속에서 진행함에 따라 흡수되어 약하게 되며(흡수된 강도 I_A) 투과되어 판을 통과한 광의 강도는 I_T이다. 산란효과를 고려하지 않으면 강도는 다음 식으로 표현할 수 있다.

$$I = I_R + I_A + I_T \tag{2.11}$$

강도 I_R과 I_A는 판소재의 광학적 기본특성을 이용하여 계산할 수 있으며, 따라서 투과된 강도를 알 수 있다.

판에서의 광의 흡수는 다음 식으로 표현할 수 있다.

$$I_T = I_{OT} \exp(-kD4\pi/\lambda) \tag{2.12a}$$

$$I_A = I_{OT} [1 - \exp(-kD4\pi/\lambda)] \tag{2.12b}$$

여기서 $I_{OT} = I_O - I_R$, 흡수계수 k는 재료특성이며, D는 판의 두께이다. 흡수계수 k는 파장에 따라 다르며, 따라서 흡수되는 매질을 통과하면 광의 분광분포는 변하게 된다. 표 2.3에서 보여주듯이 금속은 특히 높은 흡수계수를 보여주고 있다.

광학적으로 이방성을 갖는 재료에서는 판 내부에서 광이 분리되는 현상(복굴절)을 고려하여야 한다. 이때 일반적으로 부분광의 흡수계수는 파장에 따라서 변하는 것 이외에 방향에 따라서도 변한다.

표 2.3 굴절률과 흡수계수 ($\lambda = 589nm$일 때)

재료	n	k
은	0.181	3.67
금	0.366	1.82
구리	0.64	2.62
백금	2.06	4.26
철	2.36	3.40
안티몬	3.0	5.01
황화아연	2.38	0.01

광학현미경에서 중요한 것은 재료의 반사계수 R이다(종종 반사능이라고도 함).

이는 이상적인 반사를 할 때, 즉 잘 연마된 표면에서, 입사선의 강도(I_O)에 대한 반사선의 강도(I_R)비로 정의 된다. 여기서 진동면의 위치와 표면의 수직과 입사선이 이루는 반사면은 구별되어야 한다. 두 면이 서로 평행하게 놓여있는 경우 반사계수를 R_p, 서로 수직으로 놓여있는 경우 R_s라 한다.

먼저 광학적으로 등방성인 매체에서 흡수가 무시할 수 있을 정도로 작은 경우 다음 관계가 성립된다.

$$R_p = \frac{\tan^2(\alpha - \beta)}{\tan^2(\alpha + \beta)} \qquad (2.13a)$$

$$R_s = \frac{\sin^2(\alpha - \beta)}{\sin^2(\alpha + \beta)} \qquad (2.13b)$$

여기서 α는 입사각, β는 굴절각을 나타낸다. 이 β에는 Snellius의 굴절법칙에서의 비교 굴절률 n_{21}이 감추어져 있다. 이 두 성분의 강도가 같으며 편광되지 않은 선의 경우, 반사계수 R은 다음과 같이 나타낼 수 있다.

$$R = \frac{1}{2}(R_p + R_s) = \qquad (2.13c)$$
$$\frac{1}{2}\left[\frac{\tan^2(\alpha - \beta)}{\tan^2(\alpha + \beta)} + \frac{\sin^2(\alpha - \beta)}{\sin^2(\alpha + \beta)}\right]$$

그림 2.8에 공기에서 유리로 선이 입사될 때(n_{12} = 1.52) 입사각 α의 변화에 따른 R_p, R_s 및 R의 변화를 나타내었다.

R_s가 R_p보다 항상 크기 때문에, 편광되지 않은 입사광도 반사광은 부분 편광이 된다. 그리고 그림에서 보듯이 R_p는 어떤 특정한 입사각 α_B에서 0의 값을 나타내는

데, 이는 다음 조건에 의한 결과이다.

$$\tan^2(\alpha_B + \beta) = \infty \ \ \text{및} \ \ \alpha_B + \beta = 90^o \qquad (2.14)$$

이러한 각 α_B를 Brewster각이라 한다. 이는 편광되지 않은 광이 약하게 혹은 흡수가 없는 매질의 표면에 α_B의 각으로 입사되면 완전히 선형편광된 선으로 반사됨을 나타낸다.

$n_2 > n_1$의 경우(광학적으로 옅은 매질에서 짙은 매질로 지나갈 때), 흡수가 없는 매질의 표면에서 반사될 때 180^o의 상변화가 수반된다. $n_2 < n_1$의 경우는 상변화 없이 반사된다.

광이 표면에서 수직으로 반사되는 경우, $R_p = R_s$가 되며, 반사계수 R은 다음과 같다.

$$R = \left(\frac{n_2 - n_1}{n_2 + n_1}\right)^2 \qquad (2.15a)$$

즉, 굴절률 n_i에 의해서만 결정된다. 매

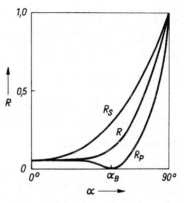

그림 2.8 흡수를 무시했을 때, 입사각 α의 변화에 따른 R_p, R_s 및 R의 변화.

체 1이 진공인 경우($n_1 = 1$), 다음과 같다.

$$R = \left(\frac{n_2 - 1}{n_2 + 1}\right)^2 \qquad (2.15b)$$

금속이나 합금 등과 같이 흡수하는 재료에서는 반사계수의 관계에서 변화가 나타난다. 흡수가 없는 매질(표시 1, $k_1 = 0$)과 흡수하는 매질(표시 2)사이의 경계면에 수직으로 입사하는 경우, 반사계수는 다음과 같다.

$$R = \frac{(n_2 - n_1)^2 + k_2^2}{(n_2 + n_1)^2 + k_2^2} \qquad (2.16)$$

n_1 흡수가 없는 매질 1의 굴절률

n_2, k_2 흡수가 있는 매질 2의 굴절률과 흡수계수

이 관계에 의하면 큰 흡수계수 k를 갖는 금속에서는 높은 반사계수를 얻음을 보여주고 있다. 즉, 흡수를 많이 하는 재료는 높은 반사계수를 갖는다. 이는 표면에 서로 다르게 오염된 물을 바른 표면에서 형성되는 거울상을 관찰하면 확실히 알 수 있다. 맑은 물(흡수가 적음)을 바른 경우 거울상이 약하며, 오히려 물의 바닥을 볼 수 있다. 그러나 심하게 오염된 물(흡수가 많음)의 경우 바닥은 볼 수 없으며 대신 잘 형성된 거울상을 볼 수 있다.

반사광이 180°로부터 상도약 δ의 차이를 보이면 다음과 같이 나타낼 수 있다.

$$\tan\delta = 2 n_1 k_2 / (n_1^2 - n_2^2 - k_2^2) \qquad (2.17)$$

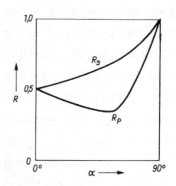

그림 2.9 금속에서 입사각 α의 변화에 따른 R_s 및 R_p의 변화.

경사를 이루고 입사되는 광에서는 s와 p 성분의 반사계수와 상도약이 서로 다르게 나타나며, 따라서 편광되지 않은 광이나 s와 p 면이 만나지 않는 진동면을 갖는 선형 편광된 광이 반사되면 원형 편광된 선이 된다. Brewster각 α_B에 대한 R_p가 0인 흡수가 되지 않는 매질에서의 반사와는 다르게, 임계입사각에서는 R_p가 단지 최소값을 나타낸다(그림 2.9).

매질 1에서의 광흡수를 고려하면 하면(흡수계수 $k_1 > 0$) 식 (2.16)와 (2.17)를 수정해야 한다. 상경계에서의 반사계수 R과 상변화 δ는 다음과 같다.

$$R = \frac{(n_2 - n_1)^2 + (k_2 - k_1)^2}{(n_2 + n_1)^2 + (k_2 + k_1)^2} \qquad (2.18)$$

$$\tan\delta = \frac{2(n_1 k_2 - n_2 k_1)}{n_1^2 + k_1^2 - n_2^2 - k_2^2} \qquad (2.19)$$

복굴절을 나타내는 재료에서 R과 δ를 구할 때는, 서로 다른 굴절률과 흡수계수가 적용되는 매질에서 생성되는 두 광을

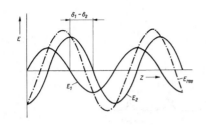

그림 2.10 위상차 $\delta_2 - \delta_1$를 갖는 두 가간섭성 파의 합성.

고려하여야 한다. 이는 이러한 물질에서의 반사는 항상 편광상태가 됨을 의미한다.

2.2.1.4. 간섭과 회절

광학적으로 중요한 현상으로 가(可)간섭성(coherente) 파의 간섭이 있다. 가간섭성 파는 파장 λ가 같고 시간과 무관하게 위상차이가 일정한 파를 말한다. 진폭 E_1, E_2 그리고 위상 δ_1, δ_2를 갖는 같은 진동면에서의 두 선형 편광파가 합성되면(그림 2.10) 진폭이 E_{res}를 갖는 합성파가 된다.

$$E_{res} = \sqrt{E_1^2 + E_2^2 + 2E_1E_2 \cdot \cos(\delta_1 - \delta_2)} \quad (2.20)$$

진폭의 제곱에 비례하는 강도는 다음과 같다.

$$I_{res} = I_1 + I_2 + 2\sqrt{I_1 I_2} \cdot \cos(\delta_1 - \delta_2) \quad (2.21)$$

합성파의 강도는 비가간섭성(incoherent) 파의 경우와 같이 두 강도의 합 $I_1 + I_2$로 되는 것이 아니고 $2\sqrt{I_1 I_2} \cdot \cos(\delta_1 - \delta_2)$ 만큼 커지거나 작아진다. 이러한 현상을 간섭이라 한다. 보강간섭의 최대강도는 $\cos(\delta_1 - \delta_2)$

=1일 때 즉, $\delta_1 - \delta_2 = 2m\pi$일 때이다. 이때는 간섭에 참여한 파가 서로 최대진폭에 겹쳐져 있고, 합성파의 진폭은 $E_{res} = E_1 + E_2$, 강도는 $I = I_1 + I_2 + 2\sqrt{I_1 \cdot I_2}$이 된다. 간섭현상에 의한 최소강도는 위상차가 $\delta_1 - \delta_2 = (2m+1) \cdot \pi$일 때 나타난다(m은 정수), 이때의 진폭은 $E_{res} = E_1 - E_2$, 강도는 $I = I_1 + I_2 - 2\sqrt{I_1 \cdot I_2}$이 된다. 간섭에 참여하는 두 파의 진폭 E_1과 E_2가 같으면, 진폭과 강도가 0이 된다(소멸간섭). 이러한 간섭현상을 이용하여 특별한 명암조건을 설정할 수 있으며, 이는 메탈로그래피 조사 시 유용하게 사용할 수 있다.

빛(전자기파)과 메탈로그래피 시편과 같은 대상물체의 상호작용을 생각할 때, 물체는 광학적으로 볼 때 매우 불균일하다는 것을 고려해야 한다. 즉, 거시적 혹은 미시적으로 광학적 특성이 다른 영역들로 구성되어 있다. 물체의 표면에 입사되는 광은 모든 위치에서 Huygens의 원리에 따라 파장은 같지만 진폭과 위상이 다른 구형의 기본파들을 생성한다. 이러한 기본파들이 상호작용하여 생기는 현상을 회절이라 한다. 간단한 예로써 선형창살에서의 회절을 설명한다(그림 2.11). 간격 d만큼씩 떨어져 평행으로 놓인 좁은 틈에 단일파장의 가간섭성 광이 입사하면, 이 틈(1부터 5까지)에서 구형의 기본파가 생성되고 이 구형의 파는 모든 방향으로 퍼져나가려 한다. 퍼져나가는 방향 $\vec{s}$는 입사방향 $\vec{s_o}$에 각 φ를 이루며 나가며 이들의 위상차(지나가는 거리의 차)는 $\Delta = d \cdot \sin\varphi$로 구할 수 있다. 이는 시간에 따라 변하지 않으며 따라서 이러한 이차적인 파의 간섭

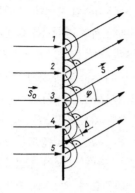
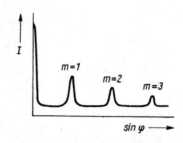

그림 2.11 등간격 틈(선형창살)에서의 회절
a) 파의 진로 b) 회절강도의 도식적인 표현.

을 위한 조건이 된다. 이러한 현상은 Δ가 파장의 정수배가 될 때, 모든 이차적 파의 최대 보강간섭이 나타나게 한다. 각 φ를 갖는 방향에서의 최대강도는 다음 조건이 만족되면 얻을 수 있다.

$$\Delta = d \cdot \sin\varphi = m \cdot \lambda \qquad (2.22)$$

정수 m은 회절차수를 나타낸다. 선형창살 뒤 충분히 멀리 떨어진 스크린에 그림 2.11b에 보여주는 것과 같은 강도가 나타난다. 회절차수 m에 따라 여러 개의 최대강도가 나타날 수 있다. 회절 최대값의 수 즉, 가능한 최대 회절차수는 $m \leq d/\lambda$에 의하여 제한된다.

이 조건은 2.2.2.2절에서 현미경의 해상도 한계를 설명할 때 다시 언급한다.

2.2.1.5. 렌즈

본 장의 마지막으로 렌즈의 몇 가지 광학적인 특성을 언급하고자 한다. 렌즈는 현미경의 기본적인 광학요소 중 하나이며, 이의 특성이 현미경의 성능을 결정한다. 여기서 특히 볼록렌즈의 특성이 중요하다.

렌즈(볼록렌즈)의 기본적인 특징은 초점거리 f와 f′로 나타낸다(그림 2.12). 이는 렌즈의 주면의 초점면 사이의 거리를 나타낸다. 광학적 축과 초점면의 교점을 초점이라 한다. 초점거리는 렌즈표면의 반지름 R 및 R′와 렌즈물질과 주위(일반적으로 공기 혹은 진공) 사이의 비교 굴절률 n_{21}을 이용하여 다음과 같이 계산할 수 있다.

$$f = \frac{1}{(n_{21}-1) \cdot \left(\dfrac{1}{R} + \dfrac{1}{R'}\right)} \qquad (2.23)$$

여기서 나타나는 중요한 현상은 다음과 같다.

a) 광축으로 입사되는 광선은 렌즈를 지나면서 아무런 방향변화가 없다. 이러한 현상은 렌즈의 0점을 통과하는 모든 선에도 동일하게 적용된다(중점선).

b) 광축에 e의 거리를 두고 평행하게 입사하는 선(평행선)은 뒤쪽의 초점 F′를 지나도록 굴절한다. 이는 초점선이 된다. 광축과 이루는 각 σ'_e는 다음 식으로 표시된다.

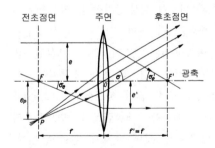

그림 2.12 볼록렌즈의 특성.

$$\tan\sigma_e' = e/f' \qquad (2.24a)$$

모든 평행선은 초점 F'로 모이며, 초점선이 된다.

c) 각 σ_e를 갖고 초점 F로부터 렌즈로 입사되는 선(초점선)은 광축에 e'의 거리를 두고 평행하게 렌즈를 통과한다.

$$e' = f \cdot \tan\sigma_e \qquad (2.24b)$$

이는 초점 F에서 출발하는 모든 선은 평행선이 됨을 타나낸다.

d) 앞 초점면의 점 P에서 발산되는 선은 광축과 각 σ'를 이루는 평행선이 된다.

$$\tan\sigma' = e_p/f \qquad (2.24c)$$

이러한 전형적인 특성을 이용하여 볼록렌즈의 상 맺힘 특성을 기하학적으로 이해할 수 있다. 이를 위하여 이미 알려진 초점거리 f와 렌즈에서 물체까지의 거리 g를 이용하여 상까지의 거리 b를 구하는 다음의 **렌즈식**을 이용한다.

$$\frac{1}{f} = \frac{1}{g} + \frac{1}{b} \qquad (2.25)$$

실상의 척도 M은 다음 관계에 의하여 구해지며

$$M = \frac{b}{g} = \frac{b}{f} - 1 \qquad (2.26)$$

허상(돋보기 척도)의 배율 V는 다음과 같다.

$$V = \frac{250}{f} \qquad (2.27)$$

식 (2.27)에서의 배율은 확대된 상과 250mm 떨어진 곳에서 본 원래 물체의 크기와의 비로 나타낸 것이다. 물체의 위치와 상의 위치, 배율과의 관계는 다음 세 경우가 있다(그림 2.13).

a) 그림에서 화살표로 나타낸 물체 혹은 대상체가 렌즈로부터 2f 이상 떨어져 있는 경우 $g_1 > 2f$에는 b_1의 위치에($f' < b_1 < 2f'$) 축소된 도립 실상이 나타난다.

b) 렌즈로부터 g_2의 위치에 물체가 놓여 있는 경우 $2f > g_2 > f$(초점거리 두 배 이내), b_2의 위치에($b_2 > 2f'$) 확대된 도립 실상이 나타난다. 물체가 초점거리 f에 놓여 있으면($g = f$), 상은 무한의 위치에 나타난

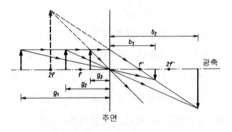

그림 2.13 볼록렌즈의 상특징.

다($b_2 = \infty$).

c) 물체가 초점거리 이내에 있으면 $g_3 < f$, 렌즈는 상 쪽으로 선이 서로 만나지 못하기 때문에 실상을 만들지 못하고 확대된 허상을 만든다(사람의 눈에는 물체가 놓여 있는 쪽으로 확대된 다른 상으로 보인다).

현미경 제작에 중요한 현상은 물체 또는 중간상의 확대된 상을 얻을 수 있기 때문에 b)와 c)의 경우이다.

2.2.2.
반사광학현미경의 구조와 작동

2.2.2.1. 반사광학현미경의 광학요소

현미경을 누가 가장 먼저 제작했는지 정확하게는 알 수 없으나, 1620년경 두 개의 렌즈를 이용하여 물체를 크게 확대하여 볼 수 있는 광학적 시스템을 제작한 Cornelius Drebbel과 Galileo Galilei가 최초의 발명자로 여겨진다. 이러한 방법으로 조립하여 제작한 현미경(예전에는 손쉽게 돋보기들을 배치하는 것을 '간단한' 현미경이라 하였다)의 원리는, 17세기에 제작한 것과는 성능의 차이는 매우 크지만, 현재까지도 유지되고 있다.

합성된 현미경(복합현미경, 렌즈가 2개 이상)의 원리적인 구조를 그림 2.14에 나타내었다. 물체 쪽에 위치한 광학시스템(렌즈)을 대물렌즈, 관찰자 쪽에 위치한 것을 대안렌즈라 한다. 대물렌즈는 렌즈 뒤의 초점면에서 t 만큼 떨어진 곳에 확대된 물체와 비슷한 실상(중간상)을 생성한다. t를 경통길이라 하며, $t = b - f_{obj}$가 성립된다. 여기서 b는 상거리, f_{obj}는 대물렌즈의 초점거리이다. 상거리 b와 경통길이 t가 무한대로 크지 않기 때문에 식 (2.25)에 의하여 물체는 대물렌즈 주면으로부터 $g > f_{obj}$떨어진 곳에 물체가 놓여야 한다. 여기서 높은 실상의 척도 $M = b/g = /(f_{obj} + \Delta g)$ [식 (2.26)]를 얻기 위하여 차 $\Delta g = g - f_{obj}$와 f를 매우 작게 유지하여야 한다. 대물렌즈에 의하여 생성된 중간상은 돋보기로써 사용되는 대안렌즈에 의하여 다시 확대된다. 이를 위하여 중간상은 대안렌즈의 초점거리 f_{ok}안에 그리고 초점 F_{ok} 가까이에 놓여야 한다. 대안렌즈의 배율은 대안렌즈의 초점거리 f_{ok}를 적용한 식 (2.27)에 의하여 구한다. 이러한 시스템에 의하여 확대된 상은 허상이며, 다른 보조도구 없이 화면이나 사진필름에 기록될 수 있다. 이 허상은 눈의 수정체에 또 다른 상의 요소로 작용하고, 마지막으로 눈의 망막에 실상으로 맺힌다. 현미경의 최종 배율은 다음 식으로 구해진다.

$$V_{Micr} = M_{Obj} \cdot V_{Ok} \qquad (2.28a)$$

대물렌즈를 이용하여 형성된 중간상이 초점거리의 두 배 이내에 놓이게 접안렌즈를 장착하면(즉 초점거리의 1배와 2배 사이), 확대된 실상이 생성되며 이를 화면 혹은 모니터를 이용하여 보게 할 수 있으며, 적절한 사진촬영 기구 혹은 CCD-카메라를 이용하여 기록할 수 있다. 이러한 시

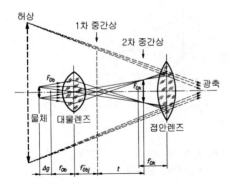

그림 2.14 제한된 거리에 중간상을 갖는 복합현미경의 원리적 구조.

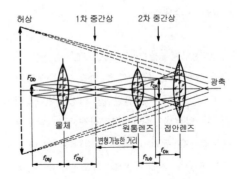

그림 2.15 무한한 거리에 중간상을 갖는 복합현미경의 원리적 구조.

스템을 투영기라 하며, 상의 척도 M_{Pro}과 M_{Obj}에 의하여 최종 배율이 결정된다.

$$M_{Micr} = M_{obj} \cdot M_{pro} \tag{2.28b}$$

반사광학현미경에는 대물렌즈와 접안렌즈 사이의 광 통로에 추가적인 광학요소(예를 들면, 조명을 밝히기 위한 프리즘 혹은 평판 거울, $\lambda/4$ 판, 편광판 등)가 더 필요하다. 이러한 경우, 무한한 상거리를 갖는 대물렌즈를 이용하고 대상물체를 렌즈 앞쪽 초점면에 놓이게 구성하면 쉽게 해결할 수 있다(그림 2.15). 이러한 구조에서는 물체의 각 점에서 출발한 모든 선은 대물렌즈를 지난 후 광축과 특정한 각을 이루는 평행선으로 된다(식 (2.24c)). 계속해서 유한한 곳에 물체의 상을 얻기 위하여, 원통렌즈라 하는 중간렌즈를 장착한다. 여기서 중간렌즈와 대물렌즈와의 거리는 특정한 범위에서 자유롭게 선택할 수 있으며, 따라서 추가적인 광학요소를 설치할 수 있는 공간이 확보된다. 원통렌즈에

의하여 생성된 중간상은 일반적인 방법으로 대안렌즈 혹은 위에서 언급한 투영기를 통하여 더 확대될 수 있다. 무한한 상거리를 갖는 대물렌즈의 배율은 $V = 250/f_{obj}$로 표시할 수 있다(식 (2.27)). 소위 경통인자라 불리는 $q_\infty = f_{Tub}/250$ (f_{Tub}—경통렌즈의 초점거리)와 함께 시스템의 전체배율은 다음과 같이 구할 수 있다.

$$V = V_{Obj} \cdot q_\infty \cdot V_{Ok} \tag{2.29}$$

그림 2.15를 통하여 얻을 수 있는 대물렌즈, 원통렌즈, 접안렌즈의 광학적 역할은 다음과 같다.

- 무한한 상거리를 갖는 대물렌즈와 원통렌즈의 조합은 유한한 상거리를 갖는 대물렌즈와 같은 효과를 나타낸다. 이 조합된 시스템과 접안렌즈/투영기가 고유의 현미경을 구성한다(그림 2.14와 비교).
- 원통렌즈와 접안렌즈의 조합은, 대물렌즈에 의하여 생성된 무한한 곳에 놓여있는 상을 고려하면, 망원경으로 사용될 수

있는 시스템이다.

원하는 배율을 바꿀 때는 대물렌즈를 바꾼다. 이는 셋 혹은 다섯 개의 대물렌즈가 같이 붙어있는 "회전판"을 이용하면 쉽게 할 수 있는데, 이를 회전함으로써 필요한 대물렌즈를 광의 진로에 투입할 수 있다.

현미경을 사용하는데 과도한 피로감을 줄이기 위하여 일반적으로 하나의 접안렌즈(한 눈으로 보게 됨)를 사용하는 것이 아니고 두 개의 접안렌즈를 사용한다. 이 때 두 눈에는 같은 상이 보이는데, 이는 접안렌즈 시스템 앞에 반사 및 투과를 이용하여 반투과 시야를 확보함으로 실현한다(그림 2.16의 평평한 유리 반사경과 비교). 여기서 관찰자가 보는 상은 입체가 아니다(2.2.3.8절 참조). 회전가능한 여분의 렌즈를 통하여 접안렌즈 시스템의 배율을 바꿀 수 있고 이를 통하여 전체의 배율을 단계적으로 바꿀 수 있다.

대물렌즈의 조명에 따라 투과 및 반사 광학현미경 두 종류의 현미경으로 구분할 수 있다. 투과현미경에서는 빛에 투명한 물체에 대물렌즈 마주보는 방향에서 조명되며, 광선은 현미경 내에 머무를 수 있어야 하며 물체를 통과해야 한다. 대부분의 재료 특히 금속은 불투명하기 때문에 빛을 통과시킬 수 없기 때문에 메탈로그래피에 적용할 수 없다. 주로 반사광학현미경이 메탈로그래피에서 사용되는데, 대상물체에 수직 혹은 수직에 가깝게 조명광선이 비추어진다. 결국, 조명광선의 경로가 대물렌즈를 통과할 수 있어야 하거나 대물

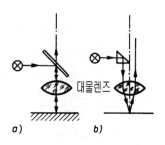

그림 2.16 광학반사경: a) 평평한 유리 반사경, b) 프리즘 반사경.

렌즈와 물체사이의 제한된 공간으로 비스듬히 들어갈 수 있어야 한다. 이 목적을 위하여 보통 반투과 거울과 같은 평평한 유리 반사경을 대물렌즈와 원통렌즈 사이에 광축으로부터 45° 기울여서 사용한다(그림 2.16a). 광축에 수직으로 입사되는 조명광선은 평평한 유리에서 약 50% 대물렌즈–물체 방향으로 반사되고(광의 50%는 방향의 변화없이 평판유리를 통과하고 사라짐), 그리고 다시 물체에서 반사된 빛은 특별한 손실없이(즉, 다시 약 50%) 평평한 유리를 통과하여 현미경의 광축방향으로 들어간다. 평평한 유리 반사경의 경우(때때로 반사경으로 표시), 조명광선의 약 1/4 정도만 사용되지만(50%의 50%), 렌즈의 구경(aperture : 물체의 한 점에서 반사되어 상을 맺게 하는 광선이 대물렌즈를 통하여 사용할 수 있는 최대각)을 최대한 이용할 수 있고, 이에 따라 최대 해상도(2.2.2.2절 참조)를 얻을 수 있다. 그리고 조명광선의 편광상태에서의 반사에도 영향을 준다(2.2.1.1절 참조).

드물기는 하지만 프리즘을 이용하여 조명광선을 대물렌즈–물체 방향으로 바꾸어

주는 프리즘 반사경을 이용하기도 한다(그림 2.16b). 이 프리즘 반사경은 아주 높은 강도효율을 얻을 수 있고 편광상태를 거의 변화시키지 않으나(Berek-프리즘), 렌즈의 구경(aperture)을 아주 작게 제한하고 이에 따라 해상도가 떨어진다. Berek-프리즘이 장착된 반사경은 편광현미경에 사용되고 있다.

좋은 현미경 상을 얻기 위한 가장 기본적인 사항은, 1893년 Koehler가 제안한 바와 같이, 이상적으로 정렬된 조명광선의 경로이다. 기본적인 원리를 그림 2.17에 나타내었다. 조명장치에는 기본요소로써 광원 L 이외에 집광기 KO, 두 개의 렌즈 Li_1과 Li_2, 구경조리개 AB, 그리고 조명조리개 LB 등이 속한다. 집광기 KO는 구경조리개 AB의 면에 광원의 상을 맺게 한다. 이 구경조리개는 렌즈 Li_1과 Li_2을 통하여 대물렌즈의 뒤쪽 초점면에 상을 맺게 하고, 이에 따라 구경조리개를 조절함으로써 실제 사용되는 조명조리개를 조절할 수 있으며(조명광선의 개구각), 균일하게 대상물체에 조명을 할 수 있게 된다. 두 번째 조리개인 조명조리개 LB는 렌즈 Li_2와 대물렌즈를 통하여 물체면에 상이 맺힌다. 이를 통하여 실제 물체에 조명되는 범위를 결정한다. 즉, 이 Koehler의 조명원리는

조명조리개를 변화시킬 수 있고, 조명 범위의 크기를 제한할 수 있다. 이에 따라 불필요한 빛의 분산과 반사를 줄일 수 있다.

반사광학현미경의 광원으로써 일반적으로 Xenon 고압전구(가스방전전구) 혹은 30~100W의 할로겐전구(백열전구)를 사용한다. 할로겐전구는 넓은 스펙트럼 범위에서 균일하게 조사하며 따라서 연속선으로 분류된다. 할로겐전구는 약 3000K의 색온도를 갖는 인공광선이며, 대략 낮의 빛이 나타내는 스펙트럼분포를 갖는다. 반면 Xenon 고압전구는 자연광선(색온도 약 5000K)과 가까운 스펙트럼분포를 갖는다. 이는 특히 칼라사진작업을 할 때 주의해야 하는데, 광원의 종류에 따라 적당한 사진재료를 택하여야 한다. 필요한 경우에는 조명광선통로에 변환필터(conversion filter)를 사용하여 보정해야 한다. 특별한 경우(예, 메탈로그래피에서 거의 사용하지 않는 형광현미경의 경우) 선형 스펙트럼을 방사하는 수은고압전구를 사용하기도 한다. 이름에서 알 수 있듯이 가시광선범위의 레이저광원(예, He-Ne 레이저)을 사용하는 공초점레이저주사현미경도 있다(2.2.3.7절 참조).

흡수필터를 사용하면 광원의 연속적인 스펙트럼분포를 현저하게 바꿀 수 있다.

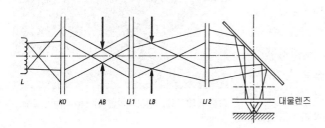

그림 2.17 Koehler가 제안한 광학현미경의 조명광선의 경로.

이 흡수필터는 파장에 따른 흡수특성을 이용하여 특정한 파장, 하지만 제법 넓은 범위의 스펙트럼을 투과시킨다(예를 들면 초록-, 파랑-, 빨강- 혹은 황색필터). 이들은 일반적으로 콘트라스트를 보강하는 필터로 사용된다(필터색이 물체부분 색의 보색이면 콘트라스트를 강하게 하고 반대의 경우에는 콘트라스트를 약하게 한다).

간섭막현미경(2.2.3.6절 참조)의 경우와 같이 단파장의 광이 필요한 경우, 즉 광이 매우 좁은 스펙트럼범위로 제한되어야 하는 경우, 스펙트럼의 절반값 폭을 10~20nm로 제한할 수 있는 간섭필터를 사용한다. 그러나 동시에 많은 강도의 저하가 수반된다. 스펙트럼분포의 변화 없이 광선의 강도를 낮추는 필터를 회색필터라고 한다.

반사광학현미경의 기본적인 광학요소는, 대물렌즈, 원통렌즈, 접안렌즈 혹은 투사기, 반사경, 광원을 포함한 조명장치, 구경 및 조명조리개가 있으며, 최근의 현미경에는 사진을 촬영할 수 있는 장치가 장착되어 있다. 그림 2.18과 2.19에 두 개의 현미경을 나타내었는데 물체(시편)와 대물렌즈의 위치가 다르다.

정립 반사광학현미경에서는 시편을 현미경 원통 아래 위치한 좌우로 조작이 가능한 시편대 위에 놓는다(이 현미경은 간단한 조작으로 투과현미경으로 바꿀 수 있다). 이런 형태의 현미경을 사용하기 위해서는 시편면이 광축에 수직으로 놓여져야 한다. 이를 위하여 일반적으로 작은 판 위에 고무찰흙과 함께 시편을 올려놓고 눌러

평행하게 만든 후 이를 시편대 위에 올려놓고 사용할 수 있다.

도립 반사광학현미경은 1897년 Le Chatellier 가 제안한 것과 같은 방식으로 실현되었다. 이 현미경에서 시편은 반대방향으로 장착된 현미경 원통 위에 위치한 x-y 방향 및 회전 조작이 가능한, 중앙에 구멍이 뚫린 시편대 위에 놓는다. 이 도립현미경

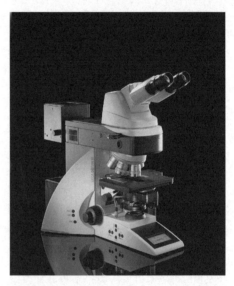

그림 2.18 정립 반사광학현미경(DM 4000, Leica).

그림 2.19 도립 반사광학현미경(Axiovert, Zeiss Jena).

은 정립현미경과 비교할 때, 시편의 한쪽 면만 평평하면 다른 면은 임의의 모양을 하고 있는 시편이라도 시편면이 항상 광축에 수직하게 위치한다는 장점이 있다. 그러나 이런 형태의 현미경으로는 유동성있는 물질의 직접적인 관찰은 불가능하다. 그럼에도 불구하고 도립현미경은 사용하기 간단하고 재현성있게 시편 위치를 찾을 수 있기 때문에 실험실 혹은 산업체에서 많이 사용된다.

대부분의 광학현미경에는 현미경 상을 보존할 수 있는 장치가 부착되어 있다. 디지털화된 사진을 위한 CCD 카메라 혹은 상을 촬영할 수 있는 작은 카메라가 장착되어 있다. 여기서 저장과 작업을 유연하게 할 수 있는 디지털 사진이 대부분 적용되고 있다(2.2.4절 참조). 사진을 얻기 위하여는 접안렌즈로 들어오는 광선의 경로를 완전히 혹은 부분적으로 투영기 쪽으로 바꾸어 주어야 한다.

현장에서 품질관리를 하기위한 특별한 현미경시스템이 개발되었는데, 대물렌즈 회전판에 장착된 대물렌즈의 선택, 접안렌즈의 배율 선정, 상 촬영을 위한 조건설정, 조리개 및 필터의 선정 등과 같은 현미경 조작을 컴퓨터를 이용하여 제어할 수 있도록 제작하였다(자동 현미경).

2.2.2.2 현미경 상의 원리

2.2.1.절에서 창살에서의 단색광 회절에 대하여 설명하였다. 여기서 어떤 특정한 방향 φ_m에서 보강간섭이 일어나고 그 사이의 방향에서는 매우 낮은 강도가 나타남

이 관찰된다. 즉, 창살의 주기성이 회절상의 강도분포 주기성으로 나타난다. 창살이 주기성을 나타내지 않으면 간섭상도 희미하게 나타난다. 이와 같이 회절상은 관찰대상의 광학적 구조에 관한 정보를 해석가능한 형태로 나타내고 있다. 이를 확인하는 것이 현미경 상에 관한 Abbe 이론의 출발점이다.

대물렌즈의 앞쪽 초점면에 조명된 물체가 놓여 있으면, 물체의 여러 점에서 광축으로 σ_e 각을 가지며 회절된 평행 광선은 뒤(상 쪽) 초점면의 한 점으로 모이는데, 이 점은 광축으로부터 다음의 거리에 떨어져 있다[식 (2.24c)와 비교].

$$e = f \cdot \tan\sigma_e \qquad (2.30)$$

그러면 뒤쪽 초점면에 물체와는 닮지 않은 회절상이 생긴다(그림 2.15) (1차 중간상). 이 회절상으로부터 빛의 간섭으로 인하여, 다른 중간상면에 물체와 닮은 상이 생긴다(2차 중간상). 물체로부터 출발한 모든 광선이 2차 중간상면에 간섭현상으로 나타난다면, 물체의 변조되지 않은 상으로 나타난다. 그렇지만 물체로부터 회절된 광선이, 대물렌즈에 입사하는 회절각이 제한되거나 뒤쪽 초점면(회절상이 맺는 곳)이 가려지게 되면, 어느 정도 변조되어 단지 닮은 상을 중간상 면에 나타낸다. 즉, 회절상을 조작함으로써 확대된 물체와 비슷한 상으로써의 2차 중간상은 매우 다르게 나타날 수 있다. 기술적인 이유에 의하여 광선이 대물렌즈에 도달할 수 있는 최대각

σ_{max}이 72°로 제한되기 때문에(그렇지 않으면 대물렌즈에서 전반사가 일어남), 물체로부터 회절된 선의 일부는 현미경의 상형성에 기여하지 못하게 되어, 물체와 같은 모양의 상이 맺히는 것이 아니고 그와 비슷한 상이 형성된다. 따라서 현미경 상의 품질에는 대물렌즈시스템의 개구각 2σ가 중요하다(구경조리개각, $\sin\sigma$을 aperture(구경조리개)라 표시한다). 실체와 거의 비슷한 상을 얻기 위해서는 대물렌즈의 유효구경을 크게 하여야 한다. 이러한 구경조리개의 효과가 현미경 상에 미치는 영향을 펄라이트 강에서의 예를 이용하여 그림 2.20에 나타내었다.

0.25의 작은 구경을 이용한 경우 시멘타이트와 페라이트의 층상조직(펄라이트)이 현미경조직상에서는 구별할 수 없다. 즉, 이 조건에서는 층상조직이 분해되지 않는다. 그러나 구경조리개를 0.8로 높이면 같은 배율이지만 분해능을 현저히 높여서 층상조직이 확실하게 관찰된다.

2차 중간상에서 알아볼 수 있는, 실물에서 두 물체(점)가 떨어져 있는 최소거리를 아는 것은 중요하다. 이 경계거리 d_{gr}를 분해거리라고 하며, 분해능의 역수이다. Abbe 이론과 동일하게, 주기적인 대상물체의 구조에 회절되지 않은 선과 첫번째 회절최대선이 광학시스템에 입사되는 경우에만 현미경 상을 얻을 수 있다(상형성에 기여하는 회절 최대값이 크면 클수록 실상과 유사한 상을 얻을 수 있다).

회절되지 않은 선이 첫번째 최대 회절선에 유입되어 상에 영향을 주는 경계값이 존재한다. 이러한 조건에서도 물체 구조의 주기성에 따른 강도분포의 주기성이 나타나는 구조적인 2차 중간상이 형성된다. 식 (2.22)로부터, 수직으로 물체에 입사되는 광선의 2차 중간상에서 회절된 물체의 분해가능 창살간격 d_{gr}은 다음과 같이 주어진다.

$$d_{gr} = \frac{\lambda}{n \cdot \sin\sigma} \qquad (2.31)$$

λ는 진공파장, n은 물체와 대물렌즈 사이 매질의 굴절률(대부분 공기중에서 n≈1)이다. 매질에서의 실제 파장은 λ/n이며, 간섭조건 식 (2.22)에 적용된다.

식 (2.31)에서 (진공)파장 λ 개구수(numerical

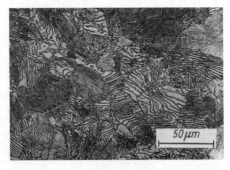

그림 2.20 대물렌즈 구경조리개가 미치는 펄라이트 강의 현미경 상 a) A = 0.25, b) A = 0.80.

aperture) $A = n \cdot \sin\sigma$, 그리고 회절창살의 분해가능한 경계거리 d_{gr} 사이의 관계를 이해할 수 있다.

물체가 σ의 경사각으로 비스듬히 조사되는 경우(조명조리개를 최대로 열었을 때 이와 같이 될 수 있음), d_{gr}가 반으로 줄어들어 개구수가 2배가 되게 할 수 있다.

$$d_{gr} = \frac{\lambda}{2A} \qquad (2.32)$$

좁은 분해가능한 간격은 개구수 A를 가능한 큰 것을 사용하고 짧은 파장 λ를 이용하면 얻을 수 있다. 공기(진공) 중에서 얻을 수 있는 최대 개구수 A는, 앞에서 설명한대로 최대개구각 $\sigma_{max} = 72°$로 제한되기 때문에 A = 0.95이다. 이는 물체와 접안렌즈사이에 현탁액(immersion oil)을 이용하면 약 1.5까지 높일 수 있다. 현탁액으로는 예를 들면 삼나무기름(n = 1.52) 혹은 monobromnaphthalin(n = 1.66)을 사용한다.

분해가능한 간격은 파동광학적인 방법으로도 판단할 수 있다. Helmholtz는 원형의 조리개(개구조리개 혹은 대물렌즈의 틀)를 갖는 렌즈시스템을 통하여 맺히는 점의 상에 대한 회절효과를 계산했다. 이때 물체의 점으로부터 나오는 광 다발이 상면에서 다시 점으로 모아지는 것이 아니고 종형태의 곡선을 갖는 강도의 분포가 되는데, 이를 광학시스템에 적용할 수 있는 점전이함수(point transformation function)를 이용하여 해석할 수 있다. 대략 경계를 확인할 수 있는 "회절원판"을 관찰할 수 있는데 이것의 지름을 이용하여 분해가능한 한계를 결정할 수 있다. 물체에서 인접한 두 점을 2차 중간상에서 구분할 수 있으려면, 겹쳐지는 강도분포(점전이함수)의 최대값들이 확실히 구별할 수 있도록 두 점 사이의 거리가 떨어져 있어야 한다. 이에 따른 현미경 상의 분해가능 간격 $d_{gr}{}'$은 다음과 같은데 이는 식 (2.32)의 현미경 상에 관한 Abbe 법칙과 상당히 일치한다.

$$d_{gr}{}' = \frac{0.61 \cdot \lambda}{A} \qquad (2.33)$$

현미경관찰에서 초점심도 Z_{ST}가 매우 중요하다. 이는 선명하게 보이는 한도 내에서 시료 또는 물체를 광축을 따라 움직일 수 있는 범위를 나타내며, 동시에 현미경관찰 시 허용 가능한 시료의 부분적인 높이 차이를 나타낸다. 초점심도는 근사적으로 다음과 같이 나타낼 수 있다.

$$Z_{ST} \approx \frac{n \cdot \lambda}{2 \cdot A^2} + \frac{150 \cdot n}{A \cdot V} \ [\mu m] \qquad (2.34)$$

위 식에서 첫 번째 항은, 시료면의 위치가 어긋남에 따라 회절원판(airy disk)이 넓어지고 최대강도가 줄어드는 현상을 나타낸다(초점심도의 파동광학적인 부분). 이는 파장 λ, 개구수(numerical aperture) A, 시료와 렌즈사이 매질의 굴절률 n에 따라 다르다. 두 번째 항은 시료면의 위치가 어긋남에 따라 초점심도에 미치는 기하학적-광학적 영향을 나타낸다. 즉, 고정된 관찰면에 위치하는 렌즈에 시료와 비슷한 형태의 중간상이 나타나는 현상으로, 렌즈의 시각도(visual angle)[1]는 2'을 넘어서는 안된다.

따라서 두 번째 항은 현미경의 배율 V (혹은 상의 축척 M)에 의존한다. A = 0.95, n = 1, V = 1000, λ = 0.5μm인 경우, 초점심도 Z_{ST}은 대략 0.4μm이다. 즉 높은 배율 (또는 축척)로 관찰할 경우, 매우 높은 대물렌즈 위치의 정확도 및 시료면 평탄도가 요구됨을 알 수 있다.

낮은 분해가능거리(높은 A)와 큰 초점심도(작은 A)는 서로 반대의 경향을 갖기 때문에, 사용하는 경우에 따라 효과적인 개구수를 갖는 렌즈를 선택해야 한다. 현미경의 사용 시, 접안렌즈, 대물렌즈 및 투영렌즈 배율의 곱인 전체배율(식 2.28)은 현미경 대물렌즈의 최대 성능을 사용함과 동시에 부적당한 접안렌즈의 배율선택으로 배율의 낭비를 피할 수 있게 선택해야 한다. 따라서 접안렌즈 및 투사렌즈의 배율은, 관찰자로 하여금 3'(3/60° = 0.05° 또는 0.87 · 10^{-3}rad)의 시각도인 경우 250mm의 가시거리에서 물체와 비슷한 2차 중간상이 분해할 수 있는 정도로 되어야 한다. 이는 V_{ok}(또는 M_{pt})가 대략 (500~1000) · A/V_{obj}가 되고, 전체 배율은 약 (500~1000) · A가 되어야 함을 뜻한다.

조명기구 역시 현미경 영상의 콘트라스트(contrast)에 영향을 가진다. 대부분의 경우 대물렌즈 조리개의 1/2 ~ 2/3사이의

조명 조리개를 선택하면 이상적인 콘트라스트를 얻을 수 있다. 조명 조리개를 너무 넓히면 빛이 강하게 들어오면서 콘트라스트가 약한 상이 얻어진다.

2.2.2.3 영상 오류 (Aberration, 수차)

현미경에 사용되는 광학 시스템(대물렌즈, 중간렌즈, 접안렌즈, 투영렌즈)을 통해서 왜곡되지 않고 색띠현상(color fringe)이 없는 이상적인 물체의 상을 얻을 수 없다. 이에 대한 주요원인으로는, 큰 개구각(angle of aperture)으로 인해 빛의 경로가 광축에 정확하게 진행되지 않고 기울어져 지나가서 대물렌즈 초점면에 물체가 변형되어 보이게 하는 것과, 사용된 유리의 굴절특성이 빛의 파장에 의존하기 때문이다.

우선 완전한 단색광을 이용하는 경우, 기하학적 원인에 의해 나타나는 수차에 대하여 알아보도록 하자. 이는 유한한 개구각으로 인해 빛의 경로가 광축에 기울어진 결과로, 물체의 한 점이 비대칭적으로 찌그러져 퍼진 형상으로 나타나고, 가장 적게 찌그러져 보이는 위치 또한 초점면에서도 벗어나서 상이 형성하게 되는 현상이다. 이러한 기하학적 수차에는 다음의 종류가 있다.

- **구면수차(spherical aberration)**: 광축에 평행하게 입사하는 광선은 그림 2.21에 나타낸 것과 같이, 입사되는 광선이 광축에서 멀리 떨어질수록 초점이 볼록렌즈 쪽으로 이동하게 된다. 따라서 입사된 광선이 렌즈를 통과하여 가

---

1) 시각도(visual angle)는 관찰자가 그 이하의 각도에서 물체관찰이 가능한 각도로서, 대부분의 경우 2'~3'의 값을 가진다.

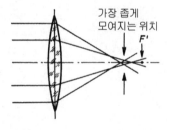

그림 2.21 구면수차를 나타내는 광학구조.

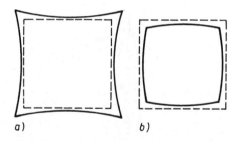

그림 2.22 왜곡수차에서 나타나는 상의 형태 (a) 실패(pincushion)형태의 왜곡 (b) 통형태의 왜곡.

장 좁게 모여지는 부분이 볼록렌즈의 이상적인 초점면에 놓이지 않고 약간 앞에 놓인다. 오목렌즈는 이와 반대의 현상을 나타나기 때문에, 구면수차는 오목렌즈와 볼록렌즈를 적절히 사용하면 교정할 수 있다.

- **코마(coma)**: 광축에서 벗어난 물체의 한 점을 큰 개구각을 통해 관찰하는 경우, 구면수차에 더하여, 방사방향으로 비대칭적으로 늘어나서 혜성형태의 상이 나타나는 현상이다. 이러한 혜성형상의 꼬리부분이 상의 중심 쪽으로 향하면 내부코마, 반대편으로 향하면 외부코마라 한다.

- **비점수차(astigmatism)**: 작은 개구각을 가질지라도 광축에서 벗어난 물체의 점을 관찰하는 경우, 그 상이 점 형태로 맺히지 않을 수도 있다. 이 경우 서로 수직으로 교차하는 두 선의 형태로 상이 형성되는데 이를 비점수차라 한다.

- **상면만곡(curvature of image field)**: 비점수차를 제거하더라도, 관찰 대상범위가 넓은 경우 상의 점들이 한 면에 모이지 않고 굴곡된 면에 모이게 된다 (렌즈의 곡률에 의하여 일어남). 이러한

만곡현상을 제거하지 않은 시스템에서는 중앙부위와 가장자리부근의 초점을 동시에 맞추기 어렵다.

- **왜곡수차(distortion aberration)**: 이는 영상의 축척도가 관찰물체의 위치에 따라, 즉 광축에서 떨어진 거리에 따라서, 달라지는 현상을 말한다. 그림 2.22에 나타낸 것과 같이, 축적도가 광축에서 멀어질수록 커지는 경우 실패(pincushion)형태의 상이 형성되고, 축적도가 광축에서 멀어질수록 작아지는 경우엔 통형태로 찌그러진 상이 형성된다.

색수차(chromatic aberration)는 여러 파장을 가지는 빛을 이용하는 경우, 파장에 따라 굴절률이 다르기 때문에 나타나는 현상이다. 위에서 설명한 왜곡수차와 구면수차는 파장에 의존한다. 색수차의 주요한 원인은, 파장이 길어질수록 굴절률이 감소하면서 렌즈의 초점거리가 길어지는 것에 기인한다(식 2.23). 즉, 렌즈식 (식 2.25)에서 알 수 있듯이, 보라색 빛(짧은 파장)에 의한 상은 빨강색 빛(긴 파장)에 의한 상에 비해 렌즈 가까이에 맺히게 된다(그

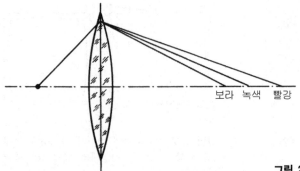

보라 녹색 빨강

그림 2.23 광학 시스템에서의 색수차.

림 2.23). 충분히 색수차를 교정하지 않으면 상의 가장자리에서 색이 흐릿해지는 현상이 나타난다.

위의 기하학적 원인 혹은 색수차에 따른 오류를 수정하기 위해서는, 다른 굴절특성과 분산특성을 가지는 재료를 사용하여 제작된 오목렌즈와 볼록렌즈의 적절한 조합이 필요하다. 예를 들어 9개 렌즈의 조합을 통해 높은 수정도를 가지는 대물렌즈를 제작할 수 있다. 수정 상태에 따라 다음의 종류의 대물렌즈로 구분된다.

- **아크로매트(achromate)**: 두 개의 파장에 대해 색수차를 수정한 렌즈
- **아포크로매트(apochromate)**: 세 개의 파장에 대하여 교정한 렌즈로써, 그 사이의 파장에 의한 수차는 매우 적다.
- **평면 아크로매트(plano achromate), 평면 아포크로매트(plano apochromate)**: 위의 색수차의 보정 이외에 상면만곡을 보정하는 렌즈

최적의 현미경 보정을 위해 알맞게 수정된 접안렌즈를 이용하며, 각 구성요소들을 통해 보정이 가능하다. 한 예로, 아크로매트(achromate)와 색수차에 의한 확대상의 오류를 보정하지 않은 일반 접안렌즈(A eyepiece)가 사용된다. 교정된 접안렌즈(K eyepiece)를 아크로매트와 같이 사용하면 남아있던 색수차에 의한 오류를 제거할 수 있다. 평면보정접안렌즈는 평면 대물렌즈(plano achromate 혹은 plano apochromate)와 같이 사용한다. 그러나 서로 적합하지 않은 접안렌즈와 대물렌즈의 조합은 관찰상을 더 나쁘게 할 수 있다.

대부분의 반사광학현미경의 경우, 확대상의 지름을 250mm까지 잘 관찰 할 수 있는(32mm 크기의 중간상까지 상면만곡을 교정) 대물렌즈와 접안렌즈 시스템이 이용된다. 그 외에도, 이러한 시스템은 영상의 색수차를 나타나지 않으며(CF system), 평면 아크로매트($A \leq 0.5$)와 평면 아포크로매트($A \geq 0.6$)와 함께 제공된다.

2.2.3
반사광학현미경의 조작

평면물체에서 나타나는 빛의 상호작용은

다음과 같다(2.2.1절).

- 진폭(amplitude)의 변화
- 위상(phase)의 변화
- 편광(polarization)상태의 변화(광학적으로 이방성인 물체 혹은 비스듬한 반사인 경우)

관찰물체의 여러 부분에서 나타나는 진폭의 차이는 2차 중간상에서 강도의 차이로 직접적으로 관찰 할 수 있는 반면(일반적으로 2차 중간상에서의 상대적인 강도 차이를 콘트라스트(constrast)라고 함), 위상차이 및 편광상태의 변화는 특별한 도구 없이는 2차 중간상에서 관찰할 수 없다. 이러한 관찰물체에 의한 변화를 확인할 수 있는 진폭 혹은 강도의 차이로 변환시키기 위해서는(즉, contrast를 주기 위하여) 특별한 광학적인 보조기구가 필요하다.

평평하지 않은(거친) 물체의 경우, 위에 언급한 상호작용 효과에 의한 정규 반사 이외에 다른 작용을 고려해야 한다. 관찰물체의 높이차이 및 표면경사차이에 의하여 추가적으로 나타나는 현상은 다음과 같다.

• 기하학적인 요인에 의한 위상차(광의 경로차이에 따른 결과)
• 수직으로 조명되는 경우 대물렌즈에 감지되지 않는 반사 및 분산방향(산란 반사 및 분산)
• **편광**(polarization)상태의 변화

위의 효과를 이용하여 현미경 영상에 콘트라스트로 나타나게 할 수 있다.

빛과 관찰물체간 상호작용의 복잡성에 따라, 각각의 상호작용효과 혹은 여러 효과를 복합적으로 이용해 현미경 상에 콘트라스트로 나타나게 할 수 있는 여러 방식의 반사광학현미경이 개발되었다. 이 중에서도 중요한 명시야상, 암시야상, 편광현미경, 위상차 및 간섭콘트라스트방식에 대하여 다음에 설명한다. 또한 특정한 표면층에서의 간섭현상을 이용하여 콘트라스트 보강을 일으키는 간섭막현미경의 이용가능성에 대해 간략히 설명한다. 최근에는 공초점(confocal) 영상시스템이 중요하게 대두되고 있다.

2.2.3.1 명시야상

명시야상(light or bright-field image)은 그림 2.24와 같이 정규반사된 빛과 대물렌즈의 개구범위 내에서 회절 및 산란 반사된 빛에 의하여 형성되며, 관찰물체는 거의 수직으로 조명된다(평면 유리 반사경 혹은 프리즘 반사경 이용). 현미경 영상의 콘트라스트는 아래의 결과로써 나타난다.

• 대상물체 각 부분의 굴절률 차이가 있으며, 굴절률 n에 따라 반사능이 달라진다(식 2.16 참조).
• 반사능에 영향을 주는 흡수계수 k의 차이
• 대물렌즈에 감지되지 않는 산란 반사 및 분산에 의한 강도저하. 이는 진폭 콘트

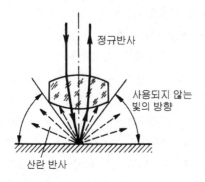

그림 2.24 명시야상의 원리.

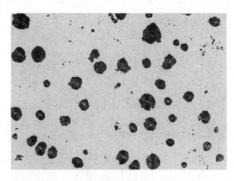

그림 2.25 구상흑연을 함유하는 주철의 명시
야상 (부식하지 않은 상태).

라스트 특성을 갖는다.

금속에서 굴절률의 차이는 매우 작기 때
문에, 일반적으로 콘트라스트형성에 거의
영향을 주지 못하며 대부분 흡수거동의 차
이와 산란 반사에 의하여 콘트라스트가 형
성된다.

금속의 경우 높은 흡수(k로 나타냄)로 인
해 반사도의 차이가 거의 없기 때문에, 연
마된 금속시료의 경우 매우 약한 콘트라스
트를 나타내며, 단상(single phase)조직인
경우에는 콘트라스트가 나타나지 않는다.
그림 2.25의 구상흑연을 함유하는 주철과
같이 미세조직 구성요소들이 서로 매우 다
른 반사능을 갖는 경우엔, 충분한 콘트라스
트를 얻을 수 있다. 연마된 시료에 심한 흠
집(scratch)이 있는 경우에도, 흠집부위의
산란반사로 인해 콘트라스트가 나타난다.

강한 콘트라스트를 얻기 위해, 일반적으
로 부식, 이온부식, 증발, 열적인 처리 등
진폭 콘트라스트의 보강을 위한 적절한 처
리가 필요하다(2.3.3절 참조). 이를 통해
다음의 효과들를 얻을 수 있다.

- 화학 및 전기화학적 부식, 이온부식 혹은
  열적인 부식(증발)에 의하여 결정립 및
  상경계가 깊게 패여, 여기서 반사되는
  빛이 대물렌즈에 도달하지 않게 된다(산
  란 반사). 결정립계 또는 상경계는 밝게
  보이는 결정립들 사이에 어둡게 나타난
  다 (그림 2.28a 참조).
- 결정립 자체가 결정방위 그리고/또는 상
  의 종류에 따라 다른 깊이로 부식되면서,
  결정방위에 따라 다른 정도의 정규반사
  가 일어난다 (그림 2.26).
- 화학적 부식, 증발 또는 산화를 이용하
  여, 상에 의한, 경우에 따라 방위에 의한
  정규반사의 정도가 다른 막을 형성한다.
  막의 흡수가 많지 않은 경우, 표면층에
  서의 간섭효과 그리고 막-시료간의 상경
  계면에서 반사파의 간섭효과가 콘트라스
  트를 강화하는 역할을 한다.

명시야상을 이용하는 방법은 빛의 강도
가 강하고 (정규반사되는 빛의 대부분이
이용됨) 비교적 간편하게 사용할 수 있기
때문에 (현미경 내 빛의 경로에서 추가적인

그림 2.26 조대한 결정립을 가지는 알루미늄의 명시야상 (HF을 이용하여 부식).

광학적 조작이 필요 없음) 금속현미경의 표준방법으로 사용되며, 금속조직학에서도 가장 많이 사용되는 방법이다.

2.2.3.2 암시야상 검사

시료에 도달하는 빛 중에서 정규반사된 광선을 대물렌즈에 도달하지 못하도록 차단하여 얻은 상을 **암시야상**(dark-field image)이라 한다(그림 2.27). 이 경우, 현미경 영상은 물체에서 회절된 광선과 광축에 비스듬하게 놓여진 표면에서 반사된 광선(산란반사)에 의해서만 형성된다. 즉, 명시야상을 형성을 위한 광선을 제외한 광선

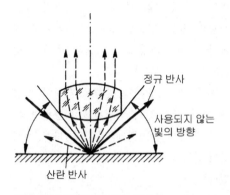

그림 2.27 암시야영상의 원리.

을 이용하는 것이다. 서로 다른 굴절 혹은 흡수조건이 아니며, 암시야상의 콘트라스트는 명시야상 콘트라스트와 보완적이다. 따라서 부식된 결정립계 혹은 갈라진 틈은 명시야상과는 다르게 어두운 배경에 밝게 나타난다(그림 2.28).

다방향 암시야조명은 일반적으로 링 형태의 슬릿(ring slit)를 이용하여 빛의 경로를 차단하고 대물렌즈 주위를 감싸는 포물선면거울을 이용하여 얻어진다(그림 2.29). 광섬유(fiber optic)를 이용하면 다방향 또는 단방향 암시야상을 얻을 수 있음이 확인되었다.

암시야상은 흠집, 갈라진 틈, 작업흠, 이물질, 기공(pore) 등 기계적인 표면결함을 관찰하는데 유용하게 사용될 수 있다. 예를 들어, 부식하지 않은 시편의 암시야상은 시편연마 시 흠집여부를 판단하는데 아주 유용하다.

2.2.3.3 위상콘트라스트의 이용

물체의 서로 다른 부분에서 반사되는 빛은, 매우 미미한 진폭 차이를 나타내는 반면, 상당한 위상차를 나타낸다. 따라서 회

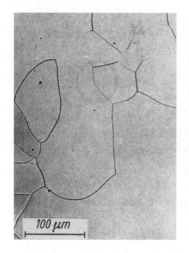 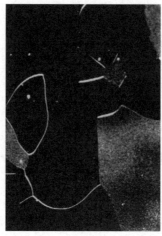

100 μm

그림 2.28 알루미늄의 부식된 결정립계와 결정면 영상: a) 명시야상, b) 암시야상.

절된 빛과 회절되지 않은 빛의 간섭에 의하여 나타나는 물체와 유사한 중간상에서, 거의 강도의 차이 및 콘트라스트를 감지할 수 없다. 그러나 대물렌즈의 후방 초점면의 최대 회절강도 위치에 위상판(phase plate)을 넣으면, 물체와 유사한 중간상이 형성되는 면에서 적절한 콘트라스트(위상차를 진폭차로 변환)를 얻는다. 여기서 위상판은 회절되지 않은 빛의 위상

링 슬릿

포물선면거울

그림 2.29 링 형태의 포물선면거울을 이용한 암시야 조명.

을 회절된 광의 위상에 대해 90° 차이 나게 변경하는 역할과, 회절되지 않은 빛의 강도를 흡수하여 회절된 빛의 강도에 맞추는 역할을 한다. 이러한 현미경은 1932년 Zernike에 의해 도입되었으며, 위상차 현미경이라 한다. 위상차는 관찰물체의 국부적 굴절률차이(물리적 위상차)를 이용하거나, 혹은 국부적 높이차이(기하학적 위상차)를 이용하여 얻을 수 있다. 위상콘트라스라스트는 반사광학현미경을 이용할 때, 중간상, 탄화물, 질화물, 산화물 등과 이와 유사한 개재물 혹은 부식하지 않은 시편의 표면 평활도 등을 감지하는데 적합하다. 위상차방법을 이용한 예를 그림 2.30에 나타내었다.

시편 및 위상판의 광학적 특성이 파장에 따라 다르므로, 백색광을 이용하면 대부분 혼합색상을 얻게 된다. 따라서 녹색 필터를 사용하면 더 좋은 결과를 얻을 수 있다.

Nomarski가 도입한 간섭현미경(2.2.3.5

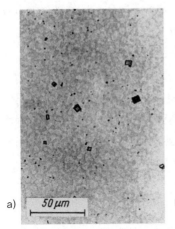
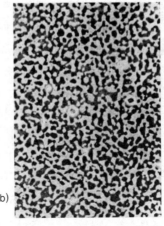

a)   50 μm   b)

그림 2.30 σ 상을 포함한 X5CrNiTi26.6강의 미세조직 : a) 명시야상, b) 위상콘트라스트.

절 참조)이 도입되면서, 위상차방법은 메탈로그래피에서 그 용도가 매우 적어지게 되고, 새로운 현미경에서는 적용하지 않게 되었다.

2.2.3.4 편광현미경

편광현미경(polarized microscope)에서는 조명경로에 위치한 편광판(polarizer)를 통하여 얻어지는, 선형으로 편광된 빛을 이용한다(2.2.1.1절 참조). 물체로부터 반사되는 빛의 편광상태를 분석하여 상을 얻게된다. 편광상태의 분석은 상을 맺는 빛의 경로에 광축을 중심으로 회전이 가능하고, 하나의 파동면에서만 빛을 통과하게 하는 분해기(analyzer)를 삽입하여 얻어진다. 광학적으로 등방성인 물체(입방결정계 혹은 비정질 구조)에서는 파동 진행방향에 서로 수직으로 놓여 있는 편광기와 분해기를 회전시키더라도 항상 어둡게 나타난다. 이는 광학적으로 등방성인 물체에서는 수직으로 입사된 빛이 반사될 때 편광상태가 바뀌지 않게 되며, 따라서 선형 편광된 빛

이 분해기에서 통과하지 않기 때문이다.

광학적 이방성을 갖는 물체에서는 다른 현상이 나타난다. 이는 일반적으로 선형으로 편광된 입사광의 복굴절(birefringence, double refraction)에 의하여 나타나며, 정상광선(또는 정규광, ordinary ray)과 비정상광선(또는 비정규광, extraordinary ray)의 굴절률과 흡수계수는 다르다(2.2.1.2절 참조). 즉, 반사되는 광선들은 진폭과 위상이 다르며(타원형 편광), 그 중 분석기를 통과할 수 있는 성분을 포함한다. 이 경우 관찰물체를 현미경 광축선의 십자표시 위에 놓고 90° 씩 회전 시킬 때마다 최대 밝기 또는 최소 밝기를 나타낸다(분석기를 회전하는 경우도 나타남). 이런 현상은 구상화흑연을 편광현미경으로 관찰 할 때 분명하게 나타난다(그림 2.31). 여기서 어둡게 나타나는 십자선은, 시료표면 내의 육방정 흑연이 회전대칭의 방위분포를 가지기 때문으로, 시료의 회전없이도 보인다.

굴절률과 흡수계수는 빛의 파장에 따라

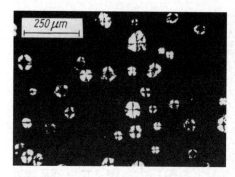

그림 2.31 주철 내 구상화흑연의 편광현미경 사진 (기지: 입방정 페라이트).

심하게 변하기 때문에, 백색광을 이용하는 경우, 어떤 특정한 스펙트럼범위가 소멸되거나 강조되어 조사물질의 특성에 따른 혼합색 효과를 나타낸다. 혼합색을 분석하거나, 타원형으로 편광된 반사광의 타원형인자(주축의 방위각과 축비)를 확인하여, 예를 들면 광물, 슬래그, 금속 내의 개재물, 입방정(cubic)이 아닌 금속간화합물 등을 판단하는 중요한 도구로 사용된다. 편광상태는 광학적으로 이방성인 상(phase)의 결정방위에 의하여도 변화한다(재료의 광축

방향으로 빛을 입사하는 경우엔 편광상태가 변하지 않는다. 즉, 이 경우엔 광학적으로 등방적인 재료와 같이 거동한다). 이런 방위의존성을 이용하면, 그림 2.32의 예처럼, 광택연마하고 부식하지 않은 단일상의 비입방정재료에서 편광콘트라스트를 얻을 수 있다(백색광 이용 시의 혼합색 콘트라스트).

2.2.3.5 간섭현미경

간섭현미경(interference microscopy)은 물체에서 반사된 단파장 광에, 비교면상 또는 물체표면상에서 형성되는 간섭성(coherent) 비교광을 조사하여 나타나는 간섭을 이용한다.

비교면상에서 간섭성 광을 형성하는 대표적인 경우로는 Linnik형 간섭현미경이 있다(그림 2.33). 조명광 1이 분리면 2(분리육면체)에서 분리되어, 일부는 물체방향 3으로 반사되고 나머지는 비교면 4로 진행된다. 물체에서 반사된 광은 분리면을 통

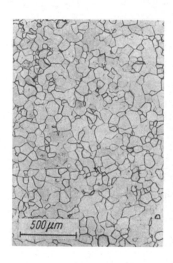

그림 2.32 다결정 아연 (Zn, 육방결정계)에 대한, a) 명시야상 b) 편광현미경상.

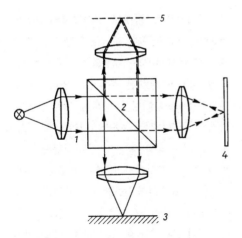

그림 2.33 Linnik형 간섭현미경의 원리.

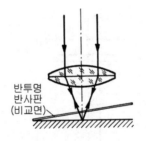

그림 2.34 Tolansky형 간섭현미경의 원리.

과하여, 중간상면에서 비교면으로부터 반사된 광과 간섭된다. 물체의 표면이 평평한 경우, 중간상은 균일한 강도분포를 가진다. 입사광에 수직으로 놓인 비교면을 약간 기울일 경우, 평행한 간섭선무늬가 나타나며, 간섭선간의 거리는 비교면을 기울인 각에 의존한다. 관찰물체면상에 높이차이가 있는 경우, 균일하게 나타나는 간섭선무늬는 휘어지거나 거리의 변화를 나타낸다. 이런 휨 또는 거리변화를 이용하면, 물체상의 높이차이에 대한 정량적 정보를 얻을 수 있다. Michelson 원리를 이용한 위의 관찰법을 위해서는, 매우 높은 정확도의 렌즈시스템이 요구된다.

다른 형태의 간섭현미경으로 Tolansky형이 있는데, 이는 물체와 대물렌즈사이에 약간의 경사도를 갖는 반투명 반사판을 가능한 물체 가까이에 삽입하여, 비교면의 역할을 한다(그림 2.34). 반사판에서 관찰물체 쪽으로 반사되는 광과 관찰물체에서 반사된 광의 간섭으로 인해, 간섭선무늬가 나타난다. 물체의 모든 굴곡은 변형된 간섭무늬로 나타나며, 이를 이용하여 정량적인 정보를 얻을 수 있다.

간섭현상을 이용한 또 다른 현미경으로 Nomarski에 의하여 제안된 간섭콘트라스트 방법이 있는데, 이를 미분간섭콘트라스트(DIC, Differential interference contrast)라고도 한다(그림 2.35). 편광기에서 선형 편광된 광은 평판유리 1을 거쳐 이중프리즘(Biprism, Wollaston prisam)에서 정규광 2와 비정규광 3으로 나뉘며, 대물렌즈 4를 통과하여 물체 5에 약간 비뚤어진 상태(shearing)로 도달한다. 물체위의 점 6, 7에서 반사된 광선은 다시 이중프리즘을 통과하여 합해지는데, 수직으로 놓인 파장면을 가지므로 아직 간섭은 나타나지 않는다. 기하학적으로 합쳐진 두 광선은 원통렌즈(tubular lens)를 통해, 광의 편광면에 대해 45° 기울어진 편광면을 가지는 분석기(analyzer)에 도달한다. 분석기를 통과한 두 광선은 서로 같은 파장면에 놓이므로, 서로 간섭한다.

이로 인하여 광선 2와 3의 진행경로의 차이, 물체의 점 6, 7이 갖는 높이의 차이, 또는 조사 부분의 변화된 광학적 특성

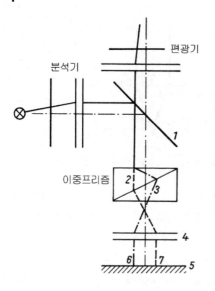

그림 2.35 Nomarski형 미분간섭콘트라스트 (DIC, Differential interference contrast) 현미경의 원리.

으로 인해 나타나는 현상들이 간섭된 광선의 진폭차이로 변화하게 된다. 여기서 두 광선 2와 3의 분해되는 크기는 매우 작고, 그 크기가 분해능 정도이므로, 상이 겹쳐서 보이는 현상은 나타나지 않는다.

　Nomarski형 미분간섭콘트라스트 방법

은 기계적으로 형성된 표면결함(scratch, groove, pit 등)과 부식구조(반도체 재료 및 금속에서 $10^8 cm^{-2}$ 정도의 낮은 전위밀도에 의하여 발생된 부식상), 연마 후 표면기복(relief)에 따른 강도가 다른 조직구성체의 구분(약한 부분이 연마되어 나옴)의 조사와, 증착 혹은 이온부식연마된 시편의 조사, 결정에서의 전위선 판단, 상변태 후의 표면결함 등을 관찰하는데 매우 유용하다. 그림 2.36은 조직사진의 예를 나타낸다. 이 사진에서는 다른 상의 차이뿐 아니라, 한 상내의 국부적인 차이도 콘트라스트로 구별할 수 있다. 콘트라스트가 높아지는(또는 낮아지는) 것은 경계를 구분으로 내리막과 오르막에서 기울기방향이 서로 다르기 때문에 나타나며, 물체에 조명을 비스듬하게 비추는 효과를 얻을 수 있다. 하지만 이러한 효과를 이용하여 물체의 표면구조가 높아지는지 깊어지는지를 확인하는 것은, 이중프리즘의 위치에 따라 반대가 될 수 있기 때문에, 불가능하다.

　이중프리즘의 위치를 조절하면 광의 진

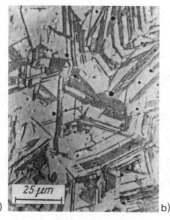

그림 2.36 오스테나이트상과 마르텐사이트상으로 이루어진 Cr-Ni 오스테나이트강 : a) 명시야상, b) 미분간섭콘트라스트(DIC)상.

행경로차를 추가적으로 가시화 할 수 있으므로, 다색광을 이용하는 경우 색의 콘트라스트(color contrast)를 얻을 수 있다.

이중프리즘에 의한 광의 분해를 더욱 크게하면, 물체에서 서로 반대방향으로 충분히 어긋난 전체영상들을 얻을 수 있다(전체 영상의 분해). 이렇게 얻어진 두 개의 어긋난 영상은 같은 광원으로부터 얻어진 것이므로(간섭성을 가짐), 상호간섭이 가능하다. 즉, 물체의 한 영역을 광의 어긋난 정도(shearing amount)만큼 떨어진 물체의 다른 영역과의 비교가 가능해진다. 이 효과를 이용하면, 다른 형태의 간섭현미경을 구성할 수 있다. 간섭되는 영상이 형성되는 물체의 영역들 간에 z-위치[1]의 국부적인 차이를 가지는 경우, 등고선과 같은 의미를 가지는 간섭선무늬가 얻어진다. 물체 표면의 높이차로 인해 간섭선의 위치는 Δx 만큼 어긋난 단층무늬를 나타내며, $\Delta z \approx \lambda \cdot \Delta x / 2a$ (a: 간섭선간의 거리)의 관계를 가진다.

이러한 간섭계(편광간섭계)를 이용한 정량화방식은 Lininik 방식에서 이용되는 Michelson 방법에 비해 간단하다. 그림 2.37은 성장단을 가지는 FeS_2 단결정의 간섭영상으로, 그림의 중앙부는 다른 영역에 대해 약 $0.1\mu m$ 정도의 높이차를 가진다.

단색광을 이용하는 경우, 밝고 어두운 부분이 반복되는 간섭선무늬가 얻어진다. 백색광(다색광)을 이용하는 경우엔, 중앙부의 간섭선무늬만 어두운 부분에서 흑색으

그림 2.37 FeS_2 결정의 편광간섭계 영상.

로의 변화를 나타내며, 바깥쪽으로 갈수록 혼합색의 간섭무늬가 얻어진다.

선형편광된 빛을 원형편광된 빛으로 바꾸면, 전체간섭콘트라스트(total inter-ference contrast, TIC)효과가 나타난다.

2.2.3.6 간섭막현미경

일반적으로 금속, 중간상, 흡수가 많은 비금속상 등의 반사계수는 비슷하기 때문에 연마 후 콘트라스트 처리를 하지 않은 금속시편에서는 거의 콘트라스트를 관찰할 수 없다. 그러나 시료표면에 광학적 특성이 적절한 얇은 막을 도포하면, 시료 내 여러 가지 상 사이의 콘트라스트를 높일 수 있다.

막을 입힌 시료에 흡수가 없는 매질(공기 혹은 진공) 내에서 빛을 입사하면, 광의 일부는 이미 막의 표면에서 반사되면서(그림 2.38의 A_1), 반사계수 R_{OS}에 따라 진폭의 감소와 위상의 변화 δ_{OS}가 나타난다. 막 안으로 굴절되어 들어간 광선 A'는 흡수를 거치며, 막의 굴절률 n_S에 따라 파장이 변하고 부분적으로 막-시료 경계면에

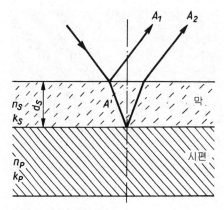

그림 2.38 간섭막의 효과.

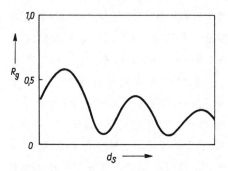

그림 2.39 간섭막 두께에 따른 반사능의 변화.

서 반사된다. 이 반사된 광 A_2가 막 밖에서 광 A_1과 간섭한다. A_1과 A_2의 위상차는 다음과 같다.

$$\delta = \frac{4\pi \cdot n_S}{\lambda} d_S - \delta_{SP} + \delta_{OS} \qquad (2.35)$$

첫 번째 항은 광의 파장변화에 따라 막 내에서 추가적으로 진행한 거리에서 기인한 것이며, 나머지 두 항은 식 (2.17)과 (2.19)를 통해 계산될 수 있다. A_1에 대한 표면에서의 반사능 R_{OS}는 식 (2.16)을 통해, A_2에 대한 반사능은 식 (2.18)을 통해 얻어지는데, 막 내에서의 흡수에 따른 추가적 인자 $\exp[-4\pi k_S \cdot d_S / \lambda]$를 고려하여야 한다(Lambert 법칙, 식 (2.18)). 막의 전체반사능 R_g는 다음 식으로 나타내진다.

$$R_g = \frac{R_{OS} + R_{SP} - 2\sqrt{R_{OS} \cdot R_{SP}} \cdot \cos\delta}{1 + R_{OS} \cdot R_{SP} - 2\sqrt{R_{OS} \cdot R_{SP}} \cdot \cos(2\delta_{OS} - \delta)}$$

$$(2.36)$$

위 식은 막의 두께에 따라 주기적으로

반사능의 최저치들이 나타남을 의미하며, 그림 2.39에 나타낸다. 이러한 최저점은 위상차 δ가 $\lambda/2$의 홀수배가 될 때의 막두께에서 나타난다(위상조건). 또한 A_1과 A_2의 진폭이 거의 동일해지도록 흡수계수 k_S와 막두께를 조절하면(진폭조건), 반사능이 거의 없어지며, 이는 현미경 영상에서 이에 해당되는 미세조직 구성요소가 매우 어둡게 나타냄을 뜻한다.

단색광을 이용하는 경우 이와 같은 반사의 최저점들은 파장 λ와 막두께 d_S에만 의존하는 것이 아니고, 막의 광학적 상수 n_S, k_S와 시료에 대한 상수 n_P, k_P에도 의존한다. 따라서 동일한 막의 광학적 계수 일지라도 반사능은 시료 내의 다른 미세조직구성요소(상)에 따라 다를 수 있다. 어떤 한 미세조직 구성요소에 대해 반사능이 최저가 되도록 조절된 경우, 이러한 현상이 뚜렷하게 나타나므로써, 최적의 콘트라스트를 얻을 수 있다. 그림 2.40은 두 개의 서로 다른 상에 대해 반사능력 R_g의 파장 의존성을 나타낸다. 파장 범위 λ_1에서는 상 A가 B보다 훨씬 어둡게 나타난다. 즉, 반사능의 차이인 콘트라스트는 최대가 된

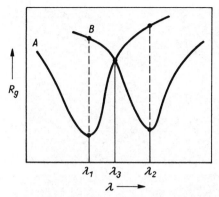

그림 2.40 간섭막현미경에서 반사강도(콘트라스트)의 파장의존성.

다. 파장 범위 λ_2부근에서도 최대 콘트라스트를 얻을 수 있으며, 이 경우엔 B가 더 어둡게 나타난다(콘트라스트 반전). 파장 범위 λ_3는 반사능이 동일하게 되어 콘트라스트가 사라진다.

많은 경우에서 시료내 존재하는 각 상에 대한 광학적 상수들과, 막에 대한 광학적 상수들이 알려져 있지 않으므로, 실제로 막 재료, 파장, 막 두께의 이상적인 선택은 매우 어렵다. 따라서 시편에 여러 두께의 막을 도포하고, 여러 파장을 이용하여(간섭필터를 사용하여) 실험하므로써, 비교적 간단하게 최적의 콘트라스트를 얻는 조건을 찾을 수 있다. 백색광을 이용하는 경우 매우 한정된 파장역에서만 간섭조건이 해당되므로, 강도의 감소가 매우 심하다. 막의 도포는 대부분 증착 및 플라즈마를 이용하여 이루어지며, 재료로는 ZnS, CdS, ZnSe, ZnTe, Sb_2S_3 등을 이용한다(2.3.4.2절 참조).

2.2.3.7 공초점영상

광학현미경의 큰 단점 중의 하나는, 2.2.2.2 절에서 언급한 바와 같이, (높은 배율을 얻기위해) 높은 개구수를 가지는 대물렌즈를 이용하는 경우 초점심도 Z_{ST}가 $1\mu m$보다 작은 값을 가진다는 것이다(식 2.34 참조). 따라서 매우 세심한 시료준비가 요구되며, (파단면과 같이) 초점심도에 비해 높이차가 상당히 큰 시료의 검사는 불가능하다. 이런 경우에 이용되는 기술중의 하나는, Z 축의 조절을 통해 초점이 맞춰지는 영역별로 검사하는 것이다(시료중에 대물렌즈 초점면에 놓인 영역, 그림 2.41참조). 이 기술로부터 다음 방법이 고안되었다: 단계적으로 시료의 Z 위치를 초점심도보다 작은 정도로 조정하면서(Z stepping), CCD 카메라를 통해 단계별 영상을 얻는다. 영상처리시스템을 이용하여, 각각의 영상중에서 초점이 맞는 부분만을 선택하고 조합하여 전체영역에 대한 영상을 얻는다(그림 2.41).

이 방법은 일반광학현미경의 경우 실용적인 방안이긴 하지만, 초점이 맞지 않는 부분으로부터 상당한 분산산란효과가 나타나며 초점이 맞는 부분까지 영향을 주므로, 콘트라스트형성에 한계를 가지는 한정된 성과만을 기대할 수 있다. 이러한 단점을 극복하기 위해 공초점주사현미경(confocal scanning microscope)이 개발되었으며, 강한 광원에서 발생되어 집적된 빛은 미세한 핀홀슬릿(pin-hole slit)을 통과한다(그림 2.42). 평판유리와 대물렌즈를 통과해 관찰물체 상에서 집적된 후, 대물렌즈와 평판유리를 통하여 1차 슬릿과 한 쌍인 슬릿(conjugate slit, 대물렌즈와 비슷한 역

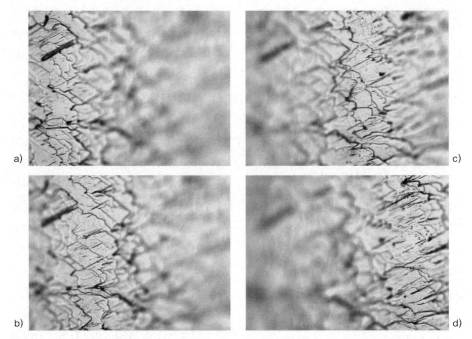

그림 2.41 일반광학현미경에서 Z 위치를 변화시키면서 얻은 FeS_2의 성장면 영상.

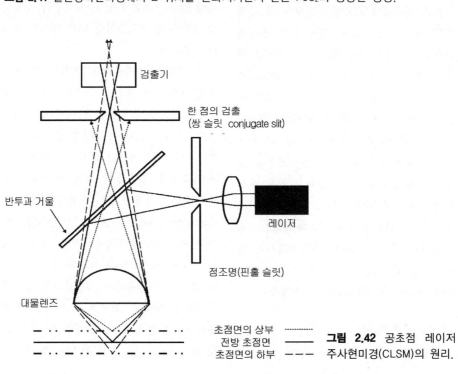

그림 2.42 공초점 레이저 주사현미경(CLSM)의 원리.

할을 함)을 통해 2차 중간상면(검출기)에 집적된다. 이 슬릿은, 대물렌즈의 전방 초점면상에 관찰물체가 놓이는 경우에, 광다발이 최대강도를 가지고 통과하여 검출기에 도달할 수 있게 위치한다(시료상 한 점의 공초점영상). 조사되는 시료점이 전방초점면에서 벗어난 경우엔, 전방초점면상의 초점이 넓어지면서 쌍슬릿의 위치에서도 광이 분리되어지고 통과되는 광의 강도도 매우 낮아진다. 따라서 초점에서 벗어난 경우 영상이 나타나지 않는다. 시료면을 주사(scanning)하면서 각 위치에서의 강도를 기록하고, 시료상의 모든 점에서 초점이 맞춰질 수 있도록 이 과정을 각기 다른 Z 위치에 대해 반복한다. 각 Z위치에서 시료의 X Y좌표에 대한 밝기와 색상을 컴퓨터에 저장한다(즉, 시료면에 대한 3차원 정보). Z축에 따른 전체 영상을 컴퓨터 분석하고 서로 중첩함으로써, Z-X 또는 Z-Y면에 대한 시료표면 영상도 얻어진다(그림 2.43).

쌍슬릿의 이용을 통해 관찰점의 중앙부에서 발생한 광만 통과되도록 제한되므로, 일반 현미경에 비해 분해능의 증가를 가져올 수 있다(식 2.33 참조).

$$d_{x,y} = 0.4\lambda/(n\sin\sigma) \qquad (2.37a)$$

Z 축에 대한 분해능은 아래와 같다.

$$d_z = 0.45\lambda/(n(1-\cos\sigma)) \qquad (2.37b)$$

위의 관계식은, 일반현미경에서와 같이, 분해능이 파장 λ, 시료와 대물렌즈사이 매질의 굴절율 n, 대물렌즈의 개구각 σ에 의존함을 나타낸다. 일반현미경에 비해 약 30%정도 향상된 분해능을 얻을 수 있으며, 이상적인 경우 (X-Y면상의) 선형 분해능은 0.1μm (Z 축으로의) 축분해능은 0.2μm이다. 이를 위해서는 공초점 슬릿시스템과 광학구성요소들의 정확한 위치가 요구되며(주어진 분해능의 10%를 넘어서면 안됨), 대물렌즈에 알맞는 광학구성요소를 이용해야 한다.

X-Y방향으로의 주사(scanning)방법은 다음과 같다:

- 관찰물체 X-Y방향으로의 기계적인 주사: 시료를 X-Y방향으로 기계적으로 움직이는 것으로, 비교적 간단한 광학시스템을 이용한 구성이 가능하지만, 주사속도가 매우 느리므로 거의 이용되지 않는다.

- 대물렌즈의 기계적 주사: 이 경우도 속도가 매우 느리다.

- 원하는 방향으로 광을 휘게하기 위한 거울시스템의 이동: 이 방식으로 최대주사속도를 얻을 수 있다. 관찰점을 하나씩 또는 여러 점들을 동시에 주사(또는 선주사, line scan)할 수 있다. 여러 점을 동시에 주사할 수 있게 하기위해서는, 광원으로 점초점 대신에 선초점을 이용하여 시료에 조사한다. 선형 공초점 영상의 강도를 기록하기 위해서 선형 CCD가 이용되며, 주사속도를 현저히 증가할 수 있으나 산란효과로 인한 콘트라스트 감소가 불가피하다.

그림 2.43 Laser 주사현미경을 이용하여 얻은 세라믹표면의 영상 :
a) 각 단면의 공초점 영상, b) 중첩하여 얻어진 영상, c) 3D로 표현된 표면영상.

그림 2.44 기계가공한 알루미늄 판재의 3차원 표면영상.

• 초음파광학(acousto-optic) 굴절기 : (초)음파가 LiNbO₃와 같은 매질 내에 퍼지는 경우, 밀도의 주기적인 변화에 따른 굴절률과 연관성을 가진다. 이 조건에서 매질에 조사되는 전자기파는, 음파의 파장(주파수)과 전자기파의 파장에 따라 다른 각도로 회절된다. 즉, 이러한 (초)음파광학 굴절기 내의 (초)음파 주파수를 변화하므로써 회절되는 빛의 방향을 조절할 수 있다. 이를 이용하면, 빠른 속도로 시료면에 대한 주사가 가능하다.

Z 좌표의 변화는(Z-stepping) 기계적인 방법을 이용하며, 압전체가 주로 이용된다. 주사속도와 영상의 질은 이용되는 광원에 따라 달라지며, 최근엔 레이저가 주로 이용된다. 많이 이용되는 것은, 632nm의 파장을 가지는 He-Ne 레이저 또는 410nm의 파장을 가지는 청색레이저를 이용하여, 최상의 분해능을 얻는다. 레이저를 광원으로 이용하는 경우, CLSM(confocal laser scanning microscope)라 한다.

일반적인 경우, 초당 수십개의 부분영상을 얻을 수 있으며, 컴퓨터의 저장능력에 따라 영상당 수Mbyte의 크기를 가진다.

위 방법의 응용분야들은 시료면의 3차원 조사, 시료면상 패턴의 특성과 품질조사와 연관된다. 또한 특별한 시료준비 없이 대기중에서도 조사가 가능하며, 아래와 같은 응용분야를 가진다.

- 재료연구(특별한 시료준비를 거치지 않은 상태, 부식, 파단면, 표면에 나타나는 변형형태, 상변태, 성장면, 표면과학, 분말시료 검사 등)
- 파괴분석 분야
- 제조기술 분야
- 미세역학 분야
- 전기 · 전자과학 분야

상용 현미경에 비해 많은 비용이 들지만, CLSM은 광학현미경을 이용하는 여러 분야에서 중요한 의미를 가지며, 앞으로도 그 응용분야가 넓어질 것으로 보인다.

2.2.3.8 입체현미경

물체를 다른 각도들에서 관찰하면 3차원적인 정보를 얻게 된다. 사람의 경우도, 서로 약간 다른 시야 각도를 가지는 두 눈에서 얻어진 두 개의 영상을 뇌에서 판독함으로써, 입체적인 정보를 얻게 되는 것이다. 현미경 관찰에서 입체적인 정보를 얻기 위해서는, 서로 다른 광경로에서 얻어지는 영상을 각 눈에 전해야할 필요가 있다. 반사현미경의 경우, 단안(monocular)렌즈를 이용한 관찰은 힘들기 때문에, 쌍안렌즈의 이용이 표준화된 방법이다. 하지만 이러한 쌍안렌즈로 입체영상이 얻어지는 것은 아니며, 두 개의 상호 기울어진 경통을 이용하여(즉 쌍안경시스템) 두 개의 대물렌즈의 이용을 통해서만 입체영상이 얻어진다. 입체현미경(stereomicroscope)에서는 상대적으로 큰 값의 초점심도를 얻기 위해, 큰 초점거리와 작은 개구수가 이용된다(식 (2.34) 참조). 따라서 최대 배율에는 한계가 있으며(식 2.31), 처리되지 않은 시료면, 기계가공된 표면, 파단면등을 저배율로 관찰하고자 할 때 이용한다. 두 개의 다른 시각도에서 얻어진 영상을 동시에 보기 위해서는, 입체안경을 사용해야 한다.

2.2.3.9 미소반사도 측정법

금속시료의 연마면에 강도 I_O를 가지는 빛을 비추면, 그 일부분은 강도 I_R을 가지면서 반사되고 나머지는 재료의 표면층에서 흡수된다. 입사되는 빛과 반사되는 빛의 강도비를 반사도 R(2.2.1.3절 참조)라 하며, 일반적으로 백분률값으로 나타낸다.

$$R = \frac{I_R}{I_O} \cdot 100[\%]$$

반사도에 영향을 주는 인자는 크게 두 종류로 나뉜다: 입사광(강도, 파장, 편광도, 입사각)과 재료의 광학적 성질(처리과정에 의한 표면 미세거칠기, 굴절률 n, 흡수계수 k, 광학적 이방성). 굴절률, 흡수계수, 광학적 이방성은 재료의 화학적 조성과 결정격자구조에 의존한다. 반사도에 미치는 n과 k의 영향은 Fresnel식으로(식 2.16, 2.18) 나타낸다.

반사도에 미치는 입사광 부분의 영향이 일정하다고 하면(선형편광된 단색광이 일정한 강도로 시료표면에 수직으로 입사됨), 미소반사도 측정(micro reflection measurement)을 이용해 조직구성요소에 대한 측정이 가능하다. 미소반사법을 이용한 측정장비를 현미경 광도계(microscope photometer)라 한다. 현미경 광도계의 장비구성원리를 그림 2.45에 나타내며, 기본적으로 반사편광현미경을 이용한다. 조명장치는 강하고 안정적인 광원(1), 간섭필터를 가지는 단색화기(2), 편광기(4)로 구성된다. 광원의 파장은 486nm(청색), 551nm(녹색), 589nm(오렌지색), 656nm(적색)등이 주로 이용된다. 반투과 평판유리(5) 대신 Berek

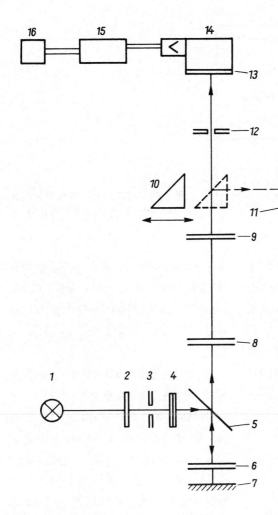

그림 2.45 현미경 광도계(light- electric microscope photometer)의 구성 : 1 광원, 2 단색화장치(monochromator), 3 조명슬릿, 4 편광기, 5 반투과 평판유리, 6 대물렌즈, 7 시료, 8 경동렌즈, 9 투사시스템(projection system), 10 굴절프리즘(이동가능), 11 접안렌즈, 12 광도계슬릿, 13 검출면, 14 광배수기(photo-multiplier, 2차전자 증폭기), 15 스위치, 16 기록기.

프리즘을 반사경으로 이용하면 선형편광된 빛에 영향을 주지 않고 광축으로 보낼 수 있으며, 이는 이방성 조직구성요소를 측정하는데 유리하다. 대물렌즈(6)은 최소한의 산란광을 형성해야 되며, 그렇지 않은 경우엔 시료면(7)에서 반사되는 빛의 강도감소로 인해 측정오류를 가져올 수 있다. 대물렌즈, 원통렌즈(8), 투사시스템(9)에서 형성되는 영상들은, 굴절프리즘(10)에서 선택되어 접안렌즈(11)에서 관찰된다. 광도

계슬릿(12)을 이용해 확대된 영상 중에서 측정영역만 검출하므로써, 인접한 영역으로부터 산란된 광이 검출면(13)에 도달하지 않게 한다. 측정역은 조명되는 전체영역에 비해 항상 작아야 한다. 광도계 검출면에 도달하는 반사광의 강도는 2차전자 증폭기를 이용해 전자신호로 바뀌며, 증폭된 신호는 스위치(15)를 통해 디스플레이장치 또는 영상기록장치로 보내진다.

조명광의 강도 I_o를 알지 못하므로, 반

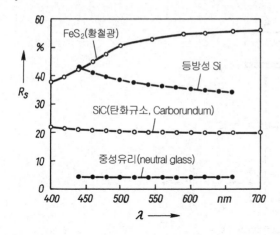

그림 2.46 파장에 따른 여러 표준시료의 반사도의 변화 (Gabler, Singh).

사도 R_{st}를 알고 있는 표준시료 측정을 통해 문제를 해결한다. 이에 더해 광학기구에 의해 산란되는 강도 I_{Streu}를 측정하기위한 측정이 필요하며, 무광택 검은색의 원통형 물체로 대물렌즈 개구부를 감싼 상태로, 산란되는 광의 강도를 측정한다(시료 없이 측정). 측정되는 영역의 반사도 R_{Pr}는 아래와 같이 주어진다.

$$R_{Pr} = R_{St} \frac{I_{Pr} - I_{Streu}}{I_{St} - I_{Streu}} \cdot 100 [\%] \qquad (2.38)$$

I_{Pr} : 시료에서 얻은 강도

I_{St} : 표준 시료에서 얻은 강도

I_{Streu} : 분산광의 강도

위 식의 강도항들은, 대부분의 경우 광도계에서 직접 측정되는 크기를 대입한다.

반사도측정을 위해 이용되는 표준시료면은 매우 세심한 작업이 요구되며, 가능한 측정물질의 반사도와 비슷한 값을 가지고 파장에 대한 의존도를 나타내지 않아야한다. 그림 2.46은 금속재료의 광도계측정에

표준시료로 이용되는 물질의 파장에 따른 반사도를 나타낸다, $R_{st} = f(\lambda)$. 황철광(Pyrite, FeS_2)만이 500nm아래의 파장역(청색과 보라색 영역)에서, 파장에 따른 의존도를 보인다.

표 2.4는 금속조직학적으로 중요한 상들의 반사도 측정값을 나타낸다. 이런 측정치들은 미세조직 구성요소 중에서 광물류의 확인작업에 유용함으로(탈산소환원(desoxidation)물질, 슬래그, 산화개재물, 탄화물, 황화물 등). 또한 미소반사도측정법을 이용하면 비금속개재물과 산화물파편 등의 검사가 가능하다. 다수의 연구결과들은 반사도측정을 통해, 금속류, 산화물, 질화물, 황화물 등의 화학조성의 조사가 가능함을 나타냈으며, 특히, 반사도측정은 미세조직 구성요소의 광학상수(n, k) 측정과 계산에 매우 유용하다. 미세조직을 구성하는 각 상의 분리를 위한 자동화된 영상처리기술에도 반사도 측정법은 큰 장점을 가진다.

금속재료에서 이용되는 여러 가지 연마

표 2.4 여러 재료의 반사도(λ = 589 nm)

화학명칭	광물학적 명칭	R*	화학명칭	광물학적 명칭	R*
원소 (Element)			황화물 (Sulfide)		
Ag**	Silver	94	FeS	Troilite	37
Mg	Magnesium	93	MnS	Alabandin	21
Cu	Copper	83	CdS	Greenockite	17
Al	Aluminium	82.7	ZnS	Zinc blende	16
Au	Gold	82.5	Cu_2S	Chalcocite	16
Pt**	Platinum	73	CuS	Covellite	15/24
Mn	Manganese	64			
Ni	Nickel	62	탄화물 (Carbide)		
Fe	Iron	57	Fe_3C	Cementite	56.5
W	Tungsten	54.5	TiC	Titanium carbide	47
Si**	Silicon	35.6	Ti_2NC	Cochranite	31.5
C	Graphite	5/23.5	SiC**	Carborundum	20.1
산화물 (Oxide)			규산염 (Silicate)		
Fe_2O_3**	Hematite	24/27.5	$2FeO \cdot SiO_2$	Fayalite	8.9
Cu_2O	Cuprite	22.5	$2MnO \cdot SiO_2$	Tephroite	8.2
Fe_3O_4	Magnetite	21	$MnO \cdot SiO_2$	Rhodonite	7.1
TiO_2	Rutile	20/23.6	$3CaO \cdot SiO_2$	Tricalcium silicate	7
CuO	Tenorite	19/35.6	$3CaO \cdot MgO \cdot SiO_2$	Merwinite	6.9
FeO	Wuestit	19	$CaO \cdot MnO \cdot SiO_2$	Glaukochroite	6.8/7.1
Cr_2O_3	Eskolaite	18	$Al_2O_3 \cdot SiO_2$	Sillimanite	6.4
NiO	Bunsenite	16.8	$2MgO \cdot SiO_2$	Forsterite	6.05
Mn_3O_4	Hausmannite	16.5	$CaO \cdot MgO \cdot SiO_2$	Monticellite	6
Ti_2O_3	Titanium oxide	14.7/20.4	알루민산염 (Aluminate)		
MnO	Manganosite	13.6	$MnO \cdot Al_2O_3$	Galaxite	9.9
ZrO_2	Baddeleyite	12.7/13.8	$FeO \cdot Al_2O_3$	Hercynite	8.6
SnO_2	Cassiterite	10	$ZnO \cdot Al_2O_3$	Gahnite	7.8
ZnO	Zincite	10	$MgO \cdot Al_2O_3$	Spinell	6.95
Ti_3O_5	Anosovite	9.4/13.6	$3CaO \cdot Al_2O_3$	Tricalcium aluminate	6.9
CaO	Calcium oxide	8.7	알루미노규산염 (Aluminosilicate)		
Al_2O_3	Corundum	7.6	$3MnO \cdot Al_2O_3 \cdot 3SiO_2$	Spessartin	8.3
MgO	Periclase	7.25	$2CaO \cdot Al_2O_3 \cdot SiO_2$	Gehlenite	6.2
SiO_2**	Quartz (001)	4.58	$3Al_2O_3 \cdot 2SiO_2$	Mullite	5.95
SiO_2	Cristobalite	3.8	$CaO \cdot Al_2O_3 \cdot 3SiO_2$	Anorthite	5.15
SiO_2	Tridymite	3.6	아철산염 (Ferrite)		
황화물 (Sulfide)			$MnO \cdot Fe_2O_3$	Jakobsite	16.9
FeS_2**	Pyrite	54.6	$MgO \cdot Fe_2O_3$	Magnesium ferrite	16
NiS	Millerite	54	$2CaO \cdot Fe_2O_3$	Dicalcium ferrite	14.95
PbS**	Galenite	37.5	$4CaO \cdot Al_2O_3 \cdot Fe_2O_3$	Brownmillerite	10.8 /12.3

* 강한 이방성을 가지는 경우 최소/최대치; 약한 이방성인 경우 평균치
** 반사도측정의 표준시료로 사용가능

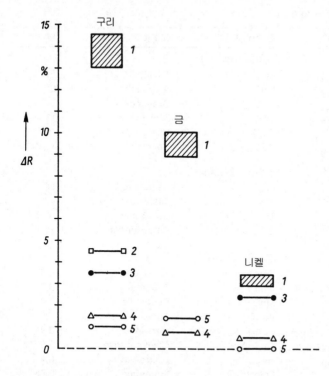

그림 2.47 이상적인 경우와 연마된 시료면간의 반사도 차이로부터 얻어진 연마방법의 효과(Petzow):
1 알루미나를 이용한 연마, 2 전기화학적 연마(전해연마와 기계적 연마의 병행), 3 다이아몬드를 이용한 연마, 4 마이크로톰을 이용한 절단, 5 전해연마.

방법의 효과를 미소반사도측정을 통해 나타낼 수도 있다(그림 2.47). 그림 2.47은 시료면의 질에 미치는 다른 연마법의 효과를 구리, 금, 니켈의 예를 들어 보여준다. 이상적인 경우의 반사도와 연마된 면에서 얻어진 값의 차이로 시료면의 질을 나타내는 값으로 이용될 수 있다. 이상적인 면의 예로는 결정립(들)이 파단된 직후에 얻어지는 면이 있으며, 해당재료의 실제반사도를 나타낸다. 반사도측정을 위한 표준시료의 대부분이 취성(brittle)을 가지는 이유도 이 때문이며, 기계적 연마시에 소성변형없이 단지 표면층의 분리를 통해 측정면을 얻을 수 있다. 연마를 통해 반사도의 감소가 나타나며, ΔR값이 클수록 해당 연마법이 알맞지 않다는 것을 의미한다. 그

림 2.47에 따르면, 금의 경우 마이크로톰(microtome)을 이용해 절단된 면이 전해연마(electrolytic polishing)의 경우보다 더 나은 결과를 나타낸다. 구리와 니켈의 경우엔, 전해연마를 통해 얻어진 면이 다른 연마법에 비해 강한 반사도를 가짐을 알 수 있다. 한가지의 연마방법에 대해 가장 적합한 연마조건을 찾기 위해서도 반사도측정을 이용할 수 있다. 이는, 광학계수의 측정 또는 표준시료의 준비와 같이, 높은 정확도와 재현성이 요구되는 반사도측정을 위한 경우에 이용된다.

2.2.4
문시회 직입

금속조직학적인 문서화작업은 기본적으로 아래사항을 따르면서 이뤄져야 한다:

• 현미경영상에 포함된 내용의 자세하고 사실적인 표현
• 사진촬영과 영상의 재현성
• 사진과 영상에 해당하는 알맞은 문서의 작성

자료처리와 작성된 문서에 대한 접근성, 기록능력, 보존성 등에 타당하도록 문서화작업이 이뤄져야 한다.

관찰자의 직접 육안을 통한 관찰을 의미하는 주관적인(직접적인) 현미경 작업의 경우 문서화가 이뤄지지 않는 반면, 객관적인(간접적인) 현미경 영상작업의 경우 영상의 문서화가 이뤄진다. 현미경으로부터 기록 또는 저장되는 정보의 영상화작업을 통해 관찰자에게 관찰이 가능하게끔 해준다. 영상정보를 저장하는 장치는 영상화작업 방법에 따라 달라진다.

2.2.4.1 현미경조직상의 영상화

금속조직학에서 흔히 이용되는 영상화방법들을 그림 2.48에 나타낸다. 산란판 (diffusing panel, diffusing screen)을 이용하여 관찰하는 방법은, 미세조직에 대한 상세한 묘사를 할 수 없으며 객관성이 매우 낮으므로 의미를 잃고 있으며, 영상기록이 불가능하다.

사진 또는 비디오법은 영상화를 위한 방법들 중 가장 많이 이용되며, 영상기록과 문서화가 가능하며, 아날로그법과 디지털법으로 구분될 수 있다.

미세사진법(micro cinegraphy)은 시간

방 법	상의 기록	기록 매체	그림 종류
투사	광학적 기구 (투영기, Fresnel렌즈 등)	광학유리판	광학유리판에 투영한 그림
사진법 거시적사진 미세사진 미세사진 미세영상(사진)법	사진기 영사기	롤, 판형 필름 혹은 사진판 롤필름 영사용 필름 (8 혹은 16mm)	거시사진 미세사진 영화
비디오법 거시적 비디오 미세 비디오 미세영상비디오	비디오영사기	모니터화면 혹은 저장매체 비디오 필름	화면그림 혹은 거시적 비디오사진 및 미세 비디오 사진 (hardcopy; 인화된 사진) 미세영상비디오영화 (화면의 정지 그리고/혹은 동영상 및 사진)

그림 2.48 현미경 상의 영상화 방법.

에 따라 작은 크기의 사진을 촬영하여 연속적으로 표현하는 방법으로, 장시간동안 이뤄지는 관찰물체의 변화를 정지된 사진으로 촬영하여 나타내는 방법이다. 반면에 미세영상법(micro cinematography)은 짧은 시간동안에 일어나는 관찰물체의 변화를 영화기법을 이용하여 촬영 및 보존하는 방법이다. 위의 두 방법은, 예를 들면 고온 혹은 저온에서의 상변화 또는 변형되는 과정에서의 시편 표면의 변화를 관찰하는 등 특수한 경우에 이용된다.

비디오법과 사진법은 이용되는 축척도(물체에서의 실제크기와 영상에서 보여지는 크기의 비)에 따라 거시적 또는 미시적 방법으로 나뉜다(표 2.5). 축척도가 1 : 1보다 작거나 같으면 **거시영상**이라 하며, 10 : 1보다 크면(2단계 확대) **미세영상**이라 한다. 그리고 그 중간의 축적도를 가지면 **돋보기상**이라 한다. 표 2.5은 일반적으로 이용되는 축척도를 나타내며, 현미경 영상의 축척도는 배율에 해당한다. 축척도는 영상 내에 스케일바(scale bar)를 통해 나타냄으로써, 추가적인 확대 또는 영상처리과정에서도 관찰물체에 대한 실제 거리를 유지될 수 있게 한다.

배율의 증가를 통해, 보이는 면적은 작

표 2.5 광학현미경을 이용하는 경우에 이용되는 영상의 축적도(DIN 50600)

축척도	설	명
1:10 1:5 1:2	축소	거시영상 (macro photo, macro print)
1:1	원래 크기	
2:1 5:1 10:1	표준화된 배율	돋보기상
20:1 50:1 75:1* 100:1 200:1 500:1 630:1* 1000:1	표준화되고 적당한 배율	미소영상 (micro photo, micro print)
1500:1 2000:1*	광학적으로 무의미한 배율	

* 실제로 많이 이용되지 않는 배율

아지지만 미세조직에 대한 더욱 자세한 정보를 얻을 수 있음을 그림 2.49~2.51을 통해 나타낸다. 촬영기구의 영상면(센서면)에 나타나는 실상의 규격을 영상규격(또는 사진규격)이라 칭한다. 표 2.6은 미소영상에 일반적으로 이용되는 영상규격을 나타낸다. 비디오법의 경우 영상규격은 비디오

표 2.6 미소사진법에 이용되는 영상규격

표 시	크기 [mm]	사진재료의 포장
소형규격	24 × 36	소형필름 카트리지
중형규격	60 × 60 60 × 90 65 × 90	롤형 필름 판형 필름
대형규격	90 × 120 130 × 180	한판, 판형 필름, 폴라로이드필름 한판, 판형 필름

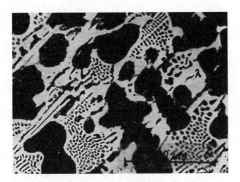

그림 2.49 아공정 Fe-C 합금.

그림 2.50 그림 1.39의 일부분을 2배 확대.

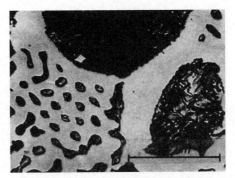

그림 2.51 그림 2.50의 일부분을 2.5배로 확대(그림 2.49를 5배로 확대).

현재까지 사진규격만이 표준화되어있으며(표 2.7), 비디오영상에 대한 표준화는 아직 이뤄지지 않았다. 표 2.8은 열적인 승화과정을 이용하는 프린터를 통한 인쇄규격을 나타낸다. 이런 인쇄의 규격은, 잉크 또는 레이저프린터를 이용한 인쇄를 포함하여, 사진의 표준규격과 직접 비교할 수는 없다(표 2.7과 2.8). 매우 다양한 인쇄규격으로 인해, 영상의 비교와 저장 등에 많은 차이가 있다. 프린터를 이용한 인쇄물을 표준사진규격으로 잘라서 사용하는 것은 의미가 없다.

2.2.4.2 기록된 영상의 문서화 작업

영상의 문서화 작업을 위한 많은 과정들 중 중요단계를 그림 2.52에 나타낸다. 각

카메라의 센서크기에 따르므로, 매우 작다(2/3″ 카메라의 경우 6.6×8.8[mm] 또는 1/3″ 카메라의 경우 4.8×6.4[mm], 표 2.12). 미소사진법의 경우 확대를 통해 촬영되는 영상을 만드는 반면, 비디오법의 경우 중간영상이 센서면 크기에 맞는 크기로 축소된다(2.2.4.4절 참조).

표 2.7 표준 사진규격

표 기	사용가능한 크기 [mm]	[cm²]	비 고	DIN 476 에 의한 규격
소형규격	41 x 57	23.5	주로 미세사진에 적용	–
주(main)규격	57 x 81	46.0		C8
대형규격	81 x 114	92.5	주로 거시사진에 적용	C7
초과규격 1	114 x 162	185.0		C6
초과규격 2	162 x 229	350.0		C5

표 2.8 열적승화를 이용하는 프린터의 인쇄규격

규격표시 및 인쇄모드	사용 크기			프린터		제조사[1]
	H[mm] x B[mm]	[cm²]		Type	Model	
표준사진 일반모드	75 x 100	75.0			P-68 E	M
일반모드	140 x 190	266.0		흑백 아날로그	UP-930	S
90°-회전	180 x 240	432.0		프린터		
일반모드	150 x 200	300.0			P-75 E	M
90°-회전	182 x 300	546.0				
일반사진	75 x 100	75.0			CP-700 E	M
대형사진(90°-회전)	98 x 130	127.4		컬러 아날로그		
표준사진	79 x 140	110.6		프린터	VY-170 E	H
일반모드	118 x 156	184.1			UP-5000 P	S
비디오영상사진	125 x 165	206.3			UP-5600 MDP	S
일반사진의 디지털인쇄	132 x 176	232.3		컬러 디지털	UP-5600 MDP	S
A4 plus, 디지털인쇄	216 x 297[2]	641.5		프린터	UP-D8800 PS	S

1) 제조사: H=Hitachi, M=Mitsubishi, S=Sony
2) A4규격과 유사 (DIN 476)

단계는 3개의 주요과정으로 나눠진다. 촬영을 위한 준비단계는 시료제작으로 시작하며, 이는 전체 현미경작업 중 큰 부분을 차지한다. 촬영준비 과정은 아래의 두 가지를 고려해서 이뤄진다.

• 관찰물체에 대한 특징과 정보를 확실히 나타낼 수 있도록 촬영해야 한다.
• 양질의 영상(사진)을 얻기 위해서는, 우수한 시료준비와 현미경조절이 필수적이다.

촬영과정 중에 고려해야 되는 것은, 대안렌즈에서는 매우 훌륭한 현미경상이 얻어진다 해도 영상기록 과정에서 잘못된 장치 또는 조건을 이용하면 전체적인 영상의 질이 크게 저하된다는 점이다. 사진법의 필름노출과정은 비디오법에서의 영상 수집 그리고 저장작업과 같은 의미를 가진다. 사진법에서와 달리, 비디오법의 경우는 촬영과 동시에 전산화작업을 통해 영상조절, 주석작업(annotation), 영상개선이 이뤄진 상태로 저장할 수 있다. 영상조절과정은 접안렌즈영상을 통해 콘트라스트개선, 밝기와 색상조절, 초점조절 등의 작업을 의미한다. 주석작업은 스케일바, 텍스트작업 등을 포함한다. 사진법의 경우 이런 영상처리과정은 사진현상과 인화작업등을 통해 이뤄진다. 비디오법의 장점들은 영상처리과정 중에 있으며, 컴퓨터 소프트웨어를 통해 영상저장, 처리, 현미경조절 등이 가능하다는 점이다. 사진법에서는 경우 사진인화가 영상 문서화(기록)작업의 마지막단계가 되지만, 비디오법은 대부분의 경우 영상에 대한 첨부문서(보고서 또는 영상프로토콜의 형태)를 얻을 수 있다.

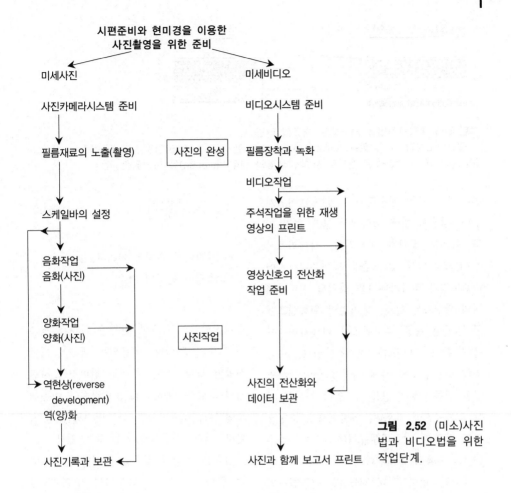

시편준비와 현미경을 이용한
사진촬영을 위한 준비

미세사진

사진카메라시스템 준비

필름재료의 노출(촬영)

스케일바의 설정

음화작업
음화(사진)

양화작업
양화(사진)

역현상(reverse
development)
역(양)화

사진기록과 보관

사진의 완성

사진작업

미세비디오

비디오시스템 준비

필름장착과 녹화

비디오작업

주석작업을 위한 재생
영상의 프린트

영상신호의 전산화
작업 준비

사진의 전산화와
데이터 보관

사진과 함께 보고서 프린트

그림 2.52 (미소)사진법과 비디오법을 위한 작업단계.

2.2.4.3 사진법

사진법은 장치의 종류에 따라 크게 두 종류로 나눈다: 카메라와 현미경이 일체형인 카메라현미경과 추가 카메라장치를 가지는 현미경. 카메라현미경의 경우, 현미경에 광학시스템에 맞게 (내부)카메라시스템이 조정돼 있다는 것이 큰 장점이며, 현미경작업과 동시에 기록작업이 가능하다. 특수한 경우엔 카메라현미경에 대형규격의 내부카메라를 이용하며, 경우에 따라 추가적으로 (외부형)카메라를 설치하여 이용한다.

추가 카메라시스템은 크게 3개의 구성요소를 가진다. **어댑터**(photo adapter)는 카메라와 현미경을 연결하는 역할을 담당한다. **본체부분**은 광전(photoelectronic) 측정장치, 카메라연결부로 이뤄지며(경우에 따라 추가 카메라렌즈를 포함), 자동스위치를 통해 조절된다. **카메라스시템**은 필름에 촬영하는 역할을 한다. 영상규격에 맞춰(표 2.6) 여러 종류의 카메라시스템이 개발되었다. 롤필름을 이용하는 카메라의

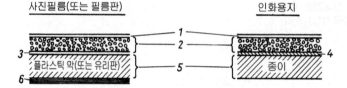

그림 2.53 흑백사진법에 사용되는 재료의 단면
1 젤라틴보호막, 2 감광층(suspension layer, 젤라틴 + AgBr결정), 3 하부막, 4 Barite (BaSO₄) 막, 5 기본물질(층지지 물질), 6 빛의 퍼짐(hallation)을 막기위한 막.

경우 수동 또는 전동장치로 필름을 이동시킨다. 필름을 빛에 노출되지 않게 하기 위해 중앙잠금장치가 이용되며, 카메라조작시 원하지 않는 빛 노출을 막아준다. 카메라현미경과 추가카메라를 장치한 현미경에서의 광경로는 같다. 현미경의 원통렌즈에서 전달된 광은 투사렌즈와 카메라렌즈를 통해 확대되어 필름면에 전달된다. 이를 통해 중간영상에 비해 관찰물체의 상세영상을 필름면에서 얻을 수 있다. 사진크기는 필름규격에 따르며, 일반적으로 소형규격의 경우 2.5:1, 대형규격(4″×5″)인 경우 10:1의 배율로 확대된다.

주어진 현미경 대물렌즈와 원통렌즈의 조합에 있어서도, 대부분의 경우 투사렌즈(photo projective)와 카메라렌즈(objective)에 의한 필름상의 축척도는 정확히 주어지지 않는다. 이 경우 표준스케일판(1mm를 10μm 간격으로 나누어 눈금을 나타냄)을 현미경과 카메라의 동일한 조건으로 사진측정을 한 후, 측정하여 영상의 실제축척도를 알 수 있다(표준스케일판을 측정한 사진에서 거리는, 첫째 눈금의 왼쪽 가장자리로부터 n 번째 눈금의 왼쪽가장자리까지로 측정함):

$$M_{Film} = \left(\frac{100 \cdot b}{n} \right) : 1 \qquad (2.39)$$

b: 사진에서 측정된 거리 [mm]
n: 측정한 눈금의 개수

사진법에서 중요한 단계중 하나는 필름의 노출(시간)이다. 이용되는 필름에 대한 적합한 노출시간은, 주어진 현미경과 사진기의 조합에 대해, 시료조명장치를 이용해 조절한다. 조절가능한 조명변수로는 광원, 필터, 시간, 자동설정 기능 등이 있다.

필름은 광학적 성질을 고려하여 선택해야 한다. 따라서 흑백사진의 주요특징에 대해 알고 있는 것이 필요하다(컬러사진에 대한 설명은 여기선 다루지 않음).

그림 2.53은 사진재료가 어떻게 이뤄져 있는지를 나타낸다. 기계적 충격으로부터 보호를 위한 보호막 아래부분에 사진을 위한 층(젤라틴과 할로겐화물의 현탁액, 대개 AgBr이 쓰임)이 놓인다. 하부막은(층 3) 감광층을 기본물질에 고정하는 역할을 하며, 인화용지에서는 바륨황화물(Barite, BaSO₄, 층 4)이 이용하므로 흰색을 띈다. Barite층의 주요역할은 인화지의 성능을

향상하는 것이며, 감광층이 가지는 광학적 정보가 최소의 손실을 가지면서 관찰자에게 전달될 수 있게 해준다. Barite층의 또 다른 역할은 사진작업 중에 인화지 뒷면으로부터 유입되는 액체(예를 들어, 현상액과 정착액)와 감광층이 반응하는 것을 막아주는 것이다. 필름과 필름판의 빛 퍼짐 방지막(층 6)은 감광층의 선명도(sharpness)를 높이는 역할을 한다.

사진법의 작업단계는 아래의 과정으로 나뉜다:

- 노출(exposure)과 현상(development)
- 반응중단(수세 또는 산세)
- 정착(fix)
- 수세

이 단계 중에서 촬영기구를 이용하는 것은 필름의 노출과정이며, 다른 단계는 실험실에서 화학반응을 통해 진행된다.

사진의 원리는 감광층(층 2)에 현탁상태로 도포된 AgBr-결정 입자들이 Ag와 Br로 분해되는 것이다. 분해과정은 두 단계로 일어나는데, 노출과 현상이다. 노출을 통해 (비교적 짧은 시간동안 노출되는) 빛의 영향으로 광화학분해를 통해 AgBr 결정결합에서 Ag이온으로 분리되는 환원과정을 가진다(1차 반응). 이 반응으로 μm보다 작은 크기를 가지는 Ag핵이 형성되며, 촬영된 형상을 잠재적으로 표시한다(잠재적 사진 또는 잠복형 사진, latent image). 이어지는 현상단계에서 광에 노출된 AgBr이 선택적으로 많이 환원된다(2차 반응). 2차 반응에서 형성되는 Ag를 통해, 1차 반응에서 형성된 Ag핵이 성장되면서 사진이 시각화된다.

그림 2.54는 필름에서 사진의 상이 형성되는 과정을 도식적으로 보여주며, 각

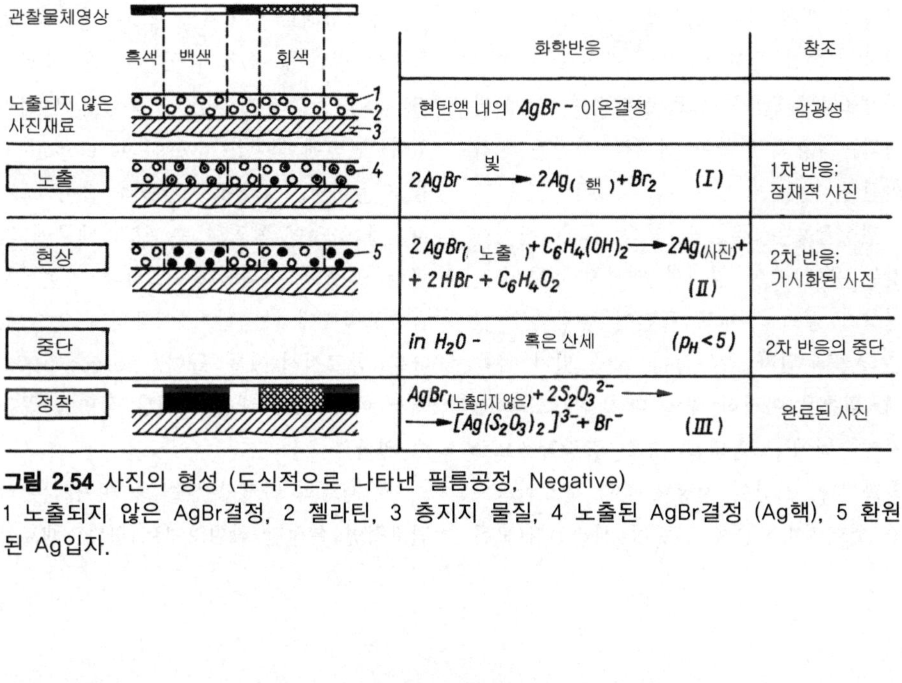

관찰물체영상	화학반응	참조
노출되지 않은 사진재료	현탄액 내의 **$AgBr$** - 이온결정	감광성
노출	$2\,AgBr \xrightarrow{\text{빛}} 2\,Ag_{(\text{핵})} + Br_2$ $\qquad$ (I)	1차 반응; 잠재적 사진
현상	$2\,AgBr_{(\text{노출})} + C_6H_4(OH)_2 \longrightarrow 2\,Ag_{(\text{사진})} + 2\,HBr + C_6H_4O_2$ $\qquad$ (II)	2차 반응; 가시화된 사진
중단	$in\ H_2O$ - $\quad$ 혹은 산세 $\qquad$ ($p_H < 5$)	2차 반응의 중단
정착	$AgBr_{(\text{노출되지 않은})} + 2\,S_2O_3{}^{2-} \longrightarrow [Ag(S_2O_3)_2]^{3-} + Br^-$ $\qquad$ (III)	완료된 사진

그림 2.54 사진의 형성 (도식적으로 나타낸 필름공정, Negative)
1 노출되지 않은 AgBr결정, 2 젤라틴, 3 층지지 물질, 4 노출된 AgBr결정 (Ag핵), 5 환원된 Ag입자.

공정에서 이루어지는 화학반응도 나타내었다. 노출과 현상은 단지 Ag환원의 다른 단계이므로(그림 2.54의 반응 I과 II), 두 단계는 같은 과정으로 볼 수 있다. 따라서 일련의 노출실험을 통하여 이상적인 노출시간이 결정되면 현상조건을 변화시키지 않는다. 혹은 현상공정에서 이상적인 조건을 결정하였으면, 노출조건은 일정하게 유지하여도 된다.

현상액에는 하이드로키논($C_6H_4(OH)_2$)이 환원제로 함유되어 있는데, H^+이온을 **빼앗**기며 키논으로 산화된다(그림 2.54, 반응 II, 키논은 현상액을 갈색으로 만든다). 이러한 산화환원반응에서 브롬산이 형성되기 때문에, 현상액에 알칼리물질을 첨가하여 중화시켜야 한다. 그렇지 않으면 사용 중에 pH값이 떨어져 반응 II가 진행되지 않아 잠재적 사진이 더 이상 현상되지 않는다(현상액의 노화). KOH, Na_2CO_3, Borax 등(현상액알칼리)을 이용해, 현상액에 알칼리성을 갖게 하며 현상을 촉진시킨다. 이러한 신속한 중화작용으로 반응 II가 항상 화살표방향(오른쪽)으로 진행되며, 이때 발생되는 Ag로 인하여 잠재적 사진은 시각화된다.

현상작용은 필름을 물속 혹은 산성을 갖는 용액 속에 침지할 때까지 진행된다. 현상이 끝난 후에도 표면에 감광되지 않은 AgBr 입자들이 많이 남아 있기 때문에, 필름은 여전히 빛에 대한 민감도를 가지며, 빛에 노출되는 경우 감광작용으로 흑화된다. 시간이 지남에 따라 콘트라스트가 엷어지며, 결국 그림이 사라진다(모든

면이 동일하게 흑화됨). 표면에 남아있는 빛에 노출되지 않은(현상되지 않은) AgBr 입자들을 감광층에서 제거해야지만, 비로소 빛에 대한 민감도가 없어지게 된다. 이 과정을 정착(fix)이라 한다. 정착액에 포함된 티오황산나트륨($Na_2S_2O_3$)은 감광되지 않은 AgBr입자를 $Ag-S_2O_3$복합물로 용해시킨다. 잉여의 $S_2O_3^{2-}$이온과 더불어 반응 III이 진행되어 용해가 쉬운 $[Ag(S_2O_3)_2]_3$ 복합물이 생성된다. 이어지는 세척을 통해 복합물과 이온 그리고 다른 입자화된 반응물들이 필름표면에서 제거된다. 이 필름을 건조하면 보관 가능한 상태가 된다.

인화공정도 그림 2.54와 비슷한 방법으로 진행된다. 다른 점은 물체의 현미경영상 대신 투명한 네가티브상(필름)이 위치한다는 것이다. 인화지는 암실에서 복사기를 이용하여 광에 노출시킨다.

이러한 네거티브(필름)-포지티브(인화) 공정은, 다량 복제, 인화지를 이용한 사진(즉 종이형태로 얻어지는 영상), 용이한 축척도의 변화 등 이점이 있는 반면, 재료비가 많이 소요되며 공정이 복잡한 단점이 있다. 반면에 역현상(reverse development)을 이용하면, 슬라이드 필름과 같은 포지티브를 동시에 제작할 수 있기 때문에 저렴한 공정이 이뤄진다. 그러나 역현상은 금속조직학에서는 많이 이용되지 않으며, 다른 참고서적(예를 들어, Berger 1973)에서 이 과정에 대한 자세한 설명을 찾을 수 있다.

사진재료의 여러 특성들 중 여기서는 사진학적인 특성만 살펴보기로 한다. 재료들

을 사진학적 특성에 따라 서로 비교함으로써, 사진법에 적합한 재료를 선택하는데 도움이 될 수 있다. 감광층을 통해 관찰물체에서 얻어지는 영상(카메라 투사렌즈를 통해 얻어지는 관찰물체의 영상, 필름영상, 인화된 사진)의 재현 시 그에 따른 음영도(또는 명암도)는 흑화곡선(그림 2.55)을 이용하여 판단할 수 있다. 이는 감광층의 흑화도 S(단위 없음, 음영농도 측정기를 통해 얻음)와 광노출 H(단위 lx·s, 감광기를 통해 측정)의 상관관계를 그래프로 나타낸 것이다. 흑화곡선은 사진재료가 가지는 고유값이다. 하지만 각 사진재료에 대해 동일한 작업조건(특히 현상작업 조건)을 유지하면서 얻어져야 하고, 재현성이 있어야 한다(표준화된 현상작업의 이용).

흑화곡선의 직선영역에서 벗어난 영역은, 특히 그림 2.55의 최종흑화단계 C-D(흑색판 효과), 사진법에 있어 큰 의미를 가지지 못한다. 이는 이상적인 노출시간을 결정할 때(노출실험 등을 통하여) 고려하기는 한다. 하지만, 일반적인 현미경 사진법에서 각 사진 당 조절하는 노출시간의 비는 1:100 이내가 되고, 그림 2.55의 h에 해당하는 영역만으로도 충분한 노출시간의 조절비가 얻어지므로, 자동노출장치에서는 흑색판 효과를 무시한다. 즉, 흑화곡선에서 직선부분에서 벗어나지 않고, 전체 흑화영역(c 부분)을 충분히 이용한다. 최근의 자동노출장치는 측정하는 노출시간을 변화할 수 있으므로, 노출시간을 연장함으로써 흑색판 효과를 얻을 수도 있다.

그림 2.55을 통해 사진재료 고유의 특징인 **감광성**(sensitivity)과 **농도단계**(농담 또는 계조, gradation)를 설명할 수 있다. 사진재료의 감광성은, 기본흑화 (a)로 부터 감지 가능한 흑화가 시작되는 노출로 판단된다. 흑백사진재료의 감광성은 일반적으로 감광성지수 n을 이용하여 주어지며(DIN에 따른 표준규격), 이는 무차원의 값

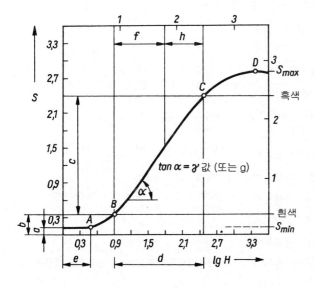

그림 2.55 흑백사진재료(네가티브, 포지티브)의 흑화곡선
A 기본적인 흑화(a)에서 최소노출(e)에 의해 흑화가 증가되기 시작하는 변곡점
A-B 초기흑화(b); 가장 밝게 나타나는 부분
B-C 노출에 따라 흑화가 선형적으로 증가하는 영역; 기울기는 등급을 나타냄; d와 대상물체의 명암영역(f)간의 차이가 노출할 수 있는 영역(h)을 나타냄
C-D 최종 흑화단계.

으로 다음 식을 통해 정해진다.

$$n = 10 \cdot \log\frac{H_0}{H_K} \qquad (2.40)$$

H_0 : 감광기에서 측정되는 노출상수(재료
에 따른 특성치)

H_K : 특정한 흑화(> S_{min}, 그림 2.55)를
나타내게 하는 임계 노출값

필름재료의 감광도(photosensitivity)는
각 나라마다 다르게 표준화되어 있지만,
각 수치들은 상호 비교전환이 가능하다(표
2.9). 수치가 커짐에 따라 높은 감광도를
의미한다. DIN규격의 정수로 나타낸 등급
의 차이는 식 (2.40)의 대수관계에 의존하
는 값이다. 영미권(ASA 및 BS 규격)에서
는 $\sqrt[3]{2}$의 관계를 가지는 등급이 이용된다.
ISO규격은 위의 두 규격의 조합이다.

사진재료의 감광성 이외에 흑백사진 재
료의 스펙트럼감도(색감도)도 또한 중요한
특성이다. 스펙트럼감도는 감광층이 빛의
파장범위에 따라 다르게 흑화되는 것을 나
타낸다. AgBr의 초기반응 I(그림 2.54)을
위해 특정한 에너지가 필요하고, 자체로
노란색을 띠기 때문에, 파랑색 빛에 대해
서만 민감도를 띤다. 다른 파장을 가지는
빛에 의한 광학정보를 기록하기 위하여,
감광층 현탁액에 색소를 첨가한다(색감도
증가). 색소첨가는 AgBr입자의 흡수능의
변화를 가져와 스펙트럼감도를 변화시킨
다. 예를 들어 감광층 현탁액을 적색으로
하면, 파랑색 이외에 녹색도 흡수하게 된
다. 이렇게 스펙트럼감도를 높인 감광층에
서는 녹색의 광을 통해서도 흑화가 일어난

다(정색성(orthochromatic)재료). 이러한
재료가 민감도를 증가시키지 않은 재료보
다 물체의 컬러를 회색으로 나타내는데 훨
씬 효과적이다. 전정색(panchromatic)재
료는 감광층에 보라색소를 첨가한 것으로
가시광선의 모든 파장범위에서 감도를 좋
게 한다.

표 2.9 필름재료의 감광도를 나타내는 규격

ASA(미국) BS(영국)	DIN(독일)	일반적으로 이용되는 필름의 ISO표기(국제 표준)
10	11	
12	12	
16	13	
20	14	
25	15	25/15° +
32	16	32/16°
40	17	40/70°
50	18	50/18°
64	19	64/19°
80	20	80/20°
100	21	100/21° +
125	22	125/22°
160	23	
200	24	200/24°
250	25	
320	26	
400	27	400/27° +
500	28	
650	29	
800	30	800/30°
1000	31	
1250	32	
1600	33	1600/33°
2000	34	
2500	35	
3200	36	3200/36°
4000	37	
5000	38	
6400	39	

+ 금속미세조직 관찰법에 우선적으로 적용됨

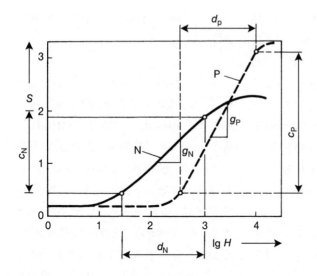

그림 2.56 표준화된 현상법을 이용하여 얻어진 흑백사진재료들의 흑화곡선
N 네가티브재료 $d_N > d_P$
P 포지티브재료 $c_P > c_N$;
$g_P > g_N$ (그림 2.55 참조).

색감도에 따라 필름의 암실작업 시 허용되는 조명이 달라진다. 색감도를 가지지 않는 필름의 경우 황녹색의 빛을 이용하며, (적색에 민감도가 없는) 정색성 필름의 경우 적색조명을 이용한다. 전정색 필름(모든 색의 빛 파장범위에 민감도를 가짐)의 경우, 암실을 전체적으로 빛에서 차단해야 한다. 정색성 필름을 이용하는 경우, 현미경 조명에 대해 녹색/황색 필터를 이용해야 하며, 그렇지 않은 경우엔 색감도 증가를 통한 콘트라스트의 증가효과를 가질 수 없다. 전정색 필름의 색감도는, 광필터와 조합하여 사진의 콘트라스트 향상에 사용된다. 예를 들어, 관찰물체의 특정한 색을 네가티브(필름)에 밝게 나타나게 하려면(인화된 사진에서 흑화를 통해 강조하려면), 노출할 때 특정 색의 보색관계에 있는 광필터를 사용한다. 반대로 대상물체의 특정한 색을 네가티브에 어둡게 나타나게 하려면(포지티브에서 밝기를 감소시키

면), 특정한 색과 같은 색의 광필터를 사용한다.

흑화곡선에서 B-C부분의 기울기를 농담단계(gradation)라 하며, g값으로 나타낸다. g값은 무차원이며 다음과 같이 정의된다.

$$g = \gamma = \tan\alpha = \frac{S_2 - S_1}{\log H_2 - \log H_1} \qquad (2.41)$$

g : 평균농담단계(gradation); γ로 나타내기도 함
S_1 : 하부 흑화
H_1 : S_1에 해당하는 노출
S_2 : 상부 흑화
H_2 : S_2에 해당하는 노출

네가티브와 포지티브재료의 흑화곡선(그림 2.56)은 서로 다른 특징을 나타내며, 두 재료에서의 농담단계를 결정하는 방법 역시 다르다. 네가티브재료의 경우 $S_1 =$

$S_{min} + 0.3$, $S_2 = S_{min} + 1.3$ 이며, 이에 해당하는 H_1과 H_2 값은 흑화곡선에서 얻어진다. g_N값(네가티브재료에 대한 g)은 식 (2.41)을 통해 계산한다. 포지티브재료의 경우 $S_1 = S_{min} + 0.7$이며, $\log H_1$ 역시 흑화곡선에서 얻을 수 있다. $\log H_2$값는 $\log H_1$에 노출간격 $\Delta \log H = 0.5$를 더하여 얻는다(즉, $\log H_2 = 0.5 + \log H_1$) $\log H_2$를 통해 S_2가 정해지며, g_P값(포지티브재료의 g)은 식 (2.41)을 통해 계산한다.

감광층이 사진의 콘트라스트 K_B에 주는 영향은, g값을 이용해 아래와 같이 나타낸다.

$$K_B = g \cdot K_{Obj} \qquad (2.42)$$

여기서 K_{Obj}는 물체의 콘트라스트를 나타낸다. 또한 흑화의 차를 이용하여, 콘트라스트를 다음 식으로 나타낼 수 있다.

$$K = \frac{S_2 - S_1}{S_1 + S_2} \qquad (2.43)$$
$$(S_2 > S_1)$$

그림 2.57a는 g값이 콘트라스트변화에 미치는 영향을 보여준다. 흑화곡선의 직선영역에 대한 $\triangle S$값을 물체에서 얻어지는 밝기범위 f와 비교함으로써, 콘트라스트의 변화를 나타낸다. g값은 세 가지 단계로 구분할 수 있다.

g > 1 "hard" 콘트라스트를 강하게 하는 감광층의 효과; $\Delta S_h > f$

g = 1 "normal" 콘트라스트를 변화시키지 않는 효과; $\Delta S_n = f$

g < 1 "soft" 콘트라스트를 약하게 하는 효과; $\Delta S_w < f$

그림 2.57a는 농담단계의 차이가 있으면 각 사진재료에 대한 노출범위 d도 달라짐을 보여준다: $d_w > d_n > d_h$. "연한(soft)" 네가티브재료는 "경한(hard)" 재료에 비해 대상물체의 밝기(휘도, brightness)를 더 잘 나타내지만, 사진의 콘트라스트는 약하게 된다. 약한 콘트라스트는 인화 시의 조정으로 상쇄된다. 네가티브-포지티브-공정에서 회색 톤의 정확한 재현을 의미하는, Goldberg-조건(식 2.44)에 맞추어서 사진인화지의 농담단계를 선택함으로써 포지티브 상에 적절한 콘트라스트가 나타나도록 결정한다(적당한 편차는 허용됨).

$$g_{neg} \cdot g_{pos} = g_{ges} = 1 \qquad (2.44)$$

$g_{ges} = 1.3 \sim 1.4$의 영역에서 자연스러운 느낌의 사진이 얻어지므로, 대부분의 경우 $g_{pos} > 1$이 되게 선택된다. 예를 들어, 네가티브 재료가 $g_{neg} < 1$로 연하면, $g_{pos} > 1$인 경한 포지티브 재료를 사용하여 콘트라스트이 약화를 상쇄한다.

대부분의 사진재료는, 현상 시에 주어지는 흑화곡선으로부터 어느정도의 차이를 나타낸다. 이에 따른 결과는 농담단계의 변화로, 이러한 현상의 원인은 두 번째 반응(그림 2.54, 반응 II)에 있다. 이는 기본적으로 현상시간, 현상액의 조성, 온도, 움직임 등에 영향을 받는다. 모든 작업조건을 일정하게 유지하는 경우, 현상시간에 따라 g값은 증가한다. 이런 현상의 예를

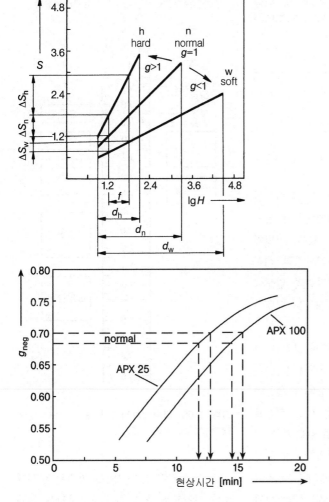

a)

b)

그림 2.57 a) 각기 다른 농담단계(g)에 대해, 물체의 밝기범위 f에서 나타나는 흑화(정도)의 차이 △S
b) g-시간 곡선 (20℃에서 현상, 현상액 Agfa Rodinal 1+50).

그림 2.57b에 나타낸다(AGFAPAN APX25 와 100, AGFA사). APX25의 경우 약 10분 후에 $g_{neg} \approx 0.65$ 정도로 현상되는 반면, APX100의 경우 약 14분의 시간이 필요하다. 현상액의 조성이 g_{neg}값에 미치는 영향을 표 2.10에 나타낸다.

사진재료의 선택에 따라 식 (2.44)로 주어진 조건에서 벗어나는 정도와 작업조건에 따른 g값의 변화는, 관찰물체 영상이 낮은 g값(낮은 농담단계)를 가지게 한다. 그림 2.58에서 나타나듯이, 포지티브재료는 높은 g값(높은 농담단계)을 가지는 것이 일반적이다. 네가티브재료는 $g_{neg} = 0.7$을 보통(normal)으로 보며, 포지티브재료는 $g_{pos} = 1.2 \sim 1.6$을 보통으로 본다.

감광층의 다른 특성치로 입도가 있다. 이는, 감광층에서 노출되는 정도에 따라 사진의 흑백강도를 조절하는, (흑색의) 은

표 2.10 g_{neg} 값에 미치는 현상액의 영향 (AGFA사의 필름 AGFAPAN 400, 20℃에서 6분 현상)

현상액	g_{neg} 값
RODINAL 1+50	0.55
RODINAL 1+25	0.62
REFINAL	0.64
RODINAL SPECIAL	0.74

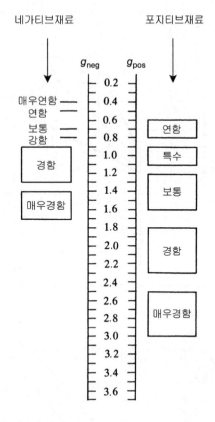

그림 2.58 네가티브재료와 포지티브재료에 대한 농담단계의 비교.

립자(silver grain)의 입도를 의미한다. 입도는 사진작업을 할 때, 한계배율 이상으로 확대하면 육안으로 볼 수 있다. 이렇게 나타나는 검은 점은 금속조직사진의 해석에 방해가 되며, 따라서 감광층의 입도에 따라 얻고자 하는 사진의 확대가능 배율이 결정된다.

입도는 현탁층의 AgBr입자의 크기와 더불어 현상작업에 의해서도 영향을 받는다. 현상공정에 의한 영향은 현상액의 종류에 기인하며, 실제 실험실에서는 이를 상수로 한다. 따라서 AgBr입자의 특성에 의한 영향에 대하여만 논의한다. 기하학적인 특성은 평균입도(네가티브재료 0.7µm, 포지티브재료 0.3µm(접촉복사인화지), 사진인화지 0.8µm)와 입도분포, 입자형태, 입자의 응집상태, 감광되지 않은 상태에서 입자의 분포상태 등에 의하여 결정된다. 큰 입자는 작은 입자에 비해 상대적으로 빛에 노출될 확률이 높고, 이에 따라 감광될 수 있기 때문에, 민감도가 높은 사진재료는 항상 큰 크기의 입자를 가진다. 하지만 이러한 사진재료를 이용해서 사진의 확대배율을 크게 할 수 없다는 단점을 가진다.

이에 비해 작은 입자크기를 가지는 사진재료는 감광도는 높지 않으나, 사진을 크게 확대하여 인화할 수 있다.

사진의 질은 감광층의 **분해능**과 **선명도**로 판단된다. 현미경영상을 최소한의 정보손실을 가지며 사진화하기 위해 분해능이 중요한 역할을 가진다. 최소한의 정보손실은, 육안으로는 구분하기 어려운 정도의 정보손실을 의미한다. 높은 선명도를 가지는 사진을 통해 각 미세한 부분을 쉽게 구분할 수 있다. 사진재료의 선명도를 떨어뜨리는 요인으로, 두 종류의 헐레이션(hallation, 사진재료의 후면으로의 빛의 난반사)을 들수 있다: 확산헐레이션과 반사헐레이션. 확산헐레이션은 빛이 AgBr입자에서 분산되어 나타나는 현상으로 반사헐레이션보다 영향이 적다. 이렇게 분산된 빛에 의해 인근의 AgBr입자도 감광되므로, 현상될 때 이 부분 또한 흑화되며, 원래 현미경 영상의 윤곽선에 존재하던 입자가 아니므로 윤곽을 흐리게 한다. 이는 현탁막의 두께와, AgBr입자 크기에 의하여 영향을 받는다. 농담단계가 큰(흑화곡선의 기울기가 큰) 사진재료는 작은 입도와 얇은 현탁막(약 $3\mu m$)을 가지므로, 윤곽선이 뚜렷하고 선명도가 높다. 반면에 작은 값의 농담단계를 가지는 재료는 큰 입자로 구성된 두꺼운 현탁막(약 $10\mu m$)을 가지며, 윤곽선이 뚜렷하지 않고 선명도가 낮아진다. 반사헐레이션은 층지지 물질(기본물질)과 공기사이 경계에서 빛의 전반사에 의하여 나타나며, 필름과 같이 층지지 물질이 투명한 사진재료에서만 고려하면 된다. 전반사된 빛은 감광층의 뒷면을 노출시킴으로써, 확산헐레이션의 경우보다 심하게 윤곽선을 흐려지게 한다. 하지만 반사헐레이션은 적절한 광화학적 특성(굴절률, 색, 표백특성 등)을 갖는 헐레이션방지층을 층지지물질의 뒤에 도포하여 제거할 수 있다 (그림 2.53).

감광층의 분해능은, 적당한 확대배율에서 현상하는(표준 현상과정) 감광층에서도, 두 윤곽선(혹은 점)을 육안으로 분리하여 구별할 수 있는 최소거리로 주어진다. 높은 분해능을 갖기 위해서는 네가티브 및 포지티브재료의 현탁막이 미세립자로 이루어져야 하며, 확산헐레이션도 작아야 한다. 분해능의 척도로서 R값이 이용되며, 이는 1mm의 길이 내에 식별가능한 눈금선의 수를 나타낸다. 금속조직관찰에서 사용하는 대부분의 사진재료는 $R \geq 100mm^{-1}$을 가지며, 이는 육안으로 최대 6개의 눈금선을 구분할 수 있다는 점을 감안할 때 일반적인 용도에 충분한 분해능이다. 높은 품질의 네가티브필름의 분해능($R=250mm^{-1}$, 분해가능거리 $4\mu m$)을 현미경 중간영상의 점간거리($10\sim50\mu m$)와 비교하면, 현미경영상에 대한 정보손실없이 사진으로 나타낼 수 있음을 알 수 있다.

여러 가지 요구조건을 동시에 만족시키는 사진재료의 선택은 어려운 경우가 있는데, 이는 몇몇 특성이 서로 상반되는 경향을 갖고 있기 때문이다. 사진층의 감광도(감도)를 높이려면 입자의 크기가 커야 하는데, 동시에 분해능, 선명도, 사진확대능력은 저하된다. 또한 높은 감광도는 특히 큰 값의 농담단계(흑화곡선의 큰 기울기값)와 연관이 있다. 표 2.11에 이러한 사항을 자세히 열거하였다.

2.2.4.4 비디오 영상법

비디오법의 장점은 사진법에 비해 시간과 재료 및 기록작업에 드는 인적노고 자체을 크게 절약할 수 있다는데 있다. 또한 디지털화된 비디오법의 경우, 기록된 영상을 빠른 시간 안에 이용할 수 있으며, 하드디스크 또는 CD와 같은 저장장치 등

표 2.11 금속조직관찰 사진법에 이용되는 흑백 네가티브 사진재료들의 여러 가지 특성과 그에 따른 특성치

특성	특성치		
감광도(감도)	낮음	중간	높음
ISO값	25~80	100~200	400~800
DIN	15~20	21~24	27~30
입도	미세	중간	조대
농담단계	경함	보통	보통~연함
g_{neg}	1.2~0.8	0.75~0.60	0.60~0.50
분해능	높음	중간	낮음
R $[mm^{-1}]$	250~300	120~200	75~100
분해가능거리 $[\mu m]$	3.3~4.0	5.0~8.3	10.0~13.3
선명도	높음	중간	낮음
노출조절범위	큼	중간	작음
확대능	높음	중간	낮음
사용 예	높은 콘트라스트를 가지는 밝은 물체; 범용으로 사용가능; 명시야상	콘트라스트가 크고 중간 밝기의 물체; 편광과 간섭콘트라스트로 작업할 때	콘트라스트가 작고 어두운 대상물체; 편광과 위상차콘트라스트로 작업할 때

은 빠르고 손쉬운 데이터저장을 가능케 해준다.

영상법을 위한 기본적인 구성장치는 TV어댑터, 비디오카메라, 컴퓨터, 모니터, 프린터 등이 있다(그림 2.59). 비디오카메라는 CCD(charge coupled device)센서를 이용해 영상기록이 이뤄진다. 카메라는 CCD칩의 크기로 구분하여 명칭하고, 예를 들어 CCD칩의 대각선길이가 8mm인 경우 1/2″카메라로 부른다.

TV어댑터를 통해 CCD카메라와 현미경을 연결하며, 현미경에서 만들어진 영상을 CCD센서에서 인식할 수 있게 해준다. 어댑터에서는 영상을 축소하는데, 이는 되도록 영상의 넓은 부분을 작은 센서를 통해 기록할 수 있게 위해서이다. 사진법의 경우(그림 2.60a)엔 네가티브의 전체영역을 이용하기 위해 중간영상을 확대하지만, 비디오법에서는 CCD칩의 작은 면적으로 인해 중간영상을 축소할 수 밖에 없다(그림 2.60b, 2.60c). 표 2.12는 카메라-어댑터의 여러 가지 조합을 통해 얻을 수 있는 단면영상의 크기를 나타내며, 2/3″카메라와 0.63어댑터의 조합이 가장 적당함을 알 수 있다. 카메라의 영상영역(camera coverage)이 지름 20mm인 경우 영상영역의 최대 47%의(지름 25mm인 경우 최대 30%) 센서를 통해 기록할 수 있다. 센서에 기록되는 영

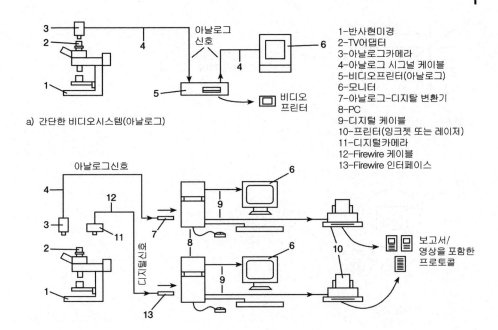

a) 간단한 비디오시스템(아날로그)

1-반사현미경
2-TV어댑터
3-아날로그카메라
4-아날로그 시그널 케이블
5-비디오프린터(아날로그)
6-모니터
7-아날로그-디지탈 변환기
8-PC
9-디지털 케이블
10-프린터(잉크젯 또는 레이저)
11-디지털카메라
12-Firewire 케이블
13-Firewire 인터페이스

b) PC제어 비디오시스템(아날로그와 디지털 카메라 이용)

그림 2.59 비디오법을 위한 기본 구성요소.

상비(가로:세로비)는 4:3이다.

영상영역의 지름이 20mm 또는 25mm인 경우, 1/2″카메라와 축소율이 0.5인 어댑터의 조합으로 충분하다. 1/2″카메라-축소율 0.5어댑터의 조합(또는 2/3″카메라-0.63어댑터)은, 사진법에서 확대하지 않는 소형규격의 경우와 비슷한 사용 가능한 영상의 비율을 가진다(표 2.12). 1/3″카메라와 0.4어댑터의 조합의 경우 사용가능한 영상영역이 매우 제한되며(표 2.12, 그림 2.60c), 영상영역의 지름이 25mm인 경우 대물렌즈에서 관찰되는 영상의 22%만이 센서를 통해 기록가능하다.

그림 2.60과 표 2.12에는 어댑터의 축소율이 이미 고정되어 설치된 경우를 나타낸다. 이런 고정어댑터(fix adapter)의 장

점으로는, 모니터와 프린터에 양질의 영상이 얻어지며 센서면에 이상적인 빛의 강도를 전달한다는 것이다. 단점으로는 여러 규격의 CCD칩에 대한 조절과 프린터에서 얻을 수 있는 규격이 제한된다는 것이다. 줌어댑터를 이용하면(예를 들어 0.4~2.0의 배율조정이 가능한 어댑터), 위의 문제를 해결하는데 도움이 될 수 있다.

비디오카메라의 선택 시에는 센서의 크기, 어댑터와 더불어 각 요소를 구성하는 방법도 고려해야한다(예를 들어, 현미경인터페이스의 위치, 어댑터와 비디오카메라의 연결방법(플러그형 또는 나사형), 카메라의 무게와 크기, 구성 케이블의 종류와 연결 등).

영상의 분해능은 비디오카메라의 질을

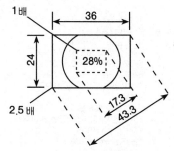

a) 사진법: 네가티브 규격
   24×36을 2.5배로 확대

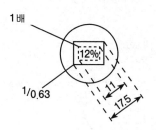

b) 2/3″ CCD카메라: 영상축소를
   통해, 영상영역의 12%
   대신 30%를 이용가능

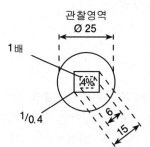

c) 1/3″ CCD카메라: 영상축소를
   통해, 4% 대신 22%의 영상영역을
   이용 1배, 2.5배, 1배, 영상영역

그림 2.60 여러 종류의 카메라-어댑터 조합에서 이용 가능한 영상단면(영상영역 지름이 25mm인 경우).

표 2.12 일반적으로 이용되는 카메라-고정어댑터조합

카메라 종류	고정 어댑터 배율	센서에 감지되는 중간상의 단면크기			영상영역의 지름에 따른 사용영역		비고
		폭 (사용되는 센서부분) [mm]	높이	대각선	20mm [대략적인 %]	25mm	
소형 카메라	1x 확대 2.5x	14.4 36.0	9.6 24.0	17.3 43.3	44	28	필름면상 영상과 비교; 필름면상 영상대각선 > 네가필름의 지름 43.3mm
2/3″ 칩 카메라	1x 축소 1:0.63	8.8 14.0	6.6 10.5	11.0 17.5	18 47	12 30	비디오미세사진에 유리
1/2″ 칩 카메라	1x 축소 1:0.5	6.4 12.8	4.8 9.6	8.0 16.0	10 39	6 25	충분
1/3″ 칩 카메라	1x 축소 1:0.4	4.8 12.0	3.6 9.0	6.0 15.0	6 34	4 22	비디오 조직재현에 불리

판단하는 매우 중요한 요소중 하나이다: CCD센서의 품질이 좋을 수록, 얻어지는 영상에서 구분가능한 각 점들의 크기가 작아지며, 전체 비디오시스템을 통해 얻을 수 있는 정보의 손실이 적어진다. 영상을 사실적으로 상세하게 나타내기 위해선 영상정보의 손실이 적어야 하며, 이를 판단하는 척도는 접안렌즈에서 보이는 영상과 비교하는 것이다.

CCD칩에서 얻어지는 물체영상에서 분해가능한 최소거리(센서의 이론적 분해능, D_{min})는, 파장 $\lambda = 0.55\mu m$ (녹색광)인 경우 아래와 같다:

$$D_{min} = \frac{0.335 \cdot M_{Obj}}{A \cdot F_{Ad}} \quad [\mu m] \qquad (2.45)$$

F_{Ad} : TV어댑터의 축소율; 일반적으로 주어지는 어댑터계수의 역수

위의 분해능을 카메라센서에서 완전하게 얻기 위해선, 픽셀이 D_{min}의 절반거리보다 작은 크기를 가져야 한다:

$$D_{Sen} < \frac{D_{min}}{2} \qquad (2.46)$$

위 조건은 픽셀당 거리가 아래와 같은 경우 충분히 만족될 수 있다.

$$D_{Sen} = \frac{D_{min}}{2.05} \qquad (2.47)$$

식 (2.45)와 (2.47)을 통해, 주어진 카메라-어댑터 조합에 대해, 센서영역에서 요구되는 픽셀수를 알 수 있다(N_h: 가로의 픽셀수, N_v: 세로의 픽셀수).

$$N_h = \frac{b}{D_{Sen}} = \frac{6.1 \cdot b}{F_{Ad}} \cdot \frac{A}{M_{Obj}} \qquad (2.48a)$$

$$N_v = \frac{h}{D_{Sen}} = \frac{6.1 \cdot h}{F_{Ad}} \cdot \frac{A}{M_{Obj}} \qquad (2.48b)$$

b : 센서의 가로길이(폭, 표 2.12)
h : 센서의 세로길이(높이, 표 2.12)

위 식을 통해 현미경 대물렌즈의 개구수-축척도(배율)비에 따라, 필요한 픽셀수가 증가함을 알 수 있다. 또한 칩의 크기(b, h)와 어댑터에 따라 요구되는 픽셀수의 증가는 달라진다.

그림 2.61은 두 개의 카메라-어댑터 조합에 대한 위의 관계를 나타내며, 아날로그 또는 디지털카메라와는 무관하다.

그림 2.61의 가로축에 배율과 개구수에 대한 예들도 함께 나타내었다(반사현미경의 경우에는 축의 왼쪽, 입체현미경(stereomicroscope)대물렌즈의 경우는 축의 오른쪽에 놓임). 위쪽의 두 직선은 두 개의 카메라-어댑터조합에 대한 가로픽셀수를 아래쪽은 세로픽셀수를 나타낸다. 직선들은 요구되는 최소 픽셀수를 나타내며, 이 직선으로 그림은 두 영역으로 분리된다. 직선의 상부에 놓인 픽셀수의 경우 영상정보의 손실이 없으며, 충분한 카메라 분해능이라 할 수 있다. 이와 반대로 직선의 아래쪽에 놓이는 픽셀수는, 양질의 영상기록에 적당하지 않으며, 분해능이 충분하지 않은 경

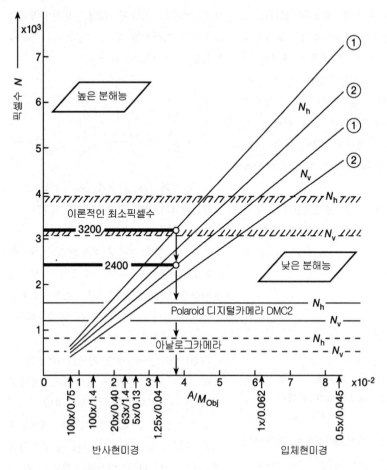

그림 2.61 CCD카메라 픽셀수의 선택.

우이다. 아날로그카메라 이용에 따른 영상의 낮은 질은 이에 기인한다(대물렌즈의 A/M_{Obj} 값 $> 2 \cdot 10^{-2}$인 경우).

많은 아날로그카메라는 $A/M_{Obj} \leq 10^{-2}$의 영역에 대해서만 충분한 픽셀수를 가지며, 대물렌즈의 높은 배율을 통해서만 정보손실 없이 중간영상을 기록할 수 있다(그림

2.61에서 파선의 왼쪽 부분, $N_h \approx 700$, $N_v \approx 400$). $A/M_{Obj} \leq 10^{-2}$의 영역에서는 카메라의 종류(센서크기)-어댑터의 조합에 따른 영상의 질에 영향이 적다. 이와 반대로 $1/3''$카메라-0.40어댑터를 낮은 분해능의 현미경 대물렌즈와 함께 이용하는 경우엔, 영상의 질이 낮아지며 충분하지 않은 분해

능을 가지게된다.

일반적으로 영상기록은 정해진 하나의 카메라-어댑터조합을 통해 반사현미경의 전체 배율에 대해 이뤄진다. 이는, 아날로그카메라를 이용하는 경우, 낮은 배율의 작업 시에 영상정보의 손실이 커지는 결과를 가져온다.

아날로그카메라의 낮은 분해능에 의한 단점들은 적당한 디지털카메라를 이용해 상쇄할 수 있다. 디지털카메라 센서는 아날로그카메라에 비해 최소 두 배이상의 픽셀수를 가진다. 요구되는 사용영역에 대해 비디오카메라의 분해능이 적합한지의 여부는, 그림 2.61의 필요한 픽셀수를 통해 결정할 수 있다. 최소픽셀수의 이론치는 식 (2.48a), (2.48b)를 통해 계산된다. 자주 이용되는 대물렌즈와 카메라-어댑터조합에 대한 최소픽셀수의 이론치는 3200 × 2400이다(그림 2.61). 따라서 영상정보 손실없이 비디오법의 이용을 위해선, 약 7.6 메가픽셀 이상의 센서가 사용되야 한다.

표 2.13은 분해능과 응답시간의 순으로 디지털카메라의 성능을 비교하였다(카메라의 성능치 중 낮은 값으로 비교, 이론치에 대해 낮은 성능과 고성능의 두 부분으로 나눠서 나타냄). 표의 아래부분은 고성능 카메라의 값을 나타낸다. 표에 주어지는 값들은 미세조직관찰에 중요한 의미를 가지는 값으로, 디지털카메라의 성능비교를 쉽게 해준다.

표 2.13은 분해능과 응답시간과 더불어, 얻어지는 영상크기와 C-나사형어댑터(비디오어댑터와 카메라를 연결고정하는 장치)의 연결인자를 나타내었다. 영상데이터의 크기는 필요한 컴퓨터성능에 관련된다. 표의 마지막 칸은(저자의 경험에 비추어) 카메라에 대한 평가와 선택 시에 고려할 점등을 기입하였다. 이론카메라에 대한 값을 나타내는 행에는, 좋은 분해능을 위해 필요한 최소픽셀수와 데이터의 이동에 필요한 시간(영상전송속도, 초당 전송되는 영상수)도 나타낸다. 전송속도는 짧은 노출(평균적으로 20ms) 시에 카메라를 통해 얻을 수 있는 영상정보의 양을 결정한다(즉, 카메라에 전해지는 정보신호를 디지털화한 후 내부작업을 거쳐 컴퓨터로 볼 수 있는 시간). 표에 나타냈듯이 전송속도는, 정지된 물체에 대해 ≥10사진/초, 움직이는 물체에 대해 ≥24가 되야 한다(이론카메라 값).

전송속도는 육안으로 영상을 관찰함으로써 평가될 수 있다. 사람의 육안으로 이어지는 영상을 관찰하는 경우, 바로전 영상의 잔상이 어느 정도의 시간동안 남아 있다. 정지된 물체에 대해 잔상시간은 대략 100ms정도이며, 움직이는 물체의 경우 약 42ms정도이다. 정지된 물체로부터 초당 10개 이상의 영상이 전해진다면, 관찰자의 눈에는 하나의 영상으로 느껴진다. 움직이는 물체로부터는 초당 24개 이상의 영상이 전해지는 경우, 관찰물체가 연속적으로 움직이는 것처럼 느껴지게 된다. 이 조건하에서 얻어지는 영상으로부터 물체의 사실적 움직임이 시간의 지체 없이 느껴지므로, 라이브영상(또는 실황영상, live image)이라 한다. 비디오시스템이 초당 24개 이상의 영상을 전하는 경우에 라이브영상이 얻어진다.

정지된 물체에 대해 초당 10개 이하의 영상이 전해지는 경우 깜박이는 느낌의 영상이 얻어지고, 움직이는 물체에 대해 초당 24개 이하의 영상이 전달되는 경우엔, 불연속적인 움직임과 찌그러짐이 보여진다. 이 경우 영상질의 저하와 관찰물체의 상세정보를 얻을 수 없게된다.

전송속도는 컴퓨터모니터 영상질을 통해 평가되므로, 전송속도에는 컴퓨터의 영상처리과정과 모니터에서의 영상재현과정 등을 위한 속도요인들도 포함된다. 따라서 영상전송속도는 카메라에만 영향을 받는 것이 아니라, 컴퓨터자체의 영향을 받는다(하드웨어, 운영체제, 소프트웨어). 표 2.13의 8항에 주어진 최대 영상전송속도는, 컴퓨터에서의 정보처리속도가 이상적인 경우를 가정한 것이다. 비디오시스템의 구성이 적당하지 않은 경우엔 영상전송속도를 저하시키므로, 단순한 구성요소간의 비교는 무의미할 수도 있음을 주의해야 한다.

카메라의 빠른 반응속도와 높은 분해능은 서로 반대되는 요인들이다. 픽셀수를 높이면 분해능의 향상을 가져오나, 영상전송속도의 저하를 가져오고 카메라의 반응속도가 느려진다. 아날로그카메라에서 전형적으로 나타나는 아래 3가지의 요인으로 인해 높은 분해능의 디지털카메라에서도 실황영상 시 시간손실이 생긴다. 첫째로 픽셀수가 많은 경우 노출시간이 지연, 그리고 디지털신호를 얻기위한 시간이 길며, 끝으로 컴퓨터로 정보전달시간이 길다. 이

는 모니터상에서 영상이 얻어지는 시간이 길어지므로, 모니터에서의 물체영상을 조절하기 어렵게 한다.

위의 고분해능 디지털카메라의 단점들은 firewire의 이용과 낮은 픽셀수를 가지는 미리보기영상을 전송하는 영상기법(previewer)을 통해 데이터전송속도의 향상을 가질 수 있다. 미리보기영상은 일반적으로 낮은 영상질을 가진다(표 2.13의 7과 8항). 미리보기영상은 시료를 전반적으로 훑어보고 현미경을 조절하는데 이용되며, 영상을 기록하기에는 적합하지 않다. 현미경을 조정한 후엔, 촬영을 위해 소프트웨어를 통해 적당한 픽셀수로 전환되고, 높은 분해능의 영상을 컴퓨터에 저장한다. 저장된 영상은 컴퓨터 소프트웨어를 이용하여 영상의 향상과 분석, 기록화작업과 저장작업이 이뤄진다(그림 2.52). 고분해능 디지털카메라의 경우(표 2.13의 아래부분) 아날로그카메라 또는 낮은 분해능의 디지털카메라에 비해, 미리보기영상과 높은 분해능영상의 촬영 등으로 전체적인 촬영과정이 길어진다.

고분해능 디지털카메라는 느린 반응속도 때문에, 미세조직의 동적변화를 기록하는데 적합하지 않다(예를 들어, 고온현미경 또는 시료면의 변형과정 조사). 동적변화를 기록하고자 할 경우우엔, 조금 낮은 분해능을 가지는 카메라의 이용을 고려한다(특수한 아날로그카메라 또는 낮은 픽셀수를 가지는 디지털카메라).

디지털카메라의 수치를 비교해보면(표 2.13), 분해능과 반응속도의 상호반대되는

표 2.13 현미경의 비디오카메라에 이용되는 디지털카메라의 중요값들

표시 모델 제조사	해상도 저장침 크기 [인치]	기본해상도 (픽셀수) $N_h \times N_v$	최대 픽셀 수 $N_h \times N_v$	메가픽셀	최대 해상도 에서의 실제 시간영상	실황영상에서 미리보기 영상의 해상도 $N_h \times N_v$	사진 전송속도 [사진/s]	최대 데이터크기 [MB]	C-어댑터 인자	비고
1	2	3	4	5	6	7	8	9	10	11
HC-300Z(변형) AVT Horn사	2/3	1280×1000	1280×1000	1.28	yes	기본해상도	주어지지 않음	주어지지 않음	0.63	아날로그와 디지털, Win95/98과 메린토시 driver; 구식 fire-wire 기술
PL-A662 PixelLINK사	1/2	1280×1024	1280×1024	1.31	yes	기본해상도	13	주어지지 않음	0.5	fire-wire 기술
AxioCam MR rev 2 CarlZeiss사	2/3	1388×1040	1388×1040	1.42	no	442×364	16	주어지지 않음	1 또는 0.63	software Axio Vision 필요
DMC2 Polaroid사	3/4	1600×1200	1600×1200	1.92	no	786×546 800×600	10 12	1.8 (B/W) 5.5 (color)	1 또는 0.63	불안한 미리보기 영상, Win95 혹은 NT및 메린토시 7.50상의 driver
ProgRes C10 Jenoptik사	1/1.8	주어지지 않음	2080×1524	3.20	no	2080×1542	5	주어지지 않음	0.5	복잡한 카메라 software, fire-wire 기술
AxioCam MRC5 CarlZeiss사	2/3	주어지지 않음	2584×1936	5.00	no	430×322 1296×968	11 3	30	0.63	software Axio Vision 필요, fire-wire 기술
이론카메라[1]	이상적 2/3		3200×2400	7.68	no	이상적	≥24 (움직임) ≥10 (정지)		이상적 0.63	간편한 카메라 software, 모든 software와 호환, fire-wire 기술

표시 모델 제조사	해상도 저장칩 크기 [인치]	기본해상도 (픽셀수) $N_h \times N_v$	최대 픽셀 수 $N_h \times N_v$	메가픽셀	최대 해상도에서의 실제 시간영상	실황영상에서 미리보기 영상의 해상도 $N_h \times N_v$	사진 전송속도 [사진/s]	최대 데이터크기 [MB]	C-어댑터 인자	비고
1	2	3	4	5	6	7	8	9	10	11
DC500 Leica사	2/3	1300×1030	3800×3080	11.7	no	640×512	10	주어지지 않음		
DXM1200 Nikon사	2/3	1300×1030	3840×3072	11.8	no	640×512	12	35	0.63	물체의 해상도에 매우 적합
ProgRes C14 Jenoptik사	2/3	1300×1030	3900×3090	12.0	no	1280×1024	2	주어지지 않음	0.63	불안한 미리보기 영상, 복잡한 카메라 software, fire-wire 기술
AxioCam HRC CarlZeiss사	2/3	1300×1030	3900×3090	12.0	no	433×343 1300×1030	13 5	71	1 또는 0.63	software Axio Vision 필요, 데이터와 신호 광케이블로 전송

1) 이론카메라 – 육안으로 판단할 때 좋은 분해능과 영상전송속도를 위해 필요한 최소픽셀수로 정의함

영향을 이해할 수 있다. 현재의 기술로는 1.3메가픽셀 이상의 카메라인 경우, 미리보기영상법의 이용이 요구된다. 2메가픽셀 이상의 카메라인 경우, 전자적으로 픽셀수를 증가시켜(기본 픽셀수의 대략 3배 정도, 표 2.13의 4,5항과 3항의 비교) 분해능을 향상시킬 필요가 없어진다. 최근의 디지털 카메라는 미리보기영상에 다양한 분해능을 이용할 수 있게 해주므로 다양한 전송속도에 해당하는 실황영상이 얻어진다. 실황영상모드에서 시료를 전체적으로 훑어보면서 초점을 맞춘다. 그 후에, 정지된 시료의 경우라면 미리보기 영상법의 최대 분해능으로 원하는 시료의 위치에 조정한 후 이용되는 대물렌즈에 대해 최대로 영상의 상세 정보를 얻을 수 있는 픽셀로 전환한다.

고성능 디지털카메라의 경우 저장성능이 우수한 컴퓨터가 요구되며, 컴퓨터 사양에 대한 고려가 필요하다. 표 2.13의 9항은 최대분해능 시에 얻어지는 영상데이터의 크기를 나타낸다.

표 2.13에는 사용자에게 유익한 카메라 선택기준 또한 나타낸다; 분해능, 시간요소, 카메라 소프트웨어의 호환성. 영상처리, 영상기록, 영상해석과 저장에 이용되는 소프트웨어와 카메라소프트웨어간의 호환성도 나타낸다.

위 기준을 통해서 비교했을 때, PL-A662(PixelLINK사)와 AxioCam MRC5 (Mid Range Color; Carl Zeiss사)가 다른 카메라에 비해 적당하다고 볼 수 있다. 이 두 카메라는 firewire를 통한 **빠른** 데이터 전송과 영상전송에 대한 시간요소의 적당

한 값을 가진다. 1.31픽셀의 낮은 분해능의 경우 PL-A662는, 초당 13개의 영상전송과 **빠른속도**로, 준라이브영상이 얻어진다. 카메라 소프트웨어는 다른 보편적인 영상해석 소프트웨어와 호환성을 가진다. AxioCam MRC5는, 5메가 픽셀을 이용할 수 있으나 미리보기영상법에 대해서는 중간정도의 성능을 보인다. 이 카메라의 이용자는 영상해석과 영상처리를 위해 Carl Zeiss사의 프로그램인 AxioVision을 이용해야 한다.

고성능 디지털카메라인 DXM1200 (Nikon사)의 경우 정보손실이 없는 이론조건에 필요한 최소픽셀수를 초과한다. 소프트웨어를 통해 대물렌즈에 맞추어 픽셀수를 조절할 수 있으므로 최적의 분해능조건을 얻을 수 있다. 미리보기영상의 영상전송속도는 정지물체에 적합한 조건이며, 영상기록과 저장에 특별한 프로그램이 필요하지 않다.

컬러영상에서 색완화(undertone, 원래 물체의 색보다 완화된 색으로 나타나는 현상)가 없는 영상을 얻기 위해서는 카메라 종류와 상관없이 조명조건을 고려해야 한다. 이는 조명의 세기와 색온도(color temperature) 등에 의존한다.

색온도(단위 K)는 광원에서 나오는 빛의 색을 특성지으며, 그 주요한 범위는 대략 2200K(적색)에서 9300K(청색, 표 2.14)까지이다. 반사현미경에서 주로 이용되는 조명기구의 경우 최소 10 lux의 밝기를 가진다. 컬러카메라는 조명기구의 색온도에 맞춰 화이트 밸런스(white balance)를 통해 조정한다. 이는 백색의 물체가 실제로 백

표 2.14 현미경의 다른 광원들에 대한 색온도

광원	색온도[K]	비치는 광의 특징
나선형 텅스텐 전구	약 2200	적색 높은 적외선 부분 따뜻한 광
할로겐 전구	3200	노랑색 중간의 파장 인공적인 광
제논 전구	5600	흰색 중성의 광
수은-석영 전구	9300	푸른색 높은 UV 부분 차가운 색

색으로 색이 없이 모니터에서 영상화되는지를 조사하는 것으로, 그렇지 않다면 백색조절인자를 조정해야 한다. 현미경관찰 시 색온도는 조명기구 종류의 변화, 필터교환, 대물렌즈교환 등에 의해 바뀔 수 있으므로, 좋은 컬러카메라는 자동으로 화이트밸런스를 맞추는 기능을 가지고 있다. 하지만 이는 3500~6000K사이의 색온도에서 기능하는데, 이는 10000K이하의 색온도에 대해서는 추가적인 조정이 자주 필요하기 때문이다. 따라서 디지털카메라의 소프트웨어는 화이트밸런스의 세부조정을 컴퓨터를 통해 할 수 있게 한다.

비디오법에 이용되는 디지털카메라의 개발은 계속되고 있으며, 따라서 분해능과 전송속도를 절충해서 이용되는 점에 대한 향상이 기대된다.

아날로그카메라의 개발은 완료되었다고 볼 수 있다. 낮은 픽셀수(N_h max. 770 × N_v max. 580; 대략 0.45메가픽셀)로 인해 500배 이하의 배율에선 분해능의 한계를 가져오지만, 실황영상모드(live mode)에서는 시간지체를 나타내지 않는다. 제한된 분해능을 가지는 경우, 광학영상을 전자신호를 전환하는 과정에서 되도록 적은 정보손실을 가져야 한다. 따라서 아날로그카메라에서 전송하는 전자신호는 전환된 모든 영상정보를 가지고 있어야 한다.

아날로그카메라의 센서에서 신호를 얻는 작업은 가로와 세로 방향으로 주사하면서 이뤄진다. 센서의 가로대 세로비가 4:3이므로(표 2.12), 수평방향 주사선의 수는 수직방향 주사선의 수보다 항상 작다. CCD칩의 수평주사선 수를 늘리면 선간거리가 작아지면서 전환된 전자영상신호의 분해능이 향상된다. 디지털카메라의 경우와 같이, 영상재현을 위해 이용되는 영상수가 많을수록 정보손실이 적어진다.

아날로그카메라의 성능을 나타내는 기준 중의 하나는 수평분해능이다. 고성능 흑백

표 2.15 아날로그 CCD카메라에서 이용되는 조합신호(composite signal)

신호표시	조합성분	대역폭 (band width)	사용되는 색 특징	카메라 type	비디오송출	적용
BAS	composite video signal	1.0 Vss[1]	회색톤의 휘도	흑백-1칩	BNC	**흑백사진** 모든 반사광 방법의 시연; 손실이 적은 문서작업 및 보관; 사진분석에 적합
FBAS 예 PAL-RGB[2]	컬러 composite video signal	1.0 Vss	적색, 녹색, 청색의 색조, 채도 및 이들의 휘도	컬러-1 혹은 3칩	주로: BNC 추가적으로 RGB와 Y/C를 위한 12-폴	**컬러사진** 시연 및 문서
Y/C	섞여있는 Chrominanz 신호에서 Luminanz 신호 제거	1.0 Vss 그리고 약 0.3 Vss	각각의 휘도 그러나 적색, 녹색, 청색 합의 색조 및 채도	컬러-1 혹은 3칩	주로: BNC 그리고 4핀 Mini-DIN; 추가: RGB를 위한 9핀 D-sub	**양질의 컬러 사진** 모든 반사광 방법의 시연; 손실이 적은 문서작업 및 보관; 사진 분석에 적합

1) Vss Video-standard-signal
2) PAL 방식에 적합한 Video-Color-Signal

아날로그카메라의 경우 560개의 선을 가지며, (칩이 하나인) 컬러카메라의 경우 460에서 480의 수평주사선을 가진다. 3개의 칩을 가지는 컬러아날로그카메라는 RGB전송신호에 대해 570에서 600개의 선을 가진다. 영상정보전송에 Y/C신호를 이용하는 경우, Y요소(밝기요소)에 대해 700에서 750개의 선을 이용 가능하다.

아날로그카메라의 경우 전송신호에 따라 세 개의 조합신호와 두 개의 분리신호로 구분된다(표 2.15, 표 2.16). 총 다섯 가지의 아날로그신호는 색을 결정하는 3가지 주요정보를 다른 방식으로 전달한다: 색조(tone; 적색, 녹색, 청색), 채도(saturation; 색이 흐릿한지 강한지의 정도), 밝기(luminance; 휘도). 표 2.15와 2.16은 케이블연결과 색대역폭(bandwidth, 비디오영상의 표준치 Vss에 대한 값), 다른 아날로그신호의 이용분야에 대해 나타낸다. 흑백카메라로부터 얻어지는 영상신호(BAS)는 현미경영상의 재현과 분석에 알맞다. 컬러신호와 혼합된 FBAS는 매우 많은 요소를 함유하므로, Y/C 신호를 통해 얻어지는 영상에 비해 그다지 좋지는 않다. Y/C신호의 경우, 영상의 선명도에 연관되는 밝기요소(Y)와 모든 색영역을 포함한 색요소로 분

표 2.16 아날로그 CCD카메라에서 이용되는 분리신호(component signal)

신호표시	각 성분	대역폭(band width)	사용되는 색특징	카메라 type	비디오 송출	응용
RGB (아날로그)	적색 신호 녹색 신호 청색 신호	0.7 Vss 0.7 Vss } 2.1Vss 0.7 Vss	적색, 녹색, 청색을 위한 색조, 채도 및 이들의 휘도	컬러-1 혹은 3칩	주로: 3x BNC 추가적으로 RGB와 Y/C를 위한 9핀 D-Sub	컬러사진 시연 및 문서; **보관과 사진분석에** 매우 적합
Y	Luminanz 신호 적색-	1.0 Vss	적색의 휘도와 채도	컬러-3칩	1x BNC; 4핀 Mini-DIN; RGB를 위한 3x BNC; 성분출구	**매우 우수한 컬러사진** 특히 인식을 위한 컬러에칭사진의 손실이 적은 문서작업 및 보관; 간섭막현미경, 편광을 이용한 작업
CR	Chrominanz 신호(R-Y) 청색-	0.7 Vss } 2.4Vss	청색의 채도			
CB	Chrominanz 신호(B-Y)	0.7 Vss				

리되어 전송되며, 영상이 재현을 위해 두 가지의 요소를 이용할 수 있다. 따라서 Y/C신호는 BAS나 FBAS보다 많은 정보를 전송할 수 있다(대역폭 1.3V_{SS}). 색요소를 나타내는 신호는 2개의 요소로 추가적으로 분해되며(Y, C_R, C_B; 표 2.16), 이 경우 컬러아날로그신호 중 가장 많은 영상정보(대역폭 2.4V_{SS})를 가지므로 매우 높은 선명도와 색의 세부사항이 얻어진다. 영상 저장, 처리, 분석을 위해선 분리된 R-, G-, B-신호가 이용되며, 대부분의 경우 RGB신호를 통해 양질의 영상을 얻을 수 있다.

영상신호는 적당한 인터페이스와 케이블을 통해 영상재생장치에 도달된다(그림 2.59). 영상의 관찰과 재현을 위해선 모니터를 이용하고, 인쇄된 영상이 필요하다면 모니터와 프린터를 조합하여 이용한다(그림 2.59a). 모니터를 통해 인쇄되는 영상의 질을 조절할 수 있다(선명도, 콘트라스트, 밝기, 색상). 비디오시스템과 영상작업시스템이 서로 연결된 경우라면, 모니터상에서도 영상개선작업을 할 수 있다(그림 2.59b).

모니터상에 재현되는 영상의 질은, 모니터로 충분한 정보를 가진 아날로그신호가 전달되는 경우에, 수평주사선의 수(분해능)와 모니터의 종류(새도우마스크를 이용하는 in-line 브라운관 또는 Trinitron 형)에 따라 결정된다. 고분해능모니터를 이용해야지만 영상정보신호를 완전히 이용할 수 있다. 흑백모니터는 높은 분해능을 가지므로, 아날로그신호를 이용한 영상재현에 있어 컬러모니터보다 우수할 수 있다. 모니터의 대각선 크기(d_{Mon})가 32cm(14")로 같은 경우를 예로 들면, 고성능컬러모니터의 경우 750개의 수평주사선을 가지며 (BT-H 1450Y, Panasonic사), 고성능 흑백모니터의 경우엔 1000개의 수평주사선을 가진다(WV-BM 1400, Panasonic사). 모니터의 낮은 분해능으로 인한 정보손실을 없애기 위해선, 수평주사선 수는 최소한 이용되는 아날로그카메라의 수평주사선 수와 같아야 한다.

디지털법의 경우(그림 2.59b), 모니터의 분해능은 가로×세로픽셀수로 나타낸다. 평면모니터의 분해능은 좋은 브라운관 모니터의 높은 분해능을 아직 따라가지 못한다. 17" 브라운관 모니터(103085 CRT, Belinea)의 경우 최대 1600×1200픽셀을 가지며, 17" 평면모니터(101740 TFT, Belinea)의 경우 1280×1024픽셀을 가진다. 디지털카메라로부터 2메가픽셀 이상의 분해능으로 얻어지는 영상을 모니터에서 재생하는 경우, 낮은 모니터 분해능으로 인해 전체 영상정보를 나타낼 수 없다는 점을 유의해야 한다.

전자적인 배율확대를 통해 매우 높은 모니터영상의 최대 배율, V_{Mon},이 얻어진다. 이는 센서면에서의 광학적배율 V_{opt}과 전자적 확대배율 V_e의 곱이다.

$$V_{Mon} = V_{opt} \cdot V_e = \frac{M_{Obj}}{F_{Ad}} \cdot \frac{d_{Mon}}{d_{Sen}} \quad (2.49)$$

F_{Ad} : TV어댑터에서의 축소
d_{Sen} : CCD센서의 대각선길이(표 2.12)

분해능과 더불어, 모니터의 종류(브라운관, 평면모니터)와 크기를 고려하여 모니터를 선택하며, 특히 평면모니터의 경우엔 신호입력, 모니터 조정(모니터메뉴 또는 컴퓨터를 이용함)의 가능성, 주변의 빛에 맞춰서 영상을 조절하는 기능 등을 고려할 수 있다.

영상을 인쇄하기 위한 프린터는 크게 3가지로 나뉜다: 열승화(thermal sublimation)프린터, 잉크젯(ink jet)프린터, 레이저프린터. 승화프린터의 경우 아날로그신호입력이 필요하며, 스케일바를 포함하는 사진을 얻을 수 있다. 나머지 두 방식은 디지털입력신호를 이용하며, 추가 텍스트와 그래픽 등의 입력이 가능하므로 영상기록화와 보고서작성을 쉽게 해준다. 위의 프린터를 통해서 흑백 또는 컬러영상의 인쇄가 가능하며, 오버헤드투영(OHP) 필름상에 인쇄도 가능하다. 인쇄영상의 배율은 선택된 대물렌즈의 광학적 배율과 더불어 확대어댑터를 이용하는 경우엔 추가 확대가 가능하다. 컴퓨터를 통한 전자적인 확대는 광학적으로는 의미가 없으므로, 미약한 보정효과를 가진다.

인쇄의 질은 전체영상을 통해 판단한다. 그 중에서 중요한 것은 영상의 가로와 세로방향으로 인쇄되는 점의 수이다. 인쇄점의 밀도는 인치당 인쇄되는 점의 수로 나타낸다(dpi, dots per inch). 가로와 세로방향 모두에서 300dpi 이상의 인쇄점의 밀도를 가지는 경우, 예를 들어 1200 × 900dpi, 인쇄된 영상은 사진의 질을 가진다고 할 수 있다. 추가의 도구를 이용하지 않고 육안으로 관찰하는 경우, 150dpi 이상에서는 인쇄되는 점 사이를 구분할 수 없다. 낮은 dpi 값은 질이 낮은(조대한) 영상의 느낌을 주며, 160~220dpi의 경우 섬세한(미세한) 느낌을 얻는다. 240~300dpi

표 2.17 흑백프린터의 분해능 데이터의 예 (아날로그인쇄)

모델/제조사[1]	사진크기 [cm] x × y	사진품질을 위한 필요 dpi		현실화된 dpi		실제 dpi x × y	프린트 품질
		x	y	x	y		
UP–890CE / S	10.0×7.4	1200	888	1024	608	256×205	사진과 유사/미세
P–68E / M	10.0×7.5	1200	900	768	640	192×213	아날로그신호의 경우 미세
				800	612	200×204	
				1024	508	256×169	디지털신호의 경우 사진과 유사/미세
UP–910 / S	18.2×14.0	2184	1680	768	608	105×108	조대
P–75E / M	20.0×15.6	2400	1872	1280	1140	160×183	미세

1) M=Mitsubishi, S=Sony

표 2.18 컬러프린터의 분해능 데이터의 예 (아날로그인쇄)

모델/제조사[1]	사진크기 [cm] x × y	사진품질을 위한 필요 dpi		현실화된 dpi		실제 dpi x × y	프린트 품질
		x	y	x	y		
CP–700 / M	10.0×7.5	1200	900	1216	600	304×200	사진과 유사/미세
UP–3000p / S	10.3×7.9	1236	948	716	564	174×178	미세
UP–1800EPM / S	11.9×8.7	1428	1044	772	584	162×168	미세
UP–5200MDP / S	15.6×11.8	1872	1416	720	564	115×119	조대
CP–200E / M	20.0×14.8	2400	1776	1280	960	160×162	미세

1) M=Mitsubishi, S=Sony

를 가지는 인쇄영상은 사진과 비슷하다.

표 2.17~2.19는 주로 이용되는 아날로그 프린터의 인쇄영상 질을 위의 조건에 대해 나타낸다. 영상크기는 육안 분해능(도구를 사용하지 않는 경우, cm당 약 60개의 선 또는 점)의 두 배를 기준으로 하였으며, 사진정도의 질을 얻기 위한 인쇄점도 나타낸다(축 3, 축 4). 사진정도의 질을 위해 요구되는 영상점의 수를 제작사로부터 주어진 영상점의 수와 비교(축 3과 4를 축 5와 6과 비교)하고 이를 통해 얻어진 실제 dpi값(축 7)과 비교하면, 다음을 알 수 있다: 컬러디지털 프린터를 이용한다 해도, 아날로그인쇄로는 사진정도의 질을 나타내기는 어렵다(표 2.19). 육안의 낮은 분해능을 고려할 때, 대부분의 경우 미

표 2.19 컬러디지털 프린터의 분해능 데이터의 예 (아날로그인쇄, Sony사 제품)

모델	사진크기[cm] x × y	사진품질을 위한 필요 dpi x	y	현실화한 dpi x	y	실제 dpi x × y	프린트 품질
UP-D1500CNE	11.9×9.1	1428	1092	664	512	139×140	조대
UP-D1510CNE	11.9×9.1	1428	1092	800	616	168×169	미세
UP-5600MDP	17.6×13.2	2112	1584	2048	1536	291×291	사진과 유사
UP-D8800SC	27.2×20.3	3264	2436	3208	2400	295×296	사진과 유사
	29.7×21.6	3564	2592	3508	2500	295×295	
	A4-규격과 유사						

세하고 사진과 비슷한 질을 가지는 인쇄영상으로 충분하다.

인쇄점의 밀도 측면으로 보면, 잉크젯과 레이저프린터를 이용하여 사진 질을 가지는 인쇄영상을 얻기가 쉽다. 예를 들어, HP DeskJet5150(Hewlett Packard 사)의 경우 컬러영상에 대해 4800×1200dpi를 가지며, 흑백 레이저프린터인 OPTRA R$^+$ (Lexmark사)는 1200×1200dpi를 가진다.

2.3
현미경관찰을 위한 시료준비

금속재료는 불투명하기 때문에 광학현미경으로 조직관찰을 하기 위해서는 반사법을 이용하며, 연마된 시료표면에서 반사된 광을 이용하여 재료조직에 관한 정보를 얻는다.

연마된 시료는 금속재료의 단면으로써, 준비된 표면은 높은 평활도를 가져야 하며, 연마된 시료는 여러 개의 각진 면, 모서리의 둥글어짐, 볼록한 면 등이 없어야 한다. 또한 구성 미세조직간의 강도차이로 인해 나타나는 미소 표면굴곡도를 제어할 필요가 있다. 광학현미경의 낮은 초점심도로 인해, 미소굴곡도가 심한 경우엔 좋은 영상을 얻기 어렵다. 하지만, 간섭현미경의 경우 미소굴곡도의 조절을 통해 콘트라스트의 향상을 이룰 수 있다. 시료면은 입사되는 빛과의 충분한 상호작용을 얻을 수 있어야 하며, 재료의 실질적이고 전체적인 조직을 대표할 수 있어야 한다.

추가적으로 좋은 시료준비는, 스크래치 (scratch, 긁힌 흠), 재료의 변형, 시료에 연마재료가 박힘, 불순물의 유입 등을 유발하지 않아야 한다. 준비되는 시료면의 크기 역시 중요한데, 일반적으로 2cm^{2}를 넘지 않게 준비하는 것이 좋다. 시료면이 큰 경우엔, 시료준비에 어려움이 수반된다. 현미경 관찰을 위한 시료준비는 여러 준비단계를 통해 이뤄진다(그림 2.62).

알맞은 준비단계를 선택함으로써, 시료준비과정에서의 시간과 노력의 절감이 가능하다. 선택을 위한 조건으로는, 각 준비단계에서의 재료거동과 이용하는 장비와 소모재의 효율성 등이 있다. 시료준비과정의 실수는 대부분 마지막 단계에서 알 수 있으므로, 각 단계에서 이루고자 하는 목표와 비교하면서 다음 준비단계로 나가야 한다.

기계적 연마를 주로 하는 경우, 재료의 경도, 강도, 연성, 취성, 마모성 등을 고려해야 한다. 화학적인 시료준비의 경우엔, 재료의 전기화학적 성질이 중요하다. 각 준비단계에서 얻어지는 결과에 미치는 재료 및 장비의 영향은 대부분 알려져 있고, 이는 특히 자동화된 준비과정에서 원하는 결과에 대한 재현성을 얻기 위해 중요하다.

2.3.1
시료제작의 사전단계

시료제작의 사전단계는 시료채취와 마운팅 작업이다. 시료채취과정이 절단면의 굴곡이 없이 평평하고, 미소변형과 열적인 영향없이 이뤄졌다면, 한 개의 시료인 경우엔 높이를 맞추는 작업(레벨링, levelling)이 필요없다. 여러 개의 시료를 묶어서 검사하는 경우라면, 레벨링이 요구된다. 레벨링은 연마를 통해 많은 양의 재료를 제거하는 과정으로, 이는 기계가공이 아닌 시료 준비작업 차원에서 이뤄져야 한다.

일반적으로 사전단계에서 범할 수 있는 실수로는, 연마면 위치의 잘못된 선택, 열적인 영향 또는 기계적 변형으로 미세조직의 변화 등이 있으며, 이러한 실수로 인한 결과는 미세조직의 최종해석단계에서 비로소 알 수 있는 경우도 있다. 연마면이 잘못된 위치에서 선택되었다면, 시료를 다시

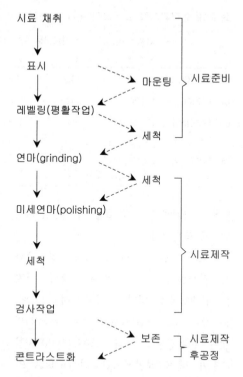

그림 2.62 금속조직 검사를 위한 시료의 준비단계.

채취하고 준비해야 한다.

기계적, 열적 또는 화학적 영향으로 인해 잘못된 준비과정을 통한 시료는 인위적인 미세조직을 나타내므로, 정확하지 않은 재료검사결과를 유발한다. 이러한 인위적으로 유발되는 잘못된 미세조직의 원인과 예를 그림 2.63에 나타내었다.

이러한 인위적인 조직을 추후의 시료준비과정을 통해 제거함으로써, 실제 미세조직을 얻을 수 있다.

2.3.1.1 시료채취

시료채취는 주로 절단을 통해 이뤄지며,

절단면은 검사하고자 하는 면이 된다. 표 2.20은 절단면에 요구되는 사항들을 나타낸다.

시료채취는 시료와 연마면의 위치선택으로부터 시작한다. 미세조직검사를 위한 시료의 재료와 위치를 선택할 때 고려해야할 것은, 연마될 시편의 위치가 특성을 분석하고자 하는 구조와 같은 곳에서 선택되어져야 한다. 따라서 재료와 형상에 따라 시료의 부피가 달라진다. 외부 형상의 요인으로는 기준면(예를 들어, 측면, 단면, 변형 또는 주조방향, 횡단면, 종단면) 또는

재료의 각도와 반경 등이 있다.

파손면 또는 각각의 구성소재 등 재료의 개별적인 조사를 위해서는 목적에 맞는 주요부분에서 **시료채취**를 해야 한다.

재료의 제작과 처리과정 또는 사용시의 부하 등에 의해 각 부분에 따라 불균질성을 가지는 재료(주물, 단조재, 기계구성재료 등)의 경우엔 여러 부분에서의 시료채취가 이뤄져야 한다. 통계적인 품질조사를 위해선 계획적이고 조직적인 시료채취가 요구된다.

시료의 미세조직 평가를 위해선, 기준면

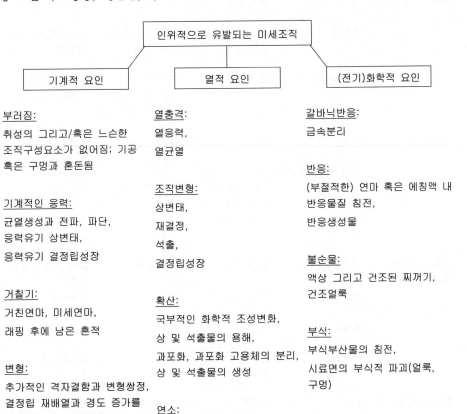

그림 2.63 인위적으로 유발된 조직의 예와 그 원인.

과 시료면(연마면) 사이의 각을 알아야한 다. 방향성을 가지지 않는 재료(등방성)의 경우엔 절단면의 각이 의미가 없지만, 미세조직이 방향성(이방성)을 가지는 경우(편석, 변형영역, 층을 가지는 조직, 표면코팅층 등)엔 절단면의 각이 매우 중요한 의미를 가진다. 절단되는 각에 따라, 평행절단면, 수직절단면, 경사절단면 등으로 분류된다. **평행절단면**은 기준면과 절단면(연마면)이 평행한 것이며, 수직인 경우엔 **수직절단면**이라 한다. **경사절단면**의 경우 기준면과 연마면 사이의 각을 통해 방향을 정의한다. 주조재, 소성변형, 표면코팅층 등의 미세조직들을 통해 절단면이 이루는 각이 가지는 의미를 확실히 알 수 있다.

주조응고된 재료는 원주형(columnar,

표 2.20 절단면에 요구되는 사항들

기준		절단	거친연마	미세연마
시료면의 위치와 형태	위치	최소한의 필요한 조사영역	관심영역의 근처	인위적이지 않은 관심영역
	평활도	최대; 단 혹은 굴곡 없음	최대; 면, 원뿔, 구형 없음	기하학적으로(거의) 이상적
	모서리형성	큰 모서리 없음	모서리 선명도; 둥근 혹은 미세 모서리 없음	높은 모서리 선명도, 압착 없음
시편의 손상	열	없음	없음	없음
	변형 및 힘의 영향	거시변형 없음, 새로운 균열(및 균열성장) 혹은 균열, 미세조각 $<10\mu m$	위와같음 미세조각 $<1\mu m$ $(\rightarrow 0)$	위와같음 파단 없음 연마재의 박힘없음
손상된 표면층의 제거	반응층	$\leq 1\mu m$	최소$(\rightarrow 0)$; 건조	없음; 깨끗하고 건조
	압착층	없음	최소	최소$(\rightarrow 0)$
	평활도		$R_m \leq 1\mu m$	$R_m \leq 0.1\mu m$
	변형깊이	손상층 총 깊이 $\leq 50\mu m$	$\leq 5\mu m$	$\leq 1\mu m(\rightarrow 0)$
빛의 거시적 영향	반사	흐릿한 강한 산란반사	흐릿한 광택, 밀린 산란반사	거울광택(정규 반사) $\Delta R \geq 10\%$, 광학현미경으로 조직 검사

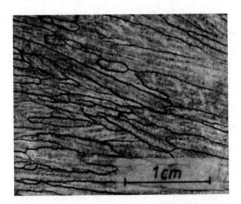

그림 2.64 주조응고된 강괴. 응고방향을 따라 절단한 시료면.

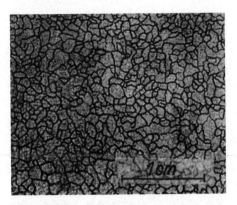

그림 2.65 주조응고된 강괴. 응고방향에 수직으로 절단한 시료면.

주상정)조직이 나타나며(그림 2.64), 이는 평행절단면을 통해 확인할 수 있다. 응고방향에 수직으로 절단한 경우엔, 등축정형

표 2.21 경사각에 따른 조사면의 크기

조사면의 확대 d:D	경사각 α
1 : 2	30°
1 : 5	11° 30′ 또는 11.50°
1 : 10	5° 40′ 또는 5.67°
1 : 25	2° 20′ 또는 2.33°
1 : 50	1° 10′ 또는 1.17°
1 : 100	30′ 또는 0.50°

상의 조직으로 나타난다(그림 2.65). 따라서 양쪽방향에서 준비된 시료를 검사함으로써, 오류의 가능성을 줄일 수 있다. 경사절단면은 복합재료와 박막층(층두께 20 μm이하)의 검사에 적합하다. 그림 2.66과 표 2.21에서 알 수 있듯이, 검사면의 크기(D)는 표면과 절단면이 이루는 각이 작아질수록 증가한다.

재료의 가공에 의해 미세조직이 특정한 방향에 따라 정렬되어 있으면, 시료채취 시에 가공공정의 대칭성을 고려하여야 한다. 예를 들면, 냉간인발, 냉간압연, 냉간압출된 재료(선, 원형봉, 사각봉, 육각봉 등)의 결정립은 가공방향으로 길게 늘어져 있으며, 가공방향에 수직인 면에서는 등축으로 나타난다(그림 2.67a). 측면구속이 없이 냉간압축된 시편의 압축방향에 수직인 면에서도 역시 결정립은 등축정으로 나타난

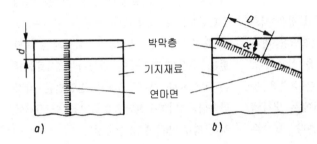

박막층
기지재료
연마면

그림 2.66 표면박막층을 가지는 재료의 (a) 수직절단면과 (b) 경사절단면.

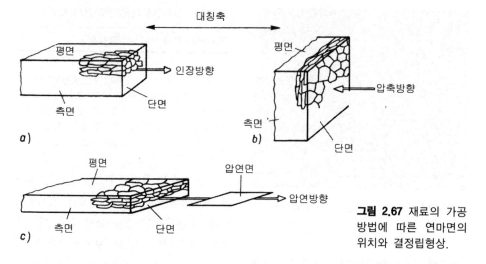

그림 2.67 재료의 가공 방법에 따른 연마면의 위치와 결정립형상.

다. 하지만 압축방향으로 눌리기 때문에, 축방향으로 절단한 시료에는 압축된 형상의 결정립이 보여진다(그림 2.67b). 위의 두 경우엔 가공축에 평행한 면과 수직면간의 결정립형상에 큰 차이를 나타낸다. 그림 2.67에 나타낸 냉간압연된 판재의 경우엔, 세 종류의 연마면으로 구분된다. 측면시편에서는 결정립이 압연방향으로 길게 발달된 것을 볼 수 있고, 단면시편은 압연방향에 수직인 면에서의 시편이며, 압연면에 평행으로 폭이 커진 결정립형태를 나타낸다. 평면시편은 압연면에 놓여 있는데, 이 시편에서는 결정립이 압연방향으로는 늘어난 동시에 압연면에서의 폭이 늘어난 형태로 관찰된다.

경도가 100 HV 이상인 재료의 경우 시료채취를 위해 **습식연마 절단법**(절단용 휠을 이용, abrasive wet cutting)을 이용하며, HV100 이하인 경우엔 습식절단(절단용 톱을 이용)이 이용된다. 절단 시에는 냉각액을 통해 지속적인 냉각을 해준다. 냉각수

내의 첨가물은 윤활효과와 장비부품과 절단 휠의 부식방지 효과를 가지며, 또한 끓는점을 높게 하여 냉각효과를 향상시킨다(항균성 첨가물도 이용됨).

시료의 크기, 형상, 잔류응력, 물성(경도와 인성), 절단면의 위치와 정확도 등에 따라 매우 다양한 절단장비와 절단방법이 이용된다. 그림 2.68은 절단용 휠과 시료물체의 움직임에 따라 분류한 3종류의 절단법을 나타낸다: 춉컷(chop cut), 트래버스컷(traverse cut), 혼합법. 춉컷의 경우 회전되는 절단휠은 수직방향으로 움직이며, 시료물체는 절단휠 아래에 고정되어 있다. 트래버스컷의 경우 회전되는 절단휠은 움직이지 않고, 시료물체의 움직임을 통해 절단한다. 두 방법으로 절단이 어려운 경우 혼합절단법을 이용하며, 회전되는 절단휠은 수직/수평이동이 가능하며 시료물체는 고정된다. 위의 3가지 절단법은 각각 연속법과 비연속절단법으로 나뉘어진다(춉컷의 경우 연속법만 이용됨).

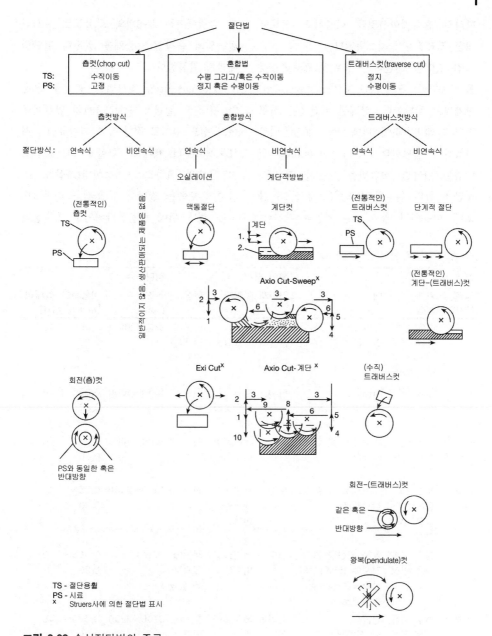

그림 2.68 습식절단법의 종류.

시료물체가 큰 경우엔 춉컷과 같이 물체를 고정한 후 절단하며, 강도가 매우 높은 재료는 오실레이션컷(oscillation cut)을 이용한다. 오실레이션컷에서는 시료 또는 절단휠의 진동을 포함한 움직임을 통해 절단되는 홈이 넓어지면서 냉각이 용이해진다.

따라서 오실레이션컷을 이용하면 시료에 대한 열적영향이 최소화된다.

긴 길이를 절단하는 경우엔 트래버스컷을 이용한다. 단면이 큰 재료를 절단한다면, 단계별로 절단한다. 단계별 절단법은 전형적인 트래버스컷에 비해 작은 절단깊이로 반복하여 절단한다. Axio-cut-sweep 절단법은 단계별 절단법을 개선한 것으로, 절단용 휠의 특수한 움직임(그림 2.68 참조)을 이용하며 매우 높은 성능을 가진다.

이 방법에서는 1~6번의 화살표로 표시된 절단휠의 움직임을 물체를 완전히 절단할 때까지 반복한다.

Axio-cut-step 절단법은 촙컷을 응용한 것이다. 절단용 휠로 물체의 앞부분을 어느 정도 깊이로 절단한 후(화살표 1), 시료물체로부터 빼내고 (화살표 2), 절단없이 물체의 뒤쪽으로 이동한다(화살표 3). 물체의 뒤쪽을 절단한 뒤(화살표 4), 절단휠을 빼낸 뒤에 중간절단위치로 이동한다

표 2.22 절단용 휠의 선택기준

재료			휠의 특성			절단변수		
경도 HV10	기계적 성질	예	연마재	결합재	형상	회전수 [rpm]	이동속도 [mm s⁻¹]	최대힘 [N]
<100	매우 연함, 높은 연성 경우에 따라 탄성	연한 순금속: Al, Cu, Mg; 합성수지	쾌삭강으로 만들어진 톱날		형상제한 없음 전지 형	최대 1200	0.05~ 0.30	40
30~ 350	연함, 연성	Al-합금 열처리한 탄소강	Al₂O₃	경한 베이클라이트,	전지 형	1000~5000	0.05~ 0.30	40
70~ 400	연함~중간 정도 경도, 연성	비철금속 및 합금: Ti-재료	SiC	베이클라이트	전지 형	1000~5000	0.05~ 0.30	40
350~ 800	중간정도 경도~ 경함, 높은 인성	C≥0.8% 함유 철강재료	Al₂O₃	연한 베이클라이트	전지 형	1000~5000	0.05~ 0.30	40
>500	매우 경함, 높은 인성	높은 인성을 가지는 기지에 15%이상의 탄화물을 함유한 철강재료	CBN	베이클라이트	철판에 외곽부를 덮음	≥3200	0.005~ 0.25	40
>800	매우 경함, 높은 인성	경금속, Si-질화재	다이아몬드	베이클라이트	철판에 외곽부를 덮음	2700~3200	0.005~ 0.25	40
>800	매우 경함, 높은 취성	광물, 건축재, 유리	다이아몬드	연한 금속	Cu-합금판에 외곽부를 덮음	3200~5000	0.005~ 0.15 (0.30)	20~ 60

(화살표 5, 6). 중간절단위치는 앞쪽과 뒤쪽 절단부를 겹쳐지게 선택한다(화살표 7). 화살표 8, 9는 새로운 전면부의 절단을 나타내며, 좀 더 깊은 위치에서 전면부의 절단이 이뤄진다(화살표 10).

Axio-cut 방법을 이용하면, 절단휠과 재료에 무리를 주지 않으면서 큰 재료를 절단할 수 있다. 단계별 절단법을 이용해 시료를 채취하는 경우, 절단휠과 시료물체의 고정기구가 매우 안정적으로 작동되야 하며, 그렇지 않은 경우엔 절단면에 단을 남긴다.

작고 복잡하지 않은 형상을 가지는 시료물체는 전형적인 춉컷 또는 연속 트래버스컷을 통해 절단한다. 연속 트래버스컷은 매우 복잡한 형상을 가지는 작은 시료물체에 대해서도 이용된다. 파이프와 같은 원통형의 시료물체는 회전 트래버스컷을 통해 절단하며, 이는 시료물체와 절단용 휠이 동시에 회전된다. 시료의 절단을 위해서는 절단휠이 시료물체를 완전히 통과해야 되며, 따라서 최대 절단 가능한 크기는 절단용휠의 지름에 의존한다.

절단을 위한 변수는 절단면에 근접한 미세조직에 최소한의 영향을 주도록 선택하며, 절단으로 인한 표면변형영역의 깊이가 $50\mu m$를 넘지 않도록 조절해야 한다.

절단하고자하는 재료의 경도와 인성에 따라 절단용 휠의 종류를 선택한다. 절단용 휠은 사용되는 마모재, 결합재, 조립형상에 따라 구분되며, 종류에 따라 최적의 휠 회전수, 절단 시 이동속도 등이 정해져 있다. 또한 절단용 휠의 파손 없이 원주를

따라 가할 수 있는 최대힘도 정해져 있다 (표 2.22). 절단용 휠의 크기(지름, 두께), 장비의 자체성능, 휠고정부품의 성능에 따라 최대 절단단면 크기와 최대 절단길이가 결정된다.

알맞은 절단용 휠을 사용하여 절단과정을 일정한 속도로 유지하는 경우에, 재료에 무리를 주지 않는 최적의 시료채취가 가능하다. 절단속도를 일정하게 유지하기 위해서는 자동화된 장치가 필요하다. 매우 빠르며 일정하지 않은 속도로 절단하는 경우엔, 최소한 초기절단부와 마지막 부분에 재료의 손상을 가져오며(열적 변형, 균열, 여러층으로 갈라지거나 파단), 절단용 휠의 수명도 단축된다. 알맞은 절단변수와 휠을 이용하여 일정한 속도로 절단하는 경우엔, 손상부의 깊이가 $20\mu m$ 정도이다.

시료채취 후엔 구분을 위해 시편에 표기를 하며, 표기로 인한 시료면에서의 재료변형이 없어야 한다. 이후의 준비과정에서 표기가 유지될 수 있도록, 시료의 한 면에 새겨 넣는 방법이 적합하다.

2.3.1.2 마운팅

시료의 마운팅(mounting)을 하는 목적은 다음과 같다:

• 시료를 손 또는 기계를 이용하여 작업하기에 적당한 형태와 크기로 만듦
• 분말형상, 연한재료, 다공성 혹은 깨지거나 부러지기 쉬운 재료의 시료준비
• 시료의 가장자리와 표면 코팅층을 보호하면서 준비

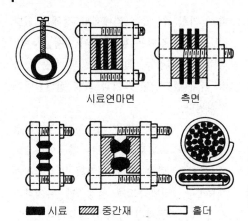

시료연마면   측면

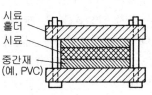

시료
홀더
시료
중간재
(예, PVC)

■■■ 시료   ▨▨ 중간재   ☐ 홀더

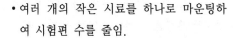

그림 2.69 시료조임쇄의 다양한 예들.

• 여러 개의 작은 시료를 하나로 마운팅하여 시험편 수를 줄임.

　시험편을 마운팅하는 방법은 크게 두 가지로 나눈다: 조임과 같이 기계적으로 고정하는 방법과 시험편을 다른 보조물질에 매몰하여 고정하는 방법.

　조임쇄를 이용하는 경우(그림 2.69), 연마되는 양이 서로 다르게 되는 것을 방지하기 위하여 시험편재료와 같은 재료의 조임쇄를 이용하는 것이 적당하다. 또한 조임쇄 재료의 부식거동도 고려하여 관찰하고자 하는 시험편의 부식에 영향을 미치지 않는 재료를 선택하여야 한다. 시료와 조임쇄 사이에 플라스틱 등의 물질을 삽입하면 조임쇄와 시료간 틈이 생기는 것을 방지하므로써, 시료의 모서리부분이 둥글어지는 현상과 모세관 현상을 최소화시킬 수 있다.

　시료를 보조물질에 매몰하는 방법(일반적으로 마운팅이라 함)에서는, 주로 원형틀과 유동성을 가지는 보조물질을 이용한다. 마운팅은 보조재료를 붓는 방법과 압축하는 방법이 있다. 마운팅 재료를 붓는 경우엔, 유기물질(상온용) 또는 낮은 용융점을 가지는 합금(온간용)을 보조재료로 이용한다. 압축법의 경우 용융성 마운팅재료를 압축기에 넣어서 온간압축을 통해 시료를 준비한다. 온간 마운팅재료의 구조와 특성을 파악함으로써, 시험재료의 경도와 마모성, 모서리의 보호도, 경화 시 열적영향을 고려하여 알맞은 재료를 선택할 수 있다. 알맞은 재료의 선택을 위해 고려할 점은 아래와 같다:

- 작업온도와 시간
- 경화온도와 시간
- 경화에 따른 압축(또는 연신)거동
- 시료와 틀에 대한 내성과 화학약품과 열에 대한 내성
- 전기전도도

　또한 경화촉진 또는 전기전도성의 향상을 위한 첨가재와의 혼합성도 고려대상이

다. 마운팅재는 시료물질과 적당한 접착도를 가져야하며, 원만한 작업을 위해 점도, 유동성, 최소한의 기포발생을 나타내야한다. 상온마운팅의 경우 2~3가지 물질을 혼합한다(액상-액상, 액상-분말 또는 분말-2개의 액상). 깨끗한(탈지과정을 거친) 시료물질을 틀에 위치시킨 후, 틀에 마운팅재를 부어서 제작한다. 아크릴기지의 상온 마운팅재는 약 7~15분정도, 폴리에스터기지의 재료는 15~45분정도의 경화시간을 가진다. 에폭시수지의 경화는 약 50~80℃에서 3.5~5시간, 상온의 경우 약 10~24시간정도 소요된다. 시료물질 또는 표면코팅층이 400 HV 이상의 경도를 가진다면, 그에 상응하는 경도를 가지느 물질을 같이 마운팅하거나, 경화물질(광물질, 도자기재, 유리섬유, Al_2O_3분말 등)을 섞어서 사용한다.

복잡한 표면형상을 가지는 기공성 시료는 진공(≤100mbar)에서 에폭시수지를 부어서 제작함으로써, 기공이 채워지고 시료의 기공부위가 보존될 수 있으며, 염색재를 추가적으로 넣는 경우엔 더 좋은 콘트라스트를 가질 수 있담. 이 방법을 통해 $100\mu m$ 깊이 이하의 기공은 채워지며, 그 이상의 깊이의 경우 부분적으로 채워지므로, 시료의 강도가 높아지므로 추후의 연마과정에 대한 민감도가 작아진다.

온간마운팅에 이용되는 낮은 융점을 가지는 재료들을 표 2.23에 나타낸다.

100℃ 이하에서 용융되는 Bi-Pb-Sn기지의 재료는 연마에 따라 모서리부분에 번지는 현상을 나타낸다. 연납(soft solder)용 물질은 Bi-Pb-Sn기지 물질보단 약 2~3배의 융점을 가지긴 하지만, 시료의 모서리부분에 번지는 효과가 없다. 번짐이 전혀 없는 Bi-Pb-Sn기지 물질은 높은 융점으로 인해(>240℃, 표 2.23), 미세조직의 높은 열적안정성을 가지는 재료의 온간마운팅에 이용된다.

표 2.23 온간마운팅에 이용되는 저융점 합금

명칭	Ts [℃]	화학조성 [wt%]					비고	
		Bi	Pb	Sn	Cd	Sb		
Cerrolow	47	44.7	22.6	8.3	5.3	−	19.1% In 첨가	뜨거운 물에서 녹음
Wood−Metal	60	50.0	25.0	12.5	12.5	−		
Lipowitz−Metal	70	50.0	27.0	13.0	10.0	−	약간의 첨가물	
Lichtenberg−Metal	92	50.0	30.0	20.0	−	−		끓는 물에서 녹음
Rose−Metal	94	50.0	25.0	25.0	−	−		
Newton−Metal	103	53.0	−	26.0	21.0	−		
연납	183	−	38.1	69.1	−	−	공정계; Sb-free	납땜
	210	−	19.5	80.0	−	0.5	저 Sb	
Pb−Sn−Sb−합금	242	−	80.0	10.0	−	10.0	첨가물 거의 없음; (Pb+SbSn)−공정	
Pb−Sb−합금	252	−	88.9	−	−	11.1	공정(2원계)	
백납 WM10	약 300	−	73.5	10.0	−	15.5	1% Cu; 배빗합금(Babbitt metal) PbSn10	

온간압축 마운팅 시에 시료물질을 압축기의 하부다이에 놓은 후, 마운팅재 분말(열가소성수지)을 채우고 상부다이를 위치시킨다. 열적 작용(약 140~180℃)과 압축력(마운팅재료와 지름에 따라 15~60kN)을 통해 마운팅한다. 사용하는 압축기에 맞춰 시간-온도-압력-사이클을 선택하며, 아래의 사항들을 고려한다:

- 마운팅재의 종류(연화온도, 작업온도, 경화거동)
- 압축기의 지름
- 가열시간, 무압축 가열 또는 압축 가열
- 유지온도와 유지시간
- 압축력
- 냉각시간
- 전체과정에 걸리는 시간

최근에 개발된 장비의 경우 프로그래밍 기능을 가지고 있어서 모든 과정이 자동으로 이뤄진다. 알맞은 변수를 선택하고 이용함으로써 시료와 마운팅재료간의 높은 결합도를 얻을 수 있다.

검사목적, 시료의 수, 보유 실험장비에 따라 마운팅방법을 선택한다. 상온에서 마운팅재를 부어서 경화시키는 방법은 하나씩 시료를 제작하는 경우와 짧은 시간(<20분) 내에 소수의 시료들을 제작하는데 적합하다. 온도와 압력에 민감한 재료에 대해서는 상온법을 이용해야 한다.

온간법의 경우 시료는 약 80~180℃의 온도에서 대략 10분정도의 열처리과정을 가지게 되므로, 이를 통해 구조의 변화를 가질 수 있는 재료라면 이용하지 않는다.

온간압축법은 큰 시료에 적합하며, 마운팅 후에 면의 평활도가 높기 때문에, 추가로 드는 평활작업 등이 불필요하다. 일반적으로 온간마운팅재의 가격은 상온용에 비해 낮다.

표면코팅층(또는 박막층)의 보호와 연마 시에 모서리의 둥글어짐을 막기 위한 방법으로, 도금이 이용되기도 한다. 이는 구리 또는 니켈막(20~50μm 두께)을 상온마운팅에 앞서 도금하는 것이다. 추후에 행해지는 전기화학적 처리 시에 시료의 반응과 이에 따른 변화가 억제되므로, 표면코팅층의 검사에 알맞다.

2.3.2
현미경 관찰시료의 재작

채취된 시료의 절단면은 절단법에 따라 평활도가 다르지만, 현미경 관찰에 적절하지 않는 표면 거칠기와 변형층을 가진다. 알맞은 방법으로 절단한 경우에도 변형층은 존재하며, 변형도는 시료의 내부로 갈수록 감소한다. 분사절단법(워터젯)이나 전기적방법(방전가공법)과 같이 특수한 방법을 이용해 시료를 채취한 경우에도 화학적-열적 반응으로 인해 변화된 표면층을 나타내지만, 본 절에선 기계적 절단법에 따른 변형층만을 고려하여 현미경 관찰시료 제작과정을 설명한다.

절단면 부근에 형성되는 손상된 영역은 재료의 가공성과 연삭성에 의존한다(그림 2.70). 손상된 영역의 대부분은 표면거칠기와 변형영역으로 이뤄진다. 경하고 취성을 가지는 재료와 연성재료는 서로 다른 손상영역을 나타낸다. 경하고 취성을 가지는 재료는 파단과 미소균열을 나타내는데 비해, 연성재료의 경우는 높은 소성변형성으로 인해 많은 스크래치와 그 사이에 뭉개진 층이 존재한다. 이 층은 스크래치의 높은 부분이 낮은 부분으로 휘어지면서 채워지는 것외에도 미소파편과 산화물 등을 포함한다. 이 층은 가공경화(경우에 따라 석출경화)를 이미 겪은 층으로서, 추후의 연마작업을 통해 제거해야 한다. 알맞은 연마과정을 선택함으로써, 뭉개진 층과 변형층이 추가적으로 형성되는 것을 막을 수 있다.

그림 2.70에서 알 수 있듯이 손상영역의 완전한 제거를 위해서 연한 재료의 경우 많은 양의 표면층을 제거해야 되며, 경한 재료의 경우엔 제거해야 되는 표면층의 양은 적어진다.

2.3.2.1 거친 연마와 미세연마 과정

거친 연마(grinding)와 미세연마(polishing) 과정을 통해 절단과정 중에 영향을 받지 않은 재료의 원래구조를 가지는 층을 표면에 얻게 된다. 연마와 미세연마 과정들의 특징과 각 단계에 따라 요구되는 사항들은 표 2.20에서 찾을 수 있다.

표면 변형층의 제거를 위해 이용되는 연마법으로는 기계적 방법, 전기화학적 방법 또는 이 두 방법을 조합한 방법 등이 있다. 그림 2.71은 연마방식에 따라 구분되는 세 가지 방법의 개요를 나타낸다.

기계적 연마법의 경우 절삭을 통해 재료의 제거가 이뤄지며, 지속적으로 변형층과 균열이 생성되며 이는 절단 시에 형성되는 손상층과 비슷하다. 손상층을 최소화하기 위해 단계적 과정을 통해 시료를 준비한다. 거친연마를 통해 관찰면을 평평하게 한 후에 마운팅하며, 절단과정에서 이미

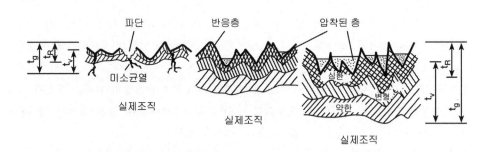

재료의 특성 경하며 취성, 경하며 인성이 높음 연함,
연마재에 대한 저항이 높음 연마재에 대한 저항이 낮음

t_g - 손상영역의 총 깊이
t_R - 거칠기 깊이 t_v - 변형영역 깊이

그림 2.70 각기 다른 경도를 가지는 재료의 절단면에 형성된 손상영역.

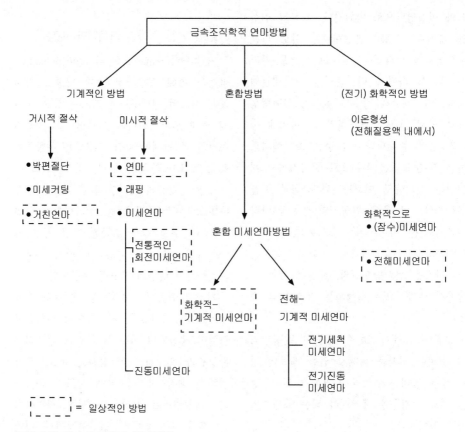

그림 2.71 금속조직학적 연마방법.

평활면과 알맞은 표면거칠기가 얻어진 경우라면 거친연마과정을 생략할 수 있다(표 2.20 참조). 이어지는 연마과정을 통해 표면거칠기의 감소와 함께 이전의 연마단계에서 형성된 손상층을 제거한다. 손상층이 재료의 내부까지 깊이 형성된 경우라면, 제거되는 재료의 깊이를 크게 한다.

박편절단기(마이크로톰, microtome) 또는 초박편절단기(ultramicrotome)는 특수한 경우에 이용한다(2.3.5.2절 참조).

미세연마의 목적은 재료의 손상되지 않은 미세조직을 표면층에 드러나게 하는 것이다. 미세연마과정을 매우 세심하게 한다 해도, 연마재로 인한 미세손상층의 형성을 완전히 막을 수는 없다. 따라서 최종연마 후에 형성되는 손상층의 깊이는 에칭과 같은 콘트라스트과정을 통해 제거될 정도로 작아야 한다.

전기 화학적 방법은 이온의 생성을 통해 재료가 제거되는 과정이며, 기계적 연마법에 비해 제거속도는 느리다. 이온생성과정은 재료표면에 변형층이 형성되지 않으므로, 손상되지 않은 원래의 미세조직을 상대적으로 쉽게 얻을 수 있다.

두 과정을 조합한 경우는 절삭을 위한 연마재에 이온형성을 유발하는 화학약품을 첨가함으로써, 재료제거를 위한 기계적인 요소와 화학적인 요소를 상호간에 쉽게 해 준다. 이 과정은 전기화학적 방법에 비해 재료제거속도가 빠르다. 하지만 기계적인 요소가 과한 경우엔, 변형층이 시료의 표면층에 남을 수 있다. 전기화학적 방법과 조합법의 경우, 재료제거속도가 느리므로 깊은 손상층을 제거하기 위한 거친연마와 같은 목적으로는 이용하지 않으며, 미세연마의 목적으로 이용한다.

그림 2.71에 점선으로 표기된 것은 자주 이용되는 단계로서, 아래에 자세한 설명을 한다.

각 연마의 단계(거친연마 또는 미세연마)와 기계적인 연마법을 따로 구분하는 것은 무의미하다. 두 방법 모두에서 재료의 제거원리와 생성되는 변형층은 같다. 연마지의 최소립도($3\sim5\mu m$)로 연마하여 얻어지는 표면층은 조대한 미세연마재를 이용하여 얻어지는 것과 비슷하다. 하지만 연마속도와 이용하는 연마재의 차이가 있다. 연마와 미세연마간의 공통점이 있지만, 작업방식의 차이와 개념적인 차이는 구분해야 한다.

모든 기계적 연마과정에서(즉, 거친연마, 래핑, 미세연마) 작업원리는 시료면이 연삭되는 과정으로 간략화될 수 있다. 금속 미세조직관찰법에 이용되는 연마재은 아래와 같다:

- 코런덤 종류:

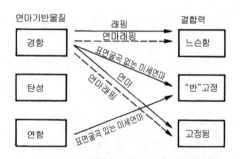

그림 2.72 금속조직관찰을 위해 이용되는 기계적 연마법.

순수 알루미나(aluminium oxide): 100% Al_2O_3

일반적인 알루미나: $\geq 92\%$ Al_2O_3

알루미나 + 지르코니아: $\sim45\%ZrO_2 + Al_2O_3$

- 실리콘카바이드: SiC

- 다이아몬드: 자연산(단결정), 인공(단결정, 다결정)

특별한 경우엔 B_4C, 육방정 보론질화물(cubic boron nitride, CBN), 마그네시아(magnesia, MgO), 세륨산화물(CeO) 등을 이용한다.

연마재는 매우 높은 경도($1800\sim11000$ HV)를 가지며, 높은 열전도도를 가진다. 연마용 분말은 날카로운 모서리로 형성된 다면체형상을 가지며, 각 분말은 작은 크기($0.05\sim300\mu m$)를 가지지만 연삭재로서의 역할을 한다. 분말은 연마지 등에 박혀서 절단역할을 함으로써, 시료연마면의 낮은 깊이에서만 절단효과와 절단된 파편의 제거역할을 가지게 한다.

그림 2.72에 나타냈듯이 연마재를 기반물질에 부착하는 방식에 따라 거친연마

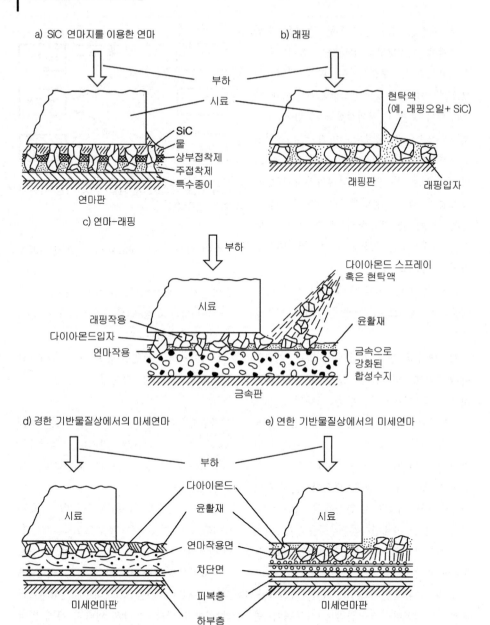

a) SiC 연마지를 이용한 연마

b) 래핑

부하

시료

SiC
물
상부접착제
주접착제
특수종이
연마판

현탁액
(예, 래핑오일+ SiC)

래핑판

래핑입자

c) 연마-래핑

부하

시료

다이아몬드 스프레이
혹은 현탁액

래핑작용
다이아몬드입자
연마작용

윤활재

금속으로
강화된
합성수지

금속판

d) 경한 기반물질상에서의 미세연마

e) 연한 기반물질상에서의 미세연마

부하

시료

시료

다이아몬드
윤활재
연마작용면
차단면
피복층
하부층

미세연마판

미세연마판

그림 2.73 금속조직검사를 위해 이용하는 기계적 연마의 작용원리.

(grinding), 래핑(lapping), 미세연마(poli-shing)를 구분할 수 있다. 기계적 연마의 경우 연마재는 경한 기반물질에 단단히 결합되어 있다(예, SiC 연마지, 그림 2.73a). 래핑의 경우엔 경한 기반물질에 연마재가 약하게 결합되어 있다(예, 유리판 위의 습

한 SiC 분말, 그림 2.73b). 어느 정도의 연마재는 기반물질에 고정되어 있고, 나머지는 고정되지 않은 상태라면 기계적 연마-래핑이라 한다(그림 2.73c).

미세연마의 경우 연마재는 기반물질에 반고정 상태로 결합되어 있다(그림 2.72). 미세연마를 위한 기반물질은 섬유재질의 연마천이 이용된다. 연마천이 경하다면(그림 2.73d) 표면굴곡이 적은 시료면이 얻어지며, 연한 재질의 연마천을 이용하면(그림 2.73e) 재질에 따른 표면굴곡이 생기지만 변형역의 깊이는 매우 낮다.

2.3.2.2 (미세)연마의 원리

위에 언급한 기계적 연마법들은 서로 구분될 수 있으나, 연마원리는 같으므로 본 절에서는 공통적으로 다룬다. 하지만 최소한 절단과정 중에 고정된 연마재(거친 연마, 미세연마)와 절단 시에 유동성을 가지는 연마재(래핑)는 구분하여 설명한다.

연마재가 고정된 경우 각 분말은 연마도구로 볼 수 있다(그림 2.74). 연마각은 분말의 연마면과 시료표면에 대한 수직선 사이에 이뤄지는 각도로 정의된다. 즉 그림 2.74의 γ는 면 A와 수직선 N사이의 각이다.

고정된 분말의 형상에 따라 접촉면, 특히 접촉점의 형상이 결정된다. 연마각과 연마재의 형상은 시료면상의 (미세)연마칩과 변형영역의 형성 시에 상호 중첩되어 영향을 끼치지만, 간단화를 위해 서로 분리하여 설명하고자 한다.

Samuels에 의하면 금속조직관찰에 이용

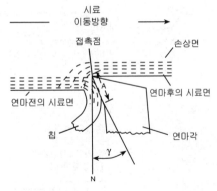

N 연마면의 법선
A 칩의 접선
γ 연마각 (칩의 형성각)

그림 2.74 미소한 칩의 형성을 통한 연마의 원리.

되는 모든 경우에 있어 **연마각**은 +80°에서 -80° 사이에 놓이며, 그 값은 접촉면에서의 연마재의 국부적인 형상, 고정된 정도, 연마재의 사용정도에 의존한다.

그림 2.75는 재료의 제거과정에 미치는 연마각의 영향을 나타내며, 그림의 윗부분은 각 다른 연마각에 대한 상황을 보여준다. γ가 30~80° 사이의 큰 양의 값을 가지는 경우, 연마입자는 좋은 절단효과를 가진다. 연마면에서 제거된 칩(chip, 또는 파편)은 그 주위의 변형량은 크지 않은 스크래치를 남긴다. 칩의 형성 정도에 따라 원하는 정도의 연마면을 얻을 수 있는지가 결정된다. 큰 음의 값을 가지는 연마각의 경우(-40~-80°) 칩의 원만한 제거가 이뤄지지 않는다. 접혀진 칩부분이 절단되거나 여러 번에 걸친 심한 국부적 변형으로 인해 파단되는 경우에만 칩이 제거된다. 따라서 연마면에 심한 미소변형역이 형성된다.

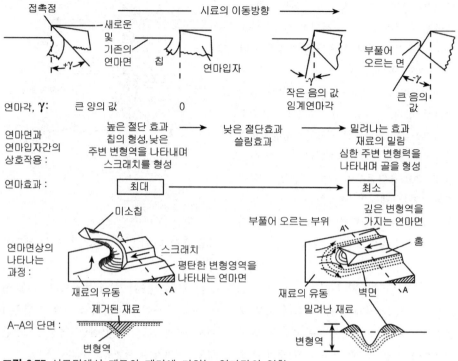

그림 2.75 시료면에서 재료의 제거에 미치는 연마각의 영향.

연마각이 위의 두 경우 사이에 놓이는 경우, 절단을 통해 제거되는 양이 적거나 ($\gamma = 0°$) 칩이 압착되는 현상이 나타난다. 따라서 이 경우엔 양의 값을 가지는 연마각에 비해 재료의 제거가 효과적이지 않다. 변형에 의한 손상역은 깊은 시료면에 형성된다.

연마각이 작은 음의 값을 가지는 경우 임계연마각에서 절단효과에서 압착효과로 전이된다. 임계연마각 이상인 경우엔 칩이 형성되며, 그 이하에서는 재료가 밀려남으로 인해 부풀어 오른 면이 형성된다. 임계연마각은 대부분의 연성재료에 대해 0~-35° 사이의 값을 가진다. 여러 종류의 재료와 연마재에 대해 임계연마각의 결정을 위한

체계적인 연구는 아직 이뤄지지 않았다.

재료의 제거과정에 대해 연마각 외에 연마재의 형상이 영향을 미치며, 제거를 위한 입자의 작용면이 "V"형인 경우에(시료의 이동방향과 기반물질에 대해 수직인 면의 형상) 제거효과가 큰 것으로 알려져 있다. 그림 2.75의 왼쪽 하단부에 나타낸 것과 같이, 이 경우 V 형의 스크래치와 주변에 적은 변형영역을 남긴다.

접촉부 형상이 달라짐에 따른 효과를 그림 2.76에 간략화해서 나타낸다(시료는 같은 재료이며, 같은 압력을 가하고 입자는 기반물질에 고정된 경우를 가정함). 연마되는 부위의 폭 b_K는 항상 같으며, 시료 또는 기반물질의 이동방향은 그림면에 수

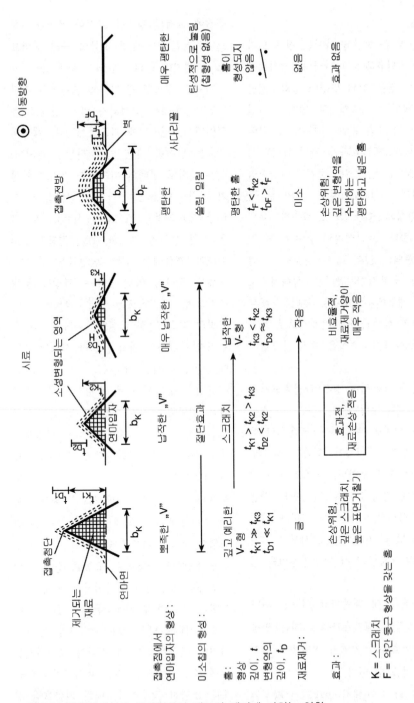

그림 2.76 접촉면에서의 입자형상이 재료의 제거에 미치는 영향

직방향이다.

입자첨단이 V-형상을 가지는 경우 연마각에 따라 절단효과가 나타난다. 날카로운 각을 가지는 경우 칩의 형성이 강화되지만 동시에 형성되는 스크래치로 인해 연마면을 손상시킨다(그림 2.76, 왼쪽). 그 각이 무딘 경우에도 제거효과가 떨어지므로 이상적이지 않다(그림 2.76, 중간). 이상적인 재료제거효과를 얻기 위해선, 위의 두 극한적인 V형상의 중간정도로 접촉첨단부위를 가져야 한다. 스크래치의 깊이 t_{K2}에 연관되어 변형역의 깊이 t_{D2}가 나타난다. 연마면에서의 국부적인 압력은 상대적으로 낮으므로, 재료에 주어지는 부하는 매우 낮으며, 칩의 형성과정은 전체적으로 효과적이고 재료에 많은 변형을 주지 않으면서 진행된다.

연마입자가 납작해진 경우엔 **접촉모서리효과**를 나타낸다(그림 2.76, 우측). 이 경우 연마입자와 연마면 사이의 국부적 압력이 감소한다. 압력이 입자가 연마면 내부로 밀려들어가기에 충분하면, 미소칩이 형성된다. 이렇게 형성된 홈은 손상면의 관점에서 보면 불리하다. 입자가 심하게 납작해진 경우라면 더 이상 절단효과를 가지지 않으며, 연마면에 국부적 탄성변형역을 형성한다.

Samuels에 의해 제안되고 연구된 연마각과 입자형상이 제거효과에 미치는 영향을 통해 연마효율과 기계적 연마법의 최적화 조건을 얻을 수 있다.

그림 2.75와 2.76에서 설명되는 경우는 최소한 연마작용시간 동안은 입자가 기반물질에 고정된 경우를 가정한 것이다(거친연마, 거친연마-래핑 조합법 중의 연마요소, 미세연마 중의 절단되는 과정 등).

하지만 래핑의 경우엔 입자는 매우 경한 기반물질위에서 고정되지 않은 상태로 움직이면서, 연마면에 파고들어간다. 제거된 재료는 납작한 작은 입자 형상을 가지며, 낮은 분화구 형태의 제거부를 가지고 거칠기가 심하지 않은 연마면이 얻어진다. 이러한 제거과정을 거치면서 시료의 연마면은 심한 부하를 가지며, HV10경도가 800 이하인 재료에선 심한 변형역을 남긴다. 재료는 절단이 아닌 접히는 과정을 통해 제거되며, 제거속도는 매우 낮으며 이는 래핑의 다른 단점이 된다. 따라서 래핑은 현미경 미세조직 관찰을 위한 시료의 준비에 알맞은 과정은 아니다.

래핑을 통해서 매우 평평하고 거칠기가 낮은 연마면이 얻어지므로, 경한 재료(금속 또는 비금속 재료로써 HV10경도가 1000이상)의 표면처리공정에 이용된다. 또한 세라믹의 표면조직 검사를 위해서 래핑을 이용할 수 있다. 경한 재료를 래핑을 통해 준비하게 되면 변형역의 깊이는 작지만 균열이 형성될 확률은 높다.

연마-래핑 조합법은 고정된 상태의 연마입자와 유동성의 연마입자를 동시에 이용한다. 조합법에 이용되는 기반물질은 마모도가 매우 낮은 재료이며(그림 2.73c), 이러한 복합재료 중에 현미경 조직관찰을 위해 주로 이용되는 것은 폴리머기지에 금속을 조합한 경우이다. 이런 기반물질 상에 다이아몬드 등의 연마입자를 뿌려서 이용한다. 기반물질 중의 연한 부분 내에 박힌 입자를 통한 연마효과가 래핑에 의한 연마효과보다 우선되게 조건을 조절하여 이용한다.

즉, 준비하고자 하는 시료재료가 조합법에 이용되는 기반물질의 영향부(즉 연한부분)보다 높은 경도를 가져야 한다. 이러한 경우에만 다수의 연마입자가 고정될 수 있으며, 그렇지 않다면 래핑를 통한 제거효과가 높아지면서 그에 따른 단점들이 동반될 수 있다. 그 외에 추가적으로 요구되는 사항으로는 Bousfield에 의한 아래의 세 가지가 있다.

• 연마입자의 지름은 기반물질에 알맞게 선택한다. 지름이 너무 큰 경우엔 입자가 고정되지 못하며 래핑의 효과가 커진다. 지름이 너무 작은 경우엔 폴리머부분으로 거의 흡수되는 현상이 나타나므로 연마효과가 없어진다.
• 시료와 기반물질의 알맞은 상대속도와 시료에 가하는 부하의 적절한 조합을 통해서만, 연마입자가 고정된 상태로 유지된다. 기반물질의 속도가 너무 높은 경우엔(높은 상대속도) 입자가 기반물질의 아래쪽으로 가속된다(원심분리기와 같은 원리). 기반물질의 속도가 너무 낮은 경우엔 입자를 고정하기 위한 힘이 적어지기 때문에 래핑효과가 높아진다.
• 시료에 가하는 힘을 최적화하여 입자를 고정하는 효과와 연마면에 형성되는 손상역을 최소화할 수 있다. 높은 힘을 가하는 경우 많은 수의 입자가 고정되면서

재료의 제거속도가 높아진다. 이는 장점이지만, 두 가지의 추가적인 단점을 가져온다. 첫째는 거칠기가 심해지는 것이며, 두 번째는 변형역이 깊어진다는 것이다(즉, 손상역의 증가). 너무 낮은 부하를 주는 경우엔, 연마입자가 고정되지 못하므로 래핑효과가 높아진다.

연마-래핑 조합법은 거친연마에 비해 재료의 제거속도가 낮지만 재료에 큰 손상을 주지 않으면서 연마가 가능하므로, 다음단계인 미세연마를 위한 장점으로 작용된다.

위에서 설명된 미세칩의 형성을 통한 재료의 제거과정은 미세연마에도 적용되지만, 반고정상태인 미세연마입자(그림 2.72)와 상대적으로 연한 연마천을 이용하기 때문에 부가적인 효과가 나타나며 이는 추후에 설명한다(2.3.2.4절).

연마 또는 미세연마의 기반물질 상에 있는 연마입자의 대부분은 연마작용을 가지지 않는다. 단지 2~5%만이 연마효과를 나타내며, 그 중에서 절반만이 절단효과를 가지며, 나머지는 눌러서 골을 만드는 효과를 나타낸다. 절단효과를 나타내는 입자의 분률이 높을수록, 즉 양의 연마각을 가지는 V형상의 입자가 많을수록, 제거되는 재료는 많아지고 손상역은 감소한다.

제거되는 재료의 양은 연마의 진행과 함께 감소하는데, 특히 칩이 마모됨에 따라 심한 감소를 나타낸다. 이러한 마모의 원인으로는 연마입자의 분리와 그 후 V형상의 접촉첨단에서 분리된 입자가 부서지기

때문이다. 절단효과를 가지는 입자의 마모는 접촉점에서 국부적 부하가 높기 때문이다. 그와 반대로 눌러서 골을 형성하는 효과를 가지는 입자는 부하가 높지 않고(그림 2.76), 그에 따른 마모도 적다.

또한 고정된 연마입자는 마모되면서 기반물질로부터 빠져나오며 연마기능을 잃게 된다. 추가적으로 연마입자 사이에 형성되는 미세공간과 기반물질 내의 미세공간 내에 미소칩들로 채워지는데, 이러한 기반물질의 평탄화과정은 Samuels에 의하면 절단입자에 의한 접촉첨단이 드러나는 과정에서 아직 소성변형 될 수 있는 칩이 형성되면서 시작된다. 골을 형성하는 입자로 인한 접촉첨단이 덧 채워지고, 연마입자 사이의 미세공간이 채워지면서 평탄화과정은 더욱 진행되고, 이에 따라 재료의 제거는 더 이상 이뤄질 수 없게 된다. 이러한 마모과정은, 특히 작은 입자가 접촉첨단에서 분리되는 과정과 접촉영역이 제거된 재료로 덧 채워지는 과정, 초기에 양의 값을 가지던 연마각을 음의 값을 가지게 한다. 따라서 임계연마각을 넘어서면서 원래 절단효과를 나타내던 입자도 골을 형성하는 효과를 나타낸다. 즉, 연마면에 형성되는 변형손상영역은 부적절한 초기조건 외에도 마모과정을 통해서도 나타나게 된다.

칩의 마모는 긴 작용시간을 가지는 경우 가속된다. 작용시간은 선형의 칩 형성이 지속적으로 이뤄지는 시간적 주기를 의미한다. 즉, 작용시간은 연마(또는 미세연마)의 효율을 가늠하는데 이용되는 유지시간의 요소이다. 유지시간에 대한 개념은 이후에 설명한다(2.3.2.3절 참조).

연마면이 큰 경우엔, 작용시간이 길어지며 긴 형상의 칩이(따라서 형성되는 스크래치와 홈도 길어짐) 나타난다. 긴 작용시간에서(긴 작용시간에서) 절단첨단이 거의 바늘과 같은 V형을 가지는 경우(그림 2.76, 좌측), 거칠기로 인한 손상도가 높아지며 큰 칩이 형성된다. 긴 칩의 양이 많아짐으로써 이를 기반물질에서 제거하기 힘들어지며 기반물질의 평탄화가 가속된다. 심한 거칠기로 인해 재료의 원래 미세조직을 얻기 어려워지므로, 이어지는 시료 준비단계를 통해 변형역과 더불어 제거되어야 한다.

거칠기로 인한 손상은 형성된 스크래치가 길고 깊은 경우를 의미한다. 스크래치의 형상과 넓이 그리고 주변에 형성된 변형역은 절단입자가 지나간 길을 따라 달라진다. 이러한 변화는 칩을 형성하는 과정 중에 입자가 마모된 결과이다. 절단입자가 지나간 경로를 따라서 스크래치가 형성되는 과정은 그림 2.75와 2.76에 나타내었다.

절단경로 중 그 초기부분은 깊고 폭이 좁으며 측면의 변형이 적은 스크래치를 나타낸다. 이렇게 초기에 형성되는 스크래치는 이후에 많은 양의 재료를 제거함으로써만 없어질 수 있다. 절단효과는 절단경로를 따라서 약화되며, 스크래치의 폭이 넓어지면서 그 깊이는 낮아지고 측면 변형영역은 커진다. 연마면의 크기와 작용시간에 의해 절단경로가 길어지면, 접촉첨단은 납작해진 형상을 가지면서 무뎌지고, 절단경로의 마지막 단계에서는 재료제거효과가 거의 없어진다. 절단경로를 따라 스크래치는 둥근 홈의 형상을 나타내면서 진행되고, 그 주위는 심한 변형을 가진다. 시료 또는 기반물질이 움직임에 따라 칩의 형성(즉, 스크래치의 형성)과정은 다시 발생되면서 전체적인 연마면으로 진행된다. 이 과정을 통해 변형영역과 거칠기로 인한 손상역이 항상 발생되게 된다(그림 2.70).

절단경로가 긴 경우엔 손상영역의 발생에 더해, 긴 미세칩의 형성과 접촉영역에서의 국부적 가열을 가져오는 칩의 지속적인 형성을 쉬워지는 단점이 동시에 나타난다.

긴 절단칩은, 특히 연성재료에 있어, 기반물질로부터 제거가 어려우며 평탄화과정이 상대적으로 짧은 시간 내에 진행된다. 이러한 단점을 상쇄하기 위해, 기반물질 내에 수 밀리미터 정도의 칩이 형성되지 않는 공간을 기하학적으로 가지게 한다. 이는 형성된 칩을 가둬두는 역할과 함께, 긴 칩의 형성을 막는다. 즉 절단경로를 짧게 함으로써 칩 형성을 중간에 멈추는 역할을 하는 것이다. 이러한 공간의 형성은 칩의 제거와 칩 형성의 중단효과 외에도 냉각효과를 가진다.

접촉역의 가열은 원래의 미세조직을 변화시키고, 열응력과 화학반응을 통해 연마입자의 마모를 쉽게 한다. 두 개의 가열작용을 가지는 점이 매우 근접하게 놓이는 경우엔(특히 칩형성이 지속적이고 길게 이뤄지는 경우), 발생열이 중첩되는 효과를 가진다. 접촉첨단의 전방과 측면은 변형열

이 발생하고, 절단입자와 칩 사이의 마찰열이 추가적으로 발생한다.

연마과정 중에 발생하는 열의 제거를 위해 기반물질의 연마작용면상에 냉각과 윤활을 해줘야 한다. 이러한 냉각-윤활제는 수동적 또는 특정기구를 이용해 공급된다. 자동화기구를 이용하는 경우 공급되는 냉각-윤활제 양의 측정과 조절이 가능하며 따라서 재현성을 가진다. 중요한 점은 칩이 형성되지 않는 공간 또는 칩이 없는 공간이 냉각-윤활제의 공급을 통해 채워져야 한다는 것이며, 채워진 냉각-윤활제는 다음의 공급주기까지 유지되어야 한다는 것이다.

냉각과정은 칩이 형성되는 정도에 따라 조절되어야 한다. 즉, 제거되는 재료의 양이 많은 경우엔 냉각을 강하게 해준다. 이는 회전하는 기반물질상에 냉각재를 분사해주면 된다. 대부분의 경우엔 물을 이용하며 효과증대를 위해 물에 부식억제효과와 끓는점을 높이는 첨가재를 섞어서 사용하기도 한다. 냉각재의 분사와 회전가속을 통해 쌓여져있던 칩이 제거된다. 냉각과 칩제거효과의 증대를 위해 적절한 분사각은 $20 \sim 45°$ 사이이다.

통상적인 연마지와 같이 칩이 제거되는 공간이 따로 없는 경우엔 많은 양의 냉각제가 골고루 분산되지 못하며 회전가속에 의한 분산 또한 조절이 어려워진다. 그 외에도 냉각제의 일부는 시료의 전면에 **파고효과**(aquaplaning)를 나타낸다. 냉각유체는 마멸입자를 함유한다. 기반물질과 시료의 움직임과 마찰 등에 의해 마멸입자는

냉각유체와 함께 시료의 모서리에 수직인 방향으로 회전운동을 하게 되며, 이 과정을 통해 모서리의 둥글어짐과 작용시간이 긴 경우엔 시료면이 곡면화되는 등 원하지 않는 상태의 재료제거가 이뤄진다. 칩을 제거하는 공간을 적절하게 조절함으로써 파고효과를 줄일 수 있다.

작용시간과 절단경로에 대한 고찰을 통해 (미세)연마에 이용되는 기반물질은 아래의 사항들이 요구됨을 알 수 있다.

- 연마작용을 가지는 시간의 최대화
- 절단경로의 최적화
- 연마면상의 재료손상 최저화
- 냉각-윤활 효과의 최적화
- 준비단계의 최소화

작용시간의 최대화는 다이아몬드와 같이 경하고 마모율이 적은 연마입자를 이용하면 얻어진다. 연마-래핑 조합법, 미세연마, 래핑의 경우 연마입자를 **재공급**함으로써 기반물질의 연마작용을 다시 높일 수 있다. 연마지와 같이 연마입자가 기반물질에 고정된 경우엔 연마작용의 증가를 위해 자가작용을 이용할 수 있다. 즉 절단입자가 더 이상 절단효과를 가지지 않게 되면, 그 입자는 기반물질에서 떨어져 나가면서 다른 절단효과를 가지는 입자가 드러나게 된다. 새로운 입자를 통해 재료의 제거가 진행된다. 이러한 **자가효과**를 가지기 위해선 입자고정 역할을 하는 적당한 접착제의 이용과 연마입자의 밀도가 높아야한다. 자가효과의 효율적인 이용을 위해선 주기적

으로 다이아몬드나 특수세라믹 등을 이용하여 연마입자를 제거해주는 과정이 필요하며, 이를 통해 압착된 칩을 제거함과 동시에 새로운 입자를 드러나게 할 수 있다.

종이 또는 천 등 대부분의 유연한 연마기반물질은 연마입자가 단층으로 이뤄져있기 때문에 자가작용을 가지지 않는다. 단층으로 놓인 입자의 마모작용을 통해 작용시간이 결정되므로, 짧은 작용시간을 가진다. 연마기반물질의 표면형상을 조절하면 절단경로가 최적거리를 가지게 할 수 있다. 고정된 연마입자인 경우 벌집모양의 구조가 방사형 또는 동심원 구조에 비해 효과적이다. 미세연마의 전단계에선 원형의 구멍을 가지는 형상이 효율적이며, 최종미세연마에는 사각형의 보푸라기형상이 효율적이다.

연마 또는 미세연마에 이용되는 기반물질의 형상에 대한 개발이 완료되지는 않았지만, 다양한 종류의 연마지들이 개발되었다. 예를 들어, Struers사의 MD(magnet-disc-system)연마기판은 벌집형상의 표면을 가지고, 미세연마 전처리에 이용되는 연마천인 G.Sommer사의 Makroflex와 Buehler사의 Texmet은 천공처리되어 있다.

시료의 연마방향을 교차로 바꾸면서 연마하는 경우엔 절단길이가 짧아지고, 향상된 냉각과 마모의 감소로 작용시간은 증가한다. 연성재료인 경우에도 연마과정을 멈추는 효과로 인해 짧은 칩의 형성이 쉬워진다. 추가적으로 최적화된 표면구조를 가지는 연마기반물질을 이용함으로써 냉각과

윤활작용을 향상시킬 수 있다.

기반물질 표면을 최적화함으로써 재료에 형성되는 손상역의 깊이가 낮아질 수 있으며, 이러한 효과는 연마가 절단효과를 통해 이뤄지는 경우에 향상될 수 있다. 최적화된 조건을 통해 연마시간과 준비단계를 줄일 수 있으며, 최소화된 준비단계를 통해 재료의 원래조직을 얻을 수 있다.

기계적 연마에 이용되는 기반물질의 선택과 제작에 있어 위에 논의된 영향을 고려함으로써, 연마 중에 발생하는 연마각의 변화를 줄일 수 있다.

그림 2.77은 임계연마각에 미치는 영향들을 요약해서 보여준다. 연마각이 음의 방향으로 증가함에 따라 재료제거는 어려워지며, 이는 아래의 영향들에 기인한다:

– 예리하지 않은 접촉면을 가지는 연마입자(그림 2.76, 우측)
– 긴 절단경로

– 시료를 통해 기반물질에 가해지는 부하가 높은 경우
– 마모된 연마입자
– 접촉영역에서 발생열의 축적

다수의 연마입자가 임계연마각 보다 큰 연마각을 가지고 이 양의 값이 연마과정 중에도 유지되는 경우에 재료제거는 최적화된다. 양의 연마각을 가지게 해주는 영향인자는 다음과 같다:

• V형의 접촉면형상을 가지는 입자(그림 2.76, 좌측)
• 짧은 절단경로(기반물질의 최적화된 표면형상)
• 원활한 냉각과 윤활
• 연마면에 입자를 재공급하거나 자가작용을 이용하여 연마작용시간을 길게 함.
• 쌓인 칩이 없는 미세공간의 형성을 위해 고정된 연마입자를 제거함.

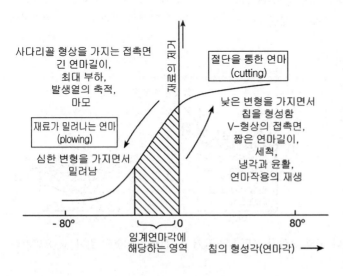

그림 2.77 연마각에 따른 제거되는 재료의 양과 연마각에 영향을 주는 인자.

2.3.2.3 연마

기계적 연마(grinding) 또는 조합법을 통한 연마과정에서는 전형적으로 수평회전판이 이용된다. 수평회전판 위에 기반물질이 놓이고, 기반물질 위에 연마입자가 위치하면서 연마작용면이 된다. **연마** 또는 **연마-래핑** 조합법에 이용되는 연마재가 고정된 경우엔 회전판 자체가 기반물질이 된다. 어느 정도의 유연성을 가지는 MD-연마판(Magnet-Disc)은 자력을 이용해 회전판에 부착하므로 기반물질이 고정된 경우에 해당한다. 유연한 연마물질로는 연마지 또는 연마천 등이 있으며, 회전판에 접착하여 이용한다. 각 연마과정에 따라 알맞은 연마작용면과 연마입자를 이용하며, 시료를 수직방향으로 눌러주면서 전체 시료면을 균등하게 연마한다. 기계를 이용해 시료를 고정-조절하는 경우, 시료는 연마작용면상에 원호를 그리며 회전운동을 하게 된다. 손으로 시료의 이동을 조절하는 경우엔, 시료의 연마방향을 바꾸어 주면서 (90°) 연마를 진행한다. 수동 미세연마의 경우엔 연마천 위에서 시료를 원형 또는 8자형으로 돌려주면서 연마한다.

연마와 동시에 연마작용면상에 냉각-윤활제를 공급해주며, 그 공급량에 따라 냉각과 윤활정도를 조절한다.

연마작용면과 시료연마면은, 그 사이에 존재하는 매개물질(공기, 냉각-윤활제) 그리고 연마입자와 함께, 움직이는 두 개의 면을 가지는 연마계(abrasive system)를 구성한다. 이러한 계의 조합은 시료준비중에 재료의 원래조직이 변화되는 것을 최소화하도록 되어야 한다(그림 2.78).

연마재, 기반물질, 냉각제 등은 소모품이며, 좋은 연마효과를 유지하기 위해선 교체 또는 재공급되야 한다. 표 2.24는 기계적 연마과정에 이용되는 위의 세 가지 소모품을 각 연마방법에 따라 분류하여 나타낸다.

연마재는 이용하는 연마단계에 따라 250 $\mu m \sim 0.03 \mu m$의 지름을 가진다. (거친)연마를 위해선 다이아몬드, 여러 종류의 Al_2O_3, SiC 등이 연마재로 이용되며, 미세연마에

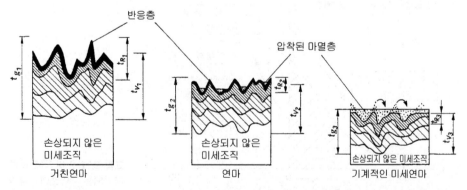

그림 2.78 연마와 미세연마 중의 손상된 표면층의 제거. t_g 전체 손상층의 깊이, t_R 표면거칠기, t 변형층의 깊이.

표 2.24 미세칩 형성을 통한 연마를 위해 이용되는 소모품

연마과정	연마물질 및 크기 (연마, 미세연마, 래핑)	연마기반물질 (지지물)	보조재 (특수 액체)
연마:			
-거친연마 (평면연마)	평판형상의 연마재: 다이아몬드, Al_2O_3류, SiC (예, 평면연마용 숫돌, 연마용 휠, 연마링) : $\phi40{\sim}260\,\mu m$		수성 또는 오일기의 냉각-윤활제
	다이아몬드; $\phi40{\sim}250\,\mu m$	연마판; 접착성 연마박판; 자력을 이용한 접착을 위한 철지지판(예, MD-Piano120, Struers사)	
	$ZrO_2{-}Al_2O_3$; $\phi75{\sim}200\,\mu m$ SiC; $\phi30{\sim}200\,\mu m$	습식 연마지	수돗물 (경우에 따라, 부식방지액 또는 윤활제를 첨가함)
-연마	다이아몬드; $\phi0.1{\sim}30\,\mu m$	연마판; 접착성 연마박판 자력용 철지지판(예, MD-Piano1200, Struers사)	
	SiC; $\phi5{\sim}30\,\mu m$	습식연마지; 연마용천	
연마-래핑:	다이아몬드(현탁액, 스프레이); $\phi3{\sim}15(30)\,\mu m$	합성수지-금속 복합재 연마판(예, New Lam 연마판, Heraeus Kulzer 사) 혹은 벌집형상의 연마작용면을 가지는 자력용 철판(MD-Allegro, Struers사)	수성 또는 알코올-글리콜기 윤활제
래핑:	래핑입자; 다이아몬드, B_4C, SiC, Al_2O_3; $\phi0.05{\sim}20\,\mu m$	래핑판; 유리, G-GL, 경도 단계별 래핑판재(예, Metlap, Wirtz-Buehler사)	래핑용 오일, 글리콜, 표면활성재를 함유한 물
미세연마:		미세연마천;	
-표면굴곡이 적고, 심한 변형층을 남김	다이아몬드 (현탁액, 페이스트, 스프레이); $\phi0.05{\sim}15(45)$ μm	Pellon, 리넨, 나일론, 레이온	약간의 오일을 함유한 알코올-글리콜기 또는 수성 윤활제
-표면굴곡이 있고, 변형층이 적음	또는 미세연마용 알루미나 (Al_2O_3류); $\phi0.03{\sim}5\,\mu m$	면사, 긴 보풀을 가지는 합성사, 융단, 펠트	

는 일반적으로 다이아몬드와 미세연마용 알루미나를 이용한다(표 2.24).

연마단계에 따라 다른 기반물질(연마지 또는 연마천)을 이용한다. 단계별로 또는 한 단계에 대해 여러 종류의 기반물질이 이용가능하며, 알맞은 선택을 위해 아래의 사항을 고려한다:

- 요구되는 시료연마면의 형성(표 2.20 참조)
- 원하는 연마면의 상태를 얻기 위한 단계의 수와 준비시간
- 작업방법: 자동 또는 수동작업
- 기반물질의 사용가능시간

사용가능시간은 비용에 직접 관련되므로 길수록 좋지만, 알맞은 선택을 위해서는 다른 여러 사항들을 고려해야 한다. 또한 기반물질의 운송, 보관, 교환 등은 전문적으로 이루어져야 한다. 사용가능시간은 연마입자를 유지할 수 있는 시간과 유지강도가 포함한다. 알맞게 고정되지 않은 연마입자들은 연마의 시작과 함께 기반물질과 회전판으로부터 떨어져나가므로 칩형성 효과가 감소된다. 시료물질의 성질을 고려하지 않고 기반물질을 잘못 선택하여 사용하면, 그림 2.77의 음의 연마각을 쉽게 해주는 효과와 같이, 사용가능시간이 감소한다. 연마도를 높이는 자가작용을 가지고 칩의 제거를 위한 공간이 효율적으로 배치된 경우엔, 이런 기능이 없는 일반적인 SiC 또는 지르코니아-알루미나 습식연마지와 달리, 연마기반물질의 사용가능시간이 더욱 길어진다. 연마입자가 반고정상태

또는 고정되지 않는 기반물질의 경우엔 연마작용면을 구성하는 물질의 자체적인 마모로 인해 사용가능시간이 짧아진다. 이러한 마모효과는 입자의 크기, 시료에 가하는 압력이 클수록, 그리고 냉각-윤활제를 적게 사용할수록 커진다.

모든 고려 가능한 사항들 중에서 기반물질의 사용가능시간은 사용하는 조건에 특히 영향을 받는다. 긴 사용시간을 얻기 위해선 연마입자의 종류, 입자의 크기, 기반물질과 그 연마작용면의 종류, 냉각-윤활제, 회전수, 시료에 가하는 부하, 해당 연마단계에서의 연마시간 등 연마에 적용되는 변수를 알고 있어야 한다.

숫돌을 이용한 거친연마는(표 2.24) 경도가 180 HV 이상이고 $2cm^2$ 이상의 큰 연마면을 가지는 금속재료에 대해 이용된다. 이는 높은 동력을 가지는 장비의 사용이 요구되며, 부분적으로는 기계가공작업에 해당한다. 거친연마를 통한 재료의 제거작업은 재료에 큰 손상을 가져오나, 원하는 평행한 연마면을 쉽게 드러내기 위해서 이용된다. 경도가 600 HV 이상인 재료의 평면연마를 실험실 규모에서 하기 위해서는 다이아몬드 연마판을 이용한다. 350~600 HV정도의 재료의 연마는 지르코니아-알루미나기의 습식연마지 또는 MD-평면연마판을 이용하는 것이 좋다. 350 HV 이하의 경도를 가지는 재료는 조대한 입도를 가지는 습식 SiC연마지 또는 MD-평면연마판을 이용한다.

평면연마에 이용되는 기반물질의 특징들을 표 2.25에 나타낸다. 이는 물을 이용하

여 냉각하며, 그림 2.79에 기본적인 구성을 나타낸다. 평편연마에 이용되는 연마판(또는 연마지)사이의 주요한 차이점은 그 구성형상과 연마작용의 재생가능성이다(표 2.25). 연마물질이 고정된 경우, 2.3.2.2절에 설명한 연마각의 관점에서 유동적인 연마물질에 비해 장점을 나타낸다.

고정된 연마물질의 경우 연마작용면의 형상이 사각 또는 벌집형상의 격자를 가진다. 다이아몬드입자의 최적 절단경로 길이는 5~10mm 정도이다. 격자 형상을 통해

형성되는 (거시적인) 칩 제거공간은 연마층이 완전히 마모될 때까지 그 기능을 발휘한다(그림 2.79a, b). 연마작용은 자가 재생작용을 통해 유지되며, 이는 특정기공도를 가지는 특수세라믹을 이용해 연삭함으로써 쉬워진다. 이러한 연삭과정을 통해 (미시적인) 칩 제거공간이 활성화된다.

다이아몬드 평판연마판을 이용하는 경우에는 여러 연삭과정이 요구되며 이는 아래의 원인에 기인한다. 연마된 파편들은 상대적으로 작은 크기의(≤0.3mm, 표 2.25)

표 2.25 금속미세조직 관찰을 위한 평면연마에 이용되는 기반물질의 특징

특징	고정형 연마기반물질		유연한 연마기반물질	
	compact 연마판	연마판 MD-Piano (Struers사)	연마박판	습식연마지
연마재 기반물질	Al 판	아연도금 강판 0.3mm	직조물, 합성수지로 강화됨	특수종이, 내수성	특수종이, 내수성
연마재	다이아몬드	다이아몬드	다이아몬드	지르코니아-알루미나	SiC
연마재 지름 [μm]	60~180	MD-Piano80, 120, 220의 경우 주어지지 않음	40~250	60~250	40~260
접착물질 내 연마입자의 배열	0.5mm 두께의 박판 내에 균일한 분포	약 0.3mm 높이의 벌집형 격자 내에 분포	약 1mm 높이의 알갱이로 분포	단층의 산란적인 분포	단층의 자단(palisander)형 분포
접착물질	베이클라이트	합성수지	니켈	합성수지/접착재 접착재 (glue)	
연마작용면의 형상:					
표면구조	사각형 격자	벌집형(6각형) 격자	작은 원형격자 (알갱이)	어느정도의 표면거칠기를 가지면서 전반적으로 분포	
최대 절단길이 [mm]	사각형 대각선 길이 8	6각형의 대각선 길이 6	알갱이의 지름 ϕ0.5	시료 연마면의 최대 대각선 길이 대략 50	
거시적 칩제거공간의 폭 [mm]	홈의폭 1	벌집격자 사이 3	알갱이 사이거리 ≤ϕ0.3	거시적 칩제거공간 없음	
연마성능의 재생:	자가재생 작용과 세척		한계를 가지는 자가 재생작용, 세척	재생작용 효과 없음	

거시적인 칩 제거공간에 쉽게 채워지며, 연마재가 마모되면서 이 공간이 감소하기 때문이다. 또한 다이아몬드입자 사이의 미시적인 칩 제거공간이 연성의 칩으로 인해 쉽게 채워지기 때문이다. 결과적으로 다이아몬드 연마판은 쉽게 평탄화되며, 연마도

의 감소를 가지게 된다. 빠른 평탄화는 기본적으로 작은 변형경화를 가지는 칩에 기인한다. 다이아몬드입자의 예리한 V자 형상은 절단효과를 통한 연마작용을 가져오며, 이를 통해 눌리면서 파내어지는 칩보다 절단을 통한 연성의 칩의 형성이 상대

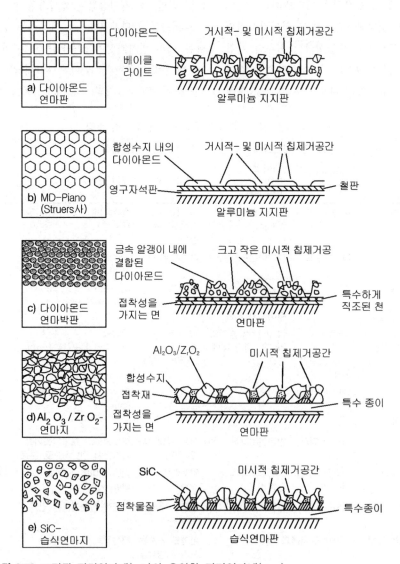

그림 2.79 고정된 평면연마재(a,b)와 유연한 평면연마재(c-e).

표 2.26 금속조직관찰을 위해 이용하는 SiC-습식연마지의 표기

사용되는 연마 단계	경도(HV)	유럽기준 FEPA, P-계열 또는 DIN69176		미국기준 ANSI B74.18 또는 ASTM		비고
		번호	SiC입자 평균지름[μm]	번호	SiC입자 평균지름[μm]	
평면연마	30~600	80	196	80	260	US기준의 경우 높은 번호에서 큰 입자 지름을 가짐
		120	120	120	137	
		180	75	180	95	
		220	65	240	71	
		320	46	320	52	
연마	30~600	500	30	400	31	US기준의 경우, 같은 입자지름에 대해 낮은 번호를 가짐
		800	약 22	500	약 22	
		1000	약 18	600	약 18	
		1200	약 15			
연한재료의 연마	30~400	2400	10	800	10	
		4000	5	1200	3	

적으로 많아진다.

가장 흔히 이용되는 유연성을 가지는 연마재로는 습식연마지를 들 수 있다(특히 SiC 연마지). 습식연마지의 연마작용면은 격자나 무늬를 가지지 않으며, 거시적인 칩 제거공간이 없다(그림 2.79d, e). 연마입자는 단층으로 이뤄지므로 연마효과의 자생기능을 갖지 않으며, 사용가능시간이 짧다. 하지만 이러한 단점에도 불구하고, 습식연마지는 많은 이용가능성들을 가지므로 많이 사용되고 있다. 연마지는 입도에 따라 단계적으로 나뉘므로, 아래와 같은 연마 시에 따라야 하는 사항을 쉽게 지킬 수 있다:

• 연마의 한 단계를 마친 후 다음 단계에서는 입자의 지름이 절반인 연마지를 이용한다. 즉 입도번호보다 실질적인 입자지름을 알고 있는 것이 중요하다. 절단면의 평활도와 거칠기에 따라 연마의 시작에 이용할 연마지를 선택한다. 습식절단한 경우엔 220번 연마지(65μm)로 연마를 시작하며, 3단계로 연마한다: 65μm -30μm-15μm. 320번 연마지에 해당하는 연마면을 형성하는 습식절단을 한 경우, 경한재료에 대해선 22μm-15μm, 연한재료에 대해선 22μm-10μm의 2단계 연마가 필요하다.

• 각 연마단계 이후엔 시료를 세척해줌으로써, 연마로 인해 형성된 물질이 다음 연마단계에 포함되지 않게 한다.

• 기존에 있던 손상면이 제거될 수 있도록 충분한 양의 재료를 제거한다. 연한재료의 경우엔(< 150 HV) 경한 재료에 비해

표 2.27 평면연마를 위한 기반물질간의 성능비교 (대략 120 μm의 연마입자 지름; 재료의 경도 200~700 HV10)

비교기준	다 이 아 몬 드 연마판	MD-Piano120 (Struers사) 다이아몬드 연마판	다이아몬드 연마박판 (금속 결합재)	습식연마지 지르코니아 -알루미나	SiC
제거능	약간	높음	최대	초기에 높음, 빠른 감소	
사용기간	매우 김 (세척과 정돈 작업 필요)	김(약 120장의 SiC 연마지에 해당) (세척)	<600 HV인 경우 약 3분 >600 HV인 경우 약 12분 (세척)	2~3분 (유지를 위한 작업 불가능)	0.5~1분 (유지를 위한 작업 불가능)
냉각효과	충분	높음	낮음~충분	낮음(높은 마찰)	
파고효과 (aquaplaning)	약간	없음	약간~강함	강함	
Pencil 효과 (자동연마 시)	낮음	없음	낮음	강함	
평활도	충분	매우 좋음	좋음	충분	
모서리의 예리함		좋음	파단과 뭉툭해짐	뭉툭해짐	
압착된 층	최소			높음	
표면거칠기 [μm]	약간 6~9	낮음 약 5	심함 10~15	약간 6~9	낮음 약 5
변형층 깊이 [μm]	약간 6~9	낮음 약 5	낮음 약 5	심함 >10	심함 >10

시료에 가하는 부하를 적게 하고 충분한 재료제거를 행한다.

• 재료의 제거속도는 SiC입자의 지름과 시료에 부가하는 부하가 작아지면서 감소한다. 연마면의 손상역이 실제로 작아지게 하기 위해선, 미세한 연마지로 단계를 바꾸면서 시료부하의 감소와 함께 연마시간을 3배정도 증가해야 한다.

수동으로 연마하는 경우엔 다음 단계의 연마지로 바꾸면서 연마방향을 90° 바꾼다. 새로운 연마방향이 기존의 방향에 대해 수직으로 놓이면서, 같은 방향일 경우에 이전의 연마홈을 따라서는 연마작용이 사라지는 효과를 없애주며, 제거양이 균질해지고, 연마면에 대한 검사가 쉬워진다. 검사항목으로는 평활도(모서리 예리함의 정도, 연마면이 볼록한지 그리고 다면체형상으로 연마되었는지의 여부)와 연마된 홈이 균질한지의 여부 등이 있다. 기존의 연마단계에서 형성된 연마홈이 완전히 없어진 경우 그 연마단계를 종료한다.

자동연마 시 각 재료에 대해 연마지의 종류, 연마물질, 가해지는 부하, 연마 시의 움직임과 속도, 연마시간 등 다수의 변수를 종합적으로 고려하여 연마한다. 이를 통해 금속조직 관찰을 위한 미세연마가 쉬워지고, 연마면을 최적화할 수 있으며, 연

마결과의 재현성을 보장할 수 있다

평면연마를 위해 이용하는 기반물질들을 비교해 보면, 특히 경도 200 HV 이상의 물질의 연마에 있어서, 전통적으로 이용되는 SiC 습식연마지의 단점을 쉽게 알 수 있다. 표 2.27은 평면연마 기반물질의 효율을 상호 비교하여 나타내며, 그림 2.80은 사용시간에 따른 연마성능의 감소를 나타낸다(비교를 위해, 다이아몬드 연마판을 가장 높은 연마성능의 기준으로 함). SiC 연마입자는 심한 마모를 나타내며, 1분정도 사용 후에는 교환해줘야 할 정도로 연마성능이 감소한다(그림 2.80). 따라서 연속적인 연마과정이 중단되며, 연마성능의 재생효과가 없기 때문에 비용의 증가를 가져온다.

파고효과(aquaplaning)는 연마면의 평활도를 감소시킨다(표 2.27).

습식연마지는 다른 연마기반물질에 비해 연마초기의 연마효과가 높으며, 그 효과의 정도는 시료의 위치에 의존한다. 따라서 큰 시료면을 연마하는 경우 연마지의 바깥쪽에 놓이는 시료면에서는 상대적으로 많은 연마가 이뤄진다. 이러한 불균일한 제거는 파고효과를 통해 더욱 심해진다. 지름이 30mm 이하인 작은 시료의 경우 위의 특성으로 인해 다면체 형상의 연마면이 형성되거나 약간 기울어지게 연마될 수 있다.

습식연마지의 높은 초기 연마효과는 절단효과에 의한 칩의 형성에 기인하며, 약 1.5분 정도가 지나면 주요 연마기구는 재료가 밀려나는 과정을 통한 연마로 바뀐다. 따라서 1분이상 연마를 하는 경우엔 심한 변형영역이 형성된다. 경도가 350 HV 이하로 상대적으로 연한 재료를 연마하는 경우에는 압착된 재료층이 변형영역을 덮게 된다(표 2.27). 손상영역은 원래의 재

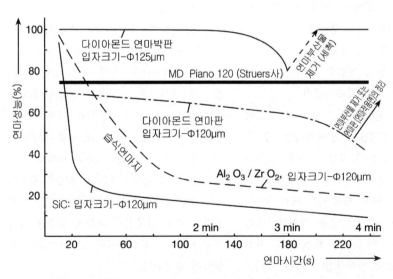

그림 2.80 연마시간에 따른 평면연마에 이용되는 기반물질의 연마효과 감소.

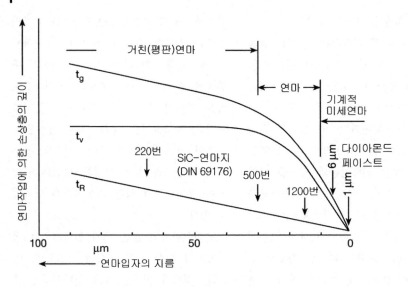

그림 2.81 거친연마, 연마, 미세연마과정 중 연마입자 지름의 감소에 따른 연마 손상역 깊이의 감소(Lihl에 의함).

료조직과는 상이한 조직을 나타내므로 연마의 다음 단계에서 제거되야 한다. 즉, 연마를 통한 손상영역의 감소를 위해서는 최소한 두 단계의 연마과정을 거쳐야 한다.

지르코니아-알루미나 습식연마지는 사용시간이 길지만, 연마성능의 감소거동은 SiC 연마지와 같다(그림 2.80, 표 2.27).

금속재료를 통해 결합한 다이아몬드 연마판의 단점은 이미 설명하였다.

다이아몬드 연마판을 이용하면 재료에 많은 손상을 주지않고 평면연마를 할 수 있는 반면에, 낮은 연마성능, 높은 유지비용(더 이상 적당한 연마각을 가지지 않고 평활하지 않은 연마 작용면의 제거 및 정돈), 높은 가격 등의 단점을 가진다. 따라서 다이아몬드 연마판은, 매우 경한 산화물세라믹, 다량의 탄화물을 가지는 가지는 재료의 평판연마 등, 특수한 경우에 이용

한다.

그림 2.80과 표 2.27을 통해 MD-Piano (그림 2.79b)형식의 다이아몬드 연마판이 다른 연마기반물질에 비해 여러 가지 장점을 가지고 있음을 알 수 있다.

연마를 위해서는 $30\,\mu m$ 이하의 지름을 가지는 연마입자가 이용되며(표 2.24, 표 2.26), 평면연마에 비해 적은 표면거칠기를 나타낸다. Waschull은 거친연마(또는 평면연마)와 연마를 구분하는 기준으로 연마면의 표면거칠기 $R_m = 4\,\mu m$로 제안하였다. 연마입자의 지름이 $30\,\mu m$이하로 되면서, 변형역과 표면거칠기는 상당한 감소를 나타낸다(그림 2.81). 거친연마 또는 평판연마의 경우 연마입자 지름의 감소에 따라 표면거칠기는 감소하지만 $30\,\mu m$이상의 변형역이 형성된다.

연마에서 미세연마로 넘어감에 따라 변

표 2.28 금속조직검사를 위한 연마에 이용되는 고정형 연마물질의 특징

특징	Compact형 연마판	MD-Piano (Struers사) 연마원판	연마-래핑 물질		
			판형		원판형
			Petrodisc-M (Struers사) Metlap (Buehler사)	New Lam (Kulzer사)	MD-Largo MD-Allegro (Struers사)
구성	그림 2.79a	그림 2.79b	그림 2.73c, 그림 2.82a	그림 2.82b	그림 2.83
연마재 기반물질	compact형 Al판	아연도금 강판; 0.3mm	compact형 Al 판		아연도금 강판; 0.3mm
다이아몬드 입자 지름[μm]	20	MD-Piano600, 1200의 경우 주어지지 않았음	6~15	9~12	(3)6~15
접착	베이클라이트에 고정	합성수지에 고정	부분적인 고정 (그림 2.72)		
연마작용면상의 배열	0.5mm 박판에 규칙적으로 분포	약 0.3mm 벌집형 격자내에 분포	다이아몬드는 추가적으로 공급되어, 합성수지-금속복합재의 연한 부위에 부분적으로 고정됨; 나머지는 홈에 남음		
연마작용면의 형상:					
표면구조	사각형 격자	6각형 벌집격자	원형 링	원형격자	6각형 벌집격자
최대 절단길이 [mm]	사각형 대각선 길이 8	6각형의 대각선 길이 6	원주길이 20~50	원지름 25	6각형 대각선 길이 13
거시적 칩제거공간의 폭[mm]	홈의 폭 1	벌집격자사이 3	홈의 폭 4	거시적 칩제거공간 없음	벌집격자사이 2
연마작용 재생: 자가 재생작용과 세척			연마물질의 공급과 세척		연마물질의 공급

형역의 감소가 나타나며, 전체적인 손상영역의 깊이도 감소하는 반면, 표면거칠기는 더 이상 의미를 가지지 않는다(그림 2.81).

연마과정의 목표는 표면손상층이 이어지는 미세연마와 에칭 등의 과정을 통해 제거될 수 있을 정도로 감소시키는 것이며, 표 2.20에 나타낸 연마과정을 통해 얻어야 할 요구사항을 만족해야 한다. 연마과정에도 고정형과 유연한 연마기반물질이 이용된다. 거친연마와 달리 기반물질의 종류에 따라 각 재료의 연마특성이 달라지며 이러한 차이를 적절하게 개선하는 과정을 통해, 매우 다양한 연마물질이 개발되었다. 표 2.28은 고정형 기반물질을 가지는 미세연마판의 특징을 나타내며, 유연한 연마물질의 특징은 표 2.29에 나타내었다.

몇몇 미세연마를 위한 연마물질의 기본구성은 연마에 이용되는 연마물질과 같으며, 단지 연마입자의 크기가 작을 뿐이다 (고정형 연마물질: 밀집형 미세연마판,

MD-Piano형 미세연마판, 유연한 연마물질: 다이아몬드 연마박판, SiC연마지, 표 2.28, 표 2.29). 따라서 미세연마물질의 특성은 평판연마에 이용되는 연마물질의 특성을 통해 나타낼 수 있다(표 2.28과 2.29를 표 2.25에 비교).

연마-래핑에 이용되는 기반물질(고정형, 표 2.28), 유연한 연마물질인 3M사의 Trizact-박판 그리고 여러 가지의 연마천(표 2.29)의 기본적인 구성요소를 그림 2.82에서 2.85를 통해 나타낸다.

그림 2.82는 연마-래핑에 이용되는 연마판의 기본 구성과 그에 따라 형성되는 연마작용면을 나타낸다(그림 2.73c). Struers사의 Petrodisc-M형 연마판은 합성수지-금속분말의 복합재로 구성된다(그림 2.82a). 구리와 조질강(tempered steel)으로 이뤄진 금속분말과 건식형 MoS_2 윤활제는 보편적인 사용을 가능하게 한다. 100 HV와 1000 HV 사이의 경도를 가지는 소재로 이뤄진 복합재료 또는 경한 막을 가지는 재료는 $6{\sim}15\,\mu m$ 정도의 지름을 가지는 다이아몬드입자를 이용하면 모서리를 예리하게 유지하면서 연마할 수 있다.

Kulzer사의 New-Lam 연마판은 서로 다른 경도를 가지는 기반판재들과 그 경도에 알맞은 금속-합성수지 복합재로 이루어지므로, 경도가 다른 여러 재료에 대해 선택하여 이용할 수 있다. 철로 만들어진 기반판재 위에 원통형의 철분말-합성수지 복합재로 만들어진 마모율이 낮은 연마판은 높은 연마속도를 나타내며, 300 HV 이상의 경한 금속 또는 세라믹재료의 연마에 이용

된다. 연한재료(80~200 HV)의 경우엔 연한 원통형 복합재로(구리분말-합성수지) 이루어진 New-Lam 연마판을 이용한다. Petrodisc-M형 연마판의 경우 동심원형상의 홈이 거시적인 칩 제거공간으로 작용하며(그림 2.82a), New-Lam 연마판의 경우엔 거시적인 칩 제거공간이 없다(그림 2.82b).

그림 2.83은 연마-래핑에 이용되는 Struers사의 MD-Largo와 MD-Allegro 연마판의 기본구성을 나타낸다. MD-Largo의 경우 벌집형상의 연마작용면에 금속분말을 함유하지 않으므로, 경도가 180 HV 이하의 연한 재료에 이용되며, MD-Allegro의 연마작용면은 합성수지-금속분말 복합재로 구성되므로 연마작용이 높고 경도가 180 HV 이상의 상대적으로 경한 재료의 연마에 이용된다. 낮은 깊이를 가지는 부분은 거시적인 칩 제거공간을 형성하고, 합성수지 내에 미세한 기공들은 미시적인 칩 제거공간을 형성한다.

3M사의 Trizact 연마박판의 경우 연마작용면은 피라미드형의 합성수지로 이루어진다(그림 2.84a). 연마박판의 이용목적에 따라 각기 다른 연마입자를 합성수지 내에 함유한다: 금속 또는 세라믹재료를 연마하는 경우 SiC 또는 Al_2O_3 입자, 유리 연마를 위해선 CeO 연마입자를 함유. 피라미드형 복합재료 사이에 작게 형성된 칩 제거공간은, 사용에 따라 더욱 작아진다(그림 2.84b). Trizact 박판은 거시적인 칩 제거공간이 없으며 상대적으로 빨리 평탄화된다.

그림 2.85는 여러 종류의 연마천의 단면구조를 나타낸다. 이용되는 합성수지 천

표 2.29 유연한 연마물질의 특징

특징	연마박판		SiC 연마지	연마천		단순 직조물
	다이아몬드연마박판	Trizact (3M사)		스판지형 폴리우레탄	천공된 양모천	
구성원리	그림 2.79c	그림 2.84a	그림 2.79e	그림 2.85a	그림 2.85b	그림 2.85c
연마재	다이아몬드	SiC, Al_2O_3 또는 CeO	SiC	다이아몬드	다이아몬드	다이아몬드
연마재 지름 ϕ [μm]	2~30	10~30	5~30	(0.25)6~30	(3)6~30	6~15
결합과 연마작용면 내의 배열	고정; 베이클라이트 또는 Ni로 만들어진 약 0.8mm 높이의 알갱이로 분산	고정; 약 0.6mm 높이의 리아미드내에 단층으로 분산	고정:아교내에 단층으로 분산, 자단형(palisander) 분산	낮은 충돌탄성율을 가지는 연마작용면 내에 반고정형 결합		
연마작용면의 형상:						
표면구조	원형(알갱이)격자	사각형(피라미드형) 격자	전반적으로 거친 표면	잘려진 수직기공의 외곽선(메인 홈)	수직형 천공으로 인한 구멍형상	직조물 형상
최대 절단길이 [mm]	알갱이 지름 ϕ0.8	연마 초기엔 약 0.3; 연마 중반엔 시료연마면의 대각선 길이	시료연마면의 대각선 길이	외곽선간의 간격 ≤20	천공사이의 간격 3	직조형상의 대각선길이 약 0.5
가시적 침체거공간의 폭 [mm]	알갱이간 간격 0.5	가시적 재생효과 없음		기공 지름 ϕ0.3~2	천공 지름 ϕ0.3~0.5	가시적 침체거공간 없음
연마작용 재생:	자가재생효과	자가재생효과 (연마초기에 한정됨)	재생작용 불가능	재생작용 불가능		다이아몬드의 재공급

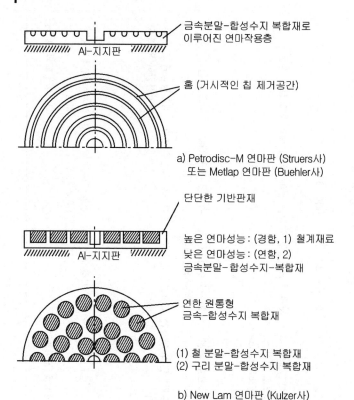

a) Petrodisc-M 연마판 (Struers사)
또는 Metlap 연마판 (Buehler사)

금속분말-합성수지 복합재로
이루어진 연마작용층

홈 (거시적인 칩 제거공간)

단단한 기반판재

높은 연마성능 : (경함, 1) 철계재료
낮은 연마성능 : (연함, 2)
금속분말-합성수지-복합재

연한 원통형
금속-합성수지 복합재

(1) 철 분말-합성수지 복합재
(2) 구리 분말-합성수지 복합재

b) New Lam 연마판 (Kulzer사)

그림 2.82 연마-래핑에 이용되는 여러 연마판의 기본구성.

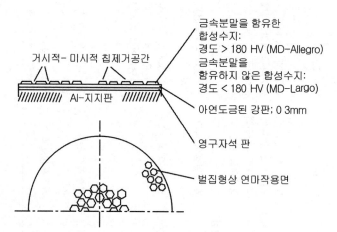

거시적- 미시적 칩제거공간

금속분말을 함유한
합성수지:
경도 > 180 HV (MD-Allegro)
금속분말을
함유하지 않은 합성수지:
경도 < 180 HV (MD-Largo)

아연도금된 강판; 0 3mm

영구자석 판

벌집형상 연마작용면

그림 2.83 연마-래핑 연마판인 MD-Largo/Allegro의 구성.

의 종류와 처리법에 따라 연마작용면이 구분된다. 스폰지형의 폴리우레탄 천의 경우 내부에 있는 기공의 크기가 각기 다르며, 각 기공의 크기에 따라 거시적 또는 미시적인 칩 제거공간으로서의 역할을 한다(그림 2.85a).

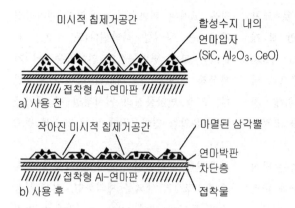

a) 사용 전

b) 사용 후

그림 2.84 3M사의 Trizact
연마박판.

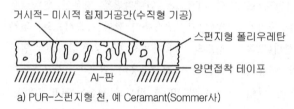

a) PUR-스펀지형 천, 예 Ceramant(Sommer사)

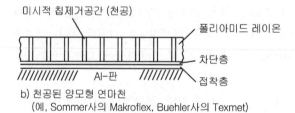

b) 천공된 양모형 연마천
   (예, Sommer사의 Makroflex, Buehler사의 Texmet)

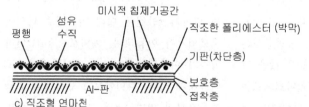

c) 직조형 연마천
   (예, Struers사의 Plan, Buehler사의 Ultrapad)

그림 2.85 여러 가지 연마
천의 구성요소.

폴리아미드 레이온(polyamide viscose)
로 만든 솜털형(fleece) 연마천은 섬유사이
에 미시적인 칩 제거공간을 자체적으로 가
진다. 거시적인 칩 제거공간은 천공을 통
해 연마면에 수직으로 만들어진 기공에 의

해 형성된다(그림 2.85b). 천공을 통해 기
학학적인 효과를 높이는 형상의 기공 형상
과 배열을 만들 수 있으나, 아직 실용화되
지는 않고 있다. 짜여진(woven) 폴리에스
터 연마천은 거시적인 칩 제거공간이 없으

며(그림 2.85c), 섬유들이 수직으로 교차하는 사이에 형성된 틈이 미시적인 칩 제거공간의 역할을 한다(그림 2.92a 참조). 연마입자가 하나의 홈에서 다른 홈으로 넘어서 이동하는 것을 어렵게 하기위해, 천에는 연한 박막을 코팅하여 입자를 고정하는 효과를 가지게 해준다.

연마작용면에 연마입자를 고정하는 방식들은 표 2.28과 2.29의 네 번째 줄에 나타냈다. 거친 연마물질의 경우 연마입자는 경한 기반물질에 고정결합 되어있다(표 2.25). 연마과정 중 재료의 손상을 줄이기 위해 다른 결합법이 이용되기도 한다(그림 2.72). 연마-래핑 연마기반물질에 이용되는 합성수지-금속 복합재는 고정된 다이아몬드입자와 동시에 약하게 결합된 다이아몬드입자를 이용한다(표 2.28). 표 2.29의 연마천의 경우 다이아몬드입자는 연마작용면에 반유동성을 가지며 결합되어있고 낮은 충돌탄성을 가진다.

충돌탄성은 연마입자가 충돌의 형식으로 연마천에 박히는 경우 그에 대한 연마천의 탄성변형의 특성을 나타내는 값이다. 경한 성질을 가지는 연마천의 충돌탄성은 낮으며, 연한 연마천의 경우 높은 값을 가진다. 경한 성질을 가지는 연마천으로는 유연한 연마물질(표 2.29)와 미세연마 전단계(2.3.2.4절)에 이용하는 연마천이 있다. 연한 연마천으로는 미세연마 전단계 그리고 최종 미세연마에 이용되는 연마천이 있다.

연마작용면의 기하학적 형상의 특징, 절단경로의 길이 그리고 거시적인 칩 제거공간은 고정된 연마물질과 유연한 연마물질 간에 큰 차이를 나타낸다(표 2.28, 표 2.29). 고정 연마물질의 연마작용면의 기하학적 형상은 절단경로의 길이와 연관된다. 고정 연마물질의 거시적인 칩 제거공간은 유연한 연마물질에 비해 2~5배 정도 크다.

유연한 연마물질의 경우, 9가지의 종류 중에서 2개의 예외를 제외하면, 전체 사용주기 동안에 연마작용의 재생작용을 가진다. Trizact 연마박판의 경우엔 연마작용의 자가재생작용이 빨리 감소하므로, 몇분 정도의 사용가능시간을 가진다. SiC 연마지는 연마재생작용이 없으며, 사용가능시간은 약 100초 정도로 제한된다(표 2.29).

Samuels에 의해 제안된 연마각의 관점에서 고정된 연마물질은 유연한 경우보다 더 좋은 연마작용을 가진다. 이는 연마물질의 성능과 연마효율을 고려하는데 이용된다.

표 2.30은 연마에 흔히 이용되는 연마물질간의 성능을 비교하여 나타낸다. 다수의 연마기반물질에 대해 연마재로 다이아몬드입자가 이용되며, 예외로는 SiC 연마입자가 이용되는 Trizact 연마박판과 SiC 연마지가 있다. 다이아몬드 현탁액을 공급해줌으로써 연마작용을 가지게 하는 연마물질로는 MD-Allegro, 연마-래핑 연마판, 천공된 합성수지 연마천이 있다. MD-Allegro의 경우 이 연마판에 맞게 개발된 현탁액인 DiaPro(Struers 사)를 통해 다이아몬드입자를 공급한다. DiaPro는 냉각-윤활제를 포함하고 있으므로, 부가적인

표 2.30 연마에 이용되는 연마물질간의 연마효율 비교 (연마입자 지름: 9~15㎛, 시료의 경도: 200~700 HV10)

평가기준	MD-Piano1200 (Struers사)	MD-Allegro DiaPro (Struers사)	연마-폴리싱 9㎛ 현탁액+냉각 윤활제	다이아몬드 연마박판, 10㎛ (금속기반 접착제)	Trizact 10㎛ (3M사)	SiC 연마지 1200, 15㎛	천공된 양모펠트, 9㎛ DP-현탁액
재료제거:							
강도	높음	충분	약간	최대	연마초기 최대, 연마 중 감소	연마초기 높음, 연마 중 최저	낮음
시간에 따른 제거거동(그림 2.86)	곡선 1	곡선 2	곡선 3	곡선 4	곡선 5	곡선 6	곡선 7
시료물질 부하	재료손상 없음	재료손상 없음	재료손상 없음	손상	재료손상 거의 없음	재료손상 없음	재료손상 없음
사용기한과 관리	장시간(대략 100장의 1200번 SiC연마지), 세척	장시간, 손질 필요없음	장시간, 세척과 정돈작업	장시간, 세척	약 6분, 관리손질 불가능	약 2분, 관리손질 가능	장시간, 소질 필요없음
냉각효과와 냉각제	최대 H₂O	높음 DP 현탁액 (DiaPro)	충분 DP 현탁액 (DiaDuo)	충분 H₂O	높음 H₂O	높음 H₂O	최적의 윤활을 해주는 경우 충분함
파고효과 (aquaplaning)	없음	없음	약간~심함		약간, 연마중에 심해짐	심함	약간
연마면의 품질:							
평활도	매우 좋음	최적	좋음~양호	매우 좋음	좋음	양호	양호
모서리의 예리함	매우 좋음	최적	좋음	매우 좋음	좋음~양호	양호	양호
압착층	없음	없음	최소	약간	약간, 연마중 심해짐	심함	약간
표면거칠기[㎛]	대략 ≤1	대략 ≤1	≤1	대략 3	≤2 (연마작용면의 평탄화)	2 (연마작용면의 평탄화)	대략 1
변형층 길이[㎛]	최대 2	최대 2	대략 2	≤2	3	대략 3	≤2
이어지는 미세연마단계의 수	1 또는 2	1 또는 2	2	3	3	3	2

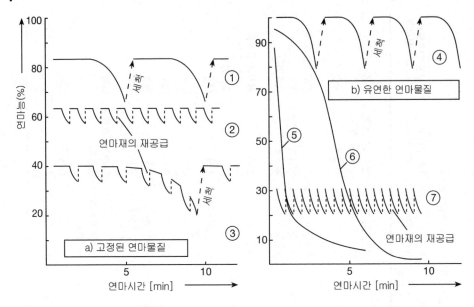

그림 2.86 연마시간에 따른 연마성능의 변화, a) 고정형 연마물질, b) 유연한 연마물질 (곡선 1~7의 의미는 본문참조).

윤활제의 사용이 필요없다. DiaPro에 포함된 다이아몬드입자의 지름은 약 $9\mu m$이며 두 가지의 형상을 가진다. 예리한 모서리와 첨단을 가지는 입자는 큰 양의 값을 가지는 절단각을 가지게 함으로써 절단효과를 통해 연마작용한다. 이러한 입자는 등축입자에 비해 합성수지-금속분말 복합재에 더 쉽게 고정된다. 등축입자의 경우 연마각은 임계값의 범위에 놓이며(그림 2.77), 연마틈 사이에서 회전, 압축, 밀림 등의 운동을 함으로써 래핑에 의한 연마작용을 쉽게한다. 연마-래핑 연마판의 경우 냉각-윤활제가 포함된 $9\mu m$의 다이아몬드 현탁액을 이용한다(Kulzer사의 현탁액인 Gruen 또는 Struers사의 DiaDuo). DiaPro와 달리 위의 두 현탁액은 등축형의 다이아몬드입자만을 함유한다.

천공된 합성수지 연마천의 경우(표 2.30의 오른쪽 수직축) 일반적인 다이아몬드 현탁액과 알코올-에틸글리콜기를 냉각-윤활제로써 사용한다.

표 2.30의 첫째 줄에 나타낸 정성적인 관점의 연마정도를, 그림 2.86에 시간에 대한 연마거동을 나타냄으로써 부가적으로 설명하였다. 비교를 위해 금속재에 결합된 $10\mu m$ 다이아몬드입자를 가지는 연마박판의 경우를 최대 연마성능으로 하였다(그림 2.86b, 곡선 4). 평판연마의 경우와 같은 이유로 인해 작은 연마입자를 이용하여 금속재료($\leq$ 700 HV)를 연마하는 경우도 그 이용범위에 한계를 가진다. 연마성능의 시간에 따른 거동을 고려하여 연마물질을 선택해야 하며, 또한 표 2.30에 나타낸 여러 가지 조건도 고려되어야 한다.

사용가능시간 외에도 연마상태의 질도 고려해야 할 조건이다: 스크래치의 홈에서 압착되거나 연마면이 밀리면서 나타나는 이상미세조직 등. 이러한 이상미세조직의 종류와 크기, 표면거칠기 그리고 변형역에 따라 이어지는 단계인 미세연마과정에 요구되는 작업의 정도가 결정된다.

MD-Piano 1200(그림 2.86a, 곡선 1) 또는 DiaPro를 사용한 MD-Allegro를 이용한 연마를 통해 표 2.20에 나타낸 연마를 통해 얻어야 하는 목적이 달성되었다면, 1단계(또는 2단계)의 미세연마를 통해 조직검사를 위한 시료를 얻을 수 있다. 밀려진 재료로 인한 층과 더불어 $3\sim5\mu m$의 손상역을 연마면에 남기는 연마물질(표 2.30; 다이아몬드 연마박판, Trizact 연마박판, SiC 연마지)을 통해 연마과정이 완료된 경우엔, 이어지는 미세연마단계에 요구되는 작업량이 매우 많아진다.

Trizact 연마박판과 SiC 연마지는 각각 약 6분과 2분의 사용시간 후에 마모되므로(그림 2.86, 곡선 5와 6), 미세조직검사를 위한 연마를 위한 사용은 재고되야 하며, 특정한 경우에만 사용될 수 있다.

천공된 합성수지 연마천의 이용은 많은 장점을 가지지만, 낮은 연마성능을 가진다(그림 2.86b, 곡선 7). 따라서 이런 종류의 연마천을 이용하는 경우(표 2.29), 10분 이상의 연마시간을 계산해야하지만, 연마천을 이용해 장시간 연마하는 경우엔 모서리의 무뎌짐과 연마면의 기복이 쉬워진다.

연마과정 중에 고려해야 될 사항들은 아래와 같다:

- 연마기반물질의 연마성능은 사용되는 연마재, 연마재의 결합물질과 방법, 연마작용면의 구성과 기하학적 형상에 의존한다.
- 연마과정 중의 연마성능의 변화는 연마입자의 마모, 기반물질의 연마작용 재생효과와 사용관리에 따라 달라진다.
- 연마기반물질의 높은 연마성능이 지속적으로 유지되는 경우에 자동연마에 이용될 수 있다.

다수의 연마기반물질들에 대해 여러 비교기준들을 통해 비교한 성능에 대한 평가결과를 표 2.31에 나타낸다. 이러한 평가를 통해 평판연마와 연마를 위한 기반물질의 선택이 쉬워진다. 표 2.20에 나타낸 연마목적을 얻기 위해, 여러 종류의 연마기반물질과 그 조합이 이용가능하다.

다이아몬드입자가 고정된 연마물질의 경우, 절단경로길이와 거시적인 칩 제거공간의 폭 사이의 비가 2~3이면 연마작용면 형상이 연마에 최적화된다. 연마-래핑 연마기반물질의 경우 이 값은 6~10을 가진다(표 2.31). 이러한 형상을 나타내는 값이 연마천에도 적용될 수 있는지는 아직 알려지지 않았다.

연마기반물질이 연마작용재생의 자가작용을 가지고 유지보수에 적은 노력이 필요한 경우에 매우 효과적이라 할 수 있다.

유지보수의 목적은 연마기반물질의 다음번 사용을 위한 준비와 사용수명을 늘이는

표 2.31 연마기반물질 간의 비교와 평가

연마기반물질 표기명	구성(그림)	연마길이/거시적 침제거공간 폭의 비율				사용 관리 연마작용재생	관리작업	작업의 연속성	평가
		연마재료 고정형	유연함	연마재료 고정형	유연함				
다이아몬드 연마판	2.79a	8	-	8	-		세척과 정도작업	한정됨	비효율적, 비경제적
MD-Forte	2.79b	3	-	-	-		세척	지원해 줌	>700 HV인 경우에 적당함
MD-Piano	2.79b	2	-	2	-	자가재생효과	세척	보장됨	180~700 HV인 경우 **매우 좋음**
MD-Primo	2.79b	내부 0.8 바깥쪽 4	-	-	-		세척	보장됨	≤180 HV인 경우에 적당함
다이아몬드 연마박판	2.79c	-	1.7~5	-	1.6		세척	지원해 줌	>700 HV인 경우에 적당함
Trizact 연마박판	2.84a	-	-	-	×	초기에 자가재생효과	관리작업 불가능	없음	조건에 따라 적당함
습식연마지	2.79e	-	×	-	×	없음		없음	특정한 조건에 대해 적당함
연마-래핑 기반물질:									
Petrodisc-M 또는 Metlap	2.82a	-	-	5~12.5	-		세척과 정도작업	한정됨	적당하지 않음, 비경제적
New-Lam 박판	2.82b참조	-	-	-	×	연마재의 재공급	관리필요없음	지원해 줌	적당함: 파고효과
New-Lam 연마판		-	-	×	-		세척과 정도작업	한정됨	비효율적, 비경제적
MD-Largo 또는 MD-Allegro	2.83	-	-	6.5	-		관리 필요없음	보장됨	**매우 좋음**
연마천:									
PUR 스펀지형 연마천	2.85a				0.3~10		관리필요없음		금속재료에 부적당
천공형 양모천	2.85b				6~10	연마재의 재공급		보장됨	특정한 경우에 적당함
간단한 폴리에스터 직조물	2.85c	-	-	×					부적당, 장시간 소요

것이다. 연마기반물질의 연마성능감소의 정도에 따라 유지보수는 두 가지로 분류된다: 즉, 연마부산물의 제거와 마모에 따라 손상된 연마작용면의 정돈.

연마부산물의 제거는 미세한 칩 등 연마부산물을 미시적인 칩 제거공간에서 제거하는 과정으로 이를 통해 평탄화된 연마기반물질을 보수해준다. 즉, 특수세라믹 숫돌을 이용해 연마천의 보풀을 세우는 과정이다. 연마작용면이 손상된 홈집과 함께 거시적인 평탄화를 가지는 경우 위의 제거과정만으로는 재생될 수 없으며, 연마기반물질의 정돈이 필요하다. 손상된 홈집의 제거를 위해서는 평면세공 등의 정돈화 과정이 요구된다. 이는 연마량이 적은 평면래핑을 이용하여, 원래의 형상을 가지게 한다. 하지만 추가적인 작업공정이 필요하고, 평면세공에 따른 연마작용면 두께의 감소, 평활도와 표면거칠기를 다시 검사해 줘야 하는 등, 정돈화 과정은 비경제적이다. 제거를 통한 유지보수에 필요한 작업량이 적으므로, 현미경 미세조직검사를 위한 시료준비에는 제거작업이 가능한 연마기반물질이 이용된다. 특정한 격자형상의 연마작용면을 가지는 연마-래핑 연마기반물질은 유지보수가 필요 없으므로 매우 편리하다(표 2.31; MD-Allegro, MD-Largo). 이런 연마기반물질은 연마과정의 지속성이 보장된다. 표 2.31은 다이아몬드 연마판, 연마-래핑 연마판(그림 2.82a), New-Lam 연마판(그림 2.82b)의 사용이 감소되는 이유를 보여준다.

거친연마와 평판연마의 경우 MD-Piano형의 평면연마판이 시료준비에 적합하며, 연마의 경우엔 MD-Piano, MD-Allegro, MD-Largo 등이 연마에 요구되는 사항들에 적합하다. 그림 2.82b에 나타낸 New-Lam 연마박판의 경우도 유지보수가 필요치 않지만, 거시적인 칩 제거공간이 없으므로 모서리의 예리함을 저하시키는 파고효과를 나타낸다.

극도로 세심하고 재료에 손상을 주지않는 준비과정이 요구되는 경우엔, 천공형 합성수지 연마판을 사용한다.

습식연마지의 경우 사용가능시간이 짧기 때문에 자주 교체해야 되며, 넓은 손상영역과 깊은 변형영역을 가져온다. 손상영역의 제거를 위해선 여러 단계에 걸친 연마와 미세연마가 필요하다.

연마작용의 자가재생작용을 가지면서, 유지보수가 필요 없고, 이러한 특성이 장시간 지속되는 연마물질이 아직까지는 없음을 표 2.31을 통해 알 수 있다.

2.3.2.4 기계적 미세연마

기계적 미세연마는 칩의 형성을 통한 재료의 제거가 이뤄지며, 연마에 비해 재료의 제거속도는 높지 않은데 그 이유는 아래와 같다:

- 사용되는 **미세연마재**의 입자 지름이 연마에 사용되는 것보다 작다(표 2.24, < $15\mu m$, 그림 2.81).
- 미세연마 기반물질은 상대적으로 높은 충돌탄성을 가지며 연마입자 결합형태는 반고정상태이다(그림 2.72).

• 사용되는 **마모방지액**은 냉각효과보다는 윤활효과를 지배적으로 가진다.
• 시료와 연마판은 연마의 경우에 비해 낮은 운동속도를 가진다.

재료의 적은 손상을 가지며 연마를 진행하고 연마액에 작용하는 원심력의 감소를 위해 낮은 회전속도(150rpm, 연마의 경우엔 300rpm)를 이용한다. 연마입자의 지름에 따른 재료제거속도는 연마에서 미세연마로 넘어가면서 비연속성을 나타낸다(그림 2.87). 이러한 비연속성은 시료-연마기 반물질로 이뤄지는 연마계의 변화에 따른다. 입자의 크기가 7~5μm인 영역에서 나타나는 재료제거속도의 빠른 감소는 미세한 칩의 형성에 기인한다. Waschull에 의하면 입자의 크기가 작은 경우엔 연마물질의 평탄화가 빨리 나타나며, 최소 입자크기(<0.5μm)에서 재료의 제거속도는 최소치가 된다. 낮은 재료제거속도로 인해 미세연마를 통해 이뤄야 할 목표에 이르기 위해선 장시간의 연마가 필요하다(표 2.20).

기계적 회전미세연마를 위해선 연마천이 이용되며, 이는 상대적으로 경하고, 휨이 적으며, 평활한 회전판에 접착 또는 자석을 이용해 고정된다. 링을 이용해 연마천을 고정하는 방식은 오래된 방식으로 거의 사용되지 않는다. 연마물질과 연마보조물질(특수유지, 왁스, 오일 또는 유화제)을 혼합하여 연마재를 만들며, 페이스트형태 또는 현탁액 형태로 연마천에 골고루 분산 공급한다. 미세연마 중에 냉각-윤활제, 현탁액 또는 스프레이, 연마액 등을 연마천에 공급해준다. 청결도, 자동미세연마의 가능성, 장비와 연마천의 유지관점에서 **다이아몬드**를 이용한 미세연마가 **알루미나**를 이용하는 경우에 비해 여러 장점을 가진다.

위에 언급한 취급상의 단점에 무관하게 알루미나는 다이아몬드와 함께 미세연마에 가장 많이 이용된다. 알루미나와 다이아몬드 분말은 높은 경도, 많은 절단면을 가지는 적절한 형상, 넓은 범위의 입자크기를 얻을 수 있는 점 등의 장점으로 인해 광범

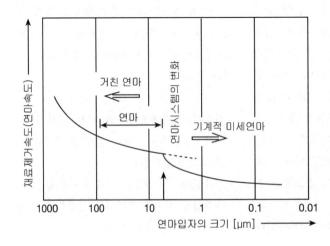

그림 2.87 연마에서 미세연마로 넘어가는 영역에서의 연마입자 크기에 대한 재료제거속도 의존도.

위하게 이용된다. 특수한 경우엔 현탁액 형태의 MgO와 CeO를 이용해 연성재료 (Al, Mg, Cu, Sn와 그 합금 등)의 미세연마를 행하며, 유리재료의 미세연마에는 CeO가 이용된다.

알루미나를 통한 미세연마에는 Al_2O_3 분말 또는 Al_2O_3 현탁액을 이용되며, 응집형 또는 분산형 알루미나가 있다. Al_2O_3 분말은 증류수 또는 광물을 제거한 물에 섞어서 이용하며, 물의 양에 따라 페이스트형 또는 액상형 미세연마재를 형성한다. 액상형의 미세연마재를 만들면서 침전효과의 제거를 위해, 사용 전에 흔들거나 저어준 후에 연마천에 공급한다. 근래에 이용되는 Al_2O_3 현탁액의 경우, 매우 미세하게 분산된 입자들은 침전방지물질을 이용해 부유상태를 유지하게 해주므로, 이러한 취급상의 어려움이 없다.

응집형 알루미나를 이용하여 미세연마하는 경우엔, 재료의 경도와 응집체의 분리에 정확하게 일치하는 연마재를 이용해야 한다. 연마면의 경도가 250 HV 이상인 경우엔 조대한 응집체와 미세한 응집체는 물론 단결정도 분리된다. 이러한 파단과정을 통해 연마입자의 크기가 작아지므로, 짧은 시간의 미세연마 후에 재료의 제거효과가 감소된다. 제거효과가 유지되게 하기 위해서는 연마재를 자주 공급해줘야 한다. 연한 재료(< 150 HV)를 연마하는 경우엔, 낮은 부하를 주면서 연마하는 경우라도, 응집체의 파단이 이뤄지지 않으며 연마면에 스크래치를 남긴다. 따라서 연한재료의 미세연마를 위해서는 분산된 알루미나를 이용한다. 분산형 알루미나의 경우 각개의 입자들로 인해 절단효과를 가지는 면의 수가 많아지므로, 더 양호한 미세연마의 결과를 얻을 수 있다.

미세조직관찰용 시료준비를 위한 미세연마에 이용되는 알루미나제품은 $5 \sim 0.1 \mu m$의 크기와 경한 육방정의 α Al_2O_3를 이용한다. $0.05 \mu m$ 이하로 매우 미세한 연마입자의 경우에는, 육방정 Al_2O_3를 이용하여 제작하기 어려움으로, 연한 입방정의 γ Al_2O_3가 이용된다.

알루미나-미세연마에는, 양모, 연하고 어느 정도 길이를 가지는 보풀을 가지는 인공양모 또는 짧은 보풀을 가지는 인공양모 등, 높은 충돌탄성을 가지는 연마천이 사용된다. 어떤 종류의 연마천과 알루미나 연마재를 조합하여 사용할지는 연마시료의 경도와 미세조직에 따라 결정한다(표 2.32). 연한 재료의 경우 연마과정중에 재료가 밀려나는 현상이 심하기 때문에 여러 단계의 알루미나 미세연마과정을 거쳐야지만 원래의 미세조직을 얻을 수 있다. 재료의 경도가 높아짐에 따라 연마층이 밀려지는 경향이 적어지며, 한 단계 또는 두 단계의 미세연마 후에 원래조직이 얻어진다(표 2.32).

다수의 경한 재료(스텔라이트, 세라믹재료, 금속-세라믹 복합재료)는 알루미나를 이용하여 미세연마할 수 없으며, 다이아몬드를 이용한다. 다이아몬드는 알루미나에 비해 약 5배 정도 높은 경도와 2.6배의 압축강도를 가지며, 절단면의 수가 많으므로, 더 나은 절단효과와 재료제거효과를

표 2.32 알루미나 연마제 현탁액을 이용한 미세연마의 응용분야

시료물질 경도 HV10	재료성질과 인성	재료의 예	알루미나 현탁액 미세연마단계	평균입자지름 [μm]	연마기반물질의 예
30~150	매우 연함, 낮은 변형경화, 탄성재료	순수Ag, Al, Cu, Mg, Sn, Zn과 그 합금, 플라스틱 재	전단계 미세연마	1 비응집형	보풀형의 합성연마천(PoliFlok1,Struers사; Microcloth,Buehler사) 또는 연한 펠트(White Felt,Buehler사)
			중간단계 미세연마	0.3 비응집형	짧은 보풀형 합성연마천(OP-Nap, PoliFloc4,Struers사;iLAMPlan-431,Kulzer사) 또는 짧은 보풀형 벨벳연마천(HS Blue,Presi사)
			최종 미세연마	0.05 비응집형	
150~300	연성~중간정도의 경함, 중간정도의 변형경화	연철, 오스테나이트, 청동, 복합재료, 2상 황동	전단계 미세연마	5 응집형	단단한 펠트(OP-Felt,PoliNat2, Struers사; Red Felt, Leco사) 또는 짧은 보풀형 합성연마천(Master-Tex, Buehler사; PoliFloc3, Struers사)
			중간단계 미세연마	1 응집형	짧은 보풀형 합성연마천(TFR, Presi사; PoliFloc4, Struers사) 또는 연사연마천(Red-Felt-Billard, Buehler사)
			최종 미세연마	0.3 비응집형	
300~600	경함(연성이 거의 없음), 심한 변형경화	공구강, 고합금 페라이트	전단계 미세연마	5 응집형	단단한 펠트 (위 참조)
			최종 미세연마	1~0.25 응집형	짧은 보풀형 합성연마천 또는 연사연마천 (위 참조)
>600	매우 경함, 취성	경화강, 경화처리된 금속	1단계 미세연마	1~0.3 응집형	짧은 보풀형 합성연마천 (위 참조)

가진다. 다이아몬드를 이용하면 연마면의 반사능, 모서리의 예리함, 미세조직 구성요소간의 경계(예를 들어, 비금속개재물과 기지간의 상경계) 등에서, 상대적으로 더 좋은 연마상태를 얻을 수 있다. 다이아몬드 미세연마 시 입자크기와 연마천의 적절한 선택을 통해 손상면과 연마면의 기복형성을 조절할 수 있다. 손상면의 깊이가 낮을수록 원래의 미세조직을 얻기가 쉬우며, 표 2.20에 나타낸 미세연마의 목표를 빨리 달성할 수 있다.

다이아몬드는 입자크기가 $0.1\mu m$ 까지 크기별로 엄선하여 페이스트형, 현탁액 또는 스프레이형으로 이용된다. 크기별로 엄격히 선별된 연마입자를 이용하는 것이 가격대비 효율의 면에서 유리하다. 연마입자 중 하나가 큰 경우 이는 깊은 연마홈을 남기므로 표면거칠기가 심해지며, 미세조직 검사를 통한 결과가 나빠진다. 또한 연마입자 중 작은 분말들이 섞인 경우, 이런 작은 분말들은 단지 (비싼) 값의 충전물질 역할만 하게 된다. 자동 미세연마와 연마-래핑의 경우에도 다이아몬드 연마재를 이용하는 것이, 알루미나 연마재에 비해 장점을 가진다: 높은 연마면의 질, 원활한 공급작용, 깨끗한 사용이 가능.

이용되는 다이아몬드의 종류로는 자연산 다이아몬드와 단결정 또는 다결정의 인공 다이아몬드가 있다. 다결정 다이아몬드의 경우 분리특성에 있어 단결정 다이아몬드보다 우수하다(그림 2.88). 다결정립자의 경우 구와 비슷한 형상을 가지고 많은 절단효과를 가지는 면를 가진다.

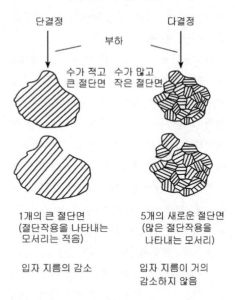

다이아몬드의 파단기구

단결정 · 다결정 · 부하

수가 적고 큰 절단면 · 수가 많고 작은 절단면

1개의 큰 절단면 (절단작용을 나타내는 모서리는 적음)

5개의 새로운 절단면 (많은 절단작용을 나타내는 모서리)

입자 지름의 감소

입자 지름이 거의 감소하지 않음

그림 2.88 다이아몬드입자의 분리거동.

단결정 다이아몬드입자는 작은 수의 긴 절단면을 가지므로, 연마성능이 떨어진다. 다결정 다이아몬드는 높은 부하를 가하는 경우에 여러 개의 작은 결정들로 분리되면서, 여러 개의 새로운 절단효과작용면을 형성하고 입자크기는 점차적으로 감소한다. 단결정의 경우 분리되면서 크기와 형상이 심하게 변하므로, 연마효과는 다결정의 경우에 오래 지속된다. 따라서 자동연마를 위해서도 다결정 입자가 더욱 효과적이다.

다이아몬드 미세연마를 위해 특별히 제작된 여러 층으로 구성된 연마천의 이용이 가능하다(그림 2.73d, e). 맨 위에 구성된 층은 다이아몬드입자와 함께 연마면을 형성하며, 그 아래에 형성된 층은 다이아몬드가 아래쪽의 기반물질로 침투되는 것을 막아주는 역할을 한다. 이러한 구성을 통해 연마천은 높은 충돌탄성(연한 연마천)을 가지게 된다.

다이아몬드 미세연마에 이용되는 연마천은 매우 다양하며, 크게 합성수지형, 직조물형, 복합형의 세가지로 구분된다. 연마천의 최적화는 대부분 경험에 의존하여 이뤄지므로 생산되는 연마천도 지속적으로 바뀐다. 또한 사용조건에 따라 어떠한 연마천이 적합한지에 대한 선택의 기준이 제작사에 의해서도 정해져 있지 않고, 새롭게 개발되는 연마방법의 경우도 특수한 연마물질을 이용해야만 되는 경우도 많은 등, 연마물질에 대한 체계적인 연구가 아직 이뤄지지 않았다. 또한 연마천의 명칭에 따른 확실한 구별이 없고 특히 응용범위에 대한 확실한 설명이 없기 때문에, 잘못된 연마천의 선택으로 인한 불충분한 연마결과를 가질 수 있다.

Bousfield는 연마물질의 체계화를 위한 현재까지의 연구들이 불충분하다고 판단하였으며, 매우 많은 종류의 미세연마물질에 대해 알려진 정보를 표 형식으로 정리하였다. 일정한 관점에서 정리된 이러한 설명은 미세연마물질의 구분, 연마성능의 평가와 선택에 도움을 준다.

표 2.33은 미세연마에 이용되는 양모물질에 대해 나타내며, 섬유물질, 제작과정, 연마성능면의 구성에 따라 충돌탄성도 달라진다. 양모펠트는 매우 높은 충돌탄성을 가지므로 산화물 현탁액을 이용한 최종미세연마 및 그 전단계 미세연마에 적합하다 (표 2.32의 알루미나 미세연마).

섬유형 인조양모인 Pellon연마천은 낮은 충돌탄성을 가진다. 이는 다이아몬드 미세연마에 중요하며 조대한 연마입자를 이용하여 연마에도 이용된다(2.3.2.3절 참조, 표 2.30, 표 2.31). 미세한 다이아몬드와 조합하여 최종미세연마의 전단계에 이용한다(표 2.33). 그림 2.89는 Pellon연마천의 사용하지 않은 상태에서의 연마작용면을 나타낸다. 접착된 섬유의 형상과 최상단부 양모매트 내 공공들이 확연히 보여진다. 이런 공공들은 미세적인 칩 제거공간 역할을 한다.

금속미세조직 관찰에 이용되는 직조물형 연마천 중에서 천연섬유를 이용한 것은 표 2.34에 인조섬유를 이용한 것은 표 2.35에 나타낸다. 직조물의 미세 연마성능은 섬유물질, 섬유의 배열, 섬유의 종류에 영향을 받는데 특히 직조방식에 따른 영향이 크다. 다른 직조방식은 섬유를 교차하는 방식의 차이를 의미하며, 기본방식과 응용방식으로 구분한다.

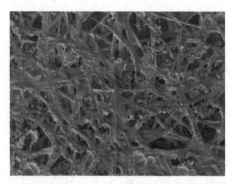

그림 2.89 섬유형 인조양모인 Pellon연마천 (Struers 사)의 연마작용면의 주사전자현미경 사진.

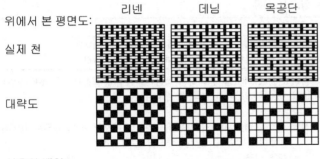

위에서 본 평면도:

리넨　　　데님　　　목공단

실제 천

대략도

섬유의 배열:

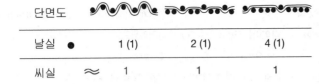

단면도					
날실	●	1 (1)	2 (1)	4 (1)	
씨실	≈	1	1	1	

그림 2.90 기본방식 직조물 연마천.

그림 2.90은 섬유를 수직으로 짠 기본방식의 세 가지 형태를 보여준다: 리넨(linen)형, 데님(denim)형, 목공단(sateen)형. 연마천으로 이용되는 응용 직조방식의 천으로는, 면사로 만든 태피터(taffeta, 호박단)과 인조섬유의 경우 공단(satin)형이 있다(표 2.34, 표 2.35). 리넨형 직조방식에서 파생된 형태인 태피터의 경우엔 섬유간의 교차각이 둔각을 가진다. 목공단(sateen)형에서 파생된 공단(satin)형은 섬유간의 교차각이 예각이다.

천연섬유직조물을 이용한 미세연마천은 중간정도의 충돌탄성을 가지며, 약간 낮은 것(천연 실크)과 약간 높은 충돌탄성을 가지는 경우(천연면사)도 있다. 이는 특히 다이아몬드 미세연마를 위해 개발되었으며, 전단계와 최종미세연마 사이의 중간단계 미세연마에 이용된다(표 2.34). 펠트와 당구용천의 경우 높은 충돌탄성을 가지므로 알루미나 미세연마에 적합하다. 그림 2.91

은 사용하지 않은 상태의 펠트 미세연마천의 표면 SEM 사진을 나타낸다.

천연섬유와 달리 인조섬유로 만든 미세연마천은 낮은 충돌탄성을 가진다(표 2.34, 표 2.35). 경하고 (대부분) 매끈한 표면으로 인해 전단계 또는 중간단계 미세연마에 이용되며, 그 중 몇몇은 연마단계에 이용하기도 한다. 그림 2.92a는 사용하지 않은

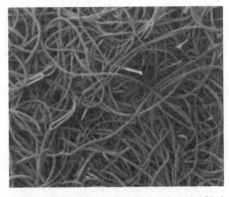

그림 2.91 면사로 만든 펠트 미세연마천의 연마작용표면 SEM 사진; 사용하지 않은 상태; Struers사의 PoliNat2.

표 2.33 미세연마에 이용되는 양모형 섬유

섬유물질	천연섬유	합성섬유		
종류	양모(wool)	폴리아크릴, 폴리아미드, 레이온(viscose rayon)		
배열	방적 섬유(staple fibre)	교차 직조한 섬유; 받침용 매트위에 놓임; 단겹		
생산	습기를 먹은 섬유를 촘촘히 받침용 매트를 평행하게 쌓음; 합성수지 접착물질을 매트사이에 채움; 가열압축; 케라틴(요소)을 이용해 강화함	채운후 고온에서 압축 후 경화시킴		
연마 작용면	연마를 통해 표면을 거칠게 함; 섬유질이며 연함	접착된 섬유 사이의 빈공간을 가지며 매끈한 표면; 섬유는 표면에 평행하게 고정됨. 경하며 평탄함. 그림 2.89		
충돌탄성	매우 높음	매우 낮음		낮음
응용:				
연마단계	전단계 및 최종 미세연마	연마	전단계 미세연마	중간단계 미세연마
연마입자	알루미나계(MgO, CeO)	다이아몬드(SiC, Al_2O_3)	다이아몬드	다이아몬드
입자지름	$\leq 3\mu m$	$45\sim 9\mu m$	$15\sim 9\mu m$	$9\sim 3\mu m$
제품 예	양모펠트, 면사펠트, OP–펠트(Struers사), White Felt(Buehler사)	Pellon, PAN연마천(Struers사), Texmet(Buehler사) Makroflex(Mant사) NWF(Presi사)	Planomant(Mant사)	NWUF(Presi사)

표 2.34 천연섬유를 이용한 직조물 미세연마천

섬유물질	천연실크	면사	양모	
섬유종류와 배열	견사(silk thread); 꼬아서 만듬	장섬유를 다중으로 꼬아서 만듬	짧고 두꺼운 섬유물질로 이뤄짐, 약간 꼬아서 만듬	얇은 섬유로 만든 긴 실
생산	리넨형; 단순직조형, 그림 2.90	고밀도 리넨형; 태피터형 직조물	데님형;그림 2.90, 한 쪽 표면을 연마하여 거칠게 해주고 펠트처리(felting) 함	고정형 직조천;짧게 잘린 보풀, 펠트처리 하지 않음
연마 작용면	매끈한 표면, 중간정도의 경도	섬유질이며 연함	표면에 평행하게 놓인 섬유; 연함, 그림 2.91	연하고 중간정도의 경도를 가지는 보풀
충돌탄성	중간/낮음	중간/높음	높음	높음/중간
응용:				
연마단계	전단계 및 중간단계 미세연마	중간단계 및 최종미세연마	수동형 미세연마 (전단계, 중간단계, 최종)	수동형 전단계 미세연마
연마입자	다이아몬드	다이아몬드	알루미나	알루미나
입자지름	$6\sim 1\mu m$	$3\sim 1\mu m$	$\leq 5\mu m$	$5\mu m$
제품 예	MD–/DP–Dur (Struers사)	MD–/DP–Mol, SP–PoliNat1(Struers사) MOS 연마천(Buehler사)	직조형 펠트 SP–PoliNat2(Struers사) DBM 연마천(Presi사)	당구용천 Red Felt (Buehler사, Leco사)

표 2.35 인조섬유를 이용한 직조물 미세연마천

섬유물질	폴리에스터			아세테이트(acetate)		폴리아미드(나일론)	비스코스 (viscose)
섬유종류와 배열	평행하게 놓인 단섬유로 이뤄진 섬유			인조견사 섬유, 부분적으로 꼬아져 있음			
생산	리넨형	공단형	목공단형 그림 2.90	리넨형	공단형	공단형	목공단형
연마작용면	가친 표면, 방향성 없음, 경함, 그림 2.92a	매끄한 표면, 방향성이 강함, 중간정도의 경도, 그림 2.92b	매끄한 표면, 중간정도의 경도	촘촘한 그물형, 가친표면, 방향성 없음, 경함	매끄한 표면, 방향성이 강함, 중간정도의 경도	매끄한 표면, 촘촘한 그물형, 방향성, 경함	매끄한 표면, 방향성 없음, 연함
총돌탄성	매우 낮음	낮음	낮음/중간	낮음/매우 낮음	낮음	낮음	낮음/중간
응용:							
연마단계	연마, 전단계 미세연마	자동식 중간단계 미세연마	중간단계 및 최종 미세연마	수동식 중간단계 미세연마	자동식 중간단계 미세연마	전단계, 중간단계 및 최종미세연마	중간단계 및 최종 미세연마
입자종류	다이아몬드(SiC, Al_2O_3)	다이아몬드	다이아몬드	다이아몬드	다이아몬드	다이아몬드	다이아몬드
입자지름	25~9㎛	6~3㎛	6~1㎛	6~3㎛	6~3㎛	9~1㎛	3㎛
제품 예	MD-/DP-Plan(Struers사) Ultra-Pad(Buehler사) Quick-Step(Testa사)	SP-PoliSat3 (Struers사) MM420(Leco사)	MD-/DP-Dac (Struers사)	SP-PoliSat2 (Struers사) Orange Silk(Leco사)	SP-PoliSat1 (Struers사) Silkollex(Mant사)	Nylon(Buehler사, Leco사)	Step(Testa사)

a) 리넨형 연마천(Plan 연마천) b) 공단형 연마천(SP-PoliSat3)

그림 2.92 낮은 충돌탄성을 가지는 폴리에스터 섬유로 만든 미세연마천의 연마작용표면 SEM 사진 (Struers사).

Plan-연마천(Struers사)의 연마작용표면을 나타낸다. 리넨형의 경우 섬유는 폴리에스터 실을 이용하며, 거친 연마작용면을 가진다. 따라서 큰 연마입자($< 9\,\mu m$)를 이용하여, 경한 재료의 연마와 전단계 미세연마에 이용된다. 공단형 천의 연마작용면(그림 2.92b)은 상대적으로 매끈하며, 6부터 $3\,\mu m$ 정도 크기의 다이아몬드입자를 이용하여 중간단계 미세연마에 이용한다(표 2.35).

충동탄성 단계별로 자세히 분류된 높은 충돌탄성을 가지는 천연섬유천(표 2.34)과 낮은 충돌탄성을 가지는 인공섬유천(표 2.35)은 미세연마에 적합하며, 그에 대한 근본원인은 아직 알려지지 않았다.

미세연마 복합재는 연마재 지지물과 연마작용면, 형상유지를 위한 중간층과 후면으로 구성된다. 일반적으로 미세연마 복합재는 매우 높거나 매우 낮은 충돌탄성을 가진다. 중간정도의 충돌탄성을 가지는 복합재를 금속미세조직 검사에 이용하는 경

우는 아직 없다.

표 2.36은 금속선과 합성수지로 이뤄진 복합재형 미세연마천의 특성을 나타낸다. 매우 낮은 충돌탄성을 가지게 하기 위해선 철로 만든 섬유를 이용하여 리넨형으로 직조한 천의 뒷면을 열가소성수지로 덮고, 압축해줌으로써 수지를 금속직조천 사이에 채워지게 한다. 이러한 형태의 금속직조천은 미시적인 칩 제거공간이 없지만, 조대한 다이아몬드입자($15{\sim}6\,\mu m$)와 함께 경한 재료(조질강, 스텔라이트, 산화물 또는 탄화물 세라믹)의 연마와 전단계 미세연마에 이용한다.

미세연마에 이용되는 스폰지형 천(표 2.36)으로는 폴리우레탄 복합재가 있다.

네오프렌 스폰지형 연마천의 경우는 다이아몬드 미세연마가 아닌 화학적 최종미세연마를 위해 개발되었다(2.3.2.6절 참조). 네오프렌 복합재의 후면층으로 특수한 처리를 거친 합성수지 양모 물질을 이

표 2.36 미세연마에 이용되는 스폰지형 합성수지 및 금속선재형 복합재

복합재의 종류	금속선재 직조물	스펀지형 합성수지	
연마작용면 재료	금속선재-합성수지 복합재	스펀지형 합성수지와 후면물질(합성수지 또는 Chemo-textile) 간의 복합재	
종류	철선	폴리우레탄	네오프렌
배열	리넨형으로 직조한 금속선재	박판(최대두께 2mm); 수직형 닫힌 기공	박판(최대두께 1mm); 수직형 열린 기공
생산:			
연마작용층과 후면물질	직조형 금속선재를 합성수지 기반물질에 열압축하여 고정	폴리우레탄박판을 금속판에 접착후에 연마를 통해 열린기공을 만듬;그림 2.85a	네오프렌 박판을 합성수지 양모물질에 부착함
연마작용면	경함, 촘촘한 그물형 직조	경함, 기공의 크기와 배열은 규칙적이지 않음	중간정도의 경도 또는 연함, 일정한 기공크기와 배열; 그림 2.93a
충돌탄성	매우 낮음/없음	없음/매우 낮음	높음/매우 높음
응용:			
연마단계	연마(전단계 미세연마)	연마	화학-기계적 최종연마
입자종류	다이아몬드	다이아몬드	콜로이드형 OP-S(SiO_2 또는 Al_2O_3 기 현탁액)
입자지름	15~6μm	30~9μm	250~20nm
제품 예	DP-Net(Struers사) Ultra-Plan(Buehler사)	Ceramant(Mant사) Polyurethan foil(Logitech사)	MD-/OP-Chem, SP-PoliCel 연마천(Struers사) F-연마천(Buehler사) Mikromant 연마천(Mant사) Mambo(Testa사)

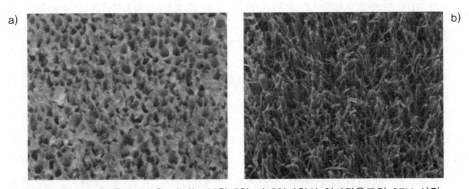

a)   b)

그림 2.93 매우 높은 충돌탄성을 가지는 복합재형 미세연마천의 연마작용표면 SEM 사진 a) 네오프렌 연마작용면(Sp-PoliCel, Struers사), b) 보풀을 가지는 연마천(SP-PoliFloc, Struers사).

용한다(표 2.36). 그림 2.93a)는 아직 사용하지 않은 네오프렌 천의 연마작용면의 SEM사진으로, 수직방향으로 열린 기공과 얇고 유연한 기공벽으로 인해 압축 시에 스폰지형 거동과 높은 충돌탄성을 가진다.

보풀을 가지는 복합재 미세연마천의 경우도 높은 충돌탄성을 가진다(표 2.37). 이는 후면의 면사 또는 양모로 만든 리넨 직조물상에 비스코스레이온으로 만든 짧은 섬유를 붙이는 가공을 통해 만든다(플로킹가공, flocking). 보풀 내 짧은 섬유의 특성(예를 들어, 재질, 플로킹방법, 섬유의 길이와 지름, 플로킹의 밀도와 각도 등)으로 인해, 다이아몬드 또는 산화물을 이용하여 각종 재료의 최종연마에 매우 적합하다. 높은 충돌탄성을 가지므로, 어떤 재료에 대해선 $3\mu m$의 다이아몬드 분말을 이용하여 1단계로 미세연마를 마칠 수 있다(Struers사의 Plus 연마천을 이용한 철강재료의 미세연마). 그림 2.93b는 보풀을 가지는 연마천의 연마작용면의 SEM사진을 나타낸다. 미세연마중 부하를 가하면 보풀 사이에 있던 연마액(현탁액, 윤활제)이 짜져서 나온다. 네오프렌 연마천의 경우도 그 기구는 비슷하다.

그림 2.94는 표 2.32~2.37에 나타낸 연마물질들에 대해 (정성적인) 충돌탄성을 기준으로 요약해서 보여준다. 특정제품에 대한 예들은 생략한 대신, 연마작용면으로 나타내었으며, 연마단계 또한 추가적으로 보여준다. 연마단계는 미세연마의 전단계인 연마와 그 후단계인 최종연마도 포함하여서 나타낸다. 이러한 요약은 표 2.20에

나타낸 미세연마를 통해 얻어야 할 목표달성을 위한 미세연마 기반물질의 선택에 도움을 준다.

물질제거속도는 충돌탄성에 반비례하는 반면 금속연마 시 굴곡면의 형성경향은 비례관계를 가진다. 각 연마단계들이 완만하게 구분되는 것은 충돌탄성의 미세한 구분을 통해서도 나타난다: 예를 들어, 연마와 전단계 미세연마는 매우 낮은 충돌탄성에 속한다.

각 연마단계에 대해 그에 적합한 충돌탄성을 가지는 적당한 연마물질을 선택해야 한다. 미세조직 관찰을 위한 연마과정에 중요한 의미를 가지는 연마물질은, 연마-래핑연마판(SL-Plate)처럼, 그림 2.94에 따로 표기하여 나타내었다. 전단계 미세연마는 낮은 충돌탄성을 가지는 연마기반물질을 이용해야 한다. 낮은 충돌탄성을 가지면서 충분한 재료제거속도와 낮은 변형영역의 형성을 보장하는 연마천을 찾을 수 있다면, 전단계 미세연마는 생략할 수 있다. 중간정도의 충돌탄성을 가지는 기반물질(예, 실크연마천)은 중간미세연마에 적합하다. 변형층이 전혀없는 최종연마가 요구된다면, 화학적-기계적 미세연마로 바꿔줘야 하며, 이 경우엔 높은 충돌탄성을 가지는 네오프렌 스펀지형 연마천을 이용한다.

중간에서 높은 정도의 충돌탄성의 범위에서도 적당한 기반물질을 이용함으로써 기계적 미세연마 단계를 생략할 수 있다. 특정한 경우엔 적당한 연마후에 한 단계의 미세연마과정 또는 두 번째 화학-기계적 연마로써 충분하다. 그림 2.94를 이용해 미세연마과정의 간략화를 고려할 수 있다.

표 2.37 보풀을 가지는 복합재료형 미세연마천

연마작용면 재료

종류: 비스코스섬유로 만든 융단(flock)

배열: 0.3~1mm 길이를 가지는 섬유

생산: 보풀형 천을 절단; 정전기를 이용해 보풀을 점착면에 놓음; 경화 처리 후 후면물질과 수직으로 놓인 보풀이 얻어짐

후면	리넨형 면사 직조물 짧고, 두꺼운 섬유로 이뤄진 보풀		앙모형			앙모형	앙모형
연마작용면	중간정도의 경도/연함	폴리아미드섬유를 추가함, 연함		낮은 밀집도를 가지는 보풀 그림 2.93b		높은 밀집도를 가지는 보풀	
충돌탄성	매우 높음/높음	매우 높음/높음	중간/높음	높음/중간	높음	매우 높음	매우 높음
응용:							
연마단계	최종 미세연마	최종 미세연마	1단계 미세연마	최종 미세연마	1단계 미세연마	최종 미세연마	기계-화학적 미세연마
입자종류	다이아몬드, Al_2O_3	다이아몬드, Al_2O_3	다이아몬드	다이아몬드	다이아몬드	다이아몬드	산화물
입자지름	≤3μm	≤1μm	3μm	≤3μm	3μm	≤1μm	≤1μm
제품 예	SP-PoliFloc1 (Struers사) Microcloth (Buehler사) Lecloth B(Leco사)	MD-/DP-/OP-Nap 연마천(Struers사) MM431(Leco사)	MD-/DP-/OP-Plus 연마천(Struers사)	SP-PoliFloc3 (Struers사) Imperial(Leco사)	SP-PoliFloc2 (Struers사) HS Blue(Presi사)	SP-PoliFloc4 (Struers사) G-연마천(Buehler사) Swing(Testa사)	Matertex(Buehler사) Micro(Leco사)

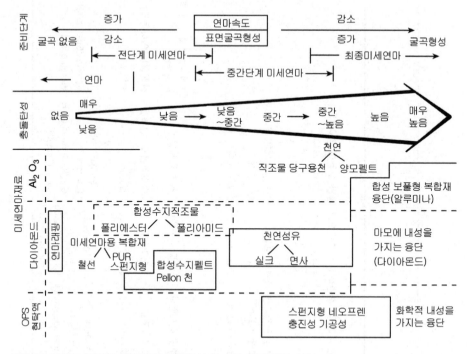

그림 2.94 각종 미세연마물질의 충돌탄성에 대한 정성적인 구분.

충돌탄성과 제거속도간의 반비례적인 관계는 연마작용면에서 다이아몬드입자가 고정되는 효과에 기인한다. 낮은 충돌탄성을 가지는 연마작용면 내에서 다이아몬드입자는 더욱 고정된다. Samules 등은 연마천 내에서 다이아몬드의 고정상태와 미세연마에 따른 칩의 형성과정에 대해 연구하였으며, 이 경우 고정된 입자만이 그림 2.74에 나타낸 칩형성 상태를 나타내는 것으로 알려졌다. 직조물과 보풀형 연마천을 이용한 미세연마의 경우 미세칩은 연마과정에서와 비슷하게 형성되며, 최소한 이 경우에서는 연마각-입자의 형성에 따른 개념이 미세연마에도 적용된다(2.3.2.1절 참조). 스펀지형 연마작용면상의 재료제거기구는 아직

확실히 알려져 있지 않다.

Samuels에 의하면 지름이 6~3μm인 연마입자의 단계적 고정강도를 가지는 세 가지의 고정기구가 있다. 고정기구로는 입자가 연마천에 박혀서 고정되는 것으로 관찰되었으며(그림 2.95), 이는 높은 제거효과를 가진다. 낮은 충돌탄성을 가지는 인조섬유직조물의 경우 입자가 연마작용면상에 박혀서 고정되는 경우가 지배적이다(그림 2.95a). 두 번째 고정기구는 직조섬유사이에 물려서 고정되는 것으로 이는 별로 중요한 의미를 가지지 못한다(그림 2.92a). 보풀형의 연마천 경우엔, 입자는 보풀에 고정된다(그림 2.95b). 보풀 사이 공간에서는 입자의 고정이 없다.

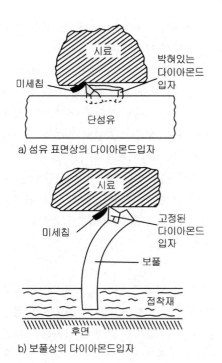

a) 섬유 표면상의 다이아몬드입자

b) 보풀상의 다이아몬드입자

그림 2.95 미세연마 기반물질상에서 고정된 입자에 의한 칩의 형성
a) 낮은 충돌탄성을 가지는 경우, b) 높은 충돌탄성을 가지는 경우.

세 번째 고정기구로 미세연마천 표면의 쓸림현상이 있다. 이 기구는 순간적인 재료제거 측면에선 의미가 없으나, 연마효과 유지의 관점에선 고려돼야 한다. 다이아몬드입자와 연마부산물(특히 연성의 미세연마 칩)은 직조섬유간의 교차점 또는 보풀의 끝부분에 머무르게 된다. 사용되지 않은 연마입자가 이 부분에 같이 축적되어 있는 경우엔 연마작용을 하지 못한다. 미세연마 시 가해지는 회전과 부하에 의해 축적상태에 대한 고정력이 없어지면 연마작용면의 다른 곳으로 이동되어 박히면 절단효과를 가진다. 즉 축적상태는 어떤 면

에서 연마입자가 저장된 상태로 볼 수 있으며, 적절한 조건하에서 저장된 입자는 다시 연마효과를 가지는 것이다. 축적상태는 또한 미세연마천의 평탄화를 의미하므로, 연마후에 솔을 이용해 제거해야한다.

다이아몬드 미세연마 기반물질의 재료제거효과는 냉각-윤활에도 의존한다. 사용되는 냉각-윤활제는 그 주요작용에 따라 냉각기반 또는 윤활기반으로 구분된다. 심한 미세연마를 하는 경우, 발생되는 높은 마찰열을 제거해야 하며, 이경우엔 알코올과 글리콜로 만들어진 미세연마액을 이용한다. 알코올의 증발을 통해 냉각효과가 얻어지며, 상대적으로 증발이 늦은 글리콜의 경우 주로 윤활작용을 한다. 물을 이용한 냉각-윤활제는 위와 같은 효과를 얻을 수 있으며, 환경친화적이고, 지름이 300mm 이상인 연마판 그리고 연마면의 넓이가 $3cm^2$ 이상인 경우에 우선적으로 이용된다. 연한재료를 보풀형 미세연마천으로 연마하는 경우와 같이 윤활작용이 중요하다면, 유재(oil emulsion)을 이용한다. 경질유(light oil)에 알코올을 섞어서 사용하면 윤활과 함께 높은 냉각작용도 얻을 수 있으며, 고효율 자동연마기에 이용한다. 각 연마기반물질에 대해 냉각-윤활제의 종류, 혼합조성, 공급법이 최적인 특수한 연마액들이 개발되었다. 이러한 연마액은 아래 물질들을 최적화된 상태로 포함한다:

- 다이아몬드입자(종류, 크기, 형상, 밀도)
- 요변성(thixotropic, 젤의 상태에서 흔들면 졸로 변화는 성질; 다이아몬드입자의

침전을 막는 효과를 가짐)을 가지는 액체
– 냉각–윤활제(종류, 분율, 점도)

이런 복합성 현탁액의 이용을 통해 여러 다른 종류의 보조재 사용을 필요없게 해줌으로써 장소를 넓게 사용할 수 있으며, 장기간 보관이 가능하고, 환경친화적이다.

수동으로 미세연마하는 경우, 특히 다이아몬드 미세연마에서는, 수동 습식연마에 적용되는 아래의(경험을 통해 정해진) 규정들이 적용된다.

- 연마물질의 경도, 형상, 연마성 등을 고려하여 미세연마단계와 연마물질조합(기반물질, 연마재, 보조재)을 선택한다. 경도 180 HV 이상의 경한 재료는 낮은 충돌탄성을 가지는 경한 기반물질을 이용하여 미세연마하며, 연한 재료의 경우엔 높은 충돌탄성을 가지는 연한 기반물질을 이용하며, 이 경우 낮은 탄성을 가지는 기반물질에 비해 연마입자가 많이 채워진다. 높은 탄성을 갖는 기반물질의 경우 연마입자가 가라앉는 경향(연마입자의 수직운동)으로 인해 연마 시에 가하는 부하가 저하되는 효과를 나타내며, 재료제거효과를 감소시킨다. 그 반대로 낮은 충돌탄성을 가지는 기반물질의 경우엔 연마입자의 수평운동이 지배적이기 때문에 재료제거효과가 높아진다. 연마입자의 수평 또는 수직운동은 미세연마액(현탁액, 스프레이, 냉각–윤활제)에 큰 영향을 받는다.
- 각 미세연마단계 후엔 연마면을 세척해야 하며(초음파세척), 그렇지 않은 경우엔 결과에 나쁜 영향을 끼친다.
- 경한 재료를 미세연마하는 경우 연한 재료의 경우보다 높은 **부하**를 가해줘야 하지만, 연마 시에 이용된 압력보다 작게 줘야하며, 낮은 변형역의 형성과 동시에 효과적인 재료제거가 된다.
- 미세연마는 연마보다 오랜 **시간**동안 해준다. 이는 미세연마 중에 다음 단계로 넘어가면서도(재료제거속도가 감소되므로) 적용된다.

그전의 단계에 비해 압력을 작게 주고 연마시간을 길게 함으로써 변형역의 형성을 줄일 수 있지만, 곡면을 가지는 연마면 또는 모서리가 둥글어지는 현상을 가져올 수도 있다. 모서리가 둥글어지는 현상은, 예를 들어 표면층의 관찰 등에 있어, 관측 결과를 나쁘게 할 수 있다.

수동 미세연마의 경우, 특히 경한 미세조직 구성요소(예, 비금속개재물)를 약간 포함하는 경우, 너무 장시간 연마하거나 연마 시 시료를 한 방향으로 움직이면, 경한 재료의 뒷부분을 따라 꼬리형상을 나타낼 수 있다(혜성 꼬리 라고도 함). 이런 미세연마에 따른 결함을 없애기 위해선, 시료와 미세연마판 간의 상대적 운동을 여러 방향으로 되게하여 준다. 즉 시료를 연마판상에서 원형 또는 8자형으로 움직여준다. 자동연마 시에는, 시료대가 지속적으로 추가적인 회전을 하므로, 이런 결함은 나타나지 않는다. 자동 미세연마의 경우엔 연마에서와 마찬가지로, 어떤 재료에 대해 여러 가지 연마변수(기반물질, 연마재, 보조재, 압력, 속도, 시료운동의 형태, 시간)를 정리해 놓는 것이 필요하다.

기계적 미세연마 시에 지속적으로 새롭게 형성되는 변형역을 빠르게 최소화 하기 위해선, 기계적 과정과 화학적 과정을 번갈아 가면서 행한다. 최종연마된 시료에 적절한 부식액을 통해 재료제거를 하고 남아있는 변형역을 없애줌으로써, 다음 단계에서는 그 미세연마 단계에 해당하는 양만큼의 변형역만이 형성되고, 최종연마 후 부식을 통해 완전히 제거될 수 있게 된다.

2.3.2.5 그 외의 연마법

그림 2.71은 연마면을 평평하게 하기위한 방법으로, 거시적인 칩형성을 통한 연마 외에 마이크로톰(microtome, 박편절단기)과 극미세밀링법(ultra-miller)을 나타내었다. 마이크로톰과 극미세밀링은 단단하지 않은 비철금속(< 150 HV)과 박막층의 미세조직검사를 위한 시료제작에서, 평평한 연마면을 얻기 위한 목적 외에도 여러 단계의 기계적 연마를 대신할 수 있다.

마이크로톰은 경한 금속 또는 다이아몬드로 구성된 특정한 형태의 절단날을 이용하며, 매우 평탄한 연마면을 얻을 수 있다. 마이크로톰의 작업조건을 적절히 선택하면 매우 작은 표면거칠기(R_m < 0.1μm, 즉 거울면 평활도, 표 2.20)를 가지는 면이 얻어진다. 또한 변형층의 형성은 매우 작아서 다음 단계인 콘트라스트를 얻기 위한 에칭과정에서 모두 제거가 가능하다.

극미세밀링법은 매우 빠른 속도로 회전

(1000~3500rpm)하는 특수한 밀링장치를 이용한다. 극미세밀링에 이용되는 장비는 평탄면를 얻기 위한 일차밀링(pre-milling)장치와 최종미세연마작용을 위한 최종밀링(finishing milling)장치로 구성된다. 일차밀링과 최종밀링 장치의 차이는 절단팁의 위치와 그 다이아몬드 절단팁의 형상에 있다. 극미세밀링은, 반가공재나 파단면의 검사 등, 연마면이 큰 경우에 유용하다. 극미세밀링을 통해 형성되는 손상면의 크기는 화학부식을 통해 제거될 수 있는 정도이다.

마이크로톰을 이용한 방법이 다양한 재료에 대해 이용된 반면(예, Pb, Sn, Zn, Cu, Al, Mg, Cd, Ag, Au, Pa, Pt 등의 연한 순금속 및 그 합금과 복합재료), 극미세밀링법은 아직 특수한 경우에서만 한정되어 이용되고 있다

미세칩의 형성을 통한 주요 미세연마법 중엔 진동미세연마법(vibratory polishing)이 있다. 연마작용을 위해 필요한 시료와 연마기반물질의 상대적인 운동이 연마판의 진동을 통해 얻어진다. 전자기적 효과를 이용하여 구성된 스프링을 통한 진동은 수직방향에서 약간 벗어나며, 회전진동과 중첩된다. 이러한 복합 진동은 시료지지물질의 무게로 부하되는 시료들이 진동접시(oscillation bowl) 내에서 시료축의 중심축 주위로 회전하게 해주는 동시에 연마판의 바깥쪽을 따라 회전하게 해준다. 시료의 운동속도는 시료지지물질, 연마판과 연마면간의 마찰거동, 장비 구성요소와 진동접시의 지름, 전자석 스프링의 강성 그리

표 2.38 최종연마에 이용되는 산화물 미세연마(OP, oxide polishing) 현탁액

명칭	산화물	지름 [nm]	pH값	화학적 내성을 가지는 연마기반물질		화학물질 첨가사용 여부
				< 150 HV	> 150 HV	
Mastermet2 (Buehler사)	SiO$_2$	20	9.5	Mastertex융단 (Buehler사) (표2.37)	F-연마천 스펀지형 네오프렌 (Buehler사) (표 2.36)	yes
OP-S	SiO$_2$	40	9.8	OP-, MD-NAP 융단 또는 PoliCel-2 스펀지형 네오프렌 (Struers사)	PoliCel-1, OP-, MD-Chem 스펀지형 네오프렌 (Struers사) 또는 Mikromant (Mant사)	yes
OP-U (Struers사)	SiO$_2$	40	9.8			no
Mastermet (Buehler사)	SiO$_2$	60	9.5	Mastertex	F-연마천 또는 Mikromant	yes
Final (Buehler사)	SiO$_2$	100	9.0	Mastertex	F-연마천	yes
Syton SF1 (Logitech사)	SiO$_2$	125	10.3	Chemcloth-천 스펀지형네오프렌 (Logitech사)	Pellon 연마천 (Microtex, Pellon-PA-W, PSU), SUBA연마천, PUR연마박판 (Logitech사)	yes
Chemlox (Logitech사)	Al$_2$O$_3$	100	11.3			no
OP-AN (Struers사)	Al$_2$O$_3$	20	7~7.5	OP-, MD-NAP 또는 PoliCel-2	OP-, MD-Chem 또는 PoliCel-1 또는 Mikromant	yes
OP-AA (Struers사)	Al$_2$O$_3$	20	3~3.5			yes
OP-A (Struers사)	γ Al$_2$O$_3$	20	4.0			no

고 진동폭 등에 영향을 받는다. 스프링의 강성 및 진동폭은 전자석에 가하는 전압을 통해 조절해줌으로써, 시료의 운동정도를 연마과정에 맞출 수 있다. 미세연마물질로는 짧은 보풀을 가지는 직조형 연마천을 산화물 연마재 현탁액과 함께 이용한다 (MgO, Al$_2$O$_3$ 또는 CeO 수성현탁액).

회전미세연마법에 비해 장시간의 연마시간이 필요하고 재료에 미세공공이 형성될 위험성이 있지만, 진동연마법은 여러 가지 다른 장점들을 가진다. 재료에 손상을 주지 않고 미세연마가 가능하며, 특히 콜로이드형 산화물 연마재 현탁액을 사용함으로써 연마에 민감도를 나타내는 재료의 미

세연마가 가능하다(예, Pb, 오스테나이트 스테인레스강, W-Ni-Fe합금). 진동접시 내에는 여러 개의 시료를 동시에 미세연마 할 수 있다. 진동접시 내 미세연마물질은 연마재 위에 수직으로 유지되며 응집되지 않으므로, 장시간 이용이 가능하다.

연마상태(모서리의 예리함, 연마면의 기복, 취성을 가지는 상의 손상의 관점)는 자동 회전미세연마와 견줄 만하다. 개별적인 장비가 필요한 점, 낮은 연마속도(거친 연마는 불가능함), 연마천과 연마현탁액의 교체 시 취급상 어려움 등의 이유로 인해 진동연마에는 기본적으로 자동화된 장비가 이용된다.

2.3.2.6 화학-기계적 미세연마법

이는 최종 미세연마에 자주 이용되는 방법으로, 화학적 내성을 가지는 기반물질과 SiO_2 또는 Al_2O_3 현탁액을 이용한다. 이산화규소는 화학적으로 양성을 가지며(산성과 알칼리성의 두 가지 성질을 가짐) 그 현탁액은 약한 알칼리성을 나타내고, 알루미나 용액의 경우 중성 또는 산성을 가진다. 표 2.38은 흔히 이용되는 산화물 미세연마액(OP-액)과 화학내성을 가지는 기반물질들의 특징을 나타낸다. 연마기반물질의 표기법, 제품명, 연마작용면의 종류, 충돌탄성 등은 표 2.33, 2.36, 2.37에 이미 언급되었다.

OP-액을 이용한 미세연마 시엔 기계적인 효과와 화학적인 효과가 결합되어 재료제거가 이뤄진다(이온형성과 미세칩 형성, 그림 2.71). 화학적인 재료제거가 지배적인 경우엔 화학-기계적 미세연마라 하며, 기계적 요소가 지배적인 경우엔 기계-화학적 미세연마라 칭한다. 재료제거의 구조는 매우 복잡하며, 아직 많은 상세요소들이 알려져 있지 않다. 하지만 미세연마의 주요한 현상을 설명하는 데는 현재까지 알려진 지식으로 충분하다.

콜로이드형으로 용해된 산화물은 기본적으로 비정질 결정구조와 구형을 가지지만, 입자지름이 대략 20~300nm이고 용액중 산화물농도가 높은 경우(30~50vol.%)에 연마효과와 화학적 반응층을 나타낸다. 화학적 반응층은 고상의 시료물질이 현탁액과의 반응을 통해 화학적으로 분해되는 과정을 통해 나타난다.

반응층의 마찰연마는 화학적인 재료의 분해를 촉진한다. 반응층의 두께는 입자의 지름과 비슷하므로, 입자는 시료물질의 매우 낮은 깊이까지만 연마한다(특히 시료물질이 경하고, 인성이 작은 경우). 연마 통해 반응층이 파괴되고 제거되면서, 새로운 연마면이 드러나고 이는 현탁액과 다시 반응한다.

금속재료의 경우, 재료의 제거는 현탁액 내에서 이온형성(직접적인 제거)과 반응층의 형성과 그 제거(간접적인 제거)를 통해 이뤄지는 것으로 가정된다. 일차적으로 시작되는, 직접적인 제거가 간접적인 제거에 비해 연마면에서의 재료제거를 더욱 촉진해주므로, 약 1~3분정도 연마하여 좋은 결과를 얻을 수 있다.

이전 연마단계에서 형성된 재료의 변형은 용액 내 재료의 분해를 촉진해준다. 이는 변형을 통해 금속의 음전도(electronegativity)가 높아지면서, 우선적으로 분해되기 때문이다. 변형층이 2μm 이상으로 큰 경우엔 빠른 화학반응을 통해 반응층이 빠른 시간 내에 형성되면서, 재료의 제거속도는 감소하고 미세연마 결과는 나빠진다.

현탁액으로 적셔진 미세연마기반물질 상에서 연마면의 기복현상을 줄이기 위해선, 다이아몬드 미세연마에 비해 매우 낮은 부하를 시료에 가한다. 시료와 연마기반물질 간의 상대속도, 미세연마온도, 현탁액 내 산화물 농도와 pH값 등 다른 인자들의 영향도 알려져 있다. 최적의 조건하에서 재료제거의 속도는 0.1~1μm/min 이다.

OP-현탁액을 이용한 화학-기계적 미세연마의 경우에도 연마표면에 손상면이 형성되며(그림 2.96b), 기계적 미세연마에서 형성되는 손상면(그림 2.96a)과는 큰 차이를 가진다.

둥근형상의 산화물 입자에 의해 형성된 스크래치(낮은 깊이, 평평한 모서리, 둥근 형상의 바닥면)과 이전 단계인 다이아몬드 연마 시 형성되어 잔재하는 스크래치는, 서로 연결되지 않는 각각의 변형역이 연마면상에서 고립된 형태로 나타나게 한다. 그 두께는 0.5μm이하이며, 광학현미경 관찰 시에 미치는 영향은 무시가능하다. 이러한 변형역은, 화학적 에칭 등의 콘트라스트화 과정을 통해 제거된다.

산화물 현탁액에 화학 반응을 통한 물질 제거를 촉진해주는 물질을 섞어서 사용하면, 화학-기계적 미세연마법을 통해 손상층의 완전한 제거도 가능하다. 표 2.39는 OP-S(Struers사) 현탁액을 이용한 예들을 나타내며, OP-S 현탁액에 직접 추가로 섞거나, 따로 만들어진 반응액을 이용할 수도 있다. 최종연마 후엔, 표에 나타낸 금속재료에 대해, 연마면에 변형역과 반응층이 없다. 화학적 반응요소가 매우 강하고 장시간 미세연마하는 경우, 각 미세조직 구성요소의 화학적 반응의 차로 인한 연마 표면 기복현상이 나타날 수도 있다.

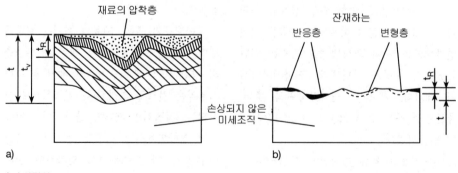

t: 손상깊이
*t*R: 거칠기
*t*V: 변형층 깊이

그림 2.96 a) 기계적 미세연마와 b) 화학-기계적 연마 시에 연마표면에 형성되는 손상면.

하지만 화학적 반응의 부산물이 연마면의 한 미세조직 구성요소에 고정되어 세척액과 부식액에 내성을 가지는 경우엔, 잘못된 미세조직을 나타내게 한다(예, Y-Ba-Cu-O기의 초전도체). 어느 상이 심하게 화학반응을 통해 분리되는 경우에도 잘못된 미세조직을 나타낸다(예, 재료 내에 심한 수용성을 가지는 상, W 필라멘트 내 K_2O입자).

화학-기계적 미세연마법은 변형역을 나타내지 않는다는 장점을 가지므로, 대부분의 최종미세연마에 이용된다. 다이아몬드 미세연마와 화학-기계적 미세연마를 조합

하여 이용하면 표 2.20에 나타낸 미세연마에서 얻어야할 목표를 달성할 수 있다. 화학-기계적 방법으로 최종 미세연마된 시료는 컬러에칭에 적합하다.

2.3.2.7 전기화학적 연마법

전기화학적 연마는 시료의 표면에서 원자들을 차차 용해 분리해내는 방법이다. 이 경우 원자들은 연마재(전해액)에서 이온화되고 대량으로 용해된다. 이런 용해과정은 거친 표면상의 돌기부분과 변형된 영역에서 우선적으로 이뤄지므로, 기계적인 연마에서 형성된 변형역이 평평하게 되면

표 2.39 OP-S 현탁액을 이용한 화학-기계적 미세연마의 예 (Struers사)

재료	직접 추가 후의 조성	용액의 혼합
납(Pb)		90ml OP-S 현탁액 + 10ml 용액 : (84ml 글리세린, 8ml 아세트산, 8ml HNO_3)
구리(Cu), 황동, 청동	96~98ml OP-S 현탁액 1~2ml H_2O_2 1~2ml NH_4OH(25%)	90ml OP-S 현탁액 + 10ml 용액 : (100ml H_2O, 2ml HCl, 3g $FeCl_3$)
은(Ag)	100ml OP-S 현탁액 1ml HNO_3	
실리콘(Si)	다른 물질을 첨가하지 않은 OP-S 현탁액 또는 90ml OP-S현탁액 10ml H_2O_2	
순수 Ti	260ml OP-S 현탁액 40ml H_2O_2 1ml HNO_3 0.5ml HF	
TiAl6V4	위와 같거나 100ml OP-S 현탁액 30ml H_2O_2	
아연(Zn)		90ml OP-S 현탁액 + 10ml 용액 : (95ml 메탄올, 5ml HCl)

서 제거된다.

미세조직검사에서 전기화학적 연마는 **화학적 미세연마**와 **전기적인 미세연마**를 말한다(그림 2.71). 이 두 방법은 금속이 용해되는 조건의 차이로 구분된다. 화학적 미세연마의 경우 외부영향 없이 시료표면과 연마액으로 구성된 계에서 필요한 전류밀도가 형성된다. 이 경우 전류밀도는, 이전 단계인 기계적 미세연마를 거친 연마면에 항상 존재하는, 위치(시간)에 따라 다른 국부적인 차에 의해 발생한다. 전기적인 미세연마는 시료(양극)와 연마액(전해액)으로 구성된 계에, 외부에서 가해지는 전압을 통해(전해액이 음극이 됨) 전류밀도를 가한다.

화학적 미세연마는 매우 간단하게 진행된다. 연마된 시료를 연마액에 담근다. 반응부산물을 연마면에서 빨리 제거하여 신선한 용액과 반응하게 하기위해서 시료를 연마액 내에서 흔들어 준다. 화학적 미세연마가 성공적으로 수행되면 세척 후 건조시키는데, 금속마다 특유의 광택을 나타낸다.

연마액은 재료에 따라 경험을 통해 결정한 후 최소 세 가지 성분을 혼합하여 최적의 연마효과를 가지게 한다. 각 혼합성분의 종류와 효과는 연마의 부분과정에 적합해야 한다. 현재까지 화학적 연마의 부분과정에 대하여 원리적인 부분만이 알려져 있기 때문에 종종 문제점이 나타난다. 세부적인 부분들이 알려져 있지 않기 때문에, 확신할 수 없는 결과들이 나타나기도 한다. 미세연마액에 포함된 강한 **산화재**(예, HNO_3, CrO_3, H_2O_2)는, 연마중 시료표면에 치밀한 부동태층 형성을 쉽게 한다. 부동태층이 형성되면 용해공정이 중지되므로 재료의 제거과정이 중단된다. 연마액의 두 번째 성분은 강산성 물질로 부동태층을 없애는 역할을 한다(**탈부동태화 물질**; HF, HCl, H_2SO_4, $CH_3(OOH)$). 시료연마면에 형성되는 용액층은, 확산과 대류를 통해 물질이동을 조절하는 역할을 하므로, 연마를 촉진시킨다. 이러한 용액층을 형성시키기 위해 미세연마액에는 종종 **확산층 생성제**(예, HPO_4, CH_3OH, 글리세린)를 첨가하여 이용한다. 이들은 독자적으로 혹은 (젤라틴, Cu, Ni 혹은 다른 중금속염과 같은) 억제제와 더불어 연마액의 점도를 향상시키는 효과도 나타낸다.

몇 가지 중요한 재료의 화학적 미세연마법을 표 2.40에 열거하였다. 표에 나타낸 방법중 Al, Cu 및 이들의 합금에 대한 방법은 Fe 혹은 강(steel)에 대한 방법보다 확실한 결과를 가져온다. 또한 온도를 상승시키면 용해공정이 빨리 일어나고, 연마시간도 단축할 수 있다. 기계적 미세연마와 비교해, 특히 수동으로 미세연마하는 경우와 비교하면, 화학적인 미세연마를 통해 연마시간이 전반적으로 단축된다. 그 이유는 습식연마와 같은 정도의 높은 재료제거속도($10 \sim 50 \mu m/min$)를 갖기 때문이다.

화학적 미세연마는 간편한 조작(예, 연마를 마친 시료를 특별한 장비를 이용하지 않고 간단히 침지함)과 연마시간이 짧다는 점과 함께 변형역이 전혀 형성되지 않는 장점을 가진다. 적당한 작업조건을 이용하는 경우, 매우 우수한 연마결과를 반복적

표 2.40 각종 금속재료에 대한 화학적 미세연마조건

재료	연마액	온도[°C]	시간[sec]	비고
고순도 Al	10ml HNO_3(1) 60ml H_3PO_4 30ml CH_3COOH	20	~180	
Al 및 균일 Al합금	50ml H_3PO_4 25ml H_2SO_4 7ml HNO_3 6ml CH_3COOH 12ml H_2O(2)	70~90	120~240	연마량 적음; 사전에 기계적 연마가 필요할 수 있음
Al 및 불균일 Al합금	70ml H_3PO_4 25ml H_2SO_4 5ml HNO_3	80~90	30~120	금속간화합물을 가지는 합금 예, Al-Cu, Al-Fe, Al-Si
고순도 Cu	55ml H_3PO_4 20ml HNO_3 25ml CH_3COOH	60~70	60~120	구리산화물이 없으면 최상의 연마
Cu 및 Cu합금	30ml HNO_3 10ml HCl 10ml H_3PO_4 50ml CH_3COOH	70~80	60~120	시료는 용액 내에서 흔들어줘야 함
Cu-Al 합금	30~100ml H_2O 7~40ml HNO_3 25~27g CrO_3	20	~240	산화막이 발생하면 10%HF에 담가서 제거; 결정립계 부식됨
Cu-Zn 합금(황동)	80ml HNO_3 20ml H_2O	40	5	짧은 시간 침지 후 강한 수압으로 세척; $\alpha+\beta$-, β-황동의 경우 조성을 $\alpha+\beta$로 변화; $\alpha+\beta$-합금의 표면에 발생하는 블루-영 막은 CrO_2로 포화된 HNO_3에 짧은 시간 담근 후 세척
Cu-Zn 합금(황동)과 Cu-Ni 합금(양백)	55ml H_3PO_4 20ml HNO_3 25ml CH_3COOH 10ml H_2O	20~60	120~600	조성은 넓은 범위에서 변화 가능
Fe 및 저탄소강	7ml HF(40%) 3ml HNO_3 30ml H_2O	60~70	120~180	시편면의 갈색 표면 막은 용해에 녹음; Fe_3C는 먼저 용해

표 2.40 각종 금속재료에 대한 화학적 미세연마조건

재료	연마액	온도[°C]	시간[sec]	비고
Fe, 저합금 탄소강, 주철, FeSi	5ml HF(40%) 70ml H_2O_2(30%) 40ml H_2O	20~30	30~90	
Fe 및 노말라이징 탄소강	4ml H_2O_2(30%) 28ml 옥살산용액 (100g/l) 80ml H_2O	35~45	600~900	항상 새로 제조하여 사용; 연마전 시료의 충분히 세척; 연마량 적고 연마 품질 좋지 않음
오스테나이트강	7ml HCl 23ml H_2SO_4 4ml HNO_3 66ml H_2O	30	300	
오스테나이트 Cr강	36ml HCl 32ml H_2SO_4 80g $TiCl_4$ 32ml H_2O	70~80	300	V2A에 적합함; 약간의 HNO_3 첨가 가능
Ni 종류	30ml HNO_3 10ml H_2SO_4 10ml H_3PO_4	80~90	30~60	매우 양호한 시편면
Pb 종류	20ml H_2O_2(30%) 80ml CH_3COOH	20	주기적으로 5~10	주어진 용액과 다음 용액에 번갈아가며 연마: 10g MoO_3 / 140ml NH_4OH 240ml H_2O_4 / 마지막에 60ml HNO_3 첨가
고순도 Ti	10ml HF(40%) 60ml H_2O_2(30%) 30ml H_2O	20	≈240	마크로침윤액으로 사용가능
Ti 종류	10ml HF(40%) 10ml HNO_3 30ml 유산(90%)	20	≈300까지	
Ti-재료; 주로 Ti-Al-V 합금	1~3ml HF(40%) 2~6ml HNO_3 100ml H_2O	20	5~20	KROLL 에칭액

(1) 다른 표기가 없으면 농축 산을 의미
(2) 증류수를 이용함

으로 얻을 수 있다.

표 2.40에 나타낸 것 이외의 여러 다른 재료에도 이용할 수 있다. 특히 기계적 연마 시에 심한 변형역을 형성하는 재료(예, Be, Cd, Co, Mg, Nb, Ta, Zn, Ni-Cu 합금, 모넬메탈)에 적합하다. 또한 반도체 재료(예, Ge, Si)와 산화물 세라믹 재료도 화학적 미세연마를 통해 우수한 미세연마가 가능하다.

화학적 미세연마의 단점으로는 예리한 모서리를 얻을 수 없는 점, 균열, 기공, 공동 등의 단면이 먼저 연마되어 둥글게 되는 점, 대부분의 비금속 개재물이 떨어져 나오는 점 등이 있다. 이러한 결함의 원인은 화학적 미세연마 시에 모서리 혹은 기계적 응력을 갖는 부위가 우선적으로 화학적인 반응을 하기 때문이다. 조대한 결정립을 갖거나 결정립도의 심한 불균일성을 갖는 합금의 경우 부동태층 형성이 쉽

게 되어 화학적 미세연마가 어렵다. 이러한 경우엔 시료연마면의 손상(예, 작은 구멍, 원치 않는 에칭흔적)과 불완전한 연마가 나타나며, 반응부산물이 연마면에 달라붙는 현상이 나타나기도 한다. 즉, 화학적 미세연마 시에 주어진 연마조건으로 작업을 함에도 불구하고 문제가 발생할 수 있다. 또한 강한 부식액의 이용 시엔, 경우에 따라 독성 또는 유해한 증기가 발생되며, 특별한 작업안전수칙을 지켜야 한다.

전해연마법의 경우, 양극 용해반응을 통해 연마가 이뤄진다. 전해연마조(그림 2.97)에서 시료는 양극이 되어 용해반응을 통해 연마되는데, 이 때 마스크를 이용하여 전해연마액에 접촉하는 연마면의 형태와 크기를 정해준다. 음극은 연마면에 평행하게 일정한 간격을 가지고 위치하며, 음극물질은 전해연마액에 내성을 가지는 재료로 만들어진다(V2A이 주로 이용됨). 펌프를 이

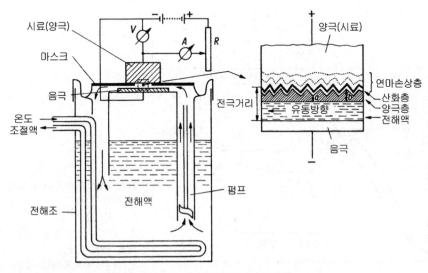

그림 2.97 상용 전해연마조의 구조와 전극부위에 형성되는 층.

용해 전해연마액이 층류(laminar flow)를 형성하며 유동되게 하고, 그 속도도 조절될 수 있다. 전해연마액의 온도는 항온기와 온도조절기를 통하여 일정하게 유지된다. 전류공급기를 통하여 원하는 직류전류가 미리 입력된 연마시간동안 공급되며, 펌프도 그에 따라 작동된다.

금속양극 용해반응의 기본과정은 전극주위의 막 형성(그림 2.97)과 이상적인 경우의 전류밀도-전압-곡선(그림 2.98, 곡선 1)을 이용하여 설명된다. 외부전압이 낮은 경우에는 용해가 거의 일어나지 않는다 (A'-A영역). A-B영역에서 전압이 상승함에 따라 금속의 양극화가 일어나고 최대 원자가를 가지면서 용해된다. 2가 금속의 경우 그 반응은 아래와 같이 나타낼 수 있다:

$$Me \rightarrow Me^{2+} + 2e^- \qquad (2.50)$$

금속이온들이 전해액으로 흡수되고 반응하여 용해도가 높은 반응부산물을 형성한다. 두 전극사이에 존재하는 전기장의 영향에 따라 분극현상이 발생한다. 반응부산물과 과잉의 금속이온은 전해액을 이루는 성분과 함께 양극 주위에 높은 농도의 층을 형성한다. 이러한 액상 양극층은 사용되지 않은 상태의 전해액에 비해 점도가 높으며, 전해조 내의 신선한 전해액 방향으로 금속이온의 농도가 감소하는 농도구배를 나타낸다. 이런 층은 양극 쪽으로는 거칠기를 가지는 시료면과 접하며, 전해액 쪽으로는 유동하는 전해액과 평행한 경계층을 형성한다. 양극층과 전해액 사이의 경계구역에는 시료면 쪽에 비해 높은 농도의 양이온(특히 수산화이온)이 존재한다. 전압을 증가해줌에 따라 이 경계는 양극 쪽으로 이동하며 금속과 반응하는데 아래의 반응에 따라 산화층을 형성한다(곡선 1, B-B'영역):

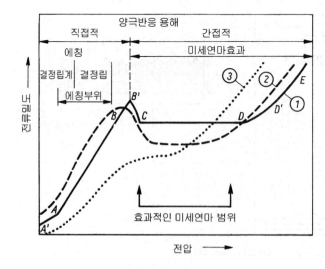

그림 2.98 금속양극 용해반응에 대한 전류밀도-전압-곡선
1. 이상적인 곡선
2. 낮은 자체저항을 갖는 전해액에서의 곡선
3. 높은 자체저항을 갖는 전해액에서의 곡선.

$$Me + 2OH^- \rightarrow MeO + H_2O + 2e^- \qquad (2.51)$$

곡선의 이 부분에서 부동태효과는 증가하며, B'에 도달하면 직접적인 금속의 용해가 멈춰진다. 금속표면(즉 양극표면)과 액상의 양극층 사이에 추가적으로 단단하면서 비교적 두꺼운 산화층이 형성된다. 이는 전압을 상승시킴에 따라 용해되며 이때 전해액의 수소이온이 환원재로 작용한다.

$$MeO + 2H^+ \rightarrow Me^{2+} + H_2O \qquad (2.52)$$

수소이온이, 단단한 산화층과 액상 양극층 사이의, 경계면으로 이동하는 것과 금속이온의 이동은 양극층에서의 확산제어과정이므로 이 층을 확산층이라고도 한다. 식 (2.52)의 반응으로 산화층의 두께는 감소하며, 이에 따라 부동태효과도 부분적으로 감소된다. 식 (2.51)의 반응을 따른 양극표면의 용해는 다시 시작되며 전류의 흐름을 위하여 전자를 방출하지만 그 정도는 작으며, 이는 산화층이 식 (2.52)의 반응식에 의한 정도만 용해되기 때문이다. 따라서 B' 점에서 전류밀도가 0으로 감소되지 않고 C로 감소되어 유지한다. 전류밀도-전압-곡선의 평탄부(C-D 범위)에 해당하는 전압에서는 산화층의 생성과 소멸이 평형을 이룬다. 전체적인 반응은 식 (2.50)에 해당하는 금속의 용해과정에 해당한다. 이는 산화물의 생성과 용해되는 과정을 통하므로, 간접적 용해과정이 된다. C-D 영역에서 양극과 음극사이에 형성되는 층을

그림 2.97에 나타내었다. 표면거칠기에 따른 돌기부분(거리 a)에서 형성되는 금속이온은 골짜기부분(거리 b > a)에서 형성되는 금속이온에 비해 짧은 확산거리를 가지므로, 전해액에 빨리 도달한다. 따라서 돌기부분이 더 빨리 용해되며, 시료면은 평평하게 한다. 이와 반대로 간접적 용해는 연마면의 전반적인 용해에 기여한다. 이 두 과정(평평하게 하는 것과 전체적인 용해)의 합이 전해연마의 결과가 된다. 이러한 연마영역을 그림 2.98에 나타내었다. 곡선 1에서 D 점보다 높은 전압을 가지는 경우 양극에서는 산소를 발생시키며 간접적인 용해가 진행된다. D-E 영역에서는 작은 공공이 형성되어 시료면이 손상될 위험성이 있다. 이 조건에서는 불안정적인 연마효과를 가지지만, 공업적인 공정에서는 D'-E 영역을 광택연마에 이용한다. 그림 2.98에 보여지듯이, 전해액의 자체저항이 높아짐에 따라 전류밀도-전압-곡선의 특정영역이 이상적인 곡선과는 다른 거동을 보인다. 하지만 이러한 실제적인 전해연마과정도 반응층 형성과 전해조 내에서의 효과는 같은 과정을 거친다고 할 수 있다:

- 액상 양극층을 통해 시료면이 평평하게 된다.
- 단단한 산화층과 액상의 양극층이 함께 작업층(변형역)의 제거에 기여한다.

전해연마 시엔, 아래의 사항들에 대해 주의하여야 하며, 이는 앞서 설명한 연마

기구에 따라 정해진 것들이다.

- 재료에 적절한 **전해액**
- **전해액 온도**와 **유동속도**
- 연마면에 이미 형성된 변형역에 영향을 받는 **연마시간**
- **연마전압**
- **마스크**의 크기(즉 연마면의 크기)와 연마전압에 따라 조절되는 전류밀도

마스크의 크기는 연마에 적당한 전압과 전류로만 결정되는 것이 아니고 연마될 면의 크기를 고려해서 정한다. 전해연마와 관련된 위의 사항들과 기타 자세한 조건 등은 상용 장비의 사용설명서에 재료에 따라 상세히 기술되어 있다.

전기화학적 연마를 위해 자동화된 장비로는 Struers사의 Lectropol-5가 있다. 이 장비를 이용하면 해당 마스크의 크기와 전해연마액에 대해 각 시료마다 전압-전류밀도 곡선을 얻을 수 있으므로, 곡선으로부터 연마를 위한 최적의 전압을 정할 수 있다(그림 2.98). 결정된 전압을 연마를 위한 프로그램에 입력하여 사용한다. 이 방법을 이용하면 전해연마 조건이 알려지지 않은 재료에 대해서도 최적화를 위한 조건을 찾아가면서 연마할 수 있다.

화학적 연마를 위한 용액과 동일하게 전해연마액도 여러 화학제품이 있는데, 이는 용해가 쉬운 부산물의 형성, 전해조 내에서의 충형성, 전류가 흐르지 않는 경우의 비활성, 사용안정성 등의 여러 조건을 만족하고 있다.

과염소산(perchloric acid), 알코올(에탄올 또는 메탄올), 물, 부틸글리콜(butyl glycol) 위주로 이루어진 전해연마액은, Ag, Be, Mo, Pb, Sn, Ti, V, Zr과 Al, Mg, Zn 및 그 합금의 전해연마를 위해 사용되며, 강 과 합금강에도 이용가능하다. 구리와 그 합금(청동, 황동)은 HNO_3 또는 H_3PO_4, 알코올과 여러 첨가물(예, 요소, $Cu(NO_3)_2$) 등을 혼합한 전해연마액을 사용한다. 각 재료에 따른 자세한 전해연마액의 조성과 연마조건, 전처리, 후처리, 과염소산 기의 전해연마액 사용 시 위험사항 등은 전문 참고서적과 해당 주의사항을 통해 알 수 있다.

전해연마법(습식연마 후)은 결정립 크기가 200μm이하로 균일한 미세조직, 연성과 인성을 가진 재료에 대해 우선적으로 이용된다. 결정립이 조대한 재료를 전해연마하면 표면이 쉽게 귤껍질과 같이 도톨하게 될 수 있다. 전해연마법은 작업시간을 줄일 수 있는 장점이 있고(수 초~수 분), 높은 재현성을 가진다(대량의 동일한 시료). 전해연마법의 단점은 화학적 연마법과 동일하다. 특히 불균일한 미세조직을 가지는 재료의 전해연마 시에는 그 단점이 두드러지게 나타난다. 전해연마 시에 표 2.20에 나타낸 미세연마를 통해 얻어져야 할 점들이 완전하게 이뤄질 수 없는 경우가 있다(모서리의 예리함을 얻기가 어려움, 비금속 개재물의 용해). 그럼에도 불구하고 전해연마법이 갖는 많은 장점으로 인해, 특히 연마면에 변형이 발생하지 않기 때문에, 중요한 연마법으로 자리 잡고 있다.

2.3.3
시료준비과정의 결정

검사의 목적, 시료의 형상, 재료의 물성, 미세조직의 구성 등에 맞추어 미세조직 검사를 위한 시료의 준비과정을 선택한다.

미세조직 검사의 목적에 따라 검사방법이 결정된다. 재료공학과 파단면 검사 등을 위한 금속조직검사는 여러 가지 방법들을 통해 이뤄진다. 재료 생산과 제작에 연관되어 금속 미세조직 검사를 하는 경우엔 많은 양의 시료에 대한 반복적인 검사가 이뤄지며, 검사법은 이미 정해진 방법을 따르게 된다. 생산과정에서 주기적으로 발생하는 각 시료들의 미세조직 검사를 짧은 시간 내에 행한다. 그 장소에서 변경이나 시료채취가 어려운 물체의 미세조직 검사를 행해야 하는 경우엔, 현장 미세조직검사를 한다(2.3.3.2절 참조).

시료의 형상은 검사물의 형상과 크기 그리고 시료의 채취위치에 따라 정해진다. 취급이 어려운 물체에 대해선 여러 종류의 실험장비와 소모품들을 이용하여, 여러가지 방법을 통해 시료채취와 준비를 할 수 있다(예, 박막시료, 마이크로기계 재료, 전자제품, 선, 미소판재, 박판, 다공성 물질, 분말 등).

준비과정의 결정에 특히 중요한 점은 시료물질의 물성으로, 이에 따라 시료의 거동이 달라진다. 물성의 영향은 복잡한 형태로 나타나며, 연마거동을 통해 추측할 수는 있지만, 많은 경우 정량화되진 않았다.

평면연마와 기계적 미세연마 과정은 칩의 형성과 연마와 마모을 통해 이뤄지며, 이는 시료물질의 경도, 연성, 변형거동(인성) 그리고 미세조직에 영향을 받는다. 이런 인자들의 복합적인 영향과 그에 따른 시료의 기계의 거동에 대한 지식을 통해, 평면연마와 마모과정 시에 회전하는 두개의 평행면사이에서 이뤄지는 칩형성과 제거에 대한 과정에 대해 알 수 있다. 이 관점에서 시료물질의 기계적인 성질을 시료준비에 대한 성질로 볼 수 있다(시료준비를 위한 기계적 성질).

시료준비를 위한 특성의 다른 부분은, 화학연마 또는 전해연마 시에 나타나는, (전기)화학적인 재료제거에 기인한다. 현재까지 알려진 시료준비에 대한 전기화학적 성질로는 전해연마액 내에서 시료물질의 용해성이 있으며, 이는 전기화학적 포텐셜의 값으로 표현할 수 있다. 용해성의 측정은 전기화학적 부식에 대한 연구를 통해 오래전부터 알려져 있으나, 시료준비에 대한 전기화학적 성질의 정량화 연구를 위해선 거의 이용되지 않았다. 시료준비에 영향을 미치는 추가적인 전기화학적 성질로는, 전해연마 시에 주어진 용해조건에서 직접적인 용해와 간접적인 용해과정에 대한 전류밀도-전압 거동이 있다. 이 값은 그림 2.98의 곡선에 해당하며, Struers사의 Lectropol-5를 이용하는 경우엔 직접 측정이 가능하다.

시료준비에 영향을 가지는 기계적 그리고 전기화학적 성질은, 재료에 손상역을 최소화하면서 높은 연마속도를 얻을 수 있게 하므로, 알고 있는 것이 중요하다. 이 값들을 알고 있으면, 시료준비과정에서 경험을 통한 변수조절을 최소화하면서 더 효과적이면서 양질의 결과를 얻을 수 있으며, 기계적 연마과정을 자동화할 수 있다 (2.3.3.1절 참조).

위에 언급된 점들은 다른 재료준비를 위한 특성(마찰화학적인 성질)에도 적용된다. 이는 연마입자와 화학약품으로 구성된 특정한 pH값을 가지는 현탁액을 이용한 미세연마 시에 나타나는 재료의 제거효과를 결정한다. 마찰화학적인 특성은 아직 많이 연구되지 않았지만, 그 중 몇가지는 OP-법을 이용한 최종미세연마 시에 이용된다 (정확히는 알려지지 않았으며 경험에 근거함, 2.3.2.6절 참조).

시료준비과정의 선택에 미치는 미세조직의 영향은, 연마면에 드러난, 각 상과 미세조직 구성요소 간에 서로 다른 특성에 기인한다. 그 한 예로, 연마면을 따라 경도가 다른 경우(그림 2.99a)와 시료의 모서리부분과 내부에 경도가 다른 경우(그림 2.99b)를 나타내었다. 한 가지 재료(또는 미세조직 구성요소)로 이뤄진 시료의 경우엔, 연마면상에서 경도는 일정하다(그림 2.99b의 직선1, 1a, 1b). 연마면상에 경도차가 뚜렷한 재료들이 존재하면, 한 번에 급격히 변하는 경우와 점차적으로 변하는 경우는 그 차이를 보인다. 경도가 급격히 변하는 경우로는, 다상재료, 복합재료, 다공성 재료 등이 있다. 이는 그림 2.99a의 곡선 2, 그림 2.99b의 1a에서 1b로의 변화 그리고 2a에서 2b를 거쳐 2c로 변화하는

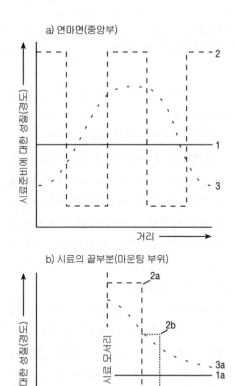

그림 2.99 시료준비에 영향을 주는 인자 중 경도가 변화되는 예
a) 연마면의 중앙부
b) 마운팅 재료/시료의 끝부분.

경우에 해당한다. 그림 2.99a의 곡선 3, 그림 2.99의 곡선 3a 그리고 3b는 점차적인 경도변화에 해당한다. 이러한 변화가 시료의 전반에 걸친 경우엔, 그림 2.99a와 같이 주기적인 변화를 나타낸다. 이런 차이를 나타내는 영역들 간의 간격이 $5\mu m$ 이상으로 큰 경우엔, 연마면상에 굴곡이 나

타날 위험이 있다.

이와 비슷한 이유로 인해, 조대한 이상 또는 다상재료(또는 복합재료)의 전해미세연마는 성공적이지 않다. 이는 조대한 영역을 가지는 각 상 사이에 존재하는 시료준비에 대한 전기화학적 성질의 차가 너무 크기 때문이다.

이러한 차이를 나타내는 영역간의 간격이 5μm이하로 작은 경우엔, 시료준비에 대한 특성들이 균질하게 된다(homogenization of preparation properties). 매우 미세한 미세조직을 가지는 다상재료의 경우엔 시료준비에 대한 특성이 일정한 경우와 같은 거동을 보인다.

시료의 가장자리 부분에서 시료준비에 대한 특성이 달라지는 경우엔, 습식연마후에 예리한 모서리를 얻기가 어려워진다. 이러한 점은 표면층을 가지는 시료(시료준비에 대한 기계적 그리고 전기화학적 특성의 차이를 가짐)를 준비하는 경우에 특히 유념해야 한다. 그렇지 않은 경우, 예를 들어, 용사한 층, 도금층, 금속-세라믹 복합재료에서 예리한 모서리를 가지도록 시료준비를 할 수 없다. 이는 시료의 가장자리로부터 점차적으로 변화되는 성질을 가지는 시료에도 해당되며(그림 2.99b의 곡선 3a와 3b), 그 예로 탈탄 또는 침탄처리된 재료, 질화처리된 재료, 표면층이 재용융된 재료 등이 있다.

2.3.3.1 시료준비에 대한 기계적 특성을 고려한 준비과정의 선택

시료준비에 영향을 가지는 가장 중요한

기계적 성질로는 경도와 상온 인성(toughness)을 들 수 있으며, 이는 이미 절단과정에서 절단휠과 절단조건을 선택하는데 영향을 미친다(표 2.22). 마운팅 재료와 시료물질 간의 경도차이에 의해 연마과정에서 제거되는 양이 달라진다(2.3.1.2절 참조). 따라서 경도가 250 HV 이상인 재료를 마운팅하는 경우엔, 냉간과 온간 마운팅 재료에 경도의 균형을 맞춰주기 위한 물질을 첨가한다. 시료물질의 경도와 마멸강도가 높아질수록 첨가하는 입자의 경도도 높은 것을 이용한다.

금속과 세라믹 재료는, 평면연마와 연마 그리고 미세연마 시에 같은 연마거동을 나타내는 재료별로 분류할 수 있다. 같은 그룹에 속하는 재료들은 같은 정도의 경도와 인성을 가지며, 응용분야를 위한 성질들이 다르더라도 같은 방법을 통해 시료준비를 행한다. 경도와 인성을 통한 시료준비법의 선택이 우선적으로 이뤄진다. 아래에 기술하는 재료의 특성들을 고려한 적절한 시료준비법을 선택함으로써 재현성이 높고 시료물질에 손상을 주지 않는 준비를 할 수 있다:

시료의 연마면은 부위별 변화가 작은 물질로 이뤄져야 한다. 연마면상에서 경도와 인성의 차이는 되도록 작아야한다. 급격한 또는 점진적인 물성의 변화를 가지는 경우엔, 시료준비법 중에서 절단, 마운팅, 평면연마는 가장 높은 경도를 가지는 부분을 기준으로 하여 결정하고, 연마와 기계적 미세연마는 낮은 경도를 가지는 시료영역을 기준으로 정한다. 시료면상에 매우 다른 경도와 인성을 나타내는 상들이 5μm이하의 간격으로 놓이는 경우엔, 준비방법에 영향을 주는 기계적 성질의 균일화가 되므로 경도와 인성의 중간치를 선택기준으로 한다.

시료물질은 충분한 조밀도를 가져야 하며, 일반적으로 주조를 통해 제작된 금속재료에 대해 적용된다. 기공을 가지는 재료의 경우엔 기공도가 5~8%에 놓여야 한다. 이는 소결재, 주조재, 균열을 가지는 재료의 준비과정 선택 시에 적용되는 기준이다.

미세조직 구성요소 간에는 강한 결합력을 가지고 있는데, 시료준비과정에서 결합력을 넘어서는 부하를 가하면 연마면이 파단되어서, 균열과 파단면 등을 남기게 된다.

표 2.41은 HV10 경도가 350 이하인 재료들에 대한 시료준비과정을 나타내며, 표 2.42는 이보다 높은 경도를 가지는 재료에 대한 준비법을 나타낸다. 표에는 시료채취에서 습식연마를 거쳐 화학적-기계적 최종연마에 걸친, 모든 주요 시료준비과정을 나타낸다.

일정한 속도로 이뤄지는 습식절단법과 마운팅법이 주로 이용된다. 경도가 HV10 200 이상인 재료의 평면연마 시엔, SiC-또는 ZrO_2/Al_2O_3 연마지는 접착부위가 떨어지는 현상을 보이므로, 취급이 용이하고 효율이 높은 MD-Piano 시리즈(Struers 사)를 이용한다. HV10 경도가 180 이하인 연한 재료의 평면연마엔, 여러 부가적인 단점에도 불구하고 SiC 연마지가 주요한 방법으로 이용된다(표 2.41).

연마를 위한 기반물질 선택 시에 대두되는 문제점들은, 연마-래핑을 통해 부분적으로 해결되었다. 시료물질의 경도에 따라 분류한 다수의 복합재료 연마판들은(표 2.41과 2.42만에도 8종류가 있음), 그 선택을 어렵게 만든다. 연마재의 효율과 취급의 간편성을 고려하여 평가하면, MD-Largo(HV10 경도가 180 이하인 재료)와 MD-Allegro(HV10 경도가 180 이상)가 효율적인 연마를 위해 적합하다. 위에 언급된 자력을 이용해 고정하는 두 가지 연마판의 이용을 통해, 평평하고 모서리가 예리한 시료준비가 가능하고, 3μm이하의 작은 손상층을 나타낼 수 있음이 여러 경우에서 확인되었다. 이런 작은 손상층은 이어지는 미세연마와 에칭을 통해 최소화될 수 있다. SiC 연마지를 이용한 연마과정 후 밀려나고 압착된 재료층을 나타내는 매우 연성이 높은 재료의 미세연마는 손상층의 최소화를 위해 두 단계로 이뤄져야 한다(표 2.41). 매우 경하며 취성이 높은 재료의 연마과정 후, 연마면상에 흔히 미세한 파단면이 보여진다. 이러한 파단면의 형성은 6μm의 전단계 미세연마를 통해 최소화 할 수 있으며, 3μm이하의 다이아몬드를 이용한 두 번째 미세연마단계를 통해 제거가능하다(표 2.42).

화학-기계적 최종연마를 이용함으로써 표 2.20에 주어진 미세연마에 요구되는 조건을 만족할 수 있다.

표 2.41과 2.42에 열거한 방법의 이용은 여러 가지 장점을 나타낸다. 이 방법들은 적은 수의 장비를 통해 행할 수 있으며, 필요한 장비로는 절단장비, 경우에 따라 온간 마운팅장치, 연마/미세연마장치

표 2.41 HV10 경도가 350 이하인 균일한 재료의 미세조직검사를 위한 준비법

준비단계	시료준비에 대한 특성			
	경도	매우 연함	연함	중간정도
	HV10	30~80	90~180	190~350
습식절단		톱, SiC 절단휠, 다이아몬드휠	Al₂O₃ 절단휠, 단단한 Bakelite결합을 가지는 SiC 절단휠	
마운팅	상온	에폭시기 또는 아크릴기 수지		첨가물을 함유시킨 에폭시기 또는 아크릴기 수지
	온간	(열소성형) 아크릴	첨가물을 함유시킨 Bakelite 또는 아크릴	
평면연마		SiC 습식연마지: ϕ 50~30μm	SiC 습식연마지: ϕ 80~40μm	SiC 습식연마지: ϕ 120~60μm 또는 MD-Piano220
연마 (연마속도 순으로 나타냄)	연마	SiC 습식연마지: $\phi \leq$ 10μm	SiC 습식연마지: $\phi \leq$ 15μm	SiC 습식연마지: $\phi \leq$ 25μm 또는 MD-Piano600 (1200)
	연마 -래핑	MD-Largo, 6μm DP현탁액 (다이아몬드 페이스트)	MD-Largo 또는 연한 New-Lam 연마판, 9μm DP현탁액	MD-Allegro와 9μm DP현탁액, 연한 New-Lam 연마판과 12μm DP현탁액
	전단계 미세연마	낮은 충돌탄성을 가지는 연마천(폴리에스터), 6(9)μm DP현탁액	낮은 충돌탄성을 가지는 연마천(펠론, 폴리에스터, 나일론), 9μm DP현탁액	낮은 충돌탄성을 가지는 연마천(Texmet-P, Plan), 9μm DP현탁액
중간단계 미세연마		중간정도의 충돌탄성을 가지는 연마천(비단, 면사)와 6(3)μm DP현탁액, 면사와 3(1)μm DP현탁액		중간 또는 낮은 충돌탄성을 가지는 연마천(비단)와 3(1)μm DP현탁액
화학-기계적 최종미세연마				콜로이드형 Al₂O₃ 또는 SiO₂ (경우에 따라 화학약품첨가)와 화학적 내성을 가지는 연마천
		높은 충동탄성을 가지는 연마천 (스펀지형 네오프렌)		중간 또는 높은 충돌탄성을 가지는 연마천(스펀지형 네오프렌)

표 2.42 HV10 경도가 350 이상인 균일한 재료의 미세조직검사를 위한 준비법

준비단계		시료준비에 대한 특성		
	경도	중간정도	경함	매우 경함
	HV10	360~600	600~1100	>1100 (심한 취성)
습식절단		800 HV10까지는 연한 Bakelite 결합을 가지는 Al_2O_3 절단휠	750 HV10이상인 경우 다이아몬드휠: Bakelite로 결합	금속을 이용한 결합
		Fe기 재료의 경우, 500~1500 HV10인 경우 Bakelite로 결합된 CBN절단휠을 이용		
마운팅	상온	첨가물을 함유시킨 에폭시기 또는 아크릴기 수지	경한 첨가물(예, 세라믹분말)을 함유시킨 폴리에스터 수지	
	온간	유리섬유 또는 광물첨가물을 함유시킨 에폭시수지	디아릴 프탈레이트(dially phthalate) 또는	
평면연마		MD–Piano (120)220 또는 $\phi120\sim65\mu m$ ZrO_2/Al_2O_3 연마지, $\phi200\sim75\mu m$ SiC습식연마지	$\phi125\sim40\mu m$ 다이아몬드 연마박판, $\phi200\sim120\mu m$ ZrO_2/Al_2O_3 연마지, MD–Piano120	$\phi250\sim125\mu m$ 다이아몬드 연마박판, MD–Piano80
연마 (연마속도 순으로 나타냄)	연마	$\phi \leq 22\mu m$ SiC습식연마지	$\phi30\sim5\mu m$ 다이아몬드 연마박판 $\phi30\sim10\mu m$ 다이아몬드 연마박판(취성을 나타내는 물질)	$\phi40\sim20\mu m$ 다이아몬드 연마박판
	연마 –래핑	MD–Allegro 또는 경한 New–Lam 연마판, $9\mu m$ DP현탁액	MD–Allegro와 $9\mu m$ DP현탁액(취성을 나타내는 물질) 또는 경한 New–Lam 연마판과 $12\mu m$ DP현탁액	MD–Allegro와 15(9)μm DP현탁액
기계적 미세연마		중간 또는 낮은 충돌탄성을 가지는 연마천(레이온, 융모)과 $3\mu m$ DP현탁액	1단계: 매우 낮은 충돌탄성을 가지는 연마천(Pellon, 레이온)과 $6\mu m$ DP현탁액 2단계: 중간정도 충돌탄성을 가지는 연마천(천연실크, 융모)과 $1\mu m$ DP현탁액	1단계: 매우 낮은 충돌탄성을 가지는 연마천(Pellon, 리넨형 섬유)과 6(3)μm DP현탁액 2단계: 낮은 충돌탄성을 가지는 연마천(레이온)과 3(1)μm DP현탁액
화학-기계적 최종미세연마		화학적 내성을 가지는 콜로이드형 Al_2O_3	중간~높은 충돌탄성을 가지는 연마천(스펀지형 네오프렌)과 콜로이드형 SiO_2 (경우에 따라선 화학약품 첨가)	

등이 있다.

각 준비단계에 사용되는 변수들을 정리하고 저장할 수 있다. 이렇게 얻어진 평면연마-연마-전단계 미세연마-최종미세연마를 위한 변수들을 핸드북형식으로 정리함으로써, 사용자가 쉽게 변수를 얻을 수 있게 한다(Metalog Guide, Struers사).

표 2.41과 2.42의 이용은 표준시료 준비방법의 설정을 쉽게 해준다. 이를 통해 200~1000 HV의 경도범위에 놓이는 여러 금속재료에 대해, 절단과 마운팅이 알맞게 이뤄진 경우, 4단계를 통해 시료준비를 할 수 있다(Struers사의 권장사항):

1 단계 : 평면연마 MD-Piano종류의 다이아몬드 연마판을 이용한 평면연마

2 단계 : MD-Allegro종류의 연마-래핑 연마판 상에서 9μm 다이아몬드를 이용한 연마

3 단계 : 레이온(인조실크) 천을 이용해 다이아몬드 페이스트를 통한(DP법) 기계적 미세연마(자력 또는 접착물질을 통해 고정하는 뒷면; 예 MD-Dac), 3μm 다이아몬드

4 단계 : 스펀지형 레오프렌 천을 이용해 산화물입자를 이용하는(OP법) 화학-기계적 최종연마(자력 또는 접착물질을 통해 고정하는 뒷면; 예 MD-Chem), 점착성을 가지는 SiO_2 또는 Al_2O_3 현탁액

Al_2O_3, ZrO_2 및 소결한 TiC, SiC, Si_3N_4 등 조밀한 세라믹재료(5vol.%이하의 기공도)의 시료준비에 대해서도 표준방법을 기준으로 이용할 수 있다:

1 단계 : 다이아몬드 연마박판(금속을 통해 부착된 다이아몬드, 접착성을 가짐)을 이용한 평면연마; 입도 20~40μm

2 단계 : 연마-래핑 연마판을 이용한 연마(MD-Allegro에 9μm 또는 6μm의 다이아몬드)

3 단계 : 낮은 충돌탄성을 가지는 합성물질 연마천을 이용해 다이아몬드 페이스트를 통한 기계적 미세연마(MD-Plan 또는 Pellon 종류의 천), 3μm 다이아몬드

4 단계 : 산화물입자를 이용한 화학-기계적 최종연마

조밀한 세라믹재료의 연마 시에는, 금속재료에 이용하는 것보다 약 1.5배정도 되는 시료부하를 가한다. 연마시간은 10배 정도까지 길어질 수 있다.

2.3.3.2 현장 미세조직검사법

실험실 장비를 이용하여 미세조직 검사가 불가능한 경우엔, 시료준비를 위한 장비와 현미경을 시료로 이동하여 현장에서 조사한다. 이는 시료의 채취와 절단과정을 통해 일반적인 시료를 얻을 수 없는 경우에 해당한다. 이런 조사법은 대부분, 장비의 구성요소가 잘못된 경우 또는 사용되야 하는 재료가 잘못 선택된 경우에, 열적, 화학적, 기계적 부하에 대해 재료에 나타나는 현상을 조사한다. 검사를 통해 부품의 표면 미세조직 해석, 미세조직 변화에

대한 분석 또는 표면에 나타난 잘못된 부분을 가시화할 수 있다. 현미경을 이용한 분석과 함께 표면형상을 떠내는 기술(imprint)도 많이 이용된다. 현장 미세조직검사를 행하는 예는 아래와 같다:

- 한 장소에 고정된 장비 또는 기계
- 이동이 어렵고 무겁거나 큰 주물, 단조품, 부품
- 고정 설치된 부품
- 군사적으로 이용되는 수송장비

준비과정은 휴대가 가능하고, 전기적으로 가동되며 취급이 쉬운 장비를 이용한다. 이런 장비는 적용되는 현장의 안전준수사항에 적합해야 한다(220V/40V-변압기 이용하거나 최대 60V 배터리를 이용). 그림 2.100은 준비과정을 나타낸다.

표면준비과정은 검사위치에 대한 노출과 세척작업에 해당한다. 거친연마와 연마과정은 SiC 연마지를 이용해 건식법을 통해 이뤄진다. 기계적 연마와 미세연마를 위한 장비로는 앵글그라인더(angle grinder)가 있다. 앵글그라인더의 휘는 부위에 원뿔형태의 고무물체를 장착하여 이용한다(고무물체의 벽에 SiC 연마지 또는 미세연마용 천이 접착되어있다).

그림 2.100에는 연마 후 이뤄지는 미세연마에 대해 두 가지 방법을 나타내었다. 기계적 미세연마는 DP-법을 이용하여 여러 단계에 걸쳐 이뤄지며, 소모품과 연마시간의 관점에서 전해미세연마에 비해 좀 더 복잡하다 할 수 있다. 전해미세연마는,

작업조건을 알고 있는 경우, 1분 내에 양호한 미세연마면을 얻을 수 있지만, 특수한 장치가 필요하다. 전해미세연마를 이용하는 경우에 얻어지는 다른 장점으로는, 미세연마를 마친 후 같은 전해액을 이용해 부식도 행할 수 있다는 점이다(그림 2.100). 이때 사용하는 전해연마액은 실험실 장비에서 이용하는 것과 동일하다(2.3.2.7절 참조). 전해법으로 재료의 에칭이 어려운 경우엔, 미세연마된 부위를 일반적인 화학적인 방법을 통해 에칭할 수 있다. 가능한 경우엔, 에칭을 하기 전에 연마면에 얼룩이 있는 지를 검사한다.

연마면의 검사를 위해선 높은 배율의 확대경 또는 (약 100까지 확대 가능한) 휴대용 현미경을 이용한다. 작업의 편의를 위해서 탈착이 가능한 명시야-반사현미경을 이용하는 것이 좋으며, 이는 에칭 후 미세조직 검사에도 이용된다.

미세조직이 충분히 드러난 경우, 플라스틱 재료를 이용해 관찰면의 표면형상을 떠내는 작업을 하며, 이를 통해 표면에 생긴 기복면의 형상을 채취할 수 있다. 이는 관찰하고자 하는 미세조직의 음각을 나타낸다. 필요한 경우, 기복면(미세조직)을 나타내는 플라스틱을 다른 단단한 물질에 고정하여 실험실로 옮겨 측정할 수 있다.

표면형상을 찍어내는 과정에는, 박판탁본(foil imprint), 상온에서 경화되는 합성수지를 이용한 표면탁본(surface imprint), 도료를 이용하는 탁본(lacquer imprint) 등 세 가지가 있다.

박판탁본은 $40 \sim 150 \mu m$ 두께를 가지는

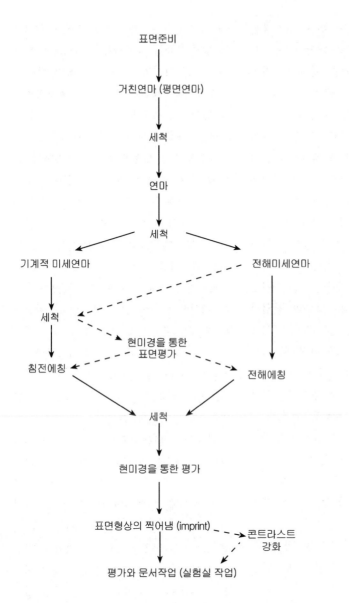

그림 2.100 현장 미세조직검사를 위한 작업단계.

플라스틱 박판을 유기물질 용매(대부분의 경우 아세톤)와 함께 표면에 용해시킨 후, 경화되도록 수 분간 방치함으로써, 에칭을 통해 나타난 미세조직을 나타내는 기복을 찍어낼 수 있다. 경화된 박판을 떼어낸 후엔, 반사현미경을 통한 관찰을 위해 주름

이 생기지 않게 다른 물체(예, 양면테이프)상에 고정한다.

표면탁본은 두 가지 물질을 현장에서 섞어서 사용하는 상온경화 합성수지를 이용한다. 액상 합성수지를 이용하는 경우엔 에칭한 부위를 벗어나서 흘러나지 않도

록 주의해야 한다. 이를 위해 고무찰흙 등을 이용해 에칭부위의 가장자리를 감싼 후에 액상 합성수지를 붓는다. 경화된 합성수지의 제거를 위해선, 냉충격 방법(cold shock)을 이용할 수 있다.

빠른 경화와 수축을 나타내지 않는 실리콘 페이스트를 이용하면, 탁본과정을 용이하게 행할 수 있다. 혼합용 노즐을 이용해 카트리지 내의 두 가지 물질을 중합반응이 이루어지도록 페이스트와 혼합한다. 실리콘 페이스트는 에칭부위에서 탄성을 가지는 고체상태로 경화하며, 관찰면의 음각형상을 나타낸다. 빠른 경화속도를 가지는 실리콘 페이스트(0.5~5분 정도의 작업시간)를 이용하면, (균열, 홈, 내부나사 홈 등) 표면 기복부위, 마멸과 마찰 또는 부식으로 인한 표면손상부, (파단, 도금, 이온빔 또는 레이저빔 조사를 통한 선택연마 후의) 표면의 형상 등을 나타낼 수 있다.

이렇게 얻어진 음각면은 일반적인 반사현미경을 이용해 조사 가능하다.

도료탁본은 액상의 도료막을 이용하며, 다른 방법과 같이 건조와 경화 후에 떼어내서 조사한다.

얻어진 표면의 콘트라스트를 향상하기 위해 Al, Au 또는 C를 표면에 증착하는 방법도 이용된다(그림 2.100).

2.3.4
콘트라스트화 과정(contrast)

연마과정을 마친 연마면은 미세조직 검사를 위한 요구조건을 만족하여야 한다

(표 2.20). 이는 연마면의 표면이 입사하는 빛과 원하는 상호작용을 가지도록 해주는 것으로 아래의 조건을 만족해야 한다:

시료면의 표면거칠기는 0.1μm이하이어야 한다. 이 정도의 거칠기는 거울면에 상응하며, 재료 특유의 광택을 나타낸다.

시료면에는 반응부산물이 잔존하지 않아야 한다. 반응부산물이 남아있다는 것은 전처리 과정의 오류를 나타내며, 원래의 조직에 영향을 주거나 잘 나타나지 않게 하며, 경우에 따라서는 존재하지 않는 조직을 나타나게 한다. 이런 오류는 종종 전기화학적 연마에서 산화층의 잔존물, 충분히 세척하지 않아 남아있는 얼룩, 최종연마 후 처리를 적절하게 하지 않아 발생하는 오염 및 부식층에 의하여 발생한다. 부식층이 발생하는 것은 최종연마 후 시료를 건조기에 보관 혹은 시료면에 보호막을 도포함으로써 방지할 수 있다.

시편의 표면근처에는 변형층이 없어야 한다. 변형층을 완전히 제거할 수 없다하더라도, 예를 들어 기계적인 최종연마를 하는 경우에, 변형층의 두께는 1μm이하이어야 한다. 변형층 깊이가 1μm보다 크게 되면 이어지는 에칭(etching)을 통해서 완전히 제거할 수 없게 되어 결국 실제 미세구조가 왜곡되어 나타나게 된다. 이는 열적인 영향으로 그 미세구조가 변형된 층의 경우에도 동일하게 적용된다.

연마면상의 어떠한 미세조직 구성요소는 주위와 구별하기 위하여 흑백 혹은 색 콘트라스트를 이용하여 구분되야 한다. 그렇지 않은 경우엔 광학현미경을 이용한

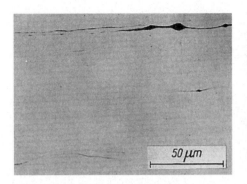

그림 2.101 열간압연된 구조용 강판 내의 황화물(부분적으로 산화물과 혼합되어 있음). 비금속개재물은 인성에 영향을 미침.

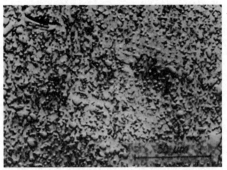

그림 2.102 굴곡 연마(relief-polishing)된 탄소강(1.3% C). 단단한 탄화물입자는 굴곡을 나타내므로 연한 페라이트 기지조직과 구별됨. 경사조명 사용.

관찰에서 구별할 수 없으며, 미세조직 검사를 할 수 없다.

특수한 경우에만 연마면에서 명시야상을 이용하여 미세조직의 특징을 관찰할 수 있다. 예를 들어, 대부분의 비금속 개재물은 자체적인 색으로 인하여 충분한 색 콘트라스트가 존재하기 때문에 연마된 시료면에서 이를 직접 관찰할 수 있다(그림 2.101). 주철 내의 흑연을 확인할 수 있는 것은 명암 콘트라스트가 높기 때문이며, 연마된 모상와 흑연이 서로 다른 반사능을 가지는 것에 기인한다. 이는 Al-Si 합금에서도 관찰된다. 기공, 응축공, 균열, 파단을 통해 형성되는 틈 등에서는 산란반사가 이뤄지며 연마된 면에서 직접적인 관찰이 가능하다. 또한 연마과정에서 발생한 표면굴곡(relief)도 명암차를 나타내며, 이는 연마과정에서 단단한 조직성분과 연한 성분의 높낮이가 다르게 되어 명시야상에서 차이를 가지며 보여지게 된다(그림 2.102). 위의 두 조건이 종합적으로 작용하여 연마면에서 콘트라스트를 나타내는 경우도 있다.

예를 들어, Pb-Sn-Sb-(Cu) 합금의 연마 시료는 각 미세조직 구성요소간의 서로 다른 반사능과 표면굴곡을 통한 음영효과가 동시에 나타나서 조직을 관찰할 수 있다.

하지만 대부분 연마된 시료에서 직접적으로 광학현미경을 이용하여 미세조직과 조직구성요소들을 관찰하기에 충분한 콘트라스트를 얻는 것은 어렵다. 따라서 콘트라스트를 얻기 위한 적절한 과정을 행하여야만 한다. 그림 2.103에 Petzow가 제안한 금속재료 시료면에서 콘트라스트를 얻기 위한 기본적인 방법을 나타내었다. 광학적(light-optic) 콘트라스트를 위해서는 시료면을 최종연마 후 세척하면 충분하다. 이런 종류의 콘트라스트화 과정은 사용하는 빛과 시료면 간 상호작용의 광학적인 규칙성을 이용한다. 이를 위해서는 반사현미경에 적절한 도구가 장착되어 있어야 한다. 이러한 광학적 콘트라스트를 얻는 방법은 이미 설명하였기 때문에, 그림 2.103에 그 종류만 열거하였다.

전기화학적인 방법과 물리적인 방법에서는 조직구성요소에 따른 반사 혹은 흡수특성을 향상시키기 위하여 연마된 시료면을 후처리하여 요구되는 흑백 혹은 컬러 콘트라스트를 얻게된다. 그러나 미세조직의 관찰을 위해선 표의 왼편에 나타낸 현미경적인 방법도 이용하여야 한다. 이와 같이 시료면의 변화를 수반하는 방법을 광학적인 방법과 조합하여 이용하는 것이 콘트라스트화 과정에서 일반적으로 이용된다. 예를 들어 간섭막의 도포(물리적인 방법)를 통한 콘트라스트화는 단색광의 이용을 통해 더 확실해질 수 있다. 또한 이온에칭을 통해 처리된 시료면은 간섭콘트라스트를 이용하면 명확하게 관찰할 수 있다.

위에 소개한 분류방법은 에칭의 개념과 각 에칭방법과 기술, 에칭변수, 이에 따라 나타나는 현상 등을 명확히 나타내기에는 충분하지 않다. 위의 각 요인에 대해서는 이후에 에칭에 대한 기술적인 설명을 통해 추가적으로 기술하고자 한다. 하지만 이는 이미 알려진 에칭에 대한 개념으로 한정된다.

2.3.4.1 화학적 에칭과 전기화학적 에칭

(고전적) 에칭의 전기화학적 원리에 의하면 에칭액(에칭물질, 용액, 전해액)과 금속의 용해반응에 의하여 진행되게 된다. 금속이 용액에 전자를 내보내려는 경향은 전기화학적인 전위를 통해 알 수 있다(표 2.43). 이는 주요 금속에 대해서 전자를 용액에 내보내려 하는 강도가 감소하는

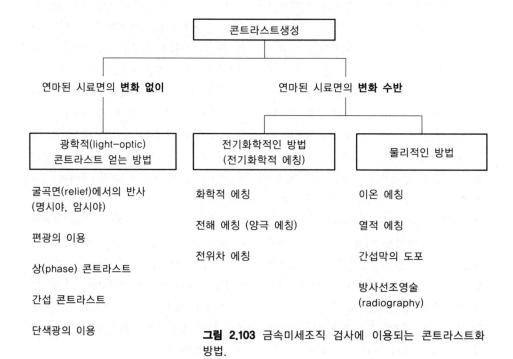

그림 2.103 금속미세조직 검사에 이용되는 콘트라스트화 방법.

순서로 정렬되어 있다. 이러한 용해반응은 산화환원과정이며, 금속들은 약산성 수용액에서 수소를 방출하면서 용해된다. 산화는 금속표면(시료면)에서 발생되며, 이는 예를 들면 2가 금속의 경우 식 (2.50)과 같이 설명될 수 있다(양극 부분 반응). 이에 연관된 환원반응(음극 부분반응)은 방출된 전자를 소모하며 다음과 같이 진행된다:

$$2H^+ + 2e^- \rightarrow H_2 \uparrow \qquad (2.53)$$

에칭용액 내에 H^+이온보다 강한 산화 물질이 존재하면, 수소이온 대신에 이들이 환원되며 수소를 방출하지 않게 된다. 화학적 에칭에서의 환원과정은 에칭용액 내에서 진행된다. 이때 에칭액은 음극으로 작용하며, 전자공급은 금속(시료)이 담당한다. 두 개의 금속이 동시에 에칭액에 침지되고, 두 금속 간에 전위순서에 의한 전위차가 나타나면, 예를 들어, Cu/Cu^{2+}와 Zn/Zn^{2+}(1.1V, 표 2.43)의 경우엔, 용해경향이 더 강한 금속인 Zn이 먼저 부식된다.

순금속에서 보여지는 다른 용해경향은 합금에 대해서도 적용할 수 있다. 두 개의 상으로 구성되어 있는 CuZn40 황동의 경우, Cu가 풍부한 α 상은 Zn의 함량(상온에서 약 34%Zn)이 적기 때문에, 상대적으로 Zn이 풍부한 β 상(약 47%Zn)보다 부식성이 작다. 두 상 사이에 존재하는 전위차 때문에 염산-$FeCl_3$-용액 내에서 β 상이 α 상에 비해 심하게 부식된다. 이는 국

표 2.43 주요 금속의 전기화학적 전위순서

전극금속/ 금속이온	표준전극 포텐셜[V]	특이사항
Mg/Mg^{2+}	-2.37	수소에 대한 부식성이 높고,
Be/Be^{2+}	-1.85	산성용액에서
Al/Al^{3+}	-1.66	용해(산화)되며
Ti/Ti^{2+}	-1.63	이때 수소이온이
V/V^{2+}	-1.50	수소로 환원됨
Mn/Mn^{2+}	-1.18	(H_2-방출)
Nb/Nb^{3+}	-1.10	
Zn/Zn^{2+}	-0.76	
Cr/Cr^{3+}	-0.74	
Fe/Fe^{2+}	-0.44	
Cd/Cd^{2+}	-0.40	
Co/Co^{2+}	-0.28	
Ni/Ni^{2+}	-0.25	
Mo/Mo^{3+}	-0.20	
Sn/Sn^{2+}	-0.14	
Pb/Pb^{2+}	-0.12	
Fe/Fe^{3+}	-0.04	
H_2/H^+	0	
W/W^{3+}	+0.05	수소에 대해 부식성이 작고,
Sb/Sb^{3+}	+0.10	강한 산화물질이 함유된
Bi/Bi^{3+}	+0.20	산성 용액에서 용해되며
Cu/Cu^{2+}	+0.34	이때 산화물질이 환원됨
Cu/Cu^+	+0.52	
Ag/Ag^+	+0.80	
Pd/Pd^{2+}	+0.99	
Pt/Pt^+	+1.20	
Au/Au^{3+}	+1.50	
Au/Au^{2+}	+1.70	

부적으로 β 상이 양극으로, α 상이 음극으로 작용되기 때문이다.

위의 예와 같이, 각 상의 화학조성이 다른 경우를 화학적 불균일성이라 하며, 전위차를 유발한다. 이러한 예로는 편석, 결정립계와 입내사이의 첨가 및 합금원소의

조성차이, 전위 및 소경각입계 주위에 높은 이종원자의 조성 등에 의해서도 발생된다. 화학적 불균일성뿐만 아니라 물리적인 불균일성 혹은 두 가지가 복합적으로 전위차를 나타기도 한다. 물리적 불균일성에 속하는 것으로는 결정립 내부와 입계사이의 격자결함 농도차, 변형의 불균일성, 인접결정립간의 방위차, 각 상의 서로 다른 격자구조, 시료면에 노출된 결정면의 결정학적인 방위차. 또한 시료면에 접하고 있는 에칭액의 국부적인 조성과 온도 그리고 유동성의 차이 등이 전위차를 가지게 한다. 시료면에는 많은 국부적인 영역 간에 전위차가 나타나게 되는데, 이로 인해 선택적으로 에칭이 발생하여 국부적인 양극부위에서의 미세 굴곡형성(micro-relief)이 음극부위에 비해 심하게 나타난다. 이는 연마된 시료면에 비해 빛의 반사조건을 변화시키므로, 미세조직에 따라 빛의 반사가 다르게 되어 콘트라스트를 나타나게 해준다.

선택적인 에칭이 약간만 일어난 경우엔, 결정립계, 쌍정경계, 상경계가 나타나며(그림 2.104, **결정립계 에칭**), 또는 각 결정립의 내부 전체부분에 대한 선택적 에칭이 일어난다(그림 2.105, **결정입내 에칭**). 대부분의 경우 두 현상이 동시에 나타난다. 매우 강한 에칭재료를 사용하는 경우, 한 상만 용해되고 다른 상은 그대로 남아있게 할 수도 있다(그림 2.106, **깊은 에칭, deep etching**). 이를 통해 각 상의 크기, 형태, 배열 등을 직접 관찰할 수 있다. 선택적인 에칭을 통하여 시료면의 각 결정립에 대한

결정구조를 나타내게 할 수 있으며, 각 결정립들의 방위를 결정할 수도 있다(그림 2.107, **결정방위 에칭**). 결정입내 에칭에서 양극용해 반응 중에 반응층이 발생하면, 음극영역은 자유롭게 되며, 양극영역에 해당되는 결정립은 반응층으로 덮이게 된다. 이러한 반응층의 대부분은 자유표면보다 반사능이 떨어지기 때문에 양호한 명암 콘트라스트가 나타난다(그림 2.108, 부분적인 반응층 형성을 동반하는 **침전 에칭**). 재료가 강하게 에칭되는 경우, 시료면 전체가 반응층으로 덮일 수도 있다. 이런 반응은 주로 강한 산화반응을 일으키는 물질(예, HNO_3)를 함유한 에칭용액에서 발생한다. 이 경우 반응층은 산화물로 이뤄진다. 결정학적인 방위에 따라 시료면에 있는 결정립의 면에 서로 다른 두께의 층이 덮이게 되며, 층의 두꺼워 질수록 해당 결정립은 어둡게 보인다. 이러한 방법으로 결정립 간에 명암 콘트라스트를 얻을 수 있다. 순수 Fe의 경우 HNO_3에서 에칭할 때 형성되는 산화층은 추가적으로 갈색인 고유의 색을 나타낸다(그림 2.109, 결정방위에 따라 반응층 형성을 동반한 침전에칭). 서로 다른 층 두께 때문에 결정립은 밝은 노랑(얇은 층)부터 어두운 흑갈색(두꺼운 층)사이의 색으로 콘트라스트를 형성한다.

화학적(고전적) 에칭의 경우 시편을 에칭용액에 침지한 후(침전 에칭) 흔들어 줌으로써, 시료 표면에 형성되는 기포를 제거하며 에칭액의 국부적인 화학적 조성차이를 없앤다. 이러한 에칭과정은 여러 가

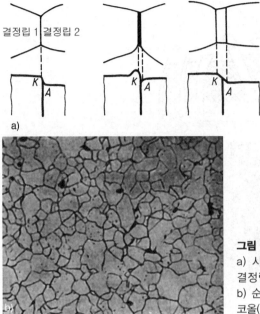

결정립 1 결정립 2

a)

그림 2.104 결정립계 에칭
a) 시료면과 그 수직단면에서 나타나는 현상;
결정립계의 명암; A-양극영역, K-음극영역
b) 순수 Fe의 미세조직, 1% HNO_3를 첨가한 알
코올(Nital)에 10초간 에칭.

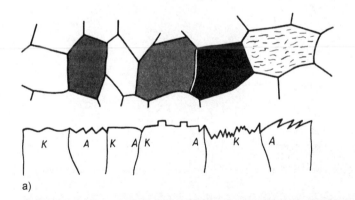

a)

그림 2.105 결정립내 에칭 (결정립간 방위차에 따른 에칭)
a) 시료면과 그 수직단면에서 나타나는 현상; 결정립내의 명암; A-양극영역, K-음극영역
b) 순수 Al의 결정립구조; 명암콘트라스트는 결정립 면의 서로 다른 에칭정도에 따라 나타남
(매크로 에칭). HCl과 HF로 에칭.

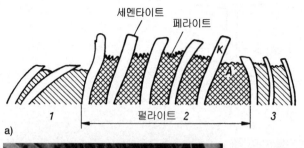

세멘타이트 페라이트

그림 2.106 깊은 에칭 (deep etching)
a) 시료면과 수직단면에서 나타나는 현상;
펄라이트 내의 페라이트가 선택적으로 강하
게 에칭됨; A-양극부위, K-음극부위
b) 0.9%C-강. 펄라이트 내의 페라이트가
용해되고 층상 시멘타이트는 남아있음.
10% FeCl₃-용액으로 에칭.

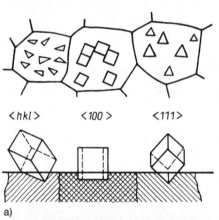

그림 2.107 결정방위 에칭
a) 시료면과 수직단면에서 나타나는 현상; 결정
형태를 나타냄.
b) 순수 Fe. 결정 내의 사각형태의 결정형태. 구
리암모니움클로라이드를 이용한 에칭.

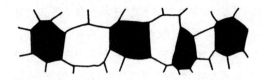

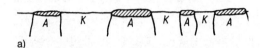

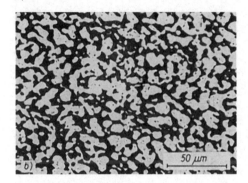

그림 2.108 부분적인 반응층 형성을 동반하는 침전에칭
a) 시료면과 수직단면에서 나타나는 현상; 부분적인 층형성; A-양극부위, K-음극부위
b) 0.08%C-24.4%Cr-6.4%Ni-2.2%Mo 함유강, 열간압연 후 950℃/1h 열처리 후 수냉. δ 페라이트(어두운 부분)와 오스테나이트(밝은 부분). δ 페라이트 영역은 황화물층으로 덮여있음. 염산-칼륨메타설파이드 용액에 에칭 (Beraha)

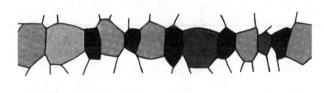

그림 2.109 결정방위에 따라 층형성을 동반한 침전에칭
a) 시료면과 수직단면에서 나타나는 현상; 결정방위에 따른 층형성.
b) 순수 Fe, 결정입내 에칭. 각 결정립에 서로 다른 두께의 산화층 형성. 3% HNO_3를 첨가한 알코올에 5분간 에칭.

지 인자에 의해 복잡한 영향을 받지만, 대부분 에칭액의 화학조성, 온도 그리고 시간을 통해 조절할 수 있다. 여러 가지 금속에 대해 주로 이용되는 에칭액은 부록에 수록하였다. 특수한 에칭액에 관련된 사항(화학조성, 사용법, 콘트라스트 효과 등)은 금속미세조직학의 에칭과 관련된 전문서적을 참고하길 바란다.

에칭용액의 에칭속도는, 시료면이 깨끗한 경우, 주로 해리도(dissociation degree), 전기전도, 온도에 의하여 결정된다. 이 세 가지 인자에 의해 에칭정도가 높아지면 에칭시간 또한 단축된다. 최적의 에칭시간은 경험적으로 결정되며, 이를 위해 에칭을 도중에 중단한 후 시료를 관찰해야 한다. 상온에서 에칭시간이 약 10초~수분이 걸리면 편리하게 시료의 에칭을 제어할 수 있다. 용매로 물보다는 알코올이 더 좋은데, 이는 알코올 용액이 더 오래 사용할 수 있으며, 너무 빠르지 않으면서 균일하게 에칭할 수 있기 때문이다. 일반적인 에칭조건을 만족하게 되면, 단지 몇 가지의 에칭용액을 이용해 많은 미세조직에서 콘트라스트를 얻을 수 있다. 예를 들어, 1~3% HNO_3를 첨가한 알코올(Nital 에칭액)은 상온에서 모든 종류의 탄소강에 이용 가능하다. 대부분의 에칭용액이 상온에서 충분한 에칭효과를 보이는 반면 몇몇 에칭용액은 적절한 콘트라스트와 에칭시간을 얻기 위해 50~80℃로 가열하여야 한다. 이들 중엔 끓는점에 해당하는 온도에서 원하는 효과를 얻을 수 있는 에칭액도 있다. 높은 온도에서 에칭하는 경우엔, 열로 인해 미세구조가 변하는 효과를 고려하여야 한다. 열적 효과는 특히 에칭용액을 사용하지 않고 대기 중에서 수행하는 **가열에칭**의 경우에 주의해야 한다. 이 경우 시료는 가열판 혹은 가열된 모래조(sand bath)를 이용해 가열된다. 연마되고 깨끗하게 세척된, 경우에 따라 예비 에칭된, 시료 표면이 위로 향한 상태에서 가열된다. 가열된 온도에서 시료면에 무색의 간섭효과가 있는 산화층이 형성되는데, 백색광을 이용하면 간섭색은 층의 두께에 따라 다르게 된다. 한편 산화층의 두께는 시료물질, 가열온도, 가열시간, 결정방위에 따라 다르게 형성된다(간섭층을 이용한 콘트라스트). 예를 들어, 청동에서의 Cu_3P는 청색으로, Cu_4Sn은 노랑색으로 나타난다. 탄소강에서 가열온도 280℃에서 펄라이트는 청색으로 시멘타이트는 빨강색으로 나타난다. 회주철의 경우 300℃로 가열하면 펄라이트는 밝은 청색, 철 인화물(iron phosphor)은 붉은색의 색 콘트라스트를 나타낸다. 고합금 오스테나이트-페라이트 강에서는 가열에칭을 통해 조직구성성분인 오스테나이트, δ 페라이트, σ 상을 확연하게 구별할 수 있다(그림 2.110). 페라이트-펄라이트 크롬강의 경우에도, 높은 온도에서 형성된 조직은 퀜칭한 후 가열에칭을 통하여 양호한 콘트라스트를 얻을 수 있다(그림 2.111).

특수한 에칭액을 사용하면, 모든 미세조직구성요소가 에칭되거나 착색되는 것이 아니고 단지 한 개의 요소만 에칭할 수 있으며, 이를 이용하여 이 요소를 확인하는

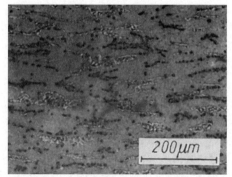

그림 2.110 0.1%C-19%Cr-10%Ni-1.5%W-1%V-1.5%(Nb+Ta)함유 오스테나이트-페라이트 크롬-니켈강; 단조상태; 가열에칭; 500℃에서 5분간 대기 중에서 산화.

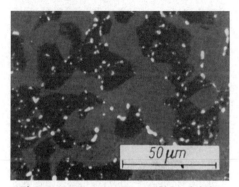

그림 2.111 0.2%C-17%Cr-1%Mo함유 페라이트-펄라이트 크롬강; 가열에칭; 1050℃에서 유냉 후 500℃에서 5분간 대기 중에서 산화.

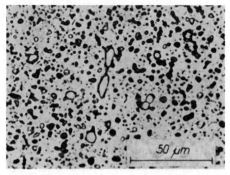

그림 2.112 1.3%C-1.5%Cr-2%W함유 강; 각 미세조직 구성요소의 착색; 철탄화물은 어둡고, 크롬탄화물은 밝게 유지함; 가열된 알칼리성 나트륨피크라트 용액으로 에칭.

데 이용할 수 있다. 크롬강에 대해 알칼리성 나트륨피크라트(natrium picrate) 용액을 사용하면, 페라이트, 마르텐사이트, 크롬탄화물의 변화 없이 철탄화물(Fe_3C)만 어둡게 에칭할 수 있다(그림 2.112). 즉, 나트륨피크라트 알칼리액을 사용하면 세멘타이트의 존재를 증명할 수 있다. 이런 특수 에칭액의 효과는 합금의 조성에 따라 다르게 나타나기 때문에, 정성적인 분석이 외에 정량적인 분석에 적용하기엔 한계가 있다. **Fitzer 에칭용액**은 양극산화(크롬황산)를 통해 Fe-Si 합금에 SiO_2-층을 생성하며, 이를 차가운 메틸렌블루(methylene blue) 포화용액에 침전시키면, 8%이상의 Si를 함유한 Fe-Si 고용체는 발광청색을 나타내는 반면, 저합금 고용체와 FeSi 화합물은 착색되지 않는다.

비슷한 방법으로 **Klemm 에칭용액**의 티오황산염(sodium thiosulfate)은 강에서 인(phosphor)의 함량을 위치에 따라 확인할 수 있다. 시약은 냉각된 포화 티오황산염 $50cm^3$에 1g의 칼륨 메타중황산염 (kalium meta-bisulfate)을 첨가하여 만든다. 인의 함량이 높아짐에 따라 노랑색에서 푸른색, 붉은색으로 나타나는데, 이는 표면에 형성된 황화철(FeS) 막이 시료건조 도중에 중간화합물로 산화되기 때문이다. 이 에칭용액은 구리, 청동, 황동, 주석, 모넬합금, 합금되지 않은 주철, 회주철 등의 결정립을 착색하며, 은, 안티몬, 납, 아연 등의 결정립은 명암으로 나타낸다.

구리 함량이 1% 이상인 알루미늄합금을 가성소다액을 이용하여 에칭하면, 시료면

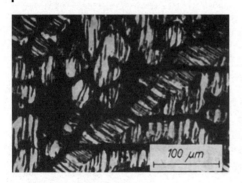

그림 2.113 선영에칭(hachure etching)한 Al −Cu−Mg 주조합금; 1%의 가성소다액으로 에칭(Schottky에 의함).

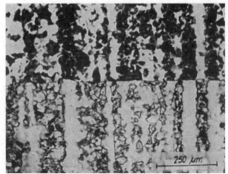

그림 2.114 질산과 (아래) Oberhoffer에칭액을 (위) 이용해, 두 부분으로 나눠 에칭된 28 NiCrMo10.4 합금강.

에 붉은색의 침전물이 생성된다. 이를 건조하면, 육안으로도 위치를 알아볼 수 있는 반사특징을 갖는, 매우 빛나는 상을 관찰할 수 있다. 이는 건조할 때 침전막이 수축되어 결정방향에 따라 특별한 형태로 파열되기 때문이다. 이런 방법을 **선영 에칭** (hachure etching)이라 한다(그림 2.113).

목적에 따라 시료면의 절반만 에칭해야 할 경우가 있다. 이는 하나의 시료를 이용해 연마상태와 에칭된 상태를 관찰 할 수 있고, 경우에 따라서는 추가로 필요한 미세연마 혹은 연마과정을 절약할 수 있다. 또는 시료표면의 일부분은 에칭액 A 를 사용하고, 나머지는 다른 에칭액 B를 이용하여 에칭하는 경우도 있다. 선명하게 두 부분으로 나눠 에칭하는 방법으로 Ploecklinger와 Randak에 의한 방법은 다음과 같다. 먼저 시료면의 일부분을 특수 테이프로 덮은 후 에칭액 A를 이용하여 에칭한 후, 테이프를 떼어내고, 이미 에칭된 면을 조심스럽게 다른 테이프를 이용하여 덮은 후에(가능한 확대경 혹은 입체현

미경을 이용), 에칭액 B를 이용하여 에칭한 후에 테이프를 제거한다. 그림 2.114는 질산과 Oberhoffer용액을 이용하여 두 부분으로 나눠 에칭하는 예를 보여준다; 열간가공된 Ni−Cr−Mo 합금강. Oberhoffer 용액에 의하여 나타난 밝은 선형태(인의 함량이 높은 편석부위)와 질산에 의하여 에칭된 어두운 선형태(펄라이트 부분, 즉 탄소가 적게 함유된 부분)의 부분이 확연히 보여진다.

하나의 시료에 여러 차례의 에칭을 수행함으로써**(다중 에칭)** 복잡한 미세조직의 각 구성요소를 구별할 수 있다. 이를 위한 조건으로는, 각각의 에칭 후에 시료의 같은 부분을 관찰할 수 있어야 한다는 것이다. 이는 관찰 부위를 사전에 표시하면 되는데, 현미경의 대물렌즈위치에 이동과 높낮이 조절이 가능한 받침대에 고정된 예리하고 강한 침을 이용한다. 관찰하려는 부분을 침으로 누른 후 받침대를 회전하여 원하는 크기의 원형 홈을 새겨놓음으로써 여러 차례의 에칭 혹은 연마과정 후에도 관

찰부위를 찾을 수 있다. 다중에칭의 적용 예로, 0.1%C-19%Cr-10%Ni-1%V-1.5%(Nb + Ta) 첨가 내열강의 각 에칭단계에 따른 미세조직을 그림 2.115~ 2.117에 나타내었다. 이 강은 오스테나이트 기지에 δ 페라이트와 탄화물이 포함되어 있으며, 제조과정과 열처리 조건에 따라 δ 페라이트상이 오스테나이트, σ 상, 탄화물로 분해된다. 그림 2.115는 왕수 (질산과 염산의 혼합액)로 에칭한 시료에서 δ 페라이트영역이 보이는 것을 나타낸다. δ 페라이트 상 주변의 윤곽은 선명하게 에칭되었으나, 각 미세조직 구성요소는 구별할 수 없다. 두 번째 단계로, 10%크롬산 수용액에서 전해에칭하면, σ 상이 용해되어 나와 이 부분이 검은색의 얼룩으로 나타난다(그림 2.116). 탄화물은 에칭되어 작고 어두운 점으로 보여진다. 끝으로 시료를 대기 중에서 500℃에서 5분 동안 가열하면, 오스테나이트는 적갈색으로 보이며 나머지 δ 페라이트는 변하지 않아 흰색으로 보여진다. 그림 2.117에는 오스테나이트는 회색으로 σ 상은 검은색(넓은 면적) 탄화물은 어두운 작은 점으로 보이며, δ 페라이트는 흰색으로 보인다. 이 네 종류의 조직구성요소들은 이와 같은 다중에칭을 통하여 서로 확연하게 구별할 수 있게 된다.

화학적(고전적인) 에칭은 대부분 경험에 의존하여 이뤄지며, 따라서 얻어지는 콘트라스트의 정도도 실험자의 경험에 의존한다. 에칭에 영향을 주는 과정들은, 그 결과에 영향을 줄 수 있는 인자들을 조절할 수 있을 정도로, 명확하게 밝혀지진 않았

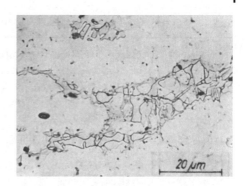

그림 2.115 오스테나이트-페라이트 내열강, 1100℃/수냉/10h 700℃. 왕수를 이용하여 에칭.

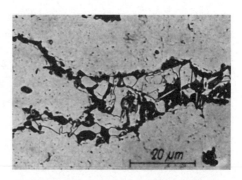

그림 2.116 그림 2.115과 동일. 추가로 크롬산용액에서 전해에칭. σ 상이 용해되어 검게 보임.

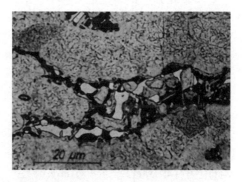

그림 2.117 그림 2.116과 동일. 추가로 가열에칭. 오스테나이트는 적갈색(회색)으로 σ 상과 탄화물은 검은색으로 보이며, δ 페라이트는 흰색으로 보임.

표 2.44 전위차의 작용 정도와 그에 따른 (전기)화학적 에칭법의 분류

전위차의 유효작용 거리	에칭법	에칭되는 미세조직	에칭결과의 예
수 cm~0.5mm	거시적 에칭 (평면 에칭)	막, 조대한 결정립, 일정한 결정립군, 주조조직	편석부위, 용접 열영향부, 주상정 조직, 조대한 결정립 부위
< 1mm~0.5μm	미시적 에칭 결정립계 또는 결정면 에칭	확산영역, 결정립, 조대한 석출물	고용체 편석, 포정조직, 표면박막, 미세조직 구성요소들의 결정립, 결정립계, 상경계, 쌍정경계
< 100μm~0.1μm	구조 에칭 결정형상 에칭	단결정 또는 다결정영역	결정립(입방정, 육방정) 방위에 따른 기하학적 형상; Ag, Al, Cd, Cu, Fe, Fe-Si, 황동, 저탄소강, W, Zn 등
선형영역: 길이 < 100μm 폭 ≤ 2μm	아결정립계 에칭	다결정 또는 심한 변형을 가지는 단결정 내의 아결정립	약간 변형된 재료의 다각형화 (polygonization) 후의 아결정립, 아결정립계
		순수 금속 또는 합금의 결정립내의 변화	순수 Fe, Al, Cu-합금, Fe-Si, Ni 결정립내의 변화
점형태: ≤ 3μm 선형태: 길이 ≤10μm 폭 ≤ 1μm	전위 에칭	단결정 내 전위 또는 전위 밀집	전위선과 연마면이 교차하는 부위의 부식공, 아결정립계를 따른 부식공, 연마면상의 전위선

다. 따라서 콘트라스트화의 재현성은 확실하지 않다. 아직 알려지지 않은 미세조직으로 구성된 새로운 재료의 시료를 화학적으로 에칭하기 위해서는, 이미 알려진 에칭액을 이용하여 반복적으로 실험하거나 혹은 새로운 에칭액을 찾아야 한다. 이렇게 경험을 바탕으로 수행되지만, 간단한 화학적 에칭법은 앞으로도 가장 중요한 콘트라스트화 방법으로 사용될 것이다.

화학적 에칭법은 전위차의 작용정도에 따라, 거시적(macro), 미시적(micro), 구조 에칭(structural etching)의 세 가지로 나눌 수 있다(표 2.44). 여기서는 위에서 설명된 에칭방법들 중에서 선택적인 에칭을 이용하여 콘트라스트를 얻는 방법만을 나타냈으며, 반응층의 형성을 통한 방법은 제외하였다. 구조적인 에칭도 거시적-미시적-방법과 더불어 중요하다.

표에는 구조에칭을 미시적 에칭방법으로 분류하여 나타냈다. **구조 에칭법**의 경우, 일반적인 결정립 에칭법과 비교하여, 전위차에 따른 부식작용을 가지는 영역의 크기가 작다. 따라서 강한 국부적인 에칭 반응이 나타나며, 격자결함의 가시화할 수 있는 방법으로 이용될 수 있다. 구조에칭의 경우, 연마면에서의 특수한 부식반응을 통해 각 결정립의 방위를 나타내거나(**결정형상 에칭**), 각 개의 전위(**전위 에칭**) 또는 전

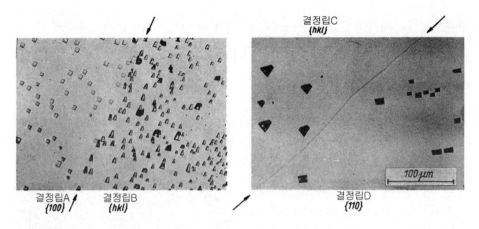

그림 2.118 조대한 결정립을 가지는 Al에서의 결정형상. 전해미세연마 후 알코올-HCl-HNO₃ 용액에 짧은 시간 에칭함 (화살표는 결정립계를 나타냄).

위배열 또는 소각결정립계를 가시화할 수 (**소각입계 에칭, 변형에칭**) 있다. 표 2.44 의 마지막 열은, 각 구조에칭 또는 거시적 인 에칭을 통해 관찰될 수 있는 예를 나타 낸다.

여기서 설명되는 미시적인 에칭법은 모 두 같은 원리를 이용하므로(즉, 미시적인 굴곡(micro-relief)의 형성), 결정면 에칭, 결정방위 에칭과 전위에칭 사이에는 단지 작고 단계적인 차이만을 가진다. 모든 결 정립에 대해 대략적으로 같은 제거속도를 가지면서 결정면 에칭이 이뤄지는 경우, 매우 약한 결정방위에 따른 차이를 나타내 는 결정립 콘트라스트를 보인다. 이와 반 대로 결정방위에 따라 에칭 정도가 강한 의존도를 보이는 경우엔, 각 결정립면 상 에 결정방위에 따른 형상을 나타내게 된 다. 입방정 결정구조를 가지는 대부분의 금속에서, 주사위의 면에 해당하는 결정면 이 심한 부식을 나타낸다. 방위에 따른 결

정형상은 {100}면이 연마면과 이루는 교선 을 통해 나타난다. 전체 시료면이 결정형 상들이 중첩된 미소굴곡으로 채워지기 전 에 에칭을 멈추면, 나타난 결정형상을 통 해 각 결정립의 연마면에 대한 결정면을 알 수 있다. 그림 2.118은 순수 Al에서 보 여지는 결정형상의 예를 나타내며, 조대한 결정립을 가지는 시료를 전해미세연마 후 에, 100ml 알코올과 65ml HNO₃ 용액에 침전에칭 하였다. 결정립 A는 사각형의 결 정형상을 나타내며, 이는 결정립의 {100} 면이 연마면에 평행함을 의미한다. 결정립 B와 C는 높은차수의 {hkl}면이 연마면에 평행한 경우로, 사다리꼴의 결정형상이 나 타난다. 정삼각형의 경우 {111}면에 해당하 며, 결정립 D는 직사각형의 결정형상을 나 타내며 이는 {110}면이 연마면에 평행한 것을 의미한다. 결정립마다 나타나는 결정 형상의 수가 다른 것은 존재하는 결함의 농도차에 의한 것이다(전위에칭).

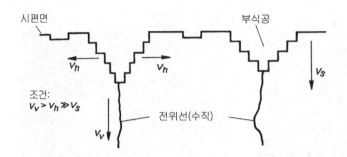

그림 2.119 부식공에서의 미세한 굴곡면 형성.

결정면 에칭과 결정형상 에칭을 통한 부식과정이 각 면에 따른 이방성의 크기에 따른 차이를 나타내는 반면, **전위 에칭**은 전위차에 따른 반응영역(부식을 위한 유효영역)의 크기와 형상에 따라 점 또는 선 모양의 부식된 형상을 나타낸다(표 2.44). 전위주위의 응력장이 μm-범위 정도에 이르면, 이종원자가 집적되며 격자결함이 없는 주변에 대해 충분한 전위차를 나타내며, 그 반응역의 크기는 국부적인 에칭을 통해 광학현미경으로 확인할 수 있을 정도로 크다. 전위선이 연마면에 의해 절단된 경우엔 에칭을 통해 움푹 패인 형상(부식공)이 나타나며, 연마면에 평행하게 전위선이 놓이면 층 또는 선형으로 보여진다. 충분한 전위차는 부식공의 형성을 위한 세가지 조건중 하나이며, 나머지 두 가지 조건은 재료의 제거속도차를 통해 나타난다(그림 2.119). 전위선을 따라 국부적인 재료제거속도 v_v(수직방향)과 v_h(수평방향)는 결함이 없는 표면의 평균 부식속도 v_s에 비해 큰 값을 가져야 한다. 그 외에도 v_v ≥ 0.1 v_h 의 조건을 만족해야 하며, 이런 조건들을 만족하는 경우에만 부식공이 나타난다. 대부분의 경우 전위와 연마면의

그림 2.120 (111)-GaAs에서 전위와 연마면의 접점에 나타나는 부식공, $HF-H_2SO_4-H_2O_2$ 용액을 이용한 전위 에칭.

접점에서의 부식정도는 이방성을 나타내는데, 이는 전위선이 연마면 쪽으로 기울어져 있기 때문이다. 이러한 경우엔 그림 2.120에 보이는 바와 같이, 결정형상과 비슷한 형태의 부식공이 나타난다. GaAs의 (111)면에 나타나는 삼각형과 비슷한 형태의 부식공은, 20ml HF(40%)+80ml H_2O_2 +20ml 농축 H_2SO_4 에칭액을 이용해 50℃에서 1분간 전위에칭 함으로써 얻어진다. 부식공의 주사전자현미경 영상을 통해(그림 2.121), 깊이방향으로 우선적으로 이뤄지는 부식과 상대적으로 경사가 심하고 단을 이루는 벽면의 형상을 확실히 알아볼 수 있다. 부식공의 바닥면은 {111}면에 전

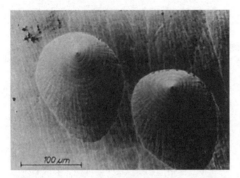

그림 2.121 GaAs의 부식공에 대한 주사전자현미경 영상, 그림 2.120과 같은 에칭법.

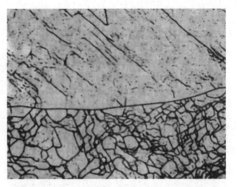

그림 2.122 회복과정을 거친 Fe-3%Si 합금 내 이웃한 두 결정립에 보여지는 아결정립구조(Aust에 의함), Morris법을 통한 전해에칭.

형적인 삼각형을 나타낸다.

아결정립계(sub grain boundaries)는 전위의 배열을 나타내며, 이는 전위에칭을 개선함으로써 가시화할 수 있다. 그림 2.122는 약간의 변형후 열처리한 저탄소 Fe-3%Si 합금의 두 이웃한 결정립을 나타낸다. 변형 후 두 결정립은 다른 전위밀도를 가지며, 회복단계에서 상호 다른 형태로 아결정립을 형성하게 된다. 열적활성화 과정인 전위의 소멸과 재배열을 통해 위쪽의 결정립의 전위밀도는 감소하며 거의 평행한 아결정립계를 나타낸다(줄무늬 아결정립계). 그 반대로 아래쪽 결정립은 높은 전위밀도로 인해 거의 모든 전위가 아결정립계에 집적된다. 이러한 차이로 인해 매우 다른 아결정립 구조가 나타난다. 아결정립계의 전위와 그 나머지 전위는 부식공 형성을 통해 가시화되었으며, 낮은 배율로 인해 각 전위는 점으로 아결정립계 전위는 선으로 보여진다. 그림 2.122에 나타낸 미세조직은 Morris 전해용액을 이용한 전해에칭을 통해 이루어졌다(133ml 아세트산 + 25g CrO_2 + 7ml H_2O; 20~30mA cm^{-2}).

구조에칭을 성공적으로 이루기 위한 조건은 연마면상에 연마를 통해 형성된 변형층이 없어야 한다는 것으로, 이는 화학적 또는 전해 미세연마를 통해 이룰 수 있다. 최종연마과정에서 기계적 미세연마(또는 래핑)이 필요한 경우엔, 격자결함에 대한 에칭 이전에, 잔존하는 변형층(< 0.5μm)을 제거할 수 있는 에칭액을 사용해야만 한다. 에칭액은 선택적인 재료의 제거과정이 서서히 발생되게 하는 것을 이용해야 한다. 이를 통해, 상대적으로 전위차가 작고 국부적인, 결함을 가지는 부위와 결함이 없는 부위간의 부식효과가 발생할 수 있도록 해준다. 에칭액이 이런 특성을 가지지 않는 경우엔, 결정형상 에칭효과는 일반적인 결정면 에칭으로 점차 사라지게 된다. 심한 전위에칭 후에는, 결정형상 에칭이 종료된 후 나타나는, 미세굴곡의 형성이 관찰된다(특히 심하게 변형된 결정에서 나타남). 여러 종류의 순금속과 합금에 대해 결정형상 에칭에 이용될 수 있는 에칭액들이 알려져 있다(예, 연철, Fe-Si 합

금, 순수 Al, 순수 Cu, 황동). 이런 에칭액의 조성과 사용법은 부식(에칭)에 대한 전문서적을 참조하면 된다. 전위 등 격자결함의 가시화를 위한 에칭액은 단결정, 특히 반도체 물질에 대한, 참고서적을 통해 알 수 있다. 전위에칭은 Al, Cu, Fe-Si, Ge, Si의 단결정과 화합물반도체 등에서 좋은 결과를 가지고 활용되었다.

구조에칭한 시료의 광학현미경 관찰법으로는 명시야법과 더불어 간섭콘트라스트법, 경우에 따라 위상콘트라스트법이 이용된다. 암시야법과 경사진 입사빔을 이용하는 방법도 구조에칭 후 굴곡면의 관찰을 위해 이용되기도 한다.

표 2.44에 나타낸 예들 중에 몇 가지는 구조에칭을 위해 이용할 수 있다. 또한 구조에칭을 통해 결정 및 결정립 방위에 대한 미세조직적인 관찰이 가능하다(미세조직검사법을 이용한 집합조직 검사). 전위밀도 결정을 위한 전위에칭의 이용 시에는 관찰되는 부식공이 전위에 의한 것인지를 확인해야한다.

단결정 분야에서는, 특히 반도체 생산분야에서는 구조에칭이 널리 이용된다. 이는 단결정 재료 내의 결함에 대한 검사와 이를 통한 순도검사에 적용된다. 또한 소성변형, 회복과 재결정에 대한 연구에도 구조에칭이 많이 이용되고 있다. 이 경우엔 전위의 밀도와 배열에 대한 관찰뿐 아니라 아결정립계로의 재배열과 아결정립구조와 그 변화를 관찰하고 정량화하는데 이용된다.

화학적 에칭에서 전기화학적 반응이 관여되지 않는 반면에, **전해 에칭(electrolytic etching)**의 경우엔 적어도 반응 초기에는 영향을 미친다. 국부적인 미세조직 구성요소-전해액(시료면/용해액을 의미함)으로 구성된 계에, 추가적으로 시료를 양극으로 하여 외부 직류전압을 가해준다. 그 구조와 음극재료는 전해미세연마의 경우와 동일하다. 따라서 전해에칭은 그림 2.97에 나타낸 것과 같은 전해조에서 수행할 수 있다. 가해지는 전압의 변화에 따라 그림 2.98에 나타낸 직접적인 금속용해영역(A'-B영역)에서는 가파른 상승을 나타내며, 이 영역에서는 금속이 양극 용해된다(식 2.50). 방출된 전자들은 재료 내에 머무르고 도선을 통하여 음극으로 전달된다. 즉, 필요한 전자의 공급을 위하여 산화물질이 필요하지 않다. 음극 부분반응은 시료면과 공간적으로 분리되어 있다. 그림 2.98의 전류밀도-전압-곡선 A'-A영역에서는 매우 적은 전류가 흐르기 때문에, 많은 양의 금속용해가 이뤄지진 않는다. A-B영역의 아랫부분에서는 결정입계 영역의 전위차로 인한 결정입계의 선택적 에칭이 진행된다. 가해주는 전압을 높임에 따라 결정립 내에서도 선택적 에칭이 진행된다(A-B영역의 윗부분). 일반적으로 에칭을 위한 전해액은 미세연마 시의 전해액과 동일한 용액을 사용한다. 전해미세연마 후 시료면이 마스크에 부착된 상태에서 전압을 약 0.8~10V 범위로 낮추어, 수 초~수 분 동안 에칭하게 된다. 그림 2.123과 2.124는 부분 재결정된 변압기용 전기강판에서 전해에칭을 통해 콘트라스트를 형성시킨 미세조직을 나타낸다. 전위가 많이 집적된

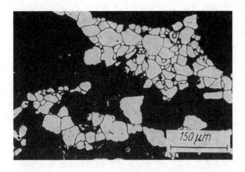

그림 2.123 Fe-3%Si 합금에서 전해에칭을 통해 전위가 많이 집적된 부분을 콘트라스트화한 경우(Morris에 의함). 50%의 냉간압연 후, 710℃에서 12초 열처리하여 1차 재결정이 되고 있는 상태; CrO₃첨가한 아세트산을 이용; 에칭전압 10V; 전류밀도 0.1~0.25Acm⁻².

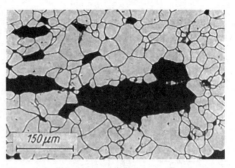

그림 2.124 그림 2.123과 동일, 열처리시간 48초.

부분은 이미 재결정된 부분과 전위차가 존재하므로, 어둡게 콘트라스트가 나타난다. 또한 재결정된 영역도 결정입계와 입내의 전위차 때문에 결정입계가 에칭되어 보여진다.

부동태화 경향을 가지는 금속 또는 합금은 일반적으로 전해조 내에서 에칭하지 않고 외부에서 에칭한다. 이 경우 시료는 양극으로 전류공급장치에 연결되고, 기계적 혹은 전기화학적으로 미세연마된 시료면에 전해액을 떨어뜨린 후, 음극(도선)을 전해액 방울에 접촉시켜 에칭한다.

표면에 반응층을 형성하는 침전에칭과 동일한 원리로, 전해법으로 금속의 용해와 산화층형성을 통하여 에칭할 수 있다(양극처리, anodizing). 이는 전해미세연마 중에 층이 형성되는 원리와 동일하게 수행되며, 그림 2.98의 이상적인 곡선에서 B′-C 영역에 대한 전류밀도와 전압으로 설정하여야 한다. 미세조직 구성요소의 결정학적

인 방위와 화학성분에 의하여 국부적인 층의 두께가 결정되고, 얇은 층에서 간섭현상의 결과로 뚜렷한 색콘트라스트를 얻을 수 있다.

전해에칭이 진행되는 과정 중에 시료의 전위(potential)는 일정하지 않고 변하게 된다. 이러한 단점은 전해액의 조성변화와 이에 수반되는 시료의 전류부하의 변화에 기인한다. 또한 전류밀도는 전체 에칭과정에서 일정하게 유지되지 않을 수 있는데, 이에 따라 에칭되는 재료의 양역시 변하게 된다(그림 2.98, A′-B′영역). 하지만 3개의 전극과 전위차계를 이용하면 재현성이 있는 전해에칭을 할 수 있다. 전위차계를 이용한 전해에칭에서는 시료와 이에 직접 접촉하는 전해액 사이의 전위를 Calomel-비교전극을 통하여 측정하여, 이 전위변화를 기준크기로 사용하여, 시료(양극)와 다른 극(음극) 사이의 주어진 전압을 일정하게 유지하도록 한다. 전위차계를 이용한 전해에칭을 위한 장치구조를 그림 2.125에 나타낸다. 전기량계(coulometer)를 이용하여 전해조 내에 흐르는 전류를 측정하여 시간에 대해 합산하

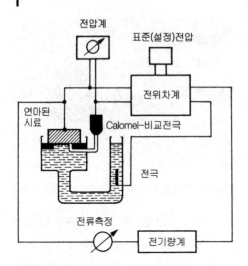

그림 2.125 전위차계를 이용한 (전기량계적) 전해에칭을 위한 장치구조 (Luedering에 의함).

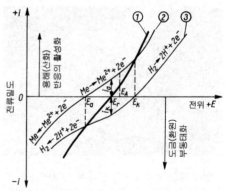

그림 2.126 금속용해반응에 대한 전류밀도 (i)-전위(E, potential)-곡선
곡선 1: 측정 가능한 i-E-곡선 (전체반응)
곡선 2: 양극 부분반응의 i-E-곡선
곡선 3: 음극 부분반응의 i-E-곡선
i_a 양극 부분전류밀도, i_k 음극 부분전류밀도, E_r 전체반응의 평행정지전위, E_a 양극 부분반응의 평행정지전위, E_k 음극 부분반응의 평행정지전위.

며, 측정된 양은 용해된 금속의 양과 상응하며 이는 부식된 깊이를 알 수 있는 척도가 된다(마춤에칭).

시료면을 원하는 부식정도에 도달하도록 미리 설정된 표준전압(전위)은, 적당한 전해액을 이용하는 경우, 단지 전류밀도에만 의존한다. 전위와 전류밀도의 관계는 전류밀도(i)-전위(E, potential)-곡선에서 얻을 수 있다(그림 2.126). 그림 2.126은 양극 및 음극 부분반응에 대한 i-E-곡선과 더불어 금속 혹은 상(phase)의 전체 용해반응에 대한 측정 가능한 i-E-곡선을 나타낸다. 전체반응에 대한 특성적인 전위는 평형정지전위(equilibrium rest potential) E_r이며, 이 점에서 양극 및 음극반응의 부분전류가 동일하다. 즉, 계로부터 외부로 흐르는 전류가 없으며, 부식이 진행되지 않는다. 평형정지전위 이상의 전위를 가하면 전류가 흐르게 되고 금속의 용해

가 진행된다. 에칭하려 하는 상에 대한 i-E-곡선이 알려져 있으면, 전위의 선택을 통하여 원하는 상을 선택적으로 에칭할 수 있다.

예를 들어 두 상으로 이루어진 미세조직에 대한 i-E-곡선에서 양의 부분(활성화 부분)이 그림 2.127과 같은 경우, 전위를 E_{A1}로 설정하면 상 1만 에칭된다. 전위를 E_{A2}로 선택하면 두 상 모두 콘트라스트를 나타내는데, 이 경우 상 1에 대한 전류밀도가 높으므로 상 2보다 더 높은 콘트라스트를 나타낸다.

전위차계를 이용하는 전해 에칭은 미세조직을 구성하는 여러 상들이 비슷한 전위를 가지는 재료에 대해 주로 사용된다. 이런 재료는 화학적 에칭이 거의 불가능하고 전해에칭으로도 콘트라스트를 쉽게 얻을 수

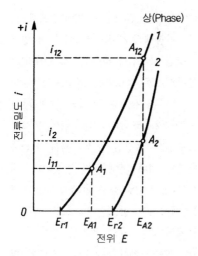

상(Phase)

그림 2.127 두 상으로 이루어진 미세조직에 대한 i-E-곡선의 양(반응 활성화)부분.

E_{r1}, E_{A1} 상 1의 평형정지전위 및 설정전위, E_{r2}, 상 2의 평형정지전위, E_{A2} 두 상의 콘트라스트를 위한 전위(상 1이 2보다 더 많이 에칭됨), i_{11} 점 A_1에서 상 1에 대한 전류밀도, i_2 점 A_2에서의 전류밀도, i_{12} 점 A_{12}에서 상 1에 대한 전류밀도.

없다. 전위차계를 이용한 전해 에칭법을 이용하여 성공적으로 에칭할 수 있는 예로는, 부동태화가 쉬운 합금강(스테인리스 강, 고합금 내열강, 고속도강)의 콘트라스트 형성, 주철 내 철인화물(iron phosphide) 및 시멘타이트의 에칭, 페라이트 내에 존재하는 철탄화물 및 질화물을 동시에 다른 콘트라스트를 갖게하는 방법 등이 있다. 또한 전위차계를 이용한 에칭법은 철, 강, 주철 내의 규소 및 인의 편석 그리고 비철금속(구리, 아연 및 합금)에서의 미세조직 요소들을 관찰하는데 이용할 수 있다. 이 에칭법의 이용을 위해서는, 필요한 특별한 장치이외에 각 미세조직요소에 대해 콘트라스트를 얻을 수 있는 최적의 전위 및 전해액이 알려져 있어야 한다. 즉, i-E-곡선과 적용조건을 알아야 한다. 현재까지 전위차계를 이용한 전해 에칭법이 널리 사용되지 않는 이유도, 금속재료에서 나타나는 여러 상들의 i-E-곡선이 잘 알려져 있지 않기 때문이다.

2.3.4.2 콘트라스트를 얻기 위한 물리적인 방법

콘트라스트를 얻기 위하여 물리적인 방법을 적용하는 경우(그림 2.103), 미세연마된 시료면을 물리적인 과정을 통하여 변화시킨다. 하지만 이 방법은 장치가 복잡하고 사용할 수 있는 곳이 한정되어 있기 때문에, 미세조직검사를 위한 표준작업으로는 거의 이용되고 있지 않다. 그러나 전기화학적인 방법으로는 콘트라스트를 얻기가 어렵거나 전혀 적용할 수 없는 특수한 경우엔 물리적인 방법을 통하여 재현성이 있는 매우 양질의 에칭결과를 얻을 수 있다. 예를 들어, 미세조직 구성요소 간에 큰 전위차를 나타내는 경우(도금, 클래딩), 금속-세라믹스 복합재료(표면 막), 부동태막을 쉽게 형성하는 금속재료(Al-합금, Ni- 및 Co-계 내열합금강)등에 이용할 수 있다.

이온 에칭은 진공에서 이뤄지며, 시료면에 수직으로 에너지가 높은 불활성기체이온을 충돌시킨다. 이 때 시료는 음극으로 부하되며, 1~10kV의 가속전압으로 이온을 시료면에 충돌시킴으로 시료의 표면층을 제거한다(음극제거, 음극에칭). 에칭속도는 이온빔의 조건(예, 이온의 에너지, 무게 및 전류밀도) 뿐만 아니라 시료표면 조건(예, 표면처리상태, 화학성분의 원자량, 상의 결정구조와 표면의 결정방위)에 따라 변하는데, 일반적으로 0.1㎛/min까지 에칭할 수 있다. 균일한 미세조직의 경우, 이온에칭을 통하여 얻어지는 콘트라스트는 시료면에 대한 결정면의 방위에 따라 다른 미소굴곡(micro-relief)에 의하여 결정된다. 이러한 미소굴곡은, 명시야조건의 경우, 결정면 에칭(그림 2.105 참조)과 비슷하거나 더 뚜렷한 콘트라스트를 나타나게 한다. 불균일한 미세조직을 갖는 경우, 이온을 충돌시키면 미세조직의 구조와 그 배열 따라 에칭속도가 다르며, 일반적인 화학적 에칭과 비슷한 조직사진을 얻게 된다.

충돌 이온들의 에너지는 시료면의 원자들을 제거함과 동시에 매우 높은 열에너지로 전환된다. 이를 통해 시료가 가열되면, 시료 표면에서 확산과정을 통해 원자가 재배열을 할 수 있는 정도가 되며, 일부는 증발을 통해 표면에서 제거되기도 한다. 이 과정을 진공 혹은 불활성분위기에서 행하는 경우, **열적 에칭**(thermal etching)이라 하며, 추가적인 에칭가스(예, 염소가스, HCl-가스, 공기)의 영향 하에서 이루어지면 이를 과열에칭(hot etching)이라 한다. 과열에칭법은 잘 사용하지 않고 열적에칭을 우선적으로 이용한다. 시료면에 의해 잘려진 결정립계면은 열적에너지의 공급을 통해 골짜기 형태로 파여지며, 해당온도에서 열역학적으로 안정한 상에 대한 미세조직이 나타난다. 그림 2.128은, 과열에칭 후에 상온으로 냉각함으로써 얻어진 고온상 오스테나이트의 결정립구조를 나타낸

다. 이는 동일한 탄소강을 1200℃에서 20시간동안 진공에서 열적에칭함으로써 얻어지는 결정립구조와 유사하다. 열적에칭(혹은 과열에칭) 후 시료면은 최소표면에너지를 가지는 약간 볼록한 형태의 표면을 나타낸다(그림 2.128 위). 이는 위에서 설명한 시료표면의 결정립계 부근에서 확산을 통해 원자가 재배열됨으로써 형성된다. 이와 함께 결정립간에 놓인 입계가 축소하면서, 입계에너지가 감소한다. 또한 결정립계 부근에서 적은 양의 원자가 증발한 것을 알 수 있다. 확산은 시간과 온도에 의존하므로, 고온상의 충분한 콘트라스트를 얻기 위해서는 긴 에칭시간(30분 이상)과 해당 상의 용융온도 절반이상의 온도로 가열하여야 한다. 이런 에칭을 하는 경우엔, 가해지는 높은 온도에 의해 고온상에 대한 콘트라스트를 만드는 것 이외에 고온에서의 상변화(예, 결정성장, 제 2상의 고용 혹은 석출)와 상온으로 냉각할 때 발생하는 변화(상변태, 석출)도 고려해야 한다. 열적에칭 마지막 단계에 생성된 미세조직을 유지하기 위해서는 에칭온도로부터 빠른 냉각이 요구된다. 열적에칭은 특히 고온현미경에서 강의 오스테나이트 결정립구조를 관찰하는데 이용된다.

가열에칭 혹은 양극처리(anodizing)를 통해 형성되는 간섭성을 가지는 층은, 그 재현성이 낮다. 또한 화학적 반응을 통해 층이 형성될 경우, 미세조직의 일부가 원래조직과는 다르게 보여질 위험이 있다. 그러나 증착 혹은 플라즈마증착을 통하여 물리적으로 간섭막을 형성하는 경우엔, 콘

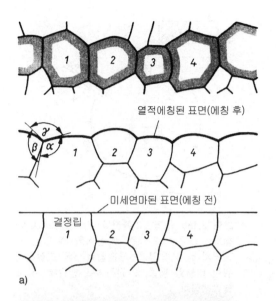

그림 2.128 열적에칭(thermal etching)과 과열에칭(hot etching)
a) 시료면과 그 단면에 나타나는 현상. 열적에칭, $\alpha = \beta = \gamma = 120°$
b) 0.5% 탄소강, 1200℃에서 20시간 질소분위기에서 가열. 과열에칭.
높은 온도에서 안정상인 오스테나이트 상만이 미세조직으로 보여짐.

트라스트를 형성하는 미세조직 구성요소의 크기와 형태가 변화하지 않는다(2.2.3.6절 참조).

증착의 경우, 진공에서 연마된 시험편 표면에 가능한 빛을 흡수하지 않으며(자신의 색이 없음) 높은 굴절률을 갖는 물질을 얇은 막으로 증착시킨다. 파장 λ=550nm일 경우 굴절률 n=1.35~3.5의 값을 나타낸다. 증착은 Ta, Mo, W 등과 같이 높은 용융온도를 갖는 물질로 만들어진 증착원(보트 형태 혹은 오목한 판형으로 증착재료를 놓음)을 저항가열함으로 이루어진다. 시편은 증발되는 위치에 표면을 향하게 장착한다(그림 2.129).

증발한 재료가 차가운 시편면에 증착하며, 이 때 균일하며 얇은 박막(20~80nm)이 가능한 등방적인 특성을 나타내며, 광학적인 상수(굴절률 n과 흡수계수 k)가 적합해야 한다. 선회가능한 덮개를 조작함으로써 증착원의 증착시간을 조절 할 수 있다. 육안으로 관찰하면서 시험편면이 붉은 보라빛이 보일 때까지 증착한다. 재현

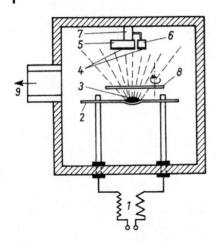

그림 2.129 증착장치의 예(Buehler, Hougardy 의 모델). 1 전원, 2 증발원(Mo, Ta, W), 3 박막재료(증착재료), 4 증착된 층, 5 시편, 6 두께측정을 위한 회전석영, 7 시편과 회전석영 지지대, 8 선회가능한 덮개, 9 진공펌프.

성있는 박막두께를 얻기 위해서는 두께측정을 위한 회전석영을 이용하여 작업하는 것이 좋다. 강하게 반사되는 조직을 위한 증착재료로는 $ZnS(n_{550} = 2.39)$와 $ZnSe$ $(n_{550} = 2.6)$이 있으며, 덜 강하게 반사되는 조직에는 $Na_3AlFe(n_{550} = 1.35)$ 혹은 ThF_4 $(n_{550} = 2.39)$이 있다.

연마된 시험편면에 간섭막을 입히는 방법으로 **플라즈마 에칭**이 있는데, 이는 플라즈마챔버 내에서 실행된다(그림 2.130). 고압발생장치를 통하여 음극에 1~2kV의 음극 직류전압을 가해주며, 음극의 맞은편에 양극으로 연결된 시편이 놓인다. 시편지지대와 챔버의 몸체는 접지되어 있다.

챔버는 잔류하고 있는 가스의 압력이 약 10Pa이 될 정도로 진공을 유지한다. 고압의 전압이 가해지면 글로우방전(glow

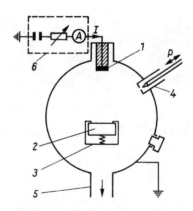

그림 2.130 플라즈마에칭을 위한 챔버(Bartz 챔버). 1 음극, 2 시편, 3 선회할 수 있는 시편거치대, 4 작업가스부분압력 p를 조절하기 위한 바늘형 벨브, 5 진공펌프 연결부, 6 고압발생장치.

discharge)이 일어나고, 이때 잔류하고 있는 가스(불활성가스)에서 발생되는 이온들이 음극재료에 부딪힌다(스퍼터링). 음극에서 떨어져 나온 원자들은 시편표면에 부착되어 간섭막이 형성된다. 음극물질에서 떨어져 나온 원자들이, 바늘형 벨브에 의하여 부분압이 조절된 반응가스(예, 공기 혹은 산소)와 반응하면 대부분 산화물 형태의 반응물로 이루어진 박이 생성된다(반응스퍼터링). 플라즈마 에칭을 통하여 금속성 재료에 간섭막을 형성시킬 때는 철을 음극으로 하고 산소를 혼합하여 반응가스로 사용하는 방법이 일반적으로 사용되고 있다. 막이 형성되는 과정은 시편을 챔버 내에서 90도 회전하여 장착된 현미경을 이용하여 관찰할 수 있다.

간섭막의 콘트라스트 효과는 이미 2.2.3.6 절에서 설명하였다. 간섭막의 도포를 통하여 콘트라스트가 형성되는 예: 합금강 혹은

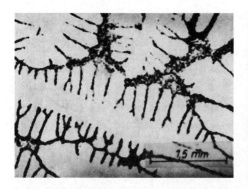

그림 2.131 흔적물질로 루테늄(Ru)을 함유한 고순도 알루미늄의 주조조직, 왕수와 불화수소산(HF)으로 에칭.

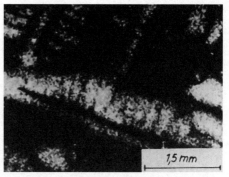

그림 2.132 흔적물질로 루테늄(Ru)을 함유한 고순도 알루미늄 주조조직의 방사선사진 (그림 2.131과 같은 부위).

강에서 서로 다른 조성의 탄화물, 고강도 금속, Fe, Ni, Co-계 고온재료, Cu- 및 Al-합금, 또 다른 비철금속의 합금, 박막, 금속-세라믹 복합재료 등에서 서로 다른 개재물 형태와 중간상.

조직을 관찰하는 또 다른 방법으로 방사성 지시물질을 사용하는 방법이 있다. 이 방법은 조사하려는 재료에 입자방사선(중성자선)을 쪼이면 특정한 합금원소가 방사능을 띠게 됨, 즉 방사선을 발생하게 됨을 이용하는 것이다. 혹은 시편에 흔적물로 방사능원소(α와 β 선 발생물질)를 합금하여 이용한다. 이렇게 처리된 시편을 연마와 미세연마한 후, 시편면 위에 특별히 제조된 매우 작은 알갱이의 감광물질이 도포된 얇은 필름을 밀착시킨다. 시편에서 발생된 방사선에 의하여 필름이 감광되고 이를 현상(develop) 및 정착(fix)함으로 방사능을 가진 원자가 집적되어 있는 부분을 알 수 있다.

그림 2.131에 흔적물질로 루테늄(Ru)을 합금시키고 왕수와 불화수소산(HF)으로 에

칭한 고순도 알루미늄의 수지상조직을 보여주고 있다. 그림 2.132에는 같은 위치를 연마 후 감광필름을 이용하여 생성된 조직사진을 보여주고 있다. 수지상경계에 집적되어 있는 루테늄이 뚜렷하게 더 감광되어 나타남을 보여주고 있다.

그림 2.133에는 일반적인 방법으로 혼합된 세 종류의 산($HCl + HF + HNO_3$)을 이용하여 에칭한 99.99%순도의 알루미늄 조직사진이다. 중성자선을 조사함으로써 순알루미늄의 불순물에서 주로 Fe와 Si이 방사능을 띠게 되고 압착한 감광필름을 흑화시킨다(그림 2.134). 이러한 **방사선사진**을 이용하면 많은 메탈로그래피적 과정, 예를 들면 균질화 열처리과정의 조성성분의 균일화 등과 같은 과정을 자세히 추적할 수 있다.

또 다른 조직관찰방법으로 합금에 존재하는 조직구성성분의 X-선에 의한 서로 다른 투과도를 이용한 미소방사선사진법이 있다. 강도가 J_o인 X-선을 두께 D인 금속판재를 투과시키면 다음 식에 나타낸 것과

그림 2.133 99.99% 알루미늄, 혼합된 산(HCl + HF + HNO₃)을 이용하여 에칭.

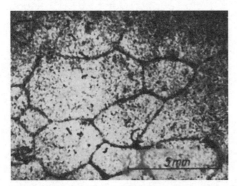

그림 2.134 방사선으로 활성화시킨 알루미늄 (99.99%)의 방사선사진 (그림 2.133과 같은 부위).

같이 강도가 저하한다.

$$J = J_o \cdot e^{-\mu D} \qquad (2.54)$$

μ는 흡수계수이며, 사용하는 X-선의 파장, 조사되는 재료의 화학조성과 밀도 ρ에 따라 다르다. 표 2.45에 몇가지 금속에서의 값을 열거하였다.

흡수계수 μ가 크면 클수록 X-선이 더 많이 흡수되고, 따라서 투과된 뒷면에 장착된 필름을 적게 흑화시킨다.

미소방사선사진법에서 시험할 시편의 박판(두께 0.01~1mm)을 특별히 작은 알갱이를 갖는 현탁액을 도포한 필름위에 놓고 시편위에 X-선을 쪼인다. 조직구성성분들은 각각의 흡수계수에 따라 X-선을 흡수하고 따라서 사진 필름을 서로 다른 정도로 흑화시킨다. 사용한 감광 현탁액의 입자 크기에 따라 미소방사선사진을 200배까지 확대할 수 있으며, 일반적으로 연마와 에칭하여 얻은 조직사진과 비슷한 해상도를 갖는다.

그림 2.135에 알루미늄-크롬-합금의 미소방사선사진을 나타내었다. 알루미늄은 크롬과 함께 바늘형태의 Al₇Cr결정을 형성한다. Cu target을 이용하여 발생시킨 X-선의 흡수계수 μ가 알루미늄에서보다 크롬에서 훨씬 크기 때문에 X-선의 강도는 알루미늄기지보다 Al₇Cr-결정을 투과하는

표 2.45 몇 원소의 질량흡수계수 μg^{-1} $(cm^2\ g^{-1})$ (Glocker)

파장[nm]	Al	Fe	Cu	Zn	Pb
0.022	0.31	1.40	2.0	2.3	5.9
0.030	0.55	3.30	4.5	5.1	13.6
0.040	1.11	7.25	10.2	11.6	31.8
0.100	14.2	102	133	152	77
0.154	48.5	330	50	59	230
0.193	94	71	99	115	420

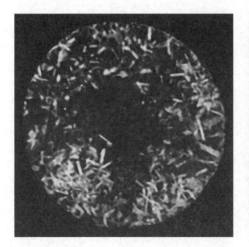

그림 2.135 5%Cr이 함유된 Al의 미소방사선 사진, Cu X-ray 사용, 알루미늄기지에 밝은 바늘형태의 Al_7Cr.

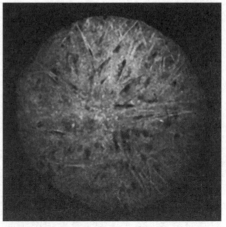

그림 2.136 2%Fe이 함유된 Al의 미소방사선 사진, Mo X-ray 사용, 알루미늄기지에 밝은 바늘형태의 Al_3Fe.

경우가 더 약해진다. 따라서 이 부분이 밝게 나타난다.

이 사진을 통하여 주물의 중심부에는 바늘형태의 Al_7Cr이 존재하지 않고 가장자리에 주로 분포되어 있음을 뚜렷이 알 수 있다. 그림 2.136에는 알루미늄에 2%Fe를 합금한 재료의 미소방사선사진을 나타내었다. 밝게 나타나는 Al_3Fe 결정이 방사선형태로 정렬되어 있으며, 어두운 무늬는 미소공간 혹은 기공을 나타낸다.

사진의 명확도는 시편의 두께가 얇아질수록 좋아진다. 시편의 여러 방향에서 X-선을 조사하여 얻어지는 사진을 비교하면 조직구성성분의 공간적인 배치도 파악할 수 있다(입체적인 조직검사).

조직사진의 콘트라스트를 얻기 위한 여러 가지 방법이 있는데, 이들의 가치는 특히 콘트라스트를 통하여 정량분석을 할 수 있을 때 평가를 받는다. 근본적인 평가기준은 특정방법을 통하여 얻은 콘트라스트의 재현성과 종류, 콘트라스트에 의한 조직변조가능성, 적용된 방법의 보편성 등이다. 그림 2.103에 나타낸 광학적인 콘트라스트를 얻는 방법들이 최신의 광학현미경을 이용하여 수행된다면, 다음과 같은 평가를 할 수 있다.

전위차에칭, 이온에칭, 간섭막을 입히는 방법이 위의 평가기준에서 가장 좋은 결과를 얻는다. 이들 방법들은 앞으로 지금보다 더 많이 사용될 것이다. 그러나 가까운 미래까지는 화학적(고전적인) 에칭이 지배적으로 사용될 것이다. 이는 화학적 에칭은 매우 간편하게(예, 침지에칭) 할 수 있고, 에칭하기 위한 전문지식이 없어도 수행할 수 있으며, 또한 많은 방법이 이미 논문, 설명서 및 전문서적 등을 통하여 알려져 있기 때문이다.

2.4
정량적 조직평가 (quantitative structure analysis)

2.4.1
서론

이 장에서 다루는 정량적 조직평가의 목적은 조직사진을 통하여 측정될 수 있는 특정인자(characteristic parameter, 조직인자 혹은 입자크기분포와 같은 복잡한 인자)들을 통하여 재료의 조직구성성분을 기하학적으로 설명하는 것이다. 이 과정에서 가능한 소수의 인자를 이용하여 포괄적인 설명이 가능하도록 하여야한다. 조직에 대한 설명은 생산공정조건 혹은 재료특성과 밀접한 관계가 있는 조직인자를 이용하는 것이 중요하며, 나아가 이러한 인자들은 높은 정확도를 가지고 측정될 수 있어야 한다. 즉, 측정된 값의 통계적, 계통적인 (systematic) 오차가 가능한 적어야 한다.

정량적 조직평가의 역사적인 발전과 이에 따른 실험도구의 발전 그리고 다른 학문의 영향 등으로 인하여 조직인자들은 다양하며 따라서 조직평가의 방법 또한 매우 다양하다. 예를 들면, 관찰길이의 분포를 조직특성평가의 도구로 사용한 것은 지난 세기 초반에 발전된 선분법의 발달과 밀접한 관계가 있다. 관찰길이분포는 입체적인 해석에 이용할 수 있기 때문에 현재에도 여전히 매우 중요한 의미를 갖고 있으며, 나아가 이에 의하여 얻어지는 평균관찰길이와 같은 조직인자는 현재에도

산업표준의 중요한 인자이다. 그러나 선분법 자체는 개발된 최신 조직사진분석법(image processing) 때문에 거의 사용되지 않고 있다.

조직평가인자의 종류는 디지털화 되고 있는 사진분석법의 개발로 인하여 더욱 다양화 되었다. 최신 시스템은 이러한 다양한 인자를 이용할 수 있게 하며 이에 따른 장비의 선택 또한 다양화 되었다. 나아가 사진분석법의 응용범위가 넓어져서, 평가인자와 방법을 통하여 현미경사진을 다른 응용범위에 적용하며, 또한 재료의 조직분석에도 적용한다. 최신의 예로써 원래 의학용 혹은 생물학용으로 사용되는 현미경사진분석법인 "국부 입체해석학(local stereology)" 이 있다.

점점 증가되는 평가인자의 종류와 이에 따른 정량적 조직분석 가능성의 다양화는 원칙적으로 매우 바람직하지만, 사용자로서 이를 응용하기 위해서는 예를 들면 아래와 같은 질문에 답을 제공할 수 있도록 조직평가인자의 체계적인 정리가 필요하다.

• 특정한 용도에 적용해야할 경우 어떤 인자가 측정되어야 하나? 어떤 조직평가인자가 제조공정과 관련된 혹은 재료의 특성과 밀접한 관계가 있는가?
• 측정된 인자가 쓸모없이 많지 않은가?

조직평가인자의 체계적인 정리는 조직의 구성과 재료의 특성사이의 관계를 파악하는데 도움을 줄 수 있다.

조직의 구성에 대한 모델링을 통하여 조직설명을 위하여 필요한 인자의 수를 상당히 줄일 수 있다. 또한 모델링을 통하여 조직평가인자의 입체적인 결정에 중요한 도움을 주고 있다. 이에 대한 예로써 평면시편에서 촬영된 (광학현미경)조직사진에서 결정된 측정값을 이용하여 입체적인 조직평가인자를 계산하는 것이 있다. 그리고 모델링을 통하여 측정된 조직평가인자의 통계적, 계통적(systematic) 오차를 계산할 수 있다.

2.4.2
기하학적 조직평가인자

이 장에서 조직구성성분의 평가인자를 설명하기 전에 몇 가지 개념에 대해서 설명하고자한다. 먼저 기초가 되는 각 입자[1]들의 기하학적 특징을 살펴본다. 이들 입자들은 위상학(topology)적으로 서로 엉켜있다고 가정하거나, 어떤 경우에는 단순히 엉켜있거나 혹은 볼록꼴의 형태라 가정한다[2].

입자의 평가인자

한 입자의 평가인자를 체계적으로 논의하기 위한 적절한 이론으로 Hadwiger의

이론이 있다. 이 이론에서는 측정과 평가를 통하여 얻어지는 특성들을 나타내는 모든 평가인자들은 다음 4가지 인자들의 선형적인 관계로 표현할 수 있다.

V   입자의 부피
S   입자의 표면적
M   입자의 **평균굴곡**(mean curvature)의 적분
K   입자의 **총굴곡**(total curvature)의 적분

표면의 점 s에서의 굴곡 $k(s)$는 그림 2.137에서 보는 것과 같이 입자표면의 면적요소 ds에서 굴곡원 반경 r의 역수로 정의된다. 굴곡원이 놓여있는 면이 경계면 수직방향을 중심으로 회전하면 굴곡 k(s)는 변한다. 면적요소 ds에서의 최소굴곡과 최대굴곡을 $k_1(s)$와 $k_2(s)$라 하면, 평균굴곡(Germain 굴곡)은 두 굴곡 $k_1(s)$와 $k_2(s)$의 평균값이고, 총굴곡(Gauss 굴곡)은 두 굴곡의 곱 $k_1(s) \cdot k_2(s)$이다. M과 K값은 입자의 모든 표면요소에서의 평균 및 총굴곡을 적분하면 얻어진다.

이 두 가지 **굴곡적분**에 대한 이해는 특별한 경우의 입자를 설명하는데 매우 유용하게 사용된다. 볼록한 형태의 입자에서 일정한 인수(factor)까지의 평균굴곡의 적분은 평균 입자지름 $\bar{d}$과 같다. $M = 2\pi\bar{d}$ 이 때 입자의 평균지름은 모든 방향에서 측정한 길이의 평균이다. 예를 들면 섬유상 복합재료 내의 (굴곡된) 섬유상(fiber) 혹은 결정 내의 전위(dislocation)의 경우

---

1) 입자(particle)라는 개념은 개재물, 석출물, 알갱이, 기공, 섬유상 복합재료의 섬유상, 층상(lamella), 결정질 내의 전위 등을 나타낼 수 있다.

2) 입자가 엉켜있다함은 입자 안에 있는 모든 점이 하나의 곡선으로 연결되어 있음을 말하며, 단순히 엉켜있는 입자는 위상학적으로 구와 동일하다. 입자가 볼록꼴 형태라 함은 입자 안에 놓여 있는 모든 점들이 직선으로 연결될 수 있음을 나타낸다. 그림 2.146 참조

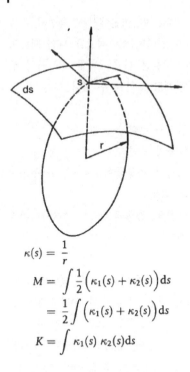

$$\kappa(s) = \frac{1}{r}$$

$$M = \int \frac{1}{2}\Big(\kappa_1(s) + \kappa_2(s)\Big)ds$$

$$= \frac{1}{2}\int \Big(\kappa_1(s) + \kappa_2(s)\Big)ds$$

$$K = \int \kappa_1(s)\,\kappa_2(s)ds$$

그림 2.137 굴곡적분 M과 K.

M은 섬유상 혹은 전위의 길이 L에 비례한다. $M = \pi L$. 총굴곡의 적분 K는 입자의 크기와 형태에 무관하며, K는 위상학(topology)적인 인자이다. 볼록한 형태의 입자에서는 항상 $K = 4\pi$ 이다.

Hadwiger의 이론에서는 부피 V, 표면적 S 그리고 두 가지 굴곡적분 M과 K들이 입자의 평가인자를 구성하는 기본요소이며, 따라서 이들을 이용하여 입자를 평가한다.

여기서 이 4개의 인자 V, S, M, K들은 기하학적인 차원에 따라 정리될 수 있는데, 부피는 m^3, 표면적은 m^2, 두 굴곡적분은 m^1 및 m^0이다. 즉, K는 무차원이다.

조직구성요소의 평가인자

하나의 조직구성요소를, 예를 들면 상(phase), 기하학적으로 설명하기 위하여 한 입자의 평가인자로써 밀도를 사용한다. 이 때 밀도는 시편의 부피 혹은 관찰하려하는 재료와 관련있는 평가인자로 이해되어야 한다. 따라서 하나의 조직구성요소의 **부피밀도**, 즉 부피분률은 시편 전체부피에서 이 조직구성요소의 총부피와 일치하여야 한다. 이와 관련된 사항은 2.4.5절에 자세히 설명하였다.

이와 같이 밀도 등을 이용하여 조직을 평가하려면 시편전체에서 조직이 거시적(macroscopic)으로 균일(homogeneous) 및 등축상(isometric)이어야만 의미가 있다.

- **거시적 균일**이란 구성성분들의 병진(translation)과 관련하여 조직구성성분의 분포특성이 변하지 않음을 의미한다. 즉, 이는 재료의 불특정 위치에서 시편을 채취할 수 있고, 평면연마시편의 위치(방향은 아님)를 임의로 결정하여 조직사진을 촬영할 수 있음을 의미한다.
- 조직구성성분이 **거시적 등방성**(macroscopic isotrop)이란 회전(공간점을 중심으로)과 관련하여 분포특성이 변하지 않음을 의미한다. 이 경우에는 평면연마시편의 방향(즉, 평면시편의 법선방향)도 임의의 방향을 선택할 수 있다.
- 조직구성성분이 **등축상**(isometric)이라함은 병진 및 회전과 관계없이 분포법칙이 변하지 않음을 의미한다. 따라서 등축적인 조직은 거시적으로 균일하며 등방적

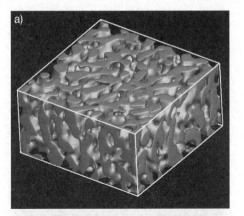

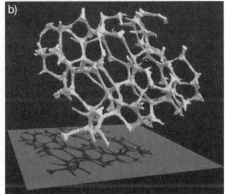

그림 2.138 a) 2상을 갖는 폴리머의 조직사진. 공초점레이저주사현미경(CLSM, Carl Zeiss, Jena)을 이용하여 촬영한 3D 사진. 이 표현방법으로는 2상 중 한상은 투명하게 나타남. b) X-선 마이크로토모그래피(XCT)를 이용하여 생성한 기공이 함유된 폴리우레탄거품의 3D 사진. Skyscan B.V.社의 데스크탑-시스템으로 촬영.

이다. 이러한 조직의 예를 그림 2.138a에 나타내었다.

거시적으로 등방적인 조직은 대부분 거시적으로 균일하며 따라서 등축상이다. 그러나 거시적으로는 균일하지만 거시적으로 등방적이지 않은 조직은 등축상이 아니다.

거시적으로 균일한 조직의 구성성분을

기하학적인 차원에 따라 분류하기 위하여 다음과 같은 평가인자들을 도입하였다.

V_V 부피밀도(부피분률)

S_V 경계면밀도
　　　(비 경계면, specific interface)

M_V 평균굴곡 적분의 밀도

K_V 총굴곡 적분의 밀도

부피밀도는 무차원이며, 경계면밀도 S_V는 m^{-1}차원, 평균굴곡 적분의 밀도 M_V는 m^{-2}차원, K_V는 m^{-3}의 차원을 갖는다. 이 네 가지의 밀도는 조직구성성분의 설명을 위한 기본으로 이해될 수 있으며, 따라서 정량적인 조직분석에서 이들을 **기본인자(basic parameter)**로 사용한다.

이들 4개의 기본인자로부터 더 많은 평가인자들을 계산할 수 있다. 예를 들면 평균 겉보기길이 $\bar{l}$ 은 다음 식으로 다타낼 수 있다.

$$\bar{l} = 4\frac{V_V}{S_V} \qquad (2.54)$$

따라서 기본인자는 조직을 설명하는데 중요한 역할을 하며, 더 복잡한 평가인자는 조직설명에 꼭 필요한 경우에만 도입하는 것이 바람직하다.

조직평가를 위하여 주로 부피밀도와 경계면밀도가 이용된다. 그리고 두 가지 굴곡적분은 정량적인 조직분석에 오래전부터 이용되고 있다. 그러나 비교적 복잡한 개념인 M_V 및 K_V는 그 의미를 쉽게 이해하기가 어렵다. 따라서 M_V 및 K_V를 쉽게 이해할 수 있는 특별한 경우의 조직 및 미세구조를 설명한다.

입자시스템(particle system). 조사하려는 조직구성성분이 분리되어 있고 위상학(topology)적으로 간단하게 엉켜있는 경우, M_V는 평균입자지름 $\bar{\bar{d}}$ 와 단위면적당 입자수 N_V의 곱에 비례하고, K_V는 상수인자와 함께 N_V와 같다.

$$M_V = 2\pi\bar{\bar{d}}N_V \qquad K_V = 4\pi N_V \qquad (2.55)$$

(평균입자지름 $\bar{\bar{d}}$ 는 모든 입자의 지름을 모든 방향에서 측정하여 얻는다. i-번째 입자의 평균지름을 $\bar{d}_i$ 라 표시하고, 입자시스템 전체입자의 평균을 구한다. $\bar{\bar{d}} = \frac{1}{n}\sum_{i=1}^{n}\bar{d}_i$, 여기서 n은 입자의 수이다.)

또한 입자들의 부피와 면적을 V_i와 S_i라 할 때, 평균부피 $\bar{V} = \frac{1}{n}\sum_{i=1}^{n}V_i$ 와 평균면적 $\bar{S} = \frac{1}{n}\sum_{i=1}^{n}S_i$ 을 위한 $\bar{A} = 4\pi V_V/K_V$ 와 $\bar{S} = 4\pi S_V/K_V$ 의 관계가 유효하다.

섬유상시스템(fiber system). 섬유상복합재료의 섬유상시스템 혹은 전위(dislocation)의 시스템에서 밀도 M_V는 섬유상길이 혹은 전위선길이의 밀도 L_V에 비례한다.

$$M_V = \pi L_V \qquad (2.56)$$

전위의 경우, L_V를 전위밀도라고 하며 ρ_V로 표시한다.

층상(lamella)의 시스템. 탄소강의 페라이트-펄라이트 조직에서의 펄라이트 내에는 시멘타이트상이 층상으로 석출되어 있다. 이 시멘타이트층들은 소위 영역(colonies)으로 구분되어 있는데, 영역 내에서는 층상들은 같은 거리로, 서로 평행하게 형성되어 있다. 공간적인 층상간의 거리는 영역에 따라 다르게 나타난다. 순 펄라이트조직에서의 평균층상거리 $\bar{d}_L$은 페라이트층상의 두께와 일치하며 다음 식으로 나타낼 수 있다.

$$\bar{d}_L = \frac{2V_V}{S_V} \qquad (2.57)$$

여기서 V_V와 S_V는 페라이트의 부피분률과 펄라이트의 경계면밀도를 나타낸다. 공석 펄라이트 내의 페라이트의 부피분률이 약 1이므로, $\bar{d}_L \approx 2/S_V$.

반면에 층상흑연을 포함하는 주철 내의 흑연층상의 정렬은 "무질서(random)"라 할 수 있으며, 서로 아무런 관계가 없다. 그렇지만 이 경우에도 흑연층상의 평균두께 $\bar{d}_L$은 식 (2.57)로 구할 수 있다. 이 때, V_V와 S_V는 흑연의 부피분률과 펄라이트의 경계면밀도를 나타낸다.

기공성 셀(cell) 형태의 시스템. 입체적인 사진분석을 통하여 얻은 기공이 함유된 거품(foam)의 3D 사진에서 예를 들면 첫번째 굴곡적분 M_V를 결정할 수 있다. 따라서 셀의 평균 지름 $\bar{\bar{d}}$ 도 다음 식으로 구할 수 있다.

$$\bar{\bar{d}} = \frac{5.82}{\sqrt{M_V}}$$

여기서 모든 셀은 같은 부피를 가지며, (원래 닫혀있는) 셀의 경계면밀도는 최소[1]라 가정한다. 이와 다르게 기공이 함유된 거품에서 하나의 교점에서 4개의 기둥이 교차한다고 하면, 평균 셀의 부피는 다음과 같이 나타낼 수 있다.

$$\overline{V} = -\frac{4\pi}{K_V}$$

그림 2.148a에 나타낸 기공성 니켈 거품의 고상 성분에서 $K_V = -1324 \text{mm}^{-3}$로 측정되었으며, 따라서 $\overline{V} = 9.25 \cdot 10^{-3} mm^3$.

그림 2.138a에서 나타난 조직에서 두 구성성분은 모두 입자-, 섬유상- 혹은 셀 시스템이 아니다. 이러한 경우 4가지의 기본인자 V_V, S_V, M_V 및 K_V를 측정할 수 있으며 기하학적인 조직평가에 이용한다. 그러나 두 굴곡적분의 밀도 M_V, K_V를 설명하기에는 명확하지 않다.

조직의 평가인자

조직의 모든 구성성분이 거시적(macroscopic)으로 균일하면 조직이 거시적으로 균일하다고 한다. 이러한 조직은 각각의 구성성분을 α, β, γ, ...라 할 때, 다음의 기본인자로 설명할 수 있다.

$$V_V^{\alpha}, \ S_V^{\alpha}, \ M_V^{\alpha}, \ K_V^{\alpha}, \quad V_V^{\beta}, \ S_V^{\beta}, \ M_V^{\beta}, \ K_V^{\beta},$$
$$V_V^{\gamma}, \ S_V^{\gamma}, \ M_V^{\gamma}, \ K_V^{\gamma} \quad ....$$

여기서 몇 가지 특이한 점을 고려하여야 한다.

단상의 다면체(polyhedron) 조직. 단일상의 다면체를 갖는 입자들은 $V_V = 1$이다. S_V는 비 경계면(specific interface)이며, 단상의 다면체 조직이기 때문에 입자시스템으로 간주하여 식 (2.55)가 유효하다. 식 (2.56) 또한 유효하며 이때 L_V는 결정립 모서리 길이의 밀도로 볼 수 있다. 즉, L_V는 단위면적 당 다면체시스템의 모서리 총길이를 나타낸다. 또한 단상의 다면체 조직에서 특별히 다음 관계도 유효하다.

$$\overline{V} = \frac{1}{N_V} \qquad \overline{S} = \frac{2S_V}{N_V}$$

여기서 $\overline{V}$와 $\overline{S}$는 결정립의 평균 부피와 평균 표면적을 의미한다. 재료시험에서 중요한 인자는 DIN 50601에 의한 평균(선형) 결정립크기[2] $\overline{l}$와 ASTM E 112-77의 결정립번호 G이다.

$$\overline{l} = 2/S_V \qquad G = \log_2 M_V - 5.6 \qquad (2.58)$$

일반적으로 S_V와 M_V는 서로 독립적인 조직평가인자이기 때문에 $\overline{l}$와 G는 서로 다른 관점에서 결정립을 설명한다. 단지 "균일한 결정립"일 경우에만 S_V와 M_V 따라서 l과 G는 서로 연관이 있다. $M_V = 1.081461 \, S_V^2$.

두 가지 구성성분을 갖는 조직. 두 가지 구성성분 α와 β로 이루어진 조직은 다음 관계가 유효하다.

$$V_V^{\alpha} = 1 - V_V^{\beta} \qquad S_V^{\alpha} = S_V^{\beta}$$
$$M_V^{\alpha} = -M_V^{\beta} \qquad K_V^{\alpha} = K_V^{\beta}$$

---

1) Weaire-Phelan 모델

2) 평균 선형 결정립크기는 2.4.5절의 선분법에 의하여 측정된 평균 겉보기길이와 같다.

즉, 구성성분 α의 기본인자는 구성성분 β의 기본인자로부터 계산할 수 있다. 따라서 α 혹은 β 한 성분의 기본인자를 이용하면 전체 조직을 설명할 수 있다. 그러나 이들 기본인자 외에 α와 β 두 성분 사이의 비 상경계면(specific phaseinterface) $S_V^{\alpha/\beta}$와 동일한 상 사이의 비 상경계면 $S_V^{\alpha/\alpha}$와 $S_V^{\beta/\beta}$를 조직의 설명에 추가적으로 도입한다.

두 가지 이상의 구성성분으로 이루어진 조직의 경우에는 평가인자가 너무 많아지므로 대부분 특별한 관점에서 조직을 설명하는 것으로 한정하여 평가한다.

기본인자와 재료특성

기본인자들과 특성 사이에는 많은 연관관계들이 알려져 있는데, 이들은 대부분 실험적인 방법에 의하여 알려지게 되었다. 체계적인 실험을 통하여 경계면밀도(혹은 다른 기본인자)가 결정되고 또한 재료특성이 측정되어 이 실험적인 값들 사이에 (일반적으로 선형인) 모델로 정리된다.

이와 관련하여, 국부적인 물리적 특성(예, 결정립 내에서의 전기전도도, 결정립계에서의 통과조건)과 입체적인 조직구성을 이용하여 거시적인 재료물성(예, 다결정에서의 전기전도도)을 계산하려는 노력이 시도되고 있다. 이러한 시도는 편미분 방정식의 수치적인 해석방법 및 유한요소법 등이 개발됨으로써 가능하게 되었다.

이러한 수치해석적인 방법 이외에 최근 들어 미세구조와 재료특성의 연관관계를 수학적인 균질화를 통하여 접근하는 방법이 도입되고 있다. 이 방법의 장점은 균질화의 결과로써 얻어지는 명확한 방정식을 이용하여 재료특성을 계산할 수 있다. 실제로 다면체 결정립으로 구성된 단일상의 재료에서 유효전기전도도 σ_{eff}는 결정립들의 (등방적인) 전기전도도 σ와 결정립계의 균일한 전도성 h를 이용하여 계산할 수 있다. 모델화 조건이 성립되는 조직에서 다음 식을 이용한다.

$$\sigma_{eff} = \left(\frac{1}{\sigma} + S_V \cdot \frac{1}{3h} \right)^{-1}$$

여기서 S_V는 경계면밀도를 나타낸다. 이러한 방법으로 조직과 물성의 관계를 현상학적으로 설명할 수 있다.

2.4.3.
사진처리 및 분석방법

조직평가인자들의 복잡한 결정방법은 사진처리 및 분석을 위한 알고리즘의 형태로 설명될 수 있다. 이러한 알고리즘은 사진에서 구획[1]을 나누거나 대상물질(입자 혹은 입자 절단면의 사진)의 인지(identification)[2]

---

1) 사진의 구획을 나누는 것은 사진의 픽셀(pixel)을 촬영된 조직구성성분으로 분류하는 것을 말한다. 일반적으로 각 픽셀은 표식(label)을 부여받게 되는데, 각 표식은 조직구성성분을 나타낸다. 가장 간단한 경우, 분할은 경계조건에 따라 2진법코드(binary cord)를 갖게 되는데 모든 픽셀은 조직구성성분을 나타내든지 그렇지 않은 부분으로 분류된다. 조직구성성분으로 판별 받은 픽셀은 1, 그렇지 않은 픽셀은 0으로 분류된다. 픽셀값 0 혹은 1로 나타낸 사진을 2진법코드 사진이라 한다. 1의 값을 갖는 픽셀들이 전경(foreground)을 나타내고, 0의 값을 갖는 픽셀들의 모임을 배경(background)이라 표시한다.

2) 대상물질의 인지라함은 한 가지 조직구성성분 사진의 구획을 나누는 것을 말한다. 이 경우 구획(segment)은 조직구성성분의 각 성분들이다. 인지의 기본 알고리즘은 각각의 구성성분에 속하는 픽셀이 같은 표시를 부여받는 과정인 labeling에 근거한다.

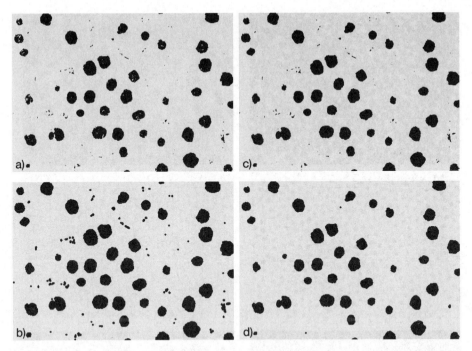

그림 2.139 입자시스템의 형태학적 변환: a) 초기사진, 2진법코드 사진, 구상흑연을 함유한 주철의 조직, b) 흑연상의 팽창(dilatation). 이에 따라 대상물체는 확대되었으며 물체 안에 존재하던 구멍이 메꾸어짐. c) 그림 b)의 침식(errosion), 전경(foreground)에서의 침식은 배경(background)의 팽창과 동일. 입자는 처음 크기로 축소되지만 메꾸어진 구멍은 그대로 머물러 있음. 팽창과 침식을 순서대로 수행. d) 그림 c)를 침식과 팽창을 순서대로 수행함으로 작은 입자들을 제거.

를 통하여 조직구성성분의 검출을 도울 수 있다. 또한 단일상의 다면체 조직의 사진에서 결정립계를 재현, 수지상정의 탐지, 그림 2.143a와 같이 기공이 있는 거품(foam)의 광학현미경사진에서 cell을 인지하는 알고리즘도 이에 속한다.

2차원 및 3차원 사진의 처리 및 분석

정량적인 조직분석은 대부분 편평한 시편에서 광학적으로 촬영된 조직사진 혹은 다른 방법(SEM, TEM, ...)으로 얻은 2차원 사진을 이용한다. 특수한 카메라를 이용하여 2차원 사진을 디지털화된 사진으로 변화시키고, 여러 가지 디지털 사진처리 및 분석 기술(알고리즘)을 이용하여 조직평가인자 혹은 복잡한 평가인자의 측정값을 결정할 수 있다. 프로그램이 내장된 시스템은 현미경과 카메라의 조작(stage, 광원, 조리개, 대물렌즈 변경)뿐만 아니고 사진의 처리 및 분석을 위한 모듈을 포함하고 있다.

사진처리

• 사진 픽셀의 데이터 형태 변환(예, 흑백 명암의 사진을 픽셀값의 특정경계를 기

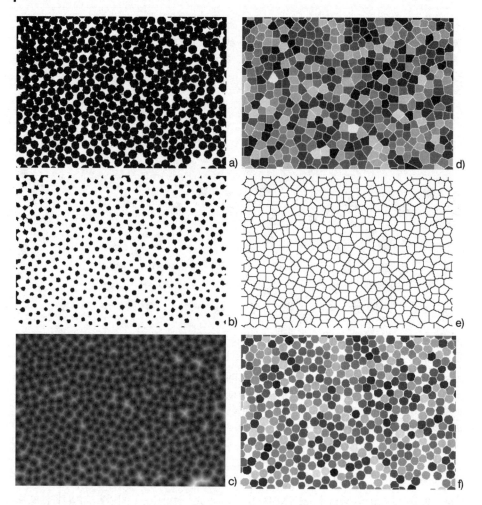

그림 2.140 에폭시 수지 내의 탄소섬유, 횡단면 광학현미경사진, 대상물체의 분할을 위한 두 가지 방법: a) 2진법코드 사진, 검출된 섬유상단면, b) 침식을 통한 대상물체의 분리, c) 그림 a)의 거리변환(distance transformation), d) 그림 c)의 분할변환(devide transformation), e) 그림 d)의 분할, f) 그림 a)를 이용한 그림 d)의 수정.

준으로 2진법코드(binary code)화함)
- 1진법(unary) 사진조작(예, 사진을 픽셀형태로 변환)과 2진법조작(binary operation)(예, 사진의 합성, 사진의 noise를 줄이기 위한 두 스캔사진의 평균, 2진법 사진을 이용한 수정, 그림 2.140, 2.142f 참조)

- 디지털 필터(매끄럽게 하는 필터(smoothing filter), 모서리필터(edge filter)), 형태학(morphology)적 변환(팽창(dilatation), 침식[1](errosion) 등) 그림 2.139,

---

1) 침식은 지질학에서 유래한 것이나 사진분석에서도 유사한 의미를 갖음

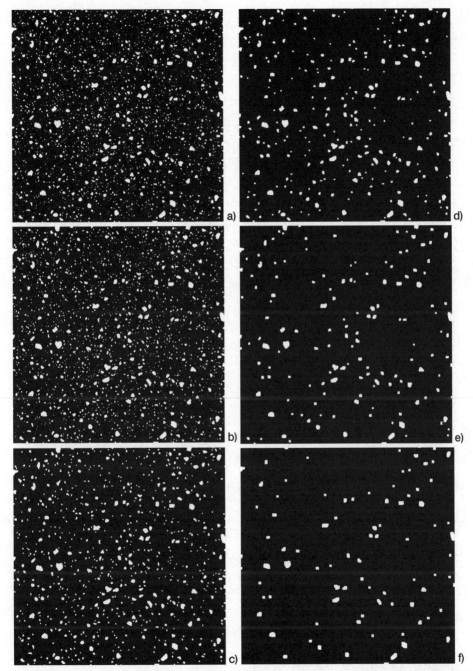

그림 2.141 그림 a)의 대상물체의 크기를 분류하기 위한 형태학적 구멍(opening)의 응용(탄소강 내의 시멘타이트입자의 절단면). 모든 형태학적 변환은 구조적인 요소(필터마스크의 지지대)의 크기에 따라 다름. 그림 b)부터 f)까지 점점 더 큰 지름을 갖는 요소를 사용.

- 2.140, 2.141 참조.
- 2진법코드 사진에서 위상학(topology)적으로 관련있는 대상물체의 검출. 한 대상물체에 속한 모든 픽셀은 같은 값으로 정렬(같은 label), 그림 2.142f, 2.147b 참조
- 대상물체사이의 경계(소위 분할(devide))를 정함으로 흑백명암- 혹은 2진법코드 사진에서 구획(segment)화 하는 것을 지원하기 위한 **분할변환**[1](devide transformation). 그림 2.142b 2.142e 참조
- 사진 전경(foreground)의 모든 픽셀을 배경(background)으로부터의 거리에 따라 정렬한 2진법코드 사진에서의 **거리변환**(distance transformation)
- 조직구성성분의 위상학적 분석을 위한 2진법코드사진에서의 윤곽처리(skeleton)
- 역공간에서 사진 내용의 처리와 표현을 위한 사진의 푸리에-변환(이산 푸리에-변환, discrete Fourier-transformation, DFT)

사진분석

- 대상물체 특징(object features)의 측정, 2.4.4절 참조
- 사진의 바탕과 관계되는 특징(field features)의 측정, 2.4.5절 참조
- 대조(correlation)- 및 회절(diffraction) 분석, 그림 2.143~2.145 참조

---

[1] 분할변환(devide transformation)을 쉽게 설명하기 위하여 흑백명암사진을 '산맥'으로 가정하면, 분할은 '골짜기'와 '분지'를 서로 경계로 나눈다. '분지'에 속하는 모든 픽셀은 같은 픽셀값으로 정렬(label)된다.

위에 열거한 내용은 모든 사진처리 및 분석 방법을 열거한 것이 아니다. 더 많은 내용들은 전문자료를 참고하기 바란다.

공초점 레이저주사현미경(confocal laser scanning microscopy, CLSM), X-선, 방사선, 중성자선을 기반으로 한 컴퓨터단층촬영(computer tomography, CT), 핵스핀단층촬영(nucleus spin tomography, MNR) 등의 새로운 조직촬영방법은 정량적 조직분석의 가능성을 확대하고 있다. 이러한 방법을 통하여 촬영된 사진의 결과가 조직의 디지털화된 3D-사진이다. 그림 2.138과 2.148에 시각화한 3D-조직사진을 나타내었다. 그러나 재료의 조직분석에 적용할 수 있는 공초점 레이저주사현미경의 범위는 매우 제한적이다, 2.2.3.7절 참조.

이러한 촬영방법을 이용한 분석을 통하여 얻어진 입체적인 사진은 이미 알려진 선분법 혹은 면분법을 통하여 분석되어진다. 이 때 조직 내에 무수히 많은 단면을 (컴퓨터에서) 생성할 수 있으며 이를 통하여 결과를 더 쉽게 해석할 수 있다. 따라서 입체적인 사진은 두 번째 굴곡적분의 밀도 K_V를 기본적인 방법(즉, 제한조건이 많은 모델 없이)으로 구할 수 있으며, 등축상(isometric)이 아닌 조직에서도 S_V와 M_V를 쉽게 결정할 수 있다.

여러 단면에서 촬영된 연속 사진을 3차원으로 이해할 수 있기 때문에, 여러 단면을 분석하는 방법도 입체사진 분석의 특수한 경우라 할 수 있다. 이를 충족시키기 위해서는 연속사진의 픽셀이 하나의 (입방

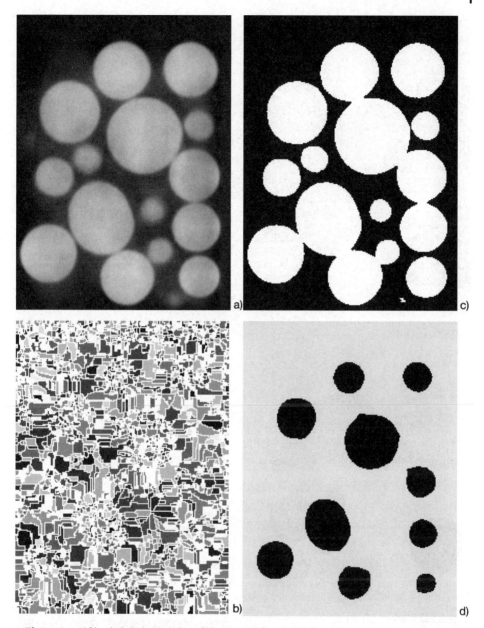

그림 2.142 3차원 사진에서 입자의 구획(segment)을 결정하기 위한 복잡한 알고리즘. 그림은 작업된 3차원 사진에서의 2차원 면을 나타낸다. a) 초기사진(소결공정의 초기단계에 있는 소결구, CT X-ray 사진, Noethe, 드레스덴 공대), b) 사진 a)에 분할변환(devide transformation)을 적용하여 얻은 구획화한 사진, 그러나 사진의 noise 때문에 많은 오류가 존재, c) 사진 a)를 2진법코드화한 사진, d) 사진 c)를 역전(invert)과 팽창(dilatation), e) 사진 d)에 분할변환을 적용하여 성공적으로 얻은 구획화한 사진. f) 그림 e)를 c)로 마스킹.

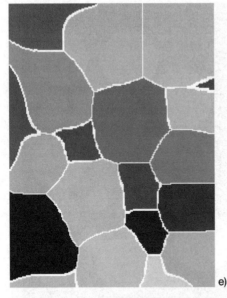

e)

f)

그림 2.142 (계속)

정) 격자 내에 놓여 있어야 한다. 이는 여러 단면이 평행하게 같은 거리만큼 떨어져 있어야 함을 의미한다.

형태학적(morphological)인 사진처리

사진을 구획(segment)화 하고 대상물체를 분별하기 위하여 형태학적인 방법이 성공적으로 적용되고 있다. 형태학적 변환에는 팽창(dilatation)과 침식(errosion)이 속하며 이는 사진처리방법의 기초적인 알고리즘들이 규격화되어 시스템을 형성한 것이다. 이들 기초적인 알고리즘들은 서로 연관되어 매우 명료한 형태로 표현되고 복잡한 알고리즘으로 조합하게 한다. 형태학적 변환은 평가인자의 크기를 직접 측정하는데 점점 더 많이 적용하고 있다. 이에 대한 예는 구획화된 디지털 사진의 침식에 의하여 결정되어서 점점 길어지는 겉보기 길이 분포의 측정이다. 따라서 좋은 사진분석시스템은 조심스럽게 선별되고 상호 보완적으로 형태학적 변환들이 수행될 수 있는 시스템이 내장되어 있다.

그림 2.141에 형태학적 구멍(opening, 즉 침식과 팽창의 조합)의 응용을 보여주고 있다. 점점 커지는 구조적인 요소를 이용한 형태학적 구멍을 통하여 사진에 존재하는 대상물체를 크기에 따라 필터링하는 것을 모사하였다(사진분석적인 결정립크기 측정). 따라서 형태학적 구멍은 대상물체의 크기분포를 결정하는 적절한 도구이다.

구획화(segmentation)를 포함하지 않는 사진분석

구획화된 사진을 이용한 분석을 보완하

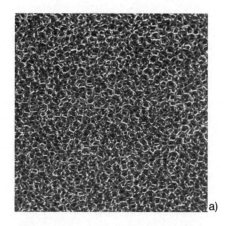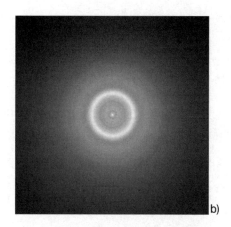

그림 2.143 a) 열린 기공성 PU-거품의 광학사진(암시야), b) 광학사진의 스펙트럼밀도의 회전평균. 그림 b)는 회절사진의 회전평균과 동일하며, 2.2.2.2절에서 언급한 광학사진의 대안이 될 수 있다. 거품의 기공크기(pores per inch, ppi-값)는 일정한 인자(factor)까지의 특성 간섭의 역반경(inverse radius)임.

는 중요한 사진처리 방법으로, 때때로 매우 복잡한 구획화 과정을 거치지 않는 방법이 있다. 이러한 분석법에 회절분석을 통한 사진분석법이 있다. 이를 통하여 사진의 스펙트럼(에너지밀도 스펙트럼, 강도 스펙트럼)을 계산하고 간섭의 위치를 결정하게 된다. 이 때 간섭의 위치는 어떤 일정한 인자(factor)까지는 역특성 입자크기(inverse characteristic particle size) 및 역특성 입자간 거리(inverse characteristic particle distance)이다. 회절분석을 통한 사진분석법은 X-선 회절과 전자회절과 매우 밀접한 관계가 있다. 2.5.1절과 2.7.2절 참조. 사진분석적인 회절분석을 적용하는데 가장 중요한 점은 간섭의 위치는 시편준비와 사진촬영조건에 거의 영향을 받지 않는 다는 것이다. 시편준비와 촬영조건은 단지 간섭현상의 폭에 영향을 줄 뿐이다.

사진분석적인 회절분석은 조직사진의 고속 푸리에변환(fast Fourier transform)을 이용하여 스펙트럼의 계산을 할 수 있는 매우 효과적인 방법이다. 나아가 – 과거에는 종종 무시하였던 – 등축상(isometric)의 조직에서는 스펙트럼의 회전평균을 결정할 수 있는데, 이는 측정값의 요동을 상

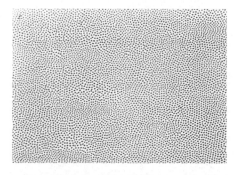

그림 2.144 공정 Al-Ni 합금 조직의 단면 사진. 사진의 크기는 0.2mm x 0.14mm (1280 x 896 pixel). 단면은 바늘형태의 Al_3Ni입자의 주축에 수직으로 절단함.

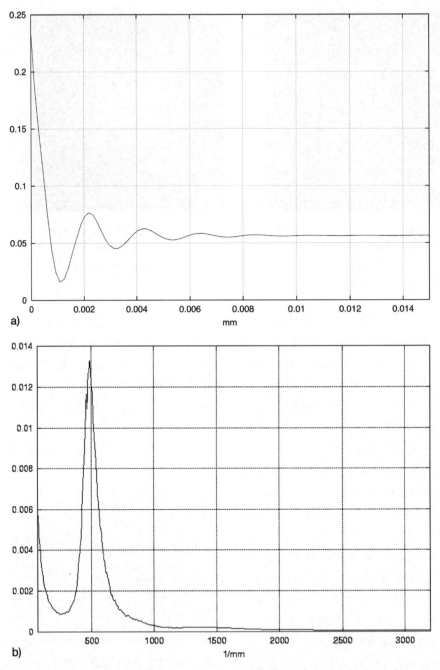

그림 2.145 a) 자동상관함수(auto correlation function), b) 그림 2.144의 Al-Ni 공정조직의 Al₃Ni-상의 스펙트럼. 스펙트럼의 확실히 구분되는 간섭의 위치(즉, X-축의 위치)는 단면사진에서 보이는 Al₃Ni입자의 (특정한 인자까지의) 간격의 역(inverse)과 동일.

당히 줄일 수 있으며 간섭의 검출을 향상시킬 수 있다, 그림 2.143b 참조. 또한 연속적으로 촬영하는 스펙트럼은 각 스펙트럼의 합과 같으므로 스펙트럼을 더할 수 있다. 이러한 결과는, 시편의 여러 방향에서 스펙트럼을 측정하여 평균하면 측정오차를 줄일 수 있음을 뜻한다.

그림 2.143b는 그림 2.143a에서 다음과 같은 방법으로 얻을 수 있다:

1. 2.143a의 푸리에변환. 결과는 복소수 값을 갖는 픽셀들로 이루어진 그림이다.
2. 스펙트럼의 계산, 즉 푸리에변환된 그림(픽셀단위로)의 합의 제곱 구함. 스펙트럼밀도는 실수 값의 픽셀로 이루어진 그림이다.
3. 그림 중심축에서의 모든 회전에 대한 스펙트럼의 평균(회전평균값 구함).

그림 2.143과 2.145는 회절분석의 응용의 대표적인 예를 보여준다. 그림 2.143b에서 스펙트럼은 회전대칭으로 나타나기 때문에 픽셀값들은 그림 중심으로부터의 거리의 함수로 나타낼 수 있다, 그림 2.145b와 비교.

상관분석(correlation analysis)은, 즉 그림의 흑백명암값의 자동상관함수[1]의 결정은, 정량적 조직분석에서 회절분석과 비슷한 역할을 한다. 이는 흑백명암사진에 직접 적용할 수 있으며 따라서 구획화(segmentation)가 필요하지 않다. 자동상관함수는 스펙트럼의 역 푸리에변환[2]을 이용하여 효과적으로 계산할 수 있다. 이는 두 평가인자는 ‐ 스펙트럼과 자동상관함수 ‐ 조직에 관하여 동일한 정보를 가지고 있음을 의미한다.

두 개의 평가인자 중 어떤 것을 적용하나 하는 것은 조직의 구조에 따라 결정된다. 그림 2.144와 같이 조직의 구성성분이 주기적으로 정렬되어 있거나 격자형태로 입자가 배열하고 있으면 그림 2.145b와 같이 스펙트럼에서 특히 뚜렷이 간섭이 나타난다. 반면에 조직구성성분이 무질서하게 배열되어 있으면 자동상관함수를 이용하면 쉽게 설명할 수 있다.

2.4.4
질단면의 평가인자

2.4.2절에서 이미 입자의 평가인자에 대해서 설명하였다. 본 절에서는 입자의 절단면에 대하여 설명한다. 이는 시료의 연마시편에서 관찰되는데, 즉 조직의 평면절단을 통하여 얻는다, 그림 2.146참조. 사진처리와 관련하여 입자의 절단면을 **대상물체**(object)라 표시하기도 한다. 이의 평가인자를 **대상물체특징**(object features)이라 한다.

하나의 사진에 n 대상체가 존재하고, 이들 대상물체들이 (labeling을 통하여) 구획화가 가능하고, 각 대상물체 및 이들의 볼

---

[1] 등축상 조직에서는 옆 픽셀과의 픽셀 값의 상관관계는 단순히 픽셀의 거리에 의존한다. 자동상관함수는 픽셀간격의 함수로서의 픽셀 값의 상관관계이다.

[2] 2D 사진에서 스펙트럼의 회전평균과 평면사진의 자동상관함수의 회전평균은 푸리에‐베셀‐변환을 통하여 서로 계산할 수 있으며, 3D의 경우는 sin변환을 이용하면 계산할 수 있다.

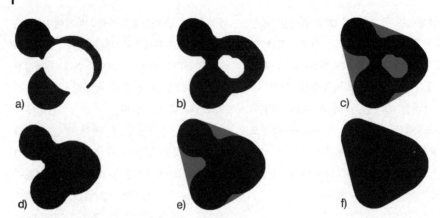

그림 2.146 대상체(object), 오일러수 x, 볼록한 껍질: a) 연관이 없는 대상체, $x = 2$, b) 위상학적으로 연관이 있는 대상체 (간단하지 않은 연관성), $x = 0$, c) b)의 볼록한 껍질 (회색 및 검은 점으로 표현), d) 위상학적으로 간단한 연관이 있는 대상체, $x = 1$, e) d)의 볼록한 껍질, f) 볼록한 대상체 (이는 자신의 볼록한 껍질과 동일함), $x = 1$.

록한 껍질[1])에서 각종 특징들을 측정할 수 있다고 가정한다. 이에 속하는 것들은

A_i i-번째 대상물체의 면적, 즉 대상물체의 픽셀 수 곱하기 픽셀면적

U_i 둘레

d_{ij} 여러 방향에서의 지름(Feret식 지름), j=1, ..., m 는 방향표시이며, m은 방향의 수이다

χ_i i-번째 대상물체의 오일러수, 위상학적으로 연관이 있는 대상물체의 오일러수는 1 빼기 대상물체에 존재하는 구멍의 수, 그림 2.146 참조.

A_i^{conv} i-번째 대상물체의 볼록한 껍질의 면적

U_i^{conv} i-번째 대상물체의 볼록한 껍질의 둘레

x_i, y_i 중심점의 좌표, 예를 들면 무게중심의 좌표

여러 사진처리 시스템을 이용하면 대상물체 픽셀의 평균 흑백명암값 혹은 흑백명암값의 표준편차와 같은 소멸특징(extinction character) 또한 측정할 수 있다.

위에 열거한 평가인자 이외에 더 많은 인자를 유도할 수 있다. 이에 속하는 것은

$\bar{d}_i$ 평균지름 $\bar{d}_i = \dfrac{1}{m}\sum_{j=1}^{m} d_{ij}$

d_i^{min} 최소지름

d_i^{max} 최대지름

f_i 형상인자, 일반적으로 면적과 둘레의 비. $f_i = \dfrac{4\pi A_i}{U_i^2}$

이 때 0과 1사이의 값을 갖도록 정규화하기도 함

---

1) 대상물체의 볼록한 껍질은 대상물체 내에 존재하는 점들로 이루어진 가장 작은 볼록체

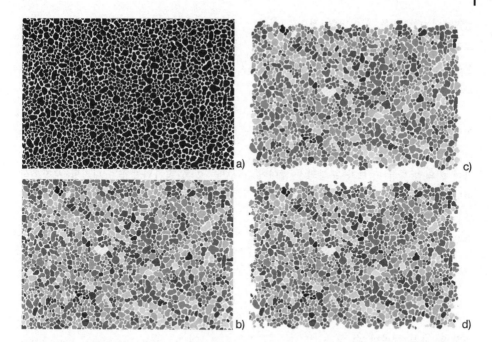

그림 2.147 평면 입자시스템, SrTiO₃(세라믹스) 위에 에피탁시하게 증착한 Ni(금속); Bischoff, 막스플랑크연구소, Stuttgart, 이 특별한 경우 사진의 대상체는 입자의 형태이다. 모든 대상체는 서로 연결되어 있다. a) 구획화된 대상체로 구성된 2진법사진, b) 라벨링(labeling) 후 대상체의 시스템, 잘못된 색표현, c) 사진 테두리 에러를 잘못 교정, d) 사진 테두리 에러의 정확한 교정.

f_i^{conv} i-번째 대상물체의 볼록한 껍질의 형상인자, f_i와 같은 방법으로 계산함

s_i 늘어난 비(aspect ratio), 일반적으로 최소와 최대 지름의 비.
$$s_i = \frac{d_i^{\min}}{d_i^{\max}}$$

c_i 볼록한 정도의 척도, $c_i = A_i/A_i^{conv}$ 혹은 $c_i = U_i^{conv}/U_i$ 로 정의

이러한 평가인자의 측정과 통계적인 처리를 위해서, 대상물체가 사진 테두리에서 잘리는 경우, 사진 테두리(edge)의 에러를 고려해야만 한다. 이러한 사진 테두리 에러를 교정하는 방법으로 그림 2.147c에서와 같이 단지 사진의 가장자리에서 잘리는 대상체(object)를 고려하지 않는 방법으로는 충분하지 않다. 사진 테두리 에러를 정확하게 교정하기 위하여 사진을 마스킹한다, 즉 사진에 창(window)을 선택하는데 이 창 내에 모든 대상체의 중심점이 놓여야 한다, 그림 2.147d 참조. 통계적인 분석은 이렇게 창 내에 기준점(예, 중심점)이 존재하는 대상체들의 평가인자를 이용하여야 한다. 그러나 이 방법도 대상체의 크기가 사진의 크기와 거의 비슷한 경우에는 문제가 될 수 있다. 이러한 경우에는 이와 같은 창을 선택하지 않아야 한다. 혹은 사

진정보의 대부분을 잃어버릴 정도로 작은 크기를 선택하여야 한다. 참고서적에 이와 같은 경우 사진 테두리 에러를 정확하게 교정하기 위한 방법들이 소개되어 있다.

가능하면 나타나지 않아야하는 측정 데이터의 중복성을 고려하여야 한다. 측정값으로부터 계산되는 평가인자들은 측정값 자체 이외의 다른 정보가 포함되지 않아야 한다. 그러나 평가인자들 사이에 고려해야 하는 다른 관계들도 있는데, 평균 지름의 경우 다음 식이 유효하다.

$$\bar{d}_i = \frac{U_i^{conv}}{\pi}$$

즉, 두 개의 평가인자 $\bar{d}_i$, U_i^{conv} 중 최소한 한 개는 생략할 수 있다.

또한 전체조직구성에 대한 광학적 느낌은 일반적으로 큰 대상체들에 의하여 결정된다. 그러나 통계적으로는 큰 대상체보다 숫자적으로 많은 작은 대상체들에 의하여 우세적으로 나타나는 경우가 있다. 물론 최소크기를 설정하여 분석할 수 있다. 대안으로 대상체에 가중치를 두어 분석할 수도 있다(평균값의 계산). 따라서 일반적으로 형상인자의 평균값계산에 적용하는 다음 식을

$$\bar{f} = \frac{1}{n}\sum_{i=1}^{n} f_i$$

예를 들면 작은 대상체가 존재하는 경우 면적을 가중치로 사용한 평균값이 훨씬 신뢰할 수 있는 값이다.

$$\bar{f}_A = \frac{\sum_{i=1}^{n} A_i f_i}{\sum_{i=1}^{n} A_i}$$

2.4.5
기본인자의 측정

본 절에서는 평면시편의 조직사진을 통하여 측정할 수 있는 중요한 기본인자 V_v, S_v, M_v와 이를 통하여 얻어지는 조직평가인자들의 기초적인 측정방법에 대하여 다룬다. 이들 평가인자들은 디지털 사진분석 과정에서 구해지며 사진영역과 관련된 특징(field features)이라 표시하기도 한다.

과거에 조직평가인자는 그들을 구하는 방법의 설명을 통하여 "정의"되었으며, 많은 공업규격들이 이러한 방법으로 만들어졌다. 그러나 이와 같이 조직평가인자의 정의를, 이를 구하는 방법과 연계하여 결정하는 경우에는 정의가 혼란스럽게 되기도 한다. 이에 대한 예가 결정립크기를 측정하는 서로 다른 여러 가지 방법이다. 따라서 현재는 조직평가인자를 기하학적으로 정의하고, 주어진 조건에서 택할 수 있는 여러 측정 방법 중에서 가장 적합한 방법을 택하는 것이 일반적이다. 주어진 조건에는 조직사진을 촬영하는 조건이외에 사용 가능한 실험실의 조건도 포함된다. 적절한 방법이 선택되었는지의 판단은 측정 결과의 정확성과 측정방법의 용이성으로 결정된다. 이에 대한 대표적인 예는 부피 분율이다. 시편(혹은 시편 일부분) 내에서 어떤 조직구성성분의 부피는 시편의 크기와 형태에 따라 변하는 임의의 크기이다. 부피분율은 이 크기를 전체 부피로 나눔으로써 평균값으로 정의된다. 이러한 정의는 명백하고 시편부피의 크기와 형태에 무관

한 값이다. 그렇지만 부피분률을 결정하는 데는 이미 여러 방법이 알려져 있다. 따라서 결정하는 방법과 평가인자는 서로 구별되어야 한다.

기본인자의 측정에 대한 매우 많은 방법을 전부 다룰 수는 없고 다음의 방법을 예로써 설명한다. 이 외의 자세한 내용은 참고서적에 소개되어 있다.

부피분률

정의: 거시적으로 균일한 조직에서 한 구성성분의 부피분률은 조직구성성분들의 평균부피를 단위부피로 나눈값이다.

동의어: 부피밀도, 기공률(기공성 재료의 기공분률)

표시: V_V

측정방법: 정량적 조직분석에서 부피분률은 대부분 평면시편에서 측정한 평가인자를 이용하여 계산된 입체적인 분석을 통하여 얻는다.

하지만 3D-사진에서는 부피분률을 직접 측정할 수 있다.

조직구성성분 α의 부피 $V_\alpha(W)$는 일반적으로 입방체형태로 선택된 시편 W (즉, 3D-측정영역)에서 측정된다. 이 부피는 선택된 시편의 부피 V(W)로 나누고, 그결과로 α의 부피분률 V_V의 측정값 $\widehat{V_V}$ 를 얻는데,

$$\widehat{V_V} = \frac{V_\alpha(W)}{V(W)}$$

통계적 오차(statistic error): 측정값 $\widehat{V_V}$의 통계적 오차 $S_{statist}$는 선택된 시편의 크기와 형태 그리고 구성성분 α의 요동(fluctuation)에 의존한다. 통계적 오차는 선택된 시편의 부피가 크면 클수록 작아지고, 요동이 커질수록 커진다.

선택된 시편 W가 조직구성성분의 일반적인 크기보다 큰 경우 다음 식이 유효하다.

$$S_{statist} \approx \sqrt{\frac{512\pi \cdot \widehat{V_V}^4 \cdot (1 - \widehat{V_V})^4}{\widehat{S_V}^3 \cdot V(W)}}$$

여기서 $\widehat{S_V}$ 는 구성성분 α 의 표면밀도(비 표면, specific surface) S_V의 측정값이다. 이 식으로부터 넓은 측정영역 W에서는 통계적 오차 $S_{statist}$가 0으로 수렴함을 알 수 있다.

시스템 오차(systematic error): 시스템 오차 S_{syst}는 검출기의 위치분해능, 사진의 콘트라스트, 거품(스폰지형태)의 표면적의 크기에 의해 결정된다.

예: 그림 2.148a에서 나타낸 Ni거품의 3D-사진에서 부피분률 $\widehat{V_V} = 14.5\%$로 측정되었다. $\widehat{S_V} = 7.32\,\text{mm}^{-1}$와 $V(W) = 2.097\,\text{mm}^3$을 적용하면 통계적인 오차 $S_{statist}$는 약 2.1%이다.

빈번하게 범하는 실수: 불완전한 사진(예, 콘트라스트가 약한 사진), 너무 작은 측면 분해능(lateral resolution), 너무 작은 시편면적

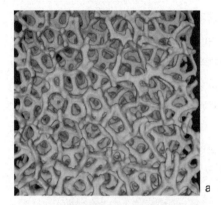

그림 2.148. XCT를 이용하여 얻은 3D-사진. a) 기공성 Ni거품. 사진은 128^3픽셀로 촬영되었으며, 입방격자형태의 픽셀사이 거리는 세 공간방향 모두 $10\mu m$이었다. 선택된 시편의 부피는 2.097mm^3. b) 사암(sandstone)의 128^3픽셀 3D-사진. 픽셀사이 거리는 역시 10 μm이며, 선택된 시편의 부피는 2.097mm^3.

면적분률

정의: 거시적으로 균일한 조직의 평평한 면(즉, 평면 시편)에서, 한 구성성분의 면적분률은 조직구성성분의 평균면적를 단위면적으로 나눈값이다.

동의어: 면적밀도

표시: A_A

입체적 해석: 부피분률은 면적분률과 동일하다, $V_V=A_A$. 이 관계는 등축상(isometric)이 아닌(변형된) 조직에서도 유효하다. 여기서 절단면의 위치는 조직의 주방위와 무관한 임의의 방향이다.

측정방법: 측정영역 W에서 구성성분의 면적을 측정한다. 면적분률 A_A의 측정값 $\widehat{A_A}$는 선택된 시편의 전체면적 A(W)과 측정면적사이의 관계로 얻어진다.

일반적으로 수회의 측정을 평균하여 얻는다. 면적 $A(W_1)$, ... $A(W_n)$의 측정영역을 W_1,....,W_n 그리고 $\widehat{A_{A,1}}$, ..., $\widehat{A_{A,n}}$을 각 측정영역에서 결정된 면적분률이라 하면, 평균면적분률 $\widehat{A_A}$는 가중치를 고려한 평균으로 다음 식으로 표현된다.

$$\widehat{A_A} = \frac{A(W_1) \cdot \widehat{A_{A,1}} + ... + A(W_n) \cdot \widehat{A_{A,n}}}{A(W_1) + ... + A(W_n)}$$

모든 측정영역이 같은 크기일 경우에는 각 측정값의 산술평균으로 구한다.

$$\widehat{A_A} = \frac{1}{n}\sum_{i=1}^{n}\widehat{A_{A,i}}$$

통계적 오차: 통계적 오차 $S_{statist}$의 설명에는 일반적으로 측정값의 평균값의 표준편차를 이용한다. 이 때 모든 측정영역이 같은 크기와 모양을 가져야 할 뿐만 아니고 측정값이 서로 관계가 없어야 한다. 즉, 측정영역사이의 간격이 충분히 떨어져있어야 한다. 또한 등축상이 아닌 조

직에서는 측정영역이 모두 같은 방향이어야 한다.

$n>1$인 경우, 평균값 $\widehat{A_A}$의 표준편차는 다음 식으로 표현된다.

$$S_{\text{statist}} = \sqrt{\frac{1}{n(n-1)}\sum_{i=1}^{n}(\widehat{A_{A,i}} - \widehat{A_A})^2}$$

위에 열거한 가정에 따른 편차에 의한 표준편차는 통계적 오차의 (개략적인) 근사값이다.

면적분률을 단 하나의 측정영역 W에서 결정하면, 윗 식에 의하여 표준편차를 구할 수 없다. 그러나 이 측정영역이 구성조직성분의 크기보다 충분히 크면 다음 식을 이용하여 구할 수 있다.

$$S_{\text{statist}} \approx \sqrt{\frac{2\pi^3 \cdot \widehat{A_A}^3 \cdot (1-\widehat{A_A})^3}{\widehat{L_A}^2 \cdot A(W)}}$$

여기서 $\widehat{L_A}$는 평면시편에서 구성성분 α의 길이밀도(비 길이, specific line) L_A의 측정값이다.

시스템 오차(systematic error): 시스템 오차 S_{syst}는 시편준비, (광학적) 사진촬영, 사진처리방법, 디지털화 등에 따라 결정된다. 각 요소들이 상호 작용하는 영향을 정확하게 파악하는 것은 실질적으로 어렵지만, 이상적인 조건에서 처리된 경우에는 시스템 오차를 예측할 수 있다. 특히 매우 좋은 콘트라스트를 갖는 경우 구하고자하는 조직구성성분의 시스템 오차는 다음 식으로 구할 수 있다.

$$S_{\text{syst}} = c\,\widehat{L_A}$$

여기서 c는 측면 분해능(lateral resolution)에 의존하는 인자이다. 측면 분해능이 현미경의 분해능에 주도적으로 영향을 받으면, $c \approx d_{gr}/2\pi$이며, 여기서 d_{gr}은 사용하는 현미경을 이용하여 관찰하는 대상체에서 서로 떨어진 두 지점을 관찰 할 수 있는 최소거리이다.

예: 그림 2.149에서 보여주는 페라이트-오스테나이트 2상 미세조직에서 오스테나이트의 $\widehat{A_A} = 63.1\%$, $\widehat{L_A} = 172.7\,\text{mm}^{-1}$로 측정되었다. 측정영역의 면적 $A(W) = 0.271\,\text{mm}^2$을 적용하면 통계적인 오차 S_{statist}는 약 1%이다. 픽셀사이간격이 d_{gr}의 최소값이기 때문에 시스템 오차는 $S_{\text{syst}} > 4.1\%$, 즉 여기서는 시스템 오차가 전체오차의 대부분을 차지한다. 전체오차 $S_{\text{ges}} = \sqrt{S_{\text{statist}}^2 + S_{\text{syst}}^2}$는 4.2% 보다 크다.

빈번하게 범하는 실수: 시편준비불량 (예, 과부식), 너무 작은 광학 확대비율, 너무 작은 시편영역 및 시험횟수

길이분률

길이분률의 정의와 메탈로그래피를 이용한 측정은 선분법을 이용하여 수행된다. 즉, 조직의 절단면에 (한정된 길이의) 선에서 수행된다. 이 선(소위 측정선)은 서로 연결되어 있을 필요는 없다. 그리고 여러 선들을 동시에 적용할 수 있다. 실질적으로 그림 2.150a에서 나타낸 것과 같이 평

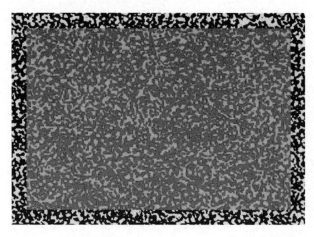

그림 2.149. 강의 페라이트-오스테나이트 조직. 조직사진은 474 x 332 픽셀의 크기이며 ⟨128을 경계로 디지털화 하였다. 픽셀간격은 x-, y-축 동일하게 1.496μm이며, 24픽셀의 테두리를 설정하였다. 즉, 작업창 크기는 426 x 284 픽셀이다(어두운 회색 및 밝은 회색). 디지털과정을 통하여 76395 픽셀이 오스테나이트상으로 구분되었다(어두운 회색).

행인 같은 길이를 갖는 선들을 이용한다.

정의: 한 구성성분의 길이분률은 조직구성성분에서 측정된 길이를 측정선의 전체 길이로 나눈값이다.

표시: L_L

입체적 해석: 부피분률은 길이분률과 동일하다, $V_V = L_L$. 이 관계는 등축상(isometric)이 아닌 조직에서도 유효하다. 여기서 선의 위치는 조직의 주방위와 무관한 임의의 방향이다.

측정방법(선분법): 측정하고자 하는 조직성분을 지나는 길이(겉보기 길이)를 합한다. 이 합한 길이와 측정선 전체길이와의 비를 길이분률 L_L의 측정값 $\hat{L}_L$라 한다.

통계적 오차: 통계적 오차 $S_{statist}$ 는 우선적으로 측정선 전체길이와 측정대상 조직성분(겉보기 대상) 수에 따른다. 나아가

측정선의 형태와 배열과도 관계가 있다. 측정선분사이의 간격이 충분히 크면 통계적 오차를 줄일 수 있다.

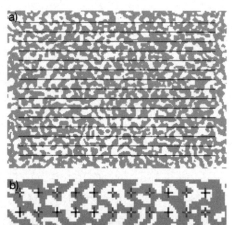

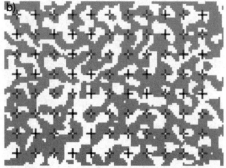

그림 2.150 a) 선분분석을 이용한 길이분률 L_L의 측정. b) 점분석을 이용한 점분률 P_P의 측정.

선분사이의 간격이 평균 결정립크기 혹은 겉보기 길이보다 크면 다음 식을 이용하여 통계적 오차를 예측할 수 있는데, 여기서 N은 측정대상 조직성분의 수이다.

$$S_{statist} \approx \sqrt{\frac{4\widehat{L_L}^2 \cdot (1-\widehat{L_L})^2}{N}}$$

예: 그림 2.150a은 그림 2.149의 한 단면으로, 평행인 여러 측정선이 있음을 보여주고 있다. 전체 길이는 4.78mm이며, 오스테나이트상의 총길이는 2.99mm이다. 따라서 선분분률은 $\widehat{L_L} = 62.5\%$이다. 이 값은 대략 면적분률로 계산한 값과 비슷하다, 2.4.5절 참조. 총 N=253개 이었으며, 따라서 계산된 통계적 오차 $S_{statist}$는 2.9%이다.

빈번하게 범하는 실수: 불완전한 사진(예, 콘트라스트가 약한 사진), 너무 작은 측면 분해능(lateral resolution), 너무 작은 시편면적

점분률

한 조직구성성분의 부피분률은 임의의 점을 택할 때(즉, 조직의 발달과 무관함) 그 점이 구성성분에 놓일 확률과 동일하다. 따라서 점분석은 정량적 조직분석을 위한 매우 간단하고 효과적인 방법이다. 그러나 이 방법을 적용하려면 많은 점들이 조사하려는 조직구성성분에 놓여 있는지를 확인해야 한다. 이 때 점의 배열은 그다지 중요하지 않다. 통계적인 이유와 실제로

점분석을 손쉽게 수행하기 위하여 격자(grid)를 이용한다, 그림 2.150b 참조.

정의: 점분률은 조사하려는 구성성분에 놓이는 격자의 점의 분률이다.

표시: P_P

입체적 해석: 부피분률은 점분률과 동일하다, $V_V = P_P$. 이 관계는 등축상(isometric)이 아닌 조직에서도 유효하다.

측정방법(점분석): 측정하고자 하는 조직성분에 놓여 있는 점의 수를 마스크 전체 점의 수로 나누어, 그 비를 점분률 P_P의 측정값 $\widehat{P_P}$라 한다.

통계적 오차: 통계적 오차 $S_{statist}$는 격자(grid)의 점 수와 격자간격에 따른다. 육각형 격자를 선택하면 통계적으로는 유리하다. (그러나 일반적으로 사각 격자를 사용한다.)

충분한 격자간 거리를 유지하며 구성성분 α에 놓여있는 점의 수 n_α이 점분률 P_P와 이항분포(binomial distribution)적으로 분포되어 있으면 측정값 $\widehat{P_P}$의 통계적 오차 $S_{statist}$는 다음과 같이 나타낼 수 있다.

$$S_{statist} \approx \sqrt{\frac{n_\alpha \cdot (n-n_\alpha)}{n^3}}$$

여기서 n은 전체 격자점의 수이다.

예: 그림 2.150b는 그림 2.149의 일부분

으로 n=88 인 정방형의 격자를 올려놓았으며, 격자점은 십자로 표시되었다. 오스테나이트상에 놓인 (붉은) 격자점의 수는 $n_\alpha = 57$이며, P_P를 위한 측정값 $\widehat{P}_P = 64.8\%$를 얻었다. 통계적 오차 $S_{statist}$는 6.3%로 계산되며, 정확도를 향상시키기 위해서는 더 많은 그림에서 측정해야 한다.

비 경계면 (specific interface)

조직 내에는 여러 종류의 경계면 혹은 내부의 표면이 있다. 조직분석과 관련하여 중요한 경계면은 다음과 같다.

- 결정립계 – 쌍정경계를 포함한 결정 및 결정립사이의 경계면
- 상경계 – 한 조직성분의 두 상 사이의 경계면 혹은 다른 구성성분과의 경계
- 다공성 재료의 표면 – 한 고체의 성분과 기공사이의 경계면

정량적 조직분석에서 상경계면, 조직구성성분사이의 경계면, 내부의 표면은 유사하게 취급되어진다. 그러나 특히 결정립계는 상분석에서 중요한 역할을 한다.

정의: 거시적으로 균일한 조직에서 한 구성성분의 경계면밀도는 경계면의 크기[1]를 단위부피로 나눈값이다.

동의어: 경계면 밀도, 단위부피당 경계면. 경계면의 종류에 따라 "비 상경계", "비 표면적", "비 결정립계"의 의미로 사용된다.

---

1) 경계면의 면적

표시: S_V

측정방법: 정량적 조직분석에서 비 경계면은 대부분 평면시편을 이용하여 측정한다. 식 $S_V = 4\pi L_A$ 혹은 $S_V = 2P_L$의 적용은 등축정의 조직에서만 유효하다.

3D-사진을 이용하면 입체해석적인 기법을 적용하지 않더라도 비 경계면을 구할 수 있다. 이때는 등축정의 조건을 필히 만족해야할 필요는 없는데, 고전적인 2D-사진분석과 비교할 때 매우 유리한 방법이다.

경계면은 3D-측정영역 W에서 측정된다. 측정값 $S_\alpha(W)$는 W 영역 내에서 성분 α의 경계면 크기이다. S_V의 측정값 $\widehat{S}_V$은 다음 식에 의하여 구할 수 있다.

$$\widehat{S}_V = \frac{S_\alpha(W)}{V(W)}$$

측정오차: 비 경계면을 하나의 측정영역에서 측정하는 경우, 통계적 오차 $S_{statist}$는 측정영역 W를 같은 크기의 부분영역으로 분할해서 그 안에서 비 경계면을 측정하고 $S_{statist}$를 계산한다(**resampling**). 그러나 부분영역에서 S_V 측정값사이의 상호연관성 때문에 $S_{statist}$의 대략적인 추측값을 알 수 있다.

시스템적인 오차에서 종종 너무 낮은 측면 분해능(lateral resolution) 때문에 발생되는 경우가 있다. 이러한 이유 때문에 측정값의 분해능 의존성을 검사할 필요가 있다. 이는 초기 사진의 픽셀간격을 배로 늘린 사진에서(**downsampling**) 측정을 반

복해 봄으로서 할 수 있다. 이는 단지 초기사진의 격자(subgrid)에 놓여있는 픽셀에만 적용할 수 있다.

예 1: 니켈거품사진(그림 2.148a)은 예를 들면 64x64x64의 크기를 갖는 8개의 부분사진으로 분할할 수 있다. 이들 부분사진에서 표 2.46에 나타낸 값을 측정하였다. 이로부터 평균값 $\widehat{S_V} = 7.20mm^{-1}$, 표준편차 $S_{statist}$ = 0.25mm^{-1}가 계산된다.

표 2.46 그림 2.148a에 나타낸 3D-데이터의 부분영역에서 SV의 측정값. 여기서 i는 측정영역의 번호

i	$\widehat{S_V}$	i	$\widehat{S_V}$
1	7.01 mm^{-1}	5	6.74 mm^{-1}
2	7.27 mm^{-1}	6	7.22 mm^{-1}
3	6.69 mm^{-1}	7	7.58 mm^{-1}
4	6.95 mm^{-1}	8	8.16 mm^{-1}

원래의 사진에서 **downsampling**을 통하여 새로운 사진을 만들었다. 이 때 세 방향에서 원래 사진의 두 픽셀 당 한 개의 픽셀만 적용하였다. 따라서 픽셀사이의 간격이 두 배로 되었다(즉, 측면 분해능이 반으로 줄었음). 이 사진에서의 $\widehat{S_V} = 6.91mm^{-1}$로 계산되었는데, 이는 원래 사진을 이용하여 계산한 결과와 단지 약간의 차이만 나타남을 보여준다. 즉, 분해능에 의한 측정값의 의존도는 적음을 알 수 있다.

예 2: 그림 2.148b의 사암(sandstone)의 기공표면에 대하여 원래의 사진과 위의 방법으로 "대략화" 한 사진에서 $\widehat{S_V} = 13.64mm^{-1}$ 및 $\widehat{S_V} = 11.24mm^{-1}$로 측정되었다. 이 경우에는 두 값의 차이가 매우 크게 나타나는데, 이는 S$_V$에 대한 측면 분해능의 영향이 매우 큼을 의미한다. 따라서 S$_V$의 측정값은 픽셀사이의 간격(조정인자)을 알아야만 값의 유효성을 인정할 수 있다. 위의 경우에는 간격이 각각 10μm와 20μm 이다.

비 선분길이 (specific line length)

비 선분길이는 2D-사진분석의 평가인자인 비 경계면(specific interface)과 일치한다. 따라서 정의도 유사하다. 평면 시편에서 상(phase), 입자(grain)와 다른 조직구성성분사이를 구분하는 경계선을 나타낸다.

정의: 비 선분길이는 단위면적당 경계선의 전체길이이다.

동의어: 가장자리길이, 단위면적당 선분길이

표시: L$_A$

입체적 해석: 등축상(isometric)인 조직에서 비 선분길이는 비 경계면과 상수이외에는 동일하다, S_V=(4/π)L$_A$.

측정방법: 하나 혹은 여러 개의 (평면의) 측정영역에서 조직구성성분사이의 경계선의 길이를 측정한다. 측정된 값을 측정영역의 전체면적으로 나눈 값이다.

통계적 오차: 일련의 사진분석을 하게 되면, 통계적 오차 $S_{statist}$는 평균값의 표준편차 계산을 통하여 얻을 수 있다. 그러나 계산을 위하여 단지 하나의 사진만 있을 경우에는, 이 사진에서 (같은 크기의) 부분 사진으로 분할하여 $S_{statist}$에 대한 값을 얻는다(resampling).

시스템 오차(systematic error): $\widehat{L_A}$의 시스템 오차는 매우 다양한 원인이 있을 수 있으므로 일반적으로 통용될 수 있는 설명을 하기는 어렵다. 아래 설명은 L_A의 측정값에서 하나의 수로 시스템 오차를 판단하는 것으로는 적절하지 않고, 오히려 측정의 준비를 위하여 이상적인 시편준비 방법의 선택과 적합한 사진을 얻는 방법에 대한 제시이다.

1. L_A는 메탈로그래피적으로 측정할 수 있는가? 메탈로그래피적으로 측정할 수 있는 가능성은 조직의 "정교함"에 달려있는데, 이는 광학의 분해능과 밀접한 관계가 있다. 여기서 L_A와 관련된 "정교함"은 비 오일러 수(specific Euler-number) χ_A로 표현한다. 이상적인 조건(즉, 이상적인 콘트라스트) 하에서 $S_{syst} = c \cdot |\widehat{\chi_A}|$이며, 여기서 $\widehat{\chi_A}$는 χ_A의 측정값, c는 측면 분해능이다. 인자 c는 사진의 픽셀간격(검정인자)을 2π으로 나눈 값이다.

2. 분해능의존 L_A 측정값의 분해능의존성을 시험하는 것도 중요한데, 이는 여러 배율에서 측정을 반복함으로써 알 수 있다.

예: 가장자리 길이 L_A 는 그림 2.151에 표시된 가장자리의 픽셀의 수로 결정되지 않는다. 가장자리 길이의 측정에는 사진분석시스템에 따라 많은 방법이 존재하고 이들은 매우 다른 결과를 초래할 수 있다. 그림 2.151에서 보여주는 4개의 분할된 사진에서는 각각 $\widehat{L_{A,1}} = 173.5\text{mm}^{-1}$, $\widehat{L_{A,2}} = 174.7\text{mm}^{-1}$, $\widehat{L_{A,3}} = 169.4\text{mm}^{-1}$, $\widehat{L_{A,4}} = 174.0\text{mm}^{-1}$측정된다. 평균값은 $\widehat{L_A} = 172.9\text{mm}^{-1}$, 이에 따른 통계적 오차 $S_{statist} = 0.772\text{mm}^{-1}$로 계산되었다.

동일한 사진에서 $\widehat{\chi_A} = -3110.5\text{mm}^{-2}$로 측정되었다. 픽셀사이의 거리 $d = 1.496\mu m$일 때, $c = 0.238\mu m^{-1}$ 그리고 $S_{syst} = 0.741\text{mm}^{-1}$로 계산되었다.

측정값의 측면 분해능(lateral resolution)에 따른 의존도는 이 예에서 매우 크게 나타나는데, 두 배로 "대략화" 한 사진에서 $\widehat{L_A} = 156.7\text{mm}^{-1}$로 측정되었다.

선분길이 당 교점의 수, 선분길이 당 겉보기 수

선분길이 당 교점의 수 P_L은 $-$ 길이분

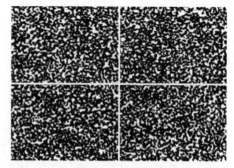

그림 2.151. 그림 2.149와 동일한 사진. 4개의 동일한 영역으로 분할된 것을 보여줌.

률 L_L과 동일하게 - 선분분석을 통하여 결정된다, 그림 2.150a 참조. 이 때 교점의 수 P는 측정선과 상경계 혹은 결정립경계의 수이다. P_L의 측정값 $\widehat{P}_L$은 교점의 수 P를 전체길이로 나눈 값이다.

등축상(isometric)인 조직에서는 비상경계면 혹은 비결정립계면에 대하여 $S_V = 2P_L$ 관계식이 유효하다. 이 관계식은 선분분석법을 이용하여 S_V를 측정하는 기본이다.

선분에 걸리는 대상물체의 수 N은 모서리효과를 고려하여 P를 이용하여 구한다. 단일상의 조직에서는 N=P, 2개의 조직구성성분을 갖는 조직에서는 N=P/2이다[1]. 대상물체의 수를 선분길이로 나눈 값을 N_L로 표시한다(단위길이당 대상물체 수). 이의 평균길이 $\bar{l}$ 은 다음 식으로 구한다.

$$\bar{l} = \frac{L_L}{N_L}$$

예: 그림 2.150a의 예에서 N_L, S_V, $\bar{l}$ 에 대한 측정값은 52.9mm^{-1}, 211.6mm^{-1}, $11.8\mu\text{m}$을 얻는다.

대상물체의 밀도, 오일러 수의 밀도

그림 2.147과 같이 위상학적으로 간단한 대상물체의 경우, 대상물체의 밀도 N_A(단위면적당 대상물체의 평균 수, 대상물체의 specific number)는 측정될 수 있다. 이러한 경우 각 대상물체의 오일러 수는 1이다. 따라서 대상물체의 밀도는 오일러 수

---

1) 식 (2.58)의 왼쪽식과 식 (2.54)의 차이는 근본적으로 P와 N의 차이에 기인한다.

χ_A의 밀도와 같다, $N_A = \chi_A$.

N_A의 측정에는 특히 사진의 모서리효과에 주의하여야 한다. 단일상의 다면체 조직에서의 모서리효과 처리 방법을 설명하였다.

- 그림 2.152a에서 보는 것과 같이, 사진 영역 W에 완전히 놓이는 결정립의 수는 m, 변(side)에 놓이나 모서리(corner)에는 걸치지 않는 결정립의 수를 p라 하면, 측정값은 다음과 같이 구할 수 있다.

$$\widehat{N}_A = \frac{1}{A(W)}\left(m + \frac{p}{2} + 1\right)$$

여기서 A(W)는 측정영역 W의 면적을 나타낸다. 그림 2.152에서 m = 2, p = 12; 따라서 $\widehat{N}_A = 9/A(W)$를 얻는다.

- 그림 2.152b에서 보는 것과 같이, n을 W에 놓이는 전체 결정립의 수, 즉 완전히 혹은 부분적으로 걸치는 모든 결정립의 수라 하고, q를 W의 테두리와 결정립계가 만나는 교점의 수라 하면,

$$\widehat{N}_A = \frac{1}{A(W)}\left(n - \frac{q}{2} - 1\right)$$

그림 2.152에서 n=18, q=16 따라서 $\widehat{N}_A = 9/A(W)$를 얻는다.

- 또 다른 방법으로 W에 놓이는 이음매(3중점)의 수 e를 알면 $\widehat{N}_A$를 역시 구할 수 있다.

$$\widehat{N}_A = \frac{1}{A(W)} \cdot \frac{e}{2}$$

그림 2.152에서 e = 17, 따라서 $\widehat{N}_A = 8.5/A(W)$를 얻는다.

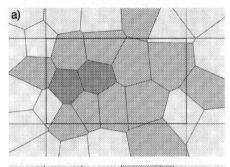

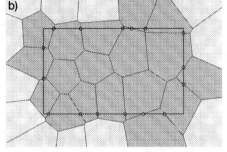

그림 2.152 단일상의 다면체 조직에서 모서리 효과 처리법을 설명하기위한 그림.

처음 두 방법은 단지 우연히 같은 값을 나타낼 뿐이다. 세 방법 모두 사진모서리의 오차가 없는 경우 통계적인 방법으로 단위면적 당 결정립의 수를 측정한 것으로, 이러한 조건에서는 세 방법이 동일하다.

위상학적으로 복잡한 대상물체의 경우, 오일러 수는 대상물체의 수에서 대상체 내의 구멍 전체 수를 제외한 수이며 오일러 수의 밀도는 이 차이를 측정영역의 면적으로 나눈 값이다. 이 경우 $N_A > \chi_A$; χ_A는 음의 수를 가질 수도 있다.

비 오일러 수(specific Euler-number)는, 각각의 대상물체로 구성되지 않거나 사진분석적인 방법으로 각각의 대상물체로 분해하지 않은 사진의 영역에서, 일반

화된 형태로 대상물체의 비 밀도(specific density) N_A라 할 수 있다. 이러한 사진영역의 예가 그림 2.151의 페라이트와 오스테나이트상이다.

비 오일러 수(specific Euler-number)는 사진분석적인 방법으로 매우 쉽게 측정될 수 있는데, 이러한 방법들은 참고도서에 설명되어 있다.

마지막으로 χ_A의 입체적 고찰에 대하여 설명하고자 한다. 등축상의 조직에서 χ_A는 상수를 제외하면 첫번째 평균굴곡 적분의 밀도 M_V와 같다.

$$M_V = 2\pi\chi_A$$

예 1: 그림 2.151의 강(steel) 내에서 오스테나이트상의 측정값 $\widehat{M_V} = 19544 \, mm^{-2}$을 얻는다.

예 2: 그림 2.153의 그림에서 결정립들의 절단면들은 (소수의 예외를 제외하면) 단순한 관계를 갖는다. 따라서 $M_V = 2\pi\chi_A = 2\pi N_A$이다. 그림 2.153a에서 $\widehat{N_A} = 88712mm^{-2}$, 그리고 그림 2.153b에서 $\widehat{N_A} = 83163mm^{-2}$으로부터 M_V의 측정값 $\widehat{N_A} = 5.7 \cdot 10^5 mm^{-2}$ 및 $\widehat{N_A} = 5.2 \cdot 10^5 mm^{-2}$를 얻는다. 따라서 식 (2.58)을 이용하면 결정립번호 13 및 14로 계산할 수 있다.

예 3: 등축상이라 가정하면 그림 2.154의 데이터로부터 첫번째 평균굴곡 적분의 밀도는 $682mm^{-2}$이고, 따라서 식 (2.56)을 이용하면 전위밀도 ρ_V는 $217mm^{-2}$의 값을

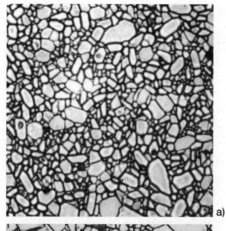

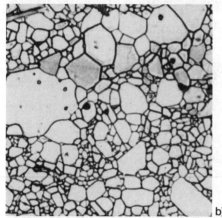

그림 2.153 Al₂O₃-세라믹의 두 가지 조직: a) "균일한" 결정립크기, b) "불균일한" 결정립크기.

얻는다.

기본 입체 관계식 (basic stereologic equations)

표 2.47에 평면시편에서 즉, 선분법 혹은 면분석을 통하여 측정하여 얻을 수 있는 기본인자를 이용하여 계산할 수 있는 기본 입체 관계식을 나타내었다.

표에서 알 수 있듯이 평면시편에서의 부피밀도는 면분률 A_A, 선분법을 이용한 선분률 L_L, 혹은 점분률 P_P를 통하여 얻을

그림 2.154 인디움인화물에서의 전위딤플(dislocation dimple). 이 사진에는 76개의 딤플이 있음. 이 사진면의 면적 A(W)은 $0.7mm^{-2}$. 따라서 단위면적당 전위딤플의 수는 $108.6mm^{-2}$.

수 있다.

결정립계밀도는 면분석을 통한 단위면적당 선분길이 L_A 혹은 선분석을 통한 교점의 밀도 P_L을 이용하여 얻을 수 있다. 첫번째 굴곡적분밀도는 면분석을 통한 비 오일러 수(specific Euler-number) χ_A를 이용하여 구할 수 있다[1]. 두번째 굴곡적분밀도 K_V는 기본적인 입체적 방법으로는 구할 수 없다.

부피밀도 계산을 위한 관계식은 등축상뿐만 아니고 비등축상 조직에서도 유효하다. 반면 결정입계밀도와 첫번째 굴곡적분밀도 M_V를 위한 방정식은 등축상 조직에서만 유효하다. 표에서도 볼 수 있듯이 K_V는 기본적인 입체적 방법으로는 구할 수 없다.

---

1) 조직구성성분이 볼록한 개별 알갱이로 구성되어 있으면, 평평한 시편면에서 알갱이의 볼록한 절단윤곽을 관찰 할 수 있고, 비 오일러 수 (specific Euler-number) χ_A는 평면시편에서 단위면적당 절단된 알갱이의 평균개수와 일치한다.

표 2.47 4개의 기본인자를 위한 기본 입체 관계식

입체조직	면분석	선분석	점분석
V_V	$= A_A$	$= L_L$	$= P_P$
S_V	$= (4/\pi)L_A$	$= 2P_L$	
M_V	$= 2\pi\chi_A$		
K_V			

비등축상 조직의 특성

등축상이 아닌(즉, 이방성인) 조직에서의 비 선분길이(specific line length) L_A, 선분길이 당 교점의 수 P_L 그리고 비 오일러 수(specific Euler-number) χ_A는 시험편 면의 수직방향 ω 및 교선의 방향 ω'에 의존한다. 즉, L_A, P_L 그리고 χ_A는 공간방향 ω 및 ω'의 함수이다.

$$L_A = L_A(\omega) \quad P_L = P_L(\omega') \quad \chi_A = \chi_A(\omega)$$

따라서 일반적으로 평면시편에서 수행되는 전통적인 조직분석법으로는 S_V와 M_V의 측정에 문제가 있다. 이러한 문제점은, 여러 다른 문제들과 더불어, 함수 $L_A(\omega)$, $P_L(\omega')$ 그리고 $\chi_A(\omega)$은 대부분 적은 (불연속적인) 방향 ω에서 측정되는 것에 기인한다. 실제로 비등축상 조직을 갖는 시편에서는 일반적으로 한 개의 평면시험편, 측면시험편, 횡단시험편에서 분석한다. 따라서 이방성 조직에 적절한 모델을 설정해야지만 S_V와 M_V를 계산할 수 있다.

함수 $L_A(\omega)$, $P_L(\omega')$ 그리고 $\chi_A(\omega)$의 측정은 우선 S_V와 M_V의 결정에 기본적인 값들이다. 그런데 이 값들은 정량적 조직분석에서 나름대로의 의미를 지니고 있다. 이들

은 조직의 방향을 결정하는 인자로 사용될 수 있다. 예를 들면, $\eta = P_L(\omega_Z)/P_L(\omega_X)$를 변형된 조직의 신축도(stretching degree)로서 이용되어질 수 있다. 여기서 ω_X는 주변형방향(main deformation direction),

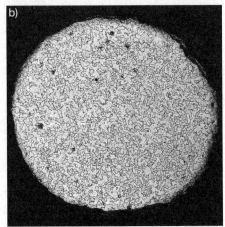

그림 2.155 철사, 페라이트 강의 조직: a) 측면시험편, b) 단면시험편.

ω_Z은 이에 직각방향을 나타낸다.

예: 그림 2.155a에서 보이는 변형된 페라이트 강에서 선분법을 이용하여 계산된 $P_L(\omega_X)$ 및 $P_L(\omega_Z)$은 30.2 mm^{-1}과 73.7 mm^{-1}이다. 여기서 ω_X과 ω_Z은 수평 및 수직방향을 나타낸다. 이 조직에서는 $P_L(\omega_X)$ $= P_L(\omega_Y)$로 가정할 수 있다. 즉, 단면시편만 분석해도 충분하다. 이 조직의 신축도 (stretching degree) η는 0.41이다. 이 절에서 언급한 방법으로는 비등축상 조직을 갖는 경우의 비 경계면(specific interface) S_V는 구할 수 없다. 단지 개략의 추정값

$$60.4 \text{ mm}^{-1} \leq S_V \leq 147.4 \text{ mm}^{-1}$$

을 얻을 수 있으며, 평균 결정립크기 및 결정립번호 G를 구하는 것은 바람직하지 않다.

모든 방향 ω에 대하여 함수 $L_A(\omega)$, $P_L(\omega)$ 그리고 $\chi_A(\omega)$이 알려져 있으면, 이에 따른 방향분포를 계산 할 수 있다. 함수 $L_A(\omega)$, $P_L(\omega)$는 – 표 2.47의 평가인자 L_A, P_L과 유사하게 – 서로 환산할 수 있으며 따라서 방향에 따른 동일한 정보를 얻을 수 있으며, 비등축상 조직의 경우 두 개의 기본인자 S_V 및 M_V에 속할 수 있는 정확하게 두 개의 (독립적인) 방향분포 $R^S(\omega)$와 $R^M(\omega)$이 있다. 분포함수 $R^S(\omega)$는 $L_A(\omega)$ 혹은 $P_L(\omega)$로부터 계산할 수 있다. 첫 번째 방위분포는 경계면과 연관되어 있으며 무작위로 선정된 경계면 면요소의 수직벡터의 분포일 수 있다. 분포함수 $R^M(\omega)$은

$\chi_A(\omega)$로부터 계산할 수 있으며 따라서 일차 굴곡적분과 관계가 있다. 바늘형태의 조직요소에서 $R^M(\omega)$은 바늘방향의 분포함수와 일치한다.

2.4.6
입자크기분포

표 2.47의 관계에서 보여주듯이 이차 굴곡적분의 밀도 K_V 및 단위부피 당 입자의 평균 수 N_V는 기본적인 입체적 방법으로는 구할 수 없다. 입체적인 조직사진을 얻을 수 없는 한 (평면의) 시편사진을 분석해야만 한다. 그렇지만 평면시편사진에서 얻은 측정값들에서 비교적 복잡한 입체적 방법을 통하여 N_V 혹은 입자크기분포를 추정하여 계산할 수 있다. 이 방법을 적용하기 위한 기본조건은 조직구성과 관련한 모델가정이 유효해야한다.

구형태의 입자에 대한 입체화

"입체화"라는 개념은 Wicksell의 극미립자문제(corpuscle problem) 및 풀이와 밀접하게 연관되어 있다. 이 기본적인 입체화 문제는 다음과 같이 설명될 수 있다. 여기서 임의의 지름을 갖는 구형태의 입체적 시스템을 가정한다. 이와 같은 예는 주철 내에 석출된 구상화흑연을 들 수 있다. 그림 2.156에서 보는 것과 같이 평면 절단면에서 구의 절단된 원의 지름을 측정한다. Wicksell-문제는 구의 지름에 대한 분포함수를 절단원지름의 측정값으로부터 계산함으로써 발생된다, 그림 2.157 참조.

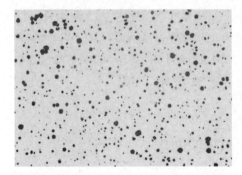

그림 2.156 구상화 흑연이 포함된 주철의 조직. 석출된 흑연은 거의 구의 형태; 절단된 형태는 원형.

Wicksell–문제의 해를 구하는 방법에는 여러 가지가 있다. 여기서는 단지 단위부 피당 입자의 개수를 추정하는 식을 나타내었다.

$$N_V \approx \frac{2}{\pi A(W)} \sum_{i=1}^{n} \frac{1}{d_i}$$

여기서 d_1, ..., d_n은 측정영역 W에 있는 절단원의 지름이다.

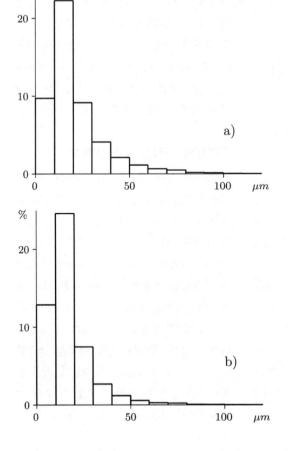

그림 2.157 a) 그림 2.156 평면시편의 조직사진에서 측정한 절단원의 지름의 막대그래프, b) 이로부터 계산한 구상화 흑연의 지름분포 막대그래프.

입체해석학의 응용가능성

많은 조직에서 입자는 구의 형태가 아니다. 따라서 Wicksell-문제의 일반화하는 과정이 입체해석학의 응용 확대에 중요한 기본이 된다.

다음과 같은 입자형태를 위하여 입체해석적 방법이 개발되었다.

- **층상조직구조(lamellar structure)**, 회주철 내의 층상흑연 혹은 탄소강의 펄라이트 내의 시멘타이트층상. 평면 절단면에서 관찰될 수 있는 평면 층간 간격의 분포로부터 입체적인 층간 간격의 분포를 결정하는 문제.
- **침상조직요소(needle structure)**, Al-Ni-합금의 공정상. 절단면의 측정면적으로부터 침상의 단면적 분포를 계산하는 문제.
- **임의로 분포된 입방체로 이루어진 시스템**. WC-Co-고강도복합재료의 메탈로그래피적 분석에서 실질적으로 중요한 절단 다각형의 지름으로부터 입방체의 모서리길이 분포함수를 계산하는 문제.
- **임의의 타원체로 이루어진 시스템**. 회전타원체로 특별하게 제한하는 것은 아주 중요한데, 이는 완전히 일반화된 경우 (즉, 자유로운 타원체의 경우)에는 입체해석학적인 문제의 명확한 해를 얻을 수 없기 때문이다. 메탈로그래피에서 입자의 형태가 회전타원체인 경우는 매우 희귀하다. 그렇지만 실제 응용에서는 회전타원체의 경우도 유용한데, 이는 이러한 시스템에서는 크기의 분포와 입자의 형태를 비교적 손쉽게 결정할 수 있기 때문이다.

- **육각주로 이루어진 시스템**. 이 문제는 Silicon nitride 세라믹스의 연구와 관련이 있다. 이 때도 역시 입체해석학적으로 명확한 해를 얻기 위하여 육각주의 모양이 제한된다. (Silicon nitride 세라믹스와 같이) 길게 늘어난 형태 혹은 납작한 형태의 육각기둥이어야 한다. 육각주로 이루어진 시스템에서도 역시 육각주의 크기와 형태의 분포를 계산한다.
- **임의의 볼록한 다면체로 이루어진 시스템**. 이와 같은 시스템의 분포는 두 가지 인자에 의해 결정된다. 이러한 입자모델은 단상의 다면체 조직을 갖는 경우의 입자크기분포를 계산하는데 적용될 수 있다.

입체해석학적인 문제의 해결을 위해서는 일반적으로 조사하려는 입자시스템이 등축상이어야 한다. 입자크기분포의 입체해석학적인 계산방법은 예를 들면 Ohser, Muecklich의 참고문헌에 설명되어 있다.

2.5
X-선 분석법

2.5.1
공간격자에 의한 회절

1912년에 von Laue, Friedrich, Knipping 등에 의해 결정에 의한 X-선 회절현상이 발견됨에 따라, 결정학적으로 예측되던 원자의 결정배열에 관한 실험적인 검증이 가능해졌으며 결정학의 발전을 이루는 계기가 되었다. X-선 분석법은 이상적인 결정의 구조분석 뿐만 아니라, 격자결함과 같은 실제 결정의 구조분석에도 매우 효과적이며, 다결정 재료의 미세구조에 관한 중요한 정보를 얻을 수 있다. 이와 같은 정보를 바탕으로 금속-비금속 결정질 재료의 구조에 따른 물성 의존도에 관한 연구를 가능케 하였다.

X-선은 $10\sim10^{-3}$nm의 파장역을 가지는 전자기파로 정의된다. X-선 회절현상을 해석하기 위한 이론은 이 후 전자나 중성자에 의한 회절현상의 해석에도 적용되었다. De Broglie(1924)에 의하면, 입자의 기동력($m \cdot \nu$)에 의존하는 파장(λ)은 다음의 관계식으로 정의될 수 있다.

$$\lambda = \frac{h}{m \cdot \nu} \qquad (2.59)$$

m : 입자의 질량, ν : 입자의 속도, h : Planck 상수=$6.626 \cdot 10^{-34}$ J s

광학에서 알려진 바와 같이, 빛이 3차원적으로 주기적으로 배열된 구조체 내에서 간섭성(또는 결이 맞은, coherent) 산란을 하는 경우, 강한 회절현상 또는 상쇄효과를 가지게 된다. 이는 빛의 파장이 구조체의 주기인자와 거의 비슷하거나 작은 경우, 즉 결정질 물체의 격자간격과 비슷한 경우에 나타나는 현상이다. 회절도형은 회절을 일으키는 물질의 실질적인 구조를 나타내며, 회절강도와 강도의 분포를 이용하는 정량분석을 통해서 엄밀한 의미에서의 구조분석이 가능하다. 이런 구조분석은 결정질뿐만 아니라, 준결정질 그리고 비정질 고체에 대해서도 가능하다.

Bragg(1912)에 의하여 결정 내 공간격자 회절에 대한 기하학적이고 구체적인 설명이 가능해졌다. 그림 2.158에서와 같이, 공간격자에 의한 회절은 일정하게 배열된 격자면상에서의 단색 X-선의 연속적인 반사로써 설명된다. 이 경우 이웃한 반사 X-선끼리는 경로차 w를 가져야한다. 경로차 w는 w_1과 w_2의 합으로 주어지며, $w_1 = d/\sin\theta$, $w_2 = w_1 \cos(180° - 2\theta)$의 관계를 고려하면, 다음의 관계식이 얻어진다.

$$w = d/\sin\theta(1 + \cos(180° - 2\theta))$$

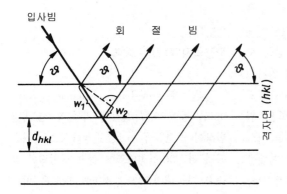

그림 2.158 Bragg 식의 유도.

$$= \frac{d_{hkl}}{\sin\theta}(1-\cos 2\theta)$$

$$= \frac{d_{hkl}}{\sin\theta}(1-\cos^2\theta+\sin^2\theta) = 2d_{hkl}\sin\theta$$

위의 경로차가 파장 λ의 정수배 m이 될 경우 회절이 발생되므로, 회절조건은 다음 식으로 나타내진다.

$$m \cdot \lambda = 2\, d_{hkl}\sin\theta \qquad\qquad (2.60a)$$

m은 반사차수, θ은 입사각(Bragg 각)이라 하며, 위의 관계식은 Bragg 식이라고 한다. Bragg 식은 λ, d_{hkl}, θ간의 연관성을 나타내며, 이 세 변수가 특정한 조건을 가진 경우에 회절이 발생한다는 것을 나타낸다. 즉 위의 Bragg 식을 만족시키지 못하는 경우, 공간격자에 의한 회절현상은 발생될 수 없다. 회절강도는 Bragg 각 θ에서만 나타나는 것이 아니라, 입사빔의 파장범위 $\Delta\lambda/\lambda$, 실험조건에 따른 기하학적인 요인, 결정의 크기, 결정자체의 방해요소 등에 의하여, $\Delta\theta$의 범위를 가지고 발생된다. 단순 병진격자가 아닌 경우, 한 격자면이 Bragg 조건을 만족한다 하더라도, 반사차수 m에 따라서 이 면족 중에서 어떠한 면은 회절을 일으키지 못할 수 있다는 점은 매우 중요하다. 이는 단위포의 대칭성에 따라 나타나는 특성적인 현상이다.

회절실험에 대한 해석을 할 때, 결정학적 면간거리 d_{hkl}이 아닌, $d=d_{hkl}/m$로 정의되는 회절면간거리가 이용되며, Bragg 식은 아래와 같이 단순화된다.

$$\lambda = 2d \cdot \sin\theta \qquad\qquad (2.60b)$$

위의 방법을 통해 회절을 일으키는 면족의 Miller 지수 hkl을 반사차수 m과 연관시킴으로써, Laue 회절지수 $h_1h_2h_3$를 얻게 된다.

$$h_1 = m \cdot h\ ;\ h_2 = m \cdot k\ ;\ h_3 = m \cdot l$$

Miller 지수와 달리, Laue 회절지수는 반사차수 m이라는 공약수를 가진다. Laue 지수 $h_1h_2h_3$를 사용함으로써, 여러 결정계에 대해 회절면간 거리를 직접적으로 계산할 수 있다. 예를 들어, 입방정계의 경우 아래의 식이 적용된다.

$$d = a/\sqrt{h_1^2+h_2^2+h_3^2}$$

$$\lambda = 2 \cdot a \cdot \sin\theta\,/\sqrt{h_1^2+h_2^2+h_3^2} \qquad (2.60c)$$

어떠한 회절선에 대해서도 $h_1h_2h_3$의 지수조합이 주어진다.

Bragg 식은 입사빔에 대한 어떠한 조건도 포함하지 않으므로 전자빔 그리고 중성자빔에 의한 회절에도 적용된다.

2.5.2
단결정 회절과 다결정 회절

단결정에 단색 X-선을 입사시키는 경우, X-선이 어떠한 면족에 대한 Bragg 조건을 만족할 때에만 회절이 발생한다. Bragg 조건을 만족시키며 격자면상에 X-선이 입사될 수 있는 각은 단결정의 위치와 입사빔의 방향에 따라 일정한 값으로 주어진다. 따라서 Bragg 식을 만족하는 경우는 매우 드물게 된다. 연속 X-선(백색 X-선)을 사용하면, 각 파장에 따라 Bragg 식을 만족시키는 격자면에 의한 회절이 발생하게 된다. Laue 법은 연속 X-선을 사용하는 방법 중 하나이다. 그림 2. 159는 사진 필름을 이용하여 얻은 NaCl 결정의 Laue 무늬를 나타낸다. 그림에서 보여지는 회절반점들은 다른 격자면이 각각의 다른 파장에 의한 회절에 따른 것이다. Laue 무늬에서 보여지는 대칭성은 입사빔 방향에 대한 결정의 대칭성을 반영하며, 위의 예에서는 [100]방향의 4축 대칭성을 나타내고 있다. Laue 법을 이용함으로써 단결정의 방위를 결정할 수 있다.

다른 방위를 가지는 많은 수의 단결정의

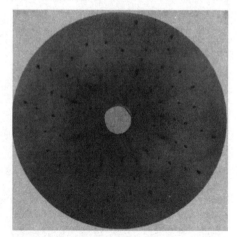

그림 2.159 [100]방위를 가지는 NaCl 단결정의 Laue 도형.

집합인 다결정에 대한 분석은 단결정분석과는 매우 다르다. 단색 X-선이 입사되는 경우에도, 구성 결정립들 중의 일정 부분은 입사빔에 대해 회절조건을 만족하도록

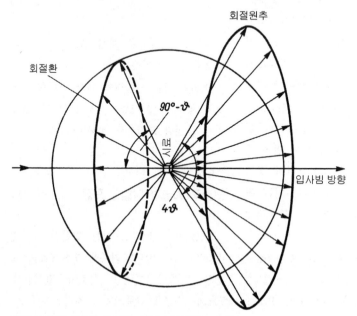

그림 2.160 다결정 회절을 위한 기하학적 조건.

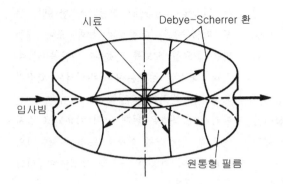

그림 2.161 Debye-Scherrer 원통형 필름법의 원리.

방위를 가지고 있다. {hkl}면에 수직한 방향이 입사빔과 $90°-\theta$의 조건을 만족하는 모든 격자면은 회절을 일으키게 된다(그림 2.160). 회절빔은 원추각이 4θ이고 축이 입사빔 방향에 놓이는 원추를 형성한다. 각각의 면족에 대해 면간거리 d_i가 다르므로, 회절빔은 $4\theta_i$의 원추각을 가지는 불연속적인 원추들을 형성할 것이며, 원추들의 축은 입사빔 방향에 놓인다. Bragg 식에 의해 회절을 일으킬 수 있는 격자면의 면간거리는 $\infty > d_i > \lambda/2$로 한정된다. 금속재료에 있어 d의 최대값은 일반적으로 수 nm에서 수분의 일 nm 범위에 놓이므로, 0.2 nm 보다 작은 파장을 가지는 빔을 이용하는 것이 회절실험에 유용하다.

가시광선이 사진필름의 흑화를 가져오듯이, 사진필름을 이용하면 다결정회절에 따른 강도분포를 쉽게 얻을 수 있다. 입사빔에 대해 수직으로 평평한 필름을 위치시키는 경우를 평판사진법이라 한다. 평판사진법은 기하학적인 제한으로 인해 30~40°의 입사각 범위만을 측정할 수 있다. 그림 2.161은 전형적인 Debye-Scherrer 측정법을 나타내며, 원통형 챔버 내에 시료를 두르게 필름을 장전함으로써 모든 회절원추들을 동시에 측정할 수 있다.

그림 2.162는 Debye-Scherrer 법에 의해 측정된 전형적인 Debye-Scherrer 회절환의 형상을 나타낸다. 회절환을 자세히 살펴보면, 시료의 미세조직에 대한 여러정보를 알 수 있다. (a)는 미세한 결정립을

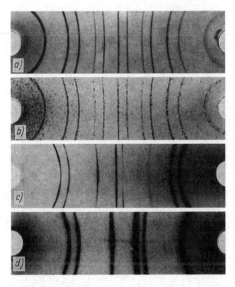

그림 2.162 Debye-Scherrer 도형: a) 미세 결정립을 가지는 시료 b) 조대한 결정립을 가지는 시료 c) 선형 집합조직(fibre texture)를 가지는 시료 d) 심하게 가공된 시료.

가지는 시료로부터 얻어진 것이다. 이 경우 다수의 결정립들이 회절을 일으키고 상호 중첩됨으로써, 균일하게 흑화된 닫힌 회절환을 형성하게 된다. 조대한 결정립을 가지는 시료를 측정한 (b)의 경우 상대적으로 적은 수의 결정립들이 회절에 참여하므로, 각 결정립에서 비롯된 개개의 회절들이 분리된 상태로 보여지는 Debye-Scherrer 회절환을 형성한다. 이러한 효과를 이용하면 결정립크기를 정량적으로 측정할 수 있다. 흔히 다결정 시료는 결정립들의 방위가 일정하게 분포되지 않은 상태인 집합조직을 나타낸다. 즉 결정의 특정한 방향이 우선적으로 배열되며, 결정의 다른 방향들은 상대적으로 낮은 확률을 가지고 나타난다. 냉간 신선된 선재를 측정한 (c)의 예에서 보여지듯이, Debye-Scherrer 회절환의 특정부분은 강한 흑화(매우 많은 수의 결정립에 의한 회절이 중첩된 부분)를 보이는 반면, 나머지 부분은 약하게 흑화(적은 수의 결정립이 회절에 참여하는 부분)되는 현상을 나타낸다. (d)는 가공된 금속시료를 측정한 것으로, 특히 높은 입사각의 범위에서 회절환의 폭이 넓어지는 현상을 나타낸다. 매우 인접하게 위치한 회절환들은 중첩됨으로 인해, 매우 약한 하나의 회절환으로 보여지기도 한다. 이는 결정립에 존재하는 전위에 의해 불균일한 격자뒤틀림이 발생함으로써, 면간거리가 국부적으로 변동되는 것처럼 보이기 때문이다. 격자의 뒤틀림을 유발하는 석출물의 밀도가 높은 경우에도 비슷한 현상이 나타난다.

위의 예를 통하여 필름법에 의해 얻어지는 Debye-Scherrer 회절환의 형태만으로도 미세구조와 다결정의 실제구조에 대한 많은 중요한 정보를 얻을 수 있음을 알 수 있다. 하지만 정량분석을 위해서는 회절강도분포를 정확히 측정할 수 있어야 한다. 따라서 필름법은 현재 거의 이용되고 있지 않으며, 컴퓨터를 이용한 측정의 자동화와 결과분석이 가능한 다결정 디프랙토메터가 주로 이용된다.

2.5.3 다결정 디프랙토메터

X-선 디프랙토메터의 특징은, 디프랙토메터의 중앙에 놓인 시료를 중심으로 회전이 가능한 계수기(counter)를 이용하여 X-선을 검출한다는 것이다. X-선 검출기(detector)로는 비례계수관(proportional counter), 신틸레이션계수기(scintillation counter), 반도체계수기(semiconductor counter) 등이 이용되고 있다. 위와 같은 검출기를 이용함으로써, 검출기와 시료의 각에 따른 회절강도를 정량적으로 측정할 수 있다. 검출기로 들어오는 X-선 광자는 전기적 임펄스(impulse)로 변환되는데, 이때 광자에너지의 세기는 $h \cdot \nu = h \cdot c / \lambda$ (ν: 진동수, λ: 파장, c: 광속)의 관계를 따른다. 임펄스 밀도(단위시간당 발생하는 임펄스) 또는 광자에너지에 비례하는 임펄스 강도의 직접적인 측정이 가능하다.

그림 2.163은 일반적인 다결정 디프랙토메터의 작동원리를 나타낸다. X-선관(R)에서 방출되어 발산(divergent)되는 X-선

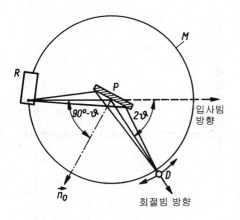

그림 2.163 다결정 회절기에서 빔의 경로 (Bragg–Brentano).

은 디프랙토메터원(M)의 중앙에 위치한 판형시료(P)에 입사된다. 검출기(D)는 디프랙토메터원(M)을 따라 움직이며, 위치에 따른 회절강도를 측정한다.

측정 시 판형시료는 입사빔과 회절빔간의 각 2θ을 이등분하면서 움직인다. 즉 시료표면에 대한 법선(n_0)이 입사빔과 회절빔에 대해 각각 $90°-\theta$의 관계를 유지하도록 움직인다. 이러한 측정법을 통해, 시료의 표면에 수직으로 놓인 격자면에 의한 회절을 측정할 수 있다. 시료의 방위를 고정시킨 상태에서 검출기의 위치와 θ를 변화시키면서, M을 따른 강도의 분포를 측정하게 된다.

그림 2.164는 위의 측정법을 통해 얻어진 회절결과를 나타낸다. 세로축은 측정된 회절강도 $I(2\theta)$를 가로축은 각위치 2θ를 나타낸다. 백그라운드 위에 강한 피크가 나타나며, 이러한 피크는 앞서 설명된 회절환에 의한 것이다.

각 회절 피크(i)의 특성은 아래의 항목

으로 표현된다.

- 최대강도를 나타내는 회절각 θ_i
- 최대 회절강도, $I_{max\ i}$
- 백그라운드를 제외한 피크의 면적인 적분강도, I_i
- 회절선의 폭, B_i (적분폭 = 적분강도/최대 회절강도)

위의 측정결과를 이용하여 격자상수, 고용체 형성에 따르는 격자상수의 변화, 상분율, 석출물의 밀도 그리고 전위밀도 등을 구할 수 있다.

회절각 2θ를 고정한 상태에서 입사빔에 대한 시료의 방위를 변화시킴으로써, 방위각에 따른(azimuthal) 강도의 변화를 측정할 수 있다. 이러한 측정법은 X-선을 이용한 집합조직분석, 잔류응력측정 또는 결정립 크기 측정 등에 이용된다.

시료로는 분말이나 응집체(compact body) 등이 이용된다. 분말시료의 경우 특수한 시료준비장치를 이용하여 압축하거나 진동을 이용하여 치밀화시키게 되는데, 경우에 따라서 접합제를 이용하기도 한다. 응집체 표면을 직접 측정할 수 없는 경우, 실험목적에 따라 기계적 연마를 하여 시료를 준비하기도 한다. X-선의 입사깊이가 시료물질과 빔에너지에 따라 $1\sim100\,\mu m$ 정도이므로, 시료의 연마에 의하여 구조나 화학조성의 변화가 발생하지 않도록 유의해야 한다. 회절실험시에 요구되는 조사면적은 $0.1\sim5cm^2$ 정도이다.

회절실험 시 X-선을 발생하는 음극선관

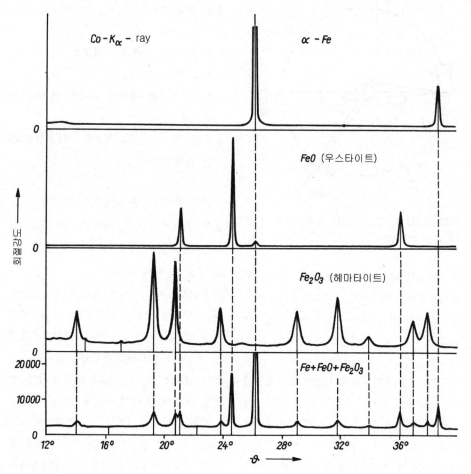

그림 2.164 철, 우스타이트(wustite), 헤마타이트(hematite)의 회절도형과 세 개를 혼합한 경우에 얻어지는 회절도형.

(X-선관)의 작동원리는 다음과 같다. 음극 선관은 열전자를 발생시키는 텅스텐 음극 부와, 수냉되는 금속 양극부로 구성된다. 음극에서 방출되는 전자는 20~60kV의 전 압으로 양극쪽으로 가속되어, 양극부의 금 속원자와 상호작용을 하게된다. 원자핵의 Coulomb장 내에서 가속전자가 감속되면서 연속적인 파장범위를 가지는 X-선이 발생 되는데, 이 분포는 어느 짧은 파장에서 끝

나게 된다(그림 2.165). 발생가능한 가장 짧은 파장(λ_{min}, nm)은 음극선관에 주어진 전압(U, kV)을 통해 주어진다:

$$\lambda_{min} = \frac{1.24}{U}$$

가속전자는 Coulomb장 내에서의 감속 외에도, 양극원자 내의 전자를 내보낸다. 방출된 전자의 빈자리는 원자 내의 다른

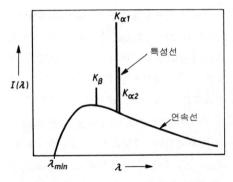

그림 2.165 일반적인 X-선관에서 발생되는 스텍트럼의 형태.

전자에 의해 채워지면서 $h \cdot \nu$ 만큼의 에너지가 방출된다. 떨어져나간 전자와 채워지는 전자의 에너지 차이만큼이 방출되는 에너지가 되며, 이는 양극부 금속 원자의 종류 즉 원자번호(Z)에 의하여 결정된다. 위의 과정을 통하여 특정한 파장(이 파장은 원자번호에 따라 달라진다)을 가지는 스펙트럼이 발생하며, 이를 특성스펙트럼이라 한다. 원자의 가장 내부에 위치하는 전자궤도(K 각)에서의 전자교환에 의하여 발생하는 K-계열의 스펙트럼이 실제적으로 많이 이용된다(그림 2.165). 특성스펙트럼은 기본적으로 β선(λ_β)과 매우 근접한 두 개의 스펙트럼인 α_1, α_2 (K_α -이중선)로 이뤄진다. 표 2.48은 주로 이용되는 양극재료에 대한 K 스펙트럼의 파장을 나타낸다.

표 2.4 양극 금속에 따른 K-스펙트럼의 파장[nm]

양극금속	원자번호	λ_β	$\lambda_{\alpha 1}$	$\lambda_{\alpha 2}$
Cr	25	0.20849	0.22897	0.22936
Co	27	0.16208	0.17890	0.17928
Cu	29	0.13922	0.15406	0.15444
Mo	42	0.06323	0.07093	0.07136

1913년에 Moseley에 의해서 특성스펙트럼의 파장(λ_i)과 원자번호(Z) 사이의 정량적인 관계가 발견되었다(Moseley 법칙).

$$\frac{h \cdot c}{\lambda_i} = M(Z-\sigma)^2 \qquad (2.61)$$

h: Planck 상수, c: 광속

σ는 전자각에 관련된 상수이며(K-계열의 경우 1), M은 한 계열의 스펙트럼중에서 선의 종류(α_1, α_2 또는 β선)에 따른 상수이다. Moseley 법칙은 파장(λ_i)과 강도로부터 시료 내 원소의 종류와 그 함량을 결정하는 X-선 분광측정법의 물리적인 기본이 된다.

2.5.4
X-선 회절법의 응용

2.5.4.1 X-선을 이용한 상분석

X-선을 이용한 상분석은 X-선회절 분석법중 가장 많이 이용되는 분야이다. 결정상마다 특정한 회절패턴을 나타내므로 이를 이용하면 구조분석이 가능하며, 회절패턴은 각 결정상의 지문과도 같다고 할 수 있다. 한 시료에 여러 가지의 결정상이 있는 경우 회절패턴에 겹쳐서 나타나지만, 각 결정상에서 나타나는 회절각 θ_i과 Bragg 법칙에 의해 얻어지는 격자면간 거리 d_i 는 변하지 않는다. 어떠한 결정상에 속하는 회절피크의 적분강도를 이용하여 그 상의 부피분율을 구할 수도 있다(그림 2.164). 즉, 이론적으로는 단상 또는 다상시료의 회절패턴의 분석을 통하여 상의 종류 그리고 각 상의 부피분율을 얻을

수 있다.

정성분석은 실험적으로 얻어진 d-값을 시료에 있을 것으로 예상되는 상의 순수 회절패턴과 비교함으로써 이뤄진다. 이 경우, International Center for Diffraction Data에서 발행된 표준 분말 회절패턴(대략 160000개의 무기재료에 대한 표준 회절패턴이 존재함)을 이용하게 된다. 표준회절패턴은 화학기호에 따른 알파벳순서로 된 색인 또는 가장 강한 강도를 나타내는 d-값의 그룹을 통한 검색이 가능한 색인에 따라 구성된다. 위의 색인법은 추정되는 상이 있는 경우 알파벳색인을 통한 검색을 통하여 상을 찾을 수 있으며, 그렇지 않다 해도 d-값을 이용하는 검색색인을 통하여 분석이 용이하게 해준다. 최근에 만들어진 X-선 회절기는 컴퓨터를 이용한 검색이 가능하다. 측정시간이 충분하고 상분석이 용이한 경우엔 1/10 vol.%의 정확도까지도 분석이 가능하나, 일반적으로 분석의 정확도는 수 %대에 놓인다.

정량분석은 어떠한 상 j에 속하는 i 번째 회절피크의 적분강도 I_{ij}가 그 상의 부피분율 ν_j에 의존한다는 사실에 근거한다. 집합조직이 없는 시료의 경우 다음의 관계가 성립한다.

$$I_{ij} = k \cdot I_0 \cdot G_{ij} \cdot \mu^{-1} \cdot \nu_j \qquad (2.62)$$

I_0: 입사빔의 강도

K:상수

G_{ij}: 결정구조를 이용하여 계산된 또는 순수한 상을 이용하여 실험적으로 구해진 강도인자

시료의 선흡수계수 μ (linear absorption coefficient)는 상분률에 의존하며, 서로 다른 흡수거동을 가지는 상들이 혼합된 시료의 경우 측정되는 적분강도 I_{ij}는 상의 부피분율 ν_j에 직접 비례하지 않는다. 따라서 대부분의 경우 강도비를 이용한 분석을 행하게된다. 정량분석이 가능한 최소한계는 상의 구조적인 특성에 강하게 의존하며, 일반적인 경우 0.5~5vol.%이다. 분석결과의 재현성을 통하여 분석가능 한계를 가늠할 수 있다.

X-선 상분석은 결정상의 구조인자를 기본으로 하여 상을 식별하는 것으로, 모든 회절법과 마찬가지로 직접적인 분석법이다. 광학현미경을 이용하여 상을 식별하는 경우 분석하고자 하는 상의 구조에 간접적으로 연관되는 명암의 차이 또는 형상의 차이를 이용하게 되는데, 이는 잘못된 분석결과를 얻을 수 있는 가능성이 적지않다. 광학현미경법에 비교하여 X-선 분석법의 다른 장점은 특정한 시료준비과정이 필요치 않으며, 광학현미경으로 관찰하기 어려운 매우 작은 결정립(1μm 이하, 예를 들어 미세한 분산상 또는 석출상)을 가지는 시료도 분석가능하다는 것이다. X-선 상분석과 더불어 격자상수 측정, 회절피크의 넓이 등을 통합하여 분석하면 각 상의 실제구조에 대한 중요한 정보들을 얻을 수 있다.

2.5.4.2 고용체에 대한 X-선 분석

X-선을 이용한 고용체의 분석은 대부분의 경우 정확한 격자상수의 측정 또는 변

화를 측정하는 것이다. 격자상수의 측정을 위해서는 실험적으로 얻어진 회절피크에 대한 면지수를 알아야 한다. 대략적인 격자상수를 알고 있는 단순한 경우에는, 격자상수로부터 예상되는 회절각을 계산하여 이를 실험치와 비교하면 된다. 이 경우 식 (2.60c)에 주어진 Bragg 식을 이용하여 면지수를 결정할 수 있으며, 면지수를 알게 되면 측정된 회절각으로부터 정확한 격자상수를 얻을 수 있다. 계산값의 높은 재현성을 얻기 위해서는, 고각에 있는 회절피크를 이용하는 것이 바람직하다. 실험시에 어쩔수 없이 발생하는 오류치는 정확한 격자상수를 알고있는 표준시료(예, Si분말)를 측정한 후 얻어지는 값을 이용하여 보정할 수 있다. 보정이 잘 되어있는 회절기를 이용하는 경우 입방정 결정에 대한 계산치의 정확도는 대략 $1 \cdot 10^{-5}$ 정도이며, 구해야하는 격자상수의 개수가 많아지는 비입방정 결정체의 경우 계산치의 정확도는 감소한다.

고용체가 만들어지는 경우 결정구조는 변화하지 않으며, 격자상수의 변화를 수반한다. 격자상수의 변화는 조성과 선형적인 관계를 가지며 변화한다는 것이 Vegard에 의해서 발견되었다(1.2.2.2절, 식 1.14). 실질상으로는 비이상적인 고용체(단범위 규칙 또는 응집(clustering))를 형성하려는 경향으로 인하여 Vegard 법칙에서 벗어나는 경우가 많다. 조성과 격자상수간의 관계가 명확히 알려진 경우 격자상수의 측정을 통하여 조성을 알 수도 있으며, 그 정확도(대부분의 경우 1at.%)는 격자상수 측

정의 정확성 그리고 단위조성변화에 따른 격자상수의 변화정도에 의존한다. 비슷한 방법을 통하여, 어떠한 금속결합(금속간화합물, 개재물)의 화학양론(stoichmetry)적인 오차를 측정할 수도 있다.

고용체의 종류, 치환형 또는 침입형을 알기 위해서는 화학조성, 밀도, 격자상수 측정을 복합적으로 해석함으로써 가능하며, 격자상수 측정은 단위정의 부피를 알기 위한 것이다. X-선분석을 통해 얻어지는 밀도는 단위정 내 원자의 질량(M_{ez})을 부피(V_{ez})로 나눈 것이다. M_{ez}는 단위정 내의 원자수 m, 평균 원자질량 $A = \sum c_i \cdot A_i$ (c_i : 원자분율, A_i : 단위정 내 원자 i의 질량), Loschmidt 수 $L(= 6.023 \cdot 10^{23} \ mol^{-1})$을 이용하여 다음과 같이 구해진다, $M_{ez} = m \cdot \sum c_i \cdot A_i / L$. 측정된 밀도 ρ와 알고 있는 단위정 부피 V_{ez}를 이용하여, 단위정당 평균원자수 m을 구할 수 있다 (1.5절).

$$m = \frac{\rho \cdot V_{ez} \cdot L}{\sum_i c_i \cdot A_i} \qquad (2.63)$$

고용체에 대한 m값이 모재에 대한 m과 같다면, 이는 치환형 고용체를 의미한다. 침입형고용체의 경우는 조성의 증가에 따라 m값이 크게 증가한다.

규칙격자형성이 가능한 고용체의 경우 규칙도의 변화 또한 격자상수를 통해 측정할 수 있다. $NiCuZn_2$ 합금의 경우 불규칙격자에서 단범위 규칙격자로 바뀌면서 $-8 \cdot 10^{-2}$%의 격자상수 변화를 나타낸다. 이러한 격자상수 변화는 응집체 형성에 따라서도 비슷한 경향을 나타낸다.

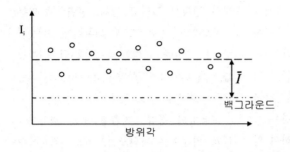

그림 2.166 조대한 결정립을 가지는 시료에서 얻어지는 회절선 강도의 통계적인 변화.

2.5.4.3 X-선을 이용한 결정립도의 측정

검출기를 어떠한 회절각 2θ에 고정시키고 시료의 위치를 변화시키면서(시료의 회전) 회절강도 I_i 를 측정하면, 조대한 결정립을 가지는 시료는 심한 회절강도의 변동을 나타낸다(그림 2.166). 그 원인은 회절 가능한 결정립의 수와 측정강도에 영향을 주는 결정립이 시료의 위치에 따라 통계적으로 변화하기 때문이다. 이러한 변동 ε은 측정되는 유효시료부피 V_{eff} 에 존재하는 결정립의 개수와 평균결정립 부피 ν_k에 직접적인 연관성을 가진다.

$$\varepsilon^2 = \frac{\sum_i^n (I_i - \overline{I})^2}{(n-1) \cdot \overline{I}^2} = \frac{\nu_k}{W \cdot V_{eff}} \qquad (2.64)$$

회절확률 W는 회절기에 따른 X-선의 기하학적인 요인(슬릿, 초점의 크기)을 고려하여 계산되며, 유효시료부피는 시료의 흡수도에 크게 의존한다; 각 물질에 대한 선흡수계수는 도표상으로 주어진 값이 이미 있다. 결정립계 또는 결정립 자체의 부식이 어려운 경우, 이 방법을 이용하여 $1 \sim 50\mu m$정도의 결정립도 D_k를 가지는 시료에 대한 측정이 가능하다.

어떤 경우는 결정립이 너무 작아서 광학현미경으로 관측이 어려운 때도 있다. 매우 미세한 석출상 또는 기상증착된 다결정 박막등이 이러한 경우에 속한다. D_k가 0.2 μm 보다 작은 경우, 회절선 너비의 증가(β: 이 값은 실험적인 요인에 의한 너비 증가치를 보정한 값으로써, 회절각 2θ에 따라 주어진다)를 나타낸다. Scherrer는 회절선 너비와 결정립도 사이의 관계를 유도하였다,

$$\beta \approx \frac{p \cdot \lambda}{\cos\theta \cdot D_k} \qquad (2.65)$$

p: 형상인자 (~1)

위의 관계를 이용하면 $D_k \leq 0.2\mu m$ 범위의 결정립도를 측정할 수 있다. 회절선의 너비가 $2°(3.49 \cdot 10^{-2}$ rad), 회절각 θ가 $60°$이고 파장이 $0.179nm$(Co-K_α 선)라면, 10nm의 결정립도가 구해진다.

2.5.4.4 전위밀도의 평가

2.5.2절에서 논의된 바와 같이, 소성변형된 재료는 회절선 너비의 증가를 나타낸다. 이는 소성변형된 재료의 경우 전위에 의한 격자의 탄성변형으로 인해, 결정면간

거리 d가 일정하지 않기 때문에 나타나는 결과이다. Krivoglaz에 의하면, 전위밀도 N_ν 와 회절선 너비 β 사이에는 다음의 관계를 나타낸다.

$$\beta = K_\nu \cdot \tan\theta \cdot b \cdot \sqrt{N_\nu} \qquad (2.66)$$

b: 전위의 버거스 벡터

상수 K_ν 는 전위의 종류와 특히 전위의 배열에 의존하며 냉간가공된 입방정계 금속의 경우 0.5를 취한다. 이 방법은 $N_\nu \geq 1 \cdot 10^{14}$ m^{-2}인 경우에 이용가능하다. 부식상법(etch-pit method)의 경우 10^{12} m^{-2}까지 측정가능하며, 투과전자 현미경을 이용하는 경우에도 10^{15} m^{-2}까지 측정할 수 있으므로, 회절선 너비를 이용한 방법은 심하게 변형된 금속재의 전위밀도($N_\nu \geq 10^{15}$ m^{-2})를 측정할 수 있다는 장점이 있다.

2.5.4.5 집합조직

결정방위는 외부 시료축(시료좌표)에 대한 결정축(결정좌표)의 위치를 나타낸다. 결정축의 공간내 분포확률이 동일한 경우, 무질서한(random) 결정방위의 분포를 나타낸다. 다결정 재료의 집합조직은 이상적인 무질서 결정방위분포에서 벗어난 경우를 의미한다. 집합조직은 액상의 응고에 따른 결정화, 전기도금과 같은 전해석출, 기상증착, 스퍼터링, 소성가공한 재료의 재결정, 상변태, 소성가공(신선, 단조, 압연, 딥드로잉 등) 모든 공정에 의해서 형성된다. 이는 모든 공정중에는 외부와 내부에서 방향성을 가지는 인자가(예를 들어

열전도도의 방향성, 재료의 유동방향의 방향성, 기계적 하중, 외부자장, 새로 형성된 결정립과 기존결정립간의 방위관계 등) 단결정의 이방성에 따라 작용하기 때문이다. 따라서 방위분포의 대칭성은 외부인자의 방향성을 따르게 된다.

집합조직은 선형(fibre)과 판재형(sheet)의 두 가지 이상적인 경우로 나눌 수 있다. 선형집합조직은 결정립들이 한 결정축 [uvw]을 우선방위로 가지는 것으로, 이 결정축의 시료좌표축(시료, 또는 철사의 길이방향)에 대한 경사각 α 로 나타낼 수 있다, 그림 2.167.

선형집합조직에서 우선방위축이 시료의 길이방향과 같은 경우(즉, $\alpha=0°$) 일반적으로 선형집합조직(fibre형)이라 하며, 시료의 길이방향에 수직으로 놓인 경우(즉, $\alpha=90°$) ring-fibre형 집합조직, $0° \leq \alpha \leq 90°$ 인 경우는 cone-fibre형 집합조직이라 한다. 위의 방법을 이용하면 fibre 축과 시료의 축에 대한 결정립들의 회전을 표현함으로써(즉 이중 회전대칭) 그 방위를 나타낼 수 있다. 냉간신선한 재료는 선형집합조직을 나타내는 대표적인 예이다. 체심입방정 금속의 경우 [110] fibre 축, 면심입방정 금속의 경우 [111]+[100] 이중 fibre축을, 육방정 금속의 경우 [0001] ring fibre축을 나타내며, 이를 재결정한 후에도 선형집합조직을 나타낸다.

판형집합조직은 다수의 응력축이 존재하는 경우 발달하며, 판재압연 그리고 압연재를 재결정 또는 상변태후에도 나타난다. 압연방향, 판재의 가로방향 그리고 압연면

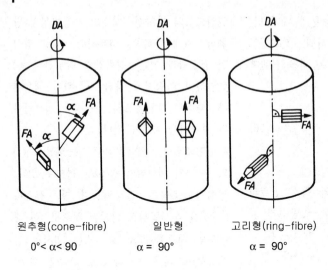

원추형(cone-fibre)   일반형   고리형(ring-fibre)
  0° < α < 90   α = 90°   α = 90°

그림 2.167 회전 대칭형 집합조직(fibre texture)의 종류.

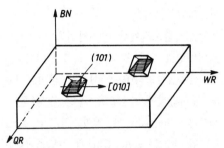

그림 2.168 {1 0 1} [0 1 0] Goss 방위를 나타내는 판재형 집합조직에서 단위정의 배열.

에 수직인 방향으로 서로 직교하는 시료좌표축을 표현할 수 있다. 이상적인 경우 판재면에 평행하게 놓이는 결정면 $(h\,k\,l)$과 압연방향에 평행한 결정방위 $[u\,v\,w]$가 우선방위로 존재한다. 그림 2.168은 이상적인 Goss 집합조직을 나타낸다. 이는 변압기 철심용 판재에 알맞은 집합조직으로, 입방정의 대각선을 따른 면이 압연면에 평행하고 가장자리의 한 축이 압연방향에 평행하게 놓인 경우이다.

집합조직의 측정을 위해서는 시료면에 대한 회전(φ)과 회절기축에 수직인 방향에 대한 시료의 기울임(ρ)에 따른 강도분포 $I_h(\varphi,\ \rho)$를 측정할 수 있는 특수한 회절기가 필요하다. 회절강도는 상대극밀도(pole density) Ω_h에 정비례한다.

$$I_h(\varphi,\ \rho) \propto \Omega_h(\varphi,\ \rho) \qquad (2.67)$$

상대극밀도 $\Omega_h(\varphi,\ \rho)$는 $(\varphi,\ \rho)$방향에 대하여 수직으로 놓인 결정립의 수와 집합조직이 없는 시료에서 그에 상응하는 결정립 수의 비를 나타낸다. 집합조직은 $\Omega_h(\varphi,\ \rho)$를 스테레오투영면에 나타낸 극점도를 이용하여 나타낸다(그림 2.169).

스테레오투영의 중앙은 시료면의 수직방향을($\rho = 0°$) 나타내며, 각 ρ에서 형성되는 방사원은 시료의 회전각 φ에 상응한다. 즉 스테레오투영면의 각 점은 φ와 ρ로 나타내지는 시료의 방향을 의미한다. 극밀도 $\Omega_h(\varphi,\ \rho)$는 등고선으로 표현한다. 특정 {h k l} 결정면에 대한 정보만을 알 수 있는 한 개의 극점도만으로는 시료의 집합조직에 대

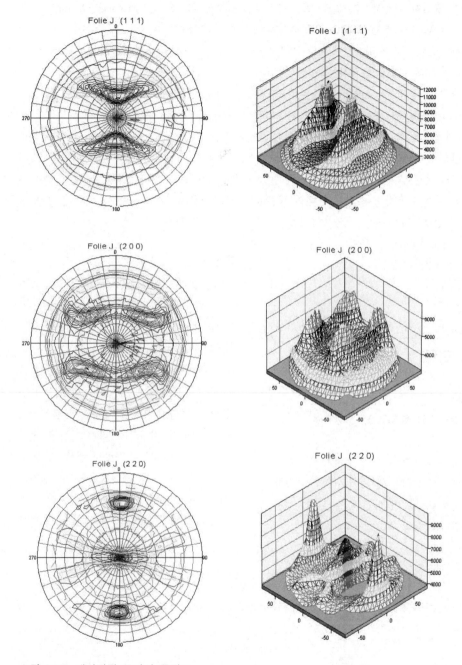

그림 2.169 재결정된 구리의 극점도.

하여 완전히 나타낼 수 없으므로, 여러개의 극점도를 실험적으로 측정해야한다 (예를 들어, {1 0 0}, {1 1 0}, {1 1 1}). 다결정 재료 내에 존재하는 여러 방위의 확률적인 분포를 나타내는 방위분포함수 (orientation distribution function, ODF)를 여러개의 측정된 극점도를 이용하여 계산함으로써, 집합조직을 가지는 재료의 이방성도 계산이 가능하다.

X-선을 이용하면 측정부피 내의 평균적인 집합조직만을 알 수 있으며, 결정립간의 misorientation 등의 정보는 알 수 없다 (2.6.2절 참조).

2.6
주사전자현미경과 전자빔을 이용한 분석

2.6.1
가속전자와 물질과의 상호작용

높은 속도를 가지는 전자가 시료에 입사되면, 시료내의 원자/이온과의 특정한 상호작용을 가지며 다음과 같은 이차빔을 방사한다(그림 2.170).

– 브레이크 X-선 (Bremsstrahlung, 2.5.3절 참조)
– 특성 X-선 (characteristic X-rays)
– 이차전자
– 후방회절전자
– Auger 전자
– 음극발광선 (cathodoluminescence)

브레이크 X-선을 제외하고 전자빔이 입사되는 시료부분의 특성에 대한 유용한 정보를 제공한다.

특성 X-선

일반적으로 1~50keV의 에너지를 가지는 입사전자빔은 (즉, 1000~50000V의 전압으로 가속된 전자), 원자의 내부에 있는 전자각에 위치한 전자를 여기킴으로써 하나의 전자가 빈 상태를 야기할 수 있다 (deep ionization). 높은 에너지 준위의 전자(낮은 결합에너지)가 빈자리로 움직이게 되며, 하나의 전자가 에너지가 낮은 전자의 자리로 움직이는 과정을 통해 그 에너지 차이는 $h \cdot \nu$의 세기를 가지는 전자기선으로 방출된다. 이러한 에너지차이는 전자-원자핵간의 결합에너지 뿐아니라 원자

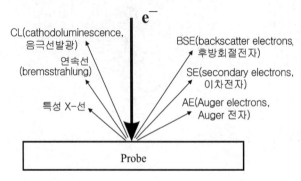

그림 2.170 고속전자와 시료간의 상호작용.

핵의 전하량(즉 원자번호)에 크게 의존하므로, 원소에 따른 특정파장과 광자에너지를 가지는 특성적인 X-선을 방출하게 된다(Moseley 법칙, 2.5.3절).

$$h \cdot \nu = \frac{h \cdot c}{\lambda} = M(Z-\sigma)^2 \qquad (2.68)$$

λ: 특성 X-선의 파장, M: 상수, σ: 이동하는 전자의 에너지준위 차에 따른 상수

측정되는 파장 λ를 통하여 원소번호를 알 수 있으므로, 시료내에 존재하는 원소들의 종류를 알 수 있다. 각 특성 X-선의 강도는 해당원소의 함량에 의존하므로, 정량화학분석도 가능하다. 특성 X-선은 시료 표면에서 약 $1\mu m$ 정도의 깊이에서 발생한다.

이차전자 (secondary electrons, SE)

원자의 ionization이 시료표면으로부터 낮은 깊이(10nm이하)에서 발생되면, 방출된 전자는 시료 밖으로 나오게 되며 이러한 전자는 입사되는 일차전자에 비해 낮은 에너지를 가진다. 방출되는 전자의 강도는 입사되는 전자빔에 대한 시료표면의 각도에 따라 심하게 변화한다. 이러한 강도의 차이를 이용하여 시료 표면형상에 대한 정보(topography)를 알 수 있다.

후방산란전자(back scatter electrons, BSE)

입사되는 전자중의 일부는 시료에 의해 입사방향의 반대방향으로 산란한다. 후방산란되는 전자는 이차전자에 비해 미소한 에너지의 저하를 가지므로, 시료표면으로부터 상대적으로 깊은 위치에서 발생한다(약 100nm). 후방산란전자의 강도는 원자번호에 따라 큰 차이를 나타내므로, 화학조성에 따른 차이를 나타내는데 이용될 수 있다(즉, 조성 또는 원자번호에 따른 명암차이를 나타낸다).

Auger 전자 (Auger electrons)

이미 언급한 바와 같이, deep ionization에 따라 높은 에너지준위의 전자가 빈자리로 이동하면서 특정한 에너지를 가지는 빔을 발생한다. 발생한 빔은 낮은 결합에너지를 가지는 원자내 전자를 여기시킴으로써 전자방출을 가져올 수 있으며, 이 과정을 통해 방출되는 전자는 빔과 결합에너지의 차이만큼의 에너지를 가진다(광전현상 또는 Auger 효과). Auger 전자는 특성 X-선과 같이 원자번호에 따라 결정되는 에너지를 가지므로, 이를 이용한 정성-정량 화학분석이 가능하다. Auger 전자는 수 eV에서 수 keV의 낮은 에너지를 가지므로 시료표면에서 대략 2nm정도의 깊이에서 발생한다. 따라서 시료표면에 놓인 원자층이나 박막의 분석에 이용된다. Auger 분석은 특수한 장비의 이용과 고진공의 상태를 필요로 한다.

음극선 발광(cathodoluminescence, CL)

전자는 어떠한 물질에 대하여 가시적인 발광을 일으키기도 하는데, 이를 음극선 발광이라한다. 특히 반도체 물질의 음극선 발광을 이용하면, 불순물 또는 도핑된 물질에 대한 유용한 정보를 얻을 수 있다.

시료의 위치에 따른 국부적인 분석을 위해서는 전자빔을 특정위치에 입사한 후 발생되는 특성 X-선, 후방산란전자, 이차전자 등을 분석하는 것이 알맞은 방법이다. 국부분석을 위해서 약 $1\mu m$에서 1nm의 지름을 가지는 집속된 미소전자빔을 입사한 후 발생되는 이차빔을 분석한다(EPMA 분석). 또한 집속된 전자빔을 시료표면에 주사하면서 발생되는 이차빔들 중에서 한가지를 선택하여 영상의 명암을 표현하는데 이용할 수도 있다(주사전자현미경). EPMA와 주사전자현미경의 차이는 매우 미소하며, 전자의 경우 낮은 함량 원소에 대한 화학분석이 가능하고 면분석 시에 공간분해능이 상대적으로 낮다는 것이며, 후자의 경우는 공간분해능이 우선 시 된다는 점이다.

2.6.2
주사전자현미경

주사전자현미경(SEM)의 원리는 자장을 이용하여 집속된 일차전자빔이 시료의 표면에 주사되면서 굴절되는 전자선을 이용하여 확대된 영상을 얻는 것이다. 전자선의 강도에 따라 모니터에 얻어지는 영상의 강도가 조정되며, 모니터의 영상은 디지털화 되어 저장될 수 있다.

그림 2.171은 주사전자현미경을 구성하는 부품의 대략적인 모식도를 나타낸다. 음극부(1)(텅스텐 필라멘트, LaB6 또는 전계방출형 음극)에서 열적으로 또는 전계방출을 통해 형성된 전자선은 음극부와 양극부(3)사이에서 1에서 50kV의 전압으로 가속된다. 양극의 중앙은 뚫려있으므로, Wehnelt 컵(2)에서 집속된 전자선은 콘덴서렌즈(4)를 통해 대물렌즈(5)에 도달한다. 두 개의 렌즈를 통하면서 전자선은 1nm에서 $1\mu m$사이의 지름을 가지도록 집속되어 시료표면에 도달한다. 일차전자선은 1°보다 작은 개구각(opening angle, aperture)을 가지게 된다. 검출기(9)에서 얻어지는 강도를 조절하므로써 모니터(13)상의 전자선의 밝기를 조절할 수 있다. 원하는 시료 위치를 찾기 위해 광학현미경(11)을 이용하기도 한다.

굴절장치(12)를 이용하여 일차전자선을 시료상에 선형으로 주사하면서, 그 위치에서 얻어지는 정보를 모니터상에 나타나게 하므로, 영상은 주사되는 시간의 간격을 가지며 형성된다. 이러한 영상정보는 일반적으로 이차전자 또는 후방산란전자를 이용하여 얻는다.

광학현미경과 달리 주사전자현미경의 콘덴서렌즈와 대물렌즈는 전자선의 집속만을 담당하며, 일차전자가 시료를 주사하면서 동시에 모니터에 영상을 형성한다. 이상적인 경우 최대배율은 모니터의 화소간격 x와 일차전자선의 지름 d_e 의 비율로 정해진다: $V_{max} \approx x/d_e$. 영상의 넓이는 대략 250mm이고 $x \geq 0.2mm$, $d_e \geq 1nm$ 라면 V_{max} 는 대략 $2 \cdot 10^5$ 정도가 되지만 이런 높은 배율을 모든 시료에서 얻을 수는 없다. 주사전자현미경의 다른 장점은 전자선이 작은 개구각을 가짐으로써 높은 선명도를 얻을 수 있다는 것이며, 같은 배율에서

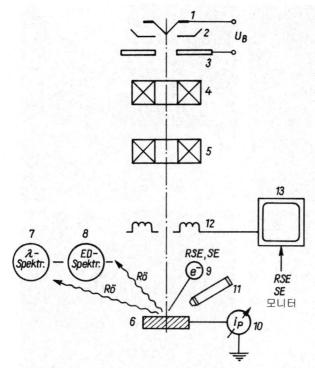

그림 2.171 주사전자현미경의 구조.

광학현미경에 비해 수백배 높은 선명도를 나타낸다. 이러한 장점을 바탕으로 주사전자현미경은 거칠고 평평하지 않은 시료표면의 분석, 특히 파단면 관찰에 많이 이용되고 있다.

이차전자영상

주사전자현미경을 이용한 영상정보분석에는 이차전자가 가장 흔히 이용된다. 이차전자는 시료표면으로부터 매우 낮은 깊이에서 형성되고, 강도는 일차전자선과 표면이 이루는 각에 영향을 받고 원자번호에 대한 영향은 없다. 따라서 표면 토포그래피(topography)를 매우 상세하게 나타낼 수 있으며, 그림 2.172에 보여지는 파단면

영상처럼 입체감을 가지는 영상을 얻을 수 있다. 매우 낮은 깊이에서 형성되는 이차전자의 특성으로 인해, 분해능은 전자선의 지름에 의존한다.

이차전자영상은 파단면, 부식면, 단결정, 단결정성장면, 변형조직, 기계적 가공된 부품의 표면분석 등에 유용하게 이용된다.

후방산란전자영상 (BSE)

BSE영상은 표면토포그래피와 동시에 원자번호에 따른 강도의 차이를 나타내므로, 국부적인 조성변화 등을 관찰할 수 있다 (그림 2.173). BSE영상의 분해능은 $0.1 \sim 1$ μm 정도로 이차전자영상에 비해 낮으며, 이는 BSE가 상대적으로 깊은 영역에서 발

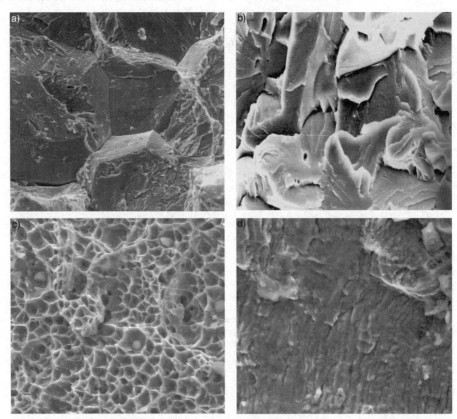

그림 2.172 철의 전형적인 파단면: a) 결정립계(intercrystalline) 파단 b) 결정립내 파단 c) 변형파단 d) 해안선무늬를 가지는 피로파단.

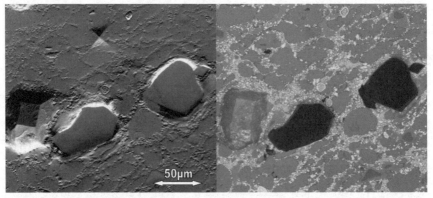

그림 2.173 다이아몬드입자를 함유하는 연마판의 BSE-영상, 좌측: 토포그래피에 대한 명함 (주기율번호에 대한 명함차이가 없으며, 모든 상은 같은 명도를 가짐), 우측: 주기율번호에 대한 명함(조성에 대한 명함을 가지며, 토포그래피에 대한 정보는 나타나지 않음).

생되기 때문이다. 다른 화학조성을 가지는 시료의 영역(접합부, 석출물, 화학열처리부위, 편석, 확산부 등)을 가시화시키기 위하여 BSE영상을 이용한다. BSE영상을 통해 어떠한 원소가 있는지에 대한 정보는 알 수 없으며, 영상의 명암차이를 이용하여 어느 정도의 정성적인 차이를 알 수 있다.

결정질 시료의 경우 2차원 검출기상에 나타나는 BSE는, 예를 들어 그림 2.174a와 같은 형상을 나타낸다. 이는 BSE가 형성되는 장소에서 시료의 표면에 도달하는 동안 결정격자면에 의한 회절을 거치기 때문이다. 이러한 현상을 **후방전자회절**(electron back scattering diffraction, EBSD)라 한다. 회절선의 배열을 분석하면 결정의 방위를 알 수 있으며, 이러한 방위

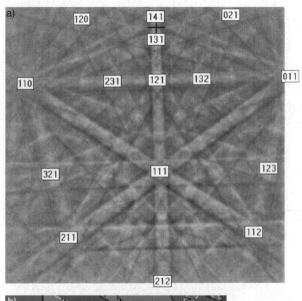

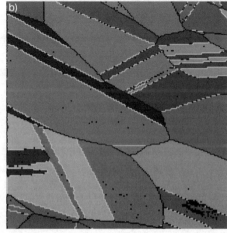

그림 2.174 EBSD 분석 a) 후방회절전자의 회절무늬(Kikuchi 도형) b) α 황동의 방위도 (orientation map).

분석은 검출시간을 포함해 0.5초 이내에 이뤄질 수 있다. 따라서 시료의 넓은 영역에 대한 미세구조와 결정방위분석을 비교적 짧은시간 내에 할 수 있다(그림 2.174b). EBSD분석은 결정립계, 소경각입계 그리고 쌍정경계의 방위차(misorientation)에 대한 정량적인 분석에 매우 유용하다.

X-선 영상

X-선 영상은 에너지분산형 반도체 검출기(2.6.3절)를 이용하며, 전자선을 주사하면서 나타나는 특정한 원소에 대한 회절선의 강도의 변화를 평면영상으로 나타내는 것이다. X-선 영상을 이용하면, 정해진 특정한 원소의 정량적인 분포를 대략적으로 알 수 있다. 시료의 같은 부분에 대해 다른 원소의 분포를 측정하여 여러 원소에 대한 결과들을 조합하면, 그림 2.175에 보여지듯이 여러 가지 원소의 분포를 나타낼 수 있으므로 미세조직에 대한 매우 유용한

정보를 얻게 된다.

2.6.3
전자빔마이크로 분석기(Electron beam micro-analyser, EBMA)

μm 단위의 분해능을 가지는 국부적인 화학분석을 위해서는 기본적으로 주사전자현미경이 이용된다(그림 2.171). 2.6.1절에 언급된 바와 같이, 입사되는 일차전자와 시료의 상호작용으로 형성되는 특성 X-선의 강도와 파장(λ_i, 즉 에너지 $h \cdot \nu_i = h \cdot c / \lambda_i$, c: 광속)은, 조사되는 시료 내에 존재하는 원소의 양과 원자번호 Z_i에 의해 정해진다. 따라서 X-선을 이용한 분석은 정성적인 화학분석(원소에 따라서 λ_i 또는 $h \cdot \nu_i$가 다르다, Moseley 법칙)과 동시에 정량적인 화학분석(회절선의 강도분석)이 가능하다. 전자빔 마이크로 분석기(EBMA)는 주사전자현미경에 X-선 분광분석을 위

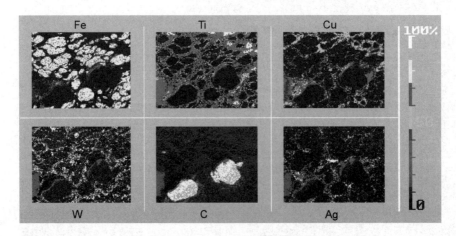

그림 2.175 그림 2.173에 나타낸 연마판의 X-선 측정 분포도.

한 장치를 추가한 것이다.

다음은 μm 정도의 영역에 대한 X-선 분광분석을 위해서 이용되는 두 가지의 다른 방법을 설명한다. 첫 번째 방법은 특정한 격자면간 거리 d를 가지는 단결정(analyzer crystal)을 통해 선택된 Bragg 회절을 이용함으로써, 특정한 파장 λ_i을 가지는 회절선의 강도를 측정하는 것이다. Bragg 식(2.60a)에서 단결정 회절면과 X-선간의 각 θ을 특정한 파장 λ에 대한 회절만 일으키도록 고정한 후, 회절선의 강도를 검출기(대부분의 경우 비례계수관을 이용함)를 통해 측정한다. 이러한 방법을 **파장분산형 분광분석**(wavelength dispersive spectroscopy, WDX)이라 한다. 여러 개의 회절선 (즉 여러 개의 원소)에 대하여 동시에 분석을 하기위해서는, 그에 상응하는 수의 WDX장비가 필요하다.

단결정의 격자면간거리는 측정하려는 파장, 즉 원자번호 영역에 따라 선택되어야 한다. 대부분의 경우 단결정으로 LiF(d = 0.202nm; 0.1nm$\leq \lambda_i \leq$0.35nm), Pentaerythrit-PET(d = 0.44nm; 0.2nm$\leq \lambda_i \leq$0.8nm), Kalium phathalat-KAP (d = 1.33nm; 0.6nm $\leq \lambda_i \leq$ 2.4nm), Stearat(d=5nm; 2.2nm$\leq \lambda_i \leq$10nm) 등이 이용된다. 원자번호 4 이상의 원소(Be 이상)에 대한 측정이 가능하다. 원자번호 10이하의 원소에 대한 측정의 최대정확도는 대략 0.05wt.%이며, 원자번호 10 이상의 원소에 대한 측정 시 최대정확도는 대략 0.01%정도이다. 마이크로프로브(microprobe)의 경우 5개까지의 분광분석기가 설치되어 있으므로, 여러 가지 원소에 대한 동시측정이 가능하다.

X-선 분광분석을 이용하는 두 번째 방법은 에너지분산형 반도체 검출기를 이용하는 것이다. 반도체 검출기 내에서 양자는 전기적 신호(electric impulse)로 변환되며, 그 강도는 양자의 에너지 $h \cdot \nu_i$에 비례하는 원리를 이용한다. 다채널 검출기(multi channel analyzer)에서 각기 다른 에너지를 가지는 양자는 그에 해당되는 채널을 통해 검출되므로, 그림 2.176에 나타낸 예처럼 특성 X-선에 상응하는 에너지별로 검출이 가능해진다. 에너지별로 나타나는 피크의 위치에서 그에 상응되는 원자번호를 알 수 있으며, 강도로부터 그 함량을 계산할 수 있다. 이러한 측정법을 **에너지분산형 X-선 분광분석법**(energy dispersive X-ray spectrometry, EDX)이라한다. EDX는 파장분산형 분광분석법에 비해 장치비가 저렴하며, 모든 원소에 대한 검출이 동시에 이뤄지므로 분석시간이 짧은 장점을 가진다. 또한 높은 검출효율과 검출민감도를 가지므로, 대부분의 주사전자현미경에서 실제로 이용되는 낮은 전류로도 측정이 가능하다. 따라서 주사전자현미경에는 통상적으로 EDX장치를 설치한다. EDX 분석의 에너지 분해능은 약 100eV 정도이며, 따라서 원자번호 10이상의 원소에 대한 분석에 용이하다.

WDX와 EDX는 피크의 강도를 이용한 계산을 통해 정량분석을 하며, 조성을 알고 있는 표준시료를 이용한 측정을 하고 최대한 근사치를 가지도록 장치와 계산방

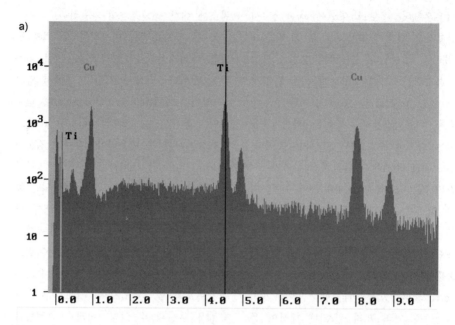

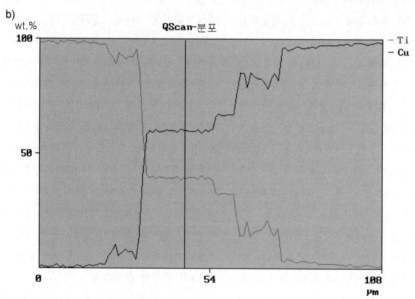

그림 2.176 (a) Cu-Ti 적층시료에 대한 EDX 스펙트럼 (b) 금속간화합물인 CuTi상이 형성된 접촉면에서 Ti과 Cu의 분포곡선.

법을 조정한다.

센티미터 정도의 크기를 가지는 시료의 정량분석을 위해서는, 통상적인 금속현미경조직 검사를 위해 이용되는 시료준비에서와 같이 시료면을 평평하게 만든 후 측정하면된다.

전자선을 이용하면 약 1~3μm정도 지름을 가지는 점형태의 시료영역에 대한 정성 또는 정량적인 화학분석이 가능하다(예를 들어 하나의 결정립 또는 석출물에 대한 화학분석). **선분석**(line analysis)은 시료를 움직이면서 또는 전자빔을 굴절시켜 시료면에 주사함으로써 이뤄진다. 선분석은, 예를 들어 열화학적 표면처리공정, 탈탄, 편석 또는 석출물 주위에 나타나는, 확산영역에서 화학조성 변화양상을 분석하는데 유용하다. 시료의 한 영역에서 조성의 균일도등을 조사하고자 한다면, 주사형 점분석 또는 다수의 선분석을 통한 **면분석** (area analysis)이 요구된다. 정성적인 면분석을 위해서는 EDX장치가 부착된 주사전자현미경을 이용한다.

미세구조분석 중에는 상분석이 필요한 경우가 있는데, 수 μm^{3}의 영역에서 균일한 화학조성과 결정구조를 나타낸다면, 분석된 조성을 이용하여 특정한 상에 대한 화학양론적(stoichiometric)인 조성을 확인할 수 있으므로 비교적 정확한 상분석이 가능하다. 정량적인 상분석을 위한 X-선 회절 또는 미세조직 관찰법이 어려운 경우, 선분석 또는 면분석 통하여 정량분석을 할 수도 있다.

2.7
투과전자현미경 (TEM)

2.7.1
투과전자현미경의 기초

질량 m을 가지고 속도 ν로 움직이는 입자의 파장 λ은 De Broglie 식으로 나타낼 수 있다 $\lambda = h/(m \cdot \nu)$, h: Planck 상수, c: 광속. 전기장 내에서 가속되는 전자에 대해서도 De Broglie관계는 성립된다. 가속전압 U_B로 가속되는 전자의 운동 에너지는 $(U_B \cdot e)$이며, 파장은 다음과 같다.

$$\lambda = \frac{h}{\sqrt{2 \cdot m_0 \cdot e \cdot U_B \left(1 + \dfrac{e \cdot U_B}{2m_0 c^2}\right)}} \qquad (2.69)$$

$m_0 = 9.1096 \cdot 10^{-31}$ kg 전자의 질량
$e = 1.6022 \cdot 10^{-19}$ C   전자의 전하량

표 2.49은 투과전자현미경(TEM)에서 일반적으로 이용되는 가속전압에 대한 파장을 나타낸다. 결정격자와의 상호작용을 위한 파장영역은 0.8에서 5pm(1pm=10^{-12} m) 정도이며, 이는 1927년 Davisson과 Germer에 의해 실험적으로 증명되었다. 적당한 전자렌즈(electron lense)를 이용하여, 위의 미소한 파장을 가지는 빔을 이용한 현미경을 제작한다면 매우 뛰어난 분해능을 얻을 수 있다. 1926년 Busch는 불균일하고 회전대칭성을 가지는 자장을 이용하면 전자렌즈를 만들 수 있음을 보였으

며, 이는 현재까지 이용되는 전자현미경의 발달에 초석이 되었다.

표 2.49 가속전압 U_B에 따른 전자선의 파장

U_B [kV]	λ [pm]
50	5.36
100	3.70
200	2.51
500	1.42
1000	0.87

최대 분해능은 Abbe에 의해 확립된 이론을 이용하여 계산할 수 있으며(2.2.2절), 사용가능한 대물 전자렌즈의 유효구경은 광학현미경에 비해 약 100배 정도 작다. 일반적인 투과전자현미경의 경우 최대 분해능은 약 0.5nm 정도이며, 고분해능 현미경은 원자지름정도의 분해능 (~0.1nm)을 실현할 수 있다.

투과전자현미경의 대략적인 구조를 그림 2.177에 나타내었으며, 광학현미경과 매우 비슷한 구조를 가진다. 음극부(1)(대부분 텅스텐, LaB$_6$가 이용되며, 간혹 전계방출형도 이용됨)에서 방출되는 전자는 Wehnelt 컵(2)과 양극부(3)에서 가속전압 U_B로 가속되어, 양극부의 중앙에 있는 구멍을 통과하여 현미경 기둥부로 조사된다. 한 개 또는 두 개의 콘덴서 렌즈(4)를 통하면서 전자들은 수 μm 정도의 시료면(5)으로 굴절된다. 시료의 두께는 전자선이 충분한 강도를 유지하면서 가능한 파장의 변화가 없게(탄성산란) 투과될 정도로 얇아야 한다. 투과가능한 시료두께는 $0.1\sim1\mu$m 정도

이며 가속전압 U_B가 증가되면 투과되는 시료두께도 증가한다. 시료에서 산란 혹은 회절되는 전자는 시료의 바로 뒤에 위치하는 대물렌즈(6)에 도달한다. Abbe의 영상이론에 따라, 회절영상 또는 1차 중간영상이 대물렌즈의 뒤편에서(7) 형성되며, 2차 중간영상(중간영상역 I)이 (8)의 위치에서 형성되어 중간렌즈(9)에서 확대된다. 이렇게 형성된 중간영상역 II는 프로젝트렌즈(10)에서의 반복적인 확대를 통하여 영상

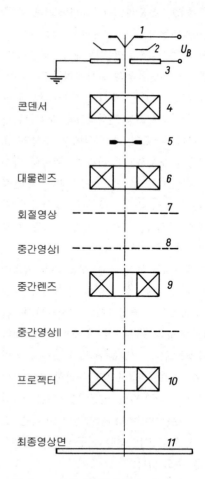

그림 2.177 투과전자현미경의 기본구조.

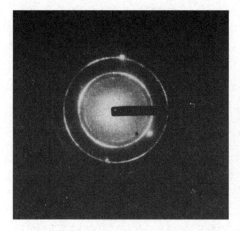

그림 2.178 전자회절도형: a) 다결정 CrN (질화처리한 강에 대한 추출레플리카법을 이용), b) α 철의 단결정영역.

면(11)에 도달한뒤, 필름 또는 전자적인 방법으로 검출되거나 형광판에서 가시적으로 된다. 위와 같은 전자현미경의 구조는 투과광학현미경의 장치와 매우 비슷하다(그림 2.15). 넓은 영역에 대하여 원하는 배율을 조정하기 위하여, 여러 개의 중간렌즈를 이용하는데 이 경우 렌즈의 전류를 변화시킴으로써 조사영역의 크기를 조절할 수 있다. 중간렌즈의 전류조절은 중간영상역 I 또는 후방대물렌즈영상을 영상면(11)에 투영할 수 있다. 다시 말해 시료의 같은 위치로부터 미세구조영상과 확대된 회절영상을 관찰 또는 기록할 수 있다(Boer법, 2.7.2절).

현미경 기둥 내의 진공은 전자선원으로부터 발생한 전자들이 영상면까지 가능한 잔류가스의 영향없이 도달할 수 있을 정도로 좋아야한다(< 1mPa). 또한 진공은 가속고전압부에서의 방전을 막아준다. 진공시료교환챔버를 이용하므로써, 시료교체 시에도 10^{-5} 정도의 진공을 유지해준다. 시료는 전자선에 수직인 면상에서 이동과 기울임(tilting)이 가능해야 한다.

2.7.2
전자회절

TEM에서 사용되는 전자선의 파장 λ은 단색이며 일반적인 결정격자 면간거리 d에 비해 작으므로, Bragg 법칙에의해 표현되는 X-선 회절과 같은 기하학적 여건이 형성되면 회절이 발생한다(식 2.60a).

100~1000kV 사이의 가속전압 U_B에 대하여 λ/d 비는 대략적으로 $5 \cdot 10^{-2} \geq \lambda/d \geq 2 \cdot 10^{-4}$ 정도이므로, 최대 회절각은 $1°$ 내외에 놓이게 된다. Boer법을 이용해 회절영상을 확대할 수 있으므로, 해석이 가능한 영상을 얻게된다. 다결정 시료의 측정시에 X-선회절과 같은 원리에 의해 여러개의 회절환이 형성된다(그림 2.178a).

하나의 결정에 의한 전자회절영상은 대칭적인 점들로 이뤄진 영상을 나타내는데, 낮은 지수의 결정방향에 상응하는 회절점이 입사선방향에 위치한다(그림 2.178b). 회절점(또는 다결정시료의 경우 회절환)과 중앙에 위치하는 입사선간의 거리 R_i는 카메라 상수 L, 파장 λ, 면간거리 d에 의해 결정된다(그림 2.179).

$$R_i = L \cdot \tan2\theta_i \qquad (2.70)$$

Bragg 식을 대입하면 아래의 관계식을 얻는다.

$$R_i \cdot d_i = \lambda \cdot L \cdot \frac{\tan2\theta_i}{2\sin\theta_i} \qquad (2.71a)$$

회절각 θ_i 가 매우 작으므로, $2\theta_i/2\sin\theta_i$ 를 1로 가정할 수 있다.

$$R_i \cdot d_i \approx \lambda \cdot L = C \qquad (2.71b)$$

위 식에서 C는 회절상수라 하며, 이는 각 측정조건(가속전압, 확대배율)에 따라 표준시료로 부터 정해야한다. C가 정해지면 식 (2.71b)를 이용하여 면간거리 d_i를 구할 수 있다. 회절점과 입사빔에 의한 원점간의 연결선은, 회절되는 격자면의 방위에 대한 특성을 나타낸다. 단결정 회절도형에 지수를 매기게되면 각 회절면의 각을 알 수 있으므로, 결정방위를 해석할 수 있게된다.

TEM을 이용한 전자회절분석은 다음과 같은 장점을 가지고 있다.

– d값와 회절면각의 측정을 바탕으로한 최소한의 시료영역에 대한 상분석(석출물)
– 하나의 결정립에 대한 방위해석
– 이웃한 영역과의 방위관계해석(석출상과 기지간의 방위관계)
– 소각경계에 의한 misorientation 측정
– 규칙화 또는 편석의 과정에 관한 관찰

전자회절영상의 역격자를 이용하여 결정된 d값은 X–선 회절을 이용한 경우보다 정확도가 매우 낮다는 것을 유의해야한다. 또한 실제적인 측면에서 정량적 상분석은 할 수 없다.

2.7.3 전자현미경상의 명암

X–선과 비교해서 전자들은 시료 내의 원자/이온과 강한 상호작용을 하며, 이는 감쇠현상(attenuation)으로 표현될 수 있다.

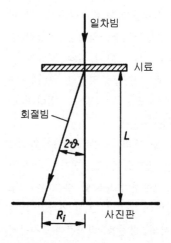

그림 2.179 전자회절도형 해석을 위한 수식의 유도.

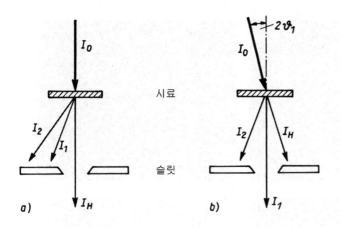

그림 2.180 TEM 영상의 회절명암영상의 종류: a) 명시야상(bright field image), b) 암시야상 (dark field image).

$$I = I_0 \exp[-K_e \cdot \rho \cdot t] \qquad (2.72)$$

K_e 시료내의 원자번호, 가속전압과 대물 렌즈에 의존하는 상수

위식은 초기 강도 I_0를 가지는 전자선이 밀도 ρ와 두께 t를 가지는 흡수체(absorber)를 통과한 후 I의 강도를 가지는 것을 나타낸다. 그 원인은 흡수체에 의한 순수흡수, 입사선의 방향에서 벗어난 산란(공간내에 연속적으로 분포) 또한 회절(특정한 방향으로의 회절, 2.7.2절) 때문이다. $K_e \cdot \rho$는 상대적으로 큰 값을 가지므로, I/I_0가 충분한 값을 유지하기 위해서 두께 t는 매우 작은 값을 가져야한다. 즉 TEM을 이용하여 분석이 가능한 시료의 두께는 $t \leq 1\mu m$ 이다. 시료와 전자간의 강한 상호작용으로 인해 산란 또는 회절되는 빔의 강도는 충분히 측정가능할 정도로 강하다.

전자현미경 영상에서 관찰되는 명암은 두 가지의 원인으로 설명된다: 산란-흡수 명암과 회절명암. 비정질 시료를 투과하는 경우 단지 산란-흡수명암만이 영향을 끼친다. 시료에서 산란되는 전자는 대물렌즈의 후방에 위치하는 소위 명암슬릿 (contrast slits)을 통하여 영상으로 나타내진다. 투과되는 빔(I_H) 중에는 명암슬릿에서 걸러지는 산란강도가 없으며, 따라서 조사되는 부분에서 (시료의 두께 또는 밀도에 따른)흡수거동의 차이가 있으면 명암의 차이를 나타내게 된다. 레플리카 (replica)법 등에서 이러한 명암의 차이를 이용한다(2.7.4절 참조).

명암을 형성하는 다른 원인은 결정질 시료(foil)에 의한 회절이다. 입사되는 전자빔에 대하여 적당한 위치로 시료를 위치시키면, Bragg 회절의 조건을 만족하는 한개 또는 여러 개의 격자면에서 회절에 의한 강도 I_i를 나타낸다(그림 2.180). 투과되는 빔의 강도는 회절되는 양이 증가되는 만큼의 강도저하가 나타난다. 회절되는 빔을 빼고, 투과되는 빔 I_H만을 이용하므로써 전자현미경 영상을 얻을 수 있으며(그림 2.180a) 이를 명시야상이라 한다. 결함이

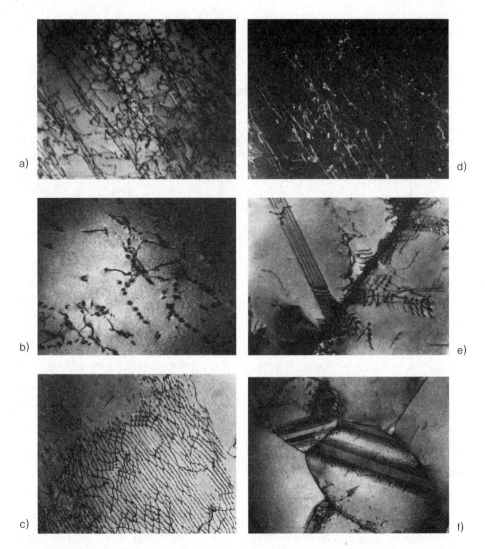

그림 2.181 결정질 시료 내 격자결함에 대한 TEM 영상. a) 전위(명시야상): 시료 내 전위는 영상면에 어두운 선으로 투영되어 보여짐; b) 전위(암시야상); c) 전위를 따라 연속적으로 배열된 석출상; d) 결정립계 주위의 전위집적으로 인한 적층결함; e) 전위망에 의해 형성된 소각입계; f) 쌍정.

없는 결정의 명시야상에는 명암이 나타나지 않고 빈 영상만이 형성된다. 전위, 석출물, 적층결함, 쌍정, 개재물 등의 격자결함과 그 부근의 격자 뒤틀림영역에서 회절강도의 변화가 생기고, 따라서 I_H에도 변화가 나타난다. 따라서 영상에 명암의 차이가 발생하며, 시료 내의 결함과 그 종류에 대한 정확한 분석이 가능해진다(그림 2.181).

그림 2.182 Inconel 617 내 탄화물(carbide)의 암시야상.

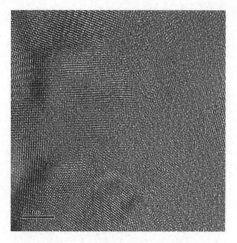

그림 2.183 TiN/AlN박막의 고분해능 TEM 영상(비정질 부근에 nm 크기를 가지는 결정질 영역이 존재).

그림 2.180b에 나타낸 방법처럼 회절빔을 이용하여 결정시료의 영상을 얻을 수 있다. 이렇게 얻어진 영상의 명암은 명시야상에 반대되며, 암시야상이라 한다(그림 2.181a, b). 암시야상은 석출물에 대한 측정 시에 유용하다. 명시야상의 경우 석출물에 의한 주변의 뒤틀린 부분이 주로 나타나므로, 정확한 형상에 대한 정보를 얻을 수는 없다. 석출물에 의한 회절선을 이용하므로써, 단지 석출물에 의하여 형성되는 영상을 얻을 수 있게 되므로(그림 2.182), 그 형상에 대한 관측이 가능해진다.

원자단위까지의 분해능을 가질 수 있게 적당한 대물렌즈를 설비한 경우 고분해능 TEM이라 한다. 가능한 큰 조리개를 이용할 수 있는 대물렌즈 시스템을 통하여, 되도록 많은 회절선을 영상형성에 이용할 수 있게 한 것이다. 그림 2.183은 다결정 실리콘시료에서 결정격자의 형성을 육안으로 관찰할 수 있는 예를 나타낸다. 매우 단순한 경우라 해도 영상에 형성되는 명암의 해석을 위해서는 항상 신중함을 기울여야 한다.

2.7.4
시료준비

전자와 물질간의 강한 상호작용으로 인해 투과를 위해서는 시료의 매우 얇은 두께가 필요하다. 표면에 대한 replica법 또는 시료의 어느 부위에 박막을 형성하여 시료를 준비한다. 시료의 두께는 100nm에서 1μm 사이로 준비한다.

레플리카법: 시료의 표면특성에 대한 정보

그림 2.184 부식한 Al 표면의 TEM 영상(표면레플리카).

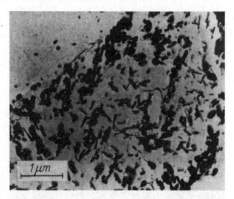

그림 2.185 경화처리된 공구강의 추출레플리카 영상.

를 얻기위해 비정질재료를 이용한 레플리카를 떠서 검사하는 방법이다. 시료표면에 얇은 콜로디온(collodion) 막을 입히거나, C 또는 SiO₂ 박막을 증착시킨 후 벗겨낸 후 관찰함으로써, 시료표면의 음각영상(negative)을 얻게 된다: 즉 레플리카는 시료표면의 돌출부를 얇게 패인 부위를 두껍게 나타낸다. 이렇게 준비된 시료는 TEM에서 산란흡수에 의하여 형성되는 명암차이를 이용해 검사한다. 때로는 레플리카에 중금속을 증착시켜 관찰하기도 한다. 그림 2.184는 에칭한 Al 시료의 표면레플리카 영상을 나타내며, 결정립의 방위에 따른 에칭성을 나타낸다.

TEM은 매우 작은 빔조리개를 가지므로 주사전자현미경에 비할만한 매우 높은 초점심도를 가진다. 최대 분해능은 대략 5nm 정도에 이른다. 시료표면에 대한 관측을 용이하게 할 수 있는 주사전자현미경의 발달과 더불어 TEM 레플리카법은 점차 그 중요성을 잃게 되었다.

석출물에 대한 조사법중의 하나로 특수

하게 이용되는 것으로 추출레플리카법이 있다. 이는 가능한 시료의 기지부위만을 에칭시킴으로써 석출물 또는 개재물 등 입자만을 시료의 표면에서 추출하여 관찰하는 것이다. 즉 시료에서 막을 벗겨낼 때 입자들을 같이 떨어져 나오게 하므로써, 입자들의 형상, 분포, 크기뿐만 아니라 전자회절을 이용한 상분석에 이용할 수 있다. 그림 2.185는 고강도 용접용강의 탄화물과 질화물입자를 추출레플리카법에 의해 준비한 것이다. 그림 2.178a은 다결정 CrN의 회절영상을 나타내는데, 이 시료는 저Cr강에 존재하는 수 nm~1μm의 크기를 가지는 CrN 석출물을 추출레플리카법으로 준비한 것이다.

박판시료법: 결정질재료의 특정한 부위에 대한 조사를 요하는 경우, 관심부위에서 0.5μm 이하의 두께를 가지는 박판시료를 제조하여 관찰한다. 약 50~100μm 두께로 대략 3mm 정도의 지름을 가지는 시료를 자른 후에, 그라인딩을 통해 얇게 만들고, 전기화학연마 또는 이온에칭법으로 원

하는 최종두께로 시료를 준비한다. 각 준비과정 중에 시료 내에 새로운 결함이 발생되지 않도록 유의해야한다. 특히 전자공학(microelectronics)용 시료를 준비하는 경우 원하는 국소위치에서 박판을 만들어야 하므로, 이온빔을 이용한 국소연마가 가능한 **FIB(focused ion bam)**을 이용한다.

2.7.5
분석투과전자현미경

2.6.1절에서 설명한 바와 같이, 가속전자와 시료간의 상호작용에 의하여 화학분석에 이용될 수 있는 이차빔이 발생되며 이는 TEM에도 적용된다. 이차빔을 이용하는 분석법 중에서 특성 X-선의 발생은 분석투과전자현미경 내의 에너지 분광분석(EDX)을 가능하게 한다. EDX분석을 위한 추가 장치는 주사전자현미경(SEM)에서 이용되는 것과 같다. SEM과 전자빔미소분석(electron beam micro-analysis)에서 이용할 수 없는 신호를 TEM에서는 이용할 수 있다. 전자는 시료를 통과하면 에너지를 손실하며, 에너지 손실은 원소에 따라 다르다. **전자에너지손실분광분석기(electron energy loss spectroscopy, EELS)**를 이용하면, 정량적 그리고 정성적 화학분석이 가능하다. EDX의 경우 상대적으로 높은 원자번호를 가지는 원소(≥11)에 대하여 사용되는 반면 EELS는 낮은 원자번호의 원소에 대하여도 분석이 가능하다. 최근에 개발된 분석투과전자현미경을 이용하면, SEM/EDX나 전자빔 미소분석기로 분석이

어려운 수 nm 영역에 대한 분석이 가능하다.

STEM의 경우, 빔을 굴절할 수 있는 장치를 가지고 있으므로, 주사전자현미경에서와 같은 주사방법(scanning technique)을 이용할 수 있다.

TEM은 다음의 세 가지 실험법을 제공하므로, 재료연구에 있어 특별한 의미를 가진다:

- 산란흡수와 회절흡수에 따른 명암을 이용하는 영상법(topology)
- 국소영역에 대한 전자회절
- 국부적인 화학분석

결정질재료에 대하여 다음과 같은 분석을 하고자 할 때 TEM은 매우 유용하다.

- 국부영역에 대한 상분석
- 석출상의 종류, 형상, 분포, 기지와의 방위관계에 대한 분석
- 전위의 관찰과 버거스벡터, 밀도, 배열에 대한 분석
- 적층결함, 전위루프, 역위상경계, 쌍정의 결정학적인 특성
- 결정의 방위해석
- 결정립, 아결정립(subgrain)과 misorie-ntation 분석
- 다른 종류의 결함들 사이의 상호작용(예를 들어 전위와 석출물 사이)
- 고용체에서 규칙화와 편석의 발생에 대한 분석

이처럼 TEM 분석은 결정질재료의 변

형, 회복과 재결정, 석출과정, 상변태, 결함의 구조분석 등에 매우 중요한 의미를 가진다.

2.8
주사탐침현미경 (scanning probe microscopy)

5nm 이하의 지름을 가지는 실리콘 탐침을 물체의 표면에 근접시키는 경우, 간격 a가 몇 nm 이하가 되면 상호작용이 발생하며, 이 현상은 주사현미경으로 이용될 수 있다. 시료와 탐침사이에 전압을 걸어주면 반데르발스힘(van der Waals' force) 또는 터널전류가 발생한다. 탐침을 시료상에서 x-y 축으로 일정한 간격을 가지고 주사하면, 상호작용에 의한 신호(반데르발스힘 또는 터널전류[1])는 시료와 탐침간의 거리와 표면구조에 따라서 변화하게 된다.

탐침의 높이를 변화시키면서, 즉 z-축 방향으로의 상향 또는 하향조정, 발생하는 신호를 일정하게 유지할 수 있다. 이렇게 얻어진 z-축으로의 변화는 표면형상(surface topolgy) 또는 표면포텐셜(surface potential)을 반영하며, SEM의 경우와 같이 x-y축에 대한 확대된 영상을 모니터에 나타낼 수 있다.

터널전류을 신호로 이용하는 경우 **주사터널현미경**(STM, scanning tunneling

microscopy)이라 한다. 터널전류는 간격 a와 포텐셜차이 ΔE에 대해 아주 민감하게 변하므로(exp [-const. $\Delta E^{1/2} \cdot a$]), z-축 조정을 위한 매우 민감한 신호를 이용하게 된다. 주사터널현미경은 단지 전도성을 가지는 금속시료에만 이용이 가능하다.

비전도성 물체를 포함하여 모든 물질에 응용이 가능한 것이 **AFM(atomic force microscopy)**이며, 탐침과 시료간의 반데르발스힘을 일정하게 유지하므로써 z-축 조정을 하게된다. 반데르발스힘과 시료-탐침간의 간격은 a^{-6}의 관계를 가지며, 매우 미소한 간격변화로도 강한 신호의 변화를 얻을 수 있다. 그림 2.186은 AFM의 기본적인 구성요소를 나타낸다. 구부러진 막대(cantilever) 끝에 붙어있는 탐침의 반데르발스힘을 조절하면서, 탐침의 움직임에 따라 바뀌는 레이저빔의 반사방향을 검출한다.

주사탐침현미경은 원자단위의 분해능을 가지며, 탐침의 움직임에 따른 민감도는 pm 영역에 이른다. 시료의 위치조정은 압

---

1) 두 전극사이의 간격이 매우 작은 경우 전자는 사이에 존재하는 포텐셜장벽(potential barrier)을 넘어설 수 있으며, 직접적인 접촉 없이도 전류가 흐를 수 있다.

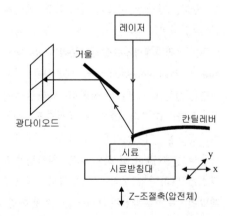

그림 2.186 주사탐침현미경(AFM)의 원리.

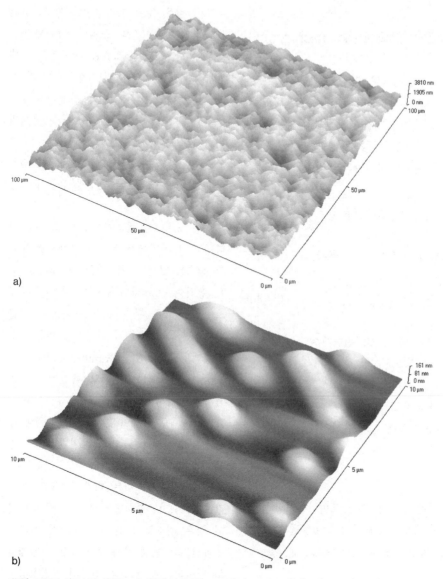

그림 2.187 AFM의 응용: a) 양극산화된 Al표면의 토포그래피, b) CD의 표면.

전체를 이용한다. 압전체는 전압을 걸어주면 그 크기에 약간의 변화를 가지는 압전세라믹(piezoelectric ceramic)으로 구성된다. 압전체의 형상변화는 걸리는 전압에 대해 매우 민감하게 조절이 가능하다. 주사탐침현미경의 경우 SEM 또는 TEM에서 필수적인 고진공상태가 요구되지 않는다. AFM은 전해액과 같은 액상 내에서의 측정도 가능하다. 그림 2.178은 AFM을 이용한 측정 예를 나타낸다.

2.9
음파현미경(acoustic microscopy)

음파는 고상물질 내에서 종단, 횡단 또는 표면파로 나타나며, 그 퍼짐속도는 밀도 ρ, 단결정 탄성계수 C_{mn}, 결정학적 방위에 의존한다. 탄성이방성의 영향을 무시하면, 무한체 내에서 종단파의 퍼짐속도 c_l은,

$$c_l = \sqrt{\frac{E}{\rho}} \cdot \sqrt{\frac{1-\mu}{(1+\mu)(1-2\mu)}} \qquad (2.73a)$$

횡단파의 경우 c_t는 다음과 같다.

$$c_t = \sqrt{\frac{G}{\rho}} = \sqrt{\frac{E}{2\rho(1+\mu)}} \qquad (2.73b)$$

E: 탄성계수, G: 전단계수, μ: 포아송 상수, ρ: 밀도

음파의 속도 c, 주파수 f, 파장 λ 간에는 다음과 같은 관계를 가진다.

$$c = \lambda \cdot f \qquad (2.74)$$

음파는 반사될 수 있으며, 어떠한 물질 내에서 속도를 변화하면서 굴절될 수도 있는데, 아래의 관계식을 따른다.

$$\frac{\sin\alpha}{\sin\beta} = \frac{c_1}{c_2} \qquad (2.75)$$

$c_2 > c_1$ 인 경우 입사각 $\alpha \geq \mathrm{arc}\ \sin c_1/c_2$ 라면 전반사가 되면서, Rayleigh파라고 하는 표면파가 발생된다.

음파는 회절 또는 간섭되며 빛의 퍼짐과 비슷한 점을 많이 가지고 있으므로, 음파를 이용한 현미경의 구성이 가능해진다. 이를 위한 전제조건으로는 음파렌즈의 개발과 더불어 μm 영역의 파장을 가지게 주파수 f를 만드는 것과 이를 검출하는 것이었다. 0.1~2 GHz의 주파수대를 이용하면 위의 조건을 충족시킬 수 있다(일반적으로 산화아연(ZnO)기의 물질을 이용한 압전체를 이용하여 초음파의 발생과 검출이 가능하다).

그림 2.188은 음파현미경의 원리를 나타낸다. 발전기에서 원하는 주파수로 전기적 신호를 만든 후에, 듀플렉서(duplexer)를 통하여 10ns대의 길이를 가지는 임펄스(impulse)를 전기-음파 변환기에 공급한다. 전기적신호는 음성신호로 변환되며, 이렇게 만들어진 종단음파(longitudinal acoustic wave)는 구형의 곡면을 가지는 음파렌즈[사파이어(sapphire, Al_2O_3, c = 11100ms^{-1})로 만들어짐]의 전면을 통해 중간매질(interface medium, 일반적으로 물을 이용함, c = 1485ms^{-1})로 전달된다. $c_{sapphire}/c_{water}$ 의 비는 대략 7정도의 높은 값을 가지므로 경계면에서 단지 몇 도이하의 작은 정도로 굴절된다. 따라서 음파는 음파렌즈의 면에 대해 수직으로 중간매질로 입사되므로, 렌즈의 전면의 곡면형상을 알맞게 조절하므로써 시료의 표면에 초점을 맞게한다. 중간매질 내에서 음파임펄스의 이동시간은 맥동시간(pulse duration)보다 크기 때문에, 시료에서 물질의 음향특성을 가지고 반사되는 음파는 렌즈를 거쳐 변환기(대물렌즈)에 도달하여 변환기에

서 다시 전기신호로 검출될 수 있다. 변환된 전기신호는 듀플렉서를 통해 검출기로 전달되며, 모니터에서 영상화된다. 2차원 영상을 얻기 위해서는 렌즈를 한 방향으로 움직이며 시료의 x-y축에 대하여 주사(scanning)하게 된다. 모니터 영상의 한 점은 x-y 좌표축에 대한 위치에 해당한다. 시료를 z-축 방향으로 움직이면 초점이 시료의 내부에서 형성되므로 3차원적인 검사가 가능하다. 이는 공초점 광학 주사현미경(COSM, confocal optical scanning microscope)의 원리와 비교될 수 있으나 (2.2.3.7절), COSM의 경우는 빛의 낮은 투과깊이로 인하여 물질표면의 형상(topology)만 관찰할 수 있다. 하지만 음파현미경을 이용하면 물질 내부구조의 관찰이 가능하다.

최대 분해능은 광학현미경과 비슷한 정도로(식 2.33) 다음과 같이 표현된다.

$$d_{gr} \approx \frac{0.5 \cdot \lambda}{A} \qquad (2.76)$$

A는 렌즈의 개구반경과 초점거리로 결정되는 렌즈의 유효반경을 나타내며, 중간매질 내 음파의 파장 λ에 따라 분해능이 결정된다. 물속에서 2GHz에 대한 λ는 0.75 μm 이다. 유효반경을 높이는 경우 광축에서 멀리 떨어진 렌즈위치의 음파는 구면수차(spherical abberation)로 인해 시료표면에서 전반사를 위한 각 이상으로 만나게 된다. 이로 인해 Rayleigh 파(타원의 극성을 가지는 표면파로 투과깊이는 대략 λ정도이다)가 발생하여 대물렌즈 쪽으로 반사되면서 광축에 가까운 쪽의 음파를 간섭한다. 따라서 부분적으로 명암분석이 매우 어려운 부분이 나타난다. 유효반경을 작게 하므로써 Rayleigh 파의 발생을 막을 수 있다.

조사되는 영역 내에 조성의 차이, 결정방위, 표면형상, 결정립계와 같은 경계가 존재하는 경우 명암의 차이를 나타낸다.

음파현미경은 종래에 광학현미경으로 관찰할 수 없었던 부분의 관측을 가능하게 해주며, 표면 아래의 관측도 가능하

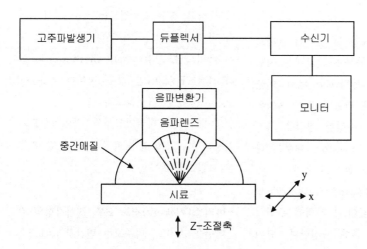

그림 2.188 음파주사 현미경의 원리.

시험방식	비커스	누프
다이아몬드 압입자: (비례에 맞춰 그려지지 않았음)	정사각형 피라미드 면간각 $\gamma=136°$ 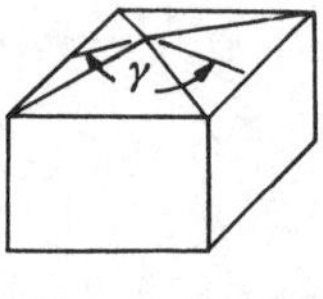	마름모형 피라미드 대면간각 $\alpha=172.30°$ 소면간각 $\beta=130°$ 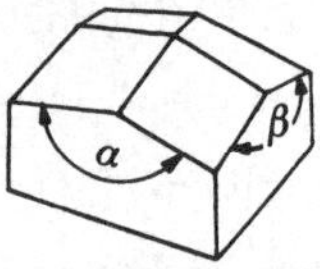
압흔과 측정:	$d = \dfrac{d_1 + d_2}{2}$ 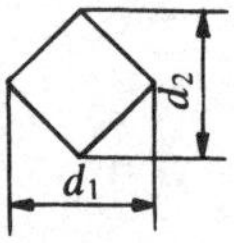	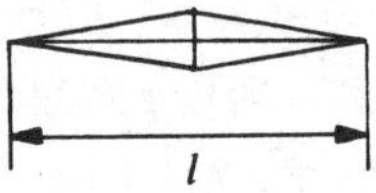 l
압입깊이:	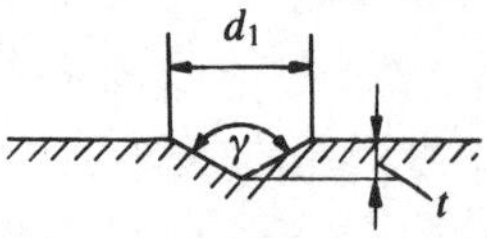 $t \approx d/7$	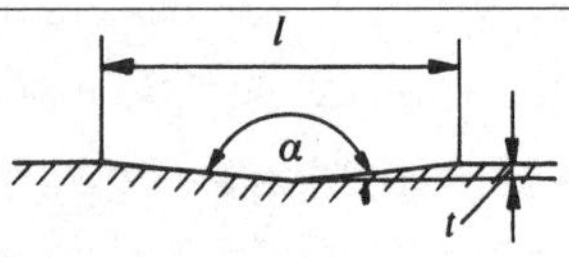 $t \approx l/30$

그림 2.189 비커스(Vickers)와 누프(Knoop)방식에 의한 미소경도시험.

다. 이러한 특성은 마이크로공학(micro-electronics, microsystem technology)과 박막공학 분야에서 중요하게 응용된다.

2.10
미소경도

경도란 어떠한 재료를 더 단단한 물체로 누르는 경우 그에 대응하여 나타나는 시험편의 저항이라 할 수 있다(Martens). 이를 측정하기 위한 실험은 다음과 같이 정의된다: 시험편의 표면을 특정한 형상을 가진 단단한 재료(압입자, indentor, 대부분 다이아몬드를 이용함)를 힘 F로 누른 후 이에 따라 나타나는 압흔(indentation)의 형상(지름, 면적 또는 깊이)을 부하를 주면서 또는 부하를 제거한 후에 측정한다. 단위 면적당 힘(힘/면적)을 알 수 있도록, 주어진 부하를 측정된 압흔의 크기와 연관지어 계산한다. 즉, 경도값은 (Rockwell 경도 같은 예외가 있지만) 응력단위로 주어지므로, 인장강도와 같은 다른 재료 강도치들과 연관지을 수도 있다. 주어진 부하가 2N보다 작은 경우 미소경도(micro-hardness)라 하며, 10mN이하의 부하를 이용하는 경우 극미소경도(ultra microhardness)라 한다: 2N≤F≤50N인 경우 저부하 경도, F≥50N인 경우 거시경도라 함.

압입자로는 피라미드형의 다이아몬드가 이용되며, 그 형태에 따라 아래와 같이 구분된다(그림 2.189)

• **비커스(Vickers)경도 HV**: 정사각형의 바닥면을 가지고, 마주보는 면간각 $\alpha=136°$

인 피라미드형 압입자를 이용함
- **누프(Knoop)경도 HK**: 마름모꼴의 바닥면을 가지며, 면간각 $\alpha = 172.5\degree$과 $\beta = 130\degree$를 가지는 압입자

최근에는 삼각뿔형태 압입자를 이용하는 Berkovich 경도도 이용되며, 장점으로는 제작 시에 세 면을 연마하면 항상 날카로운 첨단이 형성된다는 점이다(네 면으로 이뤄진 피라미드형태 압입자의 경우 항상 보장되진 않는다). 원뿔 또는 구형의 압입자는 미소경도측정에 많이 이용되진 않는다.

그림 2.189는 압입자, 압흔의 형상과 측정크기를 나타낸다.

2.10.1
진통직 방식의 미소경도 측정

일반적인 경우, 경도값 계산을 위한 압흔 크기의 측정은 부하를 제거하고 압입자를 제거한 후 이뤄진다. 압흔은 부하에 따른 비가역(irreversible) 변형부분을 나타내며, 압흔의 대각선길이를 이용하여 주어진 힘 F에 의한 압흔면적이 얻어진다. 이 경우 압흔은 압입자-시험편간의 접촉면에 해당한다고 가정한다. 초기에 힘의 단위는 kp(1 kp = 9.81 N)로 주어졌으며, 현장에 이용되는 많은 경도시험기에서 kp단위를 기준으로 하므로, 경도치를 나타내는 한 단위로 kp mm^{-2}가 이용되지만 이는 국제기준규격(SI)에 속하는 단위가 아니다. 따라서 경도값은 HV(비커스경도) 또는 HK(누프경도)단위를 이용하여 표기된다 (예를

들어, $273HV = 237kpmm^{-2} = 2325\ Nmm^{-2}$).

- **비커스 경도** : 압흔의 두 대각선 길이 d_1과 d_2를 측정한 후, 그 평균치 $d = (d_1 + d_2)/2$ (μm 단위)를 이용하여 면적 $A = d^2/2\ sin(136\degree/2) = d^2/1.8544$를 구한다. 힘 F가 lb(1Pound = 0.001 kp)로 측정되는 경우(구식기계), 비커스경도는 다음과 같이 계산된다.

$$HV = 1854.4 \cdot F[lb]/d^2[\mu m^2] \quad (2.77a)$$

힘 F가 mN로 주어지면(1 lb=9.81mN)

$$HV = 189.0 \cdot F[mN]/d^2[\mu m^2] \quad (2.77b)$$

압입깊이 t는 대각선길이 d에 비례하며, 아래의 관계를 가진다.

$$t = 0.1428 \cdot d \approx d/7 \quad (2.78)$$

- **누프경도**: 긴 대각선의 길이 $l(\mu m$단위)를 측정하고, $A = 7.028 \cdot 10^{-8} \cdot l^2$ 관계를 이용하면 경도가 계산된다:

$$HK = 14229 \cdot F[p]\ /l^2[\mu m] \quad (2.79a)$$
$$HK = 1451 \cdot F[mN]/l^2[\mu m] \quad (2.79b)$$

압입깊이 t는 다음 관계를 가지며,

$$t = l/30.51 \approx l/30 \quad (2.80)$$

$d \approx l$인 경우, Vickers경도의 비해 적어도 4배 작은 값을 가진다. 따라서 누프경도는

박막의 특성측정에 이용된다. 하지만 180°에 가까운 큰 모서리각으로 인해 긴 대각선의 끝부분을 측정하기 어려운 문제점이 자주 발생한다.

서로 다른 압입자 형상들로 인해, 측정된 경도값들을 직접 비교할 수는 없다.

미소경도시험을 위한 장비는 광학현미경, 압입장치, 장치제어와 계산을 위한 컴퓨터 등으로 구성된다. 압입자와 현미경의 대물렌즈는 한 회전축대에 설치되어 있어서, 현미경으로 관찰한 부위를 정확하게 측정할 수 있다. 자동화된 압입자의 경우 압입조건(힘, 부하시간 및 압입방식)을 미리 정하여 입력될 수 있다. 부하 후에 압입자 위치에 대물렌즈를 다시 위치시키므로써 압흔을 관찰하고 측정한다. CCD 카메라를 이용해 압흔을 관찰하므로써, 디지털화된 사진을 얻을 수 있다. 양방향(interactive) 소프트웨어, 예를 들어 사각형을 이루는 두 선을 움직이면서 압흔 크기를 측정, 또는 다른 적당한 소프트웨어를 이용해 대각선 길이를 픽셀단위로 측정하여, 해당배율에 대한 픽셀크기(μm · Pixel^{-1})를 픽셀수로 곱하여 길이를 알 수 있다. 식 (2.77) 또는 (2.79) 관계를 이용하여 경도치를 계산한다. 대부분의 장비에는 자동제어가 가능한 x-y 좌표대(x-y coordinate table)를 갖추고 있으므로, 미리 정해놓은 위치들에 대해 연속적으로 압입할 수 있게 된다. 따라서 측정후 해당 x-y 좌표에 따른 경도분포를 그래프 또는 표로 나타낼 수 있다. 기본적으로 한 장비에서 여러 형태의 압입자를 이용할 수 있으며, 압입자 교환은 특별한 문제가 되지 않는다.

때로는 Hanemann 방식의 미소경도시험기가 이용되기도 하는데, 이는 다이아몬드(Vickers 피라미드)가 대물렌즈의 전면 중앙부에 장착된 특징을 가진다. 용수철로 고정된 대물렌즈를 시험편의 표면쪽으로 이동시키면서, 그 탄성력으로 인해 다이아몬드가 압입된다. 하지만 이 방법은 위에서 설명된 다른 방법들에 비해 큰 단점을 가지고 있다: 압입자로 인해 대물렌즈의 유효구경(조리개)이 현저하게 제한되므로써, 미소경도측정에 있어 중요한 분해능의 저하를 가져온다. 다른 유효구경을 가지는 대물렌즈로 바꿀수 없으며, 이는 다른 형상의 압입자를 의미하기 때문이다. 따라서 교환이 필요한 경우, 상호 연결된 대물렌즈-압입자 부분의 교체가 필요하다.

경도치를 나타낼 때 부하 하중(kp로 주어짐)을 같이 표기한다. 예를 들어 HV 0.01 은, 경도측정이 0.01kp 또는 0.0981N의 하중으로 이루어졌음을 의미한다. 부하에 필요한 시간이 10초라면, 압입유지시간 역시 10초라야 한다. 시험온도가 T>0.4T_s (T_s: K 단위의 녹는점)로 크리프현상이 예상되는 경우, 특히 연한 재료들에서는, 이러한 시험조건을 기입해주는 것이 필요하다. 경우에 따라, 부하유지시간을 기입한다(예를 들어, 237 HV0.01/100은, 10p의 부하와 100s의 부하유지시간을 이용하여 측정한 경도치가 237 HV임을 의미한다). 그림 2.190은 연성금속을 비커스방식으로 측정한 후 나타나는 압흔의 전형적인 형태를 보인다.

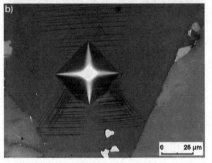

그림 2.190 미소경도측정에 따른 압흔형상: a) 변압기용 강 내에 Fe-Si 고용체와 시멘타이트에서의 압흔 (같은 부하에 대해 세멘타이트에 대한 압흔이 작다), b) Inconel의 한 결정립에 대한 압흔 (슬립라인은 압흔주위의 소성변형을 나타낸다).

압흔의 대각선 길이가 몇 μm밖에 안되고 이를 광학현미경으로 측정한다면, 문제가 발생될 수 있다. 이런 측정오차 Δd는 대물렌즈의 한계 분해능 범위에 놓이며 (2.2.2.2절의 식 (2.32), (2.33) 관계 참조), ΔH의 경도오차를 야기한다.

$$\frac{\Delta H}{H} = -2\frac{\Delta d}{d} \qquad (2.81)$$

즉, 대각선길이가 작아지면 측정 경도치의 상대오차가 크게 증가됨을 의미하며, 예를 들어 d=5μm이고 오차가 단지 0.5μm인 경우, 경도오차는 20%에 이른다. 시험편의 국부적인 차이(결정립방위, 이웃한 결정립과의 관계)를 고려해볼 때, 한 번의 압입으로 시험편 전체 특성을 나타내는 신뢰할만한 결과를 얻을 수 없다. n 번의 압입시험을 통하여 $(n-1)^{1/2}$ 만큼의 오차인자를 감소시킬 수 있다. 즉, 5의 통계적 오차인자 감소를 위해서는 적어도 26번의 압입시험을 행해야 한다. 현미경 한계 분해능에 관련한 문제는 압흔 관찰과 측정에 주사전자현미경(2.6절)을 이용하여 해결될 수 있다.

이외에도 미소경도측정 시 여러 다른 오차발생요인들이 있다. 광학현미경의 제한된 분해능으로 인해, 일반적으로 압흔 대각선이 더 작은 값으로 측정되며, 그림 2.191에 보여 지듯이 개구수(numerical aperture)가 작아질 수록 그 오차는 더욱 커진다. 측정된 대각선 길이가 작아질 수록, 경도치의 오차는 더 커진다(식 2.81 참조).

저부하경도와 거시경도의 경우 경도값 HV(또한 HK)이 사용부하에 영향을 받지 않는 반면, 미소경도측정의 경우 사용되는 부하에 대한 경도치의 의존성이 흔히 나타나는데, 이는 여러 가지 원인들에 기인할 수 있다: 이미 언급된 광학적인 요인에 의한 대각선 축소, 압입자 첨단의 마모[1], 압입자 제조 시 기술적인 문제로 인한 지붕

---

[1] 마모된 첨단은, 이상적인 첨단을 이용한 경우에 비해 작은 압입깊이와 더 큰 접촉면을 나타내며, 따라서 더 높은 값의 측정 경도치를 야기한다. 비커스 압입자 첨단의 제조 시 곡률은 0.3μm이 하지만, 압입깊이가 작은 경우(약 1μm이하) 그 영향은 매우 크다.

모서리(roof edge) 결함(Berkovich형 압입자는 예외), 부하제거 시 발생되는 탄성회복, 시료표면에서 기계적 성질의 구배(예를 들어 시료준비과정 시 발생하는 표면변형영역) 등.

위의 결함들은 대부분의 경우, 사용부하의 감소에 따라 경도값을 크게한다. 각 인자들에 의한 사용부하 의존성에 대한 영향은 다르지만, 인자에 따른 의존도를 각기 분리하기는 어렵다. 사용부하 의존성을 개괄적으로 나타내는 Meyer에 의해 주어진 아래의 지수관계가 자주 사용된다.

$$F = a \cdot d^n \text{ 또는}$$
$$\log F = \log a + n \cdot \log d \qquad (2.82)$$

a: 비례계수
F: 시험부하
d: 압흔 대각선 길이
n: Meyer 지수 (사용부하에 대한 의존도가 없는 경우, n=2)

n<2인 경우 log d와 log F는 직선적인 관계를 가진다(그림 2.192). 산출된 경도값(예를 들면 HV)은 조사한 d영역에서 아래관계를 따른다.

$$HV = F/b \cdot d^2 = a/b \, d^{n-2}$$
$$\log HV = \log(a/b) + (n-2) \cdot \log d \qquad (2.83)$$

b: 압입자의 형상에 따른 비례계수

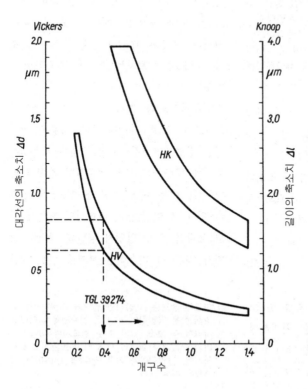

Vickers   Knoop

그림 2.191 현미경 분해능 한계에 따른 대각선 측정치의 오차 (축소치).

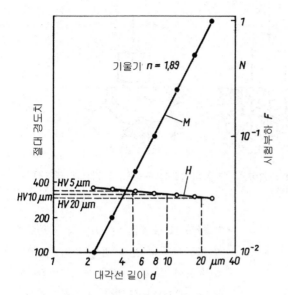

그림 2.192 Meyer 관계로 표현한 Fe-Si 고용체의 사용부하에 대한 미소경도치의 의존도. M: Meyer 직선, H: 경도(HV 5μm = 340, HV 10μm = 318, HV 20μm = 298).

비교 가능한 경도값은, 대각선 길이에 대해 경도치를 나타내고, 원래 측정치(예를 들어, HV0.01/20μm)를 내삽하므로써 알 수 있다. 지수 n이 2보다 작거나 큰 값을 가지는 것은 시험편의 기계적 성질과 연관되며, 매우 다양한 영향인자를 가지므로 무시한다.

압입깊이 t는 (μm 또는 그 이하의) 매우 작은 값을 나타내므로, 시험편표면상태 및 준비에 매우 세심한 주의가 요구된다. 압입자가 시험편 표면에 완전한 접촉면을 이루기 위해서는, 시험편의 표면거칠기는 압입깊이에 비해 작아야 한다. 그렇지 못한 경우, 측정치는 사용부하에 대한 강한 의존도를 보인다. 실험식에 따르면, 표면거칠기는 압입깊이보다 20%작은 값을 가져야한다. 준비과정에서 시험편 표면에 경도치에 영향을 줄만한 변형을 유발시켜서는 안된다는 점도 주의해야한다(그림 2.81).

소성변형에 따라 압입자 주위로 변형영역(deformation zone)이 형성되며, 그 형상은 대략적으로 반구형을 가진다. 변형영역의 반지름은 압입깊이 t의 약 10배에 상당한다고 일반적으로 가정되나(Bueckle 법칙), 이는 제한된 경우에만 유효하다.

Lawn에 의하면, 소성영역 반지름 r_{pl}는 아래의 관계로 표현된다:

$$r_{pl} = \frac{d}{2} \sqrt{\frac{E}{H}} \cot^{\frac{1}{3}} \alpha/2 \qquad (2.84)$$

d: 압입깊이

E: 탄성계수 (MPa 또는 N mm^{-2})

H: 경도 (N mm^{-2})

α: 압입자의 면각도

비커스경도의 경우 아래의 관계를 가진다.

$$r_{pl} = 3.0 \sqrt{\frac{E}{H}} \cot^{\frac{1}{3}} d = 21 \sqrt{\frac{E}{H}} t \qquad (2.85)$$

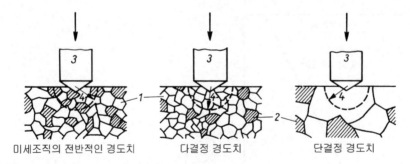

미세조직의 전반적인 경도치　　다결정 경도치　　단결정 경도치

그림 2.193 경도치에 미치는 미세조직의 영향 (1 연한 미세조직 구성원, 2 경한 미세조직 구성원, 3 압입자, 4 압입영향부의 반지름).

t: 압입 깊이
E: 탄성계수 (GPa)
H: 경도 (HV)

알루미늄과 같은 연한 금속의 경우 $r_{pl} \approx 2.5 \cdot d \approx (15 \sim 20) \cdot t$이며, 경화처리된 철은 $r_{pl} \approx 1.4 \cdot d \approx (8 \sim 12) \cdot t$의 값을 가진다. 즉, 낮은 항복강도를 가지는 연한 재료들은 Bueckle 법칙에 대해 심한 편차를 나타낸다.

위 관계로부터 다음사항을 알 수 있다.

• 소성변형역의 중복과 그에 따른 경도치에 대한 영향을 피하기 위해, 두 압입간 거리는 $2r_{pl}$, 즉, $(3 \sim 5) \cdot d$ 보다 커야한다.
• 측면으로부터는 최소 r_{pl}, $(1.5 \sim 2.5) \cdot d$, 보다 큰 거리에서 압입해야한다.
• 표면에 수직한 방향에서 박막의 경도를 측정하는 경우, 막두께가 $(1.5 \sim 2.5) \cdot d$보다 작으면 안되고, 적어도 $(3 \sim 5) \cdot d$에 상응하는 막두께가 요구된다. $(3 \sim 5) \cdot d$ 보다 두꺼운 막의 경도분포는, 표면 또는 경계면에 대해 비껴서 압입하므로써 측정 가능하다.

• 단결정으로 표현될 수 있는 각 결정립의 기계적 특성을 알기 위한 측정은, 결정립 지름이 $(3 \sim 5) \cdot d$ 보다 크고 그 깊이가 $(1.5 \sim 2.5)d$보다 큰 경우 의미를 가진다. 결정립크기가 압흔대각선에 비해 작은 경우, 여러 결정립방위 또는 미세조직 구성요소들의 평균치가 측정되며, 그림 2.193에 그 예들을 도시하였다.

그림 2.194는 구리와 Cu_2O로 구성된 시험편의 미소경도 압입을 나타낸다. 어두운 색의 Cu_2O에서 보여지는 작은 압흔은 Cu 산화물의 높은 경도를 나타내며, 그림 중

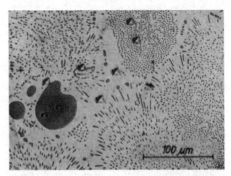

그림 2.194 $Cu + Cu_2O$ 공정조직과 초정 Cu_2O로 이뤄진 Cu 시료의 조직과 미소경도.

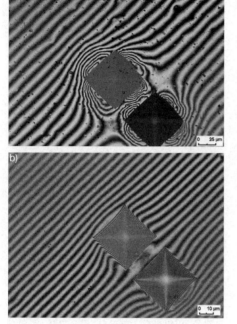

그림 2.195 편광간섭계를 이용하여 측정된 압입에 따라 압흔주위에 형성되는 불룩해진 상승부: a) 알루미늄, b) 고속도강(HSS).

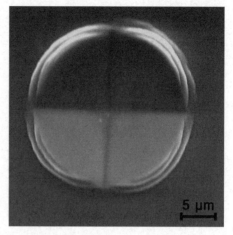

그림 2.196 HSS표면 Cu막에서 나타나는 "둥글어진" 압흔형상.

앙부의 압흔은 구리의 경도를, 모서리 부근의 압흔은 공정조직의 경도를 나타낸다 ($HV_{ox} : HV_{eu} : HV_{Cu} = 3 : 1 : 0.9$).

인성이 높은 재료의 경우, 압입자로 인해 재료가 밀려나 압흔주위에 불룩한 형상을 나타낸다. 편광간섭계로 측정된 그림 2.195에서 보여지듯, 피라미드면 부근에서 가장 심한 상승을 나타낸다.

상승부의 높이 w는 압흔 대각선길이 d에 비례한다.

$$w = b \cdot d \qquad (2.86)$$

b: 비례상수 (항복강도가 높을수록, 즉 경도치가 높을수록, 감소)

Al의 경우 $b \approx 2.0 \cdot 10^{-2}$, 고속도강(HSS)의 경우 $b \approx 0.8 \cdot 10^{-2}$

불룩하게 생기는 상승부의 형성이 심한 경우엔 압흔형상이 둥글어지는 효과를 가져오며, 이는 압흔의 대각선 쪽으로의 팽창이 모서리 쪽에 비해 작아지기 때문이다 (그림 2.196).

취성이 강한 재료는 소성 및 인성이 높은 재료에 생기는 압흔과는 다른 형상을 나타낸다. 그림 2.197에서 알 수 있듯이, 재료의 소성변형은 거의 없으며 많은 균열이 보인다. 이 경우 주어진 변형에너지(압입자의 이동거리와 주어진 힘의 곱)는 대부분 균열생성에 소모된다.

날카로운 압입자 첨단에서의 높은 응력 집중으로 인해, 흔히 방사형(radial) 균열이 나타나며, 균열은 압흔 대각선의 연장선상에 놓인 압흔의 구석부위에서 시작된다. 표면에 보이는 균열은 압흔의 내부로

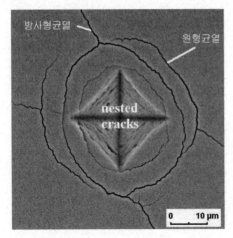

그림 2.197 취성재료(TiN/Al)에서의 압흔형상.

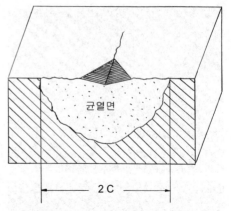

그림 2.198 비커스 압흔 아래에 생성된 방사형 균열의 지름 2C.

연결되어 있다. 즉, 서로 마주보는 방사형 균열은 반원형으로 재료의 내부에서 연결되며, 그 반지름 C는 파괴인성(K_{IC}, MPa $m^{1/2}$)과 연관성을 가진다(그림 2.198).

$$K_{IC} = \frac{F}{(\pi \cdot C)^{3/2} \cdot \tan\alpha/2} \qquad (2.87)$$

F: 시험부하 (N)

α: 압입자의 면각

2.10.2
기록형(registered) 경도측정

경도측정의 전통적인 방법에서는 부하가 제거된 후에 잔존하는 압흔을 측정하며, 압입과정에 대한 정보는 얻을 수 없다. 또한 압흔을 통해서는 소성변형에 대한 정보만을 알 수 있다. 예를 들어, 고무를 이러한 전통적 방법으로 측정한다면, 변형의 완전한 가역성(탄성)으로 인해 압흔은 남지 않으며, 경도치는 무한대로 된

다. Martens에 의하면 경도란 시험편을 어떠한 물질로 누르는 경우 그에 대응하여 나타나는 저항으로 정의되며, 압흔(즉 변형)을 남기는 압입과정만이 아닌 그 전체 과정을 의미한다. 따라서 경도치를 정의하기 위한 알맞은 과정은, 소성 및 탄성변형에 대한 평가가 가능도록, 부하 중에 측정하는 것이다.

이렇게 부하 중 경도를 얻기 위해서는, 부하하중 F에 연관된 면적을 나타내는 (압흔의 대각선길이와 다른) 기하학적 크기를 측정 평가해야 한다. 부가하중 F에 따른 압입깊이 t가 바로 그것이다. 압입깊이는 현대기술로 매우 높은 정확도(1nm 단위)로 측정가능하며, 이는 압흔의 대각선 길이 측정에 비해 훨씬 높은 정확도를 가지는 것이다. 비커스 압입자의 경우 압입면적 A는 다음과 같으며,

$$A = 4 \cdot \cot\left(90^o - \frac{\alpha}{2}\right) / \sin\left(90^o - \frac{\alpha}{2}\right)$$

$$= 26.43t^2 \qquad (2.88a)$$

이에 따른 **Martens 경도 HM**은 아래와 같다.

$$HM = \frac{F}{A} = 37.84 \cdot \frac{F}{t^2} \qquad (2.88b)$$

사용단위 t: (μm), F: (mN), HM: (MPa 또는 N mm^{-2})

위 방식으로 측정된 경도를 일반경도 (universal hardness, HU)라고도 칭한다.

측정을 위한 장비는, 미리 결정한 사용 부하 F_{max}까지 부하-압입깊이를 완전하게 나타낼 수 있도록 구성된다(그림 2.199). F_{max}는 최대 압입깊이 t_{max}에 해당하며, 이 값을 이용해 경도 HM을 계산한다.

부하곡선의 어느 점에서도 HM경도를 산출할 수 있으며, 따라서 경도의 부하의 존성을 쉽게 알 수 있다. F_{max}에 이른 후에, 제하(unloading)곡선을 측정하며, t→t_{max}까지의 기울기 S는 접촉강성(contact stiffness)이라 하며, 시험과정중 가역적(탄성) 변형부에 대한 정보를 제공한다. 어떤 경우에는 S를 압입자 강성(stiffness)로 보정하여 탄성계수 E를 산출하는데 이용하기도 한다($S_{corr} \sim E_{sample}$).

HM과 HV경도를 비교하는데 아래사항을 주의해야한다:

- HM경도를 9.81로 나누거나 HV경도를 9.81로 곱해주므로써, 힘단위에 대한 비교가 가능하다.
- HM은 탄성부분을 포함하므로, HV에 비해 항상 낮은 값을 가진다. 이러한 차이는 높은 경도를 가지는 재료에 대해 더 확연하게 보여지는데, 이는 가역적 변형부분이 비교적 크기 때문이다. 낮은 항복강도와 경도치를 가지는 알루미늄의 경우 그 비 HV·9.81/HM는 약 1.1을 가지는 반면, 높은 강도를 가지는 HSS의 경우 1.5에 이른다.

t의 매우 정확한 측정으로 인해 극소시험부하를 이용할 수 있으므로, 나노 압입시험(nano-indentation)이 가능해졌다. 약 1mN 이하의 부하를 이용하며, 압입깊이는 대략적으로 10^2nm 정도이다. 시험편 극소부위 측정을 위해서는, 현미경의 탐침을 압입자로 이용할 수 있는 주사탐침현미경을 이용한다.

2.10.3
미소경도측정의 응용

사용부하가 2N 이하인 모든 압입시험들은, 시험편의 국부적인(소성변형역 또는 취성재료의 경우 균열생성부위보다 약간 큰 영역) 기계적 특성평가를 가능케 한다.

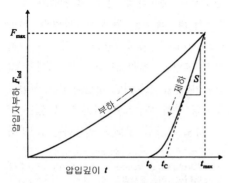

그림 2.199 기록형 경도측정 시 얻어지는 시험부하-압입깊이 곡선.

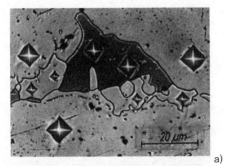

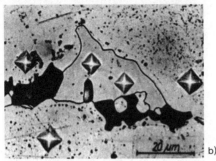

그림 2.200 오스테나이트−페라이트로 구성된 내열강(1100℃/수냉/900℃ 10h)에 대해 같은 부하를 이용해 측정된 압흔: a) 밝은 오스테나이트부위의 큰 압흔, 어둡게 보여지는 δ 페라이트부위의 작은 압흔, 밝게 보이는 σ 상에서의 작은 압흔(카드뮴아세트산염을 이용하여 부식), b) 그림 a)에 보여지는 부위를 크롬산을 이용한 전해부식을 통해 σ 상을 추출한 경우.

사용부하에 따라 μm에서 nm영역의 측정을 할 수 있으므로, 다양한 종류의 압입시험이 가능하다:

- 단결정 또는 불균일한 미세조직을 가지는 재료에서 어느 조직 구성요소에 대한 기계적 성질(경도, 인성) 측정
- 어느 미세조직에서 경도에 따른 상의 분류(그림 2.200)
- 국부적인 변형과 변형구배에 대한 측정

(절삭공구와 연마를 이용한 형상가공, 숏피닝, 불균일 가공 후에 나타나는 표면부근에서의 구배 및 균열 부근에서의 변형구배)
- 위치에 따른 또는 국부적인 (회복, 재결정과 같은) 연화과정에 대한 조사
- 열적 또는 열화학적 표면처리에 대한 조사(철의 질화, 질탄화, 탄화 처리후 또는 레이저 피닝(laser peening)후 깊이에 따른 경도분포)
- 박막(PVD[1), CVD[2), 열도금, 전기도금 등)의 기계적 특성조사

미소경도측정을 가장 흔히 이용되는 경우는 수 μm이하 또는 1μm이하의 막두께를 가지는 박막의 기계적 특성평가를 위해서다. 전형적인 박막형성과정으로는 PVD, CVD 또는 전기도금 등이 있다. 박막의 측정을 위해 미소경도를 이용하는 경우, 압입깊이 t의 유효깊이(탄성 및 소성변형역 또는 균열생성역)를 박막에서만 유지하기 어렵다(2.10.2절의 소성역 반지름 참조). 따라서 박막의 성질만이 아닌, 복합적인 경도치를 측정하게 된다. 복합적인 경도치 H_C의 해석을 위해서, 박막과 기판(substrate)의 상호작용을 나타내는 여러 가지 모델이 개발되었으나, 본 저에서 그 모든 내용을 다루기에 광범위하다. 복합경도치의 부하 의존도와 이미 알고 있는 기판 경도에 대한 정보를 이용하여, 박막의

---

1) PVD(physical vapour deposition): 기상증착, 스퍼터링, 이온조사법

2) CVD(chemical vapour deposition): 화학적인 반응을 이용한 기상증착법

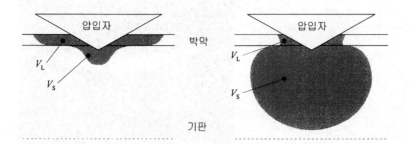

그림 2.201 소성변형역: 경한 기판위의 연한 박막(좌측), 연한 기판위의 경한 박막(우측).

경도에 연관지어 해석하는 방법에 대해 설명하고자 한다.

Sargent가 제안한 바에 의하면, 복합경도는 기판경도 H_S와 막의 경도 H_L의 부피 가중치로 아래와 같이 표현된다.

$$H_C = \frac{V_S}{V_{total}} H_S + \frac{V_L}{V_{total}} H_L,$$

$$V_{total} = V_S + V_L \qquad (2.89)$$

V_S, V_L: 압입과정에 영향을 주는 기판(S)과 박막(L)의 유효부피

H_S, H_L: 기판과 박막의 경도

기판과 박막에 대한 압입과정이 응집체(compact matter)에 대한 것과 같다고 가정하자. 박막과 기판이 소성을 가지는 경우, 그림 2.201로 나타내지는 반구형의 소성역(식 2.85와 비교)에 대한 부분부피 V_S와 V_L을 도출할 수 있다.

소성역 반지름의 차이를 계산에 반영시키기 위해, Burnett와 Rickerby는 추가적인 계면인자 χ를 첨부하였으며,

$$H_C = \frac{V_S}{V_{total}} H_S + \frac{V_L}{V_{total}} \chi H_L \qquad (2.90)$$

x는 아래와 같다:

$$\chi = \left(\frac{\gamma_{pl,S}}{\gamma_{pl,L}} \right)^m = \left(\frac{E_L H_S}{E_S H_L} \right)^m \qquad (2.91)$$

E_S, E_L: 기판과 박막의 탄성계수

지수 m은 1과 1.5사이의 값으로 가정되나, 실험적으로 해당 박막에 대해 알맞은 값으로 맞춘다. 소성을 가지는 기판물질상의 형성된 연성 박막의 경도는, 박막두께 d_L과 t에 따른 지수 c에 아래의 관계를 가지는 경우, 직접 측정할 수 있다.

$$c = \frac{d_L}{t} (1/2 \ldots 2/3) k, \quad k \approx 20 \sqrt{\frac{E}{H}} \qquad (2.92)$$

E: (GPa), H: HV

위 관계는 전통적인 방식과 기록형 방식 모두에 적용된다.

연성기판에 형성된 취성박막을 측정하는 경우엔 그 비가 달라진다. 소성변형이 없는 박막에선 균열형성만이 나타난다. 경한 박막의 비커스압입에 따른 균열형상은 그림 2.202에 보여진다.

방사형 균열(radial cracks)의 길이는 박막의 파괴인성 뿐만 아니라, 기판의 특성에 의해서도 결정된다. 따라서 식 (2.87)

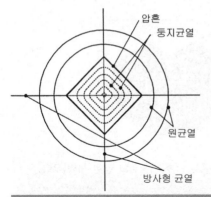

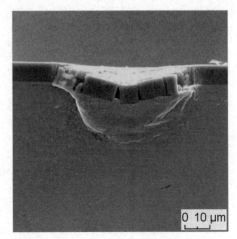

그림 2.203 TiN 박막을 가지는 Cu 시료의 압흔 주위로 형성된 변형역의 단면.

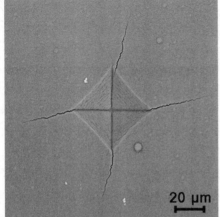

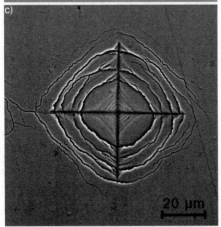

그림 2.202 Vickers 압입에 의해 나타난 경한 박막내 균열: a) 균열의 종류, b) HSS 기판 위의 TiN박막에서 나타난 방사형균열과 둥지균열, c) Al 위의 TiN 박막에서 나타난 원균열과 둥지균열.

에 나타낸 파괴인성을 계산하기 위한 관계는 유효하지 않다. 원균열(ring cracks)은 박막아래의 기판의 돌출(bulge)에 의한다 (휨균열). 압입자의 바로 아래에서 형성되는 소위 둥지균열(nested cracks)은, 이 영역에서의 높은 전단응력에 기인한다.

이와 같은 실제적인 문제에 대해 식 (2.89)의 관계를 적용할 수 없을 것처럼 보여진다. 하지만, 취성을 가지는 박막은 물론 응집체에서도 경도는 균열형성을 통해 결정되며, 박막의 균열영역 반지름은 연성을 가지는 기판의 소성변형을 통해 결정된다는 점을 생각하면(그림 2.203), 식 (2.89)와 비슷한 관계를 도출할 수 있다 (Wiedemann, Schulz-Kroenert, Oettel).

$$H_C = \left[\frac{3c}{2k} - \frac{1}{2} \left(\frac{c}{k} \right)^3 \right] \cdot H_L +$$

$$\left[1 - \frac{3c}{2k} + \frac{1}{2} \left(\frac{c}{k} \right)^3 \right] H_S \qquad (2.93)$$

(c와 k는 식 2.92에 나타냄)

일정한 막두께 d_L에 대해 다른 압입깊이 (부하)로 측정한다면, 즉 매개변수 $c = d_L/t$를 변화시키면, 작은 c값(큰 압입깊이)에 대해 대략적으로 직선적인 관계를 나타낸다. 작은 c값에서의 기울기 dH/dc로 부터, 박막의 경도는 아래의 관계를 이용해 계산된다.

$$H_L = \frac{2k}{7} \frac{1}{\left(1 - \frac{c^2}{k^2}\right)} \frac{dH_C}{dc} + H_S \qquad (2.94)$$

위 방법의 장점으로는 상대적으로 큰 부하(대각선 길이 d)를 이용하여 측정과 계산할 수 있다는 것으로, 아주 작은 값의 t를 이용할 필요가 없다는데 있다. 표 2.50은 TiN 박막에 대해, Martens 경도와 비커스 경도 모두 기판 종류에 상관없이, 충분한 정확도를 가지고 측정될 수 있음을 보여준다.

표 2.50 다른 기판위에 형성된 TiN 박막의 경도치 ($dL \approx 5\mu m$)

기판	HV	HM[Nmm^{-2}]
고속도 공구강	2090	17100
42CrMo4	2240	17100
알루미늄	2014	15800

2.11
저온과 고온에서의 미세조직 검사

고온 또는 저온 현미경을 이용한 금속조직 검사를 통해, 미세조직의 형성과 변화에 대한 온도의 영향에 대해 직접적인 조사가 가능하다. 특정한 분위기에 시험편을 놓고, 현미경을 이용해 온도-시간에 따라 연마면을 조사하고, 2.2.4절에 설명된 방식대로 조사과정을 기록한다. 미세조직 변화에 대한 간접적 관찰이 가능한 고온부식과는 반대로, 직접 관찰법은 복잡한 장비 구성을 필요로 한다.

저온 또는 고온에서의 미세조직 검사를 위한 많은 장비들이 개발되었지만, 그림

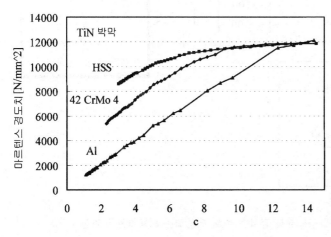

그림 2.204 다른 기판 위에 형성된 TiN 박막에서 계수 c에 대한 마르텐스경도의 변화.

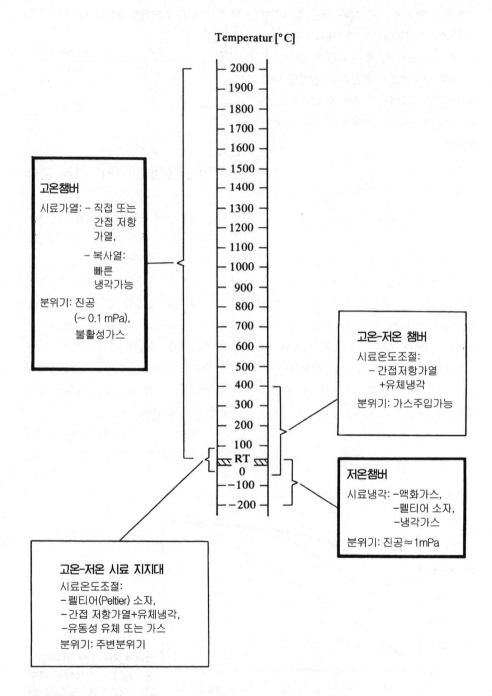

그림 2.205 고온-저온에서의 금속조직 검사를 위해 이용되는 상용화된 부가장치.

2.205에 나타낸 형식의 장비만이 상용화되었다. 시료는 저항가열방식으로 가열되고, 냉각은 저온 액화가스를 이용한다. 대부분의 금속조직학적인 검사는 보편적으로 이용되는 현미경에 부가적으로 고온-저온 챔버(chamber)를 설치하여 이뤄진다. 모든 온도역에서의 조사가 가능하도록, 챔버 내부는 원하는 상태로의 분위기 조절이 가능하게 되어있다(그림 2.205). 이런 챔버를 이용하기 위해서는, 특수보정을 거친 부가적 대물렌즈가 필요하다. 나사형으로 되어 착탈이 가능한 석영유리로 된 전면(front plate)을 이용하고, 전면에서 시편 간의 거리(working distance, $\geq$ 14mm)를 크게 하므로써, 극심한 관찰조건으로부터 대물렌즈의 보호가 가능하다. 이러한 특수 대물렌즈는 일반적으로 0.60이하의 조리개값을 가진다. 실제 이용되는 최대 배율은 ×750이다. 고온-저온 금속현미경에는, 조사면에서 발생하는 과정의 식별을 위해 가능한 많은 종류의 조사법이 필요하다(명시야, 암시야, 상(phase)- 또는 간섭 명암, 편광 등). 최근에는 레이저주사현미경(laser scanning microscope, 그림 2.207)이 이용되기도 하며, 고온관찰을 위한 많은 장점을 가진다.

온도조절챔버를 부착한 금속현미경외에도 아래의 부가 장치들이 필요하다.

- 챔버 압력의 측정 및 조절을 위한 고진공장치
- 보호가스 및 반응가스 처리장치(가스처리 및 건조장치, 가스혼합조절기, 가스온도 조절장치)
- 가열을 위한 전기장치와 조절기
- 시험편의 시간에 따른 온도 측정 및 조절을 위한 장치
- 챔버 벽과 연결선의 온도조절을 위한 장치(고온챔버의 경우 냉각장비)

온도챔버에 추가적으로 실험장비를 조합하고자 하는 경우(예를 들어, 인장 또는 경도시험), 많은 경우에 있어 장비크기로 인한 제약을 받게 된다.

2.11.1
고온현미경

상용 고온현미경의 기본구조를 그림 2.206에 나타낸다. 원형의 시험편 3(대략 4mm의 연마면 지름)은 가열장치 6를 이용하여 복사열로 가열된다. 최고 1800℃까지 가열이 가능하며, 최대 가열속도는 15Ks^{-1}이다. 차가운 불활성가스를 주입하므로써, 관찰 온도로부터 대략 400℃까지 최대 120Ks^{-1}의 속도로 냉각이 가능하다. 석영링 5와 교체가능한 석영유리판 13을 이용하면, 관찰창 4의 증착현상이 최소화될 수 있으므로, 보다 나은 관찰이 가능하다. 고온챔버는 (배면반사형) 금속현미경의 시료대위에 올려서 사용된다. 고진공장치, 가열 및 온도측정장치, 영상장치 등이 추가된다.

일본의 Lasertec에서 출시된 제품은 레이저주사현미경(그림 2.207a, 분해능 0.25 μm, 주사도수(frame rate) 60Hz, 광학 최대배율×2450, 전자적 화상확대를 이용한 경우×4900까지 가능), 포물선형(parabolic)

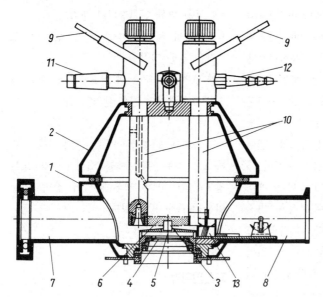

그림 2.206 고속조절 가열챔버의 기본구조(C.Reichert AG 사 제품, Vienna): 1 하부, 2 상부, 3 시료, 4 석영으로된 관측창, 5 석영링, 6 가열판(Mo, W 또는 Ta), 7 배기노즐, 8 진공측정장치로 연결된 노즐, 9 전기공급, 10 전기공급을 위한 봉, 11 통기장치, 12 냉각수를 위한 접속부, 13 석영유리판(교체 가능).

의 내부를 가진 가열챔버(적외선 할로겐램프에서 나오는 빛을 시편에 집중하여 가열하는 방식)등으로 구성된다. 최대 가열온도는 1750℃이며, 보호가스 또는 진공이 가능하다.

고온현미경의 이용은 결정립구조의 변화를 관찰을 매우 용이하게 해준다. 그 예로, Forsyth에 의해 측정된 순수 Zn의 가열에 따른 조직의 변화를 그림 2.208에 나타낸다. 육방정구조의 Zn를 연마한 후 가열하면, c-축이 연마면에 수직으로 놓인 결정립은 c-축이 연마면에 거의 평행한 결정립에 비해 높은 팽창을 보인다. 이는 c-축으로의 열팽창계수가 $59 \cdot 10^{-6} K^{-1}$ (20~400℃)인 반면, c-축에 수직인 방향으로는 $16 \cdot 10^{-6} K^{-1}$이기 때문이다. 따라서 평행하게 연마된 면은 가열에 따라, 다른 방위를 가지는 결정립으로 인해 굴곡(relief)을 형성한다. 결정립계는 이웃한 결정립에 대해 그림자처럼 나타나므로, 결정립명암을 위한 부식이 필요하지 않다. 이와 비슷한 방법으로, Cd, Sn 등 다른 육방정 금속의 관찰이 가능하다(420℃ 이하에서 육방정 결정구조를 가지는 Co의 관찰도 가능하다). 입방정 구조를 가지는 금속의 경우, 열부식 또는 간섭을 이용하여 결정립 명암을 만드는 과정이 필요하다. 그림 2.208 a~c는 고온에서 재결정을 통한 새로운 결정립계 형성과정을 보여준다. 용융점인 419℃를 넘어서면서 결정립 유동이 나타나며(그림 2.208c), 이후의 가열을 통해 우선 결정립계(그림 2.208d와 e)와 3중 교차점(triple point)이 용융된다(그림 2.208f).

Emi와 Shibala는 Lasertec장비를 이용하여, Al_2O_3 입자 첨가에 따른 Fe-C 합금의 응고과정을 관찰하였다(그림 2.209). 응고전면(crystallisation front)이 Al_2O_3입

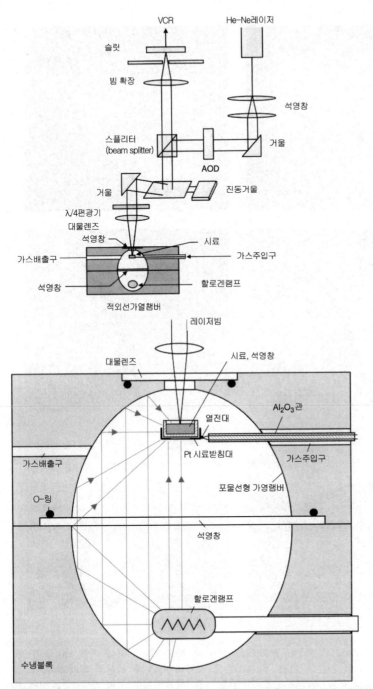

그림 2.207 고온현미경의 원리(Lasertec사 제품): 레이저주사현미경의 대략적인 구조(상부) 및 가열챔버의 원리(하부).

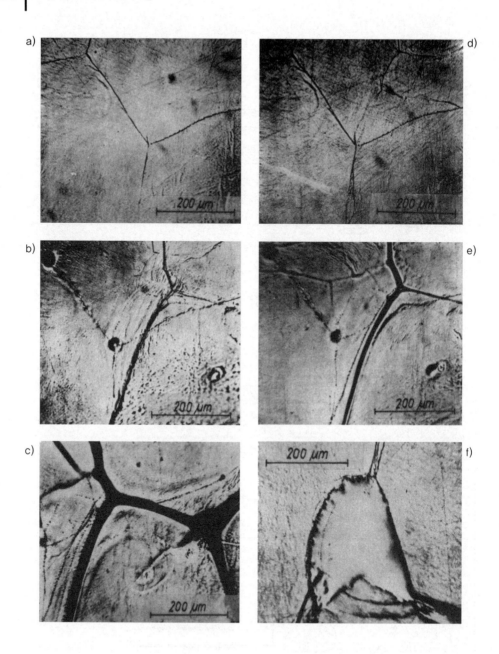

그림 2.208 고온에서 Zn의 미세조직 변화(Forsyth): a) 200℃으로 1분내 가열, b) 350℃로 12분내 가열, c) 420℃로 22분내 가열, d) 420℃로 24분내 가열 후 용융점 아래로 냉각: 삼 중점과 결정립계에서의 용융, e) 420℃로 28분내 가열, 용융점위로 가열 후 냉각을 3번 반복함, 결정립계에서의 용융이 강화됨, f) 420℃로 가열, 삼중점에서 완전한 용융.

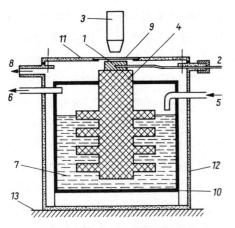

그림 2.210 저온챔버: 1 시료, 2 열전대, 3 특수대물렌즈, 4 시료지지대와 열교환기, 5-6 냉매의 주입과 배출구, 7 냉매, 8 진공펌프 연결노즐, 9 석영유리창, 10 냉매용기, 11 챔버상단부, 12 챔버벽(하단부), 13 현미경테이블.

자에 접근함에 따라, 응고전면이 부풀어지면서 입자와 합치된다.

2.11.2
저온현미경

고온뿐 아니라 저온에서도 미세조직의 변화가 나타나며, 저온챔버의 이용(그림 2.210)을 통해 직접적인 관찰이 가능하다. 진공챔버(≈ 1mPa)내의 시험편 1은, 열교환기의 역할을 하는 시료대 4 위에 놓인다. 시험편을 냉각하면서 또는 냉각매질의 온도를 유지하면서, 석영유리창 9를 통해 관찰한다. 냉각매질의 종류(냉각액, 팽창가스 또는 액화가스 등)에 따라 −200℃까지 냉각이 가능하다. 그림에 나타낸 냉각챔버는 전면반사현미경을 위한 구조로써, 진공장비, 온도측정장비, 냉각매질 공급장비 등이 추가적으로 필요하다. 시간에 따른 시료의 온도조절을 위해서, 냉각챔버에 가열장치(전기저항가열)를

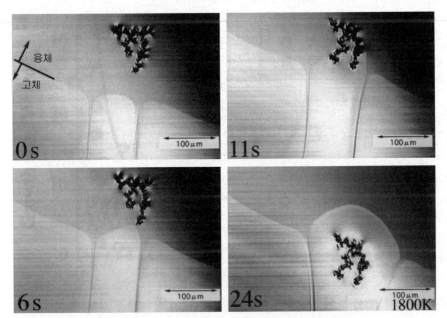

그림 2.209 Fe-0.038wt.%C에서 응고전면이 휘면서 Al$_2$O$_3$ 입자와 합치되는 과정.

추가하는 경우도 있다. 따라서 고온현미경과 마찬가지로 복잡한 장비설치가 요구된다.

철강재료의 마르텐사이트 변태는 저온현미경을 이용한 중요한 실험 중 하나이다. 변태에 따라 부피변화를 가지므로, 연마된 면에 마르텐사이트상은 굴곡(relief)을 형성하며 보여진다. 이런 미소굴곡으로 인해, 간섭명암을 이용하면 전단변태과정의 관찰이 용이해진다.

일반적으로 명암차를 강하게 해주는 열적 활성화 과정이 냉각중에는 억제되므로, 저온현미경을 이용한 관찰에서는 굴곡형성을 통해서만 명암을 얻을 수 있다. 따라서 저온에서의 미세조직변화 관찰은, 굴곡형성을 동반하는 경우로만 한정된다(대부분의 경우 전단을 통한 경우를 의미하며, 저온에서의 열팽창계수 이방성으로 인한 굴곡형성은 드물다). 기계적 부하(인장변형 또는 반복부하 등)를 가할 수 있는 추가장비를 복합적으로 이용하므로써, 해석의 정확도를 높일 수 있다.

2.11.3
고온-저온현미경 이용의 가능성과 한계

표 2.51은 고온 또는 저온현미경을 이용하여 행할 수 있는 일련의 실험법들을 나타낸다. 추가적인 실험장치를 이용하는 방법은 제외하였다. 조사하고자하는 변화를 감지하기 위해서는, 미세조직 명암차를 나타낼 수 있는 굴곡면의 형성(또는 변화)과 반사도의 변화가 필수적이다. 이러한 명암차를 가져오는 변화가 충분하지 않은 경

우, 금속학적 변화과정을 감지할 수 없게 된다. 굴곡면의 형성과 반사도의 변화는, 표 2.51의 두 번째 축에 나타낸 과정을 통해 야기된다. 미세조직 변화의 단위과정을 광학현미경을 통해 확연히 감지하기 위해서는, 시료의 연마면에 명암차 형성을 위한 충분한 변화를 얻고, 해당 단위기구별로 다른 반응시간을 이용해야 한다. 굴곡면 형성 및 변화는, 장시간 또는 단시간 반응시간별로 구분 가능한, 아래에 기술되는 일련의 기구들을 통해 이뤄진다:

- 선택적인 기화(selective evaporation)
- 기공부피의 감소
- 열부식(thermal etching)
- 열팽창계수의 이방성
- 비부피(specific volume)의 차이
- 활주단의 형성
- 비열적 전단과정

국부적 반사도의 변화를 가져오는 기구들은 아래와 같다:

- 간섭성을 가지는 막의 형성
- 온도에 따른 단위 상 또는 미세조직 구성요소의 광학성질의 변화
- 기존 상에 비해 광학성질이 다른 새로운 상의 형성

해당 기구의 반응시간에 따라 명암형성속도가 결정되며, 해당 금속학적 변화과정의 감지를 위한 시간을 정할 수 있다. 명암형성속도가 시료의 표면에서 발생되는 변화

표 2.51 고온-저온 현미경의 사용영역과 명암 형성과정(다른 시료환경 장치와 조합하여 사용하는 경우는 제외)

연구목적	명암 형성과정
a) 미세조직의 조사 - 가시적인 미세조직 - 결정립성장의 속도론	열부식 또는 열팽창계수의 이방성에 의한 굴곡면의 형성 + 간섭성 막형성에 의한 ΔR*
- 쌍정형성 - 재결정과정	쌍정변형에 따른 굴곡면 형성 열부식에 의한 굴곡면 형성
b) 경계면에서 일어나는 과정에 대한 조사 - 접촉면에서의 확산 - 소결과정 - 반응가스를 이용한 박막형성 시 초기상(선택산화, 부식, 부동태막, 오염, 열화학적 표면 처리한 박막)	기존 상과 새로운 상의 광학성질의 차에 의한 ΔR + 비부피 차에 의한 굴곡면 상간 광학성질 차이에 따른 ΔR + 기공의 감소에 따른 굴곡면의 변화 비부피차이에 의한 굴곡면 + 간섭성 막형성과 상간 광학성질 차이에 따른 ΔR
c) 상변태 시 미세조직의 변화에 대한 조사 - 평형 또는 비평형 상태도 - 확산변태에 의한 생성물 - 전단변태에 의한 생성물	간섭성 막형성과 상간 광학성질 차에 따른 ΔR + 열부식, 열팽창계수 차, 상간 비부피차에 따른 활주단 등에 기인하는 굴곡면 격자젖힘과 상간 비부피차에 따른 굴곡면
d) 석출, 응고, 용해과정 - 열적으로 안정한 석출상의 가시화 - 석출, 응고, 용해과정의 속도론	선택 기화에 의한 굴곡면 상간 광학성질 차이에 의한 ΔR + 열팽창 계수차에 의한 굴곡면
e) 시료표면에서의 국부적인 용융-응고과정	상간 광학성질 차이에 의한 ΔR + 비부피차에 의한 굴곡면

* 기존 상과 새로운 상 사이에 반사거동의 ΔR 차이

과정의 속도와 일치하는 경우에만, 시간의 지연 없이 관찰가능하다. 그렇지 않은 경우, 명암형성속도가 늦어지면서 측정 결과에 오류를 발생시킨다. 특히 열역학적 속도론에 관련된 측정을 행하는 경우라면, 이러한 오류에 대한 고려가 필요하다. 비열적 전단을 통한 굴곡면형성 또는 (흡수도의 차 또는 광학적 이방성에 의한) 완전히 다른 광학성질을 가지는 상의 형성의 경우엔, 미세조직 변화과정을 잘 관찰할 수 있다. 이와 반대로 매우 느린 속도로 명암형성과정이 진행된다면, 예를 들어 열부식 또는 선택적

기화, 고온현미경의 한계가 명확해진다.

고온현미경을 이용한 측정결과에 대한 방해인자로, 고온에서의 표면 반응 또는 진공상태에서 거동의 유효성이 있다. 자유표면은 시료내부에 비해 확산, 핵생성 등이 빠르므로, 속도론적인 관점에서 다른 거동을 보인다. 확산의 경우 표면확산(surface diffusion)은 내부확산(volume diffusion)에 비해 월등히 빠르다. 또한 자유표면은 새로운 상의 핵생성에 대해, 예를 들어 결정립계에 비해, 에너지적으로 용이한 장소이다. 부피증가를

수반하는 상변태의 경우, 새로운 상의 형성에 따른 압력이 없는 자유표면에서 더욱 빠르게 진행된다. 위의 세가지 인자는, 시료의 내부에 비해 표면에서 미세조직변화가 빠르게 진행되는 원인이다. 부피감소를 수반하는 변태 또는 표면에 산화층과 같은 막이 형성된 경우라면, 표면에서의 미세조직 변화가 시료 내부에서보다 느리게 진행된다.

시료에 따른 방해인자로는, 고온진공상태에서 장시간 방치된 경우 합금원소에 따른 선택적 기화 현상이 있다. 이는 구성원소에 대한 증기압, 관찰온도, 관찰시간에 의존한다. 선택적 기화는 표면층에서의 조성변화를 유발할 수 있으며, 고온챔버 내에 보호가스를 사용하면 억제할 수 있다: 하지만 보호가스의 사용은 산소의 유입을 동반한다. 잔류가스 내 존재하는 산소로 인해 발생하는 탈탄과정은 금속 내 용해되거나 결합된 산소를 통해 더욱 용이해진다. 표면상에 존재하는 산화물의 영향은, 이웃한 재료에 존재하는 탄소원자로 인한 CO 형성을 통해 감소될 수 있다.

이러한 방해인자와 명암형성이 늦어짐으로 인해서 관찰이 지연되므로 인해, 고온과 저온에서의 미세조직 조사 가능성이 제한된다. 이러한 문제점들에도 불구하고, 고온-저온관측법은 미소조영술(micro-cine-matography)과 더불어, 미세조직 변화과정에 대한 기본적인 이해를 가능하게 하였다.

제3장
상평형과 상태도

3.1
열역학 기본

3.1.1
합금(alloys), 상(phases), 상평형 (phase equilibria)

순수한 금속을 직접 이용하는 것은 실제에서는 매우 드물며, 대부분 한 금속에 다른 금속(또는 비금속물질)을 첨가한 합금이 이용된다. 예를 들어 황동과 청동의 경우, 구리를 기초금속으로 하여 Zn, Al, Si, Sn, Ni, Be, Pb 또는 P 등의 합금원소를 첨가한 것이다. 많은 종류의 강(steel)도 철(iron, Fe)에 C, Mn, Cr, Ni과 그 외의 많은 금속을 첨가한 것으로, 매우 다양한 특성을 얻을 수 있다.

다음과 같은 현상 또는 상[1]들이 합금을 만들 때 나타나게 된다:

- 합금원소간의 화학적인 반응이 전혀 없으며 상호간 실질적인 용해도가 없을때,

원소들은 순수한 각 성분으로 공존한다 (열역학적으로 엄밀히 따져서 용해도가 완전히 없을 수는 없지만, 그 용해도가 매우 낮아 실질적인 측면에서 무시할 수 있는 정도가 되는 경우이다). 그 예로는 철과 납, 구리와 텅스텐 합금 등이 있다.

- 구성원소간에 결합을 이루는 경우로, 예를 들어 원자가결합(valence bonding), 금속간 화합물(intermetallic bonding, 1.2.2.3절), 침입형 합금상(1.2.2.4절) 등이 있다.

- 구성원소의 원자들이 매우 균일하게 섞여있는 경우로 이는 고상에도 적용된다. 고상에서 이렇게 균일하게 원자들이 섞여 있는 것을 고용체(solid solution)라 한다 (1.2.2.2 절). 비정질상의 경우도 원칙적으로는 고용상에 해당한다.

- 위의 세가지 종류의 상들이 혼합되어 나타나기도 한다. 예를 들어 구리를 약 40~45 wt.% Zn과 약 1% Pb 와 합금($\alpha+\beta$ 황동 합금, 6.1.2절)하게 되면, 면심입방 구조를 가지는 α고용체 (max. 37% Zn), 금속간화합물인 β' (Cu$_1$Zn$_1$) 그리고 순수한 Pb가 개재물로 존재하는 혼합상이 나타난다.

고용체 또는 결합상의 형태로 단상으로

---

1) 상(phase)은 같은 구조를 가지는 재료의 영역을 의미하며 같은 화학조성과 특성을 나타낸다. 같은 화학조성이라 하더라도 같은 구조를 의미하는 것은 아니며, 많은 재료들이 같은 화학조성에서 여러 가지의 구조를 나타낸다 (동질이상).

존재하는 합금을 **균일(homogeneous) 합금**이라 하며, 여러 개의 상이 공존하는 경우 **불균일(heterogeneous) 합금**이라 한다. 순금속의 경우 원칙적으로는 단상이지만, 특정한 조건하에서 고상변태를 통하여 불균일한 2상 상태를 이룰 수도 있다.

위의 설명은 2원 또는 3원합금을 만드는 경우 어떠한 상이, 어떤 화학조성으로, 그리고 어느 부피분율로 나타날 것인지, 즉 외부조건과 그에 따른 재료상태사이의 상관관계와 그 의존성에 대한 의문을 가지게 한다. 이 의문점에 대한 원리적인 답은 화학열역학(chemical thermodynamic)에서 찾을 수 있다. 원소 i에 대한 조성 c_i를 가지는 어느 계(system)가 가지고 있는 온도 T, 압력 p, 부피 V를 정의한다. 이 조건하에 그 계를 장시간 유지하면, 그 경로에 무관하게 더 이상의 변화를 나타내지 않는 안정적인 평형상태에 이른다.

예를 들어, 51 wt.% Cr과 49 wt.% Ni을 1400℃ 이상의 온도에서 용해한 후에 냉각하면 900℃에서 면심입방격자(fcc)를 가지는 γ상(40%Cr-60%Ni 고용체)과 체심입방격자(bcc)를 가지는 α상(8%Cr-92%Ni 고용체)이 형성된다. γ상과 α상의 질량분율은 19.6%와 80.4%이다. 이와 같은 재료의 상태는 초기재료를 분말의 형태로 하여 900℃에서 압력의 변화없이 장시간 유지한 경우에도 얻어진다. 이 경우 두 원소의 상호확산에 의하여 합금이 만들어진다. 위의 두 경우에서 형성되는 최종상태는 그 경로에는 상관없이 동일하며, 단지 선택된 변수인 T, p, c_i에 의존함을 알 수 있다.

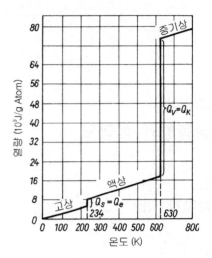

그림 3.1 온도($K^{1)}$)에 따른 수은 1몰[2]의 엔탈피변화.

즉 주어지는 조건변수를 변화시킴으로써 상태의 변화를 가져올 수 있다.

그림 3.1은 일정한 압력에서 온도에 따른 수은(Hg)의 열량[3]변화를 통해 순금속의 열적인 거동에 대한 예를 보여준다. 0K 에서의 열량을 0으로 정의하며, 녹는점인 T_s = 234K 까지는 온도에 따라 선형적인 증가를 나타내면서 약 6000 J g · $Atom^{-1}$을 가진다. 녹으면서 결정상태를 매우 느슨한 액상상태로 만들기 위하여 용해열 Hs = 2350 $Jmol^{-1}$을 받아들인다. 용해과정이 끝나면 온도에 따른 함유열의 증가

---

1) 섭씨온도 ℃에 273.2를 더하여 켈빈온도 K가 구해지며, 열역학에서 온도는 항상 K로 주어지고, 이용된다.

2) 그램으로 나타낸 분자량 (원소의 경우 원자량, Hg의 경우 200.59g)

3) 열량은 어떠한 재료를 절대영도(0K)로부터 온도 T까지 가열하는데 필요한 열을 의미한다. 일정한 압력하에서 온도를 올리는 경우 필요한 열량은 엔탈피(enthalpy)로 나타낸다.

를 나타내면서 증발점인 $T_v = 630K$에 이른다. 액상 수은이 증기로 되기 위해서 온도의 변화없이 증발열 $Hv = 59000J\ mol^{-1}$을 받아들여야한다. 열을 더 가해주면 증기의 온도는 상승한다.

증기상태의 수은을 냉각하면, 응결점 T_K(이는 증발온도와 같다)에서 액화열 $H_K(=Hv)$를 방출하면서 액상으로 된다. 응고온도 T_E(이는 녹는점 T_S와 같다)까지 냉각되면 응고열 $H_E(=H_S)$를 방출하면서 고상이 된다.

위 실험으로부터 용해와 증발과정을 통해 발생하는 구조의 변화(상변태)를 위해서는 특정한 양의 열이 필요함을 알 수 있다. 따라서 온도곡선에 계단형태의 불연속성이 나타난다. 불연속성은 열을 방출하는 액화와 응고과정에서도 똑같이 나타난다. 이러한 관점으로 표 1.7에 보여진 순철의 고상에서의 상변태를 쉽게 이해할 수 있으며, 고상에서의 상변태는 용해 및 증발 등에 필요한 것보다 매우 적은 양의 열을 필요로 한다. 상변태에 필요한 열량(또는 **엔탈피** H)을 변태온도 T_U에 관련지으면, **변태엔트로피** $S_U = H_U/T_U$를 얻을 수 있다. 표 3.1과 3.2에 보여지는 것처럼, 금속재료에 대해 아래의 관계가 성립된다.

- 고상에서의 변태의 경우 $S_U \approx 1-2\ J\ K^{-1}mol^{-1}$
- 용해와 응고의 경우(**Richard 법칙**) $S_U \approx 8-11\ J\ K^{-1}\ mol^{-1}$
- 증발 또는 액화의 경우(**Trouton 법칙**) $S_U \approx 90-110\ J\ K^{-1}\ mol^{-1}$

어떤 계의 온도변화는 부피의 변화와 연

표 3.1 여러 가지 금속의 녹는점과 용해엔탈피 H_s (Richard 법칙)

금속	T_s [K]	H_s [J mol^{-1}]	$S_s=H_s\ /\ T_s$ [J mol^{-1} K^{-1}]
백금	2043	21840	10.7
철	1809	16140	8.9
코발트	1768	15500	8.8
니켈	1726	17610	10.2
구리	1357	13030	9.6
알루미늄	933	10760	11.5
아연	693	6670	9.6
납	601	4770	7.9
수은	234	2350	10.0

표 3.2 여러 가지 금속의 증발점과 증발엔탈피 (Trouton 법칙)

금속	T_v [K]	H_v [J g·Atom^{-1}]	$S_v=H_v/T_v$ [J g·Atom^{-1} K^{-1}]
철	3000	350000	117
마그네슘	1375	136000	99
아연	1179	114000	97
카드뮴	1038	100000	96
수은	630	59000	94

결된다(열팽창, 상변태에 따른 부피변화). 압력 p가 일정한 경우, 부피변화 ΔV를 통한 일은 $p \cdot \Delta V$이며, 부피변화를 강제적으로 없게 조절하면 해당일은 없어진다. 즉, 계의 열량을 정의하기 위해서 두 가지의 다른 열역학적인 함수를 고려해야만 한다.

- 계를 구성하는 입자들의 무질서한 운동과 상호작용, 원자핵과 전자각에너지의 온도 의존도 등이 여러 가지 내부요소에 따른 내부에너지 U, 절대영도 (0K)에서

내부에너지는 존재하지 않으며, 일정 부피를 전제조건으로 구해진다. 그 단위는 J 또는 물질의 양(mol)에 따른 $J\ mol^{-1}$ 로 나타낸다.

- 내부에너지에 더하여 $p \cdot V$항을 첨가한 엔탈피, $H = U + p \cdot V$. 엔탈피 H는 고정된 압력 p에서, 계의 온도를 0K에서 어떠한 온도 T까지 올리는데 필요한 열량을 나타낸다. 앞서의 수은의 예처럼 온도에 따른 열량의 변화는 엔탈피함수로서, 그림에 주어진 Q값은 엔탈피 차(J mol^{-1}의 단위를 가짐)를 나타낸다. 대부분의 재료공학 공정들은 일정한 압력과 매우 작은 부피의 변화를 가지면서 이뤄지므로, 특별히 다른 사항이 언급되지 않는 경우 엔탈피를 관찰 측정하게 된다.

Gibbs는 계의 엔탈피는 두 부분으로 구성된다고 하였다. 하나는 다른 형태의 에너지(예를 들어, 전기에너지)로 변화할 수 있는 가역적인 부분 G로써, **자유엔탈피**라 부른다. 다른 하나는 재료에 구조적으로 연관된 것으로써 비가역적이며, 온도에 의존하는 부분인 $T \cdot S$ (J K^{-1} mol^{-1}의 단위를 가지며, S는 엔트로피를 나타냄)이다.

$$H = G + T \cdot S \text{ 즉 } G = H - T \cdot S \quad (3.1)$$

H, G, S는 재료의 양(몰)에 의존하는 단위이다. 식 (3.1)은 열역학 제2법칙을 나타내는 것으로, 자유에너지 G를 이용하면 계를 구성하는 각 원소간의 화학적인 반응이 일어날지 또는 계에서 어떤 상이 자발적으로 나타날 수 있는지에 대한 예측을 가능하다는 점에서 매우 중요하다. 어떠한 반응이 자발적으로 나타나기 위해서는 계의 자유엔탈피 G를 감소시키는 방향이어야 하며, 최소의 자유엔탈피를 가진 경우 평형상태에 도달했다고 한다(실제로 평형상태에 도달했는가에 대한 여부는 확산이 중요한 의미를 가지는 속도론적인 요소에 의존한다). 어떤 계를 구성하는 원소와 상에 대한 엔탈피와 엔트로피는 열역학적 데이터를 이용하여 계산할 수 있다.

여러 가지 원소로부터 하나의 상 j가 나타난다고 할 때, 자유엔탈피 G_j는 다음과 같이 주어진다.

$$G_j = \sum x_{ij} \cdot \mu_{ij} \quad (3.2)$$

위 식에서 x_{ij}와 μ_{ij}는 j상 내에 존재하는 원소 i의 몰분율과 열역학적 퍼텐셜(thermodynamic potential)을 나타낸다. 열역학적 퍼텐셜 μ_{ij}는 다음으로 정의되며

$$\mu_{ij} = \frac{\delta G_j}{\delta x_{ij}} \quad (3.3)$$

몰분율에 따른 자유엔탈피 G_j의 변화량을 나타내는 것으로, j 상에 1몰의 원소 i를 첨가했을 때 발생하는 G의 변화를 의미한다.

j 상으로 구성된 어떠한 계에 대한 자유엔탈피 G는 다음의 관계를 가진다.

$$G = \sum_j x_j \cdot G_j \quad (3.4)$$

구성원소 i와 분율 x_j를 가지는 j 상으로 구성된 계는 식 (3.4)로 주어진 자유엔탈피가 최소가 되었을 때 평형상태에 이르게 된다.

평형상태에 대한 조건은, 상 j에 분포하고 있는 구성원소 i의 열역학적 퍼텐셜이 모든 상에 대하여 같아서 더 이상의 물질이동이 없는 것이다. 즉, P 개수의 상이 존재하는 경우 아래의 관계와 같다.

$$\mu_{i1} = \mu_{i2} = \mu_{i3} = \cdots\cdots = \mu_{iP} \qquad (3.5)$$

열역학적 퍼텐셜의 관점에서 각 구성원소 i에 대해 P-1개의 조건이 존재한다. 새로운 상의 형성 또는 기존의 상이 없어지는 현상은 계의 전체적인 자유엔탈피 G가 감소되는 경우에만 나타날 수 있다.

K개의 구성원소와 P개의 상으로 구성된 계를 고려해보자. 전체 계에 대한 조성변수의 개수는 P(K-1)이다 ($\sum x_i = 1$이 되야 하므로 각 상에 대해 K-1 개의 독립적인 조성변수가 존재한다). 여기에 더해 온도와 압력이 변수로 작용하며(이는 모든 상에 대해 같다), 따라서 P(K-1)+2개의 변수가 존재한다. 이 변수들은 식 (3.5)에 의한 K(P-1)개의 조건식을 가지므로, 계의 **자유도** 개수 F는 다음과 같다.

F = 변수의 개수 − 평형상태를 위한 조건식의 개수

$$F = P(K-1)+2 - K(P-1) = K-P+2$$
$$(3.6a)$$

위 식을 **Gibbs의 상률**이라 하며, 계에 존재하는 상의 해석을 위해 매우 중요한 의미를 가진다. 일반적인 경우 압력 p는 일정하게 유지되므로, Gibbs의 상률은 다음 형태를 가진다.

$$F = K - P + 1 \qquad (3.6b)$$

자유도 F가 가지는 의미는, 하나의 새로운 상이 나타나거나 없어지지 않으면서 K의 구성원소와 P의 상으로 구성된 계의 상태를 변화시킬 수 있는 몇 개의 변수(온도, 압력 또는 조성)가 존재하는가를 나타낸다. 앞서 언급된 수은의 경우를 예를 들어보면, 단일구성원소이며 압력은 일정하므로 식 (3.6b)을 이용한다. 단일상의 경우 자유도는 1이며, 순금속이므로 온도가 변수가 된다. 즉, 고상(T < 234K), 액상(234K < T < 630K), 증기상(T > 630K) 상태에서, 새로운 상의 형성 또는 기존상의 없어지지 않고 온도의 변화를 줄 수 있다. T=234K에서는 수은이 용해되기 시작하면서 고상과 액상이 동시에 평형을 이루면서 존재하며, 이 경우 F = 0이 된다. 두 개의 상이 공존하는 동안은 열을 공급하여도 온도의 변화는 발생하지 않으며, 모든 수은이 용해되어 하나의 상으로 된 이후에 F = 1이 되므로 열의 공급에 따른 온도상승이 나타난다. 이는 증기화되는 경우도 동일하게 적용된다.

다수의 구성원소를 가지는 경우, 평형상태를 유지하며 존재할 수 있는 상의 최대 개수 P_{max}는 F = 0일 때 얻어진다.

$$P_{max} = K + 2 \tag{3.7a}$$

또는

$$P_{max} = K + 1 : 일정한 \ 압력인 \ 경우 \tag{3.7b}$$

P_{max}의 상들이 존재하는 경우 자유도는 없으며, 따라서 존재하는 어떤 상이 없어지지 않는 한 온도, 압력, 조성의 변화를 줄 수 없으며, 이를 불변 평형상태라 부른다. 자유도가 1인 경우 1개의 변수를 가지는 평형상태, 자유도가 2인 경우 2개의 변수를 가지는 평형상태가 된다.

액상 또는 고상이 증기상(gas phase)과 평형상태를 이룰 수 있으며, 이는 금속원소에도 해당한다. 이러한 증기압은 온도에 의존하며, 높은 온도일수록 증기압도 높아진다. 액상금속 상부의 증기압이 외부의 압력보다 높으면 끓으면서 기화되기 시작한다. 또한 고상금속의 증기압에 비해 외부압력이 낮으면 승화가 나타난다. 액상 또는 고상 금속의 평형상태 **증기압** p는 대략적으로 다음의 관계로 표현된다.

$$\log p = B - \frac{A}{T} \tag{3.8}$$

T: 절대온도, p: 압력(MPa)

표 3.3은 액상금속의 증기압에 대한 변수 A_S와 B_S 그리고 고상금속의 증기압에 대한 변수 A_F, B_F를 나타낸다.

식 (3.8)을 이용하면 고상금속의 상온에서의 증기압을 대략적으로 알 수 있으며, 액상금속에 비해 매우 낮은 값을 가진다. 액상 수은의 경우 상온에서 $1m^3$ 부피의 기체 내에, 인체에 해로운 정도인 $7 \cdot 10^{18}$개의 수은원자(2.3mg)를 함유할 수 있다.

단일원소를 가지는 계에서 고상, 액상, 증기상이 동시에 공존하기 위해서는 특정온도 T_{triple}와 특정압력 p_{triple}이 주어지므로써, 세 가지 상에 대한 평형상태를 가지게 해야 한다. 세 상이 공존하는 경우(P = 3)이므로 자유도 F = 0이 되기 때문으로, **3중점**(triple point)에서는 무변수의 평형상태를 나타낸다. 즉, 온도 또는 압력을 변화하면 하나의 상이 없어지게 된다.

물에서도 삼중점의 존재를 알 수 있다. 세 가지의 상 모두에서 물은 H_2O분자로 구성되어 있고, 즉 수소와 산소로 분리되지 않으므로, 두개의 원소로 구성되어 있지만 단일 구성원소를 계로 취급한다. 물의 3중점은 T = 273.16K, p = 6.13 mbar

표 3.3 여러 가지 금속의 증기압 식에 대한 계수(Guy에 의함)와 3중점

금속	A_S	B_S	A_F	B_F	T_{triple} [℃]	p_{triple} [Pa]	p_{293K} [Pa]
Mg	7120	4.15	7590	4.66	650	$2.7 \cdot 10^2$	10^{-15}
Zn	6160	4.23	6950	5.92	419	$2.1 \cdot 10^1$	10^{-12}
Pb	9190	3.57	9460	4.02	327	$1.8 \cdot 10^{-6}$	10^{-22}
Fe	18480	4.65	19270	5.09	1535	$2.7 \cdot 10^2$	10^{-55}
Cu	15970	4.57	16770	5.16	1084	$6.3 \cdot 10^{-2}$	10^{-46}
Hg	3066	3.87	3810	6.50	−39	$6 \cdot 10^{-4}$	10^{-1}

참고: 1bar = 0.1 MPa = $1 \cdot 10^5$Pa

= 613 Pa에 놓인다.

Δp 만큼 외부의 압력을 변화시키면, 변태점(녹는점, 기화점, 고상의 변태점)들은 ΔT 만큼의 변화를 가진다. **Clausius-Clapeyron관계**는 Δp와 ΔT간의 관계를 나타낸다.

$$\Delta T = \frac{T_U \cdot \Delta V_U \cdot M}{H_U} \cdot \Delta p \qquad (3.9)$$

T_U: 변태점, ΔV_U: 변태에 따른 부피변화($m^3 \cdot g^{-1}$), M: 몰질량 또는 원자질량($g \cdot mol^{-1}$), H_U: 변태엔탈피, Δp: 압력변화 ($1Pa = 1 \ N \cdot m^{-2}$)

구리가 용해되는 경우, $T_U = 1357K$, M = $63.55 \ g \cdot mol^{-1}$, $H_U = 13030 \ J \cdot mol^{-1}$, ΔV_U = 5 $mm^3 \cdot g^{-1}$ = $5 \cdot 10^{-9} m^3 \cdot g^{-1}$(그림 4.50 참조)를 나타낸다. 따라서 $\Delta T = 0.033 \cdot 10^{-6}$ $\cdot \Delta p$이며, 1MPa($= 10bar$)의 압력상승은 $\Delta T = 0.033K$을 유발한다. 용해되는 과정에서 부피의 변화가 매우 작으므로, 녹는점 상승효과는 대부분 무시할 정도로 작다. 몇 도 정도의 온도상승을 위해서는 매우 높은 압력(대략 1000bar = 100MPa정도)이 가해져야한다(그림 3.2).

금속에서 녹는점의 압력의존도는 **Le Chatelier 원리**로 쉽게 이해할 수 있다. 평형을 이루는 계에 외부로부터 영향이 가해지므로써 생기는 효과는 외부영향을 약화시키는 방향으로 나타난다. 녹는점(변태점)에서 평형을 이루는 계의 압력을 높이면, 작은 비체적(specific volume)을 가지는 상이 나타난다. 대부분의 액상금속은

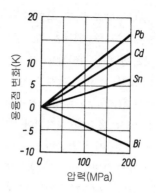

그림 3.2 여러 금속의 압력에 따른 녹는점의 변화(Johnson, Adams).

높은 비체적(낮은 밀도)을 가지므로, 압력의 증가는 고상이 우선되게 하거나 녹는점의 증가를 가져온다. 실리콘(Si)의 경우 액상의 비체적이 높으며, 따라서 압력증가는 녹는점을 저하시킨다. Le Chatelier원리는 고상변태에도 적용된다. 체심입방구조를 가지는 α−철은 대기압하의 911℃에서 면심입방구조를 가지는(높은 밀도를 가지는) γ−철로 변태된다. 압력을 증가시키면 변태점저하의 효과로 인해 γ−철이 낮은 온도에서도 존재하게 된다.

단일구성원소를 가지는 계에서 압력을 일정하게 유지하는 경우(F = 0), 상변태는 특정한 온도에서만 나타난다. 변태 중에는 (용해, 응고, 증발, 응결 등) 열을 공급하거나 제거한다 해도 변태가 끝나는 시점까지는 온도변화는 나타나지 않으며, 이는 평형상태를 유지하기 위한 변수가 없기 때문이다. 구성원소가 많아지면, 변태점은 변태간격(interval of transformation)을 가지게 된다. 두 개의 구성원소를 가지는 계(K = 2)에 두 개의 상(P = 2)을 가지는 경우

자유도는 1이 된다. 따라서 두 상간의 평형(예를 들어 응고 시의 액상과 고상)은 어느 정도의 온도변화에 의해서도 유지된다. 여러 구성원소를 가지는 액상을 냉각하는 경우, 액상선(liquidus)이라 불리는 특정한 온도 T_{liq}에서 응고가 시작되어 고상선온도(solidus, T_{sol})에서 끝난다. $T_{liq} - T_{sol}$은 응고간격이라 하며, 이 온도범위에서 응고가 진행된다. 이러한 변태간격은 다른 형태의 변태에도 나타난다.

3.1.2
고용체의 열역학

3.1.1절에 설명된 열역학적인 기본내용은 거시적이며 현상학적인 내용에 기초한다. 위에 언급된 기본적인 열역학적 내용은 원자론적인 접근을 통하여 고용체의 열역학적인 면을 기술할 수 있다. 고용체는 규칙용액(regular solution)모델로 가정할 수 있으며, 다음의 전제조건을 가진다.

- 고용체의 전체엔탈피는 바로 이웃한 원자간의 **결합엔탈피**로 결정되며, 다음 건너서 이웃한 원자와의 결합엔탈피는 무시한다.
- 결합엔탈피는 조성과 온도에 의존한다.
- 고용체의 엔트로피는 배열엔트로피에 의해서만 결정되며, 격자의 떨림등에 의한 엔트로피는 무시한다.

위의 전제조건들에 의해 매우 단순화된 가정이지만, 열역학적 문제에 대해 논리적으로 매우 알맞은 결과를 가져온다(고용체

의 용해도, 편석화, 규칙화 등에 대한 온도의존도).

같은 구조를 가지는 두 가지 원소 A, B가 섞여 N개의 원자로 이루어진 치환형 2원 고용체를 고찰해보자. B의 조성을 c라 하면, 고용체 내 N개의 원자중 A원자의 개수는 $N_A = N \cdot (1-c)$이며, B원자의 개수는 $N_B = N \cdot c$ 이다.

- 이웃한 원자간에 A-A, B-B, A-B 결합을 가지는 수를 각각 N_{AA}, N_{BB}, N_{AB}라 한다.
- H_{AA}, H_{BB}, H_{AB}는 각 해당하는 결합에 대한 결합엔탈피이다.

하나의 격자가 A원자로 구성될 확률은 $(1-c)$이며, B원자에 대해서는 c가 된다. 이웃한 자리에 A 또는 B원자가 자리잡을 확률은 (배위수 Z는 두 가지 원자에 대해 같으므로) A원자에 대해서 $Z \cdot (1-c)$이며, B원자는 $Z \cdot c$이다. 모든 원자들에 대해 배위수 Z는 같다고 가정한다 (fcc: Z = 12, bcc: Z = 8). 따라서 각 결합의 개수는 다음과 같다.

$$N_{AA} = \frac{1}{2}NZ(1-c)^2 \ ; \ N_{BB} = \frac{1}{2}NZc^2 \ ;$$
$$N_{AB} = NZc(1-c)$$

(중복되는 결합수를 방지하기 위해서 1/2로 곱해주었다.)

결합수를 해당하는 결합엔탈로 곱해주면 고용체의 결합엔탈피 H_M을 얻게 된다.

$$H_M = \frac{1}{2}NZ\left[H_{AA}(1-c)^2 + H_{BB}c^2 + 2c(1-c)H_{AB}\right]$$

치환엔탈피 H_0를 위 식에 대입하면

$$H_0 = H_{AB} - \frac{1}{2}(H_{AA} + H_{BB}) \qquad (3.10)$$

$$H_M = \frac{1}{2}NZ[(1-c)H_{AA} + cH_{BB} + 2c(1-c)H_0]$$
$$(3.11)$$

을 얻게 된다. 치환엔탈피 H_0는 A-A 또는 B-B결합이 A-B로 바뀌면서 얻어지는 엔탈피를 나타낸다. H_0가 양수인 경우는 치환을 위해 그만큼의 엔탈피를 공급해줘야 하며, 음수인 경우는 치환을 통해 그만큼의 엔탈피를 얻을 수 있게 된다. 이상적인 고용체의 경우 A-B결합에 대한 엔탈피는 A-A와 B-B결합에 대한 엔탈피의 평균값을 가지며, c에 대해 선형적인 관계를 가지게 된다.

$$H_{id} = (1-c)H_{AA} + cH_{BB}$$

아래의 식으로 주어지는 엔탈피의 차이 ΔH_M은,

$$\Delta H_M = H_M - H_{id} = NZc(1-c)H_0 \qquad (3.12)$$

이상적인 고용체의 거동에 대한 차이를 나타내며, **혼합엔탈피**라고 부른다.

고용체의 자유에너지 G_M을 표현하기위해서는 엔트로피 S_M이 필요하다. 위에서 전제된바와 같이 배열엔트로피만을 가정하여 계산되며, 이는 Boltzmann 식을 이용하여 구해진다.

$$S_{conf} = k \cdot \ln W \qquad (3.13)$$

$$k = 1.38 \cdot 10^{-23} J\ K^{-1} \ (\text{Boltzmann 상수})$$

W는 격자점에 A와 B원자를 배열하는 구별가능한 방법의 수를 나타내며(이 경우 A나 B원자는 어느 자리에나 위치할 수 있다고 본다) 다음 식으로 표현된다.

$$W = \frac{N!}{N_A! \cdot _B!}$$

Stirling 식($\ln x! = x \ln x - x$)을 이용하면,

$$S_{conf} = -Nk[c\ln c + (1-c)\ln(1-c)] \quad (3.14)$$

식에서 로그항은 음수를 가지므로, 배열엔트로피는 양수가 되며, 즉 고용체를 형성하는 것은 계의 자유 혼합엔탈피 ΔG_M를 감소하는 효과를 가짐을 알 수 있다.

$$\Delta G_M = \Delta H_M - T \cdot S_{conf} \qquad (3.15)$$

이 값은 온도 T의 증가에 따라 커진다.

$$\Delta G_M = NZ[c(1-c)H_0]$$
$$+ NkT[c\ln c + (1-c)\ln(1-c)] \quad (3.15b)$$

식 (3.15b)는 다음을 의미한다.

• 혼합엔탈피 H_0는 고용체의 거동을 표현하는데 있어 매우 중요한 변수로서, H_0 = 0인 경우 이상적인 고용체거동 (A-B 결합 엔탈피는 A-A결합과 B-B결합에

대한 값의 평균이다)을 나타낸다. 엔트로피의 증가가 ΔG_M을 감소시키는 효과는, 각 온도와 각 조성에서 안정된 고용체상을 형성하도록 영향을 준다.

- $H_0 > 0$: A-B결합은 A-A, B-B결합에 비해 약하며, 계는 서로 같은 원자끼리의 결합을 이루려 한다. 결과적으로 온도 $T > T_{grenz} = 0.36 H_0/k$에서만 모든 조성대에서 안정한 고용체상을 형성하며, 그보다 낮은 온도에서는 섞이지 않은 구간이 형성된다. 그림 3.3은 자유엔탈피 G_M과 엔탈피 H_M을 각 온도에 대해 나타낸 것이다($-T \cdot S_{conf}$ 항은 항상 음의 영역에 처진 형태의 함수를 나타내며, 그 피크값은 온도에 비례한다). $T < T_{grenz}$에서는 조성 c_α 와 c_β 가 나타나며, 이 두 점의 공통접선은 G_M을 대신한다. 공통접선(또는 이 점에서의 같은 기울기 dG_M/dc)은, A와 B에 대한 화학퍼텐셜이 동등함을 의미하며(식 (3.3), 식 (3.5)), 따라서 이 조성에서는 두 개의 상이 상호 평형을 이루며 공존할 수 있다. 계가 두 점 사이의 어떠한 조성 c를 가질 때 c_α 와 c_β 의 조성을 가지는 두 개의 상이 형성되며, 이 경우를 완전하게는 섞이지 않은 비혼합구간(또는 용해도간극, miscibility gap)이라 한다. 조성 c_α 와 c_β 는 해당온도에서 B성분이 A에 용해될 수 있는 최대값(α고용체)와 A성분이 B에 용해될 수 있는 최대값(β 고용체)이다. 이러한 2상 상태의 자유엔탈피는 식 (3.4)에 의해 다음과 같다.

$$G_{\alpha+\beta} = G_\alpha \frac{c_\beta - c}{c_\beta - c_\alpha} + G_\beta \frac{c - c_\alpha}{c_\beta - c_\alpha} \qquad (3.16)$$

위는 공통접선을 나타내며, 조성 c에서 단상에 대한 값보다 작다. 최대 용해도 c_α 와 c_β 는 온도에 따라 달라지며, 대략적으로 다음의 관계를 따른다.

$$\frac{C_{A,B}(T)}{1 - C_{A,B}(T)} \cong \exp[-Z \cdot H_0 / kT] \qquad (3.17)$$

한 원소의 고용체에 대한 최대용해도(고용한)는 온도증가에 따라 비례하여 불균형적으로 증가한다는 것은 실험적인 사실과 일치한다.

식 (3.17)에 나타나는 바와 같이, 매우 높은 H_0을 가지는 경우에도 약간의 용해도가 나타난다. 두 원소간의 완전한 불혼합 상태는 나타날 수 없으며, 그 원인은 매우 낮은 조성에서도 ΔG_M에 대한 엔트로피의 값이 상당히 높기 때문이다.

$$\frac{dS_{conf}}{dc} \Rightarrow +\infty, \quad c \Rightarrow 0 \text{ 일 때}$$

양의 H_0를 가지는 고용체에서 같은 원자들간의 응집(clustering)현상은 흔히 나타난다(그림 1.17). H_0는 원자반경의 상대적인 차이에 의존하며(용질 원자주위에 생기는 격자뒤틀림은 H_0을 상승시킨다), 따라서 원자반경 차이가 큰 원자간에 이뤄진 고용체의 용해도는 낮다.

- $H_0 < 0$: A-B결합이 우선하게 되므로, 혼합엔탈피는 엔트로피 항과 같이 음으로

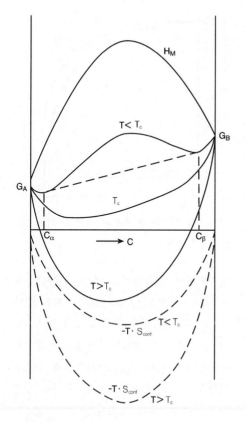

그림 3.3 각 다른 온도에 대한 G_M.

된다. 고용체는 각 온도와 조성에 대해 안정하다. H_0가 큰 음수값을 가진다고 가정하면, 격자에 배열되는 구성원소의 통계적인 분포는 바뀌며, A-B결합의 개수는 $N \cdot Z \cdot c \cdot (1-c)$보다 높게된다. 즉 한 원자의 주위는 다른 종류의 원자가 놓이게 되는 경우가 지배적이며, 이러한 경우를 단범위규칙이라 한다. H_0값이 더욱 큰 음의 값을 가지면 장범위규칙을 나타낸다(그림 1.17).

장범위규칙을 가지는 고용체 내에서 이웃한 원자간의 상호작용에 대해 고려해보자. 이는 A와 B가 각 0.5의 조성을 가진 계로 생각할 수 있다. N개의 격자위치 중 반은 A원자(α자리)가 나머지 반은 B원자(β자리)가 채워지며, α자리의 주변에는 단지 β자리만이 있다. 완전한 규칙도를 가지는 경우 α자리에는 단지 A원자만이 (β자리에는 B원자) 위치하는 것이다. A원자가 α자리(또는 B원자가 β자리)를 차지할 확률을 p라 하자. p = 1/2인 경우는 불규칙 고용체이며, p = 1인 경우는 완전한 규칙도를 가진 경우(장범위 규칙)가 된다. p로부터 장범위 규칙에 대한 규칙도 s = 2p − 1를 정의하면, s = 1은 완전한 규칙도를 s = 0은 불규칙한 상태를 나타낸다. c = 1 − c = 1/2이므로,

$$N_{AA} = N_{BB} = \frac{1}{8}ZN(1-s^2),$$

$$N_{AB} = \frac{1}{4}ZN(1+s^2)$$

따라서 규칙고용체의 엔탈피 H_G는,

$$H_G = \frac{1}{8}ZN[H_{AA} + H_{BB} + 2H_{AB}] + \frac{1}{4}ZNH_0 s^2$$
(3.18a)

배열엔트로피 S_{conf}는,

$$S_{conf} = -Nk\left[\frac{1+s}{2}ln\frac{1+s}{2} + \frac{1-s}{2}ln\frac{1-s}{2}\right]$$
(3.18b)

어떠한 온도 T에 대해 규칙도 s는 최소 자유엔탈피를 가지도록 하며, 다음의 관계

를 가진다.

$$\frac{\partial (H_G - T \cdot S_{conf})}{\partial s}$$
$$= \frac{Z}{2} N H_0 s + \frac{NkT}{2} ln\left(\frac{1+s}{1-s}\right) = 0 \qquad (3.19)$$

식 (3.19)의 해는 규칙도 s가 소위 규칙화온도 $T_0 = -(Z \cdot H_0/(2 \cdot k))$ 이상에서 없어지지만, 고용체는 단범위규칙을 가진다. T_0 이하에서 s는 다음의 관계를 따른다(그림 3.4).

$$\frac{1}{s} ln\left(\frac{1+s}{1-s}\right) = -\frac{ZH_0}{kT} = 2\frac{T_0}{T} \qquad (3.20)$$

$T > T_0$의 온도에서의 고용체를 열처리하는 경우 규칙도를 깨뜨리며, 규칙도에 의존하는 물질의 성질(예, 전기저항)은 원래대로 돌아오게 된다. 이 상태에서 확산이 일어나지 않을 정도로 낮은 온도로 급냉하면, 열역학적인 평형상태가 아님에도 불구칙한 상태를 유지한다. 규칙도를 가지는 합금의 예로는 Cu-50at.% Zn가 있으며, 규칙화온도는 727K(454℃)이다. 규칙화온도 이하에서는 단순입방 CsCl구조를 가지는 규칙합금(β'-황동)을 형성하며, 727K 이상의 온도에서는 bcc 구조의 불규칙 β-황동을 나타낸다.

3.1.3
확산

1.2.3.2절에 논의된 바와 같이, 결정은

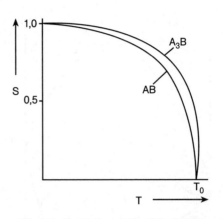

그림 3.4 상 AB와 A_3B에 대한 규칙도 s의 온도 의존도.

열역학적인 관점에서 어떤 온도에서도 어느 정도의 공공(vacancy)를 가지고 있다 (식 1.16). 존재하는 공공의 양을 결정하는 데 공공에 대한 결합엔탈피 H_{BL}가 중요한 역할을 하며, 이 값은 대략적으로 금속의 녹는점에 비례한다(식 1.17). 공공이 인접하는 원자에 의해 채워지는 경우, 공공은 위치를 바꾸게 되며 해당원자는 원자거리만큼 이동한 것이 된다. 고용체에서 이렇게 위치를 바꾸는 원자는 기지원소일 수도 있고, 합금원소일 수도 있다. 구성 원소들이 격자위치에 무질서하게 분포된 경우, 원자들은 격자 내의 모든 방향에 대해 같은 확률로 이동할 수 있으며, 모든 원자움직임(물질이동)의 합은 0이 된다(같은 개념으로 침입형 원자의 이동도 나타낼 수 있으며, 이 경우 공공은 필요치 않다).

이러한 상황은 고용체를 구성하는 하나 또는 여러 원소에 대하여 열역학적 퍼텐셜 구배가 있는 경우 달라진다. 원자의 이동은 해당 퍼텐셜을 줄이는 방향으로, $-d\mu$

/dx, 우선 발생되므로, 퍼텐셜을 줄이는 방향으로의 물질이동이 나타난다[1].

합금원소 i의 이동속도 ν는 다음의 식으로 주어진다.

$$\nu_i = -B_i \cdot \frac{\partial \mu_i}{\partial x} \qquad (3.21)$$

B_i는 i의 이동도로서, 온도에 대해 지수적인 관계를 가진다. 고상(액상, 기상)내에서 발생하는 물질의 이동을 **확산**이라 한다. 어떠한 재료의 열역학적 평형상태를 형성하는 것은 확산과정에 의한 것이다(재료의 구조, 미세조직의 형성과 변화를 수반하는 거의 모든 과정은 확산과정이 필요하다).

열역학적 퍼텐셜과 그 구배를 실험적으로 측정하는 것은 매우 어렵다. 따라서 퍼텐셜의 변화를 어느 구성원소의 조성 c의 변화로 대체하면[2], 국부적인 조성과 조성의 변화양상 등은 실험적으로 측정이 가능하며(예, 전자현미경의 이용) 문제를 단순화할 수 있다.

확산과정은 Fick의 법칙(Fick's law)으로 표현된다. **Fick의 제 1법칙**은 두께 Δx를 가지는 판을 기준으로 조성구배 dc/dx = $\Delta c / \Delta x$가 있는 경우 발생하는 확산유속 j를 표현한 것이다(그림 3.5).

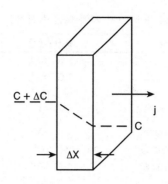

그림 3.5 Fick의 제 1법칙.

$$j = -D \cdot \frac{dc}{dx} \qquad (3.22)$$

계는 특정한 **확산계수 D**를 가지며,

$$D = D_0 e^{-H_D/RT} \qquad (3.23)$$

D_0: 원자의 진동수에 연관된 계수 $(m^2 s^{-1})$, H_D: 확산을 위한 활성화엔탈피 (J mol^{-1}), T: 온도(K), R: 기체상수 (8.314 J $\cdot$ K^{-1} $\cdot$ mol^{-1})

온도가 지수 항에 포함되므로, 확산계수는 강한 온도의존성을 나타낸다. 표 3.4는 식 (3.23)을 통해 구한 몇 가지 계에 대한 확산계수를 나타낸다.

Fick의 제 1법칙은 불균일한 시료 내 임의의 영역 x에서 시간변화에 따른 조성변화를 나타내지 못한다. 이를 위해서는 시간 t의 함수로 들어오는 확산유속에 나가는 유속을 뺀 값을 각 체적요소(volume element)에 대해 계산해야한다. 확산유속의 차는 체적요소 내의 조성변화를 의미하며, 이는 실제적인 경우에 의미를 가지는

---

1) 수로의 물이 아래로 떨어지면서 위치에너지를 감소시키는 것과 같이, 퍼텐셜에 반하는 원자의 이동은 계의 자유엔탈피를 감소시킨다.

2) 이상적인 혼합상에서 $d\mu \approx dc$의 관계가 성립한다.

표 **3.4** 여러 가지 계에 대한 확산계수

확산쌍	$D_0[m^2s^{-1}]$	$H_D[KJmol^{-1}]$	고용체의 종류
α 철 내의 C	$2.0 \cdot 10^{-6}$	84.2	침입형
γ 철 내의 C	$7.0 \cdot 10^{-6}$	134.0	침입형
α 철 내의 N	$66 \cdot 10^{-6}$	78.0	침입형
γ 철 내의 N	$1.9 \cdot 10^{-6}$	118.5	침입형
Al 내의 Cu	$8.5 \cdot 10^{-6}$	136.5	치환형
Al 내의 Zn	$12 \cdot 10^{-4}$	116.4	치환형
Al 내의 Si	$0.9 \cdot 10^{-4}$	127.7	치환형
Al 내의 Mn	$2.0 \cdot 10^{-6}$	269.0	치환형
Al 내의 Mg	$1.2 \cdot 10^{-4}$	117.2	치환형
Cu 내의 Zn	$3 \cdot 10^{-10}$	83.9	치환형
Cu 내의 Sn	$4.1 \cdot 10^{-7}$	130.0	치환형
Cu 내의 Ni	$6.5 \cdot 10^{-9}$	125.6	치환형
Cu 내의 Al	$7.2 \cdot 10^{-7}$	163.2	치환형
Ni 내의 Cu	$1 \cdot 10^{-7}$	146.5	치환형
Pb 내의 Sn	$4.1 \cdot 10^{-4}$	109.0	치환형
W 내의 Mo	$6.2 \cdot 10^{-8}$	335.0	치환형

Fick 제 2법칙으로 표현된다.

$$\frac{\partial c(x)}{\partial t} = \frac{\partial}{\partial x}\left(D \cdot \frac{\partial c}{\partial x}\right) = D\frac{\partial^2 c}{\partial x^2} \qquad (3.24)$$

위식의 우항은 확산계수가 조성과 위치에 의존하지 않음을 전제로 한다.

단순한 경우 위 미분방정식의 해를 구할 수 있다.

예 1:

x 방향으로 긴 시편의 표면에 원소 A가 시간과 온도에 무관하게 조성 c_A를 유지하면서 존재한다. 초기에(t = 0) 시편내의 조성은 모든 위치에서 c_0이다. 시편을 온도 T로 가열하면, 표면상의 원소 A는 시편 내부로 확산되어 들어가게 되며, 이 경우 나타나는 시간 t에 따른 조성의 변화

$c(x, t)$는 그림 3.6과 같이 된다.

$$c(x,t) = c_A - (c_A - c_0)erf\left(\frac{x}{2\sqrt{D \cdot t}}\right) \quad (3.25)$$

Gauss 오차함수(error function)로 표현되는 $erf(x/2\sqrt{D \cdot t})$항은 수치적(numerical) 방법으로 풀 수 있으며, 그림 3.7에 도식

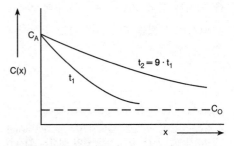

그림 3.6 시료표면에서 내부로 확산에 따른 조성변화.

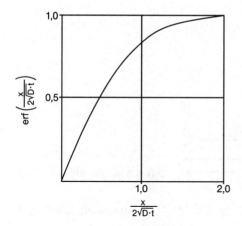

그림 3.7 오차함수 $erf(x/2\sqrt{D \cdot t})$.

적으로 보여진다.

식 (3.23)을 이용하여 확산계수를 계산하면, 관심영역 x와 확산시간 t에 대한 $x/2\sqrt{D \cdot t}$항을 구할 수 있다. 그 값을 그림 3.7을 이용해 해당되는 오차함수값을 얻을 수 있으며, 식 (3.25)에 대입하면 시간 t후에 x위치에서의 조성을 구할 수 있다.

식 (3.25)를 이용하면 한 원소가 재료의 내부로 확산되는 열화학적 공정(침탄, 질화, 코팅된 재료의 열처리 등)을 표현할 수 있다. 어떤 주어진 조성에 대한 조성비

$$q = \frac{c(x) - c_0}{c_A - c_0} = 1 - erf\left(\frac{x_D}{2\sqrt{D \cdot t}}\right)$$

로 정의되는 확산전방(diffusion front) x_D의 진행은 시간에 대하여 포물선형 관계를 가진다. 즉,

$$x_D = K_D \sqrt{D \cdot t} \qquad (3.26)$$

x_D는 조성 $c(x)$가 $q(c_A - c_0)$에 도달한 표면으로부터의 깊이를 의미한다. 예를 들어 q=1/2인 경우, 즉 표면조성 c_A와 시편의 초기조성 c_0의 중간치까지 조성이 증가한 경우, K_D값은 0.956이며, q = 0.01인 경우 K_D = 3.65이다. 실제의 경우에 대해 K_D = 2인 경우가 중요하며, 이는 $x_D = 2\sqrt{D \cdot t}$에 해당하는 위치에서 $(c_A - c_0)$의 16%에 해당되는 조성의 증가가 발생했다는 것을 의미한다. $2\sqrt{D \cdot t}$는 확산거리 L_D라 하며, 확산범위를 표현하는 중요한 하나의 정보로 이용된다.

식 (3.26) (포물선관계)은 또한 다음 사항들을 의미한다: 시간 t 또는 확산계수 중 하나만으로는 확산효과를 나타내지 못하며, 두 값의 곱이 중요하다. 확산되는 원소의 침투깊이를 두 배로 하기 위해서는, 네 배의 열처리시간이 필요하다. 또한 시간항 외에도, 확산계수 D에 포함되는 온도의 항으로도 표현될 수 있다(식 3.23). 확산계수 D에 온도가 지수항으로 존재하므로, 약간의 온도증가는 확산깊이의 상당한 증가를 가져온다. 침탄시에 침탄온도를 900℃에서 약 130℃도 올려주면, 같은 침탄시간에서 탄소의 침투깊이를 두 배로 할 수 있다.

예 2:

확산되는 원소 B에 대해 c_1과 $c_2(< c_1)$의 조성을 가지는 두 개의 막대를 용접한 경우, t = 0에서 접합경계에는 c_1에서 c_2로의 갑작스런 조성변화를 나타낸다. 확산처리 중에 원소의 이동이 x < 0인 쪽에서 x > 0인 영역으로 이동하는 경우, 시간에 따

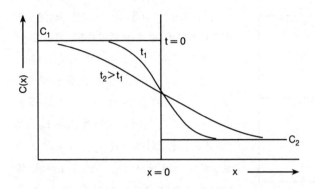

그림 3.8 확산에 따른 조성변화.

른 조성의 변화는 그림 3.8에서와 같이 나타내지며, 아래 식을 따른다.

$$c(x,t) = c_2 + \frac{c_1 - c_2}{2}\left[1 \mp erf\left(\frac{x}{2\sqrt{D \cdot t}}\right)\right]$$

$$(3.27)$$

오차함수 앞의 부호가 음인 경우는 $x > 0$, 양인 경우는 x < 0인 경우를 나타낸다. 이 경우에도 확산영역은 $L_D = 2\sqrt{D \cdot t}$ 로 나타내지며, 예 1에서 나타낸 것처럼 온도와 시간의 항을 가지고 있다.

지금까지는 단지 한가지의 원소 B의 c_1의 조성을 가지는 쪽에서 c_2조성을 가지는 부분으로 확산만을 고려하였으나, 그와 동시에 반대방향으로의 기지원소 A의 확산도 발생한다(**상호확산**, inter-diffusion). 다른 확산계수를 가지므로 B원소의 경계면을 통과하는 유속은 A원소에 대한 것과 다르다. 확산을 통해 물질을 보내는 양이 물질을 받아들이는 양에 비해 많은 쪽에는 기공(pore)이 나타난다. 그 반대의 경우인 확산을 통해 받아들이는 양이 많은 쪽에는 경계면에 인접한 곳에 불룩하게 부푼 부분이 나타난다. 이러한 현상은 상호확산의 경

우 흔히 나타나며, **Kirkendall 효과**라 한다.

이상 언급된 사항들은 빈자리 또는 침입형으로 존재하는 원자가 자리를 바꾸면서 나타나는 체적확산과 연관된다. 이러한 체적확산은 T/T_S가 0.4 이상인(T_S: 녹는점) 온도 T에서 현저하게 발생한다(**Tamman 규칙**). 약 $0.4 \cdot T_S$의 온도에서 원자의 자리바꿈은 평균적으로 하루에 한 번 정도 이뤄지며(1.2.3.2절), 그 이하 온도에서는 의미를 가지지 못한다. Tamman 규칙에 따라 확산에 대한 경계온도 T_D가 주어지며, 그 이하의 온도에서 이뤄지는 확산지배(diffusion controlled)과정[1]에 대한 확산 또는 확산 과정은 계산할 수 없다.

$$T_D \approx 0.4 \cdot T_S \qquad (3.28)$$

이보다 낮은 온도에서는 표면확산, 결정립계확산, 전위를 따른 확산 등 다른 확산기구에 의한 확산이 나타난다. 이 경우 원자끼리 강하게 결합되어있지 않으므로 높은 이동도와 감소된 확산활성화에너지를

---

1) 석출 또는 용해과정, 확산에 의한 상변태, 재결정등이 이에 속한다.

표 3.5 fcc금속에서 확산 종류에 따른 활성화 엔탈피와 진동계수 (Kaur와 Gust에 따름)

확산종류	H_D/T_s [J mol^{-1} K^{-1}]	D_0 [10^{-4} m^2 s^{-1}]	$L_D[\mu m]$ T=T$_s$	$L_D[\mu m]$ T=0.4T$_s$
체적환산	153	0.55	$9 \cdot 10^3$	$4 \cdot 10^{-3}$
전위	105	2.1	$310 \cdot 10^3$	12
결정립계	74.5	0.3	$740 \cdot 10^3$	450
표면	54.5	$1.4 \cdot 10^{-2}$	$540 \cdot 10^3$	2000
용체	38	$2.3 \cdot 10^{-2}$	$580 \cdot 10^3$	–

가지며, fcc 금속에 있어 위 값들을 표 3.5에 나타내었다.

또한 t = 1시간인 경우에 대한 대략적인 확산길이를 나타낸다. 녹는점에서 용체, 표면, 결정립계, 전위에 대한 확산길이는 유사한 값을 가지며(수십 cm), 체적확산에 대해서는 한 차수 낮은 값을 가진다. 온도 T = 0.4T$_s$에서 각 경우에 대한 확산길이는 매우 다른 값을 나타낸다: 체적확산의 경우 nm 대의 값을 가지는 반면 표면확산과 결정립계확산의 경우 이에 비해 매우 높은 확산길이를 나타낸다.

3.2 상태도에 대한 기본개념

3.1절에서는 상형성과 상평형에 관한 문제를 열역학적 관점에서 설명하였다. 어떠한 계가 온도, 압력, 조성 등 주어진 상태변수에서 열역학적 평형을 이루고 있다면, 그 상태에서 나타나는 상과 조성은, 평형에 이르는 과정에 무관하게 영구적으로 변화를 가지지 않는다. 따라서 어떠한 계의 상태를 상태변수에 따라 도식적으로 표현할 수 있으며, 이를 상태도라고 한다. 상태도의 좌표축은 상태변수이며, 이러한 변수에 따라 나타나는 상을 나타낸다. 상태도는 주어진 상태조건에 대해서, 각 상이 가지는 조성과 상분율 등을 표현해야 한다. 상태도는 한 상 또는 여러 개의 상의 존재를 나타내는 상영역과 이를 구분하는 경계들을 나타낸다. 그 예로 두 개의 구성원소로 이루어진 2원계에 대해 고찰할 것이며, 이에 대한 더욱 자세한 설명은 3.4절에 논의된다.

우선 조성을 표시하는 방법에 대해서 알아보자. 열역학적으로 물질의 양은 몰(mol)을 이용하여 표시하며, 조성을 나타내기 위해 몰분율(전체계에 존재하는 몰수에 대한 비로서, 원자분율 at.%에 상응한다)을 이용한다. 하지만 실제에서는 물질의 양을 무게단위로 표시하며 조성을 나타내는 데는 무게분율 wt.%가 이용된다. 이하 특별한 언급이 없는 한 무게분율로 표현된다. 조성을 나타내는 위의 두 가지 방법사이의 변환법은 부록에 나타내었다.

그림 3.9는 납(Pb)과 주석(Sn)으로 이루어진 계에 대한 상태도를 나타낸다. 온도와 압력항 외에 조성변수를 나타내야하며,

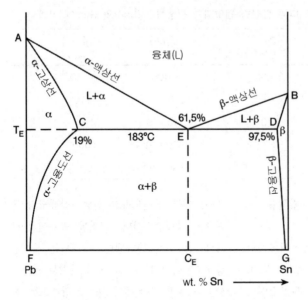

그림 3.9 Pb–Sn 2원계 상태도.

이 예에서 Sn의 조성은 무게분율로 주어진다(Pb조성 = 100% – Sn조성). 원래는 세 가지 상태변수에 대해 3차원적인 표현을 해야 하지만, 대부분의 과정들이 일정한 압력 하에서 이뤄지며 응축상의 평형에 대한 압력의 영향은 매우 미미하므로 일반적으로 압력변수는 나타내지 않는다(3.1.1절, 식 3.9). 따라서 세로축은 온도를 가로축은 Sn조성을 나타내게 선택하였다.

상태도 내의 선들은 상이 존재하는 영역을 구분하며, 부호들은 해당영역에 존재하는 상을 표시한다. L은 액상(liquid)을, α는 납계(Pb rich) 고용체, β는 주석계(Sn rich) 고용체를 나타낸다. 납은 4개의 원자를 단위정 내에 가지는 fcc 결정구조를 가지며, α고용체도 같은 구조를 가진다. 주석과 β고용체는 정방정(tetragonal)구조를 가지며, 단위정 내 4개의 원자를 가진다[1]. 납의 녹는점(A점)은 327℃이며, 주

석의 녹는점(B점)은 232℃이다. 이 상태도에는 모두 세 개의 단상영역(α, β, L)과 세 개의 이상영역(L + α, L + β, α + β)이 존재한다.

위 예로부터 모든 2원계에 해당하는 다음 사항들은 알 수 있다.

• 하나의 단상영역은 다른 단상영역과 접하지 않으며, 그 사이에 항상 이상영역이 존재한다(α상의 경우 L + α 또는 α + β 영역에 접한다). 반대로 이상영역 사이에는 항상 단상영역이 존재한다.

• 납쪽의 α상과 주석쪽의 β상과 같이 순수한 원소에는 항상 단상영역이 연결된다. 녹는점 이상에는 액상 L이 존재한다.

• 등온적으로 나타나는 경계선을(T가 일정한상태로 나타나는 C–E–D와 같은 경계) 제외하면, 경계선을 넘어서면서 하나의

---

1) 해당되는 결정구조는 부록참조.

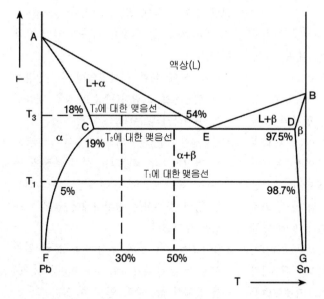

그림 3.10 맺음선(tie line)과
이상영역에서의 지렛대법칙.

새로운 상이 형성되거나(예, C-F선을 지나면서 나타나는 β상, A-C선을 지나면서 나타나는 L의 경우 등), 기존의 상이 없어진다(예, $\alpha+\beta$역이 D-G를 지나면서 α상이 없어지는 경우 등). 이를 1 대 1 법칙이라 하며, 상영역을 나타내는데 알맞게 표기되었는가를 빠르게 검사하는데 유용하다.

• 어느 계에서도 **액상선**(liquidus, 선 A-E-B)은 나타나며, 이 선의 상부에 존재하는 모든 상은 액상이며, 온도가 감소하는 방향으로 액상선을 지나면서 합금의 응고가 시작된다.

• 액상선과 같은 개념으로 **고상선**(solidus, 선 A-C-E-D-B)이 정의될 수 있으며, 이 선의 아래의 모든 상은 고체상태로 존재한다.

• 합금의 응고 또는 용해는 액상선과 고상선 사이의 온도구간에서 이뤄진다[1].

• 고체상태의 단상과 이상영역을 구분하는 경계선은 고용체 내에 용해될 수 있는 합금원소의 최대농도(고용한, solubility)를 나타낸다. 예를 들어 F-C선은 α고용체의 주석에 대한 온도에 따른 고용한을 나타내며, G-D선은 납에 대한 β고용체의 고용한을 보여준다.

단상영역 내에서 변수 T, c를 변화시키는 경우, 그 영역에 해당하는 상(즉 α, β 또는 L)이 나타나며, 상의 조성(c_α, c_β 또는 c_L)은 합금의 조성 c와 같다. Gibbs의 상률에 따라(식 3.6b) 두 개의 자유도를 가지며, 이는 해당하는 상영역 내에서의 온도와 조성의 변화는 새로운 상을 나타내

---

1) 3.1.1절에 언급한 바와 같이 다수의 구성원소를 가지는 합금의 경우 변태간격이 나타난다. 이는 Gibbs의 상률에 의한 것으로 응고(용해)에도 적용된다.

지 않는다는 것을 의미한다.

이상영역에서 온도와 합금조성을 변화시키는 경우는 다른 거동을 나타내며, 우선 $\alpha + \beta$영역에 대해서 고찰해 본다(그림 3.10). 이 영역에 존재하는 모든 점은 위의 두 상을 가지는 합금을 의미한다. 합금의 조성 또는 온도의 변화에 따라 각 상(고용체)의 분율과 조성이 달라진다. 주어진 온도에 따라 각 고용체에 대한 고용한이 존재한다. α와 β고용체의 고용한 c_α와 c_β를 평행하게 연결하면(즉, 등온선), 그 온도에 대한 맺음선(tie line)이 얻어진다(그림 3.10)[1]. 맺음선은 합금조성 c를 기준으로 두 개의 영역 a, b로 나눌 수 있으며, 지렛대법칙 (lever rule)[2]을 이용하여 두 고용체의 분율 m_α, m_β를 계산할 수 있다. 한 쪽 지렛대의 길이 $a = c - c_\alpha\,(T_1)$이며, 다른 편의 길이는 $b = c_\beta\,(T_1) - c$로 주어진다.

$$a \cdot m_\alpha = b \cdot m_\beta, \quad m_\alpha = \frac{b}{a+b},$$

$$m_\beta = \frac{a}{a+b} \qquad\qquad (3.29a)$$

이를 조성으로 표현하면,

$$m_\alpha = \frac{c_\beta - c}{c_\beta - c_\alpha}, \quad m_\beta = \frac{c - c_\alpha}{c_\beta - c_\alpha} \qquad (3.29b)$$

따라서 상의 종류, 각 상의 조성과 분율 등 상태도에서 나타내는 이상영역에 대한

---

1) 맺음선은 그림 3.3의 α와 β 혼합상의 자유엔탈피에 대한 공통접선에 해당한다(식 3.16).
2) 지렛대법칙은 식 (3.16)을 기본으로 한다.

모든 정보를 얻게 된다. 이러한 정보를 얻기 위해 해야 할 일들은 다음과 같이 요약된다.

• 관심온도에 대한 이상영역내 등온연결선인 맺음선을 그린다(단상일 경우 맺음선이 존재하지 않는다).
• 맺음선은 이상영역의 경계선을 그 끝으로 가지며, 각 해당되는 상의 조성을 얻는다. 즉, 맺음선과 경계선의 교차점은 두 상이 공존하는 평형상태에 놓이는 조성을 나타낸다.
• 합금조성 c와 상의 조성 c_i를 통해 공액선은 두 부분 a와 b로 나뉘며, 식 (3.29)를 통해서 상분율을 얻을 수 있다.

모든 이상영역에 대하여 위의 과정을 대입할 수 있으며, 아래에 Pb – Sn계에 대한 세 가지의 예를 나타낸다.

예 1:
합금조성은 $c = 50wt.\%$이며, 온도 $T_1 = 100℃$에서 존재하는 상, 해당 상의 조성과 분율을 구하고자 한다. 상태도의 100℃에 해당하는 맺음선으로부터 $c_\alpha = 5wt.\%$ Sn과 $c_\beta \approx 1.3wt.\%$ Pb(98.7wt.% Sn)임을 알 수 있다. α와 β상의 분율은 식 (3.29)를 이용하면,

$$m_\alpha = \frac{98.7 - 50}{98.7 - 5} = 0.52, \quad m_\beta = \frac{50 - 5}{98.7 - 5} = 0.48$$

이 된다.

예 2:
조성 $c = 50wt.\%$ Sn인 합금을 183℃에 약간 못미치는 온도인 T_2로 가열한다. 공

액선은 C-E-D선이라 할 수 있으며, 예상한 바와 같이 두 고용체에 대한 용해도는 증가하여 $c_\alpha = 19\text{wt.\%}$ Sn과 $c_\beta = 2.5\text{wt.\%}$ Pb를 가진다. 두 상의 분율은,

$$m_\alpha = \frac{97.5 - 50}{97.5 - 19} = 0.61\text{와}$$

$$m_\beta = \frac{50 - 19}{97.5 - 19} = 0.39\text{이다.}$$

100℃인 경우와 비교해 α상의 분율이 증가함을 알 수 있다.

예 3:

조성 $c = 30\text{wt.\%}$ Sn을 가지는 합금에서 200℃에서의 상태를 알아본다. 상태도로부터 L+α영역이 나타남을 알 수 있으며, 공액선을 이용하면 $c_\alpha = 18\text{wt.\%}$ Sn과 액상의 경우 $c_L = 54\text{wt.\%}$ Sn을 가진다. 각 상의 분율은,

$$m_\alpha = \frac{54 - 30}{54 - 18} = 0.67\text{와} \quad m_L = \frac{30 - 18}{54 - 18} = 0.33$$

이 된다.

33%의 무게분율을 가지는 액상 내에 고체상이 존재함을 알 수 있으며, 두 상은 평균 합금조성 c와 다른 조성을 가지고 있다.

실제에서 자주 이용되는 것으로 일정한 온도에 대한 **미세조직도**라는 것이 있다(그림 3.11). 가로축에 주어지는 합금조성에 대하여 해당되는 상분율을 나타낸다. 그림 3.11은 간단한 미세조직도의 예를 나타내며, 다음과 같은 사항을 알 수 있다. 5wt.% Sn까지의 조성에서 합금은 α 단상을 형성하며, Sn이 98.3%이상 함유된 경우 β 단상을 형성한다. 그 중간에 놓이는 합금조성을 가지는 경우 두 개의 상이 나타나며, 상분율은 조성 c에 대해 선형적인 관계를 가지며 변화한다. 예를 들어 70wt.% Sn인 경우, 약 31wt.%의 α상이 존재한다. 미세조직도를 이용하면 지렛대법칙을 이용하는 것에 비해 시간을 절약할 수 있지만, 단지 정해진 온도에만 적용할 수 있으므로, 온

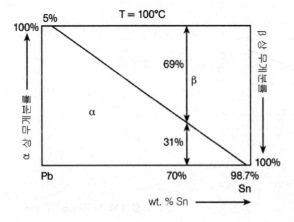

그림 3.11 Sn-Pb계에서 T= 100℃에 대한 미세조직도.

도변화에 따른 조직의 변화는 알 수 없다.

2원계 상태도는 매우 다양한 형태를 가지고 있으며, 이는 3.4절에서 설명된다. 매우 다양한 2원계 상태도가 존재하지만, 이 절에서 설명된 상태도에 대한 규칙들은 어느 경우에나 적용되며, 복잡한 2원계 상태도를 이해하는 기초가 된다.

3.3
단일성분계

두 개의 변수(온도와 압력)를 이용하여 단일성분계를 표현한다. 3.1.1절에서 설명된 바와 같이, 상변태를 하지 않는 금속은 승화곡선(기상-고상의 평형), 용해 또는 응고곡선(액상-고상의 평형), 기화 또는 응결곡선(증기상-액상의 평형)만으로 이루어진 상태도를 나타낸다. 위의 세 곡선은 고상-액상-증기상이 모두 평형상태에 놓이는 삼중점(triple point) T_{triple} 또는 p_{triple}에서 만난다. 그림 3.12는 마그네슘(Mg)의 상태도이다.

용해곡선 II은 녹는점 또는 응고점에 대한 압력의 영향이 미미함을 나타내며, 증기곡선 III과 승화곡선 I의 경우는 압력에 대하여 큰 영향을 가진다. 0.1 MPa=1bar의 압력에서 마그네슘 증기상은 1125℃이상에서 나타나며, 625℃이하에서 고상으로 존재하며, 그 사이의 온도에서는 액상으로 존재한다. $1Pa = 10^{-6}MPa$로 압력을 감소시키면, 마그네슘 증기상은 430℃까지 나타난다. 이 압력 하에서는 고상의 승화가 나타나며, 액상은 모든 온도범위에서 나타나지 않는다.

고상에서 상변태가 발생하는 경우엔, 이상공존영역과 그에 따른 삼중점들을 포함하는 형태의 상태도를 가진다. 그림 3.13은 고상에서 α, β, γ의 상을 나타내는 단일성분계에 대한 개략적인 상태도를 나타낸다.

철(Fe)은 고상에서 상변태를 가지며, 표 1.7에 α, β, γ, δ 상이 나타나는 온도를 나타내었다. 매우 높은 압력하에서는(p가 15GPa 또는 그 이상인 경우), 조밀육방정 결정구조를 가지는 ε상이 나타난다. 그림 3.14는 $\alpha + \gamma + \varepsilon$ 삼중점 부근의 상태도를

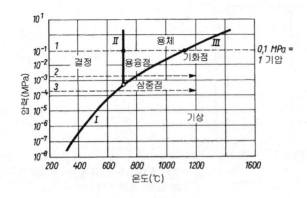

그림 3.12 마그네슘 상태도.

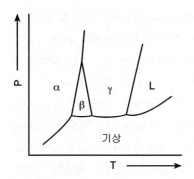

그림 3.13 세 가지의 고상을 가지는 경우에 대한 개략적인 상태도.

나타낸다(이 상태도는, 대부분의 실제경우에도 관찰되는 바와 같이, α와 β상 사이에는 차이를 두지 않고 표현하였다).

3.4
2원계 상태도

3.1절에서 설명된 바와 같이 2원계의 경우 세 개의 상태변수(온도, 압력, 조성)를 가진다: 두 개의 원소에 대한 조성의 합은 항상 100%가 되므로, 하나의 조성이 주어지면 다른 원소의 조성은 자동으로

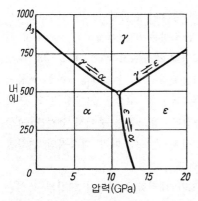

그림 3.14 고상상태의 철에 대한 상태도.

정해진다. 세 개의 상태변수를 나타내기 위해서는 3차원적인 표현이 필요하지만, 실제적 응용을 위해선 알아보기 어렵다는 단점을 가진다. 앞에서 여러 번 설명했듯이 하나의 변수인 압력항을 상수로 놓고, 온도-조성(T-c)의 항으로 2원계 상태를 표현한다. 이 절에서는 여러 종류의 2원계 상태도에 대한 설명하며, 액상과 고상만을 고려한다.

3.4.1
고체상태에서 완전한 용해도를 가지는 합금

두 종류의 금속이 고상에서 완전한 용해도를 가지기 위해서는 다음의 조건들을 만족해야한다(1.2.2.2 절 참조):

1. 두 금속은 액체상태에서 완전히 혼합될 수 있어야 한다.
2. 두 금속의 결정구조는 같아야 한다. 두 금속 모두 육방정, 면심입방정(fcc) 또는 체심입방정(bcc)구조를 가지는 경우에 완전한 용해도를 나타낸다. fcc구조를 가지는 금속이 고용체의 형성을 통해 bcc구조를 가지는 금속 내로 연속적으로 채워질 수 없다.
3. 두 금속간의 격자상수의 차이는 10~12%보다 작아야한다.
4. 두 금속은 매우 유사한 화학적 성질을 가져야 한다. 예를 들어 bcc의 나트륨(Na)은 같은 bcc결정구조를 가지는 텅스텐(W)과 완전고용체를 형성하지 않

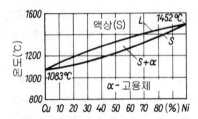

그림 3.15 Cu-Ni 상태도.

으며, 이는 나트륨과 텅스텐의 상이한 화학적 거동에 기인한다.

그림 3.15는 구리(Cu)-니켈(Ni)의 상태도이며, 두 금속은 액상은 물론 고상에서도 완전한 고용도를 나타낸다. 구리와 니켈은 앞의 4가지 조건을 모두 만족한다: 구리와 니켈은 액상에서 완전한 용해도를 나타내고, 두 금속 모두 fcc결정구조를 가지며, 구리의 격자상수(a = 0.36152nm)는 니켈의 격자상수(a=0.35238nm)와 약 2.5%의 차이를 가진다. 또한 구리의 원자번호는 28이고 니켈의 원자번호는 29로써 주기율표상에서 접해있다.

구리-니켈의 상태도는 세 개의 상영역으로 이뤄진다: 고온에서는 균일한 액상이 존재하고, 저온에서는 균일한 고용체의 단상영역이 존재한다. 두 개의 상영역사이에는 아치형(lancet)으로 2상영역(S + α)이 나타난다.

곡선 L은 모든 조성의 Cu-Ni 합금에 대한 액상선이며, 곡선 S는 고상선이다. 액상선 위쪽은 모든 합금조성에서 액상을 가지고, 고상선 아래에서는 고상만이 존재한다. 액상선과 고상선 사이의 (S + α) 2상 영역은 액상선과 응고된 고용체가 공존

한다. 액상선과 고상선의 시작점 또는 끝점은 두 구성금속의 녹는점이 된다.

순수한 금속의 녹는점은 어떤 정해진 온도인 반면, 고용체의 경우 Gibbs의 상률(식 3.7)에 의거하여 녹는점이 아닌 응고 또는 용해구간(interval)을 나타낸다. 어떠한 조성의 고용체이건, 용해의 시작온도(고상선)와 용해가 끝나서 완전한 액상으로 되는 온도(액상선)를 가진다. 용해 시작온도와 끝나는 온도사이의 구간을 고용체에 대한 용해구간 또는 응고구간이라 한다. 용해구간 내의 액상과 고상은 다른 조성을 가진다. 일반적으로 액상의 경우 녹는점이 낮은 금속을 많이 함유하며, 고상은 높은 녹는점을 가지는 금속을 많이 함유하고 있다. 또한 용해구간 내에서 액상과 고상의 조성은 온도에 따라 변화한다.

고용체의 응고거동에 대한 예로써 80% Cu + 20%Ni 합금의 경우를 그림 3.16에 나타내었다. 균질한 액상을 $T_L = 1195℃$까지 냉각시키면, 미소한 양의 고상결정 K_5가 63%Cu + 37% Ni을 가지면서 나타난다. 따라서 액상 내의 니켈함량은 줄어들고, 구리의 함량이 증가한다. $T_4 = 1183℃$에서 액상의 조성은 82.5%Cu + 17.5% Ni이 되고, 고상의 조성은 $K_4 = 66.5%Cu + 33.5%Ni$로 이동된다. 즉 응고과정 중에 액상의 조성은 액상선, 고상은 고상선 상의 조성을 가진다. 응고과정 중에서 액상과 고상의 조성은 온도에 따라 연속적인 변화를 나타낸다.

온도가 내려감에 따라서 고상의 조성은 K_5, K_4, K_3, K_2를 거쳐서 합금조성인 K_1으

로 되며, 액상의 조성은 원래의 액상조성 으로부터 점차 멀어진다($S_5 \rightarrow S_4 \rightarrow S_3 \rightarrow S_2$ $\rightarrow S_1$). 각 온도에서 액상과 고상의 평형조 성을 표 3.6에 나타낸다.

또한 지렛대 법칙으로부터 알 수 있듯 이, 온도의 저하에 따라 고상의 양은 점차 증가하고 액상의 양은 점차 감소한다(표 3.6b).

$T_3 = 1170℃$에서 평형상태인 경우, 액상 S_3의 양은 66.7%이고 그 조성은 85%Cu + 15%Ni이며, 고상 K_3의 양은 33.3% 그 조 성은 70%Cu + 30%Ni이다. 액상으로부터 1170℃로 냉각이 된 것인지 또는 고상의 80%Cu + 20%Ni 합금이 1170℃로 가열된 것인지에 무관하게, 해당온도에서 충분히 긴 시간 동안 유지되는 경우 위의 평형상 태에 도달한다. 80%Cu + 20%Ni 합금의 응 고는 고상선에 도달하여 마지막 액상이 응 고되면서 끝난다. 고상 결정의 내부와 외 부간의 조성차이는 확산에 의해 같아지므

로써 균질한 조성의 80%Cu + 20%Ni 고상 합금을 얻을 수 있는데, 이는 해당원소에 대한 고상내의 확산길이가 응고된 결정립 의 크기보다 확연히 큰 경우에 해당된다.

냉각 중에 액상선 온도에 도달하면 첫 번째 고상결정이 형성되면서, 결정화에 필 요한 열을 방출하므로 냉각이 느려진다. **냉각곡선은** 빠른 냉각속도를 나타내며 냉 각된다. $T_L = 1195℃$에서 굴곡점을 나타낸 후 $T_L \sim T_S$ 구간에서 결정화에 따른 열의 방출로 인해 냉각속도가 느려진다(그림 3.16a). T_S에서 전체합금의 응고가 끝난 후 에, 즉 응고열의 방출이 없어지면, 냉각속 도는 다시 증가한다. 따라서 T_S에서도 냉 각곡선의 굴곡점이 보여진다. T_L에 해당하 는 점을 상부굴곡점 T_S를 하부굴곡점이라 하며, 고용체의 냉각곡선을 측정하므로써 응고구간을 실험적으로 관찰할 수 있다 (3.7.1절 참조).

응고와 비슷한 현상들이 용해 중에도 관

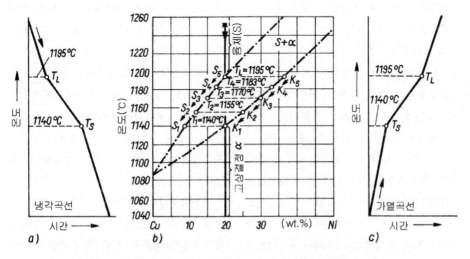

그림 3.16 고용체의 응고: a) 냉각곡선, b) 용융- 또는 응고평형, c) 가열곡선.

표 3.6a 80% Cu + 20%Ni 합금의 응고에 따른 조성변화

온도[℃]	액상 조성	결정상의 조성
T_L=1195	80% Cu + 20% Ni (S_S)	63% Cu + 37% Ni (K_S)
T_4=1183	82.5% Cu + 17.5% Ni (S_4)	66.5% Cu + 33.5% Ni (K_4)
T_3=1170	85% Cu + 15% Ni (S_3)	70% Cu + 30% Ni (K_3)
T_2=1155	88% Cu + 12% Ni (S_2)	75% Cu + 25% Ni (K_2)
T_1=1140	91% Cu + 9% Ni (S_1)	80% Cu + 20% Ni (K_1)

표 3.6b 80% Cu + 20%Ni 합금의 응고에 따른 양의 변화

온도[℃]	액상 분률	결정상 분률
T_L=1195	100.0	0
T_4=1183	84.4	15.6
T_3=1170	66.7	33.3
T_2=1155	38.5	61.5
T_1=1140	0	100.0

찰된다. 합금을 가열하여 고상선온도인 T_S = 1140℃에 도달하면 고상의 K_1결정에서 구리를 많이 함유하는 액상인 S_1이 나타난다. 온도의 상승에 따라 액상과 남은 고상 내의 니켈조성이 점차적으로 높아진다. T_L = 1195℃에 이르면 액상의 조성은 S_5를 가지며, 용융과정은 끝이 난다. 승온곡선(그림 3.16c)에서도 T_S와 T_L에서 용융의 시작과 끝에 해당하는 굴곡점이 보여지며, 고상결정을 용해하기 위한 용해열이 소모되므로 승온속도가 느려지기 때문이다. 이상의 80%Cu + 20%Ni 합금에 대한 현상은 모든 다른 조성의 Cu-Ni합금에서도 나타난다. 응고과정의 시작은 항상 액상선온도이며(냉각곡선의 상부굴곡점) 고상선온도(하부굴곡점)에서 끝난다. 이러한 경우 상태도는 모든 조성의 Cu-Ni합금에 대한 고상선과 액상선 이외의 정보를 나타내지 않

는다.

Cu-Ni합금의 미세조직은 단상으로 이뤄지며, 다면체의 형상을 가진 fcc결정구조의 α고용체이다. 그림 3.17a는 순수한 Cu의 미세조직을 나타낸다. 다면체들은 중간정도 또는 낮은 적층결함에너지를 가지는 fcc금속에서 일반적인 쌍정을 나타낸다. 65%Cu + 35%Ni합금(그림 3.17b)과 35%Cu + 65%Ni합금(그림 3.17c)의 미세조직은 차이를 보이지 않는다. 순수한 Ni(그림 3.17d)도 쌍정을 포함하는 다면체형의 미세조직을 나타낸다. 이로부터 미세조직은 합금의 조성을 직접적으로 나타내지 않음을 알 수 있다.

다면체형상의 결정립은 응고에 따른 조성의 차이가 확산에 의하여 없어질 정도로 냉각속도가 충분히 느린 경우에만 나타난다. 그렇지 않은 경우엔 소위 결정화편석

이 발생하며, 미세조직은 불균일한 덴드라이트(dendrite)를 나타낸다. 균일화(homogenization)을 위해서는 고상선보다 약간 아래의 온도에서 장시간 열처리를 하면된다. 고온가공(압연, 단조, 압축) 중에도 조성의 차이는 없어지며, 가공과 동시에 발생하는 재결정에 의한 확산에 의해 균질화는 단지 열처리만에 의한 경우보다 매우 빠르게 나타난다.

어떤 합금은 액상선과 고상선 중에 최저온도를 나타내는 경우도 있다. 그림 3.18에 도식적으로 나타낸 것처럼 액상선과 고상선은 동시에 최저점을 가진다. 최저점에 해당하는 조성을 가지는 액상(L)의 응고거동은 순수한 금속과 같으며, 즉 냉각곡선 중에 어떤 특정 온도에서 대기시간을 가지게된다. 최저점의 좌우에 위치하는 합금의 냉각은 앞서 설명된 바와 같다. 낮은 녹는점을 가지는 쪽에 놓인(이 예에서는 A쪽) 합금의 경우, 응고 중에 액상은 높은 녹는점을 가지는 금속(B)의 조성이 높아진다.

앞서 설명한 바와같이, 합금조성에 따라 고용체의 조성도 연속적인 변화를 가질 수 있으며, 이에 따른 고용체의 물성도 연속적인 변화를 가진다. 10% Ni을 함유하는 Cu고용체의 물성은 30% 또는 50% Ni을 포함하는 경우에 비해 다르다. 고용체의 미세조직은 조성에 의존도가 없이 항상 단상이 나타나므로, 고용체를 형성하는 금속의 순수한 상태에서의 물성을 알고 있는 경우라도 단지 미세조직만으로 물성을 표현할 수는 없다.

순수한 금속과 이 금속이 다른 원소와

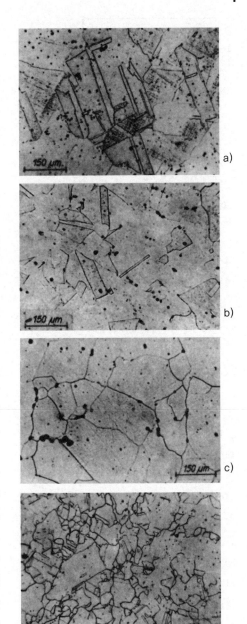

그림 3.17 Cu, Cu-Ni 고용체, Ni의 미세조직: a) Cu, b) 65%Cu + 35%Ni, c) 35%Cu + 65%Ni, d) Ni.

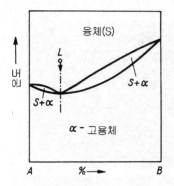

그림 3.18 액상선과 고상선에 최저점을 가지는 상태도.

형성하는 고용체사이에 나타나는 물성차이에는 두 가지의 변수가 작용한다:

1. 고용체 내를 형성하는 화학적으로 다른 두 원자사이의 결합엔탈피(3.1.2절)와
2. 원자반경의 차이로 발생하는 격자뒤틀림

　　따라서 고용체의 물성은 각 구성원소에 대한 성질을 조성비에 맞춰 선형적으로 합한 것과는 다르다. 즉 고용체의 물성은 조성에 비례하여 변화하지 않는다. 고상에서 완전한 용해도를 가지는 합금에서, 가장 큰 격자뒤틀림은 50 atom% A와 50 atom% B의 조성에서 나타난다. 따라서 이 조성에서 물성의 최고 또는 최저치를 나타낼 것으로 예상할 수 있다.
　　그림 3.19는 Cu-Ni합금의 조성에 따른 물성의 변화를 나타낸다. 경도 HB, 인장강도 R_m, 항복강도 R_e, 피로강도 R_w는 고용체인 경우 순수한 Ni과 Cu인 경우에 비해 높은 값을 가진다. 높은 경도값을 가지

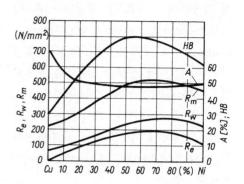

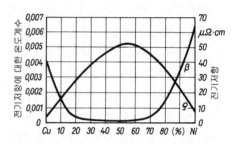

그림 3.19 Cu-Ni 합금의 물성: a) 기계적 성질, b) 전기적성질.

는 Ni가 낮은 경도값을 가지는 Cu와 합금되면서, 격자뒤틀림에 의한 경도값을 상승을 나타낸다. 강도값의 경우도 격자뒤틀림과 연관지어 설명될 수 있다. 경도와 강도의 최고값은 50~70%Ni에서 나타난다. 파단연신율 A의 조성에 따른 변화거동은 강도와 반대이며, 순수한 금속에 비해 합금이 낮은 값을 가진다[1].
　　고용체의 격자뒤틀림은 전기저항 ρ 의 상승을 가져오며, 전기저항에 대한 온도계수 β의 감소를 가져온다. 이러한 전기적

---

1) 하지만 많은 경우에서 고용체가 순수금속보다 좋은 변형성을 나타낸다(예: 구리와 아연의 α고용체, 황동).

성질의 최대값 또는 최소값은 50~60% Ni
의 조성에서 보여진다(그림 3.19b). 구리
가 매우 낮은 전기저항을 가지고 전도체로
써 공업적으로도 많이 이용되지만, 대략
중간정도의 조성을 가지는 Cu-Ni합금은
저항체로서 사용될 수 있다, 예: 콘스탄탄
(constantan).

균일한 고용체의 밀도는 합금원소 조성
에 비례하지 않는다. 하지만 밀도의 역수
인 비체적은, 종종 ≈0.5% 까지의 오차를
나타내지만, 첨가되는 합금원소의 부피분
율에 비례한다.

결정화편석과 결정립성장을 제외하고,
Cu-Ni타입 고용체의 물성은 열처리를 통
해 변화시킬 수 없다. 냉간가공은 경도와
강도를 높이며, 연신율 감소를 가져온다.

3.4.2
고상에서 용해도간극을 가지는 합금

고상에서 완전한 용해도를 가지기 위해
서는 3.4.1절에 나타낸 조건을 만족시켜야
한다. 대부분의 2원계 합금은 이 조건을
충족하지 않으며, 모든 조성에 대해 균일
한 액상이 존재한다고 해도, 고상에서는 한
구성원소의 다른 원소에 대한 용해도가 제
한된다. 이절에서 논의되는 합금은 액상에
서 완전한 용해도를 나타내는 경우이다.
고상에서 **용해도간극**이 나타나는 이유로는:

1. 3.1.2절에 논의된 것처럼 치환엔탈피
   $H_0 = H_{AB} - 1/2(H_{AA} + H_{BB}) > 0$인 경우 전
   체조성에 대한 완전한 용해도는 단지 T
   $> T_{grenz} = 0.36 \ H_0/k$인 온도에서만 나

타난다(H_{NM}은 합금원소간의 원자간 상
호작용엔탈피를 의미한다). 그보다 낮
은 온도에서는 합금은 상분리를 통해
두 개의 동일구조(isomorph)[1]인 상을
형성한다. 온도가 낮아질수록 두 고용
체의 상대원소에 대한 고용도는 낮아지
며, 대략적으로 식(3.17)의 관계를 가
진다.

2. 치환엔탈피 $H_0 < 0$인 경우, $T < T_0 =$
   $-Z \ H_0/2k$인 온도에서 규칙상태를 나타
   낸다. 이는 불규칙 고용체에 비해 낮은
   대칭성을 가지며, 용해도간극의 경우와
   같이 제한된 조성범위에서 존재한다.
   더욱 낮은 H_0를 가지는 경우 금속간화
   합물의 형성을 가져온다(가상의 T_0는
   녹는점보다 높다).

3. 두 개의 구성금속의 결정구조가 다른
   경우(예를 들어 fcc결정구조를 가지는
   Ni과 bcc결정구조를 가지는 Cr)엔 완
   전한 고용도를 가질 수 없다. 이러한
   경우 두 구성원소의 고용체 사이에 2상
   영역이 나타나거나, 금속간화합물을 형
   성하기도 한다. 이는 매우 많은 경우에
   서 나타나는 것으로, 공정(eutectic),
   공석(eutectoid), 포정(peritectic), 포석
   (peritectoid), 편석(monotectoid)반응을
   일으킨다.

다음으로 위의 각 경우에 대하여 논의하
고자 한다.

---

[1] 두상의 결정구조가 같은 경우 isomorphic이라
한다(예, Ni-Cu와 Cu-Ni고용체, 3.4.1절).

표 3.7 Au-30%Ni 합금을 수냉한 후 500℃에서 시효처리에 따른 Brinell경도와 전기저항의 변화

시간[min]	1	2	6	15	30	60	150	600
HB	275	300	330	315	265	220	180	160
ρ [Ω mm^2 m^{-1}]	0.37	0.32	0.20	0.15	0.14	0.13	0.13	0.13

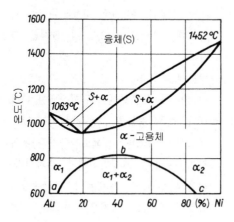

그림 3.20 Au-Ni 상태도.

3.4.2.1 고용체에서의 상분리, 규칙화, 금속간화합물의 형성

그림 3.20은 니켈(Ni)-금(Au)의 상태도를 나타낸다. 두 금속 모두 fcc결정구조를 가지며, 고상에서 상변태를 나타내지 않고, 금속간화합물을 형성하지 않는다. 두 원소간의 원자반경차이는 약 15%정도이다 (r_{Ni} = 0.2492nm, r_{Au} = 0.2884nm).

두 원소간의 이러한 차이는 상대적으로 높은 양의 치환엔탈피 H_0를 가지게 하며, 따라서 두 금속간의 완전한 고용도는 고상선 온도와 T_{grenz} ≈ 820℃ 사이에서만 보여진다. T_{grenz}로부터 온도저하에 따라 $\alpha_1 + \alpha_2$로 구성되는 용해도간극이 넓어진다. $\alpha_1 + \alpha_2$는 α와 동일한 구조를 가지며(isomorph), 모두 fcc 결정구조를 가지고 있다. 이러한

합금의 응고과정은 3.4.1절에 설명한 바와 같다. 예를 들어, 60wt.%Ni 조성을 가지는 합금은 1260℃에서 응고가 시작된다. 응고구간 내의 각 온도에서 액상(S)과 고상(α)의 조성은 공액선(tie-line)이 액상선과 고상선에 만나는 점으로 정해진다(그림 3.16참조). 770℃아래로 온도가 내려가면 (a-b-c선), 상분리가 시작되며, $\alpha_1 + \alpha_2$ 영역 내의 공액선을 통해 두 상의 조성은 정해진다. α의 $\alpha_1 + \alpha_2$로의 분리는 결정립계에서 시작되며 결정립 내부로 불연속적으로 진행된다. 확산임계온도 T_D ≈ $0.4T_S$는 250℃~300℃정도에 놓이며, a-b-c선보다 높은 온도에서 급냉을 통해 비평형상태의 균질한 과포화 고용체상을 얻을 수 있다. 급냉 후 T_D이상의 온도에서 열처리를 하면 확산에 의한 상분리를 통해 평형상태에 이르게된다. 표 3.7에 30% Ni합금의 경우에 대해 나타낸 바와 같이, 위의 과정은 물성의 급격한 변화를 동반한다.

전기저항의 변화를 수반하지 않는 경도값의 저하는, 고용체의 조성변화에 의한 것으로 합금의 **과시효**(overaging)상태라 한다.

표 3.8 Pt-22%Co 합금을 1200℃에서 급랭한 후 뜨임시간에 따른 경도의 변화

뜨임시간[h]	0.01	0.1	1	10	1000
비커스경도[HV]	175	275	325	270	240

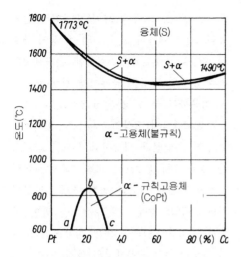

그림 3.21 Pt-Co 상태도.

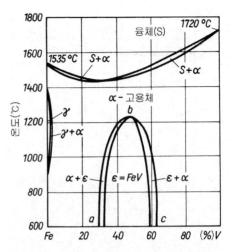

그림 3.22 Fe-V 상태도.

Pt-Co계(그림 3.21)의 경우 고온에서 fcc결정구조를 가지는 고용체를 나타낸다. 16~26wt.%Co(39~54 at.% Co)영역에서 a-b-c선 아래의 온도로 냉각하면, {100}면 상에 Pt와 Co원자들이 교대로 배열된 정방정(tetragonal)구조의 규칙상태를 나타낸다(그림 1.18의 AuCu I 구조). 규칙화 중에 균일한 상태의 미세조직은 유지되며, 광학현미경상으로는 변화를 감지할 수 없으며 X-선 또는 전자회절이 필요하다. 고온의 불규칙상태는 급냉을 통하여 저온에서도 유지될 수 있다. 급냉 이후 a-b-c선 아래의 온도에서 뜨임(소려, tempering)과정을 통하면 규칙화상태를 형성하면서 불규칙상태에 비해 전기저항의 저하와 경도의 상승을 나타낸다(표 3.8).

강도의 증가는 정방정구조로의 변태로 인한 결정변형과 전위구조의 변화(두 배의 버거스벡터를 가지는 초전위, superdislo-cation의 형성) 때문이다. Co-Pt합금은 자

기저장장치의 박막과 접촉재료로서의 중요한 의미를 가지며, 귀금속산업과 치과용 합금으로 이용된다.

Fe-V합금에서 두 구성원소간의 상호작용은 매우 커서, 약 50wt.% V의 조성과 a-b-c선 이하의 온도에서 금속간 화합물인 ε-FeV상을 형성한다(그림 3.22). 금속간화합물의 단일상 영역은 V쪽과 Fe쪽에서 α + ε이상영역을 가진다. 이는 3.2절에서 설명된 2원계 상태도의 1대1법칙에 해당된다. FeV 화합물은 매우 강한 취성(brittleness)을 가진다.

Fe-Cr계도 이와 비슷한 거동을 나타내며, 25% 이상의 Cr을 함유한 합금을 600~800℃사이에서 열처리하면 매우 강한 취성을 가지는 σ 상이 나타난다(그림 3.23). σ 상 영역보다 높은 온도에서 급냉하면, 이 상태(고온상)를 저온에서도 유지할 수 있다.

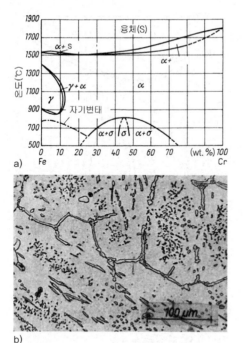

a)

b)

그림 3.23 σ 상의 형성: a) **Fe-Cr 상태도**, b) Fe+40%Cr 합금에서 나타나는 σ 석출상.

3.4.2.2 공정계 (eutectic system)

완전한 고용도를 가지며 액상선과 고상선이 한 점에서 만나 최저온도를 나타내는 계로부터 공정계의 기본적인 형상이 유도된다. 결정화 중에 나타나는 균일한 α 고용체가 냉각 중에 유지되지 않고 서로 다른 조성을 가지는 두 개의 고용체 α_1과 α_2

로 분리된다. 그림 3.24에 빗금친 부분의 용해도간극 내에서 α_1과 α_2의 두 상이 평형을 이룬다(3.4.2.1절). 어떠한 온도에서의 α_1과 α_2상의 조성은 공액선과 지렛대 법칙을 이용하여 알 수 있다(식 3.29).

용해도간극이 고상영역에서 더 넓어져서 T_{grenz}가 고상선과 액상선의 온도를 넘어서는 경우(그림 3.24b), 교점 1과 3사이의 조성을 가지는 합금은 응고 후에 α단상이 아닌 결정화 중에 이미 A원소를 많이 함유하는 α_1과 B원소를 많이 함유하는 α_2상이 형성된다(두 고용체상의 동시 응고). 그림 3.24b에 점선으로 표시한 부분에 해당하는 용해도간극의 상부, 액상선, 고상선은 불안정하다. 평형상태는 그림 3.24c에 나타낸 바와 같이 1, 2, 3점이 하나의 등온선상(공정선)에 놓이는 경우에 얻어진다. 대부분의 경우 각 고용체는 동일구조를 가지지 않으며, 구조적으로 큰 차이를 나타낸다. α_1과 α_2상이 동일한 구조를 가지는 것이 공정계를 이루는 전제조건이 아니므로, A원소를 많이 함유하는 상을 α로 B원소를 많이 함유하는 상을 β로 표시한다.

일반적인 공정계를 대표하는 위의 예에서 4-2-5로 연결되는 곡선은 액상선을,

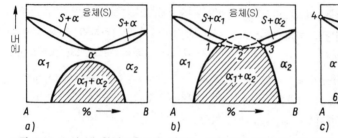

a)   b)   c)

그림 3.24 고상 내 완전고용도를 가지는 경우에서 공정계로의 변화.

4-1-2-3-5로 연결되는 곡선은 고상선을 나타낸다. 액상선보다 높은 온도에서 모든 합금은 액상이며, 고상선 아래의 온도에서는 모두 고상으로 응고된다. 응고 중에 4-2선을 따라서 α고용체의 초정(primary crystal)이, 5-2선을 따라서 β고용체의 초정이 나타난다. S+α와 S+β 이상영역에서 각 상의 조성은 공액선과 액상선(액상의 조성) 또는 고상선(고상의 조성)이 만나는 점이 되며, 각 상의 분율은 식 (3.29)의 지렛대법칙을 이용하여 알 수 있다.

점 2는 **공정점**이라 하며, **공정온도**(T_E)와 **공정조성**(c_E)으로 정해진다. 공정조성을 가지는 합금은 다른 조성에 비해 가장 낮은 녹는점을 가지며, 액상선과 고상선은 공정점에서 서로 만난다. 따라서 완전한 공정조성을 가지는 합금은 응고구간을 나타내지 않으며, 이는 Gibbs의 상율에 위배하지 않는다. 공정점엔 3개의 상이 평형상태로 공존하며, 식 (3.6b)에 의해 자유도 $F = 2 - 3 + 1 = 0$이 된다. 공정온도에서 균질한 액상은 조성의 변화없이, α와 β상으로 분해된다.

$$S \xrightarrow{T_E} \alpha + \beta \qquad (3.30)$$

공정반응은 액상에서 두 가지의 고상이 형성되는 것으로 특징지워지며, 공정조직은 매우 미세한 결정립과 규칙적인 형상을 가지는 혼합상을 나타낸다. 공정조직을 형성하는 상의 분율은 일정하며 특정한 형상을 가지므로, 공정조직을 미세조직의 일종으로 분류하기도 한다(1.4.3절). 그림 3.25

는 2원계 공정조직의 전형적인 형상을 나타낸다.

공정조직은 여러 종류의 형상을 나타내며, 예에서 보이듯이 판상 또는 봉상의 결정이 규칙적으로 배열되거나, 퇴화된 공정조직이라고 불리는 불규칙적인 침상을 가지기도 한다. 어떠한 형상이 나타날지는 여러 가지 요인에 의존하는데, 제 2상의 부피분율이 중요한 역할을 한다. 작은 분율을 가지는 경우 분산상조직을 나타내며, 높은 분율일 경우 주기적으로 배열된 판상 또는 봉상의 형상을 나타난다. 미세조직에 영향을 주는 다른 요인으로는 응고엔트로피(응고온도에 연관되는 응고열)가 있으며, 실리콘과 같이 높은 값을 가지는 경우 퇴화 공정조직을 나타내며, Al-Si합금의 전형적인 미세조직은 그림 3.25b에 보여진다. 공정조직을 형성하는 상 사이의 계면에너지도 한 요인이다. 그림 3.25c의 접종처리한 Al-Si합금의 예에서 보여지듯이, 계면활성화 원소로 인해 계면에너지가 낮아지면서 미세한 조직이 나타난다.

공정조성을 가지는 액상의 응고는, 핵생성이 유리한 위치에서 한 상이 결정화되면서 시작한다. 이 첫 번째 결정이 α상이라 가정하면, 액상에 비해 낮은 B조성을 가지며, 그 주변의 액상은 국부적으로 높은 B조성을 가지게 되므로, β상의 결정화를 촉진한다. β상의 결정화는 그 주변에 있는 액상의 B조성을 낮추며, 상대적으로 낮은 함량의 B를 가지는 α상이 형성된다. 이러한 과정을 거쳐 두 상이 주기적으로 배열된 미세조직을 가지게 된다. (α + β)상은 공동으로 응고전면(solidification front)을 형성한다. 공정조성을 가지는 액상의 응고는 여러 위치에서 동시에 발생가능하므로, 그림 3.25d에 나타낸 것과 같은 공정셀(eutectic cell, 각 셀은 하나의 결정립이 아님)조직이 보여진다. 냉각속도가 증가하면 응고전방의 확산이 한정되면서 공정조직은 미세해진다. 규칙적으로 배열된 미세조직으로부터 공정조직이라는 이름이 유래되었으며, 공정조직(eutectic)은 그리스어로 '잘 지어진'이란 의미를 가진다.

그림 3.24에서 균질한 α고용체는 A-4-1-6의 영역에서 나타나며, B-5- 3-7영역은 β고용체를 나타낸다. 용해도간극(6-1-2-3-7) 내에서 합금은 불균질하며, α와 β고용체가 공존한다. $T < T_E$ 온도에서 α고용체의 조성은 해당온도의 등온선이 고용선(solvus) 1-6이 만나는 점이며, β고용체의 조성은 고용선 7-3과의 접점으로 알 수 있으며, 고용체의 분율은 식 (3.29)의 지렛대 법칙으로 정해진다. A와 B원소의 종류에 따라서 α와 β고용체에 대한 상영역이 넓어지기도 또는 작아지기도 한다. 또한 계를 구성하는 하나 또는 두 원소 모두가 상대원소에 대한 실질적인 고용도가 낮아 무시할 정도인 경우도 있는데, 이 경우 합금은 원소 A 와 B(A 또는 B)로 이뤄진다. 합금원소의 조성이 매우 낮은 경우라

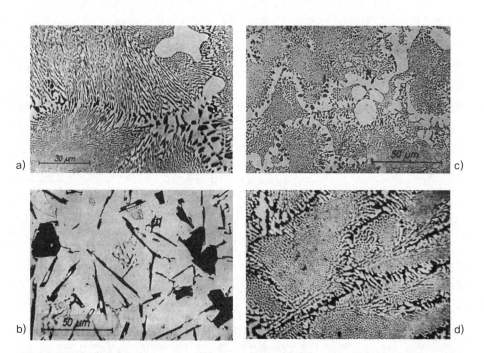

그림 3.25 공정 미세조직의 예: a) Ag+28%Cu 합금의 공정상, b) Al+13%Si합금에서 나타나는 퇴화 공정조직, c) 접종처리한 Al+13%Si합금에서 나타나는 공정조직, d) Fe+4.3%C합금에서 페라이트와 Fe_3C로 구성된 공정상인 **레데뷸라이트**(Ledeburite).

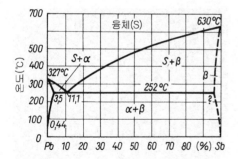

그림 3.26 Pb-Sb 상태도.

도, 3.1.2절에 소개된 바와 같이, 엔트로피로 인하여 고용상을 형성하게 된다. 이는 순수한 원소는 항상 단상영역과 접한다는 법칙(3.2절)이 적용됨을 의미한다.

공정조성의 왼쪽에 해당하는 조성을 가지는 경우 **아공정(hypoeutectic)합금**, 그 오른쪽에 놓이는 경우 **과공정(hypereu-tectic)합금**이라한다. 공정조성을 가지는 합금을 **공정(eutectic)합금**이라한다.

위에서 나타낸 공정합금의 형성에 대한 일반적인 내용을 납(Pb)-안티몬(Sb)계를 예로 하여 자세히 알아보자. Pb-Sb합금은 단순한 공정계를 형성한다(그림 3.26). 공정점은 88.9%Pb + 11.1%Sb의 조성에서 252℃로 주어진다. Pb계의 α고용체는 공정온도에서 3.5%Sb를 고용하며, 100℃서는 0.44%Sb를 함유할 수 있다. Sb계의 β고용체의 경우 공정온도에서 대략 5% 정도의 Pb를 함유한다. β고용체의 고용도에 대한 온도의 존성은 확실하게 알려져 있지 않으며, 따라서 점선으로 나타내져 있다. 납의 녹는점은 안티몬의 첨가로 인해, 또한 안티몬의 녹는점은 납의 첨가로 인해 낮아진다.

95%Pb + 5%Sb의 조성을 가지는 용융합금을 응고하는 과정에서 온도가 300℃에 이르는 순간, 대략 1.5%Sb를 함유하는 초정(primary) α고용체가 형성되기 시작한다. 이를 통해 나머지 용탕 내의 납의 조성이 낮아진다. 냉각이 계속됨에 따라 납을 많이 함유하는 고용체가 지속적으로 나타나며, 이미 형성된 고용체는 성장한다. 용탕 내의 납의 조성은 계속 낮아지며, 동시에 초정 고용체는 확산을 통해 용탕 내 안티몬의 약간량을 받아들인다. 이렇게 하여 공정온도인 252℃에서는 α고용체가 3.5%Sb를 액상은 11.1%Sb의 조성을 가진다. 공정온도인 252℃에서 α고용체와 액상의 분율은 지렛대법칙을 이용하여 다음과 같이 구해진다.

$$m_\alpha = \frac{11.1-5}{1.5+6.1} \cdot 100\% = 80\%$$ (3.5% Sb를 함유하는 α고용체)

$$m_S = \frac{5-3.5}{1.5+6.1} \cdot 100\% = 20\%$$ (11.1% Sb를 함유하는 액상)

88.9%Pb + 11.1%Sb의 조성을 가지는 20%의 액상은 공정온도 252℃에서 미세한 α와 β고용체로 이뤄진 공정조직으로 된다.

α와 β고용체의 조성은 냉각이 계속됨에 따라 고용선에 따라서 바뀌게된다: α고용체는 252℃에서 3.5%Sb를 함유하나 100℃에서 0.44%의 고용도를 가지므로 β고용체를 형성한다. 이러한 과정을 석출(precipitation)과정이라 하며, 이를 통해 형성된 β고용체를 석출물(precipitate)이라 한다. 이미 형성된 공정조직 내에서의 석출은 무

그림 3.27 95%Pb + 5%Sb : $(\alpha + \beta)$공정상 내의 초정 α 수지상.

그림 3.28 90%Pb + 10%Sb : $(\alpha + \beta)$공정상 내의 초정 α 수지상정.

시할 정도이다.

응고가 끝난 95%Pb + 5%Sb합금의 미세조직은 다음과 같은 부분으로 구성된다: 납의 농도가 높은 초정 α고용체는 $(\alpha+\beta)$의 공정조직 내에 존재한다. α고용체는 검고, 균일한 **수지상정**(dendrite)[1]으로 보여지며, $(\alpha+\beta)$공정조직은 미세한 무늬를 가지는 불균일 상으로 나타난다 (그림 3.27).

90%Pb + 10%Sb합금도 95%Pb + 5%Sb합금과 같은 방식으로 응고가 진행되며, 단지 초정 α고용체와 액상의 분율만 다르다. 공정온도인 252℃에서의 분율은 다음과 같다.

$$m_\alpha = \frac{11.1 - 10}{6.5 + 1.1} \cdot 100\% = 14.5\% \quad (\alpha\text{고용체})$$

$$m_S = \frac{10 - 3.5}{6.5 + 1.1} \cdot 100\% = 85.5\% \quad (\text{액상})$$

따라서 응고가 끝난 후 14.5%의 초정 α

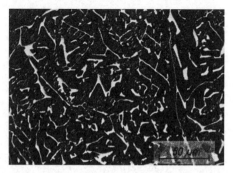

그림 3.29 88.9%Pb + 11.1%Sb : $(\alpha + \beta)$ 공정상.

고용체가 85.5%의 $(\alpha + \beta)$공정조직내에 존재한다(그림 3.28).

88.9%Pb + 11.1%Sb의 공정조성을 가지는 합금의 응고는 전적으로 공정반응에 의하여 이뤄진다: 액상은 공정온도인 252℃에서 α와 β고용체를 형성하며, 초정결정은 나타나지 않게된다. 그림 3.29는 공정조직의 불균일한 미세조직을 나타낸다. 납이 88.9%로 많이 함유되어 있으므로 납을 많이 함유하는(Pb 부화) 고용체가 공정조직의 기본을 이루며, 그 내부에 안티몬을 많이 함유하는(Sb 부화) 매우 작은 β결정이 선모양으로 불균일하게 위치한다.

---

1) 수지상정은 구조적 과냉(constitutional supercooling)에 따른 불균일한 결정성장에 의해 나타난다. 나뭇가지와 비슷한 형상을 가지므로 수지상이라 불린다.

그림 3.30 70%Pb + 30%Sb : ($\alpha + \beta$) 공정상 내의 밝은 색 초정 β.

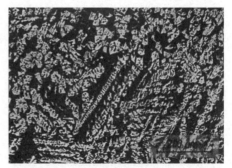

그림 3.31 50%Pb + 50%Sb : ($\alpha + \beta$) 공정상 내의 초정 β.

70%Pb + 30%Sb 합금의 경우 액상선인 360℃에 이르면, 안티몬을 많이 함유하는 초정 β결정이 형성되며, 액상은 안티몬의 함량이 줄어들어 상대적으로 납의 함량이 높아진다. 252℃에서 β고용체는 5%의 납을 함유하며, 잔류액상은 공정조성인 88.9%Pb + 11.1%Sb를 가지게 되며 ($\alpha + \beta$)의 공정조직을 형성한다. 초정 β고용체와 공정조직의 상분율은 다음과 같다.

$$m_\beta = \frac{30 - 11.1}{18.9 + 65} \cdot 100\% = 23\% \ (\beta\text{고용체})$$

$$m_S = \frac{95 - 30}{18.9 + 65} \cdot 100\% = 77\% \ (\alpha + \beta\text{공정조직})$$

그림 3.30은 70% Pb + 30%Sb의 미세조직을 나타낸다. 밝은 초정 β의 일부분은 수지상을 형성하며 대부분은 결정면에 국한된 고유결정형(idiomorph)을 가지고 있다. 상대적으로 강한 β결정은 표면의 기복 부위(relief)에 남아서 존재하며, 납을 많이 함유하여 연한 공정조직의 경우 시료를 연마하는 과정에서 떨어져 나가기 때문에 적은 양의 공정상이 보여진다.

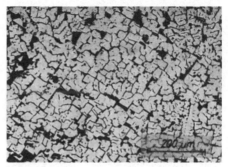

그림 3.32 20%Pb + 80%Sb : 초정 β 사이에 존재하는 ($\alpha + \beta$)공정상.

안티몬의 함량이 높아짐에 따라 초정 β의 양이 더 많아지고 공정상의 양은 적어진다. 그림 3.31과 3.32는 50%Pb + 50%Sb과 20%Pb + 80%Sb의 조성을 가지는 합금의 미세조직을 나타낸다. 지렛대 법칙에 따라 상분율을 구해보면 첫 번째 합금의 경우 54%의 공정상과 46%의 초정β상을, 두 번째 합금은 18%의 공정상과 82%의 초정 β상을 나타낸다.

2%Sb를 함유하는 합금의 결정화 과정을 고찰하여보자: 액상선 온도에 도달하면서 초정 α고용체가 형성되며, 공정온도에 도달하기전에 응고과정은 종료된다. 252℃에서

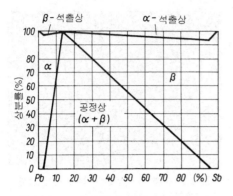

그림 3.33 Pb-Sb합금에 대한 미세조직도.

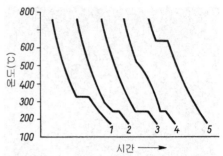

그림 3.34 Pb-Sb합금의 냉각곡선: 1 100%Pb, 2 95%Pb + 5% Sb, 3 89% Pb + 11% Sb, 4 40%Pb + 60%Sb, 5 100%Sb.

전체합금은 균일한 α고용체를 가지며, 매우 낮은 속도로 냉각을 지속하면 대략 200℃ 정도에서 고용선(solvus)을 만나면서 β고용체가 석출되기 시작하며, 100℃에서 α고용체는 단지 0.44%Sb를 함유한다. 나머지 안티몬은 매우 미세한 형상의 β결정의 형태로 α결정 내에 존재한다. 이처럼 0~3.5%Sb를 함유하는, 또는 5~0% Pb를 함유하는 합금은 공정상을 형성하지 않는다.

공정계 합금에 존재하는 상의 종류와 그 분율은 그림 3.33과 같은 미세조직도로 나타낼 수 있다. 예를 들어 50%Pb + 50%Sb 합금에는 54%의 공정상, 44%의 초정 β고용체와 2%의 α석출상이 존재한다.

냉각곡선에서 초정상의 형성은 변곡점으로, 공정조성을 가지는 액상 또는 잔류액상의 응고는 온도유지점으로 나타난다. 그림 3.34는 납-안티몬계 합금계의 여러 가지 냉각곡선들을 나타낸다. 순수한 납(곡선 1)과 안티몬(곡선 5)의 경우, 각각 327℃와 630℃에서 한 개씩의 온도유지점을 나타내며, 아공정 합금의 경우 α고용체의 초정석출에 해당하는 변곡점을(곡선 2),

과공정 합금의 경우는 β고용체의 초정석출에 해당하는 변곡점을(곡선 4) 나타낸다. 3.5~95%사이의 Sb 함유량을 가지는 모든 합금은 252℃에서 공정상의 응고에 해당하는 온도유지점을 나타낸다(곡선 2, 3, 4). 공정조성을 가지는 액상은 변곡점을 나타내지 않으며, 단지 온도유지점만을 나타낸다(곡선 3). 공정상 응고에 해당하는 온도유지점의 길이는, 같은 양의 액상에 대하여, 응고되는 공정상의 양에 비례하며 공정조성을 가지는 합금에서 가장 크다.

공정미세조직에서 순차적으로 배열돼 있는 상들 사이에는, 대부분의 경우에, 이웃한 상들 사이에 특정한 결정방위관계가 존재한다. (Sn+Zn)의 공정조직의 경우 정방정(tetragonal) 결정구조를 가지는 주석의 (1 0 0)과 (0 1 0)면이 육방정(hexagonal) 결정구조를 가지는 아연의 기저면인 (0 0 1)면에 접한다. 공정조직을 구성하는 두 상이 상호접하며, **층상조직**(lamellar)의 두께가 두 상에 대하여 일정한 경우를 정상공정조직(normal eutectic)이라 한다. 그 반대로 두 상이 불규칙적으로 섞여있는 경

그림 3.35 72% Pb+13% Sb+13% Sn : 초정 Sb-Sn결정이 공정상의 핵으로 작용함.

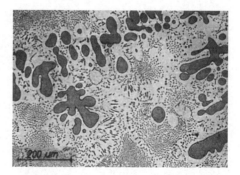

그림 3.36 Cu₂O-Cu 공정상 내 어두운 색의 초정 Cu₂O: 초정 Cu₂O 주위로 Cu로 이뤄진 부분이 존재함.

우를 퇴화 공정조직(degenerated eutectic) 이라 한다. 정상 공정조직은 Al-Zn, Zn-Zn₅Mg, Cd-Zn, Ni-NiSb, Al-Al₂Cu, Sn-Zn계 등에서, 퇴화 공정조직은 Fe-흑연, Al-Si, Al-Al₃Fe, Pb-Ag, Zn-Zn₃Sb계 등에서 나타난다.

일반적으로 공정조직 중의 하나의 상이 핵생성을 하며 공정조직의 형성을 쉽게한 다. 그림 3.35는 72%Pb + 13% Sb + 13%Sn 합금에서 사각의 결정이 공정조직 결정화 의 중심부로써 작용한 것을 나타낸다. 이 그림은 각 공정조직 셀(cell)들이 닫힌 형 상으로 존재하고 있음을 확연히 보여준다.

α초정상이 (α+β)의 공정조직 내에 존재 한다면, 공정조직 중의 α상이 초정 α 주 위에서 쉽게 형성될 수 있으며, 이렇게 형 성된 초정 α주위는 공정조직이 아닌 β로 이뤄진 영역이 형성된다. 그림 3.36은 Cu-Cu₂O 과공정합금에서 위의 과정을 통하여 형성된 미세조직의 예를 나타낸다. 구형의 조대한 초정 Cu₂O상 주위에 구리로 이뤄 진 영역이 존재한다. 초정 Cu₂O상에서 어 느 정도 떨어진 거리에서 (Cu + Cu₂O)로

구성된 미세한 공정조직이 나타나기 시작 한다.

적은 양의 공정조직을 가지는 합금의 경 우는(공정점이 두 구성원소 중 하나의 원 소쪽으로 심하게 치우쳐서 존재하는 경우) 퇴화 공정조직의 특수한 경우에 해당한다. (α+β)의 공정조직 내의 α상은 매우 많은 양으로 존재하고 있는 초정 α에 접하여 결 정화된다. α상의 결정립계에는 (α+β)공정 조직 대신에 두꺼운 필름 형상의 β상이 존 재한다. 그림 3.37은 니켈(Ni)-황(S)합금 계에서 보여지는 이러한 퇴화 공정조직의 예를 나타낸다. 초정 니켈주위에 (Ni + Ni₃S₂)의 공정조직이 아닌 Ni₃S₂가 결합되 지 않은 띠의 형태로 둘러싸고 있다. 이러 한 미세조직은 Fe-FeS계에서도 나타난다.

공정점의 위치는 여러 가지 요인들 중에 서도 구성원소의 녹는점에 영향을 받는다. 공정조성은 낮은 녹는점을 가지는 원소 쪽 에 위치하며, 공정조성이 순수한 원소로부 터 멀어짐에 따라 공정온도는 낮아진다. 그 반대로 공정점이 순수한 원소에 가까워

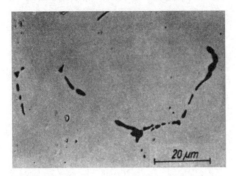

그림 3.37 결정립계에 Ni₃S₂상을 함유한 고 니켈 전열선((Ni+Ni₃S₂) 퇴화 공정상).

질수록, 공정온도는 높아진다. 극한 경우에는 공정온도가 하나의 구성원소의 녹는 점과 거의 같은 경우도 있다. 표 3.9는 여러 가지 납-X(표의 첫 번째 행에 나타난 금속)계 공정계 합금에 있어 공정점의 위치를 나타낸다.

3.4.2.3 포정계 (peritectic system)

공정응고의 주요한 특징은 특정온도에서 하나의 액상으로부터 두 개의 다른 고상이 형성되는 것이었다. 이 세 개의 상들은 공정응고 중에 불변의 평형을 이룬다. 이러한 응고 중 불변평형의 다른 형태로 포정

반응이 있으며, 이는 액상 S와 이미 형성된 고용상인 α의 반응에 의하여 새로운 고용상인 β가 형성되는 것이다.

$$\alpha + S \xrightarrow{T_P} \beta \qquad (3.31)$$

일반적인 형태의 포정계를 가지는 상태도의 형성과정을 이해하기 위해 그림 3.38a의 상태도를 살펴보자. 구성원소 A와 B는 고온에서 α고용체를 형성한다. 고상선(solidus)과 액상선(liquidus)은 직접적으로 만나지 않으며, 3.4.1절에서 이미 설명한 바와 같이, $(S + \alpha)$이상영역을 형성한다. 온도가 낮아지면 균일한 α고용체는 두 개의 다른 조성을 가지는 α_1과 α_2 고용체로 분리된다. 이는 고상에서의 용해도간극으로 앞 절에서 설명된 것과 같다. 용해도간극이 고온영역으로 확장되어 그 상부가 액상영역에 이른다고 가정하자(그림 3.38b). 상을 구분하는 선들 중 점선으로 표시된 부위는 더 이상 안정하지 않다. 접점 1, 2, 3은 안정된 평형상태에서 등온선에 위치하며, 그림 3.38c에 나타낸 형태의 상태도가

표 3.9 공정계 납합금에 대한 공정점

합금원소 X	용융점[℃]	Pb-X 계의 공정점	
		조성	온도[℃]
Ge	936	0 at.% Ge	327
As	817	7.9 at.% As	288
Sb	630	17.5 at.% Sb	252
Cd	321	28.2 at.% Cd	248
Bi	271	56.3 at.% Bi	125
Sn	232	73.9 at.% Sn	183
Hg	-38.9	0.4 at.% Hg	-37.6

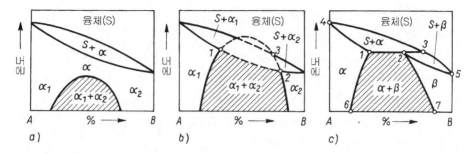

그림 3.38 고상 내 완전고용도를 가지는 경우에서 포정계로의 변화.

형성된다. 이러한 형태의 상태도를 포정계 (peritectic system)라 한다.

포정계는 공정계와는 달리 최소의 녹는 점으로 특징되는 합금이 존재하지 않는다. 액상선은 4-3-5로 고상선은 4-1-2-5로 주어진다. 등온선 1-2-3을 포정온도(T_P)로, 점 2를 포정점(c_P)라 한다. 액상선 4-3-5의 윗부분에서 모든 합금은 완전한 액상상태이며, 고상선 4-1-2-5이하에서는 완전한 고상이다. 각 상영역에는 다음과 같은 상들이 존재한다: 4-3-2-1-4 액상+α고용체; 5-2-3-5 액상+β고용체; 4-1-6-A-4 α고용체; 5-B-7-2-5 β고용체; 1-2-7-6-1 (α+β)고용체. 포정조성(점 2)을 가지는 합금의 특징은, 액상에서 초정으로 형성된 모든 α고용체가 잔류 액상과 포정온도에서 반응을 통해 β상으로 변태하는 것이다. 1과 2사이의 조성을 가지는 합금은 포정반응 중에 α가 완전히 소모되지 않으며, 형성되는 β는 α주위에서 나타난다(포정영역, 그림 3.42). 이러한 형태의 미세조직으로부터 반응의 이름이 유래하였다: 그리스어의 Peritektikum은 어떠한 것의 주위에 형성된다는 의미를 가진다.

포정반응은 반응 중에 α고용체의 내부에서 상당한 농도의 변화를 필요로한다. 따라서 응고시간이 짧은 경우 c_P에서 반응이 완결되지 않으며, 반응부위에서 가장 멀리 떨어진 α고용체의 중심부는 β고용체로 변태되지 않는다. 따라서 중심부는 α상이며 그 가장자리는 β상인 불균일한 결정들이 나타나며, 미세조직 사진에서도 이러한 불완전한 포정반응을 나타내는 영역들이 보여진다.

포정계의 결정화 과정을 그림 3.39에 나타낸 백금(Pt)-은(Ag)합금을 예로하여 설

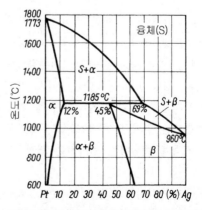

그림 3.39 Pt-Ag계 상태도 (간략하게 나타냄).

명한다. 백금과 은의 녹는점은 각각 1773℃
와 960℃이다. 포정온도는 1185℃이며, 포
정점은 55%Pt + 45%Ag에 놓인다. 백금을
많이 함유하는(Pt-rich) α고용체는 1185℃
에서 12% Ag를 함유하나, 온도의 감소와
함께 고용도는 심한·감소를 나타내어 60
0℃에서는 약 2% Ag의 고용도를 가진다.
은을 많이 함유하는(Ag-rich) β고용체의
경우 1185℃에서는 55% Pt를, 600℃에서
는 대략 38% Pt 고용도를 가진다.

　100~88% Pt사이의 합금은 균일한 고용
체로 특정되는 응고과정을 가진다. 예를
들어 90%Pt + 10%Ag 합금의 경우, 액상선
온도인 1740℃에 도달하면 백금을 많이 함
유하는(Pt-rich) α고용체를 형성하며, 냉
각 중에 액상으로 부터의 확산을 통하여
은의 함량이 높아진다. 고상선 온도인
1350℃에 도달하면 초정 α고용체의 조성
은 전체 합금조성(90%Pt + 10%Ag)과 같아
지며, 응고는 종료된다. 이 후의 냉각중
고용선(solvus)인 1100℃에 도달하면 은함
량이 높은(Ag-rich) β고용상의 석출이 이
뤄진다. 상온에서 위 합금은 α기지 내에 β
석출물이 존재하는 형태를 가진다. 냉각곡
선은(그림 3.40 곡선 1) 액상선과 고상선
온도에서 변곡점을 나타낸다. 이론적으로
는 석출물형성 또한 변곡점의 형태로 나타
나야 하지만, 대부분의 경우 석출에 의하
여 방출되는 열의 양이 적으므로, 일반적
으로 석출에 해당하는 변곡점은 정할 수
없다.

　88~55%Pt사이의 조성을 가지는 합금도
액상에서 초정 α가 형성된다. 예를들어

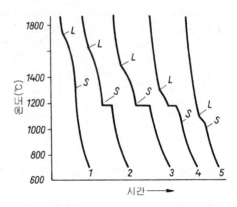

그림 3. 40 Pt-Ag 합금의 냉각곡선: 1 90%Pt
+ 10%Ag, 2 70%Pt + 30%Ag, 3 55%Pt +
45%Ag, 4 40%Pt + 60%Ag, 5 20%Pt +
80%Ag.

70%Pt + 30%Ag합금의 경우 액상선 온도
는 1620℃이다. 공정온도인 1185℃에서
88%Pt + 12%Ag의 조성을 가지는 α고용체
와 31%Pt + 69%Ag의 조성을 가지는 잔류
액상이 섞여서 존재한다. 상분율은 지렛대
법칙을 이용하여 다음과 같이 주어진다.

$$m_\alpha = \frac{69-30}{18+39} \cdot 100\% = 68.4\% \quad (\alpha\text{고용체})$$

$$m_S = \frac{30-12}{18+39} \cdot 100\% = 31.6\% \quad (\text{잔류액상})$$

　잔류액상은 초정 α 상의 일부와 포정반
응을 통해 β고용체를 형성한다:

$$S(31\% Pt) + \alpha(88\% Pt) \xrightarrow{1185\,℃} \beta(55\% Pt)$$

　지렛대법칙을 통해 구해지는 것처럼, 액
상의 양은 전체의 α고용체를 β로 변태하
기 위한 양에 도달하지 못한다. α 고용체
나 잔류액상을 남기지 않고 전체의 α를 β

로 변태시키기 위해서는 a = 45 − 12 = 33과 b = 69 − 45 = 24이므로 다음 양이 필요하다:

$$m_\alpha = \frac{69-45}{33+24} \cdot 100\% = 42.1\% \quad (\alpha고용체)$$

$$m_S = \frac{45-12}{33+24} \cdot 100\% = 57.9\% \quad (잔류액상)$$

70%Pt + 30%Ag합금의 경우 실제적으로 존재하는 31.6%의 액상은

$$x = \frac{31.6}{57.9} \cdot 100\% = 54.5\%$$

만큼의 α고용체를 β로 변태시킬 수 있다. 따라서 포정반응 후의 미세조직은 54.5%의 β고용체와 45.5%의 α고용체가 된다. 직접적으로 지렛대법칙을 이용하는 방법도 있다:

$$m_\alpha = \frac{45-30}{18+15} \cdot 100\% = 45.5\% \quad (\alpha고용체)$$

$$m_\beta = \frac{30-12}{18+15} \cdot 100\% = 54.5\% \quad (\beta고용체)$$

위의 과정을 거쳐 완전하게 응고된 상태의 합금을 더 냉각하면, 고용도에 따라 α고용체로부터 β석출물 그리고 β고용체로부터 α석출물이 형성된다. 냉각곡선(그림 3.40, 곡선 2)에서 액상선온도는 변곡점으로, 포정반응과 같은 고상선 온도는 유지점으로 나타난다.

55%Pt + 45%Ag합금은 포정온도에서 모든 잔류액상이 α초정상과의 반응을 통해 β고용체로 변태될 수 있는 조성을 나타낸다. 포정반응 후 응고된 합금은 균일한 β고용체를 가지며, 이어지는 냉각 중에 α가 석출한다. 공정조성을 가지는 공정계 합금의 경우와 달리 c_P점에 해당되는 포정계 합금은 포정반응이 종료되기 전에 초정석출상을 나타낸다. 이는 그림 3.40의 냉각곡선 3에서도 보여진다.

55~31% Pt를 가지는 합금의 응고과정을 40% Pt + 60%Ag합금을 예로들어 알아본다. 1300℃의 액상선온도에 도달하면, 초정 α결정이 형성된다. 포정온도에서의 α고용체(88%Pt + 12%Ag)와 잔류액상의 상분율은 다음과 같다.

$$m_\alpha = \frac{69-60}{48+9} \cdot 100\% = 15.8\% \quad (\alpha고용체)$$

$$m_S = \frac{60-12}{48+9} \cdot 100\% = 84.2\% \quad (잔류액상)$$

액상은 초정 α를 β고용체로 변태하는 데 필요한 양보다 많이 존재한다. 모든 α가 포정반응을 통해 β로 변태된다면, 합금을 다음과 같이 이루어진다.

$$m_\beta = \frac{69-60}{15+9} \cdot 100\% = 37.5\% \quad (\beta고용체)$$

$$m_S = \frac{60-45}{15+9} \cdot 100\% = 62.5\% \quad (잔류액상)$$

즉 응고는 완전히 끝나지 않은 상태로, 계속되는 냉각 중에 잔류액상으로부터 초정 β가 형성된다. β는 확산을 통해 액상으로부터 은(Ag)을 지속적으로 받아들인다. 고성선온도인 1100℃에서 β는 40%Pt + 60%Ag를 함유하며, 합금의 완전히 응고된 상태가 된다. 고용선온도인 700℃에 이르면 β고용체로부터 α가 석출하기 시작한

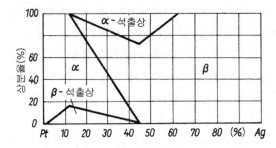

그림 3.41 Pt-Ag합금에 대한 미세 조직도.

다. 이 합금의 냉각곡선(그림 3.40, 곡선 4)에서 초정 α는 상단부의 변곡점을 나타내며, 포정반응은 유지점으로, 응고의 종료는 하단부의 변곡점으로 보여진다.

31~0% Pt를 함유하는 합금의 응고는 균일한 고용체의 경우와 같다. 20%Pt + 80%Ag합금의 경우 1110℃에서 초정 β를 형성하며, 고상선 온도인 1020℃에서 응고가 종료되어 균일한 β고용체를 나타낸다. 그림 3.40의 냉각곡선 5에는 위의 두 과정에 해당하는 변곡점만이 존재한다.

포정계 합금에서 나타나는 미세조직은 α와 β고용체이며, 그 상분율을 이용하면 그림 3.41의 미세조직도가 얻어진다.

포정조직을 가지는 합금은 빠른 냉각에 매우 민감하게 반응한다. 상태도에 주어지는 평형상태는 매우 낮은 냉각속도를 바탕으로 한 것으로, 이러한 평형에 해당하는 상태를 얻기 위해서는 매우 긴 시간동안의 균질화처리가 요구된다. 초정으로 형성된 α는 포정온도에 이르면, 액상과 접하고 있는 표면에서부터 β로 변태되기 시작한다. 이러한 변태를 위해서는 액상 중의 β원자가 고상인 α로 확산되어 들어가야 한다. 일정한 시간 t가 지나면, 액상 중에는 중심부가 α이며 그 표면부위는 β로 이뤄진

결정들이 존재하게 된다. 이 시점에서 합금을 수냉하므로써 반응을 중단시키면, 중심부와 표면부가 다르게 이뤄진 결정들을 상온에서 얻을 수 있게된다. 그림 3.42는 (포정반응에 의하여 형성된)밝은 β영역으로 둘러싸인 어두운 색의 α결정을 보여준다. 대부분의 경우 포정반응을 부분적으로라도 멈추기 위해서 수냉을 필요로하지는 않으며, 사형주조(sand casting)나 칠드주조(chilled casting)에 해당하는 냉각속도로도 충분하다.

3.4.2.4 공석변태와 포석변태

앞 절까지는 계를 구성하는 원소가 고상에서 동질이상(polymorphic)이나 동소변태(allotropic transformation)을 나타내지

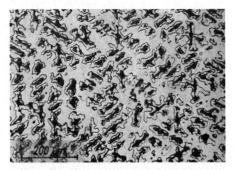

그림 3.42 Pt-Ag합금에서 초정 α고용상(어두운 색)과 그 주위에 형성된 포정 β.

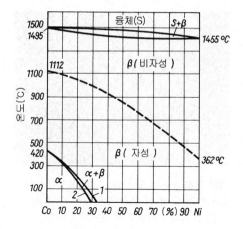

그림 3.43 Co-Ni계 상태도.

않는 경우에 대해 논의하였다. 하지만 어떤 종류의 금속들은 위의 변태를 나타낸다 (1.2.2.5절). 예를 들어, 공업적으로 중요한 철의 경우 다섯종류의 고상상태를 가질 수 있다. 이런 금속들을 포함하는 합금계는 특수한 변태를 나타낸다.

동질이상변태를 가지는 간단한 예로 CoNi계(그림 3.43)를 들 수 있다. 니켈(Ni)은 전체온도범위에서, 코발트(Co)의 경우는 420℃이상의 온도에서 면심입방격자(fcc)를 가진다. 두 원소는 고온에서 완전하게 고용되며, 코발트 쪽의 1112℃와 니켈의 362℃를 연결하는 점선에서는 자성변태를 나타낸다: 이 선 아래는 강자성(ferro-magnetic)을 그 이상의 온도에서는 상자성(paramagnetic)을 나타낸다. 420℃가 되면 면심입방정의 β 코발트는 조밀육방정(hcp)구조의 α 상으로 변태한다.

위의 변태점은 2원계 합금에 있어 Gibbs의 상률에 의해 변태간격을 가지게 되며, 선 1은 변태시작을 선 2는 변태종료를 나타낸다. 선 1과 2의 사이에는 $\alpha + \beta$의 이상영역이 존재하며, 그 조성과 상분율은 다른 2원계 합금과 마찬가지로 고용선과 지렛대법칙에 의해 알 수 있다. 액상선과 고상선은 사이에는 액상 $+ \beta$ 의 이상영역이 첨두아치(lancet)형태로 존재한다.

고상합금에서 나타나는 반응들 중에서 중요한 의미를 가지는 것이 **공석변태**(eutectoid transformation)이며, 이는 냉각을 통해 하나의 고상에서 두 가지의 다른 고상이 나타나는 것을 의미한다.

$$\gamma \xrightarrow{T_C} (\alpha + \beta) \qquad (3.32)$$

위 반응은 한 액상에서 두 가지의 고상이 생성되는 공정반응(식 3.30)과 비슷하다: 3.4.2.2절에서 설명된 상의 형성과정 중에서 액상 S로 표기된 부분을 고상인 γ로 대체하면 된다. 공석반응을 통해 형성되는 α와 β는 γ고용체와 다른 조성과 결정구조를 가지며, 미세하고 주기적으로 배열된 형태를 가진다. 많은 경우에 있어 α와 β 간에는 특정한 결정학적 관계가 존재한다. $(\alpha + \beta)$의 형상은 공정조직과 매우 흡사하며, 상분율은 공정반응과 같은 관계를 가진다. 이러한 연유로, 공정반응에 비교하여, 공석반응이라 칭하며 $(\alpha + \beta)$의 조직을 공석조직이라 한다.

그림 3.44는 그 실제적인 예로서 철(Fe)-탄소(C)합금계에서 나타나는 γ고용상의 분리를 보여준다. 고온상인 면심입방정의 γ-Fe은 침입형원소인 탄소와 합금을 이루며, 최대 고용도는 1147℃에서 2.06

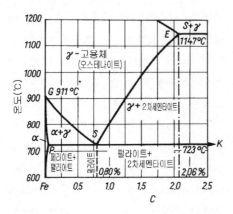

그림 3.44 Fe-C 합금에서 γ고용체의 공석변태.

그림 3.45 Fe-0.8wt.%C : 페라이트(α Fe-C고용체)와 시멘타이트(철탄화물 Fe₃C)로 이뤄진 공석조직 (1% HNO₃부식액).

wt.% C에 달한다(상태도의 점 E). 온도의 강하에 따라서 γ고용상의 선 G-S-E로 정해지는 영역으로 한정되며, 평형상태에서 존재할 수 있는 최소온도는 723℃(점 S)이다. 이 온도에서 γ상은 0.80wt.% C (공석조성)를 함유한다. 0.80wt.% C의 조성을 가지는 Fe-C합금을 냉각하는 경우 723℃의 공석온도에서 아래의 공석반응이 일어난다:

$$\gamma \text{고용체} (0.80\%C) \xrightarrow{\ T_C = 723\,℃\ }$$

$$\alpha \text{고용체} (0.02\%C) + Fe_3C\,(6.67\%C)$$

오스테나이트(austenite)로 칭하는 γ고용체는, α고용체와 철-탄소 화합물인 Fe₃C가 미세하고 주기적으로 배열된 조직으로 변한다. 저온상인 α고용체는 체심입방정 (bcc)구조를 가지며, 매우 낮은 양의 탄소 (0.02%)만을 결정격자 사이에 고용할 수 있다. 이러한 체심입방정구조의 α Fe-C고용상을 **페라이트**(ferrite)라 칭한다. 철탄

화물인 Fe₃C는 결정학적으로 사방정(orthorhombic)구조를 가지며, 구성식인 Fe₃C에 따라 6.67wt.% C를 함유하며, **시멘타이트** (cementite)라 칭한다. 그림 3.45는 공석반응을 통해 형성된 **펄라이트**(pearlite)[1] 라 불리는 (α + Fe₃C)미세조직을 나타낸다.

펄라이트는 α(페라이트)와 Fe₃C(시멘타이트)가 주기적으로 배열된 층상구조를 나타낸다. 지렛대법칙을 통해 펄라이트는 88%의 페라이트와 12%의 시멘타이트로 이루어짐을 알 수 있다. γ고용체의 공석반응은 냉각곡선에서도 온도유지점으로 확연하게 나타난다.

펄라이트의 형성과정은 다음과 같이 이해할 수 있다(그림 3.46). 핵생성에 유리한 오스테나이트의 어떤 결정립계에서 판상의 작은 시멘타이트가 형성되면, 그 주위에 있는 오스테나이트 내의 탄소를 소모

---

1) 낮은 배율의 광학현미경으로는 공석조직의 층상구조를 분간할 수 없을 수도 있으며, 주기적으로 배열된 구조의 간섭효과로 인해 진주층(mother-of-pearl)형상으로 보여지므로 과거에 이러한 이름이 주어졌다.

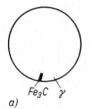
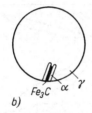
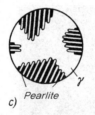

a) Fe_3C γ

b) Fe_3C α γ

c) Pearlite

그림 3.46 Fe-C합금에서 펄라이트형성을 나타내는 개략도.

한다. 따라서 국부적으로 탄소함량이 낮은 영역이 형성되므로써, 판상 시멘타이트의 좌우측에서 페라이트 판이 형성되며, 이는 주변의 오스테나이트에 탄소를 배출하는 과정이다. 탄소의 배출은 국부적으로 탄소 함량의 증가를 가져오며, 판상의 시멘타이트를 형성할 정도로 될 때까지 이뤄진다. 이러한 과정은 전체의 오스테나이트가 변태될 때까지 지속된다. 펄라이트의 형성은 하나의 오스테나이트 결정립 여러 부분에서 이뤄질 수 있으므로, 펄라이트 군집체는 3.4.2.2절에 소개된 공정셀과 비슷하다. 각 군집체는 시멘타이트와 페라이트로 구성된 변태전면을 형성하므로써, 아직 변태되지 않은 오스테나이트 내의 탄소의 이동은 짧은 확산거리를 통해 이뤄질 수 있게 해준다. 오스테나이트 내 탄소의 확산거리는 펄라이트의 층간거리를 결정하며, 이는 실질적인 변태온도와 냉각속도에 의존한다. 층간거리는 국부적인 냉각속도에 반비례한다.

0.80% C 이하의 조성을 가지는 철-탄소합금의 냉각 중 선 G-S에 도달하면 아공석 페라이트라 불리는 초석 α가 석출된다. 이를 통해 나머지 γ고용체는 723℃에서 0.80% C에 이르도록 지속적으로 탄소가 증가하며, 공석펄라이트를 형성한다.

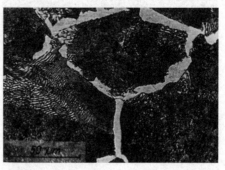

그림 3.47 Fe-0.7% C : 12.5% 아공석 페라이트(밝은색)와 87.5% 펄라이트.

지렛대 법칙에서 알 수 있듯이, 0.7% C합금은 냉각 후 상온에서 12.5% 초석 페라이트와 87.5%의 펄라이트를 가진다. 그림 3.47은 γ고용체의 결정립계에 석출된 흰색의 α상과 전형적인 층상구조를 나타내는 펄라이트를 나타낸다.

0.8~2.06% C사이의 조성을 가지는 철-탄소합금의 냉각 중 선 E-S를 지나면서 탄소의 함량이 높은 Fe_3C결정(시멘타이트)이 석출된다. 이를 통해 잔류 γ고용체 내의 탄소함량이 줄어들면서, 723℃에서 0.80% C를 가지면서 공석 펄라이트를 형성한다. 1.3% C를 가지는 합금은 상온에서 8.5%의 이차 시멘타이트(Fe_3C결정)와 91.5%의 펄라이트를 가진다. 그림 3.48은 이전의 γ결정립계에 형성된 Fe_3C결정과 셀형태로 존재하는 펄라이트를 보여준다. Fe_3C결정은

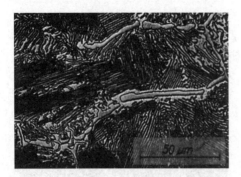

그림 3.48 Fe-1.3%C : 과공석 (이차)시멘타이트 Fe$_3$C(밝은 회색)와 펄라이트.

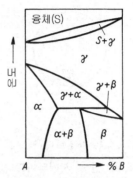

그림 3.49 고용체로부터의 포석반응을 나타내는 개략적인 상태도.

경도가 높으므로 기복(relief)상에 존재하며, α상과 확연히 구분된다.

공정계와 공석계 사이에는 매우 많은 공통점들이 있다. 이러한 공통점은 미세조직의 형성뿐만이 아니라, 상분리선의 형태(그림 3.26을 3.44), 아공석상과 아공정상, 공석과 공정반응을 통한 결정화, 냉각곡선의 형태(초정상의 정출에 따른 변곡점, 공석조직 또는 공정조직의 결정화에 따른 유지점), 지렛대법칙의 이용법 등으로 확장될 수 있다. 액상으로부터의 공정반응과 고용상의 공석반응간의 가장 주요한 차이는, 공석반응은 상변태가 고상 내 확산에 의해 조절되는 반면 공정반응은 액상 내 확산에 의한다는 것이다. 고상 내 확산속도는 매우 작기 때문에 공석반응의 경우 과냉각에 민감하다. 많은 경우에 빠른 냉각을 통해 변태온도를 매우 낮추면서 공석반응을 완전히 막을 수 있다. 침입형 원소에 비해 상대적으로 확산속도가 매우 낮은 치환형 합금의 경우 위의 효과는 더 커진다. 이러한 고용체의 경우 급냉을 통해 공석반응을 완전히 막는 것이 어렵지

않다. 고온에서 존재하는 상들을 상온으로 과냉하여 준안정(metastable)하며 균일한 상태를 얻을 수 있다.

철-탄소합금의 경우 γ고용체를 급냉을 통해 상온으로 완전히 과냉시키는 것은 불가능하다. 급냉을 통해 탄소의 확산을 막으면[1], 오스테나이트는 무확산 변태를 통해 준안정 **마르텐사이트**를 형성하며(3.6.3절, 5.3.2.4절), 이는 공업적 응용에 있어 매우 중요한 의미를 가진다.

공정응고와 공석반응의 공통점과 같이 포정반응은 **포석반응**(peritectoid)으로 확장된다. 식 (3.31)의 포정반응은 액상과 고상으로부터 다른 하나의 고상이 형성되는 것이다. 이와 비슷한 포석반응은 다음과 같다.

$$\gamma + \alpha \xrightarrow{T_p} \beta \tag{3.33}$$

두 가지의 상으로부터 하나의 새로운 상

---

1) 이 조건하에서는 Fe확산과 치환형 합금원소의 확산도 억제된다.

이 만들어지는 과정은 같지만, 액상의 참여가 없다. 그림 3.49는 포석반응에 대한 개략적인 상태도를 나타내며, 응고를 통해 형성된 γ고용상이 이어지는 냉각에 따라 어떻게 α와 β로 변태되는지 보여준다. 3.4.2.3절의 포정계에 대한 설명에서 액상 또는 잔류액상으로 표기된 부분을 γ고용상으로 바꾸면, 포석계에서의 결정화 과정을 설명할 수 있다. 조성에 따라 합금은 α고용체, β고용체 또는 α와 β가 혼재하는 미세조직을 가질 수 있다. 포석반응은 고상 내 확산과 상대적으로 긴 확산거리(확산길이는 결정립크기보다 크다)를 필요로 하므로, 포정반응보다도 평형상태의 유지가 어렵다: 즉 β로 이뤄진 포석영역이 초석 α주위에 존재하는 미세조직이 얻어진다.

3.4.3
액상 내의 용해도간극

3.4.2.1절의 금-니켈합금계에서 보이듯이, 구성원소의 완전한 고용상태에서도 고상선 아래의 어떤 임계온도 이하에서 용해도간극이 형성될 수 있다(그림 3.20). 이는 고상의 혼합엔탈피 H_0가 양의 값을 가지기 때문으로, 엔탈피의 값에 따라 **임계혼합온도**가 정해진다: $T_{critical} = 0.36\,H_0/k$. 이와 같은 현상이 용융금속에서도 존재한다. 대부분의 경우 액상선 이상의 모든 온도에서 용융금속은 하나의 균일한 상을 형성하지만, 구성원소의 용해도가 한정된 경우도 종종 나타난다. 전형적인 예로 납(Pb)-아

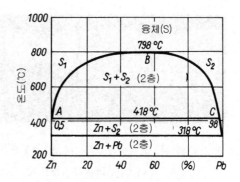

그림 3.50 Pb–Zn계 상태도.

표 3.10 Zn–Pb액상의 온도에 따른 용해도 변화

온도 [℃]	액상 S_1내 최대 용해도	액상 S_2내 최대 용해도
500	2% Pb	4% Zn
600	5% Pb	7% Zn
700	15% Pb	13% Zn
750	25% Pb	19% Zn
798	55% Pb	45% Zn

연(Zn)계로서, 상태도를 그림 3.50에 나타내었다.

액상 납은 특정양의 아연을 함유하며(액상 S_2), 액상의 아연 또한 특정양의 납을 함유(액상 S_1)한다. 두 금속의 용해도는 온도의 상승에 따라 빠르게 증가하여(표 3.10), $T_{critical} = 798℃$ 이상에서는 완전한 용해도를 나타낸다. 액상 S_1의 납에 대한 최대용해도는 선 A-B로, 액상 S_2의 아연에 대한 온도에 따른 최대용해도는 선 B-C로 주어진다.

선 A-B-C는 액상내의 용해도간극을 나타내며, 이 이상의 온도에서는 단상용액 S를 가진다. 용해도간극 내에서는 두 개의 다른

그림 3.51 Zn-Pb합금의 응고: 왼쪽으로부터, 20% Pb, 40% Pb, 60% Pb, 80% Pb 합금.

상 (S_1+S_2)이 존재한다. 두 상의 분율은 식 (3.29)로 주어지는 지렛대법칙으로 알 수 있다(그림 3.9 참조). 냉각 중에 선 A-B-C를 지나면서 단상의 합금은 두 상의 상태로 된다. 고상상태에서 아연($\rho = 7.13\text{gcm}^{-3}$)과 납($\rho = 11.35\text{gcm}^{-3}$)의 밀도 차이로 인해, 두 액상 (S_1, S_2)도 확연한 밀도차이를 가지며 **중력편석**을 나타나게 한다. 납을 많이 함유한(Pb 부화) 액상은 바닥부위로 침전하며, 상대적으로 가벼운 아연을 많이 함유한(Zn 부화) 액상은 그 상단부에 존재한다. 이러한 분리는 응고된 상태에서도 볼 수 있다 (그림 3.51).

서로 다른 조성을 가지는 두 액상의 응고과정을 알아보자. 열역학적으로 상태도의 양쪽 가장자리에 위치하는 용융상은 해당되는 고용체로 응고한다. 즉 아연은 약간양의 납을 함유하며, 납은 약간양의 아연을 함유한다. 고용되는 양은 그림 3.50에서 나타나지 않을 정도로 적다(선의 두께보다 적은 영역임). 아연을 많이 함유하는 액상 S_1은 순수 아연의 녹는점보다 약 1.5℃정도 낮은 418℃에서 응고한다. 이는, 아직 논의되지 않은, **편정반응**(monotectic reaction)이라 한다. 이 후 합금은 고상의 Zn(Pb)[1]와 납을 많이 함유하는(Pb-rich) 액상인 S_2로 이뤄진다. 액상 S_2는 납의 응

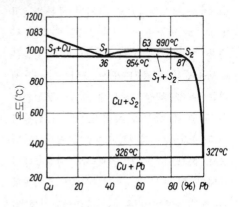

그림 3.52 Cu-Pb계 상태도.

고점인 327.5℃보다 매우 적은 318℃에서 응고한다. 액상 S_2의 높은 응고온도는, 공정조성이 0.1%대에 위치하며 공정온도가 318℃인 공정반응을 가정하여 이해할 수 있다(3.4.2.2절). 공정반응을 통해 형성되는 Zn(Pb)상은 매우 적은 양만이 존재하므로 광학 미세조직으로는 구분할 수 없다.

액상 내 용해도간극이 작아진다면, 상태도의 가장자리에 위치하는 단상영역은 상대적으로 넓어진다. 그림 3.52에 주어진 구리(Cu)-납(Pb)상태도의 경우와 같이, 이러한 경우 편정응고 과정을 확연히 구분할 수 있다.

이상영역(액상 S_1 + 액상 S_2)은 954℃에

---

1) A(B)는 A 내에 실질적으로 무시할 정도로 적은 양만큼의 B가 함유되있는 상태를 의미한다.

서 36~87% Pb의 조성범위에 한정된다. 납의 조성이 낮은 경우 구리의 함량이 높은 액상 S_1이 유지되며, 납의 조성이 낮은 경우는 납 함량이 높은 액상 S_2가 유지된다. 납의 첨가에 따라 구리의 녹는점은 1083℃(0% Pb)에서 954℃(36% Pb)로 직선적인 감소를 나타내는 반면, 납의 녹는점은 327에서 326℃로 1℃만이 감소한다. 중력편석에 의한 분리상의 형성은, 다른 조성과 밀도를 가지는 두 가지의 액상이 평형으로 존재 가능한, 납함량이 36~87%인 경우에만 나타난다. 하지만 다른 조성을 가지는 Cu–Pb합금계에서도 이러한 상분리는 나타나며, 이는 먼저 응고한 구리 결정과 납의 함량이 높은 잔류액상 사이의 밀도차이에 기인한다.

36~87% Pb의 조성을 가지는 합금은, 아연-납합금에서도 보여지듯이 954℃에서 액상 S_1과 S_2의 상분리가 나타난다. 954℃에서 액상 S_1의 조성은 36% Pb이다. 36% 이하의 납조성을 가지는 합금에 대한 액상선도 이 상태에서 만나지며, 세 개의 상이 평형상태에 놓이게 된다: 매우 적은 양의 납을 함유하는 (Cu(Pb), 이 상만 균일하게 존재하는 영역은 나타낼 수 없음) 고상 Cu, 상영역 (S_1+Cu)에 해당하는 S_1 그리고 상역역 (S_2+Cu)에 의한 액상 S_2. 이 점은 Gibbs의 상률(식 3.6b)에 의하여 불변 평형상태(F = 0)에 해당하며, 다음 반응이 나타난다:

$$S_1 \xrightarrow{T_m} S_2 + Cu(Pb) \qquad (3.34)$$

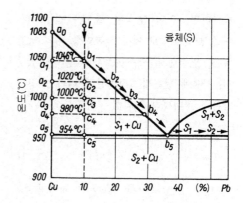

그림 3.53 Cu + 10%Pb 액상으로부터 초정 Cu(Pb)상의 형성.

위의 반응이 위에서 언급된 편정반응이다: 하나의 액상에서 한 고상(고용체)과 다른 조성을 가지는 다른 액상이 형성된다. T=954℃를 **편정온도**(T_M)라 하며, 36% Pb를 **편정조성**(c_M)이라 한다. 이러한 종류의 반응은 액상에 용해도간극을 가지는 계에서 전형적으로 나타난다.

액상 S_2는 이 후의 냉각 중, 326℃에서 낮은 Cu함량을 가지고 공정응고 할 때까지, 지속적으로 Cu(Pb)를 정출한다. 326℃의 등온선은 공정온도에 해당한다.

두 종류의 Cu–Pb합금을 예로 들어 위의 응고과정을 설명하고자 한다.

90%Cu + 10%Pb합금을 균질한 액상 S로부터 냉각하면(그림 3.53의 합금 L), 액상선 a_0–b_5에 도달하는 순간인 1046℃에서 (점 b_1) 매우 적은 양의 납을 함유하는 Cu 결정이 액상 S_1으로부터 정출하기 시작한다. 정출과정을 통해 액상 내 구리 함량은 감소하며 상대적으로 납함량은 증가한다. 온도저하에 따라서 정출되는 구리결정은

증가하며, 이미 형성된 결정은 성장한다. 예를 들어 1020℃에서 잔류액상 내의 납함량은, 연결선 a_2-c_2-b_2로부터 알 수 있듯이, 18%에 달한다. 정출된 구리와 액상의 양은 지렛대법칙에 의해 구해진다.

$$m_{Cu} = \frac{18-10}{10+8} \cdot 100\% = 44.5\% \quad \text{(구리)}$$

$$m_{S_1} = \frac{10-0}{10+8} \cdot 100\% = 55.5\% \text{(잔류액상 } S_1\text{)}$$

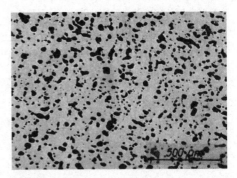

그림 3.54 90%Cu + 10%Pb합금의 미세조직 : 초정과 편정을 통해 형성된 Cu(+ Pb)상과 어두운 색으로 보이는 Pb.

계속되는 온도저하에 따라 구리의 정출은 이어지며, 잔류액상 S_1의 조성은 액상선 a_0-b_5를 따라 변한다. 그림 3.53에 표기된 온도에 대한 평형상태는 다음과 같다 (표 3.11):

1046에서 954℃로의 냉각에 따라 100g의 합금 중에서 72.2g의 Cu(Pb)가 정출하며, 64%Cu + 36%Pb의 조성을 가지는 27.8g의 잔류액상이 남게된다.

합금으로부터 열을 더 빼앗게 되면, 편정온도인 954℃로 유지되면서 64% Cu + 36%Pb의 편정조성을 가지는 잔류액상 S_1으로부터 구리결정이 정출하며, 그와 동시에 액상은 87%Pb + 13%Cu의 조성을 가지는 액상 S_2로 불연속적으로 변화한다. 위

의 반응 중에 합금은 고상인 구리결정, 액상 S_1과 S_2로 구성된다. 편정반응의 종료시점에서 액상 S_1은 소진되므로, 합금은 고상인 구리결정과 87%Pb + 13%Cu의 조성을 가지는 액상 S_2로 이뤄진다. 편정반응을 통해 액상으로부터 형성되는 구리결정의 양은 다음과 같이 구해진다:

$$m_{Cu} = \frac{87-10}{10+77} \cdot 100\% = 88.5\%$$

하지만 72.2%의 구리는 1046~954℃ 사이에서 이미 초정으로 나타난다(표 3.11). 따라서 88.5 − 72.2 = 16.3%Cu(Pb)가 편정반응에 의해서 형성되는 것이다. 이후의

표 3.11 90%Cu − 10%Pb합금의 초정응고 시 평형상태의 변화

온도 [℃]	잔류액상 내 Pb 함량	고상 Cu(Pb)의 분율	잔류액상
1090	10%	0%	100%
1046	10%	0%	100%
1020	18%	44.5%	55.5%
1000	23%	56.5%	43.5%
980	29%	65.5%	34.5%
954	36%	72.2%	27.8%

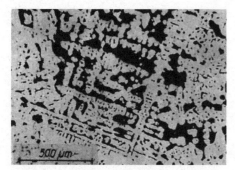

그림 3.55 Cu-36%Pb 편정합금의 미세조직 : 밝은 색의 Cu(Pb)수지상과 어두운 색의 Pb(Cu).

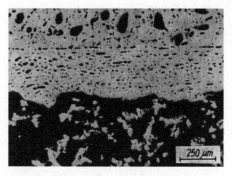

그림 3.56 Cu-50%Pb 합금의 미세조직 (상부 : 물방울 형태의 Pb를 함유하는 Cu(Pb), 하부 : 수지상 Cu(Pb)를 가지는 Pb(Cu)).

냉각에 의해서, 액상 S_2에 대한 용해도선 (solubility curve)에 의해 구리의 나머지들이 정출된다. 고상선 온도인 326℃에서, 거의 순수한 납인 액상 S_2는 온도를 유지하면서 공정응고한다. 그림 3.54는 위 과정을 통하여 응고된 미세조직을 보여준다.

64%Cu + 36%Pb의 조성을 가지는 합금의 경우 초정의 구리는 형성되지 않으며, 응고는 편정반응을 통해 시작된다. 편정반응이 끝난 후에, 위에 언급한 과정을 통해 응고가 이뤄진다. 326℃에서 구리의 농도가 매우 낮은 액상 S_2는 응고되며, 전체합금의 응고도 마치게 된다. 미세조직은 Cu(Pb) 수지상과 이를 감싸고 있거나 물방울 (droplet) 형태인 Pb (Cu)로 나타난다(그림 3.55).

50%Cu + 50%Pb의 조성을 가진 합금은 954℃이상의 온도에서 액상 S_1과 S_2로 존재하며, 편정온도인 954℃에서의 두 액상간의 분율은 다음과 같다.

$$m_{S_1} = \frac{87-50}{14+37} \cdot 100\% = 72.5\%$$

(64%Cu + 36%Pb)

$$m_{S_2} = \frac{50-36}{14+37} \cdot 100\% = 27.5\%$$

(13%Cu + 87%Pb)

위의 상태에서 액상 S_1은 편정반응을 통해 Cu(Pb)와 액상 S_2로 변한다. 액상 S_1이 더 이상 존재하지 않는 경우에 냉각은 계속되며, 온도저하와 더불어 326℃까지 액상 S_2로부터 구리가 연속적으로 정출되며, 326℃에서 구리의 농도가 매우 낮은 액상은 공정응고 한다. 이 합금은 심한 중력편석의 경향을 보이며, 이에 의하여 형성된 분리선 주위의 미세조직을 그림 3.56에 나타낸다.

87% Pb의 조성을 가지는 합금의 경우 고온상태에서는 완전한 용해도를 보이며, 냉각에 의해 액상 S_2의 용해도선에 따라 고상 Cu(Pb)가 정출하며, 326℃에서 잔류액상은 공정응고 한다.

끝으로, Al-Zn계 등에서 나타나는, **편석정반응**(monotectoid reaction)에 대해 간략히 설명한다. 편석정반응은 어떠한 고용체 α_1으로부터 이질동상(isomorph)인 고용체 α_2와 다른 고용체인 β가 나타나는 것으로, 다음과 같다.

$$\alpha_1 \xrightarrow{T_m} \alpha_2 + \beta \tag{3.35}$$

3.4.4
복잡한 상태도

앞 절에서는 2원계 합금에서 나타날 수 있는 반응들을 상대적으로 쉽게 알 수 있는 예를 들어서 설명하였다. 실제 합금계에 대한 대부분의 상태도는 매우 복잡한 형상을 가진다. 그 이유로는 구성원소의 동질이상(polymorph)변태, 화합물의 형성(일반적인 공유화합물 외에도 금속간화합물 또는 침입형 화합물) 등이 있다. 하지만 자세히 살펴보면, 복잡한 상태도라도 앞 절에서 논의됐던 기본반응만을 포함하며, 단지 이러한 기본반응들이 조합된 것임을 알 수 있다. 복잡한 상태도에 대한 예로 넘어가기 전에, 각 반응들의 특징들에 대해 살펴보도록 하자.

1. 공정과 공석반응(그림 3.57):
   두 경우 모두 온도의 저하에 따라 하나의 상으로부터 두 개의 새로운 상이 형성되며, 반응 중에 온도가 유지된다. **공정반응**(eutectic reaction)의 경우 하나의 액상에서 두 개의 고상이 나타난다.

$$S \rightarrow \alpha + \beta \tag{3.30}$$

   공석반응(eutectoid reaction)의 경우는 고상에서 반응이 시작된다.

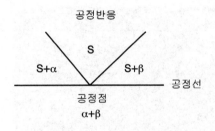

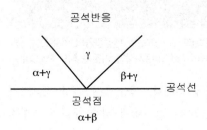

그림 3.57 공정반응과 공석반응.

$$\gamma \rightarrow \alpha + \beta \tag{3.32}$$

복잡한 상태도에서 위의 두 반응은 다음의 특징으로 구분할 수 있다: 공정 또는 공석 반응에 해당하는 평행한 등온선의 존재; 이상(two phases)영역을 분리하는 두 개의 선이 등온선상의 한 점에서 교차함(그림 3.57). 이러한 교차점은 불변평형에 놓이는 공정점과 공석점에 해당한다. 그림 3.58의 Pd-Mn계에서 그 예를 찾을 수 있다. 1147℃에서 Mn조성이 73%를 나타내는 점 1은 공정점이며, 점 2(800℃), 3(590℃), 4(540℃)는 공석점이다.

2. 포정반응과 포석반응(그림 3.59):
   공정 및 공석반응과는 반대로 위의 반응을 통해서는 두 개의 상으로부터 하나의 새로운 상이 형성된다.

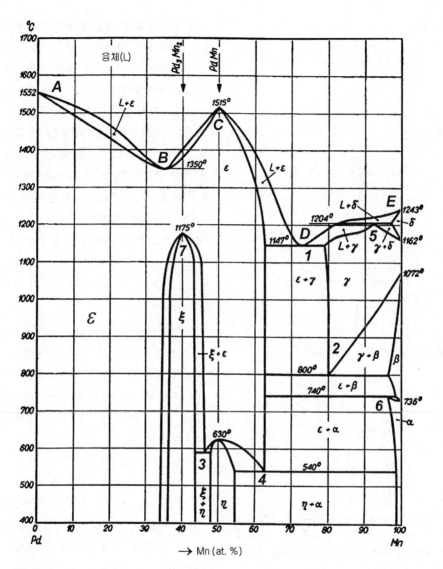

그림 3.58 Pd-Mn 상태도.

포정반응(peritectic reaction)은 두 개의 시작상 중 하나는 액상인 경우이며,

$$\alpha + S \ \rightarrow \ \beta \qquad\qquad (3.31)$$

포석반응(peritectoid reaction)은 두 개

의 시작상이 모두 고상인 경우이다.

$$\gamma + \alpha \ \rightarrow \ \beta \qquad\qquad (3.33)$$

상태도에서 특징적인 점은, 포정과 포석 온도에 해당하는 등온선의 존재와 반응

a) 포정반응

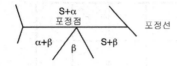

b) 포석반응

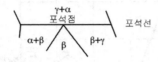

c) 금속간화합물을 포함하는 포정반응

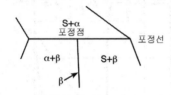

그림 3.59 포정반응과 포석반응.

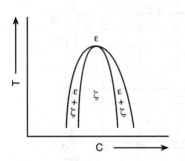

그림 3.60 고용체에서 금속간화합물을 형성하는 경우의 상태도.

을 통하여 형성되는 β상의 좌우에 존재하는 이상(two phases)영역에 해당하는 두 개의 분리선이 반응온도보다 낮은 온도로부터 시작해서 포정점과 포석점에서 만난다는 것이다. 이러한 특징은 공정과 공석반응에 대해 정반대의 현상이다. 반

응을 통하여 매우 좁은 상영역을 가지는 금속간화합물이 형성되는 경우, 그 좌우에 존재하는 두 개의 분리선은 하나의 선으로 보인다(그림 3.59c). 용해하는 경우 조화롭지 않은 것처럼 보이지만(따라서 부조화 용해성 화합물이라고도 함), 이는 액상으로 직접 변하는 것이 아니라, 반응식 (3.31)의 포정반응에 반대되는 방향으로 액상과 하나의 다른 고상으로 분리하는 과정이다.

Pd-Mn계(그림 3.58)에서 포정점은 1204℃와 92.5% Mn에 해당하는 점 5이며, 포석점은 740℃와 96.5% Mn인 점 6에 해당한다.

3. 3.4.2.1절에서 Fe-V와 Fe-Cr계에 대해 알아보았듯이, 고용상은 어떠한 임계점을 통과하면서 금속간화합물을 형성하기도 한다. 그림 3.60은 이러한 반응에 따른 상태도의 전형적인 형상을 보여준다.

그 예는 Pd-Mn계에서도 찾을 수 있으며, 1175℃이하에서 ε상의 형성(점 7)에 해당한다. 이 상은 한정된 영역에서 존재하며(400℃의 경우 약 7%정도의 범위), ε 영역과는 (ε + ζ)의 이상영역으로 구분된다.

4. 대부분 액상선은 온도의 최대점과 최소점을 가지며, 그 점에서 고상선과 만난다. 이는 정조성용해(congruent melting)를 하는 합금에 해당하며, 용해구간 대신에 응고 또는 용융점을 가진다. 액상선의 최대온도점은 금속간화합물의 형성을 의미한다(정조성용해 화합물). 예

를 들어, Pd-Mn 합금계에서 액상선 (A-B-C-D-E) 상의 점 C는 최대 온도점이며, 금속간화합물인 PdMn에 해당된다. 그 아래의 1515℃에서 630℃까지 고용체와 비슷하게 구성원소가 격자에 혼합된 상태가 넓은 범위에서 나타난다(이는 순수한 Pd까지 확장되며, Pd의 완전한 용해도를 의미하는 것으로 엄밀히 말해 금속간화합물이라 할 수 없다). 630℃아래에서 매우 협소한 조성범위에서 나타나는 η 상을 형성하며, 이는 구성원소와는 다른 구조를 가지는 금속간화합물이다.

Pd-Mn의 예에서 알 수 있듯이, 복잡한 계도 3.4절에서 언급된 현상과 반응들의 조합이며, 나타날 수 있는 상의 종류는 액상, (구성원소의 결정격자 내 배열에 있어 규칙도가 있거나 없는)고용체 그리고 금속간화합물이다. 즉, 그림 3.57, 3.59, 3.60에 도시된 전형적인 반응을 상태도상에서 찾아서 해당되는 반응이 정해지면 쉽게 이해될 수 있다(편정 또는 편석정반응은 실제의 경우에 있어 거의 나타나지 않기 때문에, 위에서 언급하지 않았다). 상영역의 의미(종류, 조성, 상분율 등)는 3.2절에서 설명된 내용을 통해 이해할 수 있다.

3장에서 논의되는 상태도와 그 해석에 관한 내용은 금속에만 한정되지 않으며, 모든 계에 통용된다.

3.5
3원합금계(ternary alloys)에 대한 기본적인 이해

3.5.1
3원합금계의 도식적인 구성

다음에 설명되는 부분은 3원합금의 이해와 연습을 위한 기초적인 내용을 다룬다.

이미 언급하였듯이 대부분의 실제 합금은 두 가지 이상의 구성원소를 가지며, 어떻게 다수의 구성원소를 가지는 계의 결정화과정을 도식적으로 나타낼 것인지 하는 의문을 가지게 한다. 2원계 상태도의 경우 조성(C_B)과 온도(T)를 그 축으로 하는 평면좌표를 이용하였다. 3원계 상태도의 표현을 위해서는 공간좌표 XYZ가 필요하다: X축은 합금원소 B의 조성인 C_B를, Y축을 합금원소 C의 조성인 C_C를, Z축은 온도 T를 나타낸다.

하나의 구성원소 A의 양이 매우 높고 나머지 원소 B와 C의 양이 상대적으로 매

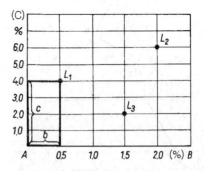

그림 3.61 사각좌표계에 표현한 3원계 합금 : $L_1 = 4\%C + 0.5\%B + 95.5\%A$, $L_2 = 6\%C + 2\%B + 92\%A$, $L_3 = 2\%C + 1.5\%B + 96.5\%A$.

우 낮은 경우에, 3원합금의 조성에 대한 도식적인 표현을 위해서 그림 3.61과 같은 평면좌표를 이용한다.

주요구성원소인 A는 원점인 (0, 0)에 놓인다. 축 A-B는 A와 B의 2원계에 해당하며, 축 A-C는 A와 C로 구성된 2원계에 해당한다. 원하는 조성은 각 조성축에 해당량에 따라 나타낸다.

95.5%A + 0.5%B + 4.0%C의 조성을 표기하기 위해서는, 원점 A에서 A-B축을 따라 0.5만큼 이동한 뒤에(선 b) A-C축에 해당하는 방향으로 4만큼 이동(선 c)하면, 점 L_1에 도달한다. 이 점이 해당조성의 합금을 나타낸다.

같은 방법으로 점 L_2는 92.0%A + 2.0%B + 6.0%C를, 점 L_3는 96.5%A + 1.5%B + 2.0%C를 나타낸다. 이러한 평면좌표의 실제 응용 예는 그림 5.215의 Guillet 도형과 그림 5.241과 5.332의 Mauer 도형이 있다.

넓은 조성역 또는 3원계를 전체적으로 나타내기 위해 일반적으로 이용되는 방법은 그림 3.62의 삼각좌표를 이용하는 것이다. 조성면(concentration plane)을 구성하는 정삼각형의 각 변은 100개의 눈금으로 나뉜다. 꼭지점은 순수한 구성원소 A, B, C를 나타내며, 각 변은 세 개의 2원계 A-B, B-C, C-A에 해당한다. 삼각형 내부의 각 점은 어떠한 3원합금의 조성을 나타내며, 해당조성은 아래의 방법으로 알 수 있다.

그림 3.62에서 점 L_1에 대한 조성을 알기위해서, 삼각형의 각 변에 평행한 직선 I, II, III을 그린다. 변 B-C에 평행한 직선 I은 C_A축의 45% A에서 만나며(선 a), 변 C-A에 평행한 직선 II는 C_B축의 15% B에서 만난다(선 b). 같은 방법으로 선 III은 C_C축의 40% C에서 만나며, L_1에 해당하는 조성은 위 방법을 통해 45%A + 15%B + 40%C임을 알 수 있다.

합금의 조성을 나타내는 점에서 시작하여 삼각형의 어느 한 변에 평행한 직선을 그리게 되면, 그 변의 반대편에 꼭지점에 놓인 구성원소의 조성을 알 수 있다. 예를 들어, 변 A-B에 평행한 직선 Y-Z상에 놓이는 점 L_2, L_3, L_4, L_5에 해당하는 합금은 일정한 C함량을 가지며, 해당 합금의 조성은 아래와 같다.

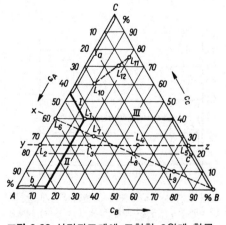

그림 3.62 삼각좌표계에 표현한 3원계 합금.

L_2 : 75% A +   + 25% C

L_3 : 50% A + 25% B + 25% C

L_4 : 25% A + 50% B + 25% C

L_5 :   75% B + 25% C

모든 합금에서 C함량은 25%로 동일함을 알 수 있다.

삼각형의 한 꼭지점에 연결되는 어떠한 직선상에 놓인 점은, 다른 두 해당원소의 조성비가 일정하다. 예를 들어, 꼭지점 B에 연결되는 직선 X-B상에 놓이는 점 L_6, L_7, L_8, L_9에 해당하는 합금의 A와 C에 대한 조성비는 일정해야 한다. 해당 합금의 조성은 다음과 같다.

L_6 : 60% A +   + 40% C

L_7 : 45% A + 25% B + 30% C

L_8 : 30% A + 50% B + 20% C

L_9 : 15% A + 75% B + 10% C

위 합금의 경우 B의 함량은 A와 C에 독립적인 변화를 나타내지만, A와 C의 조성비는 일정하다:

$$\frac{60\% A}{40\% C} = \frac{45\% A}{30\% C} = \frac{30\% A}{20\% C}$$
$$= \frac{15\% A}{10\% C} = \frac{3\% A}{2\% C}$$

다른 조성을 가지는 두 개의 합금을 합하여 제3의 합금을 만드는 경우, 새로운 합금의 조성은 초기 두 합금의 조성을 연결하는 직선상에 놓인다. 예를 들어, 30%A + 10%B + 60%C의 조성을 가지는 합금(점 L_{10}) 30g과 5%A + 20%B + 75%C의 조성을 가지는 합금(점 L_{11}) 70 g을 용해하여 만든 합금의 조성(점 L_{12})은, L_{10}과 L_{11}을 연결하는 직선상에 놓인다: 30 · 0.3 + 70 · 0.05 = 12.5%A, 30 · 0.10 + 70 · 0.20 = 17%B, 30 · 0.60 + 70 · 0.75 = 70.5%C. 새로운 합금의 조성은 도식적인 방법으로도 구할 수 있다: L_{10}과 L_{11}을 연결하는 직선을 해당 초기합금의 양에 반대되는 비율(즉 70:30)로 나누는 점이 새로운 합금의 조성 L_{12}가 된다.

3.5.2
3원합금에서의 지렛대법칙

2원합금계에서 유도된 지렛대법칙은 3원합금계에서도 약간 변형된 형태로 이용할 수 있다. 35%A + 35%B + 30%C의 조성을 가지는 합금(점 L_0)이 어떠한 온도에서 세 개의 다른 상들이, 즉 65%A + 10%B + 25%C의 조성을 가지는 α, 15%A + 75%B + 10%C의 조성을 가지는 β, 5%A + 30%B + 65%C의 조성을 가지는 γ, 서로 평형을 이루며 존재한다고 가정하자. 조성 L_0는 세 개의 상 α, β, γ의 각 조성이 이루는 삼각형 내에 놓인다(그림 3.63). 삼각형 α

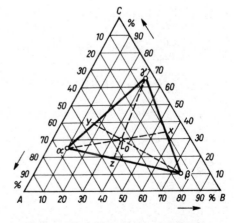

그림 3.63 3원계 합금에서의 지렛대법칙.

$-\beta-\gamma$ 는 점 L_0을 지렛대의 받침점으로 가지고, 삼각형의 꼭지점에 세 개의 상 α, β, γ 가 어떤 무게를 가지고 걸려 있는 것으로 가정하자. 각 상의 분률의 합 $m_\alpha + m_\beta + m_\gamma = 100\%$를 만족하는 경우, 삼각형은 받침점 L_0에서 평형을 가진다(무게중심).

각 상의 분률은 다음과 같이 구해진다:

$$m_\alpha = \frac{L_0 X}{\alpha X} \cdot 100\% \qquad (3.34a)$$

$$m_\beta = \frac{L_0 Y}{\beta Y} \cdot 100\% \qquad (3.34b)$$

$$m_\gamma = \frac{L_0 Z}{\gamma Z} \cdot 100\% \qquad (3.34c)$$

삼각형 A-B-C의 각 변의 길이가 200mm 라면, 위의 주어진 예에서 식 (3.34)에서 주어진 변의 길이는 다음과 같다: $L_0 \cdot X = 45.2$mm, $\alpha \cdot X = 102.0$mm, $L_0 \cdot Y = 32.1$mm, $\beta \cdot Y = 102.0$mm, $L_0 \cdot Z = 21.0$mm, $\gamma \cdot Z = 87.0$ mm. 따라서 세 상의 분률은 아래와 같이 주어진다:

$$m_\alpha = \frac{45.2}{102.0} \cdot 100\% = 44.3\%$$

$$m_\beta = \frac{32.1}{102.0} \cdot 100\% = 31.5\%$$

$$m_\gamma = \frac{21.0}{87.0} \cdot 100\% = 24.2\%$$

$$m_\alpha + m_\beta + m_\gamma = 100.0\%$$

3.5.3
3원계 상태도

2원계 상태도에서도 조성축에 수직한 축을 온도로 나타내듯이, 3원계 상태도에서도 조성면에 수직한 방향에 온도를 나타낸다. 철사를 이용하거나(그림 3.64) 투명한 플라스틱을 이용하면 공간적으로 표현할 수 있다.

3원계 상태도의 바깥쪽에 위치하는 2원계 A-B, B-C, C-A는 모두 같은 종류의 반응을 가지는 합금계일 수 있다(공정계, 초정계, 고상 내 완전고용 또는 액상 내 용해도간극 등). 일반적으로 각 2원계는 다른 종류의 상태도에 속하며, 예를 들어 A-B계는 단순 포정계, B-C는 공정계 그리고 C-A는 액상 내 용해도간극을 가지는 경우로 구성될 수 있다. 수없이 많은 종류의 조합이 가능하므로, 아래에서는 3원계 합금에서 나타나는 특징들에 대해 비교적 단순한 예를 통해 설명하고자 한다.

그림 3.64의 공간모델은 3원공정계인

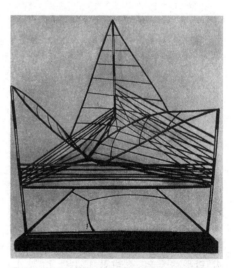

그림 3.64 Bi-Pb-Sn 3원계 합금 상태도를 철사를 이용하여 공간적으로 표현한 예 (단순화 하였음).

Bi-Sn-Pb 합금을 나타낸다. Bi는 좌측전방에, Sn은 우측전방에 그리고 후면에 Pb가 위치한다. 수직인 온도축상에 검은색 또는 흰색으로 나타낸 부분은 각 50℃에 해당한다. Bi의 녹는점은 271℃, Sn은 232℃이며 Pb의 녹는점은 327℃이다.

프리즘형태의 상태도 각 면은 세 가지의 2원계 상태도를 나타낸다; Bi-Sn(전면), Sn-Pb(우측면), Pb-Bi(좌측면). Bi-Sn계의 공정점은 42% Sn의 조성에서 139℃에 놓인다. Sn-Pb계의 공정점은 62% Sn의 조성에서 183℃이다. Pb-Bi계의 경우 43.5%Pb 조성에서 125℃에 공정점을 가진다. 세 구성원소로 이뤄진 고용체영역은 그림의 명확성을 위해 나타내지 않았다.

순수 금속에서 3원계 영역으로 접근할수록 액상면(액상선으로 이뤄진 면)이 확연히 저하함을 알 수 있다. 후면의 Pb영역으로부터 점차 저하하는 액상면은 Sn과 Bi에서 출발하여 감소되는 액상면과 곡선의 형태로 교차한다. 같은 방식으로 Bi쪽에서 출발하는 액상면은, 그림에서는 확실히 구분되지 않지만, Sn쪽으로부터 저하하는 액상면과 곡선의 형태로 교차한다. 세 개의 액상면이 이루는 이러한 교차선을 2원-공정홈(binary-eutectic channel)이라 부른다. 2원-공정선은 2원계로부터 온도의 감소와 함께 3원계 쪽으로 이동하여, 3원-공정점인 하나의 점에서 만난다. 그림 3.64의 바닥면에 2원-공정선과 3원-공정점을 나타내었다.

제 3의 원소를 첨가함으로써 2원공정점의 저하를 가져온다. 예를 들어, Pb-Sn계에 Bi를 첨가하면, 제 3원소인 Bi의 증가에 따라 (Pb + Sn) 2원공정점은 183℃에서 96℃로 저하된다. 같은 방식으로 (Bi + Sn) 2원공정점은 Pb의 첨가에 의해 그리고 (Pb+Bi) 2원공정점은 Sn의 첨가에 따라 96℃까지 저하한다. 각 경우에서 온도의 저하는 3원공정조성인 51.5%Bi + 15.5%Sn + 33% Pb에서 종료된다. 3원공정계 합금에서의 3원-공정점은 2원계에서의 공정점과 같은 역할을 가진다, 즉 응고가 종료되는 시점에서 잔류액상은 3원-공정점에 해당하는 조성을 가지며 아래의 반응식에 따라 결정화된다:

$$S_E \xrightarrow{\ 96°C\ } (Bi + Pb + Sn)$$

위 반응에 따라 일정한 온도에서 3원공정상인 (Bi + Pb + Sn)이 형성되며, 이에 따라 매우 균일하고 미세하게 분포되지만 불균일 혼합물을 형성하게 된다.

액상선과 2원-공정점 등의 예에서 알 수 있듯이, 2원계에서 3원계로 넘어감에 따라 상태도를 구성하는 각 부분의 차원수가 한 차원 높아지며 아래와 같이 정리할 수 있다:

즉, 2원계에서의 점, 선, 면으로 이루어진 부분들은 3원계에서 선, 면, 공간으로 된다.

간단한 공정계를 나타내는 그림 3.65에서 볼 수 있듯이, 2원계는 여러 가지의 상 영역으로 이루어진다. 균일한 액상 I(단상역)의 아래에는 한 2상역인 II(S + A)와 다른 2상역인 III(S + B)로 나뉘어진다. II와

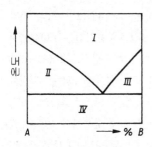

그림 3.65 상 영역들로 이루어진 2원계 상태도.

III영역은 2상역인 IV(A + B)와 수평선으로 구분되는 반면, 상 I과 IV는 한 점으로 나뉜다.

2원계와 마찬가지로 3원계도 여러개의 상 공간을 형성한다. 그림 3.64에 나타낸 3원-공정계인 Bi-Sn-Pb는 다음과 같은 8개의 상 공간으로 이루어진다.

   1 개의 3상공간 (Bi + Sn + Pb)
   3 개의 3상공간 (S + Bi + Sn)
                    (S + Bi + Pb)
                    (S + Sn + Pb)
   3 개의 2상공간 (S + Sn)
                    (S + Pb)
                    (S + Bi)

1 개의 단상공간 (S)

기본 구성원소로 형성된 3상공간 (Bi +Sn+Pb)역은 그림 3.66의 3각프리즘형상을 가진다. 조성면 Sn-Bi-Pb로부터 96℃ 위에 3원공정면 a-b-c가 위치하며, 공정점 E_T는 51.5%Bi + 33%Pb + 15.5%Sn에 놓인다.

3원계 공정면은 세 개의 직선을 경계로 세 개의 삼각형, E_T-a-b, E_T-b-c, E_T-c-a으로 나뉜다. 그림 3.67에 나타나듯이 각 삼각형은 3상공간 (S + Bi + Sn), (S + Bi + Pb), (S + Sn + Pb)에 해당한다. 이 3상공간은 눈삽(snowplow) 형상을 가진다. 2상 공정선인 d-E₂-c는 온도의 저하에 따라 삼각형 b-E_T-a로 이동된다. 곡선 E₂-w-E_T는 2원공정조직 E₂로부터 3원공정인 E_T로 떨어지는 **2원공정홈**(binary eutectic channel)을 나타낸다. 3상공간 내에는 잔류액상이 두 개의 고상결정상들과 평형을 이루며 존재한다. 3상공간 내의 한 등온단면 u-v-w는 항상 삼각형의 형상을 가지며, 삼각형의 꼭지점(구석)은 평형을 이루

2원계	3원계
단상역(액상; 고용체)	단상공간(액상; 고용체)
2상역(S + A; A + B; S_1 + S_2)	2상 공간(S + A; A + B; S_1 + S_2)
	3상 공간(S + A + B; A + B + C)
공정선	공정면
공정점(S → A + B)	공정선 (S → A + B)
	공정점 (S → A + B + C)
액상선	액상면
고상선	고상면
상경계선	상경계면

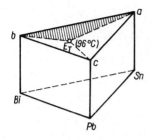

그림 3.66 (Bi+Sn+Pb)3상공간 중 고상합금에 해당되는 공간.

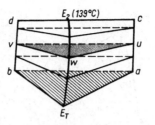

그림 3.67 (Bi+Sn+Pb)3상공간 중 2원 공정응고에 해당하는 공간.

는 상들을 나타낸다. 잔류액상의 조성은 2원공정홈의 점 w에 해당하며, 점 u와 v는 나머지 두 개의 고상결정의 조성에 해당한다. 그림 3.66의 프리즘의 a-b와 그림 3.67의 기호 a-b를 같다고 하면, 액상 w가 금속결정 Bi, Sn과 평형을 이루고 있음을 알 수 있다.

3개의 2상공간, (S + Sn), (S + Bi), (S + Pb)는 그림 3.68에 나타낸 형상을 가진다. 초정에 해당하는 (S + Sn)공간의 하단부 모서리 E_T-a는, 그림 3.66 기본 프리즘에 보이는 E_T-a이다. 이 공간의 하단부 경계면 E_2-E_T-a-B-E_2는 그림 3.67의 우측전면인 E_2-E_T-a-c-E_2에 놓이고, 전방 하단부인 E_1-E_T-a-A-E_1은 그림 3.66의 부분삼각형 c-a-E_T에 놓인다. 초정공간의 Sn-E_2-B-Sn면은 (Sn-Bi) 2원계 상태도의 (S + Sn)에 해당되며, Sn-E_1-A-Sn은 2원계 (Sn-Pb)의 (S + Sn)에 해당한다. 굴절된 면 Sn-E_2-E_T-E_1-Sn는 3원계 액상면의 한 부분이다. 곡선 E_2-E_T는 2원공정조직 E_2에서 3원공정조직인 E_T로 떨어지는 2원계 공정홈이며, 곡선 E_1-E_T는 2원공정조직 E_1에서 3원공정조직인 E_T로 떨

어지는 2원계 공정홈이다. 이러한 초정공간의 등온단면은 삼각형의 형상을 가지며, 두 개의 면은 직선인 반면 액상면과 접하는 쪽은 굴절되어 있다. 그림 3.68에 초정공간의 등온단면 f-e-g, i-h-k, m-n-l이 보인다.

세 개의 초정공간의 액상면의 상부에는, 균일한 액상에 해당하는 단일상 공간이 존

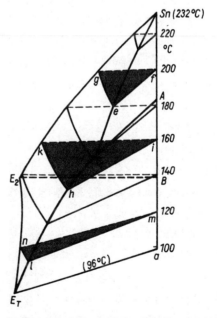

그림 3.68 초정결정화에 해당하는 (S + Sn) 2상공간.

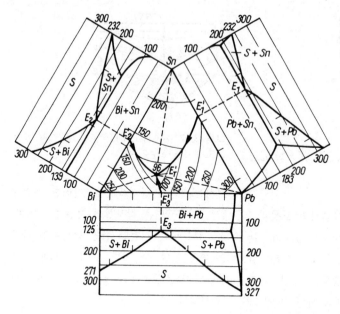

그림 3.69 간략화한 Bi-Pb-Sn 3원계에 대한 투영도 (2원계 면들도 보여짐).

재한다.

3원계 상태도를 좀 더 명확하게 나타내기 위한 방법으로, 공간도형 내 중요점 또는 선을 조성면에 투영해서 표기한다. 그림 3.69는 Bi-Sn-Pb계에서 얻어진 투영도를 나타낸다. 2원계에 해당하는 면들도 바닥면으로 젖혀서 나타냄으로써, 투영도가 좀 더 명확히 보이게 된다. 세 개의 2원계 공정점이 E₁, E₂, E₃이 조성축과 수직으로 만나는 점인 E₁′, E₂′, E₃′로부터, 2원계 공정홈들이 3원계 영역으로 진입하며, 온도의 감소(화살표로 표기됨)와 함께 3원계 공정점인 Eτ′에서 만난다.

추가적으로 2원계의 액상선들을 삼각형 내에 투영하고, 같은 온도에 해당되는 점들을 서로 연결하여 등온선을 나타내었다. 등온선간 거리를 통해 삼각형의 구석과 면으로부터 3원계 영역으로 떨어지는, 액상면의 형상 및 경사도에 대한 정보를 알 수

있다. 거리가 클수록, 해당액상면은 완만함을 의미한다. 투영도로부터 모든 조성의 합금에 대한 액화점을 알 수 있으며, 등온선을 좀더 상세히 기입함으로써 그 정확성을 높일 수 있다. 3원공정계인 Bi-Sn-Pb합금의 어느 조성에 대해서도, 고상점은 96℃로 일정하다.

삼중점 Eτ′에서 삼각형의 각 꼭지점을 연결하는 세 개의 직선을 점선으로 나타내었다. 이 직선은 3개의 3상공간 (S + Sn + Bi), (S + Sn + Pb), (S + Bi + Pb)의 경계선을 나타내고, 96℃의 3원면에 놓인다. 또한 이 직선들은, 3개의 2상공간 (S + Sn), (S + Bi), (S + Pb)의 하부 경계선을 나타낸다.

위의 연결선, 3개의 2원공정홈, 3원계 공정점을 이용하므로써, 투영도로부터 어느 조성의 합금에 대한 결정화과정도 해석할 수 있다.

3.5.4
등온면과 온도-조성단면

조성면에 평행하게 자른 단면인 등온면을 통해, 평형상태에서 존재하는 상들의 조성과 그 양에 대한 전반적인 정보를 알 수 있다. 즉 지렛대법칙의 이용이 가능하며, 어떠한 합금의 결정화 과정을 조사할 수 있다.

그림 3.70a는 Bi-Pb-Sn 3원계 합금에 대한 250℃에서의 **등온단면**을 나타낸다. (S + Bi)와 (S + Pb) 두 개의 초정공간(primary crystallization space)의 단면이 보여지며, 이는 그림 3.68에서 삼각형 g-f-e로 표기된 단면이다. 조성 L을 가지는 합금은

아직 완전한 액상상태이다. 200℃에서 모든 세 개의 초정공간의 단면이 보이며(그림 3.70b), L 조성의 합금은 아직 액상이다.

온도의 감소에 따라 초정영역이 넓어지고, 183℃에서 (S + Sn)과 (S + Pb)역이 2원계 공정점 E₁에서 만난다. 온도가 더욱 낮아지면, 그림 3.70c의 150℃ 단면에 보여지듯 2원계 공정결정역(S + Pb + Sn)이 삼각형의 단면을 이룬다. L 합금은 (S + Sn)역에 속하며, 액상에서 초정 Sn이 나타난다.

139℃에서 (S + Bi + Sn)공간의 단면이 나타나며, 125℃부터는 (S + Bi + Pb)공간의 단면이 보이기 시작한다. 그림 3.70d의 100℃ 등온면에는 세 개의 초정역 (S +

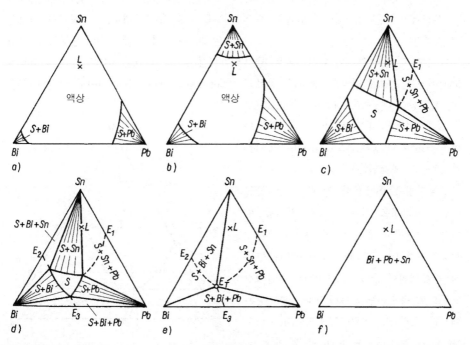

그림 3.70 Bi-Pb-Sn 3원계에 대한 간략화된 등온단면 :
a) 250℃단면, b) 200℃단면, c) 150℃단면, d) 100℃단면, e) 96℃단면, f) 95℃단면.

Sn), (S + Pb), (S + Bi)와 세 개의 2원공정역 (S + Sn + Pb), (S + Sn + Bi), (S + Bi + Pb)이 모두 삼각형 모양으로 나타난다. 잔류액상역은 3원공정점 E_T 주위에서 수축된 형상을 보인다. 합금 L은 (S + Sn)과 (S + Sn + Pb)의 경계에 놓인다. 이어지는 냉각에 의해 L은 2원공정역에 놓이며, 100℃부터 2원공정조직인 (Sn + Pb)가 잔류액상에서 석출하기 시작한다.

3원공정온도인 96℃ 등온단면에서, 초정에 해당하는 세 개의 영역은 수축되어 E_T - Sn, E_T - Pb, E_T - Bi의 선에 위치한다(그림 3.70e). 이 선들을 따라서 각기 두 개의 2원공정역이 구분되며, E_T에서만 세 개의 영역이 접하고 있다. 잔류액상 S는 E_T로 수축되며, 3원공정조성을 가진다. 이 온도에서 L은 (S + Sn + Pb)역의 중간에 위치한다.

96℃ 바로 아래의 온도에서, 예를 들어 95℃에서는, 모든 합금의 응고가 완료되며, 삼상공간 (Sn + Bi + Pb)이 나타난다(그림 3.70f). 합금 L도 삼상역에 놓이게 되며, 응고는 3원공정조직 (Sn + Bi + Pb)을 형성하면서 완료된다.

등온단면을 이용하여 알 수 있는 합금 L의 응고과정을 다음과 같이 정리할 수 있다: 액상에서 초정 Sn이 정출된 후, 2원공정조직 (Sn + Pb)가 나타나며 96℃에서 잔류액상이 (Sn + Bi + Pb)의 3원공정조직으로 응고하면서 종료된다. 즉, 상온에서는 초정 Sn, 2원공정조직 (Sn + Pb), 3원공정조직 (Sn + Bi + Pb)의 세 개의 미세조직을 형성하는 세 가지 상 Sn, Pb,

Bi이 보인다.

Bi상은 3원공정조직에서만 나타나며, Pb상은 3원-, 2원공정조직에서, Sn상은 모든 미세조직 구성요소에서 보인다.

간단한 경우엔 온도-조성단면(수직단면)이 이용되며, 이는 상역의 형상과 위치를 확연히 나타낸다. 수직단면은 2원계 상태도와 비슷한 점이 많고 평형상태에서 존재하는 상의 종류에 대해 나타내지만, 상의 조성과 분률은 알 수 없다. 수직단면에서 지렛대법칙을 이용할 수 없다.

그림 3.71은 Bi-Pb-Sn합금에 대한 투영도이며, 그림 3.72는 Sn-a, b-c, d-e, f-g, h-i, k-l을 따른 단면들을 나타낸다.

온도-조성단면의 구성을 위해서는 다음 사항을 유의해야한다. 수직단면이 2원공정 홈을 가로지르는 경우, 이 점에서 액상선은 최소용융점에 해당하는 변곡점을 가진다(점 r, s, t, u). 해당합금은 초정과정 (primary crystallisation)없이 응고하며,

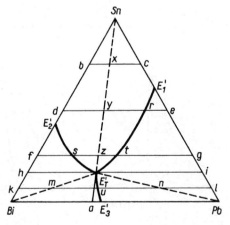

그림 3.71 Bi-Pb-Sn 3원계 합금에 대한 투영도.

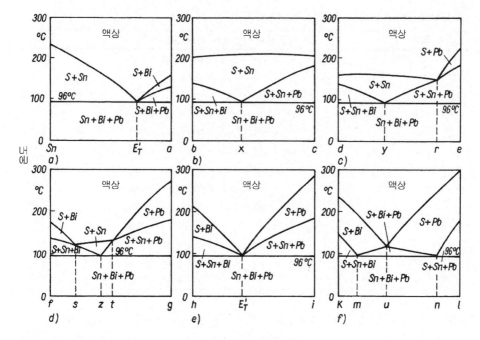

그림 3.72 Bi-Pb-Sn합금에 대한 온도-조성 단면(간략화 됨) :
a) Sn-a 단면, b) b-c 단면, c) d-e 단면, d) f-g 단면, e) h-i 단면, f) k-l 단면.

액상으로부터 바로 2원공정조직이 형성된다. 3원공정합금의 응고는 초정과정과 2원공정조직의 석출없이 바로 **3원공정조직**을 형성하면서 이루어지며, 수직단면의 액상선은 최소값을 가진다. 3원공정조직의 형성과 함께 응고가 시작과 종료되며, 이 과정에서 온도의 변화는 없다. 모든 합금에 대한 고상선 온도는, 고용체가 형성되지 않는 한, 3원공정면 온도가 된다.

수직단면이 연결선 E_T'-Bi, E_T'-Sn, E_T'-Pb중 하나를 가로지르는 경우, 이점에서는 2원공정조직을 통한 결정화를 가지지 않는다(점 x, y, z, m, n). 초정 응고 후 바로 3원공정반응을 통해 응고한다.

각 특성점에 해당하는 온도는 투영도의 등온선을 통해 알 수 있다.

3원계와 수직단면도에도 상의 개수변화법칙(3.2절의 1 대 1법칙)이 적용된다.

결정화과정은, 온도의 감소에 따라 액상으로부터 초정상이 형성되고 2원공정조직이 나타난 후, 끝으로 3원공정조직으로 응고된다. 상온에서 나타나는 미세조직은 조성점의 위치에 의존하며, 표 3.12에 요약해서 나타낸다.

여기서 Bi-Pb-Sn을 예로 들어 설명한 내용들은 다른 3원계 합금 A-B-C에도 해당되는 상의 이름을 바꾸면서 적용될 수 있다.

합금의 응고과정은 투영도(projection diagram)을 통해서도 확실하게 나타낼 수

표 3.12 Bi-Pb-Sn 3원계 합금의 조성에 따른 미세조직 형성

조성의 위치	상온에서 나타나는 미세조직
$BiE'_TE'_2$ 내	$Bi + (Bi + Sn) + (Bi + Sn + Pb)$
$BiE'_TE'_3$ 내	$Bi + (Bi + Pb) + (Bi + Sn + Pb)$
$PbE'_TE'_3$ 내	$Pb + (Bi + Pb) + (Bi + Sn + Pb)$
$PbE'_TE'_1$ 내	$Pb + (Pb + Sn) + (Bi + Sn + Pb)$
$SnE'_TE'_1$ 내	$Sn + (Pb + Sn) + (Bi + Sn + Pb)$
$SnE'_TE'_2$ 내	$Sn + (Bi + Sn) + (Bi + Sn + Pb)$
선 $E'_1E'_T$ 상	$(Sn + Pb) + (Bi + Sn + Pb)$
선 $E'_2E'_T$ 상	$(Sn + Bi) + (Bi + Sn + Pb)$
선 $E'_3E'_T$ 상	$(Bi + Pb) + (Bi + Sn + Pb)$
선 SnE'_T 상	$Sn +\quad\quad + (Bi + Sn + Pb)$
선 PbE'_T 상	$Pb +\quad\quad + (Bi + Sn + Pb)$
선 BiE'_T 상	$Bi +\quad\quad + (Bi + Sn + Pb)$
점 E'_T	$(Bi + Sn + Pb)$

있다. 55%Sn + 35%Bi + 10%Pb조성을 가지는 합금 L은, 냉각 시 액상선온도를 지나면서 초정 Sn을 정출한다(그림 3.73). 이 과정을 통해 잔류액상 내 Bi에 대한 Pb의 비는 변하지 않지만, Sn의 농도는 감소한다. Sn축에서 L을 지나는 직선을 그리면, Sn 초정응고가 진행됨에 따라 점차 Sn축에서 멀어지는 잔류액상의 조성변화를 알 수 있다. 160°C에서 잔류액상의 조성은 S_1이며 130°C에서 S_2이다.

액상이 2원공정홈(eutectic channel) $E_2'-E_T'$에 도달하면(S_3), Bi가 포화된 상태이며, (Sn + Bi) 2원공정조직이 정출되면서 (L + Sn + Bi)상태로 들어선다. 액상의 조성은 2원 공정홈 $E_2'-E_T'$을 따라 S_3에서 S_4, S_5를 지나 E_T'로 변화된다. 삼각형 Sn −S−Bi는, (L + Sn + Bi)공간을 지나는 등온 단면으로 상호 평형상태를 이루며 존재하는 상들을 나타낸다.

잔류액상이 E_T'에 도달하면, 96°C가 유지되면서 (Sn + Bi + Pb) 3원공정조직이 형성된다. 지렛대법칙을 통해, 응고된 합금은 40%의 초정 Sn, 30%의 (Sn + Bi) 2원공정조직, 30%의 (Sn + Bi + Pb) 3원공정조직

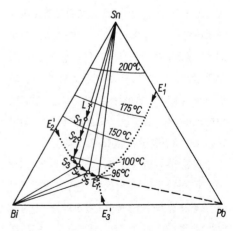

그림 3.73 55%Sn + 35%Bi + 10%Pb 조성을 가지는 합금 L의 응고과정을 투영도에 나타낸 그림.

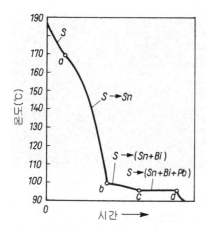

그림 3.74 55%Sn + 35%Bi + 10%Pb 조성을 가지는 합금 L의 냉각곡선.

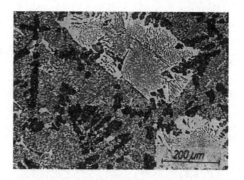

그림 3.75 45%Bl+40%Sn+15%Pb : 초정 Sn 수지상(어두운 색), (Bi + Sn) 2원공정조직, (Bi + Sn + Pb) 3원공정조직.

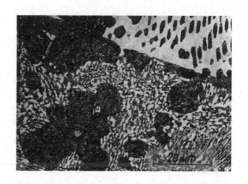

그림 3.76 그림 3.75를 10배 확대한 사진.

으로 이루어짐을 알 수 있다.

냉각곡선(그림 3.74)중에, 초정상의 정출은 변곡점 a와 이후의 냉각속도 저하로, 2원공정조직의 형성은 변곡점 b와 냉각속도 저하로, E_T에서 잔류액상이 3원공정조직으로 되면 유지점 cd로 나타난다. 2원계 합금의 공정응고와는 달리 3원계합금의 2원공정조직 형성은 항온상태가 아닌 온도의 저하와 함께 나타난다.

45%Bi + 40%Sn + 15%Pb 합금의 미세조직을 그림 3.75(배율 100)와 3.76(배율 1000)에 나타내었다. 어두운 색의 초정 Sn 덴드라이트 내부에 밝은 색의 Bi 석출상이 보이며, 이는 그림 3.69의 Bi-Sn계 상태도에서 알 수 있듯이 온도저하에 따른 고용도 감소가 크기 때문이다. (Bi + Sn)2원공정조직은 상대적으로 조대하며, 밝은 색의 Bi기 결정 내에, 방울모양의 Sn 결정이 보여진다. 끝으로 (Bi + Sn + Pb)3원공정조직은 매우 미세한 세 개의 미세조

구성원이 고르게 분포한 형태로, (용융금속으로부터 매우 천천히 냉각한 경우라도) 현미경 배율×1000으로 확연한 구분이 어렵다.

57.5%Bi + 27.5%Sn + 15%Pb 합금은 2원공정홈(eutectic channel) E_2'-E_T'상에 놓인다. 결정화는 (Bi + Sn)2원공정조직의 정출로 시작하여, 3원공정응고로 종료된다. 초정상이 정출하지 않으므로, 냉각곡선 상에 변곡점 a는 나타나지 않는다. 그림 3.77은 이 합금의 미세조직으로, 조대한 (Bi + Sn)공정조직과 매우 미세한 (Bi +

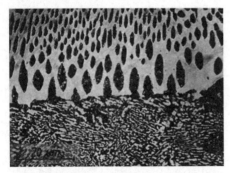 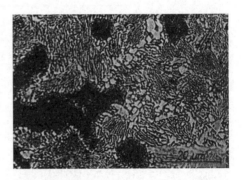

그림 3.77 57.5%Bi + 27.5%Sn + 15%Pb : 조대한 (Bi + Sn) 2원공정조직과 미세한 (Bi + Sn + Pb) 3원공정조직.

그림 3.78 40%Bi + 35%Sn + 25%Pb : Bi 석출상을 포함하는 초정 Sn 수지상, (Bi+Sn+ Pb) 3원공정조직.

Sn + Pb) 공정조직으로 이루어짐을 보여준다.

40%Bi + 35%Sn + 25%Pb의 조성을 가지는 합금은, Sn-E'$_T$ 직선에 놓이며 2원공정조직이 나타나지 않으며, 냉각곡선은 변곡점 b를 가지지 않는다. 응고는 Sn덴드라이트가 초정으로 형성되면서 시작되어, 3원공정조직의 형성으로 종료된다. 그림 3.78은 이 합금의 미세조직으로, Bi 석출상을 포함하는 초정 Sn결정이 어두운 색으로 보여지고, 미세한 3원공정조직이 기지로 보여진다.

51.5%Bi + 15.5%Sn + 33%Pb의 조성을 가지는 용융합금은 초정상과 2원공정상의 석출없이 96℃에서 (Bi + Sn + Pb) 3원공정조직을 형성한다. 그림 3.79는 이러한 순수 공정조직을 나타낸다. 냉각곡선은 a와 b의 변곡점을 더 이상 가지지 않으며, 3원공정조직 형성에 해당하는 온도유지점 cd가 확연하게 나타난다.

67.5%Bi + 17.5%Sn + 15%Pb합금은 초정으로 사각형의 Bi결정이 형성된 후, (Bi

+ Sn)2원 공정조직이 끝으로 (Bi + Sn + Pb)3원 공정조직이 형성된다(그림 3.80).

삼각형의 꼭지점에 근접한 조성을 가지는 합금은, 지렛대법칙에 따라, 초정상의 양이 많아지며 공정상의 양은 적어진다. 이와 반대로, 공정홈(eutectic channel)에 근접한 조성을 가지는 합금은 초정상의 양의 적고 공정상의 양이 많아진다. 3원공정점에 인접한 합금은 적은 양의 초정상과 2원공정조직을 나타낸다.

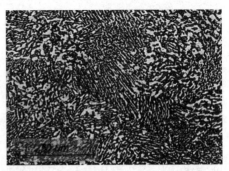

그림 3.79 51.5%Bi + 15.5%Sn + 33%Pb : (Bi + Sn + Pb) 3원공정조직.

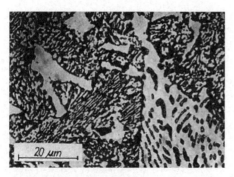

그림 3.80 67.5%Bi + 17.5%Sn + 15%Pb : 사각형태의 초정 Bi(흰색), 조대한 (Bi + Sn) 2원공정조직과 미세한 (Bi + Sn + Pb) 3원공정조직.

3.6
상변태의 종류와 속도론(kinetics)

3.6.1
상변태의 분류

상변태란 특정한 구조를 가지는 하나 또는 여러 개의 상들이 다른 구조를 가지는 하나 또는 여러 개의 상으로 바뀌는 과정을 의미한다. 즉 상변태는 항상 구조변화를 수반한다(1.2.2.2절, 1.2.2.5절의 상과 동질이상에 대한 설명 참조). 관찰되는 상변태는 매우 다양하며, 모든 상변태의 종류에 대해 설명할 수 없지만, 재료과학에서 큰 분야중 하나인 상변태에 대한 실질적인 이해를 위하여 설명하고자 한다.

가장 단순한 분류는 상을 구성하는 응집체의 상태에 따른다 (1.4.2절 참조):
- 가스상-액상 전이 (증발, 응결)
- 가스상-고상 전이 (승화)
- 액상-고상 전이 (용해, 응고)

- 고상-고상 전이 (매우 다양한 종류가 있으며, 모두를 대표하는 명칭은 없다)

재료과학 분야에서 중요하게 다루어지는 것은 고상변태와 고상을 형성하는 변태이다. 대부분의 상변태는 **불균일 변태**(heterogeneous transformation)에 해당한다. 즉, 변태에 알맞은 장소에서 시작되어 성장해나간다. 변태의 기본적인 과정은, 초기에 생성된 핵이 성장하면서 변태가 종료하는 것이다. 물리적인 정량화를 하는데 어려운 점은 다음과 같다; 핵성장을 위해서는 핵생성이 기본조건이 되며, 핵성장 중에도 다른 장소에서 지속적으로 핵생성이 이뤄져야 하는데, 핵생성 장소에 따라 역학적인 조건이 항상 바뀐다는 점이다.

고상-고상 전이의 중요한 특징들에 대해 설명하고자 한다[1].

속도론의 관점에서 고상-고상 전이는,
- 열적 활성화 또는 확산형 상변태
- 비열적 또는 마르텐사이트 변태
  로 구분된다.

열적활성화 상변태에 속하는 반응은 아래와 같다:

• **동소변태**: 조성의 변화 없이, 결정상 α 가 다른 상인 β로 변태하는 경우이다. 순수금속과 화학양론적(stoichiometric)

---

1) 가스상증착이나 플라즈마증착에서 중요한 승화과정과 응고과정에 대해서는 4장에서 설명한다. 승화와 응고에 관한 본 장에서의 설명은 모든 상변태에 적용되는 경우로 한정된다.

화합물에서만 나타나며, 일정압력인 경우 특정 온도에서 발생되는 불변 변태이다. 다원소인 경우 일정 온도구간 내에서 변태가 진행되며, 구간 내에서는 각 온도에 상응하는 평형조성을 가지는 두 개의 상 α', β'이 존재한다.

$$\alpha \rightarrow (\alpha' + \beta') \rightarrow \beta \tag{3.35}$$

- 석출상의 형성: 과포화 고용체 β_+에서, 즉 열역학적 평형에 상응하는 최대 고용도를 초과하는 조성을 가지는 고용체(3.1.2절 참조), 기지상(matrix)이 평형조성 β에 도달하면서 과포화도가 해소될 때까지 α상이 석출한다.

$$\beta_+ \rightarrow \beta + \alpha \tag{3.36}$$

- 위와 반대로 하나의 상이 용해되는 경우: 저포화(undersaturated)상인 β_- 내로 α상이 용해하면서, 평형조성 β에 도달한다.

$$\beta_- + \alpha \rightarrow \beta \tag{3.37}$$

- 두 개 이상의 상이 상변태에 관여하는 경우: 예로는 공석, 포석, 편석정 반응 등이 있다(3.4.2.4절과 3.4.3절 참조).
- **규칙화 변태**: 불규칙 구조의 고용체 α_{uo}가 규칙구조를 가지는 α_o로 전이하는 과정이다. 규칙고용체에서는 원소가 결정격자의 정해진 자리에 위치한다(3.1.2절 참조).

$$\alpha_{uo} \rightarrow \alpha_o \tag{3.38}$$

규칙고용체의 조성이 불규칙고용체의 조성과 다른 경우, 또 하나의 다른 상이 형성된다.

마르텐사이트 변태는 구성원소의 확산이 동반되지 않으며, 열적 활성화 과정이 아니다. 변태기구는 원자들이 협동적으로 이동하여 초기격자의 변형을 유발하는 것으로, 형식적으로는 핵생성과 핵이 성장하는 과정으로 표현될 수 있다(3.6.3절 참조).

3.6.2
확산형 상변태(diffusion-controlled phase transformation)

두 개 이상의 상들이 열역학적 평형을 이루는 경우, 계의 어느 곳에서나 열역학적 퍼텐셜 μ은 같으며, 물질이동은 일어나지 않는다. 이러한 조건하에서는 열역학적 구동력이 없으므로, 상변태는 발생하지 않는다. 계가 평형상태에 놓이지 않는 경우에만, 비평형상태와 평형상태간의 자유 엔탈피의 차이 ΔG가 구동력으로 작용할 수 있다. 다시 말해, 계가 열역학적 평형상태에서 벗어나야지만 상변태가 발생할 수 있다.

어떤 경로로 이러한 구동력이 발생하는가? 그림 3.81은 온도의 변화에 따른 두 상 α와 β의 자유에너지 G를 나타낸다. 두 곡선은 두 상이 공존하면서 평형을 이루는 온도 T_u에서 만난다. T_u 이상의 온도에서는 β상이 α상에 비해 열역학적으

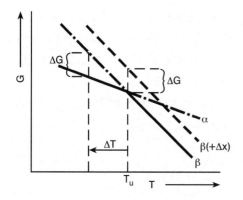

그림 3.81 상변태 시 과냉도와 과포화를 설명하는 그림.

로 안정하며, ΔT의 냉각에 의해 음의 ΔG가 생긴다. $d\Delta G/dT = -\Delta S$의 관계를 가지므로,

$$\Delta G = -\Delta S \cdot \Delta T = -\frac{\Delta H_u}{T_u}\Delta T \quad (3.39a)$$

ΔS: 변태 엔트로피

ΔH: 변태 엔탈피

위 경우 과냉도 ΔT를 통해 구동력 ΔG가 발생된다. β상의 평형에 해당하는 조성에 Δx만큼의 조성증가를 통해서도 구동력이 발생할 수 있다, 즉 과포화를 통한 구동력의 발생:

$$\Delta G = \frac{\delta G}{\delta x} \cdot \Delta x = \mu \cdot T\Delta x \quad (3.39b)$$

과냉도 ΔT 또는 과포화 Δx가 존재하면, $\beta \rightarrow \alpha$ 상으로의 변태를 통해 자유엔탈피 ΔG를 얻을 수 있다.

G 또는 ΔG는 몰(mol)에 대한 크기이며, 이후에는 부피에 대한 값인 g 또는 Δg로 구동력을 표기한다. 이는 몰당량을 해당물질의 몰당부피로 나눈 값이다.

T_u보다 높은 온도로부터 β상을 냉각하는 경우, 어떻게 α상이 형성되는 과정을 알아보자. 석출을 통한 변태과정(식 3.36)을 기초로 하며, 확산형 상변태의 주요특성을 알 수 있다. 이미 기술한 바와 같이, 확산형 변태는 핵생성으로부터 시작된다. 열적 변화를 통해 부피 V를 가지는 β상 내의 적당한 위치에서 α상 핵이 생성된다 (핵은 길이 L, 부피 L^3, 표면적 $6L^2$을 가지는 정육면체로 가정한다). 이를 통해 부피와 관련된 자유엔탈피가 감소된다, $\delta g = -\Delta g \cdot V = -\Delta g \cdot L^3$. 또한 α핵과 β 사이에 상경계가 형성되며(경계면의 면적 $6L^2$에 비례), 두 상간의 비부피(specific volume) 차이가 있는 경우엔 응력장이 형성된다(부피 V에 비례). 위의 두 가지 요인은 자유엔탈피를 상승시키며, 이에 상응하는 자유엔탈피(일)가 형성되어야 한다. 전체적인 관계는 다음과 같이 표현된다:

$$\delta g = -\Delta g \cdot L^3 + \epsilon \cdot L^3 + 6 \cdot \gamma \cdot L^2$$
$$= -(\Delta g - \epsilon) \cdot L^3 + 6 \cdot \gamma \cdot L^2 \quad (3.40)$$

ε : 두 상간의 비부피 차이, 상의 탄성 특성, 핵의 형상에 의존하는 뒤틀림 변수

γ : α, β 간의 계면 에너지

식 (3.40)의 의미가 무엇인지 알아보자. 두 개의 다른 부호와 다른 자승수를 가지는 L항들은, 그림 3.82에 보이듯이, 상호 다른 방향과 강도로 대치되는 일을 의미한다.

초기에는 핵생성에 의한 $-\Delta g \cdot L^3$이 경계면의 형성과 핵주위의 뒤틀림에 따른 에너지보다 작기 때문에, 계의 자유엔탈피는 증가한다. 임계크기 L_k에서 자유엔탈피는 최대치를 나타낸 후 감소한다. 임계핵크기 L_k는 $d(\delta g)/dL = 0$의 조건을 통해 구할 수 있다.

$$L_k = \frac{4 \cdot \gamma}{\Delta g - \epsilon} \qquad (3.41)$$

L_k를 가지는 핵을 생성하기 위해서는 g_k만큼의 자유엔탈피를 계에 가해줘야 하며, 이 값은 식 (3.40)에 L_k를 대입하면 얻어진다.

$$g_k = \frac{32 \cdot \gamma^3}{(\Delta g - \epsilon)^2} \qquad (3.42)$$

L_k보다 큰 핵은 안정하며, 자유엔탈피를 줄이면서 성장한다. L_k보다 작은 핵은 불안정하며, 성장할 확률은 소멸될 확률보다

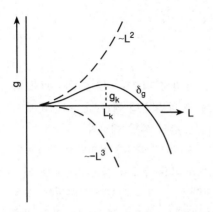

그림 3.82 핵생성과정에 따른 자유엔탈피의 변화.

작다. 계면에너지 γ와 뒤틀림변수 ϵ가 증가하면, 임계핵크기와 임계핵생성을 위한 자유엔탈피 g_k도 커진다. 과냉도 $\Delta T \sim \Delta g$의 증가는 L_k와 g_k를 감소시킨다.

열적 변화에 의한 핵생성속도는 아래와 같다.

$$\frac{dN_k}{dt} \propto \exp\left[-\frac{g_k}{k \cdot T}\right]$$
$$= \exp\left[-\frac{const \cdot \gamma^3}{(\Delta s \cdot \Delta T - \epsilon)^2 \cdot T}\right] \qquad (3.43)$$

임계핵 생성속도의 온도의존성에 관한 위의 내용은, $T = T_u$에서는 과냉도가 없으며, $T = 0$인 경우는 열적변화가 없으므로 핵생성속도가 0임을 나타낸다. 두 가지의 극한 상황 사이에서 핵생성속도는 최대치를 가지며, 이는 확산형 불균일 변태의 핵생성 과정에서 전형적인 현상이다. T_u 아래로 온도가 내려감에 따라(과냉도의 증가), 변태속도는 증가하여, 최대치에 이른 후에 다시 감소한다. 확산임계온도(3.1.3절 참조)에 이르도록 냉각을 빨리하면, 핵생성이 일어날 수 없으며 변태도 발생하지 않는다.

3.1.1절에 설명한 바와 같이, 고상 내 변태에 따른 엔트로피의 변화는 $1 \sim 2 JK^{-1} mol^{-1}$ 정도로, 응고나 승화과정에 비해 작은 값을 가지며, 이는 Δg, ϵ, γ에 대해 매우 민감하다는 것을 의미한다. 따라서 상변태에 의해 열적으로 안정상이 아닌, 준안정상이 형성되는 경우가 적지 않다. 준안정상에 대한 경계면에너지 γ 또는 ϵ로 표현되는 뒤틀림변수가 안정상에 비해 작

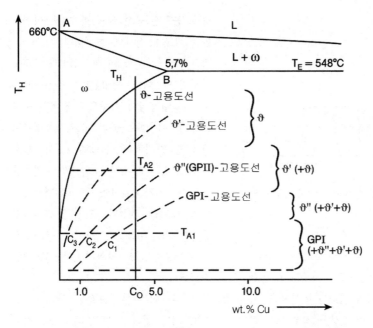

GPI	: RT $\leftrightarrow$ 150℃
θ''(GPII)	: 80℃ $\leftrightarrow$ 200℃
θ'	: 150℃ $\leftrightarrow$ 300℃
θ	: T $\gtrsim$ 250℃

그림 3.83 Al-Cu 상태도의 Al측 면 (준안정상에 대한 개략적인 고상선도 나타냄).

은 값을 가진다면, 준안정상의 핵생성속도가 안정상에 비해 높아진다. 여러 가지의 준안정상의 형성과 함께 **석출과정**이 시작되는 경우가 대표적이다. 이 경우 준안정상의 대부분은 기지와 결맞는(coherent)형 또는 부분결맞는형 계면을 형성하며, 낮은 계면에너지를 가지고 있음을 알 수 있다 (1.2.3.5절 참조).

Al-Cu합금의 석출과정은 대표적인 예로써(6.5.4절 참조), 그림 3.83은 Al쪽 (Al-rich) 상태도를 나타낸다. 공정온도 $T_E = 548$℃이며, 공정조성은 $c_E = 33$%Cu 이다. 이상(two phases)영역에는 ω와 θ -Al$_2$Cu상이 존재하며, ω상 내 최대 Cu고용도는 T_E에서 5.7%Cu이다. ω상 내 Cu-

고용도는 온도에 따라 심한 변화를 나타내며(θ 고용도선, B-C), 이는 석출상 형성의 조건이다. c_0조성을 가지는 합금의 석출을 위한 전형적인 과정은 다음과 같다(그림 3.83):

• 고상선(A-B)과 고용도선(B-C) 사이의 온도인 T_H에서 균질화 처리하므로써, 균일한 ω상을 얻는다.

• 냉각시 확산억제를 위해, 확산임계온도 T_D(장시간 방치하여도 확산이 발생하지 않는 온도, 3.1.3절) 아래로 급냉한다. 이 과정을 통해 과포화 고용체를 형성한다(이때 T_D 아래에서는 용해도가 거의 없어지므로, 과포화도 $\Delta c \approx c_0$이다).

• T_D보다 높은 온도인 T_A에서 어닐링하면,

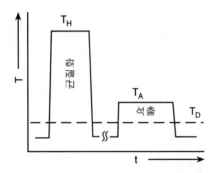

그림 3.84 전형적인 석출화 처리에 대한 온도-시간-반응 도표.

과포화도 해소를 위한 석출이 시작된다. T_A가 낮을수록(과포화도, 과냉도가 높을수록) 생성되는 핵의 밀도가 높아진다. 즉 총 석출물의 부피가 일정한 경우라면, 작은 석출입자의 부피와 입자간 거리를 의미하는 것으로, 이는 **석출경화**에 있어 매우 중요한 의미를 가진다(4.2.1.4절 참조).

위 과정을 통해 평형상인 $\theta - Al_2Cu$상이 직접 형성되지 않으며, T_{A1}에서의 어닐링 중에 세 가지의 준안정상태가 나타난다:

1. 초기에 Cu원자는 {100}격자면상에 모이며, 단원자층의 두께에 가로는 원자 10개 이하의 크기를 가진다, GPI대 (**GPI-zone**)[1]. 기지격자와 결맞음을 이루며, 낮은 계면에너지를 가지고 있다. 이 과정은 단상 분리라고 칭하기도 한다. GPI대 형성을 통해, GPI-고용도선에 대한 T_{A1}에서의 고용도(그림 3.83의 c_1)로 Cu조성은 낮아진다. 고용체는 θ

상 고용도선(곡선 B-C)에 대해 아직도 높은 과포화 상태에 놓여있다.

2. 과포화된 기지 내에서 GPII대(θ''로도 불린다)의 핵이 생성된다. 결정구조는 Al 면심입방정이 이중으로 겹쳐진 구조(3개의 Al층에 1층의 Cu층이 적층된 구조)를 가지고 있다(그림 3.85). 형성된 판상입자의 두께는 약 10개 원자층 정도이며, 가로길이는 약 100개원자정도의 크기를 가진다. 기지와 결맞음성을 가지며, Cu조성은 GPII-고용도선으로 주어지는 c_2로 낮아지면서, GPI대는 소멸된다.

3. 기지상은 여전히 과포화된 상태로, 충분한 시간 이후에 세 번째 준안정상인 θ'가 기지의 {100}면상에서 판상형태로 생성된다. 기지와 부분결맞음으로, 계면에너지가 약간 상승된다. θ'상의 Al:Cu 비는 안정θ상과 같은 2:1이다. 과포화도는 c_3로 낮아지며(θ'고용도선), GPII대와 잔류 GPI대는 소멸한다.

4. 장시간이후에 안정 $\theta - Al_2Cu$상이 형성되며, 부분결맞음에서 비결맞음[2]의 특성을 가진다. 고용체의 과포화도는 완전히 해소된다. 석출입자는 수 μm의 크기를 가지고, 준안정상은 완전히 소멸한다.

Al-Cu합금에서 석출에 대한 위와 같은 완전한 고리는, T_A온도가 충분히 낮아(그림 3.83의 T_{A1}) GPI-고용도 c_1이 고용체의 조성 c_0아래에 놓이는 경우에 나타난다.

---

1) GP는 이를 처음으로 발견한 Guinier와 Preston의 약자이다.

2) 비결맞음은 석출물과 기지상간에 특정한 방위관계가 존재하지 않는다는 것을 의미하지는 않는다.

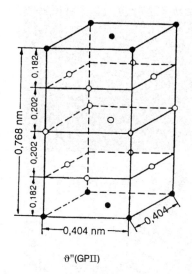

$\vartheta''(\text{GPII})$

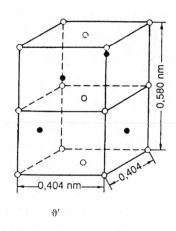

ϑ'

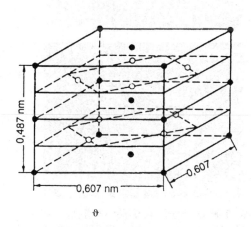

ϑ

그림 3.85 Al-Cu 합금에서 나타나는 GPII상, θ'상, θ상의 결정구조.

온도를 높여 T_{A2}인 경우 석출과정은 θ'상의 형성으로 시작된다.

석출현상의 정확한 분석을 통해 안정상 이전에 여러 개의 준안정상이 형성될 수 있음을 보여준다.

석출물을 광학 또는 전자현미경으로 관찰하면, 대부분이 기지상 격자의 특정한 방위관계를 가지며 판상으로 이뤄져 있음

을 알 수 있다. 그 이유는 아래와 같다:

• 입자의 부피가 일정한 경우, 일반적으로 판상이 구형입자보다 낮은 응력장을 형성한다. 즉 판상입자는 식 (3.42)에서 작은 값의 ε를 가지므로, 핵생성이 그만큼 쉬워진다. 막대기형태 석출물에 대한 응력장은 판상과 구형의 중간에 놓인다: $\varepsilon_{\text{sphere}} > \varepsilon_{\text{bar}} > \varepsilon_{\text{plate}}$.

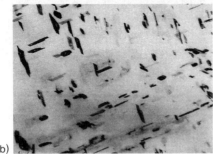

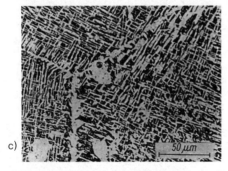

그림 3.86 방향성을 나타내는 석출상 : a) X10Cr10Ni25Mo6합금 내의 탄화물 석출상 (orthonitrophenol을 이용하여 부식), b) Al–Cu합금 내의 Al$_2$Cu 석출상, c) Cu–Al 청동의 β상 내에 형성된 판상 α석출상.

- 탄성이방성을 가지는 판상 석출물의 수직방향은 결정학적으로 가장 낮은 탄성계수를 가지는 방향이다. 따라서 필요한 뒤틀림이 작은 응력으로도 얻어질 수 있게 된다.
- 기지와 석출상의 접촉면(판상면)은 상대적으로 낮은 계면에너지를 나타낸다(격자면 구조의 유사성).

식 (3.42)와 (3.43)에서 나타나듯이, 핵생성은 뒤틀림계수 ε와 계면에너지 γ에 큰 영향을 받는다. 핵생성에 의한 변형장과 계면형성에 따른 엔탈피소모가 기존의 격자에 비해 작은 곳이 핵생성에 유리하다. 핵생성에 유리한 곳으로는 결정립계와 (칼날)전위 등이 있다. 결정립계에서 석출이 진행되는 경우 그 부근에는 무석출대 (precipitate free zone)가 형성되는데, 무석출대의 길이는 확산길이 $L_D = 2\sqrt{D \cdot t}$ (3.1.3절 참조)로 표현된다(그림 3.87a). 칼날전위의 활주면 위쪽(아래쪽)에 있는 인장(압축)부위는, 음(양)의 부정합(misfit)을 유발하는 핵생성에 유리하다(그림 3.87b).

핵성장에 대해 고려해보자. 우선 성장하는 핵주위로부터 석출에 해당하는 원소의 확산이 이뤄져야하며, 필요한 확산거리는 입자의 크기에 따르며 연속적으로 커진다. 이 조건으로부터 선형적인 성장속도 $\nu = dL/dt \sim \sqrt{D \cdot t}$와 석출상의 부피분율 $V(t) \sim t^{3/2}$이 유도된다. 장시간 후에는 확산되는 영역이 이웃된 석출물과 겹치면서 경쟁관계에 놓이고, 석출물의 부피분율은 아래와 같이 주어진다.

$$V(t) = 1 - 2\exp\left(-\frac{t}{\tau}\right) \tag{3.44}$$

시간상수 τ는 확산계수 D에 연관된다($\tau \sim 1/D$). 그러나 위 식은 핵의 성장만을 고려한 것으로, 실제에서는 거의 나타나지

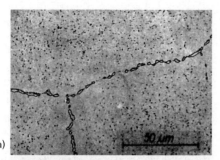

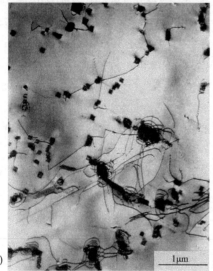

그림 3.87 우선적인 석출상 형성 : a) X10 Cr16Ni25Mo6 철합금의 결정립계, b) 800 H 합금의 전위.

않는다. 실제의 경우, 성장과 함께 핵생성이 동시에 발생하며, 이러한 과정은 **아브라미(Avrami)식**으로 표현된다:

$$V(t) = 1 - \exp(K \cdot t^n) \qquad (3.45)$$

위 식은 대부분의 확산제어변태와 재결정과정에 적용된다. 상변태의 종류에 따라 상수 n은 0.5에서 4 사이의 값을 가진다.

위에 소개한 석출과정에 대한 속도론적

인 고찰은, 핵생성과 성장을 가지는 다른 형태의 고상변태에 대해서도 적용할 수 있다. 예를 들어, 오스테나이트 내 페라이트 상의 형성, 3.4.2.1절에 소개한 σ 상과 같은 고용체 내 금속간화합물의 형성 등. 또한 γ Fe-C 고용체(오스테나이트)가 α Fe-C 고용체(페라이트)와 Fe₃C로 되는 공석반응 (3.4.2.4절)도, 오스테나이트상의 결정립계에서 시멘타이트가 형성되면서 시작되며, 위에서 소개한 ΔT, ε, γ의 상호관계와 핵생성속도를 이용하여 표현될 수 있다. 하지만 작은 펄라이트군(pearlite colony) 생성이후의 공석반응을 통한 변태과정을 기술하기 위해서는 위에서 소개한 속도론의 변형이 필요하다: 변태 전면(front)의 이동은 매우 짧은 거리의 탄소원자 확산을 통해 이뤄지므로(확산계수 D₉를 가지는 단거리 확산), 변태속도는 시간에 거의 무관해지며, 대략적으로 아래와 같이 표현된다.

$$\nu_e = const. D_G \cdot \Delta T^2$$
$$= const. D_{0G} \exp\left[-\frac{H_D}{k \cdot T}\right] \cdot \Delta T^2 \qquad (3.46)$$

온도의 저하는 ΔT의 증가를 가져오지만 동시에 확산도 억제되는 효과를 가진다. 즉, 식 (3.43)에 나타낸 핵생성속도와 같이 온도저하에 따른 최고치를 나타낸다. 변태 전면에서의 확산을 통해 시멘타이트 층(lamellar)간 거리 S가 결정되며, 확산거리가 작을수록 층간거리도 작아진다. 이는 아래의 근사식으로 표현되며, 실제 예

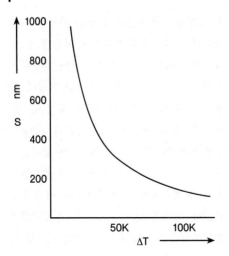

그림 3.88 펄라이트 층간거리 S에 미치는 과냉도의 영향(Fisher에 의함).

에도 맞는다(그림 3.88).

$$\nu_e \cdot \frac{S}{D_G} \propto \Delta T^2 \cdot S = const. \qquad (3.47)$$

많은 경우에 있어 석출과정도 공석변태와 비슷한 경로로 진행된다. 과포화 고용체로부터 석출상의 형성에 의해 조성변화가 생기고, 그에 상응하는 안정한 고용체가 형성된다(식 3.37). 이 과정을 통해 변태 전면에 놓인 고용체 조성이 불연속적인 변화를 가지므로, 불연속 석출변태라 한다.

식 (3.40)~(3.42)는 응고 시 핵생성 속도론에도 적용될 수 있다. 응고의 경우 핵 주위에 탄성응력장이 형성되지 않으므로, 뒤틀림상수 ε는 무시한다. 응고에 대해서는 4.1절에 논의된다.

3.6.3
마르텐사이트 변태

확산임계온도 이하에서의 변태는 확산이 아닌 격자전단을 통해 이뤄진다. 각 원자의 집단적인 전단은 원자간 거리보다 작은 양만큼 이뤄지므로, 이웃한 원자와의 관계를 유지한다. 격자면에 대한 전단과정은, 한쪽방향으로 약간씩 밀려져서 쌓여있는 카드로 비유될 수 있다(그림 3.90). 전단 γ_s는 tan η이며, 격자면 사이의 단위 전단량은 d · tan η이다(d: 격자면간 거리). 위와 같은 전단과정을 통해 격자구조의 변화와 연관된 경우(예를 들어, 면심입방격자가 체심입방격자로 변태되는 경우), **격자변이전단**(lattice variant shear) 또는 **마르텐사이트 변태**[1]라 한다.

마르텐사이트 변태의 구동력으로는, 모상과 마르텐사이트상이 평형을 이루는 온도인 T_U에 대한 과냉도(열탄성 마르텐사이트) 또는 기계적 응력(변형유기 마르텐사이트) 등이 있다. T_U가 확산임계온도 T_D보다 낮거나, T_D보다 낮은 온도로 급냉하므로써 정상적인 경우 발생되는 확산형변태를 억제하면 마르텐사이트 변태가 발생된다.

마르텐사이트변태의 특징은 다음과 같다:
• 모상과 마르텐사이트상의 화학조성은 같으나, 결정구조는 다르다.
• 변태는 **격자불변전단**(lattice invariant shear)와 연관된 격자변이전단을 가진다

---

1) 쌍정을 통해서는 구조변화 없이 격자전단을 가질 수 있다.

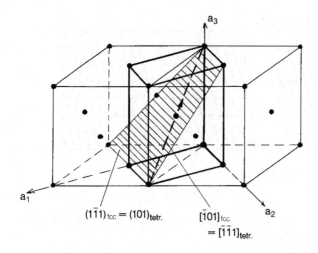

a_3

a_1

a_2

$(1\bar{1}1)_{fcc} = (101)_{tetr.}$

$[\bar{1}01]_{fcc} = [\bar{1}\bar{1}1]_{tetr.}$

그림 3.89 면심입방정(fcc)에서 체심입방정(bcc) 또는 체심정방정(bct)격자로의 Bain 변태.

(아래참조).

- 모상과 마르텐사이트상의 격자간에는 방위관계가 존재하며, 두 상이 공유하는 격자면(정벽면, habit plane)이 있다.
- 마르텐사이트 변태는 매우 작은 영역에서 시작되며, 이는 핵처럼 보여지나, 핵생성과 성장은 열적 활성화과정이 아니다.
- 거의 음속에 가까운 매우 **빠른** 변태속도를 나타낸다.
- 마르텐사이트상의 역변태는 온도이력 (temperature hysteresis)을 가진다.

그림 3.89는 마르텐사이트 변태에 의해 면심입방정이 체심입방정 또는 체심정방정으로 되는 예를 나타낸다.

나란히 배열된 두 개의 면심입방정의 내부에서 체심정방정(body centered tetragonal crystal)을 형성할 수 있다: $a_1 = \frac{1}{2}[\bar{1}10]_{fcc}$, $a_2 = \frac{1}{2}[110]_{fcc}$, $a_3 = \frac{1}{2}[001]_{fcc}$. 두 결정이 공유하는 면과 방향이 존재한다, $(1\bar{1}1)_{fcc} = (101)_{tetr}$, $[\bar{1}01]_{fcc} = [\bar{1}\bar{1}1]_{tetr}$. 정방정의

축비는 $a_3/a_1 = \sqrt{2}$로 매우 크다. 면심입방정을 $[00\bar{1}]_{fcc}$방향으로 압축하고 $[100]_{fcc}$과 $[010]_{fcc}$방향으로 인장하면, 입방대칭성이 사라지며, 정방정은 축비 1을 가지는 체심입방정으로 된다. 압축과 인장은 마르텐사이트-격자변이전단을 통해 이뤄진다. 압축을 통해 형성된 체심입방정은 압축전의 정방정에 비해 약간 큰 부피를 가진다. 즉, 위의 과정을 통해 매우 적은 양의 부피증가가 나타난다. 이러한 **Bain 모델**을 좀 더 자세히 관찰해보면 $\{111\}_{fcc}$와 $\{110\}_{fcc}$면이 약간 변형된다는 것을 알 수 있으며, 각 격자면에서 약간의 기하학적 변화를 가지므로 완전한 정벽면은 아니다.

마르텐사이트 변태는 탄소강에서 처음으로 연구되었으며, 오스테나이트의 0 0 1/2의 8면체공극에 탄소원자가 침입형으로 위치한다는 점이 위에서 기술한 과정과 다르다.

변태를 통해 이웃한 원자와의 관계가 변하지 않아야 하므로, 마르텐사이트 결정

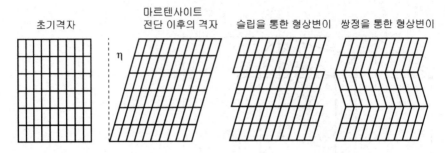

초기격자　　　마르텐사이트 전단 이후의 격자　　슬립을 통한 형상변이　　쌍정을 통한 형상변이

그림 3.90 마르텐사이트 형성 시 격자불변변형.

에서 탄소원자는 1/2 0 0 또는 0 1/2 0자리가 아닌, 0 0 1/2 또는 1/2 1/2 0자리에 위치한다. 축비는 $a_3/a_1 > 1$이 되므로 체심입방정이 아닌 체심정방정 구조가 된다(그림 5.88 참조). 탄소강 오스테나이트의 마르텐사이트 변태에 따른 방위관계는 **Kurdjumov-Sachs관계**를 가지며(그림 5.90), Bain모델과 일치한다:

$$\{111\}_A // \{011\}_M,$$
$$\langle 110 \rangle_M // <111>_M \qquad (3.48a)$$
$$(\text{A: 오스테나이트, M: 마르텐사이트})$$

마르텐사이트 변태는 충전률이 높고 비슷한 여러 종류의 금속 결정구조에서 관찰된다.

fcc ↔ bcc; fcc ↔ bct; fcc ↔ hcp; hcp ↔ bcc

fcc: face centered cubic

bcc: body centered cubic

bct: body centered tetragonal

hcp: close packed hexagonal

변태에 따른 방위관계는 다음과 같다.

fcc ↔ hcp:
$$\{111\}_{fcc} // \{001\}_{hcp},$$
$$\langle 110 \rangle_{fcc} // <110>_{hcp} \qquad (3.48b)$$

hcp ↔ bcc
$$\{001\}_{hcp} // \{011\}_{bcc},$$
$$\langle 110 \rangle_{hcp} // <111>_{bcc} \qquad (3.48c)$$

마르텐사이트 변태는 ZrO_2와 같은 비금속 무기재료에서도 나타난다.

모상 내에 마르텐사이트가 형성되면, 두 상간에는 격자변이전단으로 인해 심한 탄성장이 발생한다[1]. 격자변이전단 이외에 모상과 마르텐사이트상 사이에 형성된 탄성장으로 인해 격자불변전단이 발생되야 한다. 전위활주나 쌍정을 통해 이뤄지는 격자불변전단을 통해(그림 3.90), 아직 변태하지 않은 모상의 형상에 부합하면서 마르텐사이트상의 형상을 가지게 한다(양립

---

1) 마르텐사이트 전단을 통해 구에서 변형된 타원체는 초기의 구를 바탕으로 형성된 공간에 들어맞지 않는다.

성, compatibility[1]).

어떤 기구를 통해 격자불변전단이 일어
날지는, 활성화에 필요한 전단응력에 의존
한다. 전위활주를 위한 전단응력이 더 낮
은 경우, 전위활주를 통해 격자불변전단이
발생한다. 0.4%정도의 탄소함량을 가지는
Fe-C 마르텐사이트가 전위활주를 통한
격자불변전단을 가지는 경우로, 높은 전위
밀도를 가지는 마르텐사이트를 **래스 마르
텐사이트**(lath martensite)라 한다(그림
5.82, 5.87 참조). 쌍정형성을 위한 임계
전단응력이 전위활주보다 낮은 경우 **판상
마르텐사이트**가 형성되며, 탄소함량이 0.8%
보다 높은 Fe-C합금에서 전형적으로 나타
난다(그림 5.89).

열탄성적인 마르텐사이트의 형성: 마르
텐사이트 변태는 구동력 ΔG가 어떠한
한계치를 넘는 경우에 발생한다. 즉,
$\Delta G = -\Delta S \cdot \Delta T$이므로 마르텐사이트 시작
점 M_S이하로 냉각하는 경우 마르텐사이트
형성이 가능하다. 냉각을 지속하면 마르텐
사이트 양이 증가하며, 그 양은 온도 $T <$
M_S에 의존한다(그림 3.91).

마르텐사이트 종료점 M_f 이하로의 냉각
을 통해, 모상의 약 99%정도가 마르텐사
이트로 변태된다. M_S와 M_f 사이의 온도 T
에서, 변태 전면의 국부변형으로 인해 모
상 내 전위 및 응력장이 발생함으로써 마
르텐사이트역의 확장을 막는다. 추가적인
온도저하를 통해 열역학적 구동력 ΔG가
증가되면, 변태가 지속된다.

---

[1] 격자불변전단은 모든 마르텐사이트 변태에서 전
형적으로 나타난다.

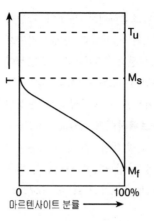

그림 3.91 마르텐사이트 형성 양에 대한 온
도의 영향(개략도).

Fe-C합금(탄소강)의 경우, 형성되는 마
르텐사이트 양의 온도의존성은 Koistinen
과 Marburger에 의해 주어진 아래의 관계
식을 따른다.

$$V_M = 1 - \exp[-A(M_S - T)] \qquad (3.49)$$
A: 상수

변형유기 마르텐사이트의 형성: M_s 이
상의 온도에서는 마르텐사이트 변태가 발
생하지 않는다. 하지만 T가 M_s에 근접한
경우, 부족한 구동력은 기계적 일 $\tau \cdot \gamma_s$을
통해 채워질 수 있다(τ:전단방향으로 작용
하는 전단응력, γ_s: 전단).

즉, M_s이상의 온도에서도 전단력을 가함
으로써 마르텐사이트가 형성될 수 있으며,
이런 과정을 **변형유기마르텐사이트**라 한
다. 이 경우에도 변형을 통한 마르텐사이
트 형성이 불가능한 한계온도 M_d가 존재
한다. M_d와 M_s사이에서는 추가적인 변형

을 통해서만 마르텐사이트 형성이 가능하며, Ms이하에서는 열탄성과 변형유기마르텐사이트가 형성된다. 변형유기마르텐사이트를 위한 응력이 유동응력보다 낮은 경우, 마르텐사이트는 소성변형없이 형성된다(**응력유기마르텐사이트**, stress induced martensite). 그 반대의 경우, 마르텐사이트 형성 이전에 소성변형이 나타난다(변형유기마르텐사이트, deformation induced martensite).

응력유기마르텐사이트는 가역적(reversible) 과정으로 응력제거 또는 온도상승에 의해 역변태를 가지며, 형상기억합금의 기구이다(6.2.2절 참조).

변형유기마르텐사이트의 형성은 준안정 오스테나이트 강에서 전형적으로 나타난다 (그림 3.92). M_d 이하의 온도에서 변형을 통해 형성된 마르텐사이트의 양은 온도 (M_d–T)와 변형률 ε에 의존한다. 이런 연관성은 Onyuna 등에 의해 정리되었다:

$$\frac{V_M}{1-V_M} = \exp\{B \cdot \ln\epsilon + C(M_d - T)\} \quad (3.50)$$

B, C : 상수

ε: 소성변형 ($\varepsilon = \Delta l/l_0$)

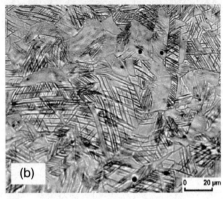

그림 3.92 X5CrNi18.9 철합금에서의 변형마르텐사이트 : a) 체심입방정(bcc)구조의 α 마르텐사이트, b) 조밀육방정(hcp)구조의 ε 마르텐사이트.

3.6.4
시간-온도 곡선(time-temperature diagram)

3.4절과 3.5절에서 설명한 상태도는 평형상태에 적용된다. 즉 주어진 온도와 조성에서 충분한 시간이 지난 후, 어떠한 상이 어떤 분율을 가지며 나타날 지에 대한 정보를 알 수 있다. 대부분의 상변태는 시간에 의존하므로, 평형상태도만으로는 정확한 미세조직형성에 대하여 나타낼 수 없다. 따라서 정해진 조성과 전처리를 가지는 재료에 적용할 수 있는 **시간-온도 (T-T) 곡선**을 이용한다. 즉, 조성을 변수에서 제외하고 시간을 변수로 이용한다. 이러한 형태의 도표로는 석출과정, 상변

태, 용체화 과정을 나타내는 것들이 있다. T-T곡선의 원리는 식 (3.36)에 나타낸 석출과정을 통해 설명될 수 있다(그림 3.93).

T-T곡선은 다음의 과정을 통해 실험적으로 정할 수 있다: 조사하고자하는 합금을 T_H에서 균질화처리한 후에 T_D이하의 온도로 급냉하고, T_A의 항온상태에서[1] 석출처리 한다. 석출 시작시간(석출상의 최대 가능량의 약 5%정도가 형성된 상태) t_B와 석출 종료시간(석출상의 최대 가능량의 약 95%정도가 형성된 상태) t_E를 결정한다. 모든 T_A에 대한 t_B와 t_E를 결정하고 서로 연결하면, 그림 3.93과 같은 **T-T-P곡선**(time-temperature-precipitation diagram)을 얻게 된다. t_B와 t_E사이에, 예를 들어 50%의 석출진행을 나타내는, 다른 곡선을 부가할 수도 있다.

3.6.2절에 설명한 바와 같이, 확산조절 불균일 상변태(diffusion controlled heterogeneous phase transformation, 석출과정도 여기에 속함)의 경우 핵생성과 성장속도에 연관된 변태속도는 과냉도에 의존하여 최대치를 나타낸다(식 3.43, 3.46 참조). 따라서 t_B와 t_E곡선은 전형적으로 최대 석출(변태)속도에 해당하는 코(nose)형상을 가진다.

위에서 설명된 기본원리들은 모든 고상변태에 적용된다. 다시 말해, 변태과정의 시작과 종료점을 등온상태에서 결정하는 것으로, 여러 다른 과정들이 상호적으로 나타나는 경우 각 과정에 해당하는 여러

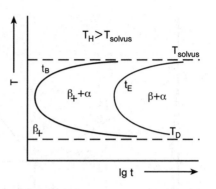

그림 3.93 항온 T-T-P곡선에 대한 개략도.

개의 코가 보여진다. 그림 3.94는 0.4% C를 함유하는 강의 예를 나타낸다. 상태도를 통해 다음 사항들이 결정된다: 오스테나이트화(austenitization)는 Fe-C 상태도상의 G-S선보다 높은 온도에서 이뤄져야 한다(그림 3.94 a의 점 1). 냉각 중 점 2를 만나면서 초석페라이트(α)가 형성되기 시작하여 공석온도인 T_e = 723℃(점 3)까지 지속된다. T_e 아래의 온도에서, 0.8%의 탄소함량을 가지는, 잔류오스테이트의 공석변태가 진행된다(펄라이트 형성). 오스테나이트를 급냉하는 경우(위의 모든 과정들이 억제됨), 대략 400℃인 M_s점 이하에서 마르텐사이트가 형성된다. 그림 3.94b는 등온 T-T-T 곡선을 나타낸다.

T-T-T곡선으로부터 다음 사항들을 알 수 있다.

• T(1)에서 오스테나이트화 이후, T(2)와 T_e(3)사이로 급냉한 후 등온유지하면, 초석페라이트가 형성되며 결국 페라이트-오스테나이트간의 평형상태가 얻어진다.

• T_e(3)과 550~700℃사이의 온도에서 등온유지하면, 초석페라이트가 형성된 후,

---

1) 온도를 유지하면서 시간경과에 따른 석출과정을 조사한다.

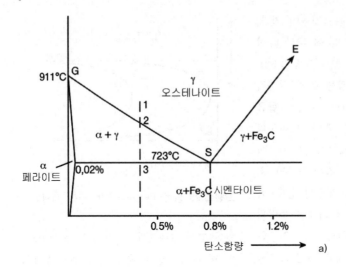

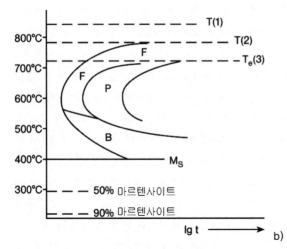

그림 3.94 탄소강의 변태에 대한 개략적인 설명도 : a) Fe-C 상태도의 단면, b) T-T-T곡선(개략적으로 나타냄).

어느 정도의 시간이 지난면 탄소함량이 높은 오스테나이트상은 공석 펄라이트로 변태한다.

• 550℃보다 낮은 온도에서는 펄라이트형성은 억제되면서, 베이나이트(5.3.2.5절 참조)가 형성된다.

• M$_s$(약 400℃) 보다 낮은 온도에서는 마르텐사이트가 나타나며, 온도가 낮을수록 마르텐사이트 양은 많아진다. 변태되

지 않은 오스테나이트는 잔류오스테나이트라 한다.

항온변태는 철강 생산공정을 비롯한 실제 공정과는 다른 점이 있으며, 연속적인 냉각과정에 따른 미세조직 형성과정을 나타낼 수 있는 방법이 필요하다. 이를 위해 **연속냉각변태곡선**(continuous cooling transformation diagram, CCT)이 이용되며, 이는

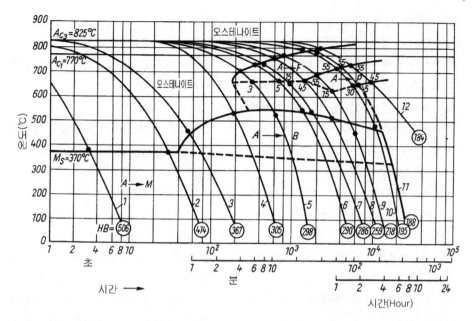

그림 3.95 0.25% C, 1.40% Cr, 0.50% Mo, 0.25% V을 함유하는 철합금의 연속냉각변태곡선.

T-log t 좌표축 상에 여러 가지 냉각 매질을 이용하여 얻어진 냉각곡선들을 나타내고, 모든 T-t에 해당하는 변태시작점을 연결하여 얻어진다. 연속냉각 곡선은 항온변태곡선과 비슷한 형태를 가지나, 실제적인 냉각거동을 따르는 점에서 다르다. 그림 3.95는 0.25%C, 1.40% Cr, 0.50% Mo, 0.25% V을 함유하는 강의 연속냉각곡선을 나타내며, 다음사항들을 알 수 있다.

• 냉각곡선 1(급냉)의 경우 약 3초 만에 T = 370℃에 도달해 마르텐사이트 형성이 시작되며, 마르텐사이트 이외의 조직은 형성되지 않는다.

• 냉각곡선 4의 경우 약 200초 만에 T = 530℃에 이르며, 베이나이트가 형성되고, T = 360℃에서 마르텐사이트가 형성된다.

• 냉각곡선 6에서는 740℃에서 초석페라이트가 형성된 후, 540℃에서 베이나이트가 그리고 340℃에서 마르텐사이트가 형성된다.

• 곡선 12(서냉)의 경우 약 800℃에서 초석페라이트가 나타난 후, 720℃에서 펄라이트형성이 시작되어 660℃에서 종료된다.

부가적으로 각 냉각곡선의 끝부분에 경도값을 나타낸다.

3.7
상태도의 결정

상태도를 실험적으로 결정하기 위해서는 열분석법, X-선 분석, 광학 및 전자 현미경을 이용한 미세조직분석 등을 복합적으로 이용한다. 광학 현미경을 이용한 미세조직분석을 통해 아래의 사항을 결정한다.

- 상의 개수 및 순차적인 조성을 가지는 합금의 비교를 통한 상의 개수가 다른 영역간의 경계선
- 상의 구성에 대한 기본정보(공정/초정 또는 공석/초석 조직 등)
- 미세조직을 이루는 상의 크기가 현미경의 분해능보다 크며 상간에 명암차이가 있는 경우, 구성상간의 분율을 얻을 수 있으나, 직접적인 상분석은 불가능하다.

X-선 회절을 통해 아래의 사항을 결정한다.

- 상의 종류 및 구조(상의 식별)
- 상분율
- 상의 결정상수 및 고용체와 고상선의 조성의 결정(Vegard 법)

TEM 또는 SEM 분석을 통해 얻을 수 있는 정보는 다음과 같다.

- 석출상과 같은 미세한 상의 식별(전자회절)
- 미세영역에 대한 화학분석
- 고용체의 규칙화 및 상분리 현상(전자회절)
- 상 경계면의 특성 관찰
- 조직 내 미세한 상의 형성

광학현미경, 전자현미경, X-선 등을 이용한 분석을 이용하여 존재하는 상과 그 조성 또한 상분율을 결정할 수 있지만, 2장에서 언급한 바와 같이 매우 섬세한 조작과 분석이 필요하다.

상태도 분석을 위해서 다음과 같은 방법들이 이용될 수 있다.

1. 순차적인 조성을 가지는 합금을 준비한 후, 어떠한 온도에서 평형상태를 이루게 한 후에 고온현미경과 고온 X-선 분석법을 이용하여, 존재하는 상과 조성을 분석한다.

2. 순차적인 조성을 가지는 합금들을 어떤 특정 온도에서 평형상태에 이르게한 뒤에 검사온도로(예를 들어 상온) 급냉한다. 급냉과정 중에 미세조직의 변화가 없고, 검사온도에서 추후반응이 없다고 하면, 2장에 기술한 방법을 이용하여 상분율과 상의 조성에 관한 분석이 가능하다.

3. 순차적인 조성을 가지는 합금을 용해한 후, 냉각하면서 나타나는 열적 반응을 분석(예를 들어 냉각곡선, 시차열분석법 등) 함으로써, 각 조성의 합금에 해당하는 액상선, 고상선, 공정 또는 초정온도 등을 결정할 수 있다.

4. 순차적인 조성을 가지는 합금에 대해 고상선 아래의 온도에서 가열하면서, 열팽창을 측정한다(dilatometry, 열팽창계). 모든 상변태는 부피변화를 수반하므로, 선형으로 진행되는 평창곡선의 변화를 가져온다.

아래에 열분석법과 열팽창계에 대해 설명한다.

3.7.1
열분석법

가열 또는 냉각 시에 나타나는 온도-시간곡선은 아래 조건들에 관련성을 가진다:

- 물체의 초기온도 T_0
- 충분한 시간을 유지한 후 물체의 최종온도 T_∞와 같아지는 외부온도 T_{um}
- 온도와 대류 매질(예를 들어, 공기, 물, 기름 또는 염욕 등)에 영향을 받는 물체 표면의 열전달조건
- 물체의 크기, 비열, 열전도도 그리고 표면상태

열분석에 대한 설명을 하기위해, T_{um}과 열전도가 일정하다고 가정한다. 또한 물체의 표면상태와 크기가 온도에 따라 변하지 않는다고 가정함으로써, Newton의 냉각법칙을 만족할 수 있다. 즉 어떤 시간 t동안 외부와 물체간의 전도열량 q는 온도차 $T(t)-T_{um}$에 비례하며, 아래의 지수함수 관계로 표현된다.

$$T(t) = (T_0 - T_{um}) \cdot \exp\left[\frac{-t}{\tau}\right] + T_{um} \quad (3.51)$$

위 관계식은 냉각($T_0 > T_{um}$)과 가열($T_0 < T_{um}$) 모두에 적용된다. 시간상수 τ는 계(system)의 특성에 연관되며, 부피나 표면 등 계의 특성이 바뀌는 경우 부가적인 변화 없이 그대로 이용될 수는 없다. 그 역수 $1/\tau$는 냉각상수라 한다. 그림 3.96a는 냉각곡선을 나타내며, 냉각속도 $\Delta T/\Delta t$는 냉각 초기에 가장 높았다가 시간에 따라

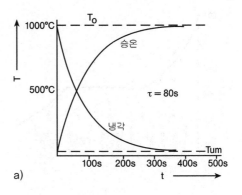

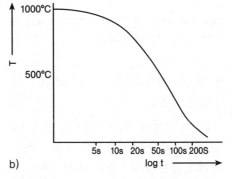

그림 3.96 a) 시간축을 선형으로 나타낸 냉각-승온 곡선, b) 시간축을 대수함수로 나타낸 냉각-승온 곡선.

감소하여 0으로 된다. 가열곡선도 초기에는 가장 높은 승온속도를 나타내다가 점차 외부온도 T_{um}에 근접한다.

그림 3.96b는 시간축을 대수로 나타낸 것으로, 연속 시간-온도-변태 도표에서 전형적으로 이용된다(그림 3.95).

3.1절에서 설명한 바와 같이 상변태는 열적인 징후를 나타낸다. 냉각 시 변태엔 탈피가 방출되면서, 위에서 나타낸 대수로 표현한 냉각곡선에 변곡점 또는 정지점으로 나타난다. 열에너지가 방출됨에 따라 냉각의 지연(변곡점) 또는 어떤 온도에서 그대로 머무르는 상태(정지점)가 나타나면

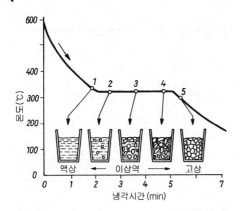

그림 3.97 Pb의 냉각곡선 : 327℃에서의 정지점은 응고온도에 해당함.

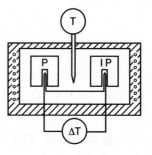

그림 3.98 시차열분석법(DTA)의 원리.

서 생기는 현상이다(그림 3.34와 3.4.2절의 설명 참조).

정지점은 변태 시에 나타나는 특정적인 현상으로, 순수한 일원계의 응고와 용해, 2원계의 경우 공정, 공석, 초정, 초석, 편정, 편석반응과 같이, 어떠한 온도에서 상들 간에 평형에 이르는 불변반응에 연관된다. 상변태 시에 시간당 계로부터 방출되는 열량 Q_A는 변태에 따라 형성되는 열량 Q_U와 같다. 전체 계는 온도를 낮추는 방향으로 이동하려 하며, 상변태를 위한 과냉도는 높게 되므로써, 높은 변태속도를 가져오는 동시에 높은 변태열량을 형성한다 (식 3.46 참조). 변태가 종료되면, 정상적인 냉각이 지속된다.

그림 3.97은 납의 냉각을 나타낸 것이다. 여기서 나타나는 정지점(응고온도)은, 응고에 필요한 고상과 액상간의 평형온도의 과냉도에 해당한다(3.6.2절, 4.1절 참조).

응고 시의 상변태는, 예를 들어 고상선과 액상선 사이에서, 특정한 온도구간을 형성하며 변태의 시작과 종료 시에 변곡점을 나타낸다: 변태의 시작 시엔 변태열의 방출로 인해 냉각속도 $\Delta T/\Delta t$가 감소하며, 종료 시에 다시 높아진다.

각기 다른 조성을 가지는 합금에 대해 냉각 시에 나타나는 변곡점 또는 정지점을 분석함으로써, 상영역의 분리선을 알 수 있다. 이를 위해 합금을 적당한 도가니에서 용해한 후에, 세라믹 관으로 보호된 열전대를 이용하여 냉각에 따른 온도의 변화를 측정한다. 계의 높은 과냉도를 막고, 온도 표시계의 낮은 민감도를 고려하여 냉각은 충분히 느리게 행한다. 가열곡선에서 나타나는 변곡점 또는 정지점도 분석에 이용할 수 있다. 이 경우 상변태에 따라 추가적인 열이 필요하므로, 온도의 상승이 늦어지면서 변곡점 또는 정지점이 나타난다.

시차열분석법(differential thermal analysis, DTA, 그림 3.98)을 이용하면, 상변태 조사를 위한 열분석법의 높은 민감도를 얻을 수 있다. 조절된 가열/냉각 공간에서 불활성 물질(IP)과 조사하고자 하는 시료(P)가 위치한다. 하나의 열전대 T를 이용하여, 가열

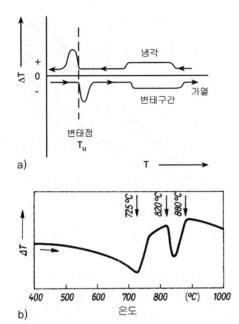

a)

b)

그림 3.99 DTA 곡선 : a) DTA 곡선의 개략적인 형태, b) 0.20%C, 13%Cr을 함유하는 철합금의 승온곡선.

공간의 온도, 따라서 두 시료물질의 온도를 조절한다. 또한 불활성 물질과 시료간의 온도차를 측정하는 열전대가 설치된다(ΔT). P와 IP간에 온도차가 없는 경우, ΔT는 0을 가리킨다(열전위의 상쇄). P가 상변태를 가지게 되면 온도차 $\Delta T = T_P - T_{IP}$가 발생하며, ΔT에 나타난다. 즉 실험을 통해 직접적으로 얻어지는 결과는, 그림 3.99a에 나타낸 ΔT–T 곡선이다. 가열 시의 상변태는 음의 ΔT를 나타내며(부가적인 변태엔탈피를 필요로 한다), 냉각 시에는 양의 ΔT를 나타낸다(변태엔탈피를 방출한다).

불변상평형을 동반하는 변태는 좁은 온도구간 내에서 높은 ΔT를 나타낸다. 상변태온도 T_U는 냉각과 가열 시에 변태의 시작점의 평균치로 주어진다. 변태구간이 존재하는 경우, 열적 반응은 해당 온도구간 $T_{begin} - T_{end}$에 나뉘어서 나타나며 따라서 ΔT도 작은 값으로 나타나진다.

그림 3.99b는 X20Cr13철의 DTA곡선을 나타낸다. 강자성에서 상자성으로 바뀌는 퀴리온도(A_{c2})는 725℃이며, 자성의 감소(Fe의 원자 자성모멘트의 평형성이 격자의 열적진동으로 인해 깨지는 과정)는 낮은 온도에서 이미 시작된다는 것을 알 수 있다. 페라이트–펄라이트 조직의 오스테나이트로의 변태는 $A_{c1} = 820$℃에서 시작해서 $A_{c3} = 880$℃에서 종료함을 알 수 있다.

DTA 분석은 변태엔탈피의 측정(열량계, calorimetry)도 가능하므로, 냉각곡선을 이용하는 방법보다 더욱 많은 정보를 제공한다.

3.7.2
열팽창계(Dilatometry)

모든 고상은 상변태가 없는 경우, 온도 상승에 따라 단순한 팽창을 나타내며, 이러한 열팽창은 아래의 식으로 표현된다.

$$L(T) = L(T_0) \cdot [1 + \alpha(T - T_0) + \beta(T - T_0)^2$$
$$+ \cdots] \approx L(T_0) \cdot [1 + \alpha(T - T_0)] \quad (3.52)$$

T_0는 초기온도이며, α는 선형 열팽창계수를, β는 2차 열팽창계수를 나타낸다. 일반적인 경우 β는 매우 작은 값을 가지므로, 위 급수에서 선형부분만 고려한다[1].

가열 또는 냉각 중 상변태를 가지는 경

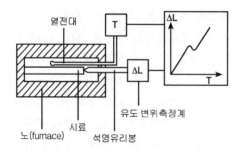

그림 3.100 열팽창계의 기본구조.

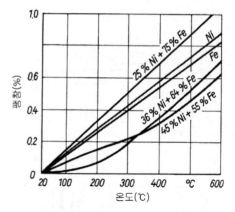

그림 3.101 Fe, Ni, Fe-Ni 합금의 열팽창.

우, 대부분의 경우 변태는 부피의 변화를 수반하므로, 선형적인 열팽창에 변화가 나타난다. 이러한 변화를 검출하기 위해서, **열팽창계**를 이용하며 그림 3.100은 대략적인 원리를 나타낸다.

수 cm의 길이와 약 4mm의 지름을 가지는 봉형의 시료를 가열로에서 가열한다. 시료의 한 쪽 끝은 받침대에 고정되며, 다른 쪽은 석영유리봉에 연결된다. 석영유리봉은 변위 측정계에 연결되어서, 시료의 길이변화를 측정한다. 온도는 시료에 직접 부착된 열전대를 통해 이뤄진다. 온도조절, 측정데이터의 보관 및 처리를 위해 컴퓨터를 이용한다. 측정은 냉각의 조절이 가능한 진공 또는 불활성 가스 분위기에서 이뤄지며, 이를 통해 높은 냉각속도에 따른 변화의 측정이 가능한 급냉 열팽창계를 이용할 수 있다.

그림 3.101은 철(Fe), 니켈(Ni) 그리고 철-니켈합금에 대한 열팽창계 곡선을 나타낸다. Fe, Ni 그리고 Fe+25%Ni 합금은 온도에 따라 선형적인 열팽창을 나타내며,

이는 온도변화에 따라 상변태, 규칙화 또는 상분리가 없는 재료에서 전형적으로 나타나는 거동이다. 선형 열팽창계수는 재료의 녹는점의 역수에 비례하며, **Grueneisen 법칙**이라 한다.

$$\alpha \cdot T_S \approx (1.5 \dots 3) \cdot 10^{-2} \qquad (3.53)$$

Fe + 45%Ni 합금과 특히 Fe + 36%Ni 합금은 약 300℃까지 낮은 열팽창을 나타내며, Fe + 36%Ni 합금의 상온영역에 대한 α값은 순수한 금속과 비교해 한 차원정도 낮은 값을 가진다. 이러한 현상은, 상온 부근에서 자성배열이 깨지면서(원자단위 자성모멘트의 평행한 배열이 약화됨), 재료의 수축(음의 자기변형, negative magnetostriction)을 가져와 열팽창이 상쇄되기 때문이다.

동소변태를 가지는 금속인 철의 전형적인 열팽창계 곡선을 그림 3.102에 나타낸다. 표 1.7에 나타냈듯이, 상온에서 체심

---

1) Pt의 경우 $\alpha=90 \cdot 10^{-7}\text{K}^{-1}$, $\beta=49 \cdot 10^{-10}\text{K}^{-2}$의 값을 가진다

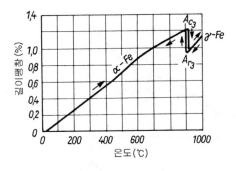

그림 3.102 순철의 열팽창계 곡선: A_{c3}와 A_{r3} 사이에 이력이 보임.

입방 결정구조를 가지는 α-철은 768℃에서 상자성의 β-철로 바뀐다(A_{c2}). 이 과정은 매우 작은 비체적의 변화(길이변화)를 수반한다. β-철은 911℃에서 면심입방 결정구조를 가지는 γ-철로 변화하며(A_{c3})[1], 0.2% 정도의 길이감소를 나타낸다.

길이의 감소는 면심입방 구조가 체심입방 구조에 비해 높은 조밀도를 가지기 때문이다. 냉각 시 체심입방 구조로의 변태는 좀 더 낮은 온도(A_{r3})에서 발생하며, 열이력(thermal hysteresis)을 형성한다. 열이력의 발생은 확산조절(diffusion controlled) 상변태에서 전형적으로 나타나며, 냉각속도의 증가에 따라 열이력은 커진다. 열이력을 나타내는 경우 평형상태에 상응하는 변태온도의 결정을 위해서는, 냉각속도 또는 가열속도 ν_T에 따른 열이력의 크기를 측정한 후 $\nu_T = 0$에 외삽하여 정한다.

열팽창계가 이용되는 분야중의 하나는 철의 변태점에 대한 연구(특히 CCT곡선의 결정에 관한 연구)이다. 그림 3.103은 24CrMoV5.5 철에 이용된 예를 나타낸다. 냉각속도는 오스테나이트 변태가 일어나는 825℃(A_{c3})에서 370℃(M_s)까지 냉각하는데 소요되는 시간으로 정한다.

- 그림 3.103a는 매우 낮은 냉각속도(20시간 소요)에 해당하는 경우를 나타낸다. 오스테나이트 상변태는 $A_{r3} = 800$℃에서 시작하여 $A_{r1} = 600$℃에 종료된다. 미세조직은 페라이트, 펄라이트, 베이나이트로 구성되며, 경도 HB = 184이다.

- 4시간이 소요되는 냉각의 경우(그림 3.103b) 오스테나이트의 대부분(약 85%)은 $A_{r3} = 790$℃$\sim A_{r1} = 650$℃ 온도구간에서 변태하며, 나머지 약 15%는 $A_{rz} = 470$℃[2]~ 300℃사이에서 베이나이트 또는 마르텐사이트로 변태한다. 미세조직은 페라이트, 펄라이트, 베이나이트와 마르텐사이트로 구성된다(HB = 195).

- 1.5시간 동안 냉각되는 경우, 변태는 $A_{r3} = 760$℃에서 페라이트상을 형성하며 시작된다. 650℃까지 약 45%의 페라이트가 형성된 후에 변태는 일단 멈췄다가, $A_{rz} = 510$℃에서 베이나이트와 이 후 마르텐사이트를 형성하면서 재개된다. 미세조직은 페라이트 + 베이나이트 + 마르텐사이트로 구성된다(HB = 259).

- 15분 내에 냉각이 진행되는 경우(그림 3.103d), 위와 비슷한 경로로 진행되나 페라이트의 양이 5%로 감소하며, 730℃에서 A_{r3}점이 약하게 보여진다(HB298).

- 1.5분 내에 냉각이 진행되는 경우(그림

---

1) 5.2.1절에서 설명한 바와 같이, Fe와 Fe-C합금에서 변태온도는 Ac(가열) 또는 Ar(냉각)로 표기한다.

2) 첨자 z는 베이나이트라 불리는 중간단계를 의미한다.

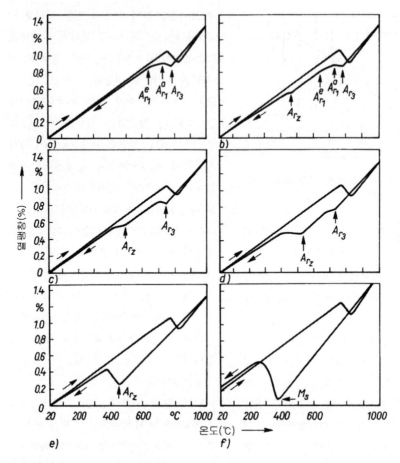

그림 3.103 24CrMoV5.5 철합금을 다른 냉각속도로 냉각할 경우의 열팽창계 곡선 : a) 82
5℃에서 370℃까지 20시간에 냉각, b) 825℃에서 370℃까지 4시간에 냉각, c) 825℃에서
370℃까지 1.5시간에 냉각, d) 825℃에서 370℃까지 15분에 냉각, e) 825℃에서 370℃까지
1.5분에 냉각, f) 825℃에서 370℃까지 3초에 냉각.

3.103 e), $A_{rz3} = 450℃$에서 변태가 시작
된다. 미세조직은 대부분이 베이나이트
로 구성되며 약간의 마르텐사이트도 나
타난다(HB = 367).

• 냉각에 3초가 소요되는 경우(그림 3.103f)
순수 마르텐사이트 조직이 형성된다 (M_s
= 370℃). 이 경우 가장 높은 경도인 HB
= 506을 나타낸다.

열처리로 인해 시료의 잔류응력이 제거
되면서 부피 또는 형상변화를 가져올 수
있으며, 이에 따라 열팽창계 측정결과에
영향을 미칠 수 있다. 하지만 응력제거는
비가역적(irreversible)이므로, 가열과 냉
각을 반복하여 측정하므로써 응력의 영향
을 제거할 수 있다.

제4장
금속과 합금의 조직생성에 미치는 가공과 처리의 영향

금속재료의 형상은 주조, 비 절삭(소성), 절삭 및 일정 크기로 분말을 압축 소결하며, 용접 등을 통하여 이루어지는데 절삭에 의한 형상, 즉 선반, 세이퍼, 밀링, 드릴링, 연삭 등은 가공물의 비교적 얇은 표면층에만 영향을 미치나 일부는 심한 냉간 성형으로 전체에 미치게 되며 언급한 다른 형상변화 방법은 조직생성에 계속하여 영향을 미쳐서 결국 합금의 성질에까지 그 영향을 미치게 된다. 제작공정에서 최대응력이 작용하는 구조물의 재료 표면부분에 특수한 표면처리 기법을 직접 적용하기도 한다.

그러므로 기술적인 합금의 조직생성을 이해하기 위해서는 조성 이외에도 평형상태도와 형상 변화공정의 특수방법, 예를 들면 표면처리 방법 등으로 영향을 미치는 가장 중요한 조직 특성을 알아야 한다.

4.1
금속의 주조

금속과 합금의 대형부분은 액상의 응고 과정을 통하여 제작되는데 여기서 가장 간단하게 금속을 정련하고 합금원소를 첨가하여 주어진 형상을 얻게된다. 응고 과정이 조직생성에 큰 영향을 미치게 됨으로써 용융상태로부터 핵생성과 결정성장이란 두 과정을 통하여 새로운 상 생성을 일반적인 표준으로 하고 기초적인 정성적 의미를 부여하게 된다.

4.1.1
금속용체의 상태

액상 상태는 원자가 격자의 고정된 위치에 결합되어 있지 않은 특성이 있으며, 원자는 열 진동으로 열을 방출하여 진동 중심점의 위치로 지속적으로 변화한다.

격자원자 간에는 상대적인 강력한 결합력으로 인하여 매우 조밀하게 채워지며, 결정에서와 유사하게 내부의 작은 영역을 "단세포군" 또는 "**엠브리오(embryo)**"라고 한다.

예를 들면 액상에서는 가장 조밀하게 채워진 구조(가장 조밀하게 채워진 면심입방, 조밀육방)의 배위수는 12가 아니라 8~11을 가진다.

조밀하게 채워지지 않은 체심입방 금속에서는 차이가 적으며, 기준원자와 직접적으로만 인접되어 이루어진 배위상태를 단범위규칙도라고 한다.

용체 내에서 격자유사 영역이 열 이동을 통하여 계속하여 생성되었다가 다시 용해된다.

4.1.2
응고과정

용융금속의 응고는 결정화 경로를 따라 규칙적으로 진행되며, 용체의 급랭으로 역시 금속합금에서 그렇기는 하지만 결정화가 방해되며 단범위규칙도를 가진 액상조직으로 "응고" 된다.

기술적 의미에서 특수한 자기적, 전기적 및 기계적 성질을 향상시키기 위하여 그와 같은 비정질금속 또는 금속유리를 제조하게 된다(1.3절 참조).

후속 처리는 이미 3.6.2에서 심도 있게 다루었다.

용체는 냉각되는 동안 균일하게 응고되지 않고 결정화는 핵생성과 더불어 시작된다.

핵은 가장 작은 미소 결정생성 인자로써 임의의 원자배열을 가진 용체 주위로부터 독자적인 배열을 함으로써 결정으로 구별되며, 이것이 용체에 대하여 경계면을 형성하고 매우 크게 되어, 용체의 원자가 계속하여 축적됨으로써 거시적인 결정으로 성장할 수 있게 된다.

임계크기 이하로 배열된 이 영역을 "**엠브리오**"라고 한다. 이들은 원자가 핵으로 계속 축적되어 성장하지 않고 다시 용해될 수 있다.

이상적인 단일상 균질 용체에서 핵생성이 이루어짐으로 균질 핵생성이라 한다. 이에 비하여 불균질 핵생성에서는 도가니 또는 주형 벽과의 작용으로 또는 용체에 이미 존재하거나 이전에 원래 결정화로 직접 생성된 상으로부터 핵이 생기는데 이것을 외부 핵 또는 보다 우수한 결정화 인자라 한다.

이것은 핵생성 기판으로써 이미 임계핵 크기보다 작아 성장능이 있으므로 용체의 결정화가 쉬워진다.

용체 내에서 배열된 영역의 생성을 위해서는 이들 배열된 영역과 용체 간의 경계면 생성이 필요하다.

용체로부터 결정으로 공급되는 자유엔탈피(enthalpy)의 차이가 존재하기 때문에 경계면 에너지의 공급은 과냉된 용체만 가능하다.

과냉 $\triangle T = T_s - T(T_s$: 용융온도, T : 실제 응고온도)는 핵생성의 조건이다. 핵생성을 위한 과냉의 열역학적 근거의 필요성은 용체와 결정 상태를 위한 자유엔탈피의 온도구배로 나타낸다.

그림 4.1에서 알 수 있듯이 T_s 온도에서 용체와 결정상태의 양쪽 자유엔탈피 G_f와 G_k 곡선을 절단하면 용융온도는 용체와 결정은 같이 열역학적으로 안정하므로 평형을 이룬다(3.1.1절과 비교).

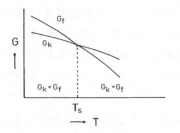

그림 4.1 용융점 부근에서 온도에 따른 융체(G_f)와 결정상태(G_k)의 자유엔탈피.

다음과 같이 간단한 연속모델의 예를 들면, 구형의 핵은 융체로부터 경계면에 의하여 분리되고 성질은 등방성이다.

핵생성에 필요한 **자유엔탈피**는 두 개의 엔탈피 수준이 필요한데, 첫째는 융체 상태로부터 고체 상태로 변태하여 하나의 작은 체적의 $\triangle V \sim r^3$(핵반경 r) 핵이 생성되는데 여기서 자유엔탈피 $\triangle V \cdot \triangle gv$가 감소되며(마이너스로 나타냄 : 주어진 과냉으로 고체상태의 생성에서 자유엔탈피의 체적 $\triangle gv$의 변화) 과냉 $\triangle T$가 커지면 증가 한다 : $\triangle gv = V - \triangle T \cdot \triangle S_E/V_m$($\triangle S_E$: 응고엔트로피, V_m : 몰 체적).

둘째는 핵과 융체간의 계면생성에너지가 필요하다(플러스로 나타냄).

이 에너지는 계면에너지 γ에 의하여 결정 되며, $\triangle V^{2/3} \sim r^2$와 더불어 성장한다(구 표면적의 증가).

전체 평형은

$$\delta G = -4/3\pi r^3 \cdot \triangle gv + 4\pi r^2 \cdot \gamma \qquad (4.1)$$

핵의 반경이 작을 경우에는 계면확대로 인하여 자유엔탈피 상승이 현저하나 핵의 반경이 크면 핵의 체적증가 과정으로써 자유엔탈피가 감소한다.

핵반경 r이 커지면서(그림 4.2) δG는 최대가 된다(그림 3.82).
임계 핵반경을 r_c라 하면, 성장에서 핵반경 $r < r_c$가되면 자유엔탈피가 증가되어 핵이 재 용해 가능성이 높아진다. 핵의 반경 $r > r_c$가 되면 자유엔탈피 감소로 성장이 이루어짐으로써 핵성장이 가능해진다. 임계 핵반경은 $d\delta G/dr = 0$로부터 계산된다.

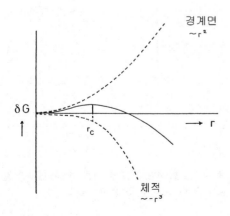

그림 4.2 핵반경의 핵생성에 필요한 자유엔탈피 의존성.

$$r_C(T) = -\frac{2\gamma}{\Delta g_V} = \frac{2\gamma \cdot T_S}{H_S \cdot (T_S - T)} \quad (4.2)$$

과냉 $\Delta T = T_S - T$와 융체 엔탈피가 커지면 값은 작아진다.

작은 **임계핵반경**은 임계크기 이상, 즉 성장 가능한 핵으로 생성 가능성을 높여준다. 임계핵 생성에 필요한 **임계자유에너지** Δg_c는 상기 식으로부터 나타낼 수 있다.

$$\Delta g_c = \frac{16\pi\gamma^3 T_S^2}{3H_S^2 \Delta T^2} = const.\frac{\gamma^3}{\Delta T^2} = \frac{K_C}{\Delta T^2} \quad (4.3)$$

이것은 과냉 ΔT의 증가와 계면 에너지 γ의 감소와 더불어 심하게 떨어진다. **핵생성율** I(용탕의 단위체적 내에서 단위시간당 생성되는 결정핵 수)는 온도 즉 과냉 의존성에서 용탕에 존재하는 원자수 N으로부터 임계 핵 수 N_c를 우선 알아야 한다. 이것을 다음 식으로 나타낸다.

$$N_C \cong N\exp\left(-\frac{\Delta g_c}{kT}\right) \quad (4.4)$$

k : Bolzmann 상수

임계자유엔탈피 Δg_c는 과냉의 제곱에 반비례함으로 임계 핵 수는 과냉과 더불어 심하게 증가한다.

임계 크기 핵으로부터 성장 가능 핵이 되기 위해서는 핵에 계속하여 원자가 축적되어야 한다. 용탕으로부터 하나의 원자가 핵으로 옮겨가는 것은 에너지 장벽 Δg_a를 극복하고 또한 핵으로부터 원자

가 분리하기 위해서는 충분한 크기의 에너지가 필요하다. 임계 핵의 일부가 성장하게됨과 더불어 가능성은 낮지만 다른 부분이 상대적으로 다시 용해될 수 있다. 이러한 두 가지 상반되게 작용하는 과정의 간섭으로 핵생성율 I가 다음 식으로부터 계산된다.

$$I \sim N \cdot \exp\left(-\frac{\Delta g_a + \dfrac{K_C}{\Delta T^2}}{kT}\right) \quad (4.5)$$

k : 상수

이러한 역할을 그림 4.3에 나타낸 것과 같이 핵생성율 I는 온도가 내려감과 더불어 또한 과냉이 증가하면 최대로 된다.

이것은 과냉이 매우 낮거나 큰 경우에 핵생성율은 매우 작아짐을 의미한다.

또한 원자의 수 N이 클 때, 핵생성율은 융체 체적이 큰 경우가 작은 경우보다 높은데 이것은 융체 체적이 낮으면 높은

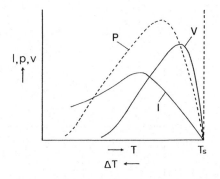

그림 4.3 온도에 따른 핵생성율 I, 결정성장 속도 v 및 응고속도 p.

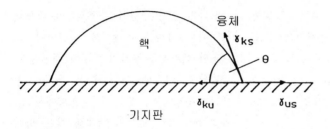

그림 4.4 평면 고체 기판 상에서 불균질핵생성.

경우보다 결정화가 일어날 수 있을 때까지의 높은 과냉에 도달 할 수가 있다는 것을 설명해준다.

하나의 결정(핵)의 결정화 선단이 융체내로 들어가는 속도를 결정성장 속도 ν 라 한다.

계산도 이미 언급한 핵생성율에서처럼 축적과 분리과정에서도 매우 유사한 관계로 과냉(온도 감소)의 증가와 더불어 **결정성장속도**가 최대로 옮겨 간다(그림 4.3). 단위시간당 결정화 즉 응고되는 체적을 응고속도 p라고 한다. 핵생성율과 결정성장속도(세제곱)에 비례하므로 과냉의 의존성에서 응고속도도 최대로 옮겨간다(그림 4.3참조).

언급한 관련성으로 다음과 같은 실험적 결론을 얻게된다. :

- I/ν 지수가 커면 미세립자 주조조직이 생성되는데, 즉 핵성장속도가 작으면 핵생성율이 높아진다.
- 조대립자 생성은 그 반대이다.
- 핵생성에 필요한 과냉은 하나의 핵성장에 필요한 것 보다 커야 한다.
- 체적 내에 하나의 핵만 생성시키거나 또는 고의로 넣으면 단결정이 생성되는데 작은 단결정 성장이 큰 단결정보다 쉽다.

지금까지 언급한 고려사항으로부터 용탕 내에서 균질 핵생성은 열적 변동을 통하여 핵이 생성된다.

기술적인 응고과정에서 $\Delta T \approx 0.01 T_s$ 일 때 임계 핵반경을 계산하면 30nm 크기가 되는데 이것은 핵당 약 10^7개의 원자에 해당된다.

그러나 이와 같은 크기의 핵은 소멸되려는 작은 핵생성 가능성이므로 결국은 나타나지 않게 된다.

그럼에도 불구하고 실제적으로는 핵생성이 이루어짐으로 생성기구가 적용되는데 비교적 낮은 과냉에서도 핵생성이 가능하다.

이미 언급한 불균질 핵생성에서 나타낸 것과 같이 각각의 기술적인 융체의 경계면에 응고되는 성분이 나타나는데 이것은 융체 내에 아주 작은 입자(산화물, 질화물 등)이거나 또는 용탕의 용기 벽 즉, 냉금 또는 주형 벽이 된다.

고체 기판 상에서 핵생성 과정을 그림 4.4에 나타낸다.

반 구형상의 tanθ로 접촉되어 있으며 주위의 각 점은 3가지의 각기 다른 계면응력(**계면에너지**)으로 기계적 평형을 이루고 있는데 즉, 핵과 융체간의 응력 γ_{ks}, 핵과 기판간의 응력 γ_{ku} 그리고 융체와 기판간의 응력 γ_{us}이다.

이것을 평형 식으로 나타내면

$$\gamma_{US} = \gamma_{KU} + \gamma_{KS} \cdot \cos\Theta \qquad (4.6)$$

이 식으로부터 젖음각 θ를 계산할 수 있으며, 이것은 3계면응력의 관계만이 상호 의존성이며, 핵의 체적과는 의존성이 없다.

불균질 핵생성에 결정적인 영향을 미치는 것은 핵과 기판간의 계면 생성에서 융체와 기판 간에 존재하는 계면이 소멸됨으로써 얻어지는 자유엔탈피이며, 이와 같은 근거로부터 불균질 핵생성에 필요한 임계 자유엔탈피 Δg_c^{het}는 균질핵생성을 위한 Δg_c^{hom}보다 뚜렷하게 작으므로 불균질 핵생성은 균질 핵생성보다 현저하게 적은 과냉이 필요하다.

주어진 조건으로 인하여 기술적 응고과정에서는 항상 불균질핵생성이 이루어진다. 이러한 영향으로 미세립자가 생기게 되며 동시에 고체물질 입자(결정 생성제)를 용탕에 첨가함으로써 외부 핵 함량이 증가하게 된다(접종).

알루미늄 합금에는 합금 첨가재로 0.02 ~0.05% Ti와 0.01~0.03% B를 첨가하면 TiB 미세립자가 생성 된다.

결정의 이방성이란 성장하는 결정에서 계면 에너지와 성장속도의 방향 의존성을 의미한다.

하나의 결정 평면이 결정학적인 네트웍 평면에 상당하는 경계면을 생성하여 그 구조와 대칭성을 통하여 외형이 정해진다.

평형의 경우에 그와 같은 물체(다면체)를 생성하며, 모든 경계면 i에서 A_i 양과 에너지 γ_i로부터 생성된 합은 최소가 된다.

$$\sum_i A_i \cdot \gamma_i = \min \qquad (4.7)$$

낮은 경계면 에너지(평형의 경우)를 가진 결정학적인 면이 현저하므로 결정의 형상이 정해진다.

결정 성장의 일정한 시점에서 여러 면이 존재하는데 늦은 시점에서는 그 면이 유지되고 성장속도 ν는 낮아지며, 성장속도가 더 빠른 면은 결정으로부터 나와 성장한다(그림 4.5 참조).

여기로부터 성장속도 ν는 경계면 에너지 γ에 비례한다. 결정성장의 원자적 기구는 결정표면상에 단계적인 축적과정인데 Kossel과 Stransky(1927/28)에 의한 면핵이론을 그림 4.6에 나타난다.

하나의 결정 표면 상에 주사위 모양의 기본구조(원자)가 축적된다고 볼 때 위치1에는 하나의 면요소만이 결정에 결합된다.

이 경우에는 약하게 결합되어 있으므로 재 용해되려는 경향이 있다.

더 좋은 에너지 조건이 주어진다면 위치 2(2면결합) 및 위치3(3면결합, 절반 결정 위치, 반복성 단계)이 되며, 이 경우에는 결정이 다시 소멸되려는 가능성은 낮

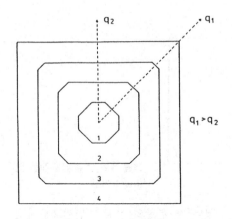

그림 4.5 성장속도 ν 와 자유롭게 성장된 결정의 외형.

아지는데 이것은 한 결정표면에 계속하여 구조가 매우 빠르게 축적됨을 의미한다.

이 단계에서는 빠른 속도로 측면성장이 이루어지며 결정 가장자리에 도달하면 소멸된다. 원자적으로 매끄러운 결정면이 존재하고 면핵생성의 형태로 새로운 단계 생성이 필요할 경우에는(그림 4.6에서 위치 4) 측면 성장에서보다 더 높은 과냉이 요구된다.

면핵생성 가능성이 면에서의 성장속도를 결정하게 된다.

$$\Delta T_{KB} > \Delta T_{FKB} > \Delta T_{Lat.W.}$$

ΔT_{KB} : 핵생성에 필요한 과냉

ΔT_{FKB} : 면핵생성에 필요한 과냉

$\Delta T_{Lat.W.}$: 측면 생성에 필요한 과냉

결정 성장의 이러한 형태는 예를 들면, 용탕으로부터 단결정을 성장시킬 경우에 자주 관찰된다(**지향성 응고**).

성장 선단은 항온이 지속될 때처럼 휘어지지 않고(그림 4.7), 더 큰 원자적 매끄러운 면이 생성되는데 이것을 작은 면(facet)이라고 한다. 작은 면 성장에 대체되는 원자적 거친 면 성장이 있는데 그림 4.8에서 알 수 있듯이, 축적되는 원자들은 실제적으로 어디서나 절반결정 상태이거나 또는 적어도 이중으로 결합되어 존재한다. 결정화 선단이 전진하는데 필요한 과냉은 낮으며 성장 된 면이 휘어지는 것은 대개 항온 면에서 생긴다. 원자적 거친 면의 성장속도는 여기서는 면핵생성이 필요하지 않으므로 작은 면 성장보다 일반적으로 더 높다. 언급한 두 가지의 성장 종류는 안정적인 성장형태에 속하는데 용탕의 과냉이 결정화 선단에 수직으로 감소되면 과냉이 결정화 선단에 직접적으로 최대가 된다($d\Delta T/dx < 0$). 결정화 과정은 이러한 조건하에서 결정

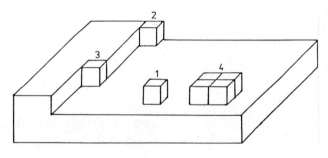

그림 4.6 결정표면에 원자의 축적형태.

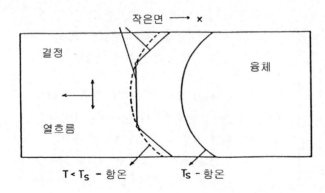

작은면 ⟶ x

결정

융체

열흐름

$T < T_S$ – 항온 T_S – 항온

그림 4.7 단결정의 작은 면 (facet)성장.

화될 때 발생되는 잠열의 방출을 통하여 조절된다.

반대로 $d\Delta T/dx > 0$이면, 과냉이 결정화 선단으로부터 성장 간격이 증가되어 불안정한 성장형태가 나타남으로써 상승된 과냉 영역에서 결정화 선단의 일정한 영역이 튀어나오게 된다. 원자적으로 매끄럽거나 거친 성장은 더 이상 일어나지 않으므로 여기에는 섬유상 또는 **수지상**(dendrite) 성장이 관찰된다. 성장 선단에 과냉 증가의 원인에는 두 가지 현상이 존재할 수 있다. :

1. 결정화열 방출의 단계로써의 온도전환(열적과정)과
2. **조성적 과냉**

첫 번째 현상의 설명은 열원으로써 발생되는 결정화 잠열을 통하여 전진하게 된다. 결정화열은 성장하는 결정의 방향에서 뿐만 아니라 융체의 방향에서도 방출되는데 그림 4.9에 실제적인 온도변화를 나타낸다.

열적 변동으로 결정화 선단의 융기가 생성되어 심하게 과냉된 영역 내로 돌출되며 이러한 조건하에서 성장속도가 높아진다.

그러므로 융기에 빠르게 앞이 뾰족한 끝이 생기게 되며, 또한 이와 같은 이유로 측면에도 가지가 생길 수 있는데 전나무 형상과 같은 골격 결정(전나무 결정)을 생성하여 이것을 수지상이라고 한다(그림 4.10). 수지상의 줄기와 가지의

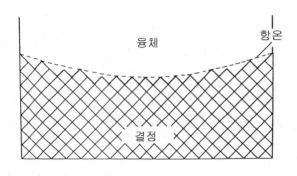

융체 항온

결정

그림 4.8 결정면에 거친 성장 (2차원 도식).

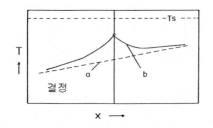

그림 4.9 열작용에 의한 과냉 : a) 결정화열 방출이 없는 온도 변화, b) 결정화열 방출이 있는 온도 변화.

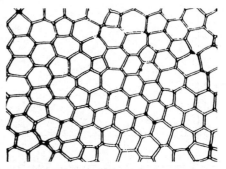

그림 4.11 Sn에서 세포형 조직, 결정화 선단에 수직으로 관찰한 것(Rutter에 의함).

방향은 주어진 결정격자의 방향을 일정하게 약간 나타낸 것인데 이것을 수지상 방향이라 하며, 일반적으로 면심입방, 체심입방 및 조밀육방 금속에서 〈100〉 방향을 나타낸다.

순금속의 수지상 성장은 적으나 융해 엔탈피가 높고, 열전도성이 낮으며 또한 외부 온도구배가 낮을 때 수지상으로 성장하는 경향이 있으므로, 수지상 성장은 특히 Bi, Sb, Ga 및 Pb 등에서 일어난다.

심한 과냉이 아닌 경우에 결정화 선단에 전형적인 수지상 대신에 세포형 조직이 생성되는데 여기서 세포벽에는 합금원소 또는 불순물 농도가 높은 것이 관찰된다(그림 4.11). 고용체의 결정화에서 불안정한 수지상 성장이 특히 현저한데 이러한 두 번째의 경우를 조성적 과냉이라 하고 다음과 같이 설명 된다. :

고체 상태에서 고용체 생성과 액상온도가 낮아지는 B원소의 농도를 가진 2원계 상태도(그림 4.12와 3.4절과 비교)에서 농도 c_s 융체의 응고가 시작되어 조성 c_k의 고용체로 결정화 되는데, c_k/c_s비를 분배계수 k라고, 예를 들어 이 값이 1보다 작으면, 고체 상태에서는 액상에서

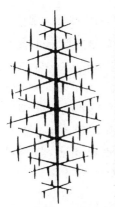

그림 4.10 수지상의 원칙적인 형상과 수축공 내에서 성장한 수지상.

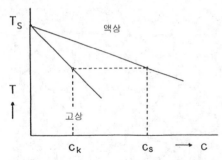

그림 4.12 고용체 생성과 강하되는 액상온도를 가진 2원계 상태도.

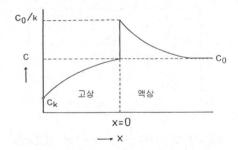

그림 4.13 결정 내에 작은 확산이 사라질 때 결정과 융체에서 성분 B의 농도변화.

보다 B 농도가 작기 때문이다.

결정화가 너무 작은 속도로 진행되지 않고, 융체와 고용체 내에서 성분 B의 확산속도가 충분하지 않다면, 평형상태 진행이 정지됨으로써 결정화 선단에 과도한 농도가 생성되어 지수 값이 융체 내로 떨어진다(그림 4.13).

성장속도 ν가 크다면 결정 내에서 합금원소의 확산을 무시 할 수 있으며 근접하게 되는 농도선(최종 농도 c_0)과 결정화 선단에서 융체(c_0/k)간의 비에서 k가 정해진다.

결정화 선단에서 농도변화는 다음과 같이 주어진다.

$$c_s(x) = c_0\left(1 + \frac{1-k}{k}exp\left(-\frac{v}{D}x\right)\right) \qquad (4.8)$$

D : 융체에서 확산계수

c_0에 비하여 과도하게 높은 농도 변화는 이에 해당하는 액상온도의 강하로 진행되며, 액상온도의 직선적 농도 의존성에서 그 변화는 다음 식으로 계산될 수 있다.

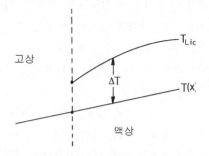

그림 4.14 조성적 과냉에서 융체와 액상온도 $T_{liq}(x)$의 온도변화 $T(x)$.

$$T_{liq}(x) = T_{liq}(c_0) + \frac{dT_{liq}}{dc} \cdot c_0 \frac{1-k}{k}exp(-\frac{v}{D}x) \qquad (4.9)$$

그림 4. 14에서와 같이, 평탄한 온도구배에서 $T(x)$로 나타낸 결정화 선단 성장으로 과냉 $\Delta T(x) = T_{liq}(x) - T(x)$와 거리로 나타내는데 이것을 조성적 과냉이라 한다. 열적 작용으로 이미 언급한 과냉처럼 동일하게 불안정 성장 현상으로 작용 한다(수지상). 결정화 선단 영역에서 온도구배 상승을 통하여 만나게 되며 경계조건이 유효하다. :

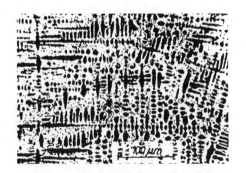

그림 4.15 쾌삭강 주물에서 1차 결정의 수지상 조직.

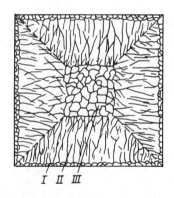

그림 4.16 주조조직의 3영역 구조(도식).

$$\frac{dT}{dx} \geq - \frac{dT_{liq}}{dc} c_0 \frac{1-k}{k} \frac{v}{D} = \left(\frac{dT}{dx}\right)_{crit} \quad (4.10)$$

이들 조건은 c_0, v, D, k 및 dT_{liq}/d_c 와 연관 된 dT/dx와 결정화 과정에서 복잡한 이론적 항목을 잘 나타낸다.

조성적 과냉과 수지상 성장은 기술적 합금의 응고에서 매우 자주 나타나는데 그림 4.15는 쾌삭강의 주조조직 예를 나타낸 것이다(쾌삭강의 기술적 요구조건, 5.5.8절 참조).

4.1.3
주조조직

주조된 금속의 조직은 지금까지 언급한 것과 같이 일반적으로 같은 크기의 결정으로 이루어진 것이 아니라 그림 4.16의 도식과 그림 4.17의 경질 망간강 주물의 예에서와 같이 응고조건의 지속적 변화로 인하여 전형적인 3영역 주조조직이 생성된다.

용융금속을 냉각된 금형에 주조하면

그림 4.17 경질망간주강 조직.

먼저 금형 가장자리가 용융온도 이하로 온도가 떨어져 주형 벽에는 불균질 핵생성으로 수많은 핵이 생성되는데 매우 미세하고 구형이며 약간의 집합조직으로 가장자리 영역(영역 I)에서 성장한다(그림 4.18에서 t_1시점까지 온도분포).

계속되는 냉각으로 방출되는 응고 잠열이 열로 작용하여 추가적인 조성적 과냉이 발생하여 수지상 성장에 필요한 조건이 되며, 실제로 용융온도가 액상

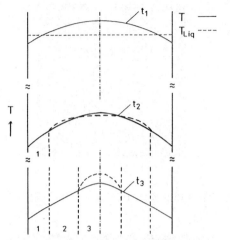

그림 4.18 주괴가 응고되는 동안 항온 및 액상의 거동.

온도 이하 영역에 존재함으로(시점 t_2까지 온도변화) 융체 내에서 자체 핵생성이 매우 느리게 일어난다. 수지상간 잔류융체의 응고를 통하여 이 영역이 열 흐름 방향에 대하여 장축 평행이며 방향성을 가진 주상 결정이 최종 생성됨으로써 수지상 성장 방향에 유리하게 작용한다(**횡단결정화**: transcrystallization 또는 봉상 입자영역, 영역Ⅱ).

Al, Cu, Pb, α 황동 등과 같은 면심입방 금속은 선택방위가 [1 0 0]방향이며, 조밀육방 금속인 Zn 및 Cd는 [0 0 1], Mg는 [1 1 0], β Sn은 [1 1 0] 및 Bi는 [1 1 1]방향이다.

횡단결정의 동일한 방향을 주조조직으로 나타낸다.

응고가 진행됨에 따라 조성적 과냉 영역이 주괴 중심부에 축적되는데 즉, 가장 높은 조성적 과냉이 잔류융체의 중심에 생기게 된다(시점 t_3까지 온도변화).

이것이 중심의 잔류융체에서 핵생성을 일으키는데 경우에 따라서는 부서진 수지상 가지와 불순물이 필요하며, 횡단결정으로부터 이곳으로 밀리게 됨으로써 중심부가 부화되어 응고 마지막 상(phase)에는 선택방위가 없는 등축립자를 가진 입상조직이 생성 된다(내부 영역에 입상의 조대결정, 영역Ⅲ).

주조조직의 구체적인 생성(영역 상호간의 관계, 입자크기 및 집합조직 정도)은 합금 조성 또는 금속의 순도와 냉각속도에 의하여 좌우된다. 사형 또는 금형이냐에 따라 주조온도와 주형의 상태가 특수한 의미를 갖는데 금형 주조에서는 금형의 크기, 두께, 단면 및 온도 등이 중요한 역할을 한다. 그림 4.19와 그림 4.20은 주조 및 냉각 비가 다른 경우의 0.2%Fe와 0.3%Si가 함유된 Al 합금의 주조조직을 나타낸 것이다. 첫 번째는 금형주조 조직, 두 번째는 사형주조 조직을 각각 나타 낸 것인데 금형주조에서는 **빠른** 열 방출로 인하여 입도가 작고 촘촘하게 입자가 배열되어 있는 것을 뚜렷하게 알아볼 수 있으며, 사형 주조에서는(그림 4.20) 열이 금속으로부터 그렇게 **빠르게** 방출되지 않아 결정이 성장하는데 충분한 시간이 있으므로 조대하게 된다. 이 경우 금형의 온도는 20℃이다. 금형의 온도가 높아지면 응고열의 방출이 어려워져서 결정화가 느려지는데, 이것은 용탕의 과냉이 감소되고 융체와 금형 간의 온도 강하가 낮아짐으로써 응고열의 방출이 어려워지기 때문이다.

　금형온도가 상승하는 과정에서 입자의 크기가 증가되고 횡단 결정의 길이가 길어진다.

　과열은 그림 4.20에서와 같이 큰 영향을 미치는데 순수한 알루미늄은 660℃에서 용해되고 불순물인 Fe 및 Si가 약간 함유된 알루미늄의 용융점은 이 보다 약간 낮다. 680℃로 가열하면 과열 $\triangle T = T_s - T_0$(T_0 : 용해온도, T_s : 응고온도)는 매우 작다. 융체에는 많은 수의 극히 미세하고 작은, 격자와 연관되어 있는 알루미늄(**동종핵**) 또는 불순물(**이종핵**)등이 계속되는 냉각으로 결정화 중심으로 작용하여 미세립자 주조조직을 생성한다. 용탕의 과열이 강할수록 즉, 용융온도 이상으로 가열하게 되면 이와 관련된 결정영역이 더 많이 용해되며 가능한 핵 수가 감소된다. 850℃ 또는 950℃로 가열된 용탕은 실제적으로 무 핵이 되며 응고될 때 과냉이 가장 큰 주형 벽에서 먼저 새로운 핵이 생성된다. 이들 핵으로부터 성장하여 결정이 용탕 내로 들어간다. 한번 과열하여 무 핵으로 만든 융체는 용융온도 직상의 냉각을 통하여 더 이상 재생될 수 없게 됨으로 여기에 먼저 금속을 새롭게 전체 또는 일부를 응고시켜야 하고 계속하여 용해하면 융체 내에 새로운 핵이 충분하게 남아 있어서 주물은 다시 미세립자가 된다.

또한 같은 종류의 고체 금속인 선재 형

그림 4.19 99.5% 순도의 알루미늄 주조조직, 금형주물; 3가지 혼합산(HCl + HNO₃ + HF)으로 부식, 주조온도 : a) 680℃, b) 750℃, c) 850℃, d) 950℃.

그림 4.20 99.5% 순도의 알루미늄 주조조직, 사형주물 ; 3가지 혼합산(HCl + HNO₃ + HF)으로 부식, 주조온도 : a) 680℃, b) 750℃, c) 850℃, d) 950℃.

태를 첨가하면 핵이 생성되지만 첨가된 금속이 실제적으로 용해되는지를 관찰하고 산화물을 용체로부터 제거한다.

과열된 무 핵 용체를 심하게 과냉시키면 전체 용체 체적 내에 동시에 핵이 생성됨으로써(자발적 핵생성) 매우 미세한 입상 결정을 얻을 수 있으며, 횡단결정화는 전체 또는 일부분이 억제될 때 일어난다.

기지(소재)의 결정뿐만 아니라 합금에서 나타나는 1차결정도 이러한 일반적인 결정화 법칙을 따른다.

그림 4.21, 4.23 및 4.25는 금형주물, 그림 4.22, 4.24 및 4.26(80%Sn, 10%Cu 및 10%Sb의 조성인 White Metal)은 사형주물의 경우를 각각 나타낸 것이다.

이 3원 합금에는 주사위 모양의 SbSn 결정과 침상 Cu_6Sn_5 결정인 두 종류의 다른 1차결정이 나타나는데 기지에는 Sn이 부화된 고용체가 축적된다.

금형주물에서는 1차결정이 주조온도가 높을수록 더 미세하게 되는데(330, 480 및 580℃, 금형온도 20℃), 과열이 증가되면 결정핵이 완전히 용해된다.

빠른 냉각과 핵 결핍으로 인하여 적당한 과냉이 존재한다면 이전에 과열이 높을수록 더 많은 핵 또는 결정이 생긴다. 또한 금형주물에서는 짧은 응고시간으로 인하여 결정이 사형주물에서처럼 그렇게 크지않다.

여기에는 가역적인 과정이 나타나는데 과열이 클수록 조대해지나 또한 1차결정이 더 적게 생성된다. 사형주물에서는

과냉이 그렇게 크지 않고 자발적인 핵생성이 이루어진다. 적은 핵이 존재하면 냉각하는 동안 대체로 새로운 핵생성 없이 성장한다. 동종핵 외에도 이종핵이 1차결정의 크기와 형상과 같은 주조조직의 생성형태에 현저한 영향을 미친다. 이종핵의 특성은 매우 적은 함량일지라도 성질에 상대적으로 큰 영향을 미친다.

그림 3.25b는 13%Si가 함유된 GAlSi13 알루미늄합금의 조직을 나타낸 것이다. 알루미늄 기지에 큰 침상 및 판상의 Si가 나타나 있다.

여기서는 특수한 결정화 조건을 통하여 공정조직이 출현되지 않는 변종된 공정을 다룬다(3.4.2.2 참조).

이와 같은 조직을 갖는 재료는 매우 취성을 가지며, 그렇지만 ≈0.1%Na를 용탕에 첨가하면 그림 3.25c와 같은 조직을 얻는데 이 합금의 공정조직을 분명하게 볼 수 있다.

AlSi13을 Na로 미세화 하는 것을 "**접종**"이라하고 이러한 조직은 기본적으로 인성을 갖는다.

Na(또는 Sr)에 의한 접종효과는 다음과 같이 설명 될 수 있다. :

Na없이는(**접종하지 않은 것**) $\triangle S_{Si}$ 및 $\triangle g_{VSi}$가 크므로 Si가 공정응고에서 "주도적"상(phase)이 됨으로 방해를 받지 않고 생성될 수 있기 때문에 변종된 공정이 생긴다.

Na으로 접종을 하게 되면 계면에너지 γ가 감소되며 계면이 방해를 받게 되어 Si가 전체에 나타게 되는데 이것이 핵생

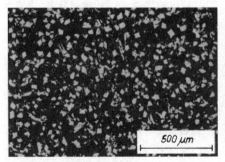

그림 4.21 WM80F(80%Sn + 10%Cu + 10%Sb) 330℃, 금형주물.

그림 4.24 WM80F;480℃, 사형주물.

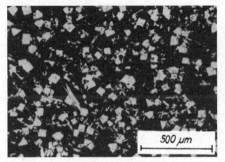

그림 4.22 WM80F;330℃, 사형주물.

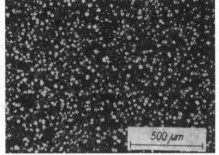

그림 4.25 WM80F ; 580℃, 금형주물.

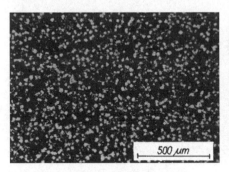

그림 4.23 WM80F;480℃, 금형주물.

그림 4.26 WM80F;580℃, 사형주물.

성 가능성을 높여줌으로써 Si가 미세하게 분포된다.

이와 유사하게 다른 주조조직도 일정한 합금원소를 첨가하여 입자를 미세화 또는 개량 하는데 여기서 계면에너지 γ 에 작용하든가 또는 외부 핵으로써 고상을 생성하든가 한다.

순수한 Al에는 0.03%Ti, Mg에는 Zr, 강에는 Al(일부 Al_2O_3로 바뀜), Au에는 Pt, Zn에는 Cu 또는 Cd, Cu에는 Fe,

Sb, Pb-Sb합금에는 As 등에 의하여 입자 미세화가 이루어진다. 회주철에 Mg를 첨가하면 판상 흑연이 구상(speroid)으로 되는데(5.5.9 참조), 이러한 접종제는 엄밀하게 합금원소로 다루지 않고 기술적으로는 많이 활용된다.

일반적으로 금형주물은 사형주물보다 경도와 강도가 높으며, 이것은 입자미세화에 의한 것이라기보다는 실제적으로는 평형이 이루어 지지 않은 결과이다.

금형주물에서는 과포화 고용체 생성 경향이 매우 강하기 때문에 강도와 경도 상승의 원인이 된다.

주조된 재료의 특성은 소성 변형된 재료에 비하여 항복점이 낮고 무엇보다 충격인성이 매우 나쁘다. 주조된 재료는 조대립자 외에도 특히 횡단결정 영역이 바람직하지 않다.

횡단결정을 가진 조직은 가공을 하든가 사용하기에는 적합하지 않은데 막대기형 결정 간에는 특히 그림 4.16에 나타낸 대각선 방향에는 기술적인 금속에서 나타나는 불순물과 작고 많은 기공 등이 모이기 때문이다. 이와 같은 의미에서 성장된 금속결정 간 연관성으로 인하여 열간 변형에서 입계의 길이 방향으로 찢어짐에 주의해야 한다.

횡단결정화된 주물은 또한 열간성형 가공에서 주의해야 하는데 우선 주조할 때 이러한 영역이 나타나지 않도록 한다. 적당한 방법으로는 : 접종제 첨가, 낮은 주조온도, 용탕의 급랭, 압력 주조 및 응

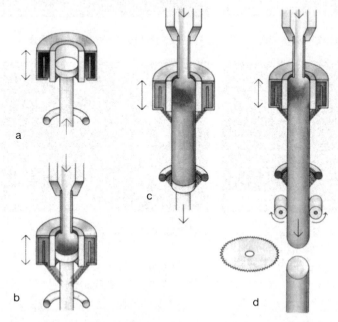

a : Drive Head에 의한 금형의 잠금
b : 주입

c : 빌렛 주조
d : 절단

그림 4.27 연속주조의 원리(Wieland-Werke).

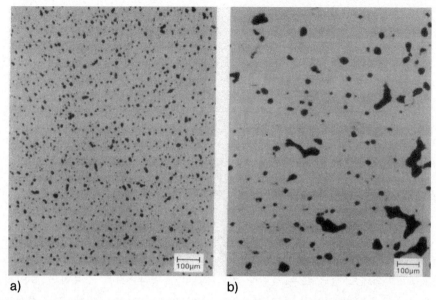

a)   b)

그림 4.28 G-CuSn7ZnPb(Wieland-Werke) 조직 : a)연속주조, b) 사형주조.

고와 초음파 작용 등이다. 최근 2~30년 전에 연속주조법으로 더욱 의미를 갖게 되었다. 반제품으로부터 압연판재 또는 프레스용 제조를 위한 주조는 오늘날 연속주조법 규칙에 따라 이루어진다. 연속주조 장치에는 수냉 시스템을 갖추고, 생성된 billet을 뽑거나 경사원리를 갖는 개방된 금형으로 되어 있다.

대개 금형 아래에 빌렛의 2차 냉각영역에서 추가적으로 물을 분사하여 냉각시킨다. 완전 연속주조에서는 빌렛의 길이를 절단하는데 주조공정이 중단 되어서는 아니된다. 연속주조에서 생산된 주물은 사형 또는 생형주물에서와 비교하여 기본적으로 미세한 조직과 동일한 합금원소를 갖는다. 수축공이 생성되지 않음으로써 생산성이 높다.

예를 들면, 그림 4.28은 동 주물재료인 G-CuSn7ZnPb를 연속주조(a) 및 사형주조(b)한 조직을 나타낸 것이다. 또한 순수한 알루미늄 및 알루미늄 저 합금으로 밴드(band)와 선제조도 연속제조 공정에서 가능하다.

여기서는 회전하는 압연기 또는 바퀴 및/또는 선회하는 밴드 또는 형상 인자로써 연속적인 밴드(그림 4.29)를 만들기 위한 트랙 또는 선재에 필요한 재료로 하기위하여 이러한 장치 등을 적용하여 용탕을 주조한다. 일반적으로 생성된 주조 빌렛을 직접 적당한 열간 및 냉간 압연을 통하여 밴드, 판, 박막 또는 선으로 가공하게 된다. 전통적인 제조방법에 대하여 주조조건을 변화시키는데 먼저 응고속도를 현저하게 높이면(인자 10^4), 조직생성에 영향을 미치며(그림 4.30a 및 b), 우선 입자와 주조셀 크기가 감소

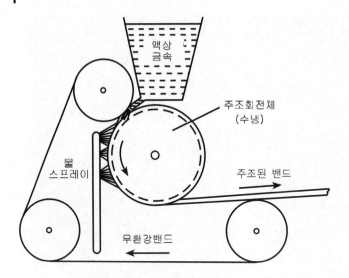

4.29 밴드 주조의 원리.

된다. 그 이외에도 합금 또는 불순물 원소의 고용체 농도가 높아질 뿐만 아니라 높은 격자결함 밀도가 전위와 공공에 나타난다. 냉각속도가 상승하면 1차 석출물이 미세화 되어 이러한 조직 특성으로 재료의 성질이 변화된다. : 예를 들면 양

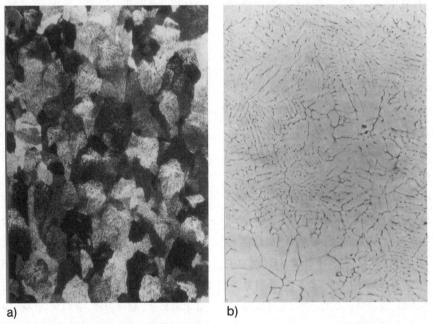

그림 4.30 주조상태에서(주조압연 밴드) AlMnFeMg합금 조직: a) 주조조직(50:1), b) 불균질 주조 셀을 가진 석출조직(200:1), (Uhlig).

호한 전성을 가진 높은 강도, 우수한 내열성, 높은 재결정온도 등이다.

4.1.4
편석

편석의 이해는 융체가 응고될 때 각기 다른 분리현상이 나타나며 이것으로 인하여 불균질 조직이 생성된다. 편석의 어원은 "수직"으로부터 생겼으며, 편석의 종류에는 각종 무거운 융체가 층상으로 중첩된 중력편석은 제조공정에서 유입된 것이다.

편석 현상은 농도차이가 나타나는 영역이며 그 원인은 아래와 같다.

- 결정편석(고용체편석, 입자편석)
- 주괴 또는 **조각편석**
   역(power)편석

- 중력편석
- 원심력 편석
- 열흐름 편석
- 수직 주괴 편석
- 역(逆) 주괴 편석

결정편석은 고용체의 불균질 구조로 이해되며, 그 생성에 관해서는 다음과 같이 설명된다. 3.4 및 3.5절에서 다룬 합금의 상태도는 평형상태도인데 즉, 융체를 실온까지 매우 서냉하였을 때 합금의 조직상태를 나타낸 것이다. 기술적-경제적 근거로부터 실제 융체에서는 가능하나 냉각속도 ν가 $0Ks^{-1}$가까이에서 응고시킨 것은 아니다. 상태도는 $\nu \gg 0$에서 완전 유효성이 없으며, 여기에 제시한 평형선은 아래로 이동되어 있는데 정량적으로 계산하거나 또는 시험적으로 규정하기는 어렵다. 그러므로 방향만 과

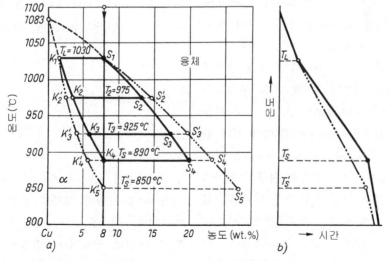

그림 4.31 고용체의 급속 응고에서 고상선과 액상성의 이동: a) 2차결정과 잔류융체간의 불충분한 농도평형에 의한 고상선과 액상선의 이동, b) 냉각곡선의 변화.

정을 보면 순간적인 냉각속도에서 진행되는 평형선의 이동은 몇 가지 중요한 특수 경우에 대해서 나타낸 것이다. 기술적 주물에서 나타나는 것과 같이 그러한 냉각거동에서는 실제적으로 균질한 고용체가 생기지 않는다. 응고가 빠르게 진행됨으로써 농도 평형을 이루는데 필요한 확산시간이 주어지지 않으므로 평형이 달성 될 수가 없다.

이러한 조건으로 정상적인 결정화 과정과의 편차를 92%Cu와 8%Sn(α 청동)인 고용체에서 확인 할 수가 있다(그림 4.31).

1100℃에서 합금은 균질한 융체로 되어 있으며, 서냉되는 동안 액상온도 $T_L = 1,030$℃에서 먼저 1.5%Sn과 98.5%Cu인 Cu가 많은 1차고용체가 정출되어 잔류융체에는 Cu가 적어지고 Sn이 많아진다. 온도가 $T_2 = 975$℃로 내려가면 정출된 고용체 양이 증가되며, 결정 K_2는 확산을 통하여 Sn을 흡수하여 3.5%Sn과 96.5%Cu를 함유하며 한편, 융체 S_2의 조성은 13.5%Sn과 86.5%Cu로 된다.

온도가 서서히 내려감에 따라 결정의 조성은 K_2로부터 K_3 및 K_4로 증가되는 반면 융체는 S_2로부터 S_3 및 S_4로 이동된다. 고상온도 $T_s = 890$℃에서 전체 합금이 마지막으로 응고되어 8%Sn을 함유한 균질한 Cu 고용체로 평형을 이루며 냉각곡선을 그림 4.31 b에 나타낸다(실선으로 나타낸 것). 응고구간에서 $\triangle T = T_L - T_s = 1030 - 890 = 140$K이므로 Sn의 농도는 $K_1 = 1.5\%$ Sn으로부터 K_4로 이동되며 융체조성은 $S_1 = 8\%$로부터 S_4

= 20%로 되고 한편, 융체 내에서의 농도평형이 확산과 대류(기계적 융체혼합)를 통하여 빠르게 이루어져 고체결정에서 재료이동은 확산을 통해서만 매우 느리게 진행된다. 기술적인 주물에서 예를 들면 온도를 1030℃로부터 975℃로 내리면 결정의 농도평형은 K_1로부터 K_2로 진행되지 않는다.

그러므로 먼저 정출된 1차결정 K_1은 평균하여 그렇게 많은 Sn을 흡수하지 않고 농도 K'_2에 이르게 되고, Sn이 더 적은 약 K_2(평형의 경우인 3.5%Sn 대신 2.5%Sn)까지로 된다. 이에 비하여 융체는 더 많은 Sn을 함유하여 $T_2 = 975$℃에서 조성이 S_2가 아니라 거의 S'_2가 된다. 원래의 고상온도 $T_s = 890$℃에서 평균조성은 K'_4이고, 융체는 S'_4에서 그 농도를 갖는다. 지렛대법칙에 따르면 이온도에서 합금은 완전 응고가 되지 않는다. 지렛대 $a = K_4 - K'_4 = 8 - 6 = 2$ 및 $b = S'_4 - K_4 = 24 - 8 = 16$ 이며, 잔류융체의 양 :

$$m_s = \frac{a}{a+b} \cdot 100\% =$$

$$\frac{2}{2+16} \cdot 100\% = 11.1\% \quad \text{잔류융체}$$

평균조성인 $K'_4 = 8\%$Sn 및 92%Cu가 결정 K'에 도달할 때까지 응고가 오래 지속된다. 이것은 이미 언급한 예에서 $T_S = 850$℃의 경우이다. 겉으로는 고용체의 고상온도는 평형조건을 따르지 않고 응고되어 비 평형 농도가 되기 때문

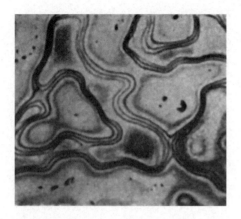

그림 4.32 불균질 고용체의 구역형태의 구조(결정편석).

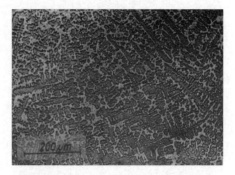

그림 4.33 92%Cu + 8%Sn, 주물 ; 불균질 α 고용체; 결정편석.

에 평형상태 하에서 결정화가 진행되는 경우보다 더 낮다. 고상점이 이렇게 낮은 온도로 이동되는 것은 또한 냉각곡선에서도 표시된다(그림 4.31 b 점선).

평형이 아닌 조건하에서 응고된 고용체는 껍질형태 구조의 조직으로 나타날 수 있다. 최초로 응고되는 결정은 첨가원소가 적게 함유되나 최종 결정화된 잔류영역은 합금원소가 가장 많이 함유 되어 있다. 일반적으로 결정의 중심은 K_1을 갖고(그림 4.31), 이 중심주위에 인접하여 K_2', K_3', K_4' 및 K_5' 조성을 가진 껍질형 영역으로 결정화 된다. 물론 이 영역은 첨예하게 서로 떨어져 분리되지 않고 연속적으로 서로 붙게된다. 부식하면 껍질형은 합금함량에 따라 심하게 또는 약하게 부식됨으로써 가시화 된다(그림 4.32).

매우 부적합한 확산조건에서는 결정중심이 평균조성 K_1 또는 K_2를 갖는 경우가 생길 수가 있으며, 또한 잔류영역에서는

합금원소가 매우 높게 부화된 융체가 응고되고 이미 존재하는 일차결정으로 확산 되지 않고 분포하게 된다. 그림 4.33은 상술한 92%Cu와 8%Sn을 함유한 Sn 청동의 조직을 나타낸 것이다. 합금을 가능한 한 빠르게 강제로 냉각시키기 위하여 두꺼운 철 합금 주형에 1100℃로부터 주조한다. Sn이 적은 줄기와 가지는 단단함이 현저하게 사라져 Sn이 풍부한 잔류영역과 구별된다.

수지상 성장으로 인하여 구상결정에서 상술한 껍질구조는 여기서 알아볼 수 없고 수지상 줄기 및 가지와 그 사이에 있는 응고되는 잔류융체 사이에 분해가 일어나며, 결정편석의 크기는 여러 가지 인자에 의하여 좌우된다. :

- 냉각속도
- 합금을 이루고 있는 원소의 확산속도
- 응고구간의 크기

고용체 편석은 냉각속도가 클수록, 확산속도가 작을수록, 응고구간이 늘어날

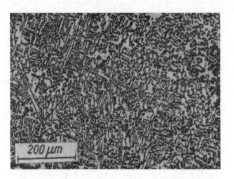

그림 4.34 92%Cu + 8%Sn, 주조, 500℃에서 5시간 어닐링한 것.

그림 4.35 92%Cu + 8%Sn, 주조, 550℃에서 5시간 어닐링한 것.

수록 많아진다. 기술적 합금 대부분은 전부 또는 현저한 부분이 고용체를 이루고 있으므로 주조금속과 합금에서 다소 현저한 결정편석을 자주 고려하게 된다. 그러나 합금에서는 항상 기능하면 균일한 조직을 요구하므로 이러한 결정편석은 없애려고 노력하는데 이것은 균질화 어닐링을 통하여 이루어진다. 불균질하고 편석된 합금은 가능한 한 높은 온도에서 확산을 통하여 결정의 가장자리와 중심부간의 농도차이가 균일하게 될 때까지 오래도록 어닐링 한다. 어닐링 온도의 지정은 입계 및 입자 조각의 용해를 피하기 위하여 마지막 응고된 영역의 용융온도를 고려하게 된다. 확산과정에서 확산 길이 $L_D = 2\sqrt{Dt}$ 는 어닐링 시간을 실제적으로 평가하는데 적당한 정보를 제공해 준다(3.1.3절 참조).

가끔, 강의 인(P)편석에서 원소의 확산속도가 낮으므로 편석이 실제 적용하는 어닐링 시간에서는 균일화 되지 않는다.

조직을 변화시켜 기술적 성질의 정도를 변화시킬 수 있다. 그림 4.34~38은

그림 4.33의 청동의 결정편석을 없애기 위한 각종 어닐링 온도의 작용을 나타낸 것이다.

500℃에서 5시간 어닐링하면 그림 4.34에서와 같이 벌써 일정한 농도균형이 일어난 것을 볼 수 있다. 수지상의 형상과 잔류영역의 경계가 아직도 존재하나 대조적으로 감소되었다. 550℃에서 5시간동안 어닐링한 후의 수지상은 아직도 윤곽이 남아있다(그림 4.35).

고용체의 입계가 이미 분명하게 나타나 있으며, 입자내부의 수지상의 방향은 이미 균일하게 된 것을 알 수 있고, 입자 사이는 각각 다르다.

어닐링 온도를 600℃로 높이면 수지상은 완전히 사라진다(그림 4.36). 그 위치는 수많은 작은 다면체 결정으로 일부는 내부 쌍정이 나타난다. 어닐링 온도를 계속하여 650 또는 800℃로 올리면 계속적인 농도 균일화 없이 입자 조대화가 일어나며, 이온도에서 조직을 볼 수 있다(그림 4.37 및 4.38).

고용체의 응고에서 나타나는 분리현상

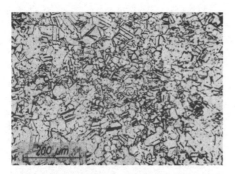

그림 4.36 92%Cu + 8%Sn, 주조, 600℃에서 5시간 어닐링한 것.

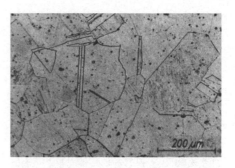

그림 4.38 92%Cu + 8%Sn, 주조, 800℃에서 5시간 어닐링한 것.

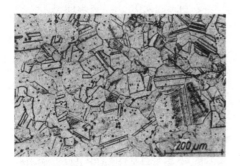

그림 4.37 92%Cu + 8%Sn, 주조, 650℃에서 5시간 어닐링한 것.

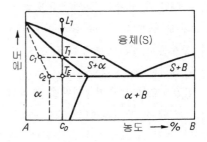

그림 4.39 공정계에서 비 평형.

은 일정한 공정계 상황에서는 계속적인 평형장해가 된다.

그림 4.39의 공정계에서 합금 L_1은 응고가 완료된 후에는 다면체 α 고용체로만 이루어져 있다.

융체가 빠르게 냉각되면 평형이 이루어질 수 없으며, 초정으로 정출된 α 고용체는 융체구간에서 평형상태에 해당하는 것 보다 더 적은 B를 흡수한다.

상태도에서 주어진 고상온도 T_1에서 α의 평균조성은 c_o가 아니라 거의 c_1이 되며, 아직도 잔류융체가 존재하여 온도가 내려가면서 응고가 계속된다.

공정온도 T_E에서 고용체는 실제 거의 c_2의 평균조성을 가지며, 잔류융체는 공정 생성으로 응고된다.

응고 후의 조직은 c_2 농도인 초정 α 고용체와 공정(c_2 농도인 α 고용체와 B)으로 되어 있다. 그 후 확산 어닐링으로 평형을 이룰 수가 있으며, 공정은 다시 떨어지게 된다.

가끔 초정 응고에서 결정화저지 상이 존재하여 과냉현상을 일으키는데 그 과정은 두 개의 다른 초정이 한 합금에 나타나기 때문이다.

합금 L_1(그림 4.40)은 액상온도 T_1에서 초정 α 고용체를 정출하며, 이 초정결정화에 임의의 저지가 나타나지 않음으로써

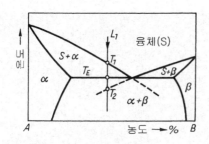

그림 4.40 2원 공정계에서 두 개의 초정이 나타남.

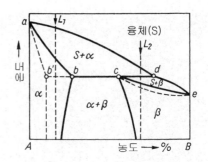

그림 4.41 포정계에서 비 평형.

$T_2 < T_E$일 때 융체는 T_2까지 과냉된다.

T_2온도에서 β 결정의 불안정한 액상선이 공정온도 T_E 이하에 도달하여 β 초정에 일정한 양이 정출된다.

β 결정으로부터의 접종작용을 통하여 α 상의 과냉이 중지되며(T_E까지 온도상승으로) 초정 α 고용체가 정출된다. 잔류 융체가 공정조성에 도달하여 ($\alpha+\beta$)로 된 공정이 분해된다. 이러한 현상은 자주 Al-Si합금에서 나타나며 그 조성은 공정(88.3%Al + 11.7%Si)에 인접하여 있다. 조직에는 1차 수지상 Al 고용체와 1차 특이형 Si 결정이 (Al + Si) 공정으로 나타난다. 포정계에서 고용체에 나타나는 **결정편석**은 비 평형과 평형선의 이동인데 그림 4.41에서 점선으로 나타낸다. 빠른 냉각에서 나타난 α 결정편석은 고상선 a-b부분이 a-b′로 이동된다. 합금 L_1은 평형의 경우 포정반응에는 관여하지 않고 실온에서 균질 α 고용체의 생성은 이러한 의미로 충분히 빠른 냉각에 의하여 포정으로 생성된 β 결정을 함유함으로써 불균질이 된다.

b점과 c사이의 농도를 가진 합금은 비평형의 경우에 더 많은 잔류융체를 함유하는데 지렛대법칙으로 계산할 수 있다. β 고용체의 c-e고상선은 빠른 냉각에 의하여 마찬가지로 위치가 이동된다(점선 c-e). 여기서 비 평형이 존재하나 포정선 아래임으로 정상적인 결정편석만 생기게 된다. 그림 4.41에서 합금 L_2는 빠른 결정화 후에는 국부결정으로 되어 있으며 잔류영역보다 A가 많은 중심은 평형에 해당하는 것보다 고상온도가 낮고 또한 α 고용체도 존재할 수 있다. 많은 성분이 포함된 합금에서는 고용체를 생성하는 원소로 된 기지 금속은 모두 결정편석을 일으키며 각 원소는 확산속도가 낮을수록, 분배계수 k가 1보다 크게 벗어날수록 편석이 더 강력하다. 그림 4.42는 0.22%C, 3%Mn 및 0.3%Cr (22Mn12)을 함유한 강 조직을 나타낸 것인데 밝은 부분 사이에 어둡게 부식된 편석영역은 둥근 1차 결정으로 망간과 탄소가 평균보다 많이 함유되어 있다.

편석영역과 합금원소가 적은 1차결정에서 미소경도시험 결과, 후자의 경우 $HV_m = 180$, 전자의 경우 $HV_m = 240$의

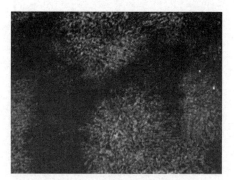

그림 4.42 0.22%C와 3%Mn이 함유된 템퍼링 강에서 탄소와 망간의 결정편석.

경도를 각각 나타내는데 Macro Vickers 경도는 HV = 219로 이들 두 값 사이에 존재한다.

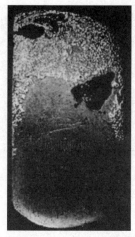

그림 4.43 서냉된 85%Pb + 15%Sb 합금에 나타난 중력편석.

중력편석은 예를 들면, Fe-Pb, Pb-Zn 및 Cu-Pb(3.4.3절 참조)의 액상상태에서 용해도간극을 갖는 계에서 이미알 수 있듯이 액상상태에서 용해도간극을 갖는 계에서만 나타나는 것이 아니라 또한 모든 합금에서는 초정과 잔류융체 사이에 현저한 밀도차이를 나타낸다. 이러한 밀도차이가 클수록 무겁거나 또는 가벼운 결정이 가라앉거나 또는 떠오르게 된다. 치밀한 결정형은 느리고 조용한 응고를 통하여 편석이 잘 일어난다.

그림 4.43은 85%Pb와 15%Sb가 함유된 매우 서냉된 주괴의 길이방향 시편을 나타낸 것이다.

Pb와 Sb는 공정점 11.1%Sb에서 단순한 공정계를 이룬다(3.4.2.2절 참조).

전술한 합금은 약한 과 공정이며 초정 Sb 결정을 정출하고(밀도$\approx 6.7 \mathrm{gcm}^{-3}$) 이것은 Pb가 많은 잔류융체(Pb의 밀도$\approx 11.3 \mathrm{gcm}^{-3}$)보다 훨씬 가벼우므로 융체의 표면으로 상승한다. 이 경우 편석은 계속되어 금속덩어리의 입체적인 구조로 식별 되는데 : 상부 1/3은 Sb결정이 심하게 부화되어 있고 중간 1/3은 (Pb+Sb) 공정, 하부 1/3은 Sb가 희박한 1차 Pb 결정이 정출되어 있다. 그림 4.44는 Sb가 부화된 층의 상부로부터 중간부 공정영역으로의 천이를 고 배율로 나타낸 것이다. 이러한 현상은 Pb-Sb합금과 Pb, Sb외에 Sn을 함유한 베어링 화이트메탈에서도 좋지않은 상태로 알아볼 수 있다.

과 공정 철-탄소합금(회주철)에서 초정 흑연이 철 융체의 표면에 증가되므로 여기서 걷어낼 수 있다(**kish graphite**).

각 조직성분의 입체적인 분리로 인하여 응고된 합금은 열처리를 통하여 중력편석을 없애거나 또는 감소시키는 것은 불가능 하며, 일반적으로 합금은 용해와 주조를 통하여 예를 들면, 급속주조 등으로 피하게 된다.

그림 4.44 그림 4.43을 절단한 것 : 상부 Sb 부화된 층으로부터 중간으로의 천이, 공정 영역.

그림 4.45 압연 강재 내의 인(P) 편석 ; Heyn 부식액.

특히 탈산되지 않은 강에서는 자주 나타나는 편석은 (직접) **주괴편석**이며, 이것은 철 합금에 항상 함유된 S, P 및 C와 같은 불순물이 철횡단결정으로 밀려나 주괴 내부에 부화됨으로써 생긴다.

냉각조건이 또한 상당한 영향을 미치는데 편석은 주괴의 단면이 증가됨에 따라 심하게 증가 되어 중심부에 S는 약 300~400%, P는 200~300%, C는 100~200% 및 Mn은 약 50%가 부화된다. 탈산을 하지 않은 강에서 편석은 주괴 전체에 나타나는데 비하여 탈산 강은 편석이 주괴의 상부 약 1/3의 상부에 제한된다. 강에서 P 및 S편석은 각종 방법에 의하여 검출할 수 있는데 기계가공을 하거나 또는 조대 연마한 시편을 다음과 같은 **Heyn 부식액**으로 처리 한다. :

9g 결정화된 염화암모늄동 (CuCl$_2$ · 2NH$_4$Cl · 2H$_2$O)

100cm³ 물

시편에 존재하는 Cu 침전물을 솜이나 코르크 조각으로 흐르는 물에서 문지른다. 여기서 P외 S 편석은 어두운 갈색인 반면 순철은 부식되지 않는다(그림 4.45).

편석의 미세부분을 더 잘 재현하기 위해서는 시편표면을 연마하여 **Oberhoffer 부식액**을 사용한다. :

500cm³	증류수
500cm³	에탄올(C$_2$H$_5$OH)
50cm³	진한 염산(HCl)
30g	염화철(FeCl$_3$)
1g	염화동(CuCl$_2$)
0.5g	염화주석(SnCl$_2$)

이러한 부식 방법에서는 편석이 없는 자리는 어둡고 즉, 부식되고 편석은 부식되지 않는다(그림 4.46). Heyn 또는 Oberhoffer로 부식하기위해서는 시편이 서로 + 및 −로 반응한다.

Baumann 또는 **설퍼 프린터**(그림 4.47)의 도움으로 S편석은 사진 인화지상에 곧 인화하게 된다.

브롬화 은 종이를 5% 희석 황산(일광에서)에 침지시키는데 시편을 S 함량에 따라 1~5분 동안 압입한 후 인화지에 정착하고 씻으면 편석은 흑갈색으로 나

그림 4.46 압연강재의 인(P)편석 ; Oberhoffer 부식액.

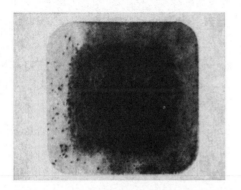

그림 4.47 탈산하지 않은 강 봉에서 주괴편석 ; Baumann에 의한 설퍼(S) 프린터.

타난다. 이 과정에서 황산은 FeS 또는 MnS와 접촉하여 H_2S를 생성한다. :

$$FeS + H_2SO_4 \rightarrow FeSO_4 + H_2S$$

이것이 인화지인 AgBr(브롬화 은)과 반응하여 흑갈색의 Ag_2S가 생성된다. :

$$H_2S + 2AgBr \rightarrow Ag_2S + 2HBr$$

인(P) 프린터를 만들기 위해서는 시편을 미세 연마하여 세척하고 건조시킨다.

인화지 또는 필터지는 암모니움모리브덴 용액($100cm^2$ 증류수에 5g)에 HNO_3를

첨가하여 침지하고 건조시킨 후 금속표면 위에 5분 동안 누른다.

인화지의 현상은 수용성 35% 희석 염산에 약간의 명반과 과 포화된 $SnCl_2$ 용액을 더해준다. 황갈색이 특수한 청색으로 변한다. 청색의 강도로 P함량을 추측할 수 있다.

Niessner에 의한 **산화물 프린터법**은 존재하는 많은 양의 산화물이 만들어지는데 시편표면을 5분 동안 사진종이 위에 압입하여 수용성 5% 희석 HNO_3용액에 침지하고 마지막으로 2% 희석 페로시안화칼륨 용액에서 후처리한 후 흐르는 물에 씻고 건조한다.

산화 개재물은 부분적인 청색을 나타내고 그 결과의 해석을 위해서는 경험이 필요하다.

Volk에 의한 **Pb 프린터법**은 정착된 브롬화 은 종이를 진한 아세트산에 3분간 침지하고 조연마된 시편이나 또는 더 잘 정연마된 시편은 Pb함량에 따라 1～5분간 압입하게 되고 마지막에는 황화수소수에서 2～3분 동안 현상한다.

사정에 따라 생성된 철아세트산염은 종이를 20% 희석 염산에 짧게 침지하여 용해시킨다. Pb가 함유된 부분은 갈색 조각의 PbS에 인화된다. Pb 개재물은 0.05mm의 작은 크기도 알아 볼 수 있다. 지금까지 소개한 부식법외에도 강의 주괴편석은 중간 농도의 무기산 HCl, H_2SO_4 등으로 부식함으로써 규명 할 수 있다. 그림 4.48은 탈산이 완전하지 않은 20MnCr5 강을 이러한 종류로 산화 부식한 것을

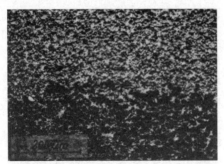

그림 4.48 충분하지 않은 탈산 강에서 주괴편석 ; 편석영역(하부)은 심하게 부식됨(HCl에 의한 심도부식).

나타낸 것이다. 중심영역은 비교적 깨끗한 가장자리로부터 화학적으로 귀(noble)함이 낮은 산에 의하여 훨씬 빠르게 부식되어 용해되어 나온다. 부식과정에서 산을 60~80℃로 가열하면 부식이 가속화될 수 있다. 부식 후 녹이 생기는 것을 줄이기 위해서는 부식된 시편을 석회유에서 처리한다.

주괴편석은 결정편석과 달리 깨끗한 가장자리와 불순물이 많은 중심부 사이의 거리가 너무 커 균질화 어닐링에 의해서는 균일하게 되지 않는다. 주괴편석은 강의 가공에서 많은 어려움이 생긴다. 용접에서 용접부는 편석영역이 내부로 들어가지 않도록 주의해야 하는데 그렇지 않으면 용접된 부분이 완벽한 결합으로 보증될 수 없다. 소성변형에서 편석영역은 함께 변형되며 무엇보다 심하게 합금화된 중심이 약하게 합금화 된 가장자리보다 더 높은 변형저항이 나타난다는 것에 주의해야 한다.

사정에 따라서는 부주의한 단조나 압연에서 판석영역이 파열된다.

형재를 제조할 때 성형에서 편석영역이 건전한 강으로 둘러싸여야 하는데 그렇지 않으면 성형과정 자체에서 또는 그 후에 임의로 존재하는 편석에 응력균열이 나타날 수 있기 때문이다. 심하게 편석된 얇은 판의 부식에서 부식기포가 생성된다. 외부 분위기에서 탈산으로 인한 편석위치는 깨끗한 가장자리보다 불순물 함유가 높으므로 더 빠르게 부식되며 또한 이로 인하여 시간이 경과됨에 따라 표면균열이 생성될 수 있다. 직접 주괴편석에 대치되는 탈산하지 않은 강에서 주로 나타나는 것은 역 주괴편석으로 특히 구리 및 알루미늄 합금에서 관찰된다. 각종 원인을 통하여, 예를 들면 수지상 사이의 모세관 힘, 용탕에 작용하는 응고된 외부 표면압력, 용탕 내부에서 방출되는 가스압력이 수지상 성장의 개시를 강화 시키는 등 주괴 내부로부터 불순화 된 잔류용체 부분이 주괴표면에 압착되거나 또는 흡수된다.

역 주괴편석에서는 외부 가장자리 층보다 중심에 합금이 적다. 역 주괴편석의 변종으로 가스기공 편석이 있는데 응고되는 동안 미리 용해된 가스(CO, N_2, H_2)가 방출되어 이것이 가스기공 형태로 모이게 된다. 계속된 냉각으로 기공내부의 가스 압력이 감소되며 생성된 저 압력이 융체 이동의 모세관인력으로 작용된다면 불순물이 존재하는 잔류용체가 액상인 중심으로 흡입된다. 이와 같은 종류의 가스기공 편석은 특히 강에서 표면결함으로 쉽게 나타나는데 이것은 기

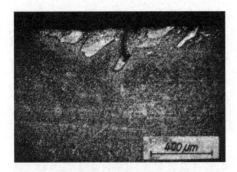

그림 4.49 용사한 표면 가장자리에 나타난 가스기공 편석 ; Oberhoffer 부식액.

공 내에 존재하는 불순물 재료가 깨끗한 강으로 용접된 열간성형에서 나쁘므로 균열을 일으키게 된다.

그림 4.49는 강에서 용사한 표면 가장자리의 가스기공 편석을 나타낸 것인데 인 (P)이 많이 존재 했던 융체는 Oberhoffer 부식액에 의하여 부식되지 않아 밝게, 그러나 깨끗한 기지는 부식되어 어둡게 각각 나타나 있다.

4.1.5
수축공

액상금속을 실온으로 냉각시키면 일반적으로 다음과 같은 3가지의 각기 다른

체적수축이 일어나는데 그림 4.50은 구리의 예를 나타낸 것이다.

1. 액상금속을 주조온도 T_G로부터 응고온도 T_S까지 냉각시키면 지속적인 수축이 일어난다(액상수축 : 영역 a).

2. 응고온도 T_S에서는 급격한 수축이 일어나는데 액상과 고체금속 사이에는 체적차이를 일으키는데(응고수축 : 영역 b) 이것은 고체와 액상금속 사이의 원자 충전밀도 차이의 결과이다.

3. 응고온도 T_S로부터 실온까지 결정화된 금속의 지속적인 수축이 일어난다 (고체수축 : 영역 c).

a 및 b영역의 수축은 응고에서 수축공 생성(공동생성)을 일으키는 원인이 된다. 체적관계를 더 잘 이해하기위하여 1 kg의 구리가 응고될 때 그림 4.50에 나타낸 값을 고려하여 관찰한다. 1kg의 구리는 주어진 주조온도 $T_G = 1250℃$에서 $V = 1000$ $V_S = 128cm^3$의 단위체적을 갖는다($V_S = $ 비체적). 응고온도 $T_S = 1083℃$까지 서냉하면 액상구리의 체적이 $3cm^3$로 감소되어 $125cm^3$만을 갖는다. 모든 면에서 규칙적으로 냉각된다고 가정하면 융체의 표면에 얇은 응고층이 생기며 이것은

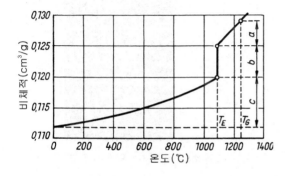

그림 4.50 온도에 따른 Cu의 비체적 의존성(Sauerwald).

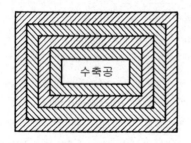

수축공

그림 4.51 금형주물의 냉각이 모든면에서 균일하게 이루어질 때 수축공 생성의 도식적 설명.

용체의 체적 125㎤로 둘러싸인다. 응고가 계속 되면서 외각 고체 층에 새로운 층이 붙어서 전체 용체가 고체 상태로 될 때까지 결정화 되어 응고됨으로써 체적이 125에서 120㎤로 감소된다. 이것은 구리 내부에 5㎤의 공동이 생성 된 경우에 가능하다. 주괴 수축공에 관하여 공동생성을 그림 4.51에 도식적으로 나타낸다. 실제 각각의 응고층은 물론 서로가 떨어져 있지 않고 연속적으로 서로가 합쳐진다.

표 4.1은 몇 가지 금속의 응고에서 나타난 체적변화 퍼센트(b 영역)를 나타낸 것인데 응고에서는 일반적으로 체적감소가 수반된다. 다만 결정격자의 충전밀도가 낮은 몇 개의 원소에서 에를 들면 Bi, Sb 특히 Si 등에서만 응고에서 체적증가가 나타난다.

실제 주괴의 냉각은 모든 면에서 균일하게 전체적으로 이루어지지 않는다. 금형 주물에서는 상부 꼭대기 면 보다 금형 벽에서 훨씬 빠르게 냉각되며 그 과정은 수축공이 주괴의 중간부분부터 상부 면으로 밀려나게 되고 끝이 뾰족한 원뿔형으로 된다.

그림 4.52는 강괴의 길이방향 절단면을 나타낸 것인데 주괴 수축공을 포함하고 있다. 수축공의 상부 뚜껑, 덮개에 있는 수축공은 산화 된 공기가 불완전하게 폐쇄된 것으로 수축공 벽은 대개 심하게 산화되어 있다.

이와 같은 근거로 수축공의 완전한 접

표 4.1 금속의 응고에서 체적변화

금속	결정격자	체적변화 [%]
Al	면심입방격자	−6.3
Cu	면심입방격자	−4.2
Pb	면심입방격자	−3.4
Ag	면심입방격자	−5.0
Fe	체심입방격자	−4.0
Zn	육방격자	−6.5
Mg	육방격자	−3.8
Sn	정방정격자	−2.9
Bi	능면체격자	+3.3
Sb	능면체격자	+1.0
Si	다이아몬드 격자	+10

그림 4.52 강괴에서 잉곳 수축공.

합은 추가적인 열간성형으로는 불가능하다. 그러므로 수축공을 포함한 주괴부분을 절단함(상부절단)으로써 현저한 재료손실이 생긴다. 주조법으로 수축공 체적을 줄이거나 또는 수축공 형상을 적당하게 만든다. : 낮은 주조온도, 주입속도를 늦추고 주괴 상부를 액상으로 유지하기 위하여 열전도도가 낮은 세라믹 덮개를 덮든가 또는 발열 수축공 분말을 첨가하며, 적합한 금형 설치, 주괴 상부의 급랭, 연속 주조법을 적용하여 응고되는 동안에 주괴에 기계적인 압력을 가하는 등의 방법이 있다.

적당하지 않은 응고상태, 즉 주괴 단면과 높이 비가 작으면 얇은 관 형상의 수축공이 주괴 바닥에까지 미친다. 이러한 섬유상 수축공은 매우 위험하며 적시에 발견하기가 어려우며 계속 작업이 곤란하고 재료가 손상된다.

그림 4.53은 38Cr4강 볼트를 템퍼링하여 표면경화된 횡단면을 나타낸 것으로 중앙부에는 섬유상 수축공이 남아 있다. 표면을 불꽃 경화하면 볼트가 길이방향으로 균열이 생기며 이것은 수축공으로부터 발생한다. 동시에 경화된 표면의 큰 덩어리가 균열 생성으로 깨어진다. 잔류 수축공과 섬유상 수축공이 함께 압연되면 위험한 겹침의 원인이 되며 이것은 보일러 판과 다른 판에서 가끔 나타나는데 압연평면에 평행으로 판이 파열된다. 금속과 합금의 응고수축은 주괴 수축공만 형성하는 것이 아니라 미소 수축공을 일으키는 원인도 된다. 이것은

특히 엉클어진 수지상 사이에 생기는데 그 이유는 잔류용체의 응고가 진행될 때 계속 좁아지는 연결통로가 더 이상 흐르지 못하여 수지상 사이에 생성된 잔류용체에 작은 수축공이 절단되기 때문이다.

그림 4.54는 Sn청동의 미소 수축공을, 그림 4.55는 주강에서 미소 수축공을 각각 나타낸 것이다.

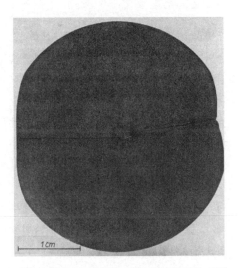

그림 4.53 38Cr4강 볼트를 템퍼링하고 표면 경화 했을 때 균열의 원인으로서 섬유상 수축공.

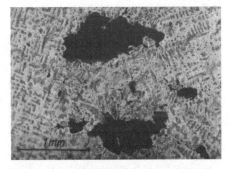

그림 4.54 Sn청동으로 된 bushing 내부에 생긴 미소 수축공.

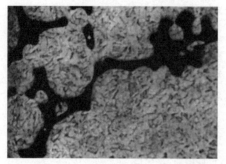

그림 4.55 주강으로 된 bushing 내부에 생긴 미소 수축공.

미소 수축공은 합금을 다공성으로 만들며 이들 기공은 주괴 수축공의 크기를 줄이게 된다. 가끔 작은 수축공을 가진 다공성 주괴가 큰 수축공의 경우보다 장점이 될 수가 있으며 특히 단조 또는 압연과 같은 소성가공으로 미소 수축공은 안전하게 함께 접합될 수 있으나 완성된 주물에서 미소 수축공은 매우 위험한데, 여기서 이것은 모서리가 뾰족하게 내부에서 톱니처럼 작용하여 재료의 파괴를 일으킬 수 있다.

4.1.6
가스기공

액상금속은 많은 가스를 흡수한다. 예를 들면 1kg의 Fe는 1700℃에서(대기압) 약 340㎤의 H₂를, Ni은 1600℃에서 약 450㎤의 H₂를 각각 용해한다. 다른 용해된 가스는 산소와 질소 등이 있다. 이들 가스의 일부는 공기 중에서(O₂, N₂) 또는 일부는 연료의 연소가스(H₂, N₂)로부터 발생한다. 사정에 따라서는 액상

금속 내에서 예를 들면 강에서와 같이 (FeO + C → Fe + CO) 가스 생성 반응에 의한 생성물로 생긴다. 용해된 가스의 양은 압력과 온도에 의해 좌우 된다. 일정 온도에서는 불활성 가스에 대한 Sieverts 압력법칙이 적용되는데 금속에서 용해된 가스량은 고체 또는 액상금속에서 발생하는 가스의 부분압력의 제곱근에 비례한다.

$$C_{(금속내의 가스)} = 일정 \cdot \sqrt{P_{(금속에서 발생된 가스)}}$$
$$(4.11)$$

금속으로 부터의 이러한 가스는 분자형태가 아니라 원자형태로 용해되며, Fe, Ni, Al, Cu 등과 같은 금속에서는 가스의 용해가 온도와 함께 상승한다.

액상금속은 고체금속보다 가스를 더 많이 흡수하며 용융점에서 용해도가 급격히 증가 된다(그림 4.56). 금속에는 많은 변태가 일어나며 각 변태에서는 결정격자 구조에 따라서 특수한 용해력을 갖는다.

오랜 시간 액상으로 머무르는 용체금

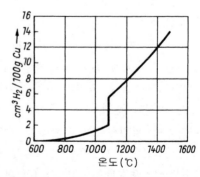

그림 4.56 Cu에서 H₂의 용해도(Carpenter 및 Robertson에 의함).

속은 부분압력에 상당하는 일정한 양의 각종 가스를 흡수한다. 응고에서 가스에 대한 금속의 용해력은 급속히 감소된다. 분리된 가스는 기공으로 합치고 그 일부가 액상금속으로 올라간다.

융체는 "비등하고", 불안정하게 응고된다. 강에서는 주괴편석으로 C뿐만 아니라 용해된 산화철이 중심에 많아지며 상호반응에 의하여 CO가 생성된다. 대부분의 경우에 모든 가스기공은 주괴표면까지 도달되는 것이 아니라 일부가 주상결정 또는 수지상 사이에 끼어 존재한다. 그림 4.57은 연한 Siemens-Martin강의 응고된 림드(rimmed) 주괴인데 응고된 주물에는 각종 크기의 가스기공이 존재한다.

가스기공은 H_2와 같은 환원성 가스를 함유함으로 계속되는 열간 변형에서 쉽게 접합되며 이때 변형온도와 변형압력이 충분하게 높아진다.

가스기공이 산화성 가스를 함유하면 기공 벽이 산화되어 완전한 접합이 불가능하다. 가스기공이 주물의 표면 직하에 존재하면 이러한 위험이 특히 크다.

이때에는 산화 또는 변형통로에 의하여 생성되어 가스기공이 외기와 접촉할 가능성이 있다. 기공 벽의 산화가 심하게 되면 접합이 더 이상 불가능해진다. 그림 4.58은 탈산된 탄소강 형재를 압연하였을 때 표면의 기공이 파열되고 산화된 것을 나타낸 것이다. 기공에 산소가 침입하여 생성된 균열 주위를 심하게 탈탄시켜 마치 질산으로 부식시켜 밝게 나타난 것과 같이 된다. 주조된 금속에는 기공이 둥근 형상으로부터 타원형으로 되어 있으므로 모난 경계를 이루고 있는 미소 수축공과 구별된다.

변형된 합금에서 기공의 가장자리 부근이 앞 그림에서 나타냈듯이 가끔 수축되어 과 압연, 과 단조 또는 응력균열 등과 구별된다.

미소 수축공과 유사하게 기공도 주물의 다공성을 부여하여 주괴 수축공을 작게 한다.

그림 4.57 Rimmed Steel 강괴에서 가스기공.

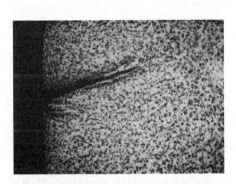

그림 4.58 탄소강에서 파열되고 산화된 가스기공의 가장자리 부근.

기공의 전 체적이 주괴 수축공의 체적을 초과하면 주물의 성장을 초래할 수가 있는데 이것을 주괴의 성장이라 한다.

기공의 수, 크기 및 분포는 주입온도, 융체의 조성, 응고조건과 노 분위기의 조성 등에 의하여 영향을 받는다.

주입온도가 높을수록 융체에 가스가 더 많이 용해되며 기포생성의 위험이 더 커진다. 융체의 조성은 점성에 의하여 결정되는데 융체가 묽을수록 기공은 쉽게 상승할 수가 있어 융체를 빠져나가게 된다. 순금속은 주방 상태에서 예를 들면 Fe, Cu, Ni 등과 같이 기공을 함유한다. 합금은 대부분 묽은 융체이므로 기공 없이 주조될 수 있으며, 노 분위기 조성은 용해된 가스의 양과 종류가 중요하다.

금형크기, 형상, 벽두께, 온도 등과 같은 응고조건이 영향을 미치며 빠른 냉각에서 기공은 주괴표면으로 상승할 수 있는 시간이 짧아 빠르게 응고되어 응고된 금속 내에 끼어 존재한다.

기공을 억제하는 기술적 방법에는 다음과 같은 것이 있다. : 진공 중에서 용해, 주입하고 낮은 주입온도로 서서히 응고시키며, 적합한 융체조성, 불활성가스로 융체를 교반하며 탈산제를 첨가하는 방법 등이 있다.

매우 효과적인 방법은 금속을 응고시킨 후 짧은 시간에 재용해하여 마지막으로 주입한다. 기술적인 면에서 이 방법은 제한된 범위에만 적용된다.

실제적으로 강에서 기공 생성은 특히 중요한데, 주조된 rimmed강에서는 3종류로 분명히 구별되는 기공함유 영역이 존재 한다. : 외부에 고리 모양으로 이어진 기공, 이것은 주괴 하부 1/3정도의 표면에 인접하여 배열되어 있으며, 기포로 되어 있고, 내부에 고리모양으로 이어진 기공은 주상결정 사이에 끼어 존재하고, 이것은 표면으로부터 상당히 떨어져 있으며 주상결정의 끝부분이 주괴 바닥부터 상부까지 미치므로 캡이 형성 되고, 마지막에는 기포가 주괴 내부에 무질서하게 분포된다.

주입온도가 높을수록 외부에 고리모양으로 이어진 기공은 주괴 표면으로 더 밀려난다.

주조된 rimmed강에서 기공생성은 주괴 편석으로 탄소뿐만 아니라 산화철도 주괴 중심에 많아진다.

융체에는 이미 존재하던 화학적 평형으로 인하여 방해를 받아 새로운 반응으로 CO가 생성된다.

강력한 산화물 생성 원소인 Mn, Si, Al 및 Ca 등을 첨가하면 강에 존재하는 산소는 FeO로서가 아니라 MnO, SiO_2, Al_2O_3 또는 CaO로서 결합된다.

이들 산화물은 이미 언급한 조건하에서 탄소가 환원되지 않으므로 탈산(killed)강에서는 CO가 생성되지 않는다.

이러한 탈산에서는 산소가 융체로부터 빠져나가는 것이 아니라 탈산 생성물이 덩어리로 융체에 떠있게 된다.

기공을 없앰으로서 탈산강에는 주괴 편석이 적거나 없다.

그러나 주괴 수축공은 존재하며, 표면 직하에는 완전히 정제되지 않았으므로 작은 가장자리 기공이 생성되어 주괴 표면이 깨끗하지 못하여 압연품에도 영향을 미친다.

Rimmed강은 기공과 주괴 편석이 그 반대로 나타난다. 수축공을 없애든가 또는 작게 하면 생산성을 높일 수가 있다. 그 밖에도 rimmed강의 표면은 killed강보다 양호하다.

요구조건에 따라 killed 또는 rimmed 강을 제조하는데 각각 장·단점이 있으며 고 품질 강은 항상 탈산한다.

4.1.7
개재물

용해와 주조과정에서 개재물이 액상금속에 들어와 응고될 때 다시 분리되지 않고 고체합금에 해로운 외부물질로 혼입 된다. 이들 개재물의 근원과 조성은 외부로부터 융체에 들어옴으로써 외부근원 혼입물이라 하고, 이에 반해 액상합금 내에서 야금학적 반응에 의해 생긴 것을 내부근원 혼입물이라 한다. 이것은 완전히 다른 용해 또는 주주방법에 의하여 생기는데 사용 중에 돌발적 현상의 원인이 될 수 있다. 합금의 조직을 판정하는데 이러한 외부근원 혼입물은 내부근원 혼입물에 비하여 많은 결함을 제공해주며, 또는 기지금속과 불완전하게 결합되어 있어 강도 및 변형성이 매우 다르므로 재료결함의 원인이 된다.

사형에 주조한 합금에서는 융체의 유동속도를 높일 수 있고 또는 그림 4.59

의 황동 bearing bush 주물에서와 같이 사형에 함유된 부유물과 같은 것이 부적절한 주형을 만들게 된다. 융체 처리와 주조에서 부주의하면 조대한 외부금속 개재물이 융체합금에 혼입 되는 경우가 있다. 그림 4.60은 Ck35강으로된 35톤 주괴로부터 단조한 배의 디젤모터에서 대형 crank shaft의 절단 측면을 나타낸 것인데 초음파 탐상시험에서 결함에 코(echo)가 나타난 예상 장소의 측면을 염화암모늄동으로 부식시킨 것이다.

결함에코는 주조에서 부유물로 인하여

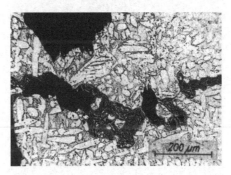

그림 4.59 황동 bearing bush 주물에서 사형 부유물.

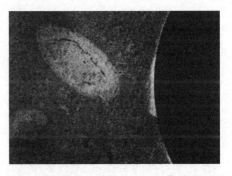

그림 4.60 대형 crank shaft의 측면에 존재하는 외부 금속 개재물(교반막대) ; 염화황산동으로 부식.

그림 4.61 X20Cr13강 turbine blade ; 왕수로 부식.

그림 4.63 크롬 합금된 강선에서 불용성 페로크롬 ; HNO₃로 부식.

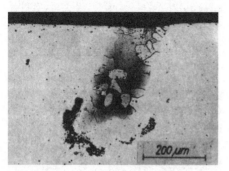

그림 4.62 그림 61과 같은 장소이나 연마하고 1%질산으로 부식. 순철의 개재물.

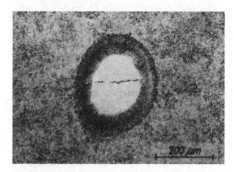

그림 4.64 크롬 합금강 봉에서 불용성 페로크롬 ; HNO₃로 부식.

강과 연강제 교반봉(개재물)의 접합이 잘 되지 않아 결함의 원인이 된 것을 나타낸 것이다. 이와 유사한 경우를 그림 4.61 및 4.62에 각각 나타낸다. X20Cr13강으로 된 turbine blade 표면을 자분탐상시험하면 현저한 와류가 형성된다.

터빈 블레이드 단면을 왕수로 부식하여 조직검사를 해보면 그림 61에서 와류를 나타내는 자리가 있는데 장방형 면은 부식되지 않는다.

다시 연마한 후 1% 희석 질산으로 부식하면 이전의 자리에 순수한 철 결정조직이 흰 점으로 나타난다(그림 4.62). 주조할 때 또는 주조 후에 융체에 쇠 조각이 떨어져서 완전히 용해되지 않아 후에 얇게 선상으로 압연되어 결함으로 생긴 것이다.

낮은 온도에서나 주조 직전에 큰 덩어리의 합금원소를 첨가하면 합금원소 또는 합금이 융체에 침적되어 완전히 용해되지 않기 때문에 후에 금속 개재 물로 조직에 나타날 위험이 존재하며 반제품을 계속 가공하기 어렵거나 완성품의 성질이 나빠진다. 그림 4.63은 100Cr6강으로된 강선의 길이 방향 시편으로 용해되지 않은 페로크롬이 남아 있으므로 인발에서 취성 균열을 나타낸 것이다.

그림 4.64는 100Cr6 강봉에 페로크롬

개재물이 남아 있는 것으로 기지금속과 잘 접합되어 있으나 압연에서 균열이 발생하여 **퀜칭균열**을 일으킨다.

4.2
금속의 소성변형과 재결정

4.2.1
냉간변형

건설과 기계에서 금속의 특수한 위치는 다음과 같은 전형적인 금속적 성질을 통하여 제공되는데 기계적 거동으로 요약하여 나타낸다.

탄성, 소성, 강화, 연화, 강도와 경도 등이며, 재료의 강도란 외력의 작용에 대한 저항력으로 이해된다.

재료의 가공에서는 가능하면 양호한 변형력이 필요한데 이것을 소성 또는 유연성으로 나타나며, 소성이 부족한 것을 취성이라 한다.

냉간변형의 개념은 변형온도가 영역(< $(0.4...0.5)T_s$ 내에 있는 것으로 표시한다 (절대 용융온도 절반 이하와 Tamann 법칙 식(3.28)과 비교).

4.2.1.1 응력-변형 곡선

재료의 탄성 및 소성 거동에 대한 많은 기술적 목적에 충분한 개괄을 그림 4.65에 연질 탄소강의 응력-변형곡선에서 얻을 수 있다. 이 응력-변형곡선은 인장시험에서 매끈한 봉상 시편에 의하여

제공되며, 인장 시험기에서 시편은 증가되는 하중에 의하여 각 하중에 대한 연신을 측정하여 그 값을 환산하며, 상호 연관된 값인 응력[1] $\sigma = F/Q_0$와 연신[2] $\varepsilon = \triangle l/l_0$를 수직좌표계상에 선을 그어 서로 연결한다. 오래된 인장 시험기는 하중-연신곡선을 나타내며, 최신 시험기에서는 컴퓨터를 활용하여 제어, 기록 및 평가 등이 실행된다.

탄성 또는 탄성 변형력 하에서는 성질을 이해하는데 비교적 낮은 하중의 영향에서도 변형 될 수 있으나 하중을 제거한 후에는 다시 원래 상태로 되돌아간다(가역변형).

인장응력에서 작용하는 응력 σ와 탄성변형 ε 사이에는 다음과 같은 **Hook의 법칙**이 적용된다.

$$\varepsilon = \frac{1}{E} \cdot \sigma \ \text{ 또는 } \ \sigma = E \cdot \varepsilon \qquad (4.12)$$

여기서 탄성계수 $E = \triangle \sigma / \triangle \varepsilon$는 응력 -변형곡선[3]의 초기영역에서 직선적인 증가를 나타낸 것이다.

임계하중 초과는 금속과 합금의 종류에 따라 다르며, 화학조성뿐만 아니라 합금의 계속되는 예비 처리에 따라 좌우되는데 탄성변형 외에도 하중을 제거한 후에도 다시 되돌아가지 않는 변형이 나

---

1) 응력 σ는 정격응력으로 주어지며 최초의 단면 Q_0상에 작용하는 힘 F로 나타낸다.
2) 변형 ε은 정격변형으로 주어지며 최초 길이 l_0에 대하여 길이변화 $\triangle l$로 계산한 것이다.
3) E module은 현저한 차이를 나타낼 수 있는데 예를 들면 초음파기법, X-선법으로 격자 연신 측정을 물리적 방법으로 규명한다.

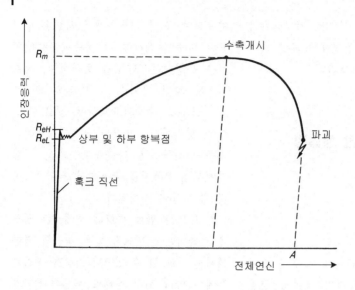

그림 4.65 연강 파단도.

타나는데 이것을 남아 있는(비가역) 또는 소성변형이라 한다. **임계응력**은 연신한계를 통하여 규명되며 기술적 **탄성한계**(하중 제거 후 예를 들면 0.01% $R_{p0.01}$) 또는 대체 **항복강도 및 항복점**(하중 제거 후 0.2% $R_{p0.2}$ 남아 있는 변형)으로 나타낸다. 금속의 성질은 큰 힘이 작용하게 되면 변형이 남게 되어 이것을 소성이라 한다. 금속은 항복점 이상으로 하중 F_1을 통하여 소성변형됨으로써 계속

적으로 소성변형을 강요하기 위해서는 더 큰 하중 $F_2 > F_1$이 필요하다. 이것을 금속의 전형적인 현상으로 경화라 한다. 경화로 계속적인 소성변형은 어려워진다. 두 번째 한계응력을 초과한 후를 인장강도 R_m이라 하며 계속되는 소성하중으로 금속의 파괴가 발생된다. : 시편의 한곳이 수축되어 균열이 발생한다. 처음길이를 l_0라 하면 전체 늘어난 길이 $\triangle l = l - l_0$는 파단연신(파단 후의 시편길이 1)

표 4.2 금속의 Slip계(1.2.3.3 절과 비교)

금속	격자 형	slip면	slip 방향	원자가 가장 조밀 하게 충전 된	
				격자 면	격자 방향
Al, Cu, Pb, Au, Ag, γ Fe	면심입방	{111}	$\langle 110 \rangle$	{111}	$\langle 110 \rangle$
α-Fe, Cr, W	체심입방	{110},{112},{123}	$\langle 111 \rangle$	{110}	$\langle 111 \rangle$
Mg, Zn, Cd	조밀육방 c/a> $\sqrt{3}$	(001)	$\langle 110 \rangle$	(001)	$\langle 110 \rangle$ 또는 $\langle 100 \rangle$
Be, Ti, ,Zr	c/a< $\sqrt{3}$	{100}	$\langle 110 \rangle$	{100}	$\langle 110 \rangle$ 또는 $\langle 100 \rangle$

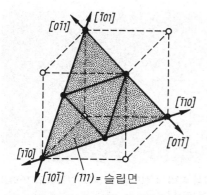

그림 4.66 면심입방 격자 : 〈110〉을 가진 (111).

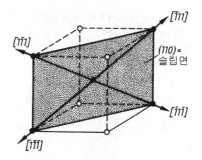

그림 4.67 체심입방 격자 : 〈111〉을 가진 (110).

을 백분율로 나타낸다. :

$$A = \frac{1 - l_0}{l_0} \cdot 100\%,$$ 백분율은 처음단면

Q_0와 관련된 수축된 곳에서 단면감소는 $\triangle Q = Q_0 - Q$이며 수축은(Q는 파단 후의 최소 단면) :

$$Z = \frac{Q_0 - Q}{Q_0} \cdot 100\%.$$

합금의 탄성 변형은 조직에는 영향을 미치지 않고, 결정격자는 하중하에 치수와 형상 변화는 매우 적다.

합금에서 소성변형은 일정한 규칙성으로 진행되며 이것은 금속결정의 원자구조가 규칙적으로 변하는 과정이다. 하중조건(온도, 응력, 변형속도 등)에 따라서 변형이 남아 있을 수도 있으며 쌍정생성과 상 변태를 통하여 slip이 일어남으로써 조직생성에 작용하게 된다.

4.2.1.2 Slip 변형

Slip변형에서는 결정이 카드놀이에서

카드와 유사하게 서로 상대적으로 밀려서 특정한 결정면과 방향에서만 대개 최조밀 원자충전이 생긴다. 표 4.2에는 중요한 금속격자에 대한 slip계를 나타낸 것이다. 면심입방격자는 그림 4.66에 slip방향에 놓여있는 slip면(111)의 예를, 그림 4.67은 체심입방격자에 가능한 slip방향을 갖는 slip면(110), 그림 4.68은 조밀육방격자로 slip면으로서 **축비**(axial ratio) c/a의 크기에 따라 저면 (001)과 프리즘 면 1에 각각 나타낸다.

동일한 slip방향〈110〉을 가진 (100) 종류가 있으며 그 밖에 가능한 공간위치가 결정학적 등가 **slip면**과 **slip방향**의 여러 가지 결합 가능성을 고려하게 되며, 면심입방 구조는 12개 정8면체 slip계를 이룬다.

Slip가능성의 이러한 많은 경우에 양호한 성형성을 가진 금속으로는 Al, Cu, Au 또는 Pb 등으로 설명된다.

체심입방 결정에는 해당되는 48개 slip계가 있으나 조밀하게 충전된 격자가 아니므로 slip상태를 실제로 활성화 시키는데 관련이 있는지는 분명하지 않고 여러

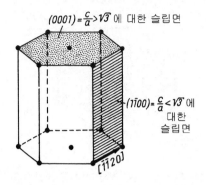

그림 4.68 육방격자 : c/a $\sqrt{3}$: 〈110〉을 가진 (001), c/a $\sqrt{3}$: 〈110〉을 가진 {100}.

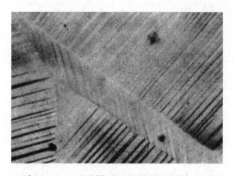

그림 4.70 소성변형된 경질 망간강의 연마표면상에 나타난 slip계단.

개의 가능한 slip면은 변형되는 동안 교대로 나타날 수 있으며 불규칙하게 기복이 있는 **slip띠**(band)가 선명하게 나타난다. 조밀하게 충전된 육방 결정은 기본적으로 3개의 기본 slip계만 존재하며 변형에서 우선 축비에 좌우됨을 의미한다.

금속에서 소성의 평가는 slip계의 선택과 활동뿐만 아니라 또한 예를 들면 전위의 분할과 같이 계속된 인자로 작용하지만 slip계의 가능한 최대수가 첫 번째 근거로 나타낼 수 있다. 그림 4.69에는 결정이 slip면에서 미끄러짐을 도식적으로 나타낸 것이다. 이러한 기구를 통

하여 결정표면에 계단이 생성되며 특히 경사된 조명에서 현미경으로 관찰될 수 있다(그림 4.70). 그림 4.69에서와 같이 결정격자가 미끄러진 후 다시 규칙적으로 배열되므로 연마한 후에는 이러한 **slip계단**은 더 이상 볼 수 없다.

Slip에 의한 소성변형이 일어나는데 결정적인 것은 전단응력이며 이것은 외부응력에 의하여 그때마다 slip계를 일으키게 된다. 일반적으로 인장시험을 통하여 결정의 축은 외력의 방향에 따라 slip방향 각 λ_0와 slip면은 x_0를 포함한다(그림 4.71).

Slip계에서 인장응력 σ와 합성된 전단

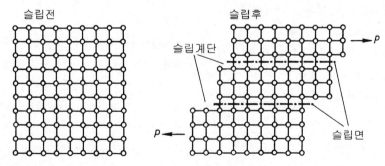

그림 4.69 Slip면상에서 결정의 미끄러짐과 slip계단의 생성.

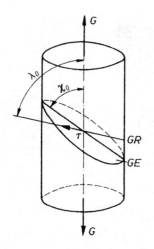

그림 4.71 Slip계에서 전단응력의 계산 ; GE slip면, GR slip방향.

응력 τ는 그림 4.71로부터 관계를 통하여 유도한다.

$$\tau = \sigma \cdot \cos\lambda_0 \cdot \sin\chi_0 = \sigma/m \qquad (4.13)$$

Schmid 전단응력법칙을 적용하면, 인자

$$m = (\cos\lambda_0 \cdot \sin\chi_0)^{-1}$$

은 방향인자로 나타낸다. σ와 τ의 관계는 인장응력에 평행($\chi_0 = 0$) 또는 slip면에 수직($\chi_0 = \lambda_0 = 90°$)이며, 전단응력은 0이다.

결정 또는 결정립(crystallite)에서 이러한 두 종류의 방향 경계로 인하여 소성변형은 slip을 통하여 일어나지 못한다. 방향이 $\chi_0 = \lambda_0 = 45°$에서 최대 전단응력이 작용한다. : $\tau_{max} = 0.5 \cdot \sigma$

체심입방과 면심입방결정에서 방향인자 m은 2와 3이다. 재료의 slip계에서

전단응력이 작용하고 slip계 특성 임계값 τ_{kr}을 초과하면 slip이 시작된다. 최초 slip계 작용은 최대 방향인자를 갖게 되는데 이것을 주 slip계라하고 다른 slip계를 부 slip계 또는 잠재 slip계라 한다.

이론적인 응력을 고려하면 변형하기 위해서는 그림 4.69에 나타낸 형태(즉, slip면상에서 결정 덩어리가 일정하게 밀림)가 필요함으로 실제 적용된 응력에 대하여 상당한 저항이 작용하게 된다. 이론적인 격자의 이론적 전단강도는

$$\tau_{이론} = \frac{G}{2\pi} \quad 또는 \quad \tau_{이론} = \frac{G}{10} \qquad (4.14)$$

G : 전단계수

예를 들어 철 결정에서 이론적 전단강도와 실제 측정값을 비교하면 다음과 같다.

$$\tau_{이론} = \frac{82\,200}{2\pi} = 13080\text{MPa}$$

$$\tau_{실측} = 20\text{MPa}$$

이러한 약 300배의 차이는 평가 근거에 잘못이 있는 것이 아니라 모든 원자가 slip면에서 동시에 slip이 일어난다는 것을 적용하였기 때문에 잘못이 있다. 또한 면의 평형영역에서 상호 연속하여 slip이 일어난 후에 모형의 비율이 올바르게 기술될 수 있는지도 고려해야 하며 이 영역의 경계에서 격자상태의 왜곡이 지배적 이어야 한다. 이러한 장해를 전위라 하고 경계선은 전위선이 되며 소성변형은 전위의 이동을 의미한다.

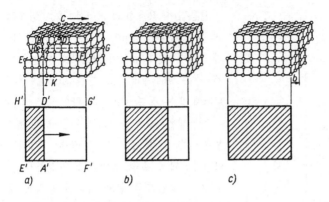

그림 4.72 계단(칼날)전위 (step or edge dislocation) A-B-C-D 밀린 절반면, E-F-G-H 슬립면, A-D 전위선, I-K 버거스 백터 b.

1.2.3.3절에서 소개한 바와 같이 전위는 1차원 또는 선모양의 결함으로 두 종류의 중요한 내부 구조로 구별되는데 계단(칼날)전위와 나선전위가 가능하다. 전위를 도식적으로 일목요연하게 나타내기 위해서는 자연에서는 나타나지 않지만 원자의 기본 종류로부터 단순입방격자로 제한하게 된다. 그림 4.72a 및 4.72b에서 계단전위는 결정 내에서 격자 면이 밀리거나 또는 끌려나온 모서리로 나타낼 수 있으며, 전위선은 관찰된 결정의 변형되지 않은 부분으로부터 변형된(헷칭 된)것에 해당되고 그 주위는 격자가 왜곡된다. 이러한 전위의 방향과 크기는 **Burgers Vector b**로 나타낸다.

버거스 백터 b는 슬립방향에서 원자의 슬립 또는 밀림량으로 나타낸다.

칼날전위는 버거스 백터가 전위선에 수직으로 존재하는 특성이며, **나선전위**(그림 4.73a 및 b)는 결정의 슬립 평면을 길이로 전위선까지 절단하고 양면이 전위선의 방향으로 버거스 백터 b만큼 서로 밀려나며 이렇게 하여 격자면이 잇닿아 나선 계단과 같이 전위선이 나선으로

올라간다.

따라서 나선전위의 버거스 백터는 전위선에 평행이다.

혼합전위(α 전위라고도 함)는 전위선에 임의 각 α로 버거스 백터가 놓여 있고 한 계단부분과 하나의 나선부분으로 분해될 수 있으며 이 비가 전위의 특성을 규정하게 된다. 그림 4.72와 4.73에는 전위선 부분을 직선으로 나타낸 것이다. 실제 결정에서는 전위선을 대개 에너지 차원으로 다루는데 즉, 그 특성은 전위선을 따라 일정하게 변한다. 그림 2.124는 전자현미경 사진을 나타낸 것이다. 충분히 높은 전단응력을 작용하면 하나의 전위선을 움직일 수 있으며 이 움직임이 하나의 일정한 면(슬립면)상에서 완성되면 이것을 하나의 슬립이라 한다. 이 슬립과정이 3단계씩 계단전위 또는 나선전위의 움직임을 통하여 실현된 것을 그림 4.72와 4.73에 나타낸다. 아직 슬립되지 않은 영역보다 이미 슬립된 영역(그림의 아래 연속된 헷칭된 면)의 원자가 규칙적 배열을 갖는다. 두 영역의 경계는 전위선이다.

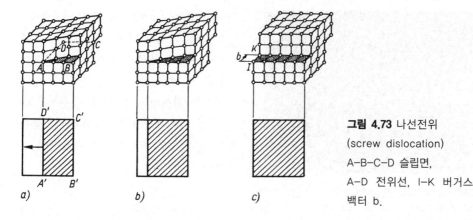

그림 4.73 나선전위
(screw dislocation)
A-B-C-D 슬립면,
A-D 전위선, I-K 버거스
백터 b.

하나씩 격자위치가 계속하여 밀릴 때마다 하부 격자 블록에 대하여 상부가 계단과 같이 버거스 백터 만큼 이동되므로 전위 슬립은 재료의 이동 없이 하나의 격자상수보다 더 떨어진 원자 배열이 이루어짐을 의미한다. 가시적인 이와 같은 거동은 이미 그림 1.24에서 양탄자가 밀리는 것을 비교하였는데 먼저 하나의 주름이 생기고 양탄자 끝으로부터 반대편으로 파도처럼 통과한다. 전위의 슬립은 평면에서만 진행되며 여기에는 버거스 백터가 존재하고 이평면은 표 4.2에 중요 금속의 슬립면을 나타냈으며 버거스 백터 방향은 여기에 나타낸 슬립방향이다. 이렇게 하여 모든 전위는 전위선과 버거스 백터 사이의 각도가 0으로부터 변하며 그 움직임이 일정한 슬립면에 연결되며, 순수한 나선전위는 전위선과 더불어 버거스 백터를 포함하고 있는 모든 가능한 슬립면에서 슬립될 수가 있다.

그 결과, 나선전위도 또한 슬립과정 동안 슬립면이 바뀔 수가 있다. 이 과정을 **횡단슬립**(cross slip)이라 한다.

어닐링 한 금속에서 전위선의 전체 길이는 약 10^6cm cm^{-3}(전위밀도 $\rho v = 10^6$ cm^{-2})로 매우 크다.

냉간변형을 통하여 전위밀도는 현저하게 증가한다($\approx 10^{12}$cm^{-2}까지). 일반적으로 전위는 연신이 매우 낮으므로 전자현미경에서만 확인 할 수 있다(2.7절). 적절한 상태 하에서 전위선의 출현위치를 부식법으로 알아볼 수 있게 된다. 그림 4.74는 그 예로써 10% 냉간타발 된 α 황동에 쌓인 전위 군으로 기본격자가 2개로 절단 된 8면체면 상에 존재한다. 슬립 계에서 작용하는 전단응력 τ는 전위상에 **Peach-Koehler힘** F에 영향을 미친다.

$$F = b \cdot \tau \tag{4.15}$$

b : 버거스 백터

이 힘의 영향으로 결정 내에 전위를 움직일 수 있게 한다. 여기서 전위는 일정한 속도 v를 통하여 움직이는데, 인접

그림 4.74 타발된(성형도=10%) α 황동에서 두 개로 절단된 8면체 상에 쌓인 전위 ; 염화암모늄동으로 부식.

한 전단응력에 따라 $10^{-9} \sim 10^{-3}$m s^{-1} 영역으로 크게 변화 된다. 매우 높은 응력에서 음향속도에 도달하게 되면 전위속도의 상부한계가 나타난다.

전위속도는 결정 종류 외에도 온도, 불순물 함량, 열적·기계적 처리, 중성자 조사 및 실제 조직생성 등에 의하여 좌우된다. 각각의 전위형태는 매우 다르게 나타나는데 칼날전위가 나선전위보다 50 배나 빠르게 움직인다.

전위속도의 응력 의존성을 기술함에 있어 두 영역으로 구별해야 한다. : 낮은 전위속도에서는 전위의 속도를 결정하는 기구를 통하여 국부적인 장해를 열적 활성화로 극복하나, 높은 전위속도에서는 이러한 과정이 역할을 하지 못하고 제동계수를 가진 점도 매질을 통하여 물체의 움직임 거동과 일치한다.

여기서 역학적인 손실은 격자진동의 활성화를 위한 전위 에너지가 상실된 상태로부터 주로 생기며, 각 전위에는 내부응력 τ_i가 생기며 거리 r와 함께 떨어진다($\tau_i \sim 1/r$). 이것은 식 (4.15)을 따르며 전위의 상호 힘이 작용하여 전위가 외부 응력을 통하여 움직여야 한다면 극복되어야함을 의미한다.

변형을 위해 필요한 응력 τ_F(유동응력)는 전위간의 거리가 작을수록 또한 **전위밀도** ρ_v가 높을수록 커지며 다음식이 유효하다.

$$\tau_F = \tau_0 + \alpha \cdot G \cdot b \cdot \sqrt{\rho_v} \qquad (4.16)$$

τ_0 : 하나의 전위를 움직이는데 방해가 되지 않는 최소응력

α : 상수$(0.2\dots0.4)$

G : 전단계수

b : 버거스 백터

전위 운동의 기본식인 Orowan 식에서 거시적 **형상변화속도** $\dot{\varepsilon}$를 미시적 크기로 나타낸다. :

$$\dot{\varepsilon} = \frac{\rho \cdot b \cdot v}{M} \qquad (4.17)$$

$\dot{\varepsilon}$: 거시적 형상변화속도 $d\varepsilon/dt$

ρ : 전위밀도

b : 버거스 백터

v : 평균 전위속도

M : 다결정의 평균 방향인자 ; 각 미소결정에 대한 m값의 방향매질로서 주어짐.

소성변형의 진행에서 전위는 그 움직

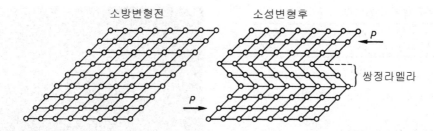

그림 4.75 결정의 소성변형을 통한 쌍정생성.

임에 반대 방향으로 방해하며, 심지어, 부분적으로는 움직이지 않는다. 변형이 계속되기 위해서는 전단응력 τ 또는 외부응력 σ가 지속적으로 커져야만 하고 여기서 전위 밀도가 점점 증가 된다. 이러한 변형이 증가되기 위해서는 응력 τ 또는 연신 ε을 갖는 σ가 필요한데 이것을 **경화**(hardening)라고 하며 금속재료의 전형적인 특성이다.

지금까지 소개한 것은 개별 결정으로 슬립면 각도가 X_0 및 슬립 방향각 λ_0에 외부하중이 포함된 것이었다(그림 4.71 참조). 대부분의 재료는 다결정으로 이루어져 있는데 즉, 각기 다른 X_{0i}와 λ_{0i}를 가진 각각의 결정 i가 대부분으로 되어 있다. 모든 가능한 방향인자 $m_i = (\cos \lambda_{0i} \sin X_{0i})^{-1}$이 전달하는 것으로 전체 거동을 근사적으로 나타낼 수 있으며(식 (4.13)참조), 이러한 평균값을 Taylor 인자 M으로 나타낸다. 이것과 함께 다결정에서 평균 전단응력 τ내의 외부응력 σ는 $\sigma = M \cdot \tau$로 환산된다. 다결정은 계속된 소성거동을 나타내기 때문에 이러한 환산이 응용된다. 입방금속에서 **Taylor인자** M은 약 3이다.

4.2.1.3 쌍정생성에 의한 변형

Sn, Zn, Mg, Bi 및 Sb 등과 같은 비입방금속과 또한 황동, 청동 및 오스테나이트 강 등의 몇 가지 입방합금은 슬립에 의한 것 외에도 **쌍정생성**에 의하여 변형 된다.

기계적 쌍정을 위해서는 임계 전단응력 τ_z가 필요하며 이것은 기본적으로 쌍정경계 에너지 γ_z 또한 **적층결함(stacking fault) 에너지** γ_{SF}에 의하여 좌우된다.[1)

전단응력 τ가 임계 전단응력 τ_z보다 크면 기계적 쌍정이 시작되며 이것은 높은 방향인자가 존재하는 슬립계가 없다면 변형속도 $\dot{\varepsilon}$이 현저하게 높고, 높은 유동응력(경화)이 나타나며 적층결함에너지 γ_{SF}가 낮아 횡단슬립이 어려워지고 온도가 너무 낮아 열적으로 활성화 된 횡단슬립이 진행 될 수 없는 등의 경우가 된다. 이러한 변형기구에서는 전단응력의 작용으로 하나의 결정부분이 쌍정면을 따라 나머지 결정에 대하여 거울대칭이 되는데 대칭이 된 결정부분을 쌍정 또는 **쌍정층(lamellar)**이라고 한다. 쌍정생성에서는 우선 이웃과 결정구조가 유지됨으

---

1) 근사적으로 $\gamma_{SF} \approx 2\gamma_z$

표 4.3 금속의 쌍정계

금속	격자형	쌍정면	쌍정방향
Cu	fcc	{111}	⟨112⟩
α-Fe, Cr, Na	bcc	{112}	⟨111⟩
Mg, Zn, Cd	hcp	{102}* {11n}**	⟨101⟩

* 피라미드 면 1. 종류 및 2. 배열(정상적인 쌍정생성)
** 피라미드 면 2. 종류 및 n. 배열(비 정상적인 쌍정생성).

그림 4.76 순수 Zn의 쌍정층에서 결정방향의 변화 ; 심한 부식.

로 이 과정을 불변격자 또는 전단이라고도 한다. 그림 4.75에서 도식적으로 나타낸 것과 같이 주어진 결정영역의 망상 면이 변형된 격자와 변형되지 않은 격자 사이 분리선(쌍정면의 시작)의 거리까지 비례하여 쌍정방향으로 밀리게 된다.

표 4.3에는 몇 가지 중요한 금속의 쌍정면과 쌍정방향을 나타낸 것이다. 쌍정생성을 통하여 도달할 수 있는 변형 양은 쌍정으로 된 체적부분에 비례하며 기본적으로 슬립 변형보다 적다.

이러한 기구는 슬립 가능성이 적은 경우(육방격자) 또는 낮은 성형온도 또는 높은 성형속도(고속성형)등과 같은 적당하지 않은 하중거동으로 생긴 슬립변형이 존재할 경우에 우선 의미를 부여하며, 쌍정생성의 의미는 몇 가지 육방금속에서 슬립이 쉬운 새로운 방향을 통하여 두 가지의 변형기구에서는 이러한 조건에서 상호작용이 가능함으로써 전체적으로는 비교적 큰 변형도가 기능하며 또한 쌍정생성의 영향으로는 재료 내에서 국부적인 응력집중이 일어난다. 쌍정

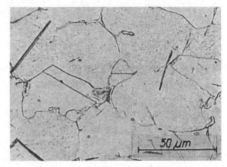

그림 4.77 낮은 온도에서 변형된 α 철의 충격에 의한 Neumann band.

생성에서는 응력의 급격한 강하가 생기는데 여기서 아주 특이한 "바스락"소리를 들을 수 있으며 이것을 "**쌍정외침**"이라고 한다.

쌍정은 결정방향이 다르므로 각기 다른 부식성을 나타낸다. 그림 4.76은 쌍정층에서 각기 다른 결정방향이 심한 부식으로 소성변형된 Zn을 식별할 수 있다. 쌍정생성은 성형에서만 나타나지 않고 어닐링에서 특히, 오스테나이트, Cu, α 황동, α 청동, Ni, Cu-Ni합금, Ag, Au, Pb 등의 적층결함에너지가 낮은 면심입방금속(Al은 제외)에서도 나타난다.

이러한 어닐링쌍정은 쌍정화 결정핵 성장을 통하여 생성 된다고 추측된다. 서서히 변형된 α 철에는 슬립선 만 존재하고 쌍정층은 없는데 철을 낮은 온도에서 급격히 변형시키면 예를 들면 충격시험에서 처럼, α 철에도 **노이만 띠(Neumann band)** 라고 하는 쌍정 층이 나타나는데(그림 4.77), 여기에 나타난 선은 충격 또는 급격한 하중을 철에 가했을 때의 실제 현상이다.

4.2.1.4 경화기구

소성변형은 전위에 의하여 수반됨으로 강도 상승을 목적으로 고려해야 할 사항은 전위를 "배제"하여 전위가 전혀 발생하지 않게 하거나 존재하는 전위의 움직임을 방해하는 것이다. 강도 상승을 위한 전위의 제거 예는 **위스커(whisker**, 머리카락 결정)가 있는데 슬립 가능 전위를 포함하고 있지 않기 때문에 강도가 높지만 실제 소성이 나타나지 않는다. 기술적인 큰 의미는 전위 움직임을 어렵게 만드는 공정을 포함하며, 이것은 전위자체 또는 다른 종류의 격자결함의 상호작용을 통하여 달성된다. 전위밀도 $\triangle \rho v \approx \rho v$의 상승은 냉간 경화 후에 존재하는 것과 같이 $\triangle \sigma_v$로부터 유동응력 σ가 상승작용을 한다.

$$\triangle \sigma_V = \alpha \cdot M \cdot G \cdot b \cdot \sqrt{\rho_V} \qquad (4.18)$$

(식 4.16과 비교)

냉간 경화를 통하여 생성된 전위밀도

상승으로 응력집중이 이루어져 파괴가 일어나기에 적당하게 됨으로써 이 방법은 강도 상승에는 제한된다. 최대 도달 가능한 효과는 G/100이다. 마찬가지로 모든 종류의 경계면적은 전위운동에 장해물이 된다. **Hall-Petch**에 따르면 유동응력 상승 $\triangle \sigma_{KG}$는 입자크기에 의하여 좌우된다.

$$\triangle \sigma_{KG} \approx k \cdot d_{KG}^{-1/2} \approx k' \cdot s_V^{1/2} \qquad (4.19)$$

k/k' : Hall-Petch 계수(재료특성)
d_{KG} : 선상 입자크기
S_V : 입자경계면적(2.4.2절 참조)

고용체에서 고용된 합금원소는 소위 **고용체경화**를 일으킨다. 고용체경화 $\triangle \sigma_{MK}$를 통한 유동응력의 상승은 격자원자/외부원자의 원자 크기차이, 강성률의 차이 및 외부원자 농도 C에 의하여 좌우된다. 매우 얇은 고용체에서는 다음 식이 유효하다.

$$\triangle \sigma_{MK} \sim c^{1/2} \qquad (4.20)$$

높은 농도에서는 거의 직선적으로 의존하며 또한 기지재료에 미세하게 분산된 입자는 전위의 운동을 방해하게 되고(분산경화) 뿐만 아니라 소성변형에서 이 분산 입자들이 전위생성을 강화시킴으로써 간접적인 강화를 일으킨다. 스립전위와 미세립자 사이의 상호작용은 2가지 기구를 따른다. : 전위는 전단되든가 또는 미세립자를 돌아서 가며 미세립자가 작고 응집성이라면 절단기구가 나타난다. 유동응력의 상승은 미세립자 주위의 응집응력 영역, 미세립자내의 원자배열, 기지와 미세립자내의 각기 다른 적층결함에너지 등의 작용을 통하여 이루어진다. 미세립자를 관통하여 진행하는 전위선이 미세립자를 자르게 되고 여기서 미세립자 표면적이 확대된다. 반경 r인 미세립자의 체적율 f는 유동응력 상승 $\Delta\sigma$st에 달한다.

$$\Delta\sigma_{St} \approx 1.7 \frac{\sqrt{f} \cdot \sqrt{r} \cdot \gamma^{3/2}}{\sqrt{G \cdot b}} \qquad (4.21)$$

γ : 유효 입계면적에너지

우회기구(Orowan mechanism)는 보다 큰 미세립자 또는 비 응집성 미세립자가 작용하는데 전위에 의하여 미세립자가 절단되지 않고 우회하여 입자사이에 전위선이 압박하여 입자주위에 집중된 전위선이 남게 됨으로써 유동응력이 상승하고 전위는 미세립자 사이의 선상응력에 대하여 휘어져야하며

$$\Delta\sigma_{Or} \approx \frac{3 \cdot G \cdot b \cdot \sqrt{f}}{r} \qquad (4.22)$$

이 된다.

4.2.1.5 단결정과 다결정간의 소성 비교

단결정은 기술적으로는 특별한 경우에만 예를 들면, 반도체, 터빈 블레이드 및 위스커(whisker)로써 복합재료 등에 사용된다. 기본적으로 실용적 의미는 강한 하중을 받는 구조물은 다결정이다. 균질성 단결정 재료는 이상적인 경우에 매우 많고 무질서한 방향을 갖는 작은 결정(입자)으로 이루어져 있으며 이것은 많게 또는 적게 영역을 심하게 방해하여 입계가 서로 분리된다. 다음에 나타내겠지만 단결정의 거동이 미소결정에 전파하여 결정 퇴적물로 증가되는 것이 간단하지 않고, 각 입자가 이웃과 함께 더 많이 작용하여 기본적인 다결정의 기계적 성질을 규정하게 된다. 기계적 하중하에서 다결정 성질을 평가하기 위해서는 "자유로운"것과 "결합된" 상태의 미소결정의 거동에서 아래와 같은 차이를 고려하게 된다. :

1. 주어진 외부 응력하에 단결정의 주 슬립계에서 전단응력 양은 **Schmid전단응력법칙**(식 (4.13)참조)을 근거로 일정하며, 다결정의 각 입자는 방향인자의 크기가 다르므로 주 슬립계에서 전단응력은 입자마다 변하고 이에 상응하는 부 슬립계에도 또한 유효하다.

2. 단결정에서는 변형슬립의 시작을 거시적 크기로 측정할 수 있으며, 다결정에서는 입계에 의하여 상대적인 슬립이 방해를 받게 된다.

3. 소성변형이 유지되는 동안 입계에서 재료 결합과 함께 일정한 지속적 장해가 응력과 연신으로 달성되어야 한다. 입계면적의 이러한 종류의 수축

은 단결정 변형에서는 지배를 받지 않는다.

4. 단결정에서는 전위생성과 망상전위가 스스로 생성되는 전위원천이 몇 배 더 많이 발생하며, 다결정에서는 추가적으로 입내의 전위밀도 상승을 위하여 전위의 방사(emitter)로써 입계가 기여한다.

5. 일반적으로 단결정에서는 표면적 관찰 결과로부터 결정 내부에서도 이 과정이 가능하며 결정 퇴적물의 변형에서 미소결정의 표면적은 이웃 원자와 모든 면으로 접촉하지 못하는 특수한자리를 갖게된다.

6. 높은 변형 온도에서는 전체 변형에 추가적으로 기여하는 입계유동이 제공된다.

4.2.1.6 입자신장과 집합조직(Texture)

슬립선과 쌍정층생성 외에도 소성 변형도에서 각각 조직성분의 신장이 일어난다. 미소결정 각각의 형상변화는 성형공정(process) 또는 재료의 형상변화 후에 조절된다. 압연에서는 인발, 타발, 연신 등에서 보다 미소결정이 힘의 변화를 받고 있고, 소성변형성 및 인성이 있는 결정은 붙잡는 힘이 수반되며, 반면에 취성이 있는 조직성분은 파손되고 이 파손된 부분은 재료유동을 초래한다. 그림 4.78~83은 0.1%C를 함유한 연강을 냉간 인발했을 때의 조직변화를 나타낸 것인데 인발도에 따른 단면감소율을 알아볼 수 있다.

$$\frac{Q_0 - Q}{Q_0} \cdot 100\%$$

Q_0 : 최초단면, Q : 선의 최종단면

어닐링 한 강선의 조직(그림 4.78)은 밝게 나타나 있고, 인성이 있는 페라이트 결정에 취성의 펄라이트 섬(island)으로 석출되어 있다. 페라이트 결정의 직경은 모든 방향으로 크기가 같으며, 인발도 10%에서 이미 선축 방향으로 입자연신을 알아 볼 수 있다(그림 4.79).

인발도가 증가됨에 따라 입자연신이 현저하며(그림 4.80~82), 80%정도의 인발도 후에는 각각의 미소결정은 더 이상 분명하게 상호 경계를 이룰 수가 없고(그림 4.83) 조직은 뚜렷한 섬유상 조직을 갖는다.

같은 부식에서는 입계의 선명도가 변형도 증가와 더불어 감소되는데 이것은 인발조직 생성이 직접적인 결과이다.

미소결정은 선축에서 일정한 결정방향(철에서는 [110]방향)을 갖는 인발에서 회전함으로써 상대적인 방향차이에 따라 부식도가 감소된다.

일반적으로 소성변형을 통하여 나타난 변형조직은 각 입자의 결정학적인 선택방위를 나타내고 변형공정에 따라 인발조직, 압연조직 등으로 구별한다(2.5.4.5절 참조). 표 4.4에는 금속의 변형조직을 나타낸 것이다.

인성이 있는 페라이트 결정의 신장에 평행하게 펄라이트의 취성 시멘타이트 층의 파손이 일어나며 아울러 강에는 취

그림 4.78 0.1%C강 ; 노멀라이징(길이방향 시편).

그림 4.81 0.1%C강 50%인발(길이방향 시편).

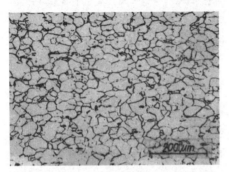

그림 4.79 0.1%C강 ; 10%인발(길이방향 시편).

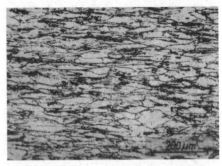

그림 4.82 0.1%C강 65%인발(길이방향 시편).

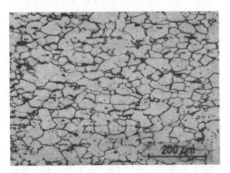

그림 4.80 0.1%C강 20%인발(길이방향 시편).

그림 4.83 0.1%C강 80%인발(길이방향 시편).

성 산화물과 규화물 등의 슬래그 동반물이 함유되어 있다.

수많은 작은 시멘타이트 입자와 슬래그 입자들은 연신된 페라이트 결정에 선상으로 배열되는데 이것은 이전에 조대한 결정이 파손된 것이다.

인성 결정의 소성변형에서 형상만 변하나 체적은 변하지 않는데 격자결함이 증가함에 따라 가장 적은 체적증가를 수반한다는 것을 알 수 있다. 그러므로 어떤 냉간 성형공정의 진행에서 입자형상 변화를 근사적으로 계산하고 역으로 변

표 4.4 변형조직(선별된 이상적 위치)

금속	격자형	인발조직	압연조직	
		인발방향에 평행한 결정학적 방향	압연평면에 평행한 결정학적인 평면	압연방향에 평행한 결정학적인 방향
Al, Cu ,Ni, Pb, Ag, Au, Pt, γ-Fe	fcc	[111]+[100] (2중 섬유조직)	(011) (112)	[$21\bar{1}$] [$11\bar{1}$]
a-Fe ,W, Mo Nb, Ta, V, Cr	bcc	[110]	(011) (001)	[110] [$\bar{1}10$]
Ti, Zr, Hf($c/a < \sqrt{3}$)	hcp	[100]	(001)	[100]
Zn, Cd, Mg($c/a > \sqrt{3}$)		환형 섬유조직	(001)	[110]

형된 결정의 형상으로부터 소성변형의 종류와 강도를 알아볼 수 있다.

구부린 판에는, 예를 들면 인장영역에서 연신된 결정이 압축영역에서 압착된 결정으로 나타난다. 냉간 압연한 방향의 판에는 압연 방향으로는 연신되고, 판 수직방향으로는 압착되며 단면 방향은 적게 넓혀진다. 인발된 선에서는 선축방향 길이로 연신된 결정이, 수직으로는 압착된 결정이 각각 나타난다.

4.2.1.7 냉간변형을 통한 성질변화

변형은 **격자결함**(전위, 공공 등)을 생성하며 이것과 시편 사진에서 가시적인 조직의 변화가 실무적 응용에 매우 중요한 의미를 갖는 화학적, 물리적 및 기술적 성질 등의 실제적 변화를 일으킨다. 그림 4.84에는 0.1%C강을 냉간 인발했을 때 강도 성질변화를 나타낸 것이다. 인장강도, 탄성한계 및 경도 등은 성형도의 증가와 더불어 증가되며, 파단연신과 파단수축은 감소된다. 연성 재료는 잘 어닐링

된 재료에서, 반 경질재료는 냉간변형 했을 때 ≈1.2배, 경질재료는 ≈1.5배, 스프링 같은 경질재료는 ≈1.8배 정도의 연질 상태의 인장강도에 해당된다.

변형도의 증가와 더불어 **충격인성**은 계속하여 감소되고, 항복점, 전기저항, 강자성 합금에서 **보자력**과 **자기이력 손실**은 증가된다.

결정의 내부 에너지는 소성변형을 통하여 상승됨으로 변형된 결정이 변형되지 않은 결정보다 빠르게 부식되며 또한 화학적으로 비(卑)하다. 소성변형이 계속되면 공공(vacancy)밀도가 증가됨으로써 확산이 쉬워져 변형된 결정 내부에 석출물 생성이 현저해 진다.

언급한 모든 현상들은 변형할 때 온도가 <0.5T_s(T_s는 용융온도)일 때만 일어난다. 이 경우를 냉간변형, 이보다 높은 온도의 경우는 열간변형이라 한다. 냉간 성형한 재료는 양호한 표면 상태와 치수공차 및 규칙적인 조직 등이 매우 우수하다. 여기서는 또한 열간변형 후에도

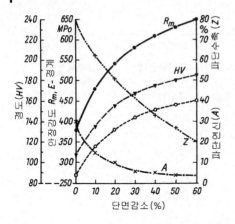

그림 4.84 강의 성형도에 따른 강도성질의 변화.

가능한 **집합조직(texture)**에 대해서도 고려해야 한다.

집합조직 생성으로 성질의 분명한 이방성이 나타남으로 일반적으로 집합조직은 원하지 않게 되는데 심가공(deep drawing)에서 귀(ear)생성을 예로 들 수 있다. 재료에서 어느 방향으로 특정한 성질을 강조하기 위해서는 예를 들면 변압기용 판재와 스프링에서 처럼 집합조직 생성을 응용하게 된다.

4.2.2
연화과정

냉간 변형한 금속에는 비 평형 상태가 나타나는데 연신, 수축 및 충격인성 등의 감소와 경도, 항복점 및 강도 등의 증가는 온도 상승과 더불어 변하게 되며 결국에는 모두 상쇄된다. 여기서는 격자결함을 없게 함으로써 축적된 에너지가 상실되는데 이것은 지속적인 온도 상승

에서 진행되는 것이 아니라 예를 들면 65% 냉간 인발한 연강의 템퍼링 온도의존성을 나타낸 것과 같이(그림 4.85) 일반적으로 기계적 성질 변화와 관련하여 4단계 온도 영역으로 구별하여 다음과 같이 나타낸다.

4.2.2.1 결정회복

실온부터 ≈400℃까지 점결함(1.2.3.2절 참조)이 없어지기 시작하면 강도에는 현저한 반응이 없으므로 경도가 실제적으로 변하지 않는다(영역 I).

어닐링 온도가 400≈560℃에서는 현저한 경도 강하가 지속적으로 일어나는데(영역 II), 이것은 기계적인 결정회복이 일어나는 온도 구간이다.

이렇게 하여 전위의 재배열이 일어나게 되며 조직은 현저한 변화가 일어나지 않는다. 나선전위는 열적으로 활성화된 횡단 슬립을 통하여 칼날전위는 기어오름 등을 통하여 전위가 재배열되어 그 사이에 존재하는 왜곡이 심하지 않은 **아결정립(sub-grain)**를 갖는 수직인 전위경계 **(소각경계)**를 생성하는데 이것을 **다각형화(polygonization)**라 한다. 다각형화는 각기 다른 방향으로 **대각경계** 영역 까지 성장한 조대한 아립자가 생성됨으로써 진행될 수 있으며 이렇게 하여 초재정출(primary recrystallization)이 방해를 받게 되는데 이 과정을 "원위치(in situ)에서 재결정"이라 한다.

4.2.2.2 1차 재결정

600℃에서 경도는 낮은 값으로 급격히 떨어지는데(영역 Ⅲ), 이것은 1차 재결정 영역으로 나타내는 좁은 경계의 온도 구간이다. 변형된 결정격자가 완전히 새롭게 구성됨을 나타내고 재결정에서는 결함이 없는 미소 결정의 새로운 조직이 생성되어 연신되고 또한 변형된 미소결정은 사라진다.

이러한 결함이 적은 결정립(crystallite) 성장은 변형된 조직의 희생으로 일어나며 내부에 존재하는 전위 회복은 열적으로 활성화되어 이웃 원자의 자리바꿈이 **대각경계** 까지 입계 이동을 통하여 일어난다. 재결정에서는 대각경계의 생성과 이동으로 이해된다.

재결정 추진력 p는 회복된 조직과 재결정화 된 조직의 전위밀도 $\triangle \rho_V$의 차이와 또한 전위의 선형에너지 $1/2 \, Gb^2$ (G : 강성률, b : 버거스 백터) 등으로부터 다음 식으로 계산된다.

$$p = \Delta \rho_V \cdot \frac{1}{2} \cdot G \cdot b^2 \qquad (4.23)$$

이러한 추진력은 이동속도 $\upsilon = p \cdot \mu$ (μ : 입계 이동성)로 정해진다.

재결정 과정은 핵생성과 성장과정으로 이루어지나 3.6절에서 소개한 것과 같이 응용하는데는 그렇게 간단하지 않다.

Cahn과 Bugers에 따르면 결정화에서 생성된 아결정립(예를 들면 아결정립 응집)의 확대로 핵이 생성된다.

이들 핵은 일정한 크기가 되고 무엇보다 변형된 기지에 대한 방향 차이가 생기면 성장능력을 갖게 된다. 이러한 핵은 결정화에서 유사하게 서로가 접촉할 때까지 성장한다.

또한 Bailey와 Hirsch에 따르면 전위밀도가 입계의 양측이 뚜렷이 구별된다면 약간의 변형도에서 존재하는 입계영역이 움직일 수가 있다.

입계영역이 보다 높은 전위밀도를 가진 영역으로 아치형이 된다.

1차 재결정화의 진행은 확산제어 상변태나 조직변태 이론이 적용되는데 Avrami식으로 나타낸다(식 3.451 참조).

$$X = 1 - \exp(-B \cdot t^n) \qquad (4.24)$$

간단한 모델을 도입하여 관계식에 적용하면,

$$X = 1 - \exp(-\frac{\pi}{3} N_{KB} \nu_{KW}^3 t^4) \qquad (4.25)$$

$N_{KB} = N_0 \exp(-H_{KW}/RT)$에서 핵생성 속도와

$\nu_{KW} = \nu_0 \exp(-H_{KW}/RT)$ 1차 재결정화의 입계 이동속도로 나타낸다.

H_{KB}와 H_{KW}는 핵생성과 입계이동의 활성 엔탈피이다. 이 관계를 유효하다고 가정하면 조직 내에서 핵생성은 무질서하게 진행되며 N_{KB}뿐만 아니라 ν_{KW}도 시간과 방향에 독립적이다.

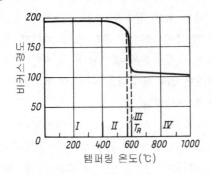

그림 4.85 0.1%C 강의 경도-템퍼링 온도 곡선.

4.2.2.3 결정성장

영역 Ⅳ(그림 4.85)의 마지막에는 재결정 온도 상부에 도달하게 되고 점진적으로 약하게 경도가 떨어지는 특징을 나타내며, 이것은 입자성장 영역이다. : 1차 결정화에서 새로 생성된 규칙적이고 작은 결정립이 입계면적의 감소와 연관되어 중간 크기로 된다.

균일한 입자성장(연속적인 입자조대화, 초기에는 집합 재결정화라고 하였음)과 불균일한 입자성장(비연속적인 입자조대화 또한 2차 재결정화라고 함)으로 구별된다.

2차 재결정화는 몇 개의 적은 양의 입자가 심하게 성장함으로써 조직은 소진되는데 이것은 작은 입자가 응집되어 생긴 입자성장 방해이거나 또는 용해가 국부적으로 중지된 경우(불순물제어 또는 억제된 2차 재결정화) 또는 각각이 불규칙한 방향을 가진 결정립이 현저한 집합조직으로 심하게 성장(집합조직으로 된 2차 재결정화)함으로써 가능하다.

주조조직 또는 소결체의 템퍼링에서 1

차 재결정화와 연관시켜 정상적인 입자성장의 역할은 실제적으로 시간을 도입하여 나타낸다.

$$d^2(t) - d^2(0) = k(T) \cdot t^n \quad n \le 1 \quad (4.26)$$

d(t) : 시간 t에서 평균선상 입자크기

d(0) : t = 0에서 평균선상 입자크기

4.2.2.4 기술적 재결정 과정이 조직 생성에 미치는 영향

그림 4.86~91은 65% 냉간 인발한 강을 템퍼링 했을 때의 조직 변화를 나타낸 것인데 템퍼링 온도가 550℃까지는 길게 늘어난 변형조직이 존재한다. 이에 비하여 냉간 변형한 조직은 경도가 195에서 180HV로 떨어졌는데도 조직의 변화는 관찰할 수가 없다.

템퍼링 온도가 600℃에서는(그림 4.85에서 급격히 떨어지는 부분) 연신된 결정은 사라지고 새로운 다면체 결정이 생성되는데(그림 4.89), 이것은 새로운 조직 생성이 일어난 것이다. 이것은 재결정을 나타내고 템퍼링 온도를 750 및 1000℃로 올리면 지속적인 입자성장이 일어난다(그림 4.90 및 4.91).

여기에 나타낸 강은 0.1%C를 함유한 것인데 냉간 변형으로 깨어진 시멘타이트 층상(lamellar)이 A_{c1}점(723℃)을 통과하면서 해소되기 시작하며 냉각에서 새로 생성되어 펄라이트 섬(island)이 나타난다(그림 4.90과 91에서 어두운 조직성

그림 4.86 0.1%C강, 65% 냉간 인발.

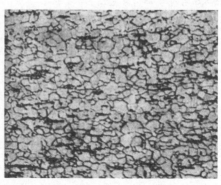

그림 4.89 0.1%C강, 65% 냉간인발하고 600℃
에서 1시간 템퍼링(길이방향).

그림 4.87 0.1%C강, 65% 냉간인발하고 250℃
에서 1시간 템퍼링(길이방향).

그림 4.90 0.1%C강, 65% 냉간인발하고 750℃
에서 1시간 템퍼링(길이방향).

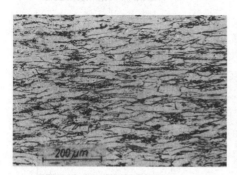

그림 4.88 0.1%C강, 65% 냉간인발하고 500℃
에서 1시간 템퍼링(길이방향).

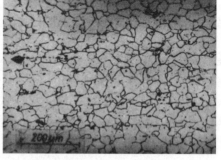

그림 4.91 0.1%C강, 65% 냉간인발하고 1,000℃
에서 1시간 템퍼링(길이방향).

표 4.5 금속의 재결정 온도

금속	Pb	Cd	Sn	Zn	Al	Ag	Au	Cu	Fe	Ni	Mo	W
T_{RK} [℃]	0	10	0...30	10...80	150	200	200	200	400	550	900	1200
T_s [℃]	327.5	321	232	419.5	660	960	1063	1084	1536	1453	2620	3400
T_s [K]	600.5	594	505	692.5	933	1233	1336	1357	1809	1726	2893	3673

분 : 750℃에서는 아직 해소되지 않고 길게 늘어난 형태로 남아 있으며 1000℃에서는 완전히 해소되고 입자조각이 새로 생성된다). 냉간 변형된 금속을 1시간동안 템퍼링 온도에서 유지한 후에는 변형조직 대신에 새로운 다면체 결정이 생성되는데 이것을 재결정 시작 또는 재결정 온도 T_{RK}라 한다.

T_{RK}의 위치는 우선 금속의 용융점(T_s)에 좌우되며 기술적으로 순수한 금속을 충분하게 심한 냉간 성형 후에는 다음 규칙이 유효하다.

(Bocvar-Tammann 규칙) : $T_{RK} \approx 0.4 T_s$. 용융온도 $T_s = 660℃ = 933K$인 알루미늄은 재결정 온도 $T_{RK} = 0.40933 = 373K = 100℃$로 단순하게 얻어진다.

실험적으로 찾아낸 재결정 온도(150℃)는 계산된 값의 약간 상부에 존재하는데 불순물 함량이 재결정화에 심한 의존성이 원인이 될 수 있다. 표 4.5에는 심하게 냉간 변형한 금속의 재결정 온도를 나타낸 것이다.

선행된 변형도가 T_{RK}에 의존성임을 의미하는데 여기서는 변형이 심할수록 재결정화 온도는 규칙성이다(그림 4.92).

재결정화를 통하여 생성된 입자는 변형도가 커질수록 미세하게 되며, 그 역으로, 재결정을 통하여 생성된 새로운 입자는 선행된 변형도가 작을수록 커진다(그림 4.93).

최소의 변형도에서 후속 템퍼링으로 재결정화를 일으키는 것을 임계변형도 ε_{krit}라고 한다.

약하게 변형된 금속에서는 심하게 방

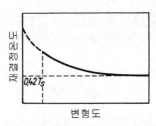

그림 4.92 선행된 변형도(ε_{krit} 임계변형도)에 의한 재결정온도T_{RK}의 의존성.

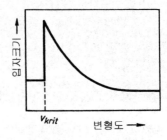

그림 4.93 변형도(ε_{krit} 임계변형도)에 의한 입도 의존성.

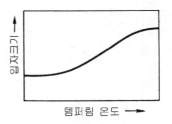

그림 4.95 템퍼링 온도에 따른 입도크기의존성.

그림 4.94 냉간변형에 따른 재결정 입자크기 의존성 ; 변형도가 클수록 입자는 작아짐(99.9% 알루미늄), 변형도(위로부터) : 1, 2, 5, 7.5, 10, 15 및 25%.

해를 받는 장소가 약간 존재하는데 여기서 핵생성이 가능하다.

템퍼링에서 이 장소에서 생성된 새로운 결정립이 상호 방해를 하지 않고 성장함으로써 현저하게 조대화 된다. 이에 반하여 심하게 변형된 금속은 매우 심하게 방해를 받은 격자 영역이 존재하기 때문에 재결정화에서 수많은 핵이 생성되어 결정립이 성장하지만 이들은 인접하여 성장하여 조기에 상호 방해가 된다. 이 경우에는 결국 미세립자의 재결

정 조직이 생성된다. 그림 4.94는 이러한 거동을 99.9% 알루미늄의 예로써 나타낸 것인데 미세한 입자를 가진 알루미늄 인장시편을 인장 시험기에서 1, 2, 5, 7.5, 10, 15 및 25%로 연신하여 550℃로 서서히 가열하고 이 온도에서 48시간 동안 유지한 후 다시 서냉하였다.

시편을 HCl + HNO₃ + HF 혼합 부식액으로 부식하였다. 1~2%의 낮은 변형도이므로 템퍼링 후에 다시 기술적으로 응용이 가능한 미세립자로 된다. 현미경적으로 측정이 가능한 재결정 입자크기는 변형도 의존성이며, 그림 4.93에 도식적으로 나타낸 것과 같이 쌍곡선이다. 변형도 외에도 높은 템퍼링 온도에서(그림 4.95) 재결정화를 통하여 생성된 입자는 조대하며 템퍼링 유지시간(그림 4. 96)과 템퍼링 후의 냉각속도에 의존성이다.

온도가 상승하면 입자가 조대화(입자성장)되는 것은 이미 언급하였다.

재결정 입자는 핵생성과 핵성장 과정에서 미세 또는 거시적 결정에 나타나는 것이 주조된 입자와 유사하므로 두 종류의 결정 생성에 유사한 규칙이 적용된다. 그림 4.97~99는 0.1%C를 함유한

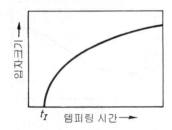

그림 4.96 템퍼링 유지시간에 따른 입도 의 존성(t_I 재결정 핵생성의 잠복기).

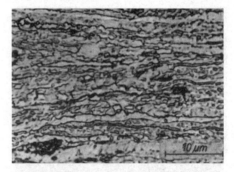

그림 4.98 0.1%C강, 90% 냉간 인발하고 550℃ 에서 1시간 템퍼링; 먼저 매우 작은 재결정 입자가 나타남.

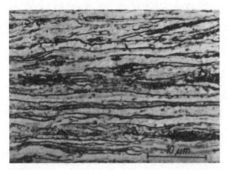

그림 4.97 0.1%C강, 90% 냉간 인발하고 550℃ 에서 10분간 템퍼링.

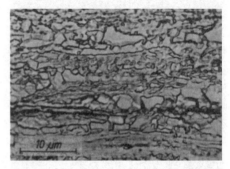

그림 4.99 0.1%C강, 90% 냉간 인발하고 550℃ 에서 5시간 템퍼링 ; 점진적으로 재결정화 됨.

연강을 90% 냉간 압연한 것을 템퍼링 시간에 따른 재결정 입자조직을 나타낸 것이다. 550℃에서 템퍼링 시간을 10분 유지한 후에 2000배율 현미경으로 관찰해 보면 다면체 결정은 나타나지 않으나 같은 온도에서 템퍼링 시간을 60분으로 연장하면 수많은 미세한 재결정 입자가 생성되어(그림 4.98) 이것이 계속 성장하며 템퍼링 시간이 300분이 지나면 입자는 현저한 크기로 성장하게 되는데(그림 4. 99) 따라서 템퍼링 시간이 길어질수록 조대립자로 된다. 템퍼링한 후 서냉하면 템퍼링 시간을 연장한 것과 유사하게 작용함으로써 급랭한 경우 보다 입자가 조대해 진다.

적은 농도의 합금원소를 첨가하거나 또는 혼합물이 존재하면 재결정 온도 뿐만 아니라 재결정 후에 존재하는 입자크기에도 현저한 영향을 미칠 수 있다. 용해된 외부원자 또는 템퍼링하는 동안에 이미 생성된 석출물이 방해하거나 또는 움직이는 재결정 선단과 새로 생성된 입계에서 핵으로 작용한다. 일반적으로 이렇게 하여 재결정 온도가 상승하고 입자크기가 감소하게 된다.

예를 들면, 순철과 0.1%C를 함유한 강은 임계 열처리 후에는 조대립자로 재결

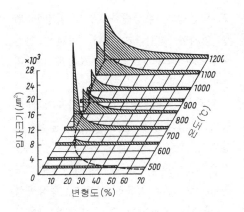

그림 4.100 연철의 재결정도(Hanemann에 의함).

그림 4.101 열간 인발한 알루미늄 봉 : 표면 층의 임계 변형에 의한 조대립자 생성.

정 되며 탄소가 0.3% 이상인 강은 입자 조대화에 상당히 둔감하며 이 경우에 "외부 물체"로서 펄라이트의 조대립자 생성을 방해한다.

변형도, 템퍼링온도 및 입자 크기간의 기능적 관계의 재결정도를 그래픽으로 나타낸다(그림 4.100). 각각의 변형도와 템퍼링 온도에 따라 생성된 입자크기를 알 수 있다. 이와 같은 종류의 다이어그램을 사용할 때 주의할 것은 재료와 실험조건이 완전 유효성을 가질 때만 적용된다. 때에 따라서는 재결정 다이어그램을 양적으로 또는 질적으로 수정을 해야 하는 편차를 갖는다.

재결정 또는 조대립자 생성은 전체 재료가 이전에 소성변형 되었을 때만 나타나는 것이 아니라 밴딩, 압축, 앰보싱, 인발, 펀칭, 천공, 전단 또는 트리밍 등에서 가끔 나타나는 완전히 불균질 하거나 국부적으로 소성 변형된 경우는 계속된 템퍼링을 하여도 국부적인 조대립자

를 갖는 것은 불가피하다.

그림 4.101은 열간 인발한 알루미늄 봉의 단면조직을 나타낸 것인데 봉의 중심에는 매우 미세한 입자가, 가장자리에는 특히 조대한 입자로 되어 있다. 이렇게 특이한 조직은 인발도가 매우 낮고 표면인접 영역이 제한됨으로 생성된다. 따라서 봉 중심부는 변형되지 않고 재결정이 되지 않으나 인접된 표면에는 조대립자가 나타난다. 인발조건(인장에서 심한 단면 감소)의 변화를 통하여 이러한 결함이 제거될 수 있다.

이런 종류의 국부적이고 불균질한 변형을 피하기 위한 가능성은 가공물을 후에 다시 템퍼링을 해야 한다. 여기에 나타낸 강과 알루미늄과 같이 동일한 규칙성과 입자성장 지향이 각각 다르다면 모든 금속과 합금에도 유효하다.

낮은 변형도 후에 템퍼링에서 생성된 매우 조대한 입자는 기술적인 공작물에서

대개 해롭고 변형거동을 악화시키므로 조대립자 생성을 피할 수 있는 적당한 조치의 수단을 찾게 된다. 이러한 사실은 템퍼링 전에 가능하면 큰 변형을 도입하는 간단한 방법이 있는데 이것은 유일한 가능성으로 조대립자 합금을 비합금 또는 저합금강을 노멀라이징 할 수 없는 것과 같이 다시 미세립자로 만든다. 이 방법은 물론 공작물이 간단한 형상을 가지고 있다면 판재, 선재, 형재 제조에서 유일하다. 완성품에는 이 방법을 적용하지 않는다. **변태변화** : 고체 상태에서(modification change) 변태하는 합금은 이 변태점 이상으로 가열하여 다시 냉각하면 미세립자로 돌아갈 수 있다.

4.2.3
열간변형

금속의 열간변형은 $0.5T_s$ 온도 이상에서 실시되며 소성변형을 통하여 경화됨으로써 결정의 연신이 지속되지 않고 동시에 확산 제어된 연화공정(Process)으로 일부를 다시 회복시키게 된다. 변형하는 동안에 진행되는 이러한 과정을 동적회복과정이라고 하며, 여기서 동적회복 동적재결정은 구별된다. 이러한 연화과정의 두 공정으로 변형 기술인자(온도 외에도 변형속도) 뿐만 아니라 재료의 특성량(주로 적층결함 에너지)을 규명하게 된다. 열간성형 공정의 금속학적 분석은 열간유동곡선을 이해함으로써 가능한데 유동곡선으로 유동응력 즉 형상 변화 강

도 의존성과 형상변화로부터 일정한 변형 인자를 제시하게 된다. 이것은 열간변형에서 금속재료의 유동성질을 나타내는데 적합하다.

유동응력은 재료유동이 시작되거나 유동이 유지되는데 필요한 단축 균질응력 상태의 응력이다. 금속학에서는 유동응력을 σ로, 변형기술에서는 형상변화강도를 K_f 로 각각 적용하게 된다. 형상변화는 단축 응력상태의 경우 대수적으로 길이 변화를 규정하며 업세팅(upsetting)에 의하면

$$\varphi = \ln \cdot h_0/h$$

h_0 : 처음높이, h : 최종 높이
Recken에 의하면

$$\varphi = \ln \cdot \ell/\ell_0$$

l : 최종길이,
l_0 : 처음 길이 등으로 각각 나타낸다.

유동곡선 경과에서 금속학적 관심은 재료의 강화와 연화를 반복하여 일정한 실제조직을 얻기 위하여 유동응력을 조절하게 되는 것이다. 그러므로 열간유동곡선은 실제조직의 특성과 변형기구를 평가하는데 인용하게 된다.

전체적인 열간 유동곡선을 3 그룹형으로 구분한다(그림 4.102).

곡선 1은 연화가 회복과 재결정(4.2.2.1절 참조)을 통해서만 실행될 때 나

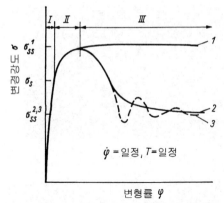

그림 4.102 도식적인 열간유동곡선(Hensger) ; 큰 형상변화에서 현저한 연화기구 : 1 역동적인 회복. 2 및 3 역동적인 재결정화.

타나며, 이에 대하여 2 또는 3형의 유동곡선은 높은 형상변화에서 유동곡선 최대점을 지나 현저한 연화기구로 동적재결정(4.2.2.2절 참조)이 일어나는데 입계 이동으로 인하여 전위밀도의 현저한 감소가 생겨 강도 감소가 관찰되고, 회복과 다결정화를 통하여 수반되는 연화는 주로 전위의 에워쌈에 의하여만 생기게 됨으로써 불완전하게 남아있다.

유동곡선 3의 약화된 곡선은 $10^{-1}s^{-1}$ 이하의 작은 형상변화 속도에서 나타난다(동적재결정이 반복됨).

이것은 일정한 온도와 일정한 형상변화 속도에서 적용되는 금속재료의 열간 유동곡선은 3영역으로 나누며(그림 4.102), 다음과 같은 특성을 나타낸다.

영역 *I* :
미시적 소성변형($\varphi < 0.01$)은 슬립계에서 열적으로 활성화된 전위운동을 통하여 주로 일어난다.

- 변형속도는 0으로부터 제한된 값까지 성장한다.
- 변형강도는 약 E/50(E : 탄성계수)로 빠르게 상승한다.
- 영역 *I* 의 끝은 상승이 현저하게 감소하여 약 E/500을 나타낸다.

영역 **II** :
거시적 소성변형($\varphi > 0.01$)
- 경화지수 $d\sigma/d\varphi$는 0까지 감소한다.

영역 **III** : 정지된 영역으로 천이
- 정지된 영역은 두 가지 다른 경로에 의하여 도달된다. :
a) 최대치가 없는 천이(곡선형 1)
b) 재결정화를 통한 연화는 열간 경화에 대하여 새로운 역학적 평형에 도달할 때까지 우선하여 지배한다(곡선형 2와 3).

항온 열간유동곡선을 단열 열간유동곡선과 구별하는데 방출되는 변형열로 인하여 온도가 상승하며 특히 높은 형상변화속도에서 주의해야 한다. 열간유동곡선의 실험적인 조사는 모델실험으로 이루어지며 하중의 종류와 이에 따른 응력상태에서 마찬가지로 재료의 유동조건에서도 현저하게 구별할 수 있다(예 : 업셋팅, 인발 및 비틀림 등).

열간유동곡선으로부터 유도된 금속적인 정보를 기술적 공정 응용에 보장하기 위하여 그 때마다 알맞은 모델실험을 선택하는데 예를 들면, 평면압연의 모의실험을 위한 실린더 업세팅 시험이 있다.

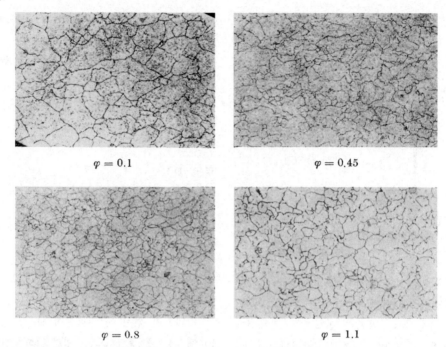

$\varphi = 0.1$

$\varphi = 0.45$

$\varphi = 0.8$

$\varphi = 1.1$

그림 4.103 50CrV4강의 열간유동곡선에 따른 조직생성(업셋팅 온도 550℃, 성형속도 20s⁻¹, 배율 500:1)(Hensger).

기계적 측정은 선정된 열간유동곡선에 따라서 조직과 하부조직(substructure) 생성[1]을 조사함으로써 보충된다.

일정한 형상변화인 유동곡선 최대점을 기준으로 전 및 후에서 업셋팅 과정을 중단하고 현존하는 조직 상태를 동결하기위하여 업셋팅 시편을 급랭하고 계속하여 광학적 및 추가적인 분석을 가능토록 한다.

그림 4.103은 50CrV4강의 열간유동곡선에 따른 조직변화를 나타낸 것이며, 금속재료에서는 동적재결정이 현저한 이러한 스프링 강에서와 같이 광학적 조직

분석 결과를 그림 4.104에 도식적으로 나타낸다.

이것으로부터 다음과 같은 사항을 알 수 있다. :

• 유동곡선 최대점에 도달하기 전에 결정은 약하게 연신된다. 일부는 입계가 톱니 모양으로 나타나는데 가속된 다결정화로 인하여 입계 인근에 결정영역이 이루어지며 재결정은 관찰되지 않는다.
• 유동곡선 최대 영역 내에 작은 재결정된 입자들이 1차 입자경계에 나타나지만 그 체적 부분은 매우 낮다.
• 유동곡선 최대점을 지난 후에는 재결정된 조직부분은 급속히 증가됨으로 유

1) 조직개념은 1.4.1절에서 명백히 하였으며, 아 조직하에 한 입자내부(미소결정)결함의 전체를 이해한다(예 : 일차원~3차원). 여기에 대하여 현미경 조직 개념을 적용하게 된다.

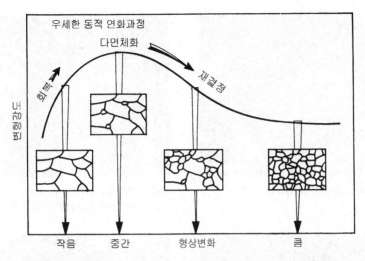

그림 4.104 금속재료의 열간변형에서 조직생성의 도식적 제시, 큰 형상변화에서는 동적재결정이 현저하다(Hensger).

동곡선의 고정된 영역에 도달하면 결국 매우 작고 둥근 입자만이 존재한다.

전자현미경으로 하부조직을 확인 할 수 있으며(그림 4.105) 광학현미경의 결과를 보충하게 된다 :

• 유동곡선의 최대점 전에는 아결정 생성 개시와 더불어 동적 회복 조직을 관찰 할 수 있다.
• 유동곡선의 최대점 인근에는 각각의 재결 정된 영역을 가진 동적인 다면체화된 조직이 존재한다.
• 유동곡선의 최대점을 지난 형상변화에 서는 동적으로 다결정화된 조직부분 외 에도 동적재결정화된 입자가 존재한다.

열간 형상인자인 온도, 형상변화 및 열 간성형 후 유지시간 등을 통한 조직에 영향을 미치는 추가적인 예로써 낮은 적층 결함의 특성을 가진 재료임으로 면심입방 α 황동 합금인 CuZn30을 제시 한다. 그

그림 4.105 X50Ni24합금의 열간유동곡선에 따른 950℃에서 하부조직 생성(형상변화 속도 0.1s⁻¹, 형상변화 : a = 0.1; b = 0.5; c = 1.1).

그림 4.106 CuZn30, 500℃에서 변형, φ = 0.2.

그림 4.108 CuZn30, 600℃에서 변형, φ = 0.8, 2 pass압연, 부분 재결정 됨.

그림 4.107 CuZn30, 500℃에서 변형, φ = 0.4, 부분 재결정 됨.

그림 4.109 CuZn30, 700℃에서 변형, φ = 0.47/급랭, 재결정 됨.

림 4.106~108은 부분 재결정된 경우, 그림 4.109 및 110은 재결정화 된 상태를 각각 나타낸다.

기술적으로 열간 변형공정은 큰 형상변화와 높은 성형속도가 특징인데 금속은 유연성이 매우 크고 목적으로 하는 작업공정을 통하여 임의 형상으로 할 수가 있다.

열간 변형공정은 주로 압연, 자유단조, 형단조, 프레스, 압출 등에 의하여 반제품, 판재, 밴드, 파이프, 선재, 형재 및 완성품 등으로 제조하게 된다.

열간변형에서 조직은 현저하게 변하며 단조, 압연 등으로 소성가공된 재료는 주조재와는 근본적으로 차이가 있다.

우선 열간변형을 통하여 재료가 조밀하게 되는데, 주조에서 생긴 가스기공 및 미소 수축공 등과 같은 기공이 높은 온도와 압력에 의하여 용착되나 이것은 기공벽이 금속적으로 깨끗하고 산화되지 않은 경우에만 가능한데 그렇지 않은 경우에는 기공이 압착만 되어 완전하지 않게 용착된다.

예를 들면 작은 해머로 큰 공작물을 단조 할 때와 같이 낮은 압력을 가하거나 또는 낮은 변형 온도에서 금속광택 띠를 가진 기공은 마찬가지로 완벽하게 용접되

그림 4.110 CuZn30, 750℃에서 변형, $\varphi = 0.35/40$초 급랭 후, 재결정 됨.

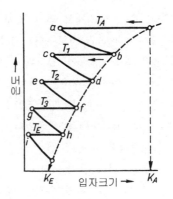

그림 4.111 열간변형에서 입자 미세화 기구의 도식적 표시.

지 않는다.

열간성형에서 동시에 나타난 결정립의 소성변형과 동시에 또는 후속적인 재결정을 통하여 주조에서 생긴 주상(columnar) 결정이 깨어져 조대한 주조조직이 미세 결정 상태로 바뀐다. 그러므로 열간 변형된 재료는 주조된 조직보다 근본적으로 미세립자이다. 여기에 존재하는 관계를 그림 4.111에 도식적으로 나타낸다. : 압연개시 온도 T_A 를 주괴에 적용하면 평균입자크기 K_A 를 갖는다.

첫 번째 압연 패스(pass)에서는 새로운 입자가 미세화 된다. 입자크기는 작아져서 거의 a가 된다.

소위 준동적(혹은 동적) 재결정을 통하여 입자성장은 첫 번째와 두 번째 압연 패스 사이에서 비교적 높은 온도로 인하여 빠르게 성장하며 두 번째 압연 패스의 시작은 거의 b이고 동시에 온도는 T_1으로 낮아진다.

두 번째 패스에서 입자 미세화가 $b \rightarrow c$ 로 일어난다. 두 번째와 세 번째 패스

사이에서는 변형된 조직이 재결정된다. 그러나 생성된 입자크기 d는 낮은 재결정 온도로 인하여 더 작아져서 $d < b$가 된다. 압연이 진행되면서 온도는 계속 떨어지고 입자크기는 f를 거쳐 h로 감소되어 결국 성형온도 T_E까지 되며 마지막 입자크기 K_E에 이른다.

여기서 압연에 의한 입자 미세화 기구는 다른 모든 열간변형 공정에서도 거의 유효하며, 그림 4.111에 나타낸 것과 같이 마지막 입자크기 K_E는 변형온도에 의존하여 온도가 낮을수록 입자는 작아지며 그 반대도 가능하다, 즉 이 예에서 마지막 변형이 T_E가 아니고 T_3에 있고 $h > K_E$라면 입자크기는 h가 된다.

그림 4.112~114는 변형온도가 입자크기에 미치는 영향을 빌렛(billet)압연한 58% $Cu + 42\%Zn$을 함유한 α/β 황동의 예를 나타낸 것이다. 조직은 어둡게 부식된 Zn이 많은 β 결정으로 된 기지에 밝게 부식된 Cu가 많은 α 결정이 석출되어 있다.

처음의 봉은 제조에서 먼저 빌렛 프레스의 리시버(receiver)로부터 압축되며 아직 높은 온도 상태에 있으며 변형 후 재결정된 β 결정은 매우 조대하고 냉각에서 온도가 <700℃로 떨어짐으로써 α는 이미 리시버 내에서 생성된다. α 침상은 소성변형을 통하여 결국 둥근 결정으로 재결정된다(그림 4.113).

압연공정의 종료 시의 온도는 계속 떨어져 재결정이 충분하게 이루어지지 않는다. 프레스된 봉은 종료에서 α 결정은 매우 미세립자이며 선상으로 배열된다(그림 4.114). 이러한 미세립자조직은 부분적으로 이미 냉간 성형되고 강화 되었으며 경도와 강도가 높고 또한 봉의 처음 조직의 조대립자보다 변형성이 낮게 나타난다.

변형온도가 떨어짐으로써 강화가 이루어지는데 강도, 항복점 및 강도가 상승하며, 연신률, 단면 수축률 및 충격강도 등은 떨어짐으로 변형온도는 임의로 낮게 선택해서는 아니 된다.

비합금강은 예를 들면 상부변태점 A_{C3}[1] 이상 100~150℃로 마무리 압연이나 단조를 하게 된다. 경화를 피하기 위하여 A_{C3}점 이하의 $(\alpha+\beta)$상 영역으로 변형온도를 내리면 가능하다.

이와는 반대로 0.8%~2.06%C를 함유한 과공정 철-탄소 합금은 취성의 망상 시멘타이트를 깨고 시멘타이트 석출물을 구상으로 하기위하여 A_{C1}과 A_{Cm} 사이에

---

1) 변태점을 밝혀 내기위함 5.2 절 참조

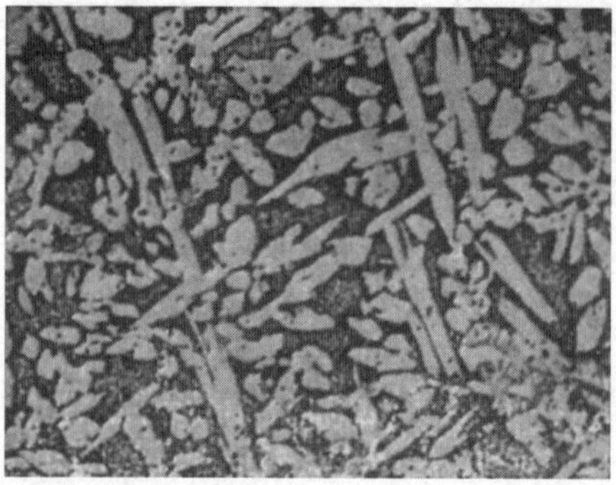

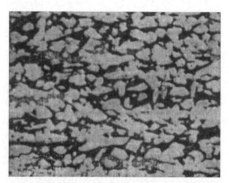

그림 4.112 Ms58, 프레스 한 것: 조대한 침상(밝은 부분) α 결정을 가진 프레스 봉의 처음 조직, 높은 변형온도.

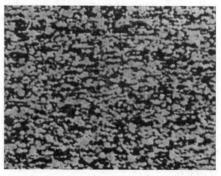

그림 4.113 Ms58, 프레스 한 것 : 선상으로 연신된 조대한 α 결정을 가진 프레스 봉의 중간 조직, 중간 변형온도.

그림 4.114 Ms58, 프레스 한 것 : 선상으로 연신된 미세 α 결정을 가진 프레스 봉의 마지막 조직, 낮은 변형온도.

서 가공한다. 사용하는 재료의 성질에 따라 변형온도를 조절하게 되며, 한편, 안전한 변형시작 온도는 합금의 고상온도 이하이다.

모든 합금의 낮은 공정 용해온도는 불가피한 불순물 함유에 의하여 생성되며 시작온도는 이론적인 것이 아니라 즉, 상태도에 주어진 고상점이 적용된다.

이것은 항상 일정해야 하며 경험을 통하여 사용온도를 설정하게 된다. 다른 경우에는 입계의 용해와 공작물의 파괴가 일어난다.

변형 시작온도의 위치에는 변형온도, 변형공정 및 다른 인자들도 추가적인 역할을하게 되고, 많은 합금의 열간 변형에서는 특성화된 섬유조직이 생기며, 섬유방향은 주 연신방향과 일치한다. 목재에서처럼 유사하게 열간변형된 금속재료에서도 섬유방향에 대하여 길이와 횡단성질이 다르므로 섬유방향을 규명하고 평가함으로써 제품에는 실제적으로 매우 중요하다.

열간변형된 합금의 섬유상은 deep drawing에 응용하고 평면 연마 시편을 중간 정도의 농도를 가진 염산, 황산, 플루오르화수소산, 무기산, 또는 다른 유산 등의 부식액으로 부식하면 확인 할 수 있는데 실온이나 50~80℃에서 부식하게 되며 작용시간은 24시간까지 이다.

강에서는 보통 매크로부식법으로 특히 Oberhoffer부식으로 섬유상을 확인하는데 적당하다. 그림 4.115는 섬유를 심하게 부식한 것을 나타낸 것인데 섬유상이

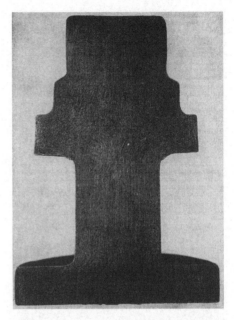

그림 4.115 Cr-Ni강재의 형단조 한 바퀴주괴에서 나타난 섬유조직 50㎤ H_2O + 10㎤ + HCl + 10㎤ H_2SO_4 용액으로 75℃에서 2시간 동안 심하게 부식함.

잘 나타난 Cr-Ni강재의 바퀴 주괴를 형단조한 것이다. 공작물의 하중을 받지 않는 전면에는 각각의 섬유조직이 사라져 없고 측면의 외부형을 정확하게 따르게되며 뿐만아니라 섬유의 구부러짐이 존재하지 않는다.

금속재료에서 섬유는 열간변형에서 일정한 조직성분이 연신되지만 재결정을 통하여 무질서한 분포를 가진 다결정으로 다시 돌아와 변화될 수 있게 된다. 이것은 열간변형에서 슬래그 개재물의 거동으로 초래된 것이 분명하며 변형에서 소성의 슬래그는 긴 선상으로 연신되나(그림 4.116), 취성의 슬래그는 파괴되어 부서진 선상으로 늘어나게 된다(그림 4.117).

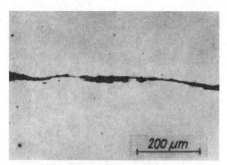

그림 4.116 0.2%C 및 13%Cr을 함유한 강의 열간변형에서 나타난 늘어난 슬래그.

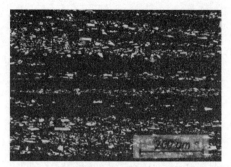

그림 4.118 2%C와 12%Cr을 함유한 강의 열간변형에서 나타난 선상으로 연신된 탄화물.

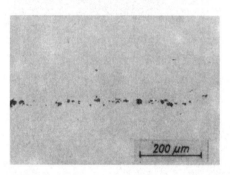

그림 4.117 0.2%C 및 13%Cr을 함유한 강의 열간변형에서 나타난 취성으로 깨어져 선상으로 배열된 슬래그.

그림 4.119 0.2%C와 17%Cr 및 2%Ni을 함유한 강의 열간변형에서 나타난 선상으로 연신된 페라이트 결정.

재결정 과정에서 금속기지 조직만 변하고 슬래그 개재물의 형상과 분포는 변하지 않으므로 각각의 금속 섬유는 선상 슬래그에 의하여 서로 분리된다.

열간변형에서는 슬래그 개재물 뿐만 아니라 다른 조직 성분도 연신되고 재결정 후에도 선상으로 배열된다.

그림 4.118은 2%C와 12%Cr을 함유한 크롬강을 연화어닐링하고 열간변형 공정에서 생성된 선상 탄화물을 나타낸 것인데 이 선상 탄화물은 열처리를 통하여 소멸 될 수가 없다. 그림 4.119는 0.2%C, 17%Cr 및 2%Ni을 함유한 50% 페라이트 크롬강의 다른 예를 나타낸 것이다.

열간변형에서 페라이트 결정이 연신되고 재결정되어 분리된 것이 아니라 네모진 조직에 다결정 형태로 다시 생성되는 것을 식별할 수 있다.

결정편석의 균질화는 열간변형에서 변형과 재결정을 반복함으로써 가능하나 확산속도가 매우 낮으면 함유된 편석은 선상으로 늘어난다. 이렇게 하여 합금 함량이 적고, 또는 많은 결정으로 된 섬유가 나타나게 된다.

그림 4.120은 0.08%C, 0.075%Pb 및 0.072%S를 함유한 강판의 길이방향 시

그림 4.120 0.08%C, 0.075%P, 0.072%S를 함유한 강의 열간변형에서 선상으로 연신 된 인(P)편석(1차 선상조직).

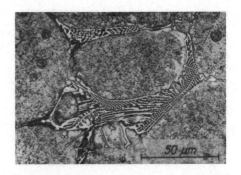

그림 4.122 0.85%C, 12%Cr 및 2.5%V를 함유한 쾌삭주강; 입계에 레데뷸라이트를 함유한 공정.

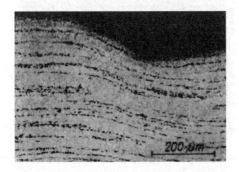

그림 4.121 탄소강의 후판을 열간압연 했을 때 나타난 페라이트-펄라이트 선상조직(2차 선상조직).

편을 Oberhoffer법으로 부식한 것을 나타낸 것인데 밝고 연신된 인(P)편석에 인접하여 어둡고 인이 적은 강섬유가 존재한다. 강에서는 냉각할 때 연신된 슬래그 개재물과 인편석이 규칙적인 선상 석출물을 일으켜 펄라이트-페라이트 2차 조직이 생긴다(그림 4.121).

초석 페라이트는 슬래그 개재물이 핵으로 작용하여 결정화 되며 또한 인(P)이 많은 선상으로 우선 석출된다. 잔류 영역 내에 압축된 오스테나이트는 선상 펄라이

트로 변태한다.

이 그림으로부터 페라이트와 펄라이트로 이루어진 섬유와 같은 표면의 형상이 계속하여 이루어지며 열간변형으로 조직 내의 각각의 결정이 규칙적으로 분포되는데 이것은 레데뷸라이트 강에서 특별한 기술적 의미를 갖는다. 이런 종류의 강은 주방 상태에서 공정인 레데뷸라이트를 함유하며(그림 4.122), 조대한 레데뷸라이트 망상은 용탕과 주조조건에 매우 의존성으로 주조온도, 금형크기, 금형온도 및 기타 다른 인자 등이 있으나 내부와 주괴 자체는 입자크기와 망상크기가 매우 다르다. 표면의 입자는 주괴 내부보다 더 미세하며 주괴 바닥의 입자도 주괴 위쪽 끝부분보다 작다. 열간변형에서 레데뷸라이트 공정조직은 깨어져 이 조직들이 기지에 균일하게 분포되어 쌓이며 분포의 균일성은 주괴 내의 망상이 작을수록, 성형도가 클수록 좋아진다. 일반적으로 망상 또는 선상 조직이 깨어지는 데는 단조

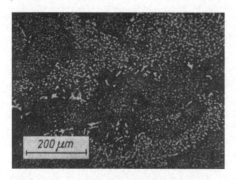

그림 4.123 쾌삭강; 주물을 약하게 단조 ; 조
대한 망상 배열의 탄화물.

그림 4.125 쾌삭강 ; 낮은 배율로 측정한 공구
내의 미세한 망상 탄화물.

그림 4.124 쾌삭강; 높은 배율로 측정한 공
구 내의 조대한 망상 탄화물.

그림 4.126 미세한 선상 탄화물이 있는 쾌삭강.

비[1]가 10이 적당하다.

여기서 탄화물 입자가 작을수록, 탄화
물의 분포가 균일 할수록 강으로 제작된
공구의 수명은 좋아진다. 미세 절삭에서
공구는 작게 부서지며 그렇지 않은 경우
에는 조대한 탄화물 입자가 빠져나와 절
삭면이 파손된다. 강력한 탄화물이 퇴적
된 강에서는 경질균열 생성의 위험이 커
진다. 그림 4.123~127은 쾌삭강에서 망
상 탄화물과 선상 탄화물의 생성을 나타
낸 것인데 그림 4.123과 4.124에는 퇴

적이 매우 심하고 또한 망상 조직도 나
타나 있으며 그림 4.125에서 망상 조직
은 매우 현저하나 퇴적의 정도는 낮다.

그림 4.126에는 탄화물이 선상으로 나타
있다. 잘 단조 된 쾌삭강에서 탄화물은 선
상 조직으로는 최대한 적게 나타나야 한
다. 이상적인 경우에 탄화물은 완전히
균일하게 분포되어야 한다(그림 4.127).

특히 대형에서는 강제적인 성형도가 그
렇게 높지 않을 수가 있으므로 이러한 이
상적인 경우에 도달하기는 더물고 특히
큰 공구에서는 일정한 선상 탄화물이 해
로운 작용이 거의 초래되지 않는 것을 구

---

1) 단조비란 처음 면적에 대한 마지막 면적에 대한
비를 나타 낸 것이다.

그림 4.127 탄화물이 균일하게 분포된 쾌삭강.

그림 4.128 비 탈산강 리벳의 길이 방향시편; 주괴 편석이 어둡게 나타나 있다, 염화암모늄 동으로 부식.

매해야 한다. 탈산하지 않은 심하게 편석 된 주괴가 성형되면 편석영역 단면이 전 체 단면으로 비례하여 변화되지 않고 최 종 생산품의 형상이 소재 단면과 유사하 여 편석영역이 공작물에서도 같은 형상을 가진다. 4각 단면인 주괴로부터 제조한 4 각 봉에는 이와 같은 4각 편석영역이 나 타난다.

그러나 최종 생산품의 단면이 소재와 다르면 편석영역의 형상을 약하게 부식 하거나 또는 **Baumann print**로 규명할 수가 있으며 해당되는 제품의 제조 공정 에 따라서 찾아낸다. 그림 4.128은 0.8%C, 0.01%Si, 0.38%Mn, 0.04%P 및 0.05%S를 함유한 탈산하지 않은 강 리벳의 길이 방 향 시편을 염화암모늄 등으로 부식한 것 인데 봉상을 먼저 잘라내어 머리 부분을 단조한 것이다.

이미 언급한 것과 같이 열간변형한 공 작물의 길이와 단면 성질은 다르며 성형 도가 클수록 그 차이는 현저하다.

특히 충격인성에 민감하게 작용하는데 8~10배 단조하면 단면 충격인성이 길 이 충격인성의 60%에 달한다.

대개 ≈ 40%에 달하는 이 값은 30~25% 로 감소 될 수도 있다. 대형 단조품의 내 부에는 단조가 미약하므로 단면과 길이 충격인성은 실제적으로 낮다.

열간 성형품에서 나타나는 대부분의 표면 결함으로는 겹침이 생기며 여기서 재료의 돌출된 부분이 접히게 되고 인접 한 대부분 산화된 표면이 눌려 깨진다. 겹침과 기지 간에는 전체가 접촉되지 않 으므로 완벽한 접착이 이루어지지 않고 하중이 작용하면 겹침은 파열된다. 그림 4.129와 4.130은 봉강을 압연할 때의 **겹침**(이중표피 : double skin)의 특수한 형상을 나타낸 것이다. 분리된 부분은 산 화피막으로 채워져 있고 심한 탈탄으로 균열을 일으키게 된다. 그림 4.131은 잘 못처리한 강빌렛 겹침의 끝부분을 나타 낸 것인데 균열에 채워진 산화물이 강 내부로 확산되어 들어가 동시에 국부적

그림 4.129 강봉에서 이중표피의 형성.

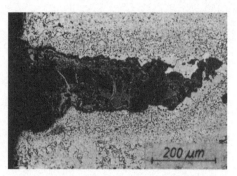

그림 4.131 강 빌렛 표면의 이중표피에서 연소된 개재물.

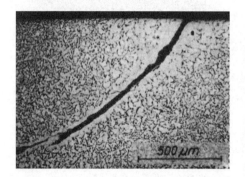

그림 4.130 탄소강에서 이중표피의 탈탄 작용.

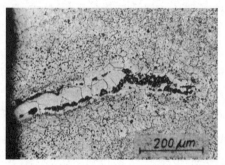

그림 4.132 강 빌렛 표면의 불량하게 접착된 이중표피.

인 연소가 일어나 있으며, 그림 4.132에서는 그와 같은 종류가 심하게 산화된 겹침으로 완전한 접착이 더이상 불가능해진 것이다.

균열에 채워진 산화피막 중의 산소가 강 내부로 확산되어 국부적으로 연소된 것을 분명히 알아볼 수 있다. 그림 4.132에서는 이와 같은 종류의 심하게 산화된 겹침으로 완전한 접착이 더 이상 이루어지지 않은 것을 볼 수 있다. 열간변형 온도에서 합금의 경도는 매우 낮으므로 부품표면에 개재물과 함께 성형되어서는 안되므로 주의해야한다. 그림 4.133에는 탈산된 Martin강판에 생긴 딱지(scale)진

표면을 나타낸 것이다. 열간변형 시의 모든 부분은 성형재와 접촉되므로 표면은 절대적으로 매끄러워야 한다. 표면 주름 또는 손상의 예를 들면 홈이 파져 벗겨져 나가거나 또는 압연기의 측면 유도장치가 지나가면서 압연재에 긁힘으로 홈을 내면 계속된 작업에서 파열될 수 있다.

그림 4.134에는 40Cr4강 형재에 압연 후 냉각으로 응력균열이 나타난 것인데 이러한 종류의 미세한 표면에 가느다란 홈으로 발전되어 있다. 결론적으로 열간 성형 재료는 주조재료에 비하여 다음과 같은 차이가 나타난다. :

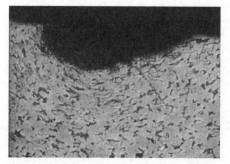

그림 4.133 탈산한 Martin강으로 된 표면이 오염된 강판에 압연된 스케일.

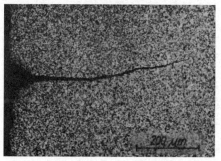

그림 4.134 40Cr4 강으로 된 형재에 생긴 응력균열, 표면에 나타난 긴 홈.

- 미세립자
- 섬유조직
- 균일조직
- 고 밀도
- 우수한 강도
- 성질의 방향 의존성(섬유 방향이 우수하며, 섬유방향에 가로는 기계적 성질이 나쁨).

4.3
금속의 납땜과 용접

　복잡한 부품은 주조 또는 성형하는 대

신 간단한 형상의 개별 부분품으로 제조하는 것이 유리할 수가 있다. 금속재료는 연납, 경납과 용접을 통하여 상호 접합하게 되는데 일반적으로 나사로 결합하는 것과 같이 나중에 접합된 것을 해체하기는 불가능하다. 납땜과 용접은 접착과 더불어 재료를 결합하는 접합법이다.

4.3.1
납땜

4.3.1.1 연납땜

　연납땜은 부가적인 금속을 보조로 금속부품을 하나로 접합하는 것인데 여기서 이러한 부가 금속(용가재)의 용융점(액상 온도)은 500~450℃이하이며 그러나 경우에 따라서는 접합 금속부보다 낮은 온도에서 용해된다. 연납땜 하려는 부분은 표면을 깨끗하게 하고 잘 맞추어 접합하여 액상 납땜을 한다. 재료의 매우 얇은 층만이 합금이 생성되어 금속학적으로는 거의 고려될 수 없다(그림 4.135). 납땜부는 땜납재가 주조 상태로 되어 있다. 연납땜은 중금속과 2원합금인 주로 Sn-Pb합금으로 접합하는데 8~90%Sn, 0.5~3.3%Sb, 잔류 Pb를 함유하며 예를 들면 규격으로 LSn30은 30%Sn, 2%Sb 및 68%Pb를 함유함을 의미한다. 땜납의 상부 및 하부 정지점 즉 응고구간은 Pb-Sn상태도로부터 활용한다. 땜납 Sn으로 모든 강과 구리합금을 연납땜하게 되며 중요한 응용영역

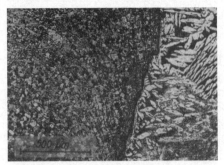

그림 4.135 강판과 황동판의 연납땜 접합 ; (강판은 가위로 절단), 황동(오른쪽)은 암모니아 알카리성 염화암모늄동으로 부식 ; 철 (왼쪽)은 과황산암모늄으로 부식.

그림 4.136 은으로 경납땜한 알루미늄청동 ; 기지금속과 땜납사이의 확산층 ; 땜납의 수지상 주조조직 ; 염화암모늄동으로 부식.

은 판재 및 선재 산업이다.[1]

선재의 Sn 함량이 < 35%이면 Al < 1% 인 Zn재료에도 연납땜 될 수 있다. 순수한 알루미늄은 L-Sn60Zn(60%Sn + 40%Zn) 또는 L-ZnAl15(85%Zn + 15%Al)로 연납땜 될 수 있다. 가벼운 금속주물에는 연납땜 L-ZnCd로 56%Zn + 4%Al + 40%Cd로 규격화 되어 있다.

4.3.1.2 경납땜

경납땜은 금속부품을 용가재 금속으로 접합하는데 용융점(액상온도)은 450~500℃ 이상이거나 접합하려는 금속부품보다 용융점이 낮다. 경납땜에서는 기본적으로 Cu기지 합금(예, 85%Cu + 14.5%Zn + 0.5%Si 를 함유한 LMs85), Ag합금(예, 8%Ag, 55%Cu 및 37%Zn을 함유한 LAg8) 또한 고온 납땜(>950℃) 예, Ag-Pd-Mn합금, Pd-Ni- 또는 Pd-Ni-Mn 합금 등이다. 연납땜에서와 유사하게 경납땜에서도 먼저

1) Cu 또는 Sn-Ag땜납(S-SnCu3 ; S-SnAg3)에 응용

표피에 붙어있는 산화물과 다른 불순물을 깨끗하게 해야 한다. 솔로 문지르거나 또는 납땜하는 동안에 액상제(보락스, 붕산, 불화알카리)를 첨가하여 진행한다. 후자의 경우에는 납땜부가 부식되므로 납땜 후에 다시 주의 깊게 제거해야 한다. 잘 맞춰진 구조물 사이에 액상 경납땜을 실시한다.

경납땜에서 땜납과 재료의 표면층 사이에는 분명한 합금생성이 일어나는데 액상 땜납이 기지재료 내로 약간 확산되어 양호한 접합이 이루어진다(그림 4.136).

납땜부의 조직에서 순수한 땜납재료는 주조상태로 되어 있다. 완전한 납땜을 위한 땜납재와 기지 재료 간에 합금 가능성은 납땜 온도와 납땜시간이 영향을 미치는데 확산층은 시편에서 대개 잘 알아볼 수 있다. 경납땜 접합의 강도는 연납땜 접합에 비하여 10배 정도 더 크다. 높은 작업온도는 특정한 경우에 냉간 강화되거나 또는 경화된 재료를 연화 할 수가 있다. 소결한 경질 금속 작은 판을 구리로

강 공구와 납땜하여 붙인다.

인장응력 하에 존재하는 강은 경납땜하게 되며 땜납이 결정내로 침투되어 땜납균열이 초래된다.

또한 Sn은 강을 >1000℃로 가열하면 결정립내로 침투된다(땜납 파손).

땜납균열은 강에서만 나타나는 것이 아니라 금속재료에서는 항상 발생하며 땜납재나 또는 일정한 성분이 확산을 통하여 입계나 상 경계를 따라 재료 내부로 들어감으로써 여기에 융점이 낮은 상 즉 공정(eutectic)이 생성될 수 있다.

4.3.2
용접

용접은 용접하고자 하는 부분을 재결정온도 이상으로 가열, 압력을 가하여 상호 접합(압접)하며, 또는 용융온도 이상으로 가열하여 용가재를 사용하거나 또는 사용하지 않고 상호 융해 접합하는 (융접) 과정으로 연납땜 및 경납땜과 구별된다.

4.3.2.1 융접

융해 용접부의 조직은 근본적으로 용해와 응고 법칙을 따르며, 4.1절에서 기술한 주조재의 조직 특성을 이 종류의 접합에도 적용하게 되나 여기서는 용접부의 용해와 응고 조건은 적은 양의 융체, 높은 온도 및 빠른 냉각 등을 각각의 용접법에서 상태의 차이에 따라 고려해야만 한다.

용접 접합에서는 기본적으로 3영역으로 구분된다. : 접합에서 실제 융해부 자체, 용접할 때 온도 상승으로 조직과 성질이 변화된 기지 재료와 경계를 이루고 있는 열영향부 및 용접부로부터 멀리 떨어져 용접 열에는 완전히 영향을 받지 않는 기지재료 등이다.

액상에서 고상으로의 천이에서 급격한 체적 변화가 일어나며 고상의 열팽창으로 용접에서 수축과 응력(용접 자체응력)이 발생한다.

응력은 구조적으로 실현될 수 없는 단계로 횡단 및 종단 수축 또는 각(angle) 수축이다. 용접법의 적당한 선택과 적용한 용접기술에 의하여 응력생성이 저지된다. 관련된 구조가 허락된다면 생성된 응력상태는 추가적인 열처리(응력제거 어닐링)로 제거될 수 있다.

용접부의 조직은 기지재료의 조성과 사용된 용접봉과 양측의 혼합비 및 용접조건 등에 의하여 좌우된다. 흔히 사용되는 용접의 경우에는 기지재료와 같은 조성으로 용접 접합부는 기지재료와 거의 동일한 강도, 인성 및 부식성 등을 갖게된다. 그림 4.137은 알루미늄판의 용접부인데 가스 흡입을 피하기 위하여 보호가스 하에 순수한 알루미늄 전극을 사용하여 용접한 조직을 나타낸 것이다.

용접부는 조대한 주조립자 및 주상결정화를 알아볼 수 있으며, 또한 미세립자인 기지재료로부터 분명하게 두드러져 보인다. 용접부 조직은 같은 조성인데도 일반적으로 열간성형된 것과 열처리한 기지

그림 4.137 알루미늄 용접 : 용접부의 조대 조직; NaOH로 부식.

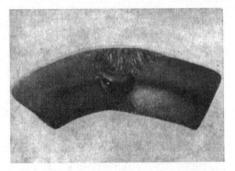

그림 4.138 내식 오스테나이트 Cr-Ni강의 용접부 ; Curran으로 부식.

금속보다 조대하다.

　이러한 차이를 줄이기 위하여 각종 방법들이 제안되는데 변태하지 않은 재료에서는 응력제거 어닐링이나 또는 재결정온도 이상에서 해머링 함으로써 인성을 개선할 수 있게 된다.

　변태를 동반하는 재료에서는 예를 들면 비합금 및 저합금강은 용접부의 조대립자 주조조직은 노멀라이징으로 미세화되며 또 다른 가능성은 용접봉 또는 알루미늄에 0.1～0.2% Ti와 같은 미세립자 합금원소를 피복한 것을 사용한다.

　합금의 용접에서 용접부에는 조대립자 및 주상결정 이외에도 결정편석 뿐만 아니라 주조상태에서 전형적인 조직 생성이 나타난다.

　그림 4.138은 V-접합 용접한 0.1%C, 18%Cr, 10%Ni 및 1.5%Nb+Ta를 함유한 내식강을 Curran-부식액(30㎤ 진한 염산, 120㎤ 염화제2철, 120㎤ 물)로 부식한 단면 조직으로 각종 용접 패스, 조대 립자 및 주상 결정 등이 나타나 있다. 열영향을 받은 기지재료(열간 압연한 판)의

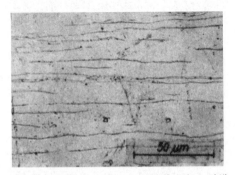

그림 4.139 그림 4.138의 기지재료의 조직생성 : 오스테나이트 기지 내에 길게 늘어난 선상 δ 페라이트를 가진 열간압연 판.

조직은 그림 4.139에 나타낸다. 기지에는 미세 오스테나이트, 긴 선상이 δ 페라이트 및 Nb 및 Ta 탄화물은 모난 미세결정으로 석출되어 있다. 용접부는 판과 실제적으로 같은 화학조성이며 둥글고 편석된 초정 오스테나이트 고용체와 전형적인 잔류영역 형상에는 δ 페라이트가 입자 자투리에 나타나 있다(그림 4.140).

　가끔 용접부의 조성이 기지재료의 조성과 기본적으로 다를 수가 있는데 예를 들면 내식성 또는 내마모성을 위하여 부품 표면에 도금한 재료이거나 또는 덧살부침 (bulid-up) 용접의 목적인 경우이다.

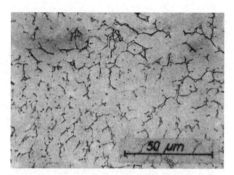

그림 4.140 그림 4.139의 용접부의 조직생성 : 결정편석을 가진 주조조직 ; 오스테나이트 고용체의 입계에 잔류영역 형상내의 δ페라이트.

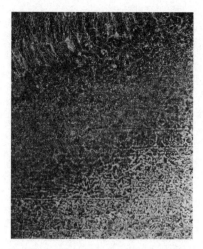

그림 4.141 0.2%C 비합금강의 용접에서 조직생성 ; 상부:용접부, 가운데 : 열영향부, 하부 : 기지재료. 3%희석 HNO_3로 부식.

이러한 용접부에 나타난 조직은 기지재료와 용접봉의 화학조성, 용해된 기지재료와 용접봉 재료의 상태 및 혼합의 완전성 등에 따라 조정된다.

용접부 인근 기지재료의 온도는 액상 용접부와 실온사이에 존재하는데 온도는 용접부로부터 기지재료로 떨어진다.

열영향부에서 기지재료 영역은 용접열에 의하여 명백히 변화하는데 예를 들면 조직생성에 관련된 강도 또는 내식성 등이다.

열영향부에서 조직변화는 다양한 종류가 될 수 있는데 화학조성의 각 성분과 기지재료의 예비처리 상태, 온도 및 작용의 지속성 등에 의하여 좌우 되며, 특성 변화는 다음과 같다. :

과열에 의한 조대립자 생성, 노멀라이징(변태성 강)을 통한 미세립자 생성, 템퍼링하고 냉간 성형된 또는 경화된 합금을 어닐링 함으로써 경도강하, 고 탄소를 함유하거나 합금강에서 마르텐사이트

생성, 베이나이트 생성 등을 통한 경도상승, 석출물에 의한 취성, 불안정한 오스테나이트형 Cr-Ni강 및 많은 다른 경우에서 입계부식이 일어나기 쉬움 등이 있다.

그림 4.141은 ≈0.2%C인 비합금강의 용접부에서 전형적인 열영향부를 다시 나타낸 것이다. 용접부(상부)의 주상결정 영역은 **Widmannstaetten** 조직을 가진 조대립자의 과열조직이 이어져 있으며 여기에 경계를 이루는 미세립자 조직영역은 노멀라이징 영역에 해당되고 완전히 결정화 되지 않은 영역으로 재료가 A_{C3}와 A_{C1}사이로 가열되며 용접부로부터 ≈2mm정도 떨어진 조직이 변화하지 않은 기지 재료가 존재한다.

천이영역에서 조직은 특히 차이가 있으며 경도, 충격인성 등의 기계적 성질이 이에 상응하는 특성이다.

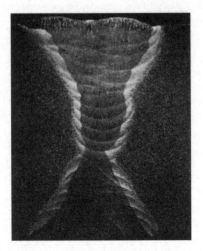

그림 4.142 X-접합 용접한 60mm강판 ; Adler 부식.

이런 종류의 불규칙적인 조직생성을 제거하기 위하여 용접에서 항상 나타나는 자체응력을 해소하고 기계적, 화학적 성질을 향상시키기 위하여 용접 후 용접 접합부를 열처리를 하는데 우선적으로 응력제거 어닐링, 연화어닐링, 노멀라이징 및 템퍼링 등을 고려하며 후자 두 방법은 강에만 제한한다.

전체 부품을 열처리 할 필요는 없으므로 해당되는 용접부와 그 주위만을 적당한 장치를 사용하여 필요한 온도로 가열한다. 비합금 및 저합금~중간합금 강에서 천이영역과 각각의 용접부 영역은 Adler 부식제(25cm³ 증류수, 3g 염화암모늄동, 50cm³ 진한, 15g 염화제2철[1])로 부식하면 육안조직으로 분명하게 관찰할 수 있다(그림 4.142). 이러한 종류의 육안조직 부식으로 용접부 품질을 평가하는데

---

1) 합목적으로 염화암모늄동을 먼저 물에 용해하고 염산 및 염화제2철을 순서대로 첨가함.

중요한 자료를 제공하게 된다. : 용접부의 단면 형상, 용접 패스의 수, 언더컷팅(under cutting), 입자크기와 형상, 용접결함(예, under cutting, 냉간용접, 이음매 측면 및 루트 결함, 가공, 슬래그 개재물, 응력균열 등), 용접부의 특성이 구조물의 품질을 규정하는데 결정적이므로 용접부의 평가를 현미경 조직인 육안조직과 미세조직 검사(여러번 실시할 수가 없으며 그렇다하더라도 이음새의 매우 작은 부분만 적합하게 파악 된다)만으로 제한하지 않고 넓은 범위에서 X-선 및 γ-선 검사, 초음파 검사, 자분탐상 시험 등을 실시해야 한다.

4.3.2.2 압접

압접에서는 접촉면 영역에 에너지를 공급해야 하는데 여기에 온도를 가하면 강한 확산이 가능하며(용해가 일어나지 않는 경우) 또는 국부적으로 용해하거나 또는 완전히 부분 액상 상태를 만든다. 이러한 에너지 발생은 전기저항 가열(접촉 영역의 높은 저항은 예를 들면 점용접 같이 국부적으로 가열된다), 마찰(마찰용접, 마찰교반용접, 초음파용접), 또는 외부가열(확산용접) 등을 통하여 이루어진다. 국부적인 용해 또는 부분 액상 상태가 나타나지 않아 조직 생성은 열간성형의 규칙성과 상변태가 일어날 수 있는(열영향부) 접촉면 부근 영역에는 열처리 조직 등이 함께 고려 될 수가 있다.

높은 압력으로 용접홈(groove)으로부

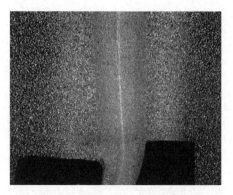

그림 4.143 $(\alpha+\beta)$ Ti합금의 마찰용접부의 조직생성 : a) 기지조직, α 상(밝은 부분)과 마르텐사이트$(\beta+\alpha)$ 영역(어두운 부분)으로 이루어짐, b) 열처리된 기지조직으로부터 심하게 열간성형된 영역으로의 천이, c) 늘어난 α 입자와 $(\beta+\alpha)$ 영역을 가진 심하게 열간성형된 조직으로 마르텐사이트 조직이 없어짐.

터 용접영역이 심하게 소성변형 된 재료가 으깨져 나온다.

국부적으로 용해된 경우는 국부 액상 상태에 도달하면 이러한 효과로 액상영역이 재 응고되어 겹치게 된다.

그림 4. 143은 $(\alpha+\beta)$ Ti합금의 마찰용접에서 조직생성 과정을 나타낸 것인데, 이 합금의 조직은 6.7.3절에서 다룬다.

4.4
표면처리

4.4.1
표면처리의 기본 방법

대부분의 경우 재료 또는 구조물에는 실제적인 표면처리가 필요하며 매우 효과적으로 표면과 표면 인접영역에 특별한 성질을 부여하게 되는데 예를 들면 내식성 및 내마모성의 향상, 반복적인 내 하중, 일정한 물리적 성질의 발생(예, 전기전도성, 자성) 또는 특별한 광학적 성질(장식용 코팅, 광학적 기능층) 및 화학적 성질(촉매 활성층) 등을 개선하기 위한 목적이 있다.

다양한 응용 방법 중에 이 책에서는 제한적으로 제시하며 표면 부근영역의 조직생성을 이해하기 위하여 기본적인 방법의 각 원리를 기술한다. 큰 기술적인 의미를 고려하지 않아도 여기서 여러 가지 방법들에는 표면청결 및 활성화 또는 표면기복(조연마 또는 미세연마 2.3절 참조)의 변화를 목적으로 한다.

표 4.6에서 보듯이, 표면처리는 크게 두 그룹으로 나눌 수가 있는데 하나는 재료(구조물)의 표면상에 요구되는 성질을 가진 다른 재료층을 추가하여 순수한 피복(덧붙임 층의 생성)을 하며 바탕(기지)으로 사용된 재료는 층의 조직생성에 약간의 영향만 미치게 된다. 층과 기지는 매우 얇은 경계영역으로 서로 분리되어 있으며 층으로부터 기지로 내부의 조직 특성과 성질이 급격히 변한다.

코팅은 원자(이온, 분자)의 결합을 통하여 기지의 표면위에 성장 층이 이루어지며(원자적 증착) 또는 거시적 재료 영역을 기지위에 덧붙인다(매크로 증착). 여기에 해당하는 생성율과 생성된 층 두께의 차이는 현저하며 PVD, CVD 및 ECD 등과 같은 원자적 증착은 $1\sim10^3 \mu mh^{-1}$ 사이의 층 생성율에서는 층 두께가 10^{-2}

표 4.6 표면처리 방법(개괄과 간추린 예)

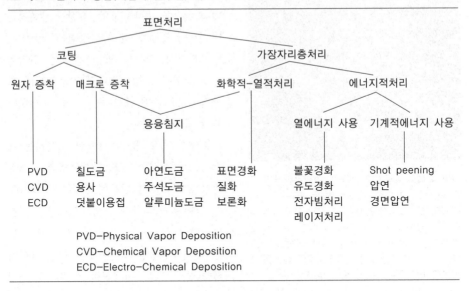

```
                              표면처리
                 ┌──────────────┴──────────────┐
               코팅                        가장자리층처리
        ┌───────┴───────┐            ┌────────────┴────────────┐
     원자 증착      매크로 증착      화학적-열적처리        에너지적처리
        │        ┌───┴────┐              │            ┌───────┴───────┐
        │        │     용융침지          │        열에너지 사용   기계적에너지 사용
        │        │    ┌───┴────┐         │
      PVD       칠도금  아연도금  표면경화   불꽃경화      Shot peening
      CVD       용사    주석도금  질화      유도경화      압연
      ECD       덧붙이용접 알루미늄도금 보론화  전자빔처리    경면압연
                                                레이저처리
```

PVD-Physical Vapor Deposition
CVD-Chemical Vapor Deposition
ECD-Electro-Chemical Deposition

$\sim 10^3 \mu m$ 영역이, 락카, 스프레이 또는 덧붙임 용접 등과 같은 매크로 증착에서는 $1 \sim 10^2 mmh^{-1}$사이의 층생성율에서는 층 두께가 $10^{-2} \sim 10mm$가 된다. 층 내에 생성된 조직은 근본적으로 원천으로부터 표면으로의 재료이동 변수와 원자/이온/분자의 거동뿐만 아니라 용융미세립자/고상 등이 결정적인 영향을 미치며 다만 층-기지의 경계영역은 기지의 성질을 통하여 현저한 영향을 받게된다.

표면처리의 두 번째 큰 그룹은 가장자리층 처리이다. 가장자리 영역의 화학적-열적 반응을 통하여 표면에 성분을 보충하거나 또는 깊은 경계를 가진 에너지를 사용한 열처리 및 상변태 과정으로 가장자리 영역의 조직이 현저하게 변화된 성질을 코팅법에 의한 연한 조직과 성질 차이를 비교하게 된다. 가장자리 처리(개량)를 통하여 깊이에 미치는 영향은 $10^{-2} \sim$ 수 mm 이하이다.

화학적-열적 방법에는 질화, 침탄질화, 침탄(표면경화)과 보론침투 등인데 질소, 탄소 또는 보론(또한 조합도 가능) 등을 가장자리에 부화시켜 여기서 이들 원소와 열처리 재료와 반응한 새로운 상(질화물, 탄화물, 탄질화물 및 보론화합물)이 가장자리층의 성질을 규정하게 된다.

원소로 사용된 공급매체는 기상 또는 액상일 수 있다(고체 매체에서는 거의 항상 가스형 중간화합물이 생성되며 결국 공급매체로 작용한다).

예리한 경계를 가진 짧은 열적 에너지(불꽃경화 및 유도경화, 전자빔 및 레이저빔 처리)가 가장자리 영역을 급속 가열한 후 급랭하여 대부분 열이 냉각된 시편 내부(자체 급랭)로 이동되어 새로운 조직의 생성과 개량이 일어난다.

여기서는 가장자리 영역이 용해되고 합금이 이루어진다(레이저 및 전자빔처리). 화학적-열적 및 열처리된 가장자리 층의 생성된 상의 종류와 분포는 확산과정과 상의 핵생성과 성장과정에 의하여 좌우되며 기지 재료의 특징과 사용된 원소에 비하여 매우 큰 차이를 나타낸다.

기계적 에너지를 적용한 특수한 상태를 고려하면 **숏 피닝(shot peening)** 또는 압연으로 가장자리 거리에 따른 변형으로 가장자리 인접 조직의 개량이 이루어진다. 여기에는 가장자리 층의 냉간경화 및 압축응력이 생긴다. 용융 침지법에서는 재료/공작물을 금속융액에 매우 짧은 시간 동안 침지하며 단순한 금속층이 덮인다(코팅).

침지시간은 일반적이고 용탕온도가 높아 용탕내의 원소와 기지재료의 원소가 반응하여 고용체 또는 금속간 화합물상이 생성되어 화학적 반응이 일어나며 가끔 추가적인 열처리가 필요하다(화학적-열적처리).

융체의 원소가 기지 재료내로의 확산이 너무 미약하여 기지 재료와 침지층간의 얇은 경계영역의 성질 차이가 매우 현격하게 나타날 수도 있다.

근본적으로 조직생성을 위하여 표면처리를 선택적으로 실시하게 된다.

4.4.2
코팅법

4.4.2.1 원자증착 코팅법

PVD 법

PVD(Physical Vapor Deposition)는 물리적으로 증기 및 가스상층을 증착하는 모든 방법을 의미하고 전체적으로 우선 물리적 방법으로 가스상(또는 Plasma)이 층을 만들려는 시편 기지(substrate)의 표면에 증착되게 하는데 이 과정을 승화(sublimation)라 한다.

근본적으로 생성된 막의 조직을 위해서는 입자의 종류 외에도 에너지와 입자흐름(시간 및 단위 면적당 기지 상에 닿는 입자 수), 입자들로부터 기지표면에 떨어지는 방향 및 기지의 온도 등이 모든 PVD법에 균일하게 적용되는데 언급한 인자와 관련된 양적인 것만으로 각종 방법이 구별된다.

가장 간단한 방법인 중성원자 입자로된 가스상을 발생하는 것은 열적 기화이다.

코팅재를 적당한 도가니에서 비등점가까이 까지 가열하며 여기서 기화율은 융체 이상에서 평형 증기압이상으로 조절되어 외부 압력이 감소함으로써 작게 유지한다(진공 중에서 작업함). 기화된 입자의 운동에너지는 온도에 의하여 $3/2$ $k \cdot T$(Boltzmann 상수 $k = 8.62 \cdot 10^{-5}$ eVK^{-1} ; T 온도는 K)로 규정된다.

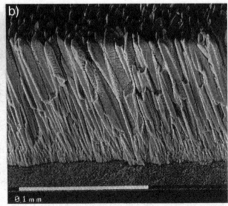

그림 4.144 전자빔으로 만들어진 ZrO₂-Y₂O₃ 열차단층 :
a) 피라미드형상 표면을 가진 각각의 주상 결정립 생성
b) 파단면, 경사증착으로 연속적으로 나타난 주상립자(Schulz).

비교적 높은 온도로 과열되면 입자의 운동 에너지가 스스로 상승하여 그 값은 10^{-1} eV가 겨우 되며 기화에 필요한 에너지는 코팅재료에 열적(저항 또는 유도가열)으로 높은 에너지 전자빔, 원통형음극 또는 레이저 광선으로 공급된다.

전자빔 기화법의 장점은 전자빔 자장을 생성하고 그 방향을 변화시키며 또한 높은 에너지를 발생할 수 있게 된다(**전자빔 기화**, EBD로 나타내기도 함).

매우 자주 **Magnetron 스퍼터링**을 적용하게 되는데(경질재료 코팅, 장식용 코팅 및 광학적 코팅, 마이크로 일렉트로닉 기타 등), 코팅재료는 음극으로 대전되어 있고 타깃(target) 형상 앞에 맞추어진 양극 plasma가 점화되며 일반적으로 파스칼(Pa) 범위의 압력에서 아르곤(Ar)이 작동 가스로써 작용한다.

양극 Ar 이온 앞의 plasma에는 타깃에 연결된 전압에 대하여 표면상에 연결되어 있으며 타깃 원자에 그 충격(Impuls)이 전달됨으로써 타깃 표면이 중성립자로 남아 있을 수 있다(**스퍼터링**).

스퍼터링율을 높이기위해서는 먼저 타깃 표면 Ar 이온의 밀도를 높혀야 함으로 타깃 뒤에 설치된 자석으로부터 나오는 적당한 자계를 형성하게 하며 타깃 앞 plasma 까지의 전자가 집중됨으로써 이온화되어 스퍼터링율이 최대가 된다(Magnetron-Sputtering).

타깃 재료의 스퍼터링된 입자들은 계속 중성을 띄고 그 운동에너지는 $10^{0} \sim 10^{1}$ eV 범위에 있으며 열적으로 증발 된 입자보다도 크기가 10^{2}으로 높다.

이들 입자는 전하가 없으므로 가속될 수가 없게된다.

증착하려는 기판에 음의 전하를 인가하면(**바이어스-전압**) 증착공정의 에너지를 뒷받침하기위하여 plasma로부터 나온 Ar 이온을 제거하여 기판 상에 유도

표 4.7 PVD 증착법의 특성

	열적 증발	스퍼터링	이온도금
이온화	없음	Ar 이온만	타깃 및 Ar 이온
입자에너지	10^{-1}eV	타깃-이온 : 10^1eV Ar 이온 : 10^2 eV	타깃 이온 : 10^2eV Ar 이온 : 10^2eV
증착률	10^1 μm min^{-1}	$\geq 10^{-1}$ μm min^{-1}	$\geq 10^{-1}$ μm min^{-1}
증착가능면적	m^2	m^2	$\leq$ m^2
접착성	자주 문제	가끔 문제	드물게 문제
반응성	제한됨	우수	매우 우수
두드러진 결함	vacancy, 기공	vacancy, 격자간 원자, 응집, 기공	vacancy, 격자간 원자, 응집, 기공
응력	낮음	매우 높음(GPa)	매우 높음(GPa)

될 수 있다.

그 운동 에너지는 $10^1 \sim 10^2$eV 범위에 있으며 매우 유연한 Magnetron 스퍼터링법은 실제적으로 모든 재료의 증발이 가능하고 증착될 수 있게 된다.

작업가스 예를 들면 N_2 또는 탄소를 이송하는 CH_4 등이 타깃으로써 질화물 또는 탄화물이 생성된 금속과 함께 작용하여 반응 도중에 질화물 또는 탄화물이 증착될 수 있게 된다(예, TiN, TiC, Ti(N, C), CrN 등).

기판상에 증착된 층의 표면을 개선하기위하여 증기 입자의 운동에너지를 높이는 것이 필요할 때도 있다(입계면 영역에서 원자적 혼합).

입자들이 이온화되어 존재한다면 가해진 기판저항으로 간단히 이루어지며 이것은 원통형 음극 증발 또는 Arc 증발을 적용하여 이루어지는데 여기서 타깃 재료의 이온이 높게 만들어 진다(이온 도금).

일반적으로 증발입자의 운동에너지는 10^2eV 영역이며, 물론 이온 도금도 Magnetron 스퍼터링에서처럼 반응적으로 형성된다(질화물, 탄화물 등).

표 4.7은 3종류 PVD법의 특성을 요약하여 나타낸 것이다.

PVD법에서 증착층 생성을 다음과 같이 요약할 수 있다. :

• 주입되는 증기입자는 기판표면에 흡수되며 표면입자의 기동성은 그 운동에너지뿐만 아니라 기판온도에 의하여 정해진다.
• 평면 또는 섬 형태(임계 이상)핵이 계속하여 형성되어 기판이 완전히 덮일 때까지 측면으로 성장하며 핵의 방위

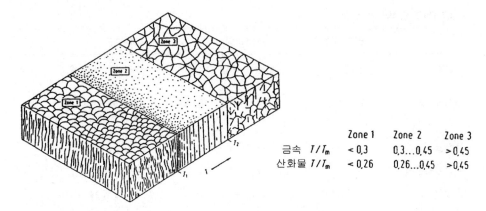

		Zone 1	Zone 2	Zone 3
금속	T/T_m	< 0.3	0.3...0.45	> 0.45
산화물	T/T_m	< 0.26	0.26...0.45	> 0.45

그림 4.145 열적 증착에서 Movchan과 Demchishin에 따른 영역모델.

는 기판입자의 방위에 크게 영향을 미친다(소위 불균질 핵생성[1]), 불균질 핵생성 방위관계에서 층의 처음영역이 생성된 집합조직(texture)을 규명하는 데 결정적이다.

- 기판이 완전하게 덮인 후에는 증착재료의 각 입자들이 우선 성장되며 최대 결정화 속도를 가진 방향은 표면에 거의 수직이고 또한 입자의 이동방향에 평행으로 존재한다(선택적 성장방향은 기판재료의 성질에 의해서는 실제적으로 영향을 받지 않는다). 미세한 막대모양의 입자가 기판재료의 독특한 집합조직 생성으로 강해진다(기둥모양 또는 주상조직).

주상조직의 미세도 구별은 기판온도와 입자의 운동에너지의 표면(표면확산) 기동성(확산능)과 분리된 층의 체적(체적

확산)에 의하여 규정된다.

기판온도에 관련된 용융온도 T_s에 의존하여 나타난 조직의 시스템화는 열적 증발에 대하여 Movchan과 Demchishin에 의하여 최초로 제안되었는데 여기로부터 나온 활성화 엔탈피는 표면 확산뿐만 아니라 체적확산으로 용융온도에 비례한다(3.1.3 참조).

T/T_s에 상응하는 온도를 조직생성을 위한 인자로 규정하게 된다. 언급한 제안자들에 따르면 전형적인 조직 특성에 따라 3온도범위(영역)로 구별된다(그림 4.145).

- $T/T_s < 0.3$ 인 영역 1 : 매우 제한된 표면 확산, 체적확산은 없음, 거칠은 표면과 뚜렷한 기공을 가진 미세 섬유상 조직, 높은 결함 밀도
- $0.3 < T/T_s < 0.45$인 영역 2 : 뚜렷한 표면 확산, 주상조직, 낮은 잔류기공 및 낮은 표면 거칠기 ; 감소된 결함 밀도
- $T/T_s > 0.45$ 인 영역 3 : 심한 표면 확산과 체적확산도 뚜렷함 ; 상대적으로

---

1) 불균질 핵생성(Heteroepitaxy)은 다른 종류의 기판 상에 층이 생성하는 것이며 여기서는 기판결정의 방향과 증착재료의 결정 간에는 규칙적인 관계가 존재한다.

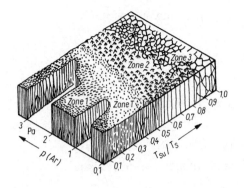

그림 4.146 스퍼터링 층 내의 조직생성에 대한 Thornton의 영역모델.

조대한 조직 및 주상특성의 감소

Movchan과 Demchishin에 의한 모델 제시에서는 기본적으로 스퍼터링 및 이온 도금 층에도 적용될 수 있는데(Thornton, 그림 4.146), 여기서는 입자에너지가 기본적으로 높다. 입자에너지의 성장과 더불어 이미 언급한 온도경계가 낮은 온도로 이동되며 여기서 분리된 증착층 재료 내에 생성된 격자 결함 농도가 증가된다. 그 밖에도 영역 1과 2사이에 약간 또는 심하게 뚜렷한 천이영역 T가 존재하는데 영역 1은 매우 미세한 주상조직이 현저하며 이것은 매우 치밀하여 표면 거칠기가 낮게 나타난다. 이러한 조직생성의 형태는 공구의 경질재 증착에 응용된다.

그림 4.147은 반응성 마그네트론 스퍼트링에 의하여 생성된 각종 경질층의 주상조직을 나타낸 것이다. Movchan과 Demchishin 및 Thornton 등에 의한 모델은 모든 PVD 증착에 일관되게 응용되

고 있다. **PVD 증착법**은 매우 낮은 기판 온도를 적용할 수 있으므로 이 방법은 또한 준안정 상을 증착한다(예, 원자적 상, 나노 결정조직, 매우 과포화된 고용체 또는 준안정 결정구조).

PVD 증착법의 특성에서 입자는 원천(source)으로부터 생성되며(용융 도가니, 스퍼터음극 등), 리시버에서는 강력한 방향성으로 확장되고 현저한 증발빔 방향이 존재하는데 이것은 입자가 좁은 영역에서 수직으로 기판상에 증착되는 것을 의미한다. 기판의 표면이 복잡한 높낮이를 가진 경우에는 단위면적당 증착되거나 또는 흡수되는 입자는 표면수직 각도와 증발빔 방향에 의하여 좌우되고 시편상의 표면 수직방향이 변하여 생성된 층의 두께가 현저한 차이를 나타낸다. 기판의 뒷면은 천공이 되지 않아 층이 생성되지 않는다.

CVD 법

화학적 가스상 증착인 **CVD 법(Chemical Vapor Deposion)**에서는 반응로 내에서 가스가 상호 반응하여 원자 또는 분자가 증착되어 층이 먼저 생성된다.

필요한 반응온도는 PVD법과 비교하여 매우 높아 이러한 기판에만 증착될 수 있으며 그 조직은 상당하는 열적 안전성이 나타나고(예, 경질금속, 반도체, 산화물 등) 또는 후속적인 열처리를 통하여 증착층 하부는 영향 없이 목적하는 조직 상태로 만들 수 있다. CVD 법에서는 다

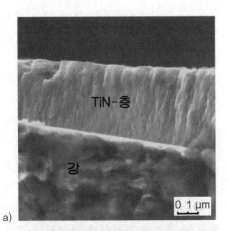

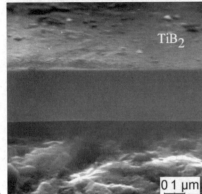

그림 4.147 Magnetron Sputtering된 TiN 층에서 조직생성(부러진 시편 층을 수직으로 본 SEM) : a) HSS 상의 TiN 층 주상조직, b) 나노결정 TiB$_2$ 층의 평면 파단면, c) (Ti, Al)N층에서 기계적으로 약한 입계에 파손된 주상조직.

음과 같은 반응이 수반된다.:

− 화학합성, 예 :

$TiCl_4(g)+CH_4 \rightarrow TiC+4HCl$
(800−1000℃, 10−150 mbar)

$TiCl_4(g)+1/2N_2 \rightarrow TiN+4HCl$
(600−1000℃ ; 10−900 mbar)

− 산화, 예 :

$AlCl_3+3/2\ H_2O \rightarrow Al_2O_3+3HCl$
(850℃)

− 열분해, 예 :

$Ni(CO)_4 \rightarrow Ni+4CO(150−120℃)$

불균형화, 예 :

$2GeJ_2 \rightarrow Ge+GeJ_4$

예로써 나타낸 것과 같이 반응온도는 600−1200℃, 가스압력은 0.01^{-1} bar이며 증착률은 $101−1012\ \mu mh^{-1}$이다.

높은 반응온도와 분해온도는 플라즈마 반응(**plasma CVD**)을 응용하든가 또는 금속적 결합, 예를 들면 M형(C_nH_{2n+1})$_m$(M 금속)을 통하여 낮출 수가 있으며 이렇게 하여 CVD 법의 응용영역은 매우 확대된다.

특히, 금속적 결합은 매우 독성이 있으므로 그 응용에는 높은 안전 비용이 필요하다.

증착된 층의 조직생성은 PVD 증착에서와 같이 균일성이 있다.

다만, 증착온도가 PVD 법과 비교하여

그림 4.148 CVD-경질재층: a) 표면에 피라미드형상이 생성된 표면 TiN 층, b) TiN, Ti(C, N) 및 Al$_2$O$_3$로 된 여러 층의 공구 코팅.

높고 입자에너지가 열적 에너지에 상당하며 높은 증착온도는 PVD 법에 비하여 접착강도의 개선이 이루어진다.

가스상 증착의 장점은 PVD 법에 비하여 완전히 균일한 증착이 이루어지며 또한 가스립자의 이동에는 실제 특수한 방위가 없으므로 복잡한 표면 형상도 가능하다.

전기화학적 증착층

전기화학적 도금증착(ECD : Electro-Chemical Deposition)은 즉, 외부로부터 영향을 미치는 전류의 흐름 하에 적절한 전해액에서 층의 전기화학적인 도금은 특히 금속기술에서 매우 폭넓게 응용된다. 원리는 간단하게 설명된다. : 증

착하려는(전도성) 시편을 전해액에 침지하고 음극을 부하한다(음전위). 대부분 산성 전해액에는 도금되는 금속이 양으로 부하된 이온 형태로 함유되며, 음극(시편)과 양극(상대전극)사이에 전기의 영향하에서 대류를 통하여 음극으로 움직이며, 다음 반응을 따르게 되는데

$$M^{z+}+z \cdot e^- \rightarrow M_{ad} \qquad (4.27 \text{ a})$$

방전 또는 환원되고 음극(시편) 표면에 축적된다. 이미 언급한 두 종류의 PVD 및 CVD 법은 기판의 적당한 장소에 핵생성을 통하여 원자적 증착 과정과 특성화가 이루어지며 이러한 핵이 기판에 완전히 덮일 때까지 성장하고 층상 재결정의 계속적인 성장에서 선택적 성장이 이루어진다. 수용성 전해액으로부터 뚜렷한 수소분리가 나타날 경우에는 금속의 도금을 위하여 필요한 각각의 저항 보다 낮아야 한다. 전해액에서 금속이온의 원천으로써 분리된 금속으로부터 대개 용해성 양극(양전위)으로 작용하며 다음과 같은 산화 반응을 일으킨다.:

$$M \rightarrow M^{z+}+z \cdot e^- \qquad (4.27 \text{ b})$$

예를 들면 내식강 또는 티탄으로부터 불용성 양극을 적용할 때는 신선한 전해액을 공급함으로써 금속이온이 지속적으로 보충된다. 전해액은 대개 특수한 첨가제를 함유하고 조직생성으로 표면양상과 증착속도의 영향을 받게 된다(배위결

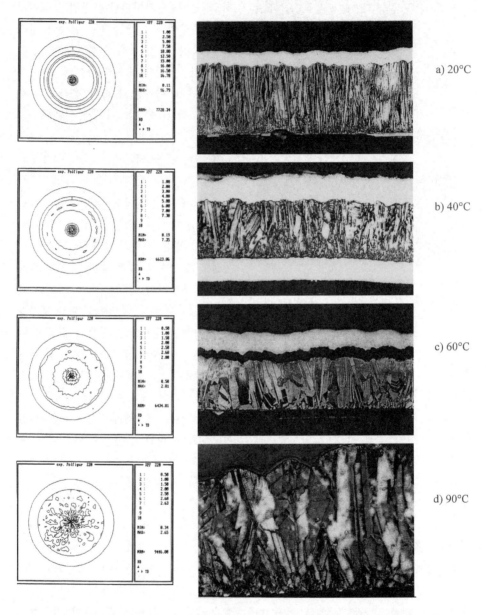

그림 4.149 아몰퍼스 탄소위에 서로 다른 온도에서 전기도금법으로 증착한 Cu층의 (110)-극점도와 단면조직사진.

합 생성제. 억제제[1]).

도금률(코팅률)은 10^1-$10^2 \mu m h^{-1}$사이 영역에 존재하며 층 두께는 대개 $10^2 \mu m$까지이다. 코팅은 mm영역까지 가능하며 무엇보다 층 두께의 증가와 더불어 표면의 거칠기가 상승한다. 기본적으로 조직생성에 미치는 영향인자는 온도와 전해액의 금속이온 농도, 전류밀도 이며, 전해액의 이동(대류)과 종류 및 배위결합 생성제 또는 억제제 첨가량에 의하여 도금된다. 모든 이러한 인자들의 상호 역할은 매우 복잡함으로 예를 들면 열적 증착에서 나타난 것과 같이(그림 4.145 참조) 간단한 모델로는 설명하기가 단순하지 않다.

그림 4.149는 Cu 층으로 각기 다른 온도에서는 아몰퍼스 탄소원자 상에 도금된 것이다.

20℃에서는 예리한 〈1 1 0〉섬유상 조직을 가진 양호한 미세립자 주상조직이 생성된다. 도금온도가 증가됨에 따라 조직이 조대화 되고 결정의 엄격한 배열이 상실되어 집합조직의 크기가 최대 극밀도에서 약화되며 섬유 집합조직으로는 알아볼 수가 없다.

4.4.2.2 층재료의 거시적 적층을 가진 코팅법

코팅법 중 이 그룹은 외관에 덧칠하는 것을 포함시키는데 얇은 판 또는 박

판을 재료에 도금하거나 덧붙임(build-up) 용접(용접코팅) 및 열적 스프레이 등이 있다. 이러한 이유로 기술적인 큰 의미를 부여하게 되며, 표면층 재료의 선재 또는 분말은 에너지가 풍부한 불꽃으로 되고 아크 또는 플라즈마에서 용해되며 가스 흐름을 통하여 미세한 작은 방울은 얇게 되고 높은 속도로 표면층 재료에 부딪쳐 10^4~10^7 Ks^{-1}의 냉각속도로 응고된다. 용융 작은 방울들이 표면상에 부딪칠 때 둥글납작한 형태의 구조로 생성되고 기지와 상호 기계적으로 달라붙어 밀착된다.

부딪치는 속도는 약 $50 ms^{-1}$(불꽃 스프레이)과 $800 ms^{-1}$(고속불꽃 스프레이)사이이며 이 속도가 높을수록 표피 강도가 더욱 좋아지고 기공성이 더욱 낮아진다. 플라즈마 스프레이는 진공 하에서 시행될 수 있으며 이렇게 하여 표피강도가 개선되고 층내의 기공과 산화물 등이 감소된다.

스프레이 층의 조직은 이미 언급한 둥글납작한 형태의 영역을 통하여 특성을 나타내고 높은 냉각속도로 인하여 그 내부는 극히 미세한 입자조직이 준안정 상과 함께 흔히 존재한다.

둥글납작한 형태 사이에는 기공과 산화물이 발견되며 이들은 치밀한 층 재료와 비교하여 기계적인 약화를 초래한다. 전형적인 플라즈마 스프레이 층을 그림 4.150에 나타낸다.

열적 스프레이법의 기본적인 장점은 다음과 같다. :

---

1) 전해 금속침전의 모든 공정(process)에서 억제란 금속이온의 음극환원을 방해하는 것을 의미한다.

– 증착률이 높다($10^1 \sim 10^2$ mmh^{-1}).
– 층 두께(10^1mm까지)가 두텁다.
– 실제 모든 재료의 스프레이가 가능하다(금속, 금속간 화합물, 산화물, 질화물 및 탄화물 등).
– 여러겹 층과 층조직을 만들 수 있다.
– 국부적인 증착층을 조절할 수 있으며 또한 큰 면적에 증착이 가능하다.

4.4.3
용융침지

표면을 예비처리(청결, 활성화)하고 층을 만들고자 하는(도금) 재료나 구조물 또는 중간제품을 목적하는 표면층 재료의 용탕에 침지하여 금속도금 또는 층을 생성시킬 수가 있다.

이 방법은 예를 들면 Zn, Sn, Al 또는 Pb를 도금하는 데는 좋은 결과를 보여주며 용탕에는 대개 추가된 합금을 함유함으로써 도금층 성질을 개선하게 된다. 용융침지는 띠(판)에 도금할 때 불연속적으로 또는 연속적으로(예, 자동차구조의 차체판의 열간도금) 침지 할 수 있다. 이런 종류의 코팅층은 대개 내식 또는 내산화성을 보증하기위하여 실시하며, 여기서 피복 재료는 상대적으로 낮은 용융점을 갖는다. 금속욕에 재료를 침지하면 성분(원소)이 용탕과 반응하여 합금영역을 생성하며 확산조건에 따라 관련된 합금원소가 차별적으로 생성된다.

상태도에서 관련된 원소는 성분의 고용체상 외에도 금속간 화합물과 같은 합금상이 계속하여 나타남으로 이러한 합금영역에 상당하는 농도구배를 알아 볼 수가 있다.

이러한 합금 층에서 상의 연속은 상태도에서 나타낸 상과 같다.

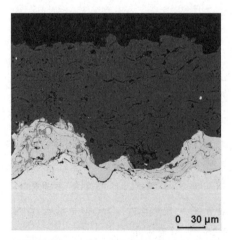

그림 4.150 표면조정을 위하여 Ni-Cr으로 된 중간층을 가진 Cu위에 Al_2O_3 플라즈마 용사층.

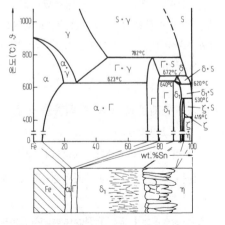

그림 4.151 Fe-Zn 상태도와 강에 용융 아연 도금에서 조직생성의 도식(Schramm).

각기 다른 합금상이 층상으로 성장하고 합금 성분의 확산이 이 층을 통하여 층생성의 동력이 정해진다고 가정하면 생성된 층 두께 $\triangle x_i$, 상 i와의 관계로부터 측정하면

$$\triangle x_i \sim (D \cdot \triangle c)^{1/2} \qquad (4.28)$$

로 추론된다(D 확산계수, $\triangle c$ 상의 균질영역). 균질영역이 크고 확산계수가 높게 나타난다면 합금층 내로 상 i의 층 두께가 커진다. 관찰된 상의 고상온도가 낮다면 주어진 용탕조의 온도에서는 확산계수가 크다. 이러한 것을 고려하면 합금영역에 생성된 층은 용융침지에서 나타난다. 각 층의 성장은 포물선 형태로 시간에 따라 이루어진다.

$$\triangle x_i(t) = const.(D \cdot \triangle c)^{1/2} \cdot t^{1/2} \qquad (4.29)$$

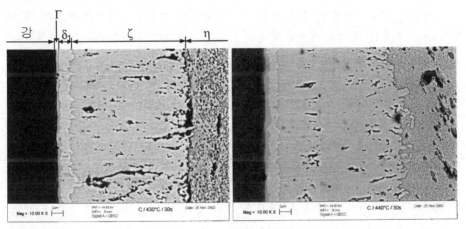

a) $T_B = 430°C$ b) $T_B = 440°C$

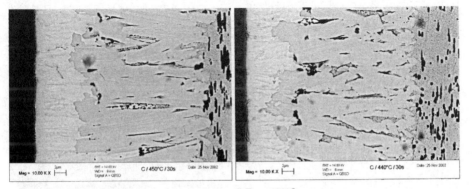

c) $T_B = 450°C$ d) $T_B = 460°C$

그림 4.152 각기 다른 용융온도 T_B, 침지시간 30초에서 강에 생성된 Zn층의 조직.

표 4.8 강의 용융 아연도금에서 합금 상

상	형태	구조	존재영역 [wt. % Fe]	고상온도 [영역 ℃]	두께
A	Fe-Zn고용체	체심입방	>95	>800[1]	매우 작음<1μm
Γ	Fe_3Zn_{10}	입방	21–28	660–780	약간의 μm
δ_1	$FeZn_{10}$	육방	7–11	530–668	10^1–$10^2\mu$m
ζ	$FeZn_{13}$	사방	6–7	425–530	10^1 μm
η	Zn-Fe고용체	육방	<1	420	10^1 μm

이러한 합금상은 대개 매우 취성이 있으므로 용융침지에서 합금영역의 두께는 용도에 따라서 주의해야 한다. 가장 자주 응용되는 용융침지법은 강의 열간 아연도금 이다(6.4.1 참조). 용탕조의 온도는 450~480℃이며 연속도금에서 10~20 μm 두께의 층을 얻기 위한 침지 시간은 약 10~30s 정도이다. 여기서 어떠한 상이 생성되는지는 Fe-Zn상태도(그림 4.151)로부터 알 수 있으며, 표 4.8에서 Fe함량이 낮아지는 것과 연관된다. 그림 4.152는 용융 아연도금층의 전형적인 층 구조를 나타낸 것인데 욕 온도가 낮아 α 상의 고상 및 액상온도의 관계에서 Fe내로 Zn 확산이 거의 일어나지 않기 때문에 α Fe-Zn 고용체상을 확인 하기는 어렵다.

(Tammann-법칙 식 3.28에서 확산 길이 $<10^{-1}\mu$m와 비교) Γ 상 영역에서는 비교적 큰 균질성과 존재영역에도 불구하고 제한적인 확산(높은 고상온도)으로 인하여 층 두께는 매우 얇아 광학 현미경으로는 이것을 확인할 수가 없게 된다.

이어지는 δ_1 상은 합금 층에서 크기에 따라 10%가 되고, 합금 층의 가장 많이 치지하는 부분은 ζ 상이며 이것이 층 영역을 압도하고 주상(columnar)으로 이루어져 있는데 주상 사이에는 일반적으로 잔류용체가 남아 있으며 가볍게 부식하면 그림 4.153과 같이 보인다.

가장 바깥층은 η 상으로 되어 있으며 그 두께는 용탕내의 대류, 주상 성장속도 및 용탕의 점도 등에 의하여 좌우된다. 표 4.8의 data로부터 Γ상, δ_1상, ζ 상 및 η 상 영역 사이에는 작은 Fe 농도 차이가 나타날 뿐이다. 기판(기지)과 얇은 Γ상 영역 사이에는 약 67% 크기인데

그림 4.153 잔류용체의 부식에 의한 η 층 모양.

---

[1] γ Fe-Zn 고용체로의 천이

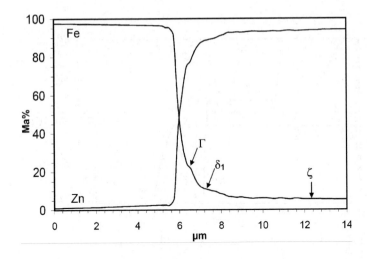

그림 4.154
강에 생성된 Zn 층에서 Fe 농도 변화.

경계면으로부터 기판간의 거리가 증가되면 급격한 Fe 농도 강하가 일어난다(그림 4.154).

4.4.4
가장자리층 처리

4.4.4.1 화학적-열적 처리

시편 또는 구조물의 가장자리 층의 조직 개량을 위하여 적당한 합금원소를 표면에 사용하게 되는데 여기서 재료내로 확산되어 들어가서 확산 원소 및 기지의 상태도 상에 이에 상응하는 연속된 상(phase)이 생성될 수 있다. 확산 원소가 격자간 위치를 통하여 확산 된다면 특히 유효한데 이 원소의 확산계수 D가 비교적 크기 때문에 확산 깊이가 높아[확산 깊이 $2(D \cdot t)^{1/2}$에 의하여 나타낸다. 3.1.3절 참조] 이 기구가 적용되며, 또한 여기서는 현저한 조직 변화와 더불어 성질 변화도 관련된다. 철강 재료에서 특별한 기술적 의미는 탄소, 수소, 질소 및 보론 등인데 이러한 기본에 근거한 방법으로는 경도에 관련된(**표면경화**), 침탄(가장자리 층의 **탄소부화**), 질화(**질소부화**) 그리고 이 두 가지를 결합한 침탄질화 및 보론침투(**보론부화**) 등이 있다. 철강 재료에서 보론침투는 표면에 두 종류의 보론철 접합층인 FeB와 Fe_2B가 생성된다. 원자 반경 0.088nm를 가진 보론의 철에 용해도가 극히 적으므로 (1.2.2.2절 참조) 결합층 하부조직은 약간만 변하므로 가장자리 영역만 성질 변화를 일으키는 원인이 된다. 강의 질화에서는 다른 요건으로 응용되는데 질화온도를 590℃ 부근에서 적용하면 페라이트 내에 약 0.1wt.% 질소가 용해되어 그와 같은 합금원소를 가진 질화성 석출물을 생성하여 석출층 내에 질화철($Fe_2N_{(1-x)}$, Fe_4N이 대부분 생성)이 접합층의 하부에 생성되는데 이것은 철보다 질소와 친화력이 더 크다. 이러한 질화

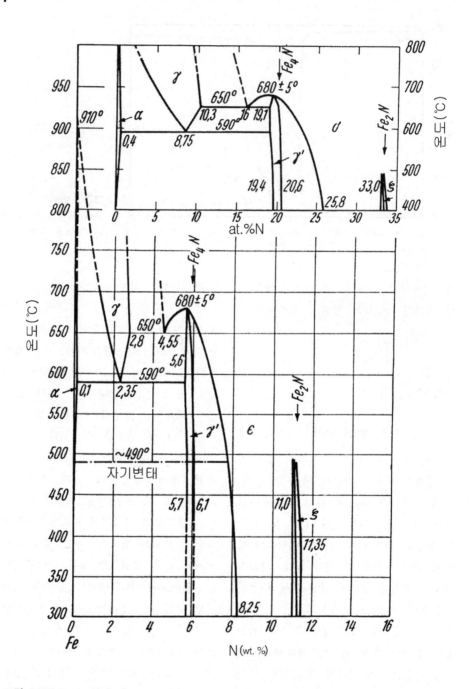

그림 4.155 Fe-N 상태도(Hansen과 Anderko에 의함).

물 생성 원소는 특히 Cr(CrN, Cr₂N), Al(AlN) 및 V(VN) 등이며 질화처리 후 가장자리 층의 특수한 성질은 접합층의 조직 생성뿐만 아니라 석출층 내의 석출물 생성으로부터 기인한 것이다. 전체 변화된 가장자리층인 확산층은 접합층과 석출층의 조성으로 되어있다. G-S선 이상(그림 3.44참조) 온도에서 낮은 탄소함량을 가진 강에 침탄을 통하여 가장자리 인근의 오스테나이트가 탄소로 심하게 부화된다.[1]

실제적인 침탄은 오스테나이트 영역으로부터 퀜칭경화 및 템퍼링(어닐링 처리를 결합한 퀜칭경화)을 계속한다. 전체공정을 표면경화법이라고하며 이 경우 침탄 후에 열처리를 통하여 나타난 가장자리층의 원하는 조직변화와 성질변화는 여기에 생성된 변태조직이 가장자리층의 성질을 규명하게 된다.

질화

질화에서는 가장자리에 질소가 부화됨으로써 강도가 크게 높아질 뿐만 아니라 높은 압축응력이 생성되어 재료 및 구조물의 내마모성, 내식성 및 내주기적 하중 등을 개선한다. 철 재료의 질화에는 기본적으로 3종류의 방법이 있는데 **가스질화**, **염욕질화** 및 **플라즈마질화** 등으로 분류한다.

기지재료 내에서의 질소 확산과정의 동력이 현저하며 이들 온도 영역은 매우 유사하여 500~590℃이다. 상부 온도경계는 그림 4.155의 상태도에 나타낸 것과 같이 Fe-N계에서 공석변태 온도로부터 주어진다.

이 온도이하 공정(process)온도를 유지하고 냉각에서는 상변태가 더 이상 일어나지 않으며, 체적 변화는 없고 또는 지연 어닐링을 한다.

하부온도 영역인 낮은 온도에서는 질화과정의 동력이 느리게 되어 기지재료로의 성질 천이가 비교적 가파르게 될 수 있다.

질화에는 질소원자가 재료의 표면에 축적된 후 재료내부로 확산이 일어날 수 있다.

이러한 근거로부터 매우 안정된 N₂ 분자로 이루어진 질소가스에서는 질화가 일어나는 것은 간단하지 않으므로[2] 질소 이송가스를 적용해야 하며 표면에 원자형 질소가 반응을 일으키거나 또는 질소이온(플라즈마에서)이 생성되어 이것이 표면에 축적된다.

가스질화에서 암모니아(NH₃)는 촉매를 필요로 하며 표면에 단계적으로 다음과 같이 분해되어 필요한 질소가 공급된다.

$$NH_3 \rightarrow [N] + 3/2\ H_2$$

질화작용은 질화지수 K_N으로 나타내며 암모니아와 수소분압으로 주어진다.

[1] 오스테나이트에서 최대 탄소 용해도는 >0.8wt.%이며 온도 상승과 더불어 증가하여 1147℃에서는 2.06wt.%에 달한다.

[2] 순수질소로 질화 할 때는 높은 압력이 필요하다 (100MPa 영역).

$$K_N = P_{NH_3} / P_{H_2}^{3/2}$$

질화지수가 높을수록 질화 생성 포텐셜은 강해진다. 표면에 흡수된 원자형 질소는 확산될 수 있다.

질소의 용해된 양이 기지재료의 체적 내에 최대 용해도를 초과하면 질화 철이 생성되어 이미 언급한 접합층이 생긴다. Fe-N준안정 상태도에서 온도에 의존한 질소함량 비에 따라 다음과 같은 상이 생성될 수가 있다. :

- α 질화 페라이트 : 체심입방 Fe-N 석출 고용체로 590℃에서 질소의 최대 용해도는 0.11wt.%이다.
- γ' Fe₄N : 입방형 기본단위 세포로 5.9wt.% N의 화학량론적 조성에서 격자정 수 a = 0.3795nm에 4개 철원자와 1개 질소원자의 면심입방 배열로부터 생성되는데 균질영역은 5.7~6.1wt.% N이다.
- ε Fe₂N₍₁₋ₓ₎(가끔 Fe₂₋₃N으로도 나타냄) : 두 8면체공극 내에 두 철원자와 질소가 최조밀 충전된 육방 단위세포(1.2.2.2 참조) : 11.0wt.%N(x = 0)에서 a = 0.2706nm ; c = 0.4378nm ; 균질영역은 8~11wt.% N(질소자리 치환을 통하여 **화학량론적** 이하) ; 11wt.% N의 온도 500℃ 이하에서 육방 구조로부터 사방 구조인 ε Fe₂N이 생성되나 실제적으로는 나타나지 않는다.

α N 페라이트를 질소 온도로부터 급냉하면 기대하는 γ' 질화물 대신에 준안정

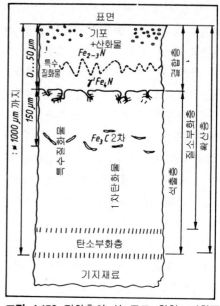

그림 4.156 질화층의 상 구조 원칙, 저합금 강에 유효함.

정방격자 상 Fe₁₆N₂ 즉 α″ 질화물이 생성될 수가 있다(그림 4.157 d).

질소포텐셜(질소지수)이 충분하게 높은 질소분위기에서 저합금강은 다음과 같은 질화층의 상구조 원칙을 나타낸다(그림 4.156) 질소농도 구배가 표면으로부터 내부로 생성되는데 표면에는 질소가 많은 ε 질화물이, 질소가 적은 γ' 질화물로 연결된다(그림 4.157 a).

양측이 결합층을 이루며, 특히 층에는 기공이 붙어 있고 이것은 대개 질화물 내 원자형 질소의 재결합을 통하여 분자형 질소가 생성된다(질화철은 준 안정성이다).

또한 질화 분위기 내에 존재하는 산소 때문에 또는 언급한 일정 부분의 연속적인 추가 산화로 산화철이 표면인근 영역

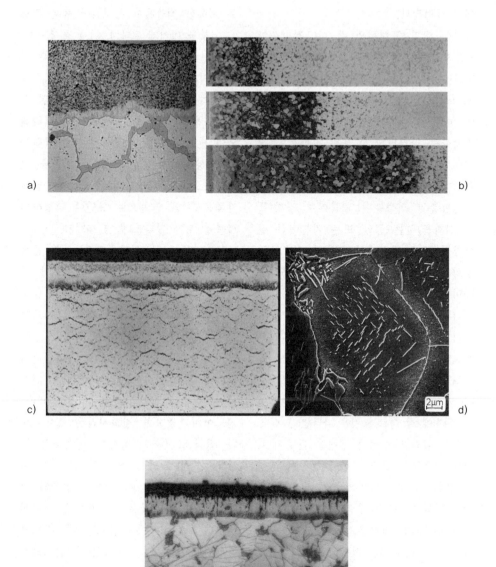

그림 4.157 저합금강의 질화에서 조직 생성 : a) Armco 철 상의 기공성 접착층, ε 과 γ' Fe질화물, b) 5Cr20 강의 부식된 석출물층, 550℃에서 8, 30 및 96시간 가스질화 함, c) 30CrMoV9강에서 표면에 평행으로 2차 시멘타이트 생성, d) Ck20 강의 석출영역에서 α'' 석출 물(SEM), e) C15강의 용융질화(Tufftride), 석출물 층의 페라이트입자 내에 판상 γ' Fe$_4$N.

에서 발견된다.

낮은 질화 포텐셜의 유지로 결합층이 γ' 질화물로만 생성될 수가 있으며 중심부 재료(기지재료)가 질화물 생성 원소인 Cr, Al 또는 V를 함유하여 질소와의 친화력이 높아 결합층 내에 이들 원소가 특수 질화물로 나타나며 이것은 질화철 기지 내에 미세하게 석출됨으로써 확인하기가 어렵다.

접합층의 석출층이 덧붙여져 질화(특수 질화물)하는 동안 또는 기본적인 질화공정 후에 냉각에서 특수한 석출물이 생성되는데 이것으로 목적하는 강도 상승이 달성된다.

기지재료의 현미경조직은 자체가 가시적이 아님으로 질화 석출물은 어둡게 부식된다.

그림 4.157b에는 5Cr20 질화강을 8, 30 및 96시간 질화했을 때 층의 성장이 $t^{1/2}$ 법칙에 잘 따르는 것을 나타낸 것이다.

특수 질화물의 석출 생성은 완성되며, 시편 내부로의 질소 확산을 통하여 생성된 질소농도가 각각의 질화물에 대한 용해 생성물을 초과하게 된다.[1]

위에 제시한 질화온도에서 질화생성제의 확산이 매우 제한적이므로 특수 질화물(예, Cr함유 강에서 CrN 석출물이 수 nm영역임)은 질화물 간의 간격이 작은 매

우 미세한 석출물이 생성되어 높은 경도에 영향을 미치게 된다(4.2.1.4 절 참조).

질화 생성제의 일부는 가끔 중심부 재료(기지재료) 내의 시멘타이트를 치환하여 용해하는데 질소는 이렇게 합금된 시멘타이트를 분해하여 비교적 조대하게 되어 낮은 강도를 나타내는 특수 질화물을 생성하게 된다. 남아있는 비합금 시멘타이트(2차 시멘타이트)는 높은 압력 자체응력[2]의 연속으로 표면에 평행하게 석출될 수가 있다(그림 4.157 c).

또한 비 합금 저탄소강은 석출 물을 생성하며 질소가 부화된 페라이트를 서냉하면 취성의 조대한 γ' Fe$_4$N 석출물(그림 4.157 e), 또는 급랭하면 미세한 α'' 질화물(그림 4.157 d)이 각각 생성된다. 이 α'' 석출물은 열적으로 안정하지 않으며 온도 상승으로 γ' Fe$_4$N으로 천이된다. 석출물 영역의 두께는 50~500nm 정도이며, 필요한 질화시간은 질화온도와 합금조성(특수 질화물 생성제의 농도)에 의하여 크게 좌우되며 수 시간에서 50시간까지 적용 된다. 접합층과 같은 석출층의 성장은 $t^{1/2}$ **법칙**을 따르게 된다(4.4.3 식 4.29 참조). 일반적으로 가스 질화에서는 질소침입과 질소확산 외에도 탄소 재분배가 일어난다.

이동하는 질소가 탄소 앞쪽으로 "밀려" 질소 확산 선단 앞에 **"탄소언덕"**이 생길 수가 있다. 다른 경우에 고려 할 점은 질화제 내에서 탄소 이송자를 통하여 질화

---

1) 용해 생성물은 평형에서 각각의 질화물에 존재하는 질소농도와 기지의 합금원소 농도를 가진 생성물이며 이 용해 생성물은 온도 의존에 의하여 임계값을 초과하여 질화 상이 생성된다(3. 6. 2 절 참조). 용해 생성물에 미달되면 여기에 도달될 때까지 석출물의 용해가 일어난다.

---

2) 높은 압축응력은 침입된 질소로 인한 체적증가 때문이다.

와 더불어 동시에 탈탄이 일어난다(예, **Nitroc-Process**). 이러한 탈탄은 시편으로부터 빠져나오는 탄소의 확산 흐름으로 작용하여 결합층의 내부 영역에 탄소가 부화될 수가 있어 여기에는 ε 질화물이 생성되고 접합층의 표면 인근 영역에는 γ' 질화물만 존재한다(내부 질화).

그림 4.157 c는 석출층에 대하여 경계면의 접합층 인근에 탄소부화 부분이 어둡게 부식된 것을 나타낸 것이다. 자주 가스질화에서는 질소 외에 탄소도 재료에 작용하게 된다(침탄질화).

탄소는 탈탄에 역작용을 하여 질화 철 내에 들어감으로써 ε 질화물은 약 4wt.%C까지, γ' 질화물은 0.2wt.%C까지 각각 용해될 수가 있다.

탄소는 ε 질화물 생성을 촉진 시킨다. 침탄질화법으로 비교적 두꺼운 ε 층이 생성된다.

석출층의 그 상 구조는 지금까지 언급한 것과 구별하기는 어렵다. 용지(bath) 질화에는 구조물을 시안화물과 시안화 염 욕에서 침지하여 처리하는데 시안화물의 산화로 구조물표면에 다음식과 같이 생성된다.

$$2CN^- + 2O_2 \rightarrow CO_3^{2-} + CO + 2[N]$$

원자형 질소가 반응으로 언급한 가스질화에서 처럼 재료 내로 침입된다.

CO가 동시에 침탄을 일으키는데 이 경우 **침탄질화**라고도 말할 수가 있다(Tufftride Process). 더 확장되어 플라즈마 질화가 개발되었으며 리시브에서 구조물이 음극으로 플라즈마가 점화되는데 여기에 공급된 질소가스(또한 NH₃)가 이온화 된다. 질소이온은 구조물의 표면상에 내려앉게 되고 질소원자가 흡수되어 확산을 통하여 재료 내로 들어간다.

또한 여기서 CH₄와 같은 탄소 이송자를 공급함으로써 동시에 침탄이 이루어질 수가 있게 된다.

질화층에서 상 생성기구는 가스질화에서와 동일하게 진행된다. 질화처리 결과

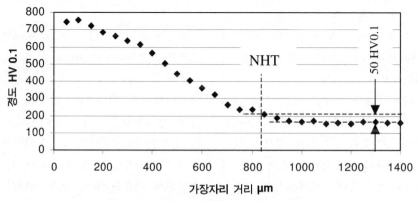

그림 4.158 16MnCr5강을 510°C에서 가스질화 한 경도-깊이-곡선.

는 일반적으로 다음의 성질에 의하여 평가 한다. :

- 접합층의 두께와 그 내부의 질화철 부분
- 접합층의 기공성
- 석출층의 두께, 이것은 대개 경도-깊이-곡선에 의하여 찾아냄.

경도-깊이 곡선은 전체 질화층 내의 강도분포와 질소의 침투 깊이 등에 관한 정보를 제공해 주고 질화경도 깊이(NHT)를 통하여 특성을 평가한다. 그 가장자리 거리인 질화 층의 국부적 경도는 기지 재료보다 약 50HV를 초과한다(그림 4.158 참조). 접합층의 두께와 기공성은 대개 단면 시편에 의하여 평가된다. 또한 X-선 회절 장치로 접합층 내의 상 분포를 규명하지만 두께 측정도 가능하다.

표면경화

표면경화는 두 부분 공정(process)으로 이루어지는데 가장자리 층의 탄소부화(침탄)와 실제적인 경화 과정이다. 질화에서 처럼 기본적인 목적은 높은 압축응력을 얻는 외에 일정한 두께의 가장자리 층(여기서는 mm 영역) 내의 강도를 상승시킴으로써 마찰 및 반복 하중 성질을 개선하게 된다. $Fe-Fe_3C$계에서(그림 3.44 및 5.4절 참조) 두 종류의 Fe-C고용체가 존재한다. : G-S선 이상의 온도인 723℃에서 면심입방 오스테나이트에는 0.8wt.% C, 1147℃에서는 2.06wt.% C가 각각 용해 될 수가 있다.

이 고용체는 급랭하면 마르텐사이트로 변태되며(3.6.3 절 및 5.3.2.4절 참조), 이것이 가장자리 인근에 생성되어 표면 경화의 목적이 강도와도 연관된다.

체심입방 페라이트는 공석 온도에서 매우 적은 양의 탄소만 최대로 용해할 수 있다. 침탄은 가스 분위기에서 현저하게 이루어지는데(**가스침탄**), 여기에서는 CO 또는 CH_4가 탄소 이송자이며, 이 가스 성분은 재료표면에서 다음과 같이 반응한다. :

$$2CO \rightarrow CO_2+[C]$$
$$CO+H_2 \rightarrow H_2O+[C]$$
$$CH_4 \rightarrow 2H_2+[C]$$

모든 경우에서 탄소 흡착물이 표면에서 결합되고([C]) 재료 내로 확산되어 들어갈 수 있다. 보다시피 CO및 CH_4가 결정적인 가스성분이다. CO는 보통 다음 반응으로 생성된다.

$$CH_4+1/2(O_2+4N_2)(공기) \rightarrow CO+2H_2+ 2N_2$$

여기서 20%CO, 40%H_2와 약 40%N_2 가스혼합이 생긴다(내부 가스).

침탄 온도는 A_{C3}이상 즉 G-S선 이상 오스테나이트 영역내에 있으며 처리된 강의 탄소함량은 0.1~0.2wt.%이며 침탄 온도는 850~980℃이고 목적하는 가장자리 탄소함량은 약 0.8wt.%이다. 탄소함량이 높으면 침탄 중에 시멘타이트가 생기고 또한 매우 조대하게 되며 경화 후에도 취성의 마르텐사이트가 되어 이들 모두 바람직하지 않다. 또한 높은 탄소함량은 경화 후에도 조대한 잔류 오스테나이트를 함유하게 된다. 중요한 제조방법의 특성에는 소위 C 수준인데 탄소함량은 평형 상태하의 주어진 온도와 처리 분위기에서 순철에 적용된다. 강의 탄소함량이 C 수준 보다 낮을수록 침탄이, 높을수록 탈탄이 각각 일어난다. 침탄 깊이 A_t 즉 탄소함량 이 0.35wt.%에서 그 깊이에 도달하고 Wuenning에 의하여 계산하면

$$A_t = \frac{0.79\sqrt{D \cdot t}}{0.24 + \dfrac{0.35 - C_K}{C_P - C_K}} - 0.7\frac{D}{\beta} \qquad (4.30)$$

C_p : C 수준

C_k : 기지재료의 탄소함량

D : 탄소의 확산 계수

β : 표면에 탄소천이 계수

이것은 질화에서처럼 $t^{1/2}$ 법칙에 단순하게 근사하다. 퀜칭은 침탄온도로부터 직접(**직접퀜칭**) 하든가 또는 냉각 후 가장지리 영역을 다시 오스테나이트 화한다(**단순퀜칭**). 여기에는 가장자리 영역 외부에는 잔류 오스테나이트를 가진 마르텐사이트 조직이 여기에 이어서 베이나이트 조직, 그리고 마지막에는 기지재료 조직이 각각 생성된다(5.3.2.4 및 5.3.2.5 절 참조).

목적하는 가장자리 경도는 700~850HV이며 가장자리 층의 마르텐사이트에 인성을

향상시키기 위하여 200℃ 온도에서 템퍼링하게 된다. 그림 4.159는 표면경화 한 치차의 퀜칭 후의 침탄영역 조직생성인데 기지재료의 조직과 비교된다. 탄소함량의 의존성인 마르텐사이트 시작 온도 M_s는 Koistinen과 Marburger에 의하여 잔류 오스테나이트 함량 V_{RA} 을 예측할 수가 있다(식 3.49와 비교).

$$V_{RA} = \exp[-1.10(M_s - T_A)] \qquad (4.31)$$

T_A : 급랭온도

M_s 온도는 강의 조성과 특히 탄소함량에 좌우된다. 이것은 Stuhlmann에 의하여 계산하게 된다.:

$$M_s[℃] = 550 - 350(\%C) - 40(\%Mn) -$$
$$20(\%Cr) - 10(\%Mo) - 17(\%Ni) - 8(\%W)$$
$$- 10(\%Cu) + 15(\%Co) + 30(\%Al) \quad (4.32)$$

가장자리 층 내와 중심의 탄소함량 차이는 예를 들면 0.65인데 가장자리의 M_s 온도는 230℃로 낮으며 이것은 가자자리 층의 마르텐사이트 변태는 급랭 처음부터 마지막까지 일어남을 의미하고, 체적 증가와 더불어 가장자리에 목적하는 압축응력이 생긴다(질화와 비교). C 수준이 강의 탄소함량보다 적으면 대개 원하지 않는 탈탄이 일어나며 탈탄 깊이는 $(D \cdot t)^{1/2}$에 비례한다. 탈탄 현상은 강의 거의 모든 열처리에서 고려해야 한다.

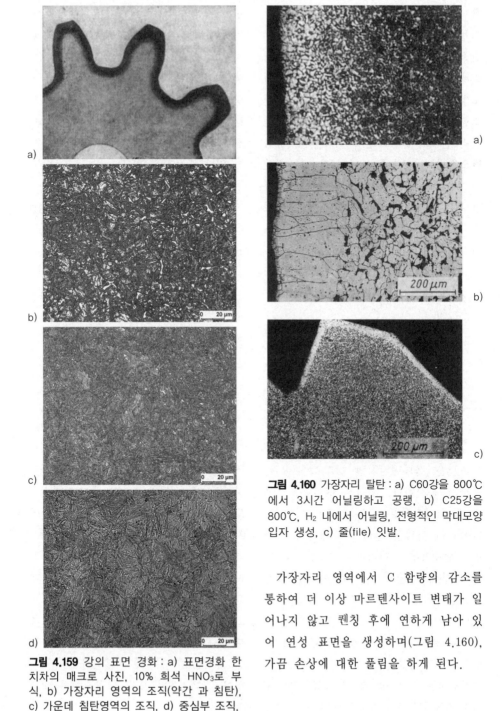

그림 4.159 강의 표면 경화 : a) 표면경화 한 치차의 매크로 사진, 10% 희석 HNO₃로 부식, b) 가장자리 영역의 조직(약간 과 침탄), c) 가운데 침탄영역의 조직. d) 중심부 조직.

그림 4.160 가장자리 탈탄 : a) C60강을 800℃에서 3시간 어닐링하고 공랭, b) C25강을 800℃, H₂ 내에서 어닐링, 전형적인 막대모양 입자 생성, c) 줄(file) 잇발.

가장자리 영역에서 C 함량의 감소를 통하여 더 이상 마르텐사이트 변태가 일어나지 않고 퀜칭 후에 연하게 남아 있어 연성 표면을 생성하며(그림 4.160), 가끔 손상에 대한 풀림을 하게 된다.

4.4.4.2 에너지를 이용한 가장자리층 처리

가장자리층 영역의 깊은 경계에 열에너지를 가하는데 다음과 같은 영향을 목적으로 한다.

- 존재하는 상의 용해, 균질화
- 상변태(예, 강에서 $\alpha \rightarrow \gamma$)
- 재결정/연화
- 가장자리 영역의 용해

이러한 목적으로 가장자리층 처리에는 다양한 가능성이 있는데 그 중에는 강의 가장자리층 경화(가열 영역에서 마르텐사이트의 이용), 가장자리층 용해 또는 가장자리층 합금(용해된 가장자리 층의 합금)은 매우 중요한 공정(process)이다. 가장자리층으로 열전달은 다음과 같이 이루어질 수 있다.

- 불꽃가열, 유도가열
  (유도경화 및 불꽃경화)
- 전자빔 처리
- 레이저 처리

여기서 단위 면적당 사용되는 열 공급이 높을수록 생성된 열적 구배가 가파르게 되기 때문에 유효하다.

가파른 열적 구배에 도달할 수 있기 위해서는 전자빔처리와 레이저처리가 적당하며 낮은 침투깊이를 얻을 수가 있다. 가열속도가 높을 뿐만 아니라 냉각속도를 높게 하면(기지 재료를 통한 열방출, 가열된 가장자리층의 체적에 비하여

기지 재료가 더 크다) 특수한 조직 생성이 이루어진다. 특수한 점은 이러한 종류의 처리는 시편 표면에 국부적으로 처리할 수 있게 된다. 전자빔처리(EB)는 진공 중에서 이루어짐으로 고가이다. 이런 종류의 장치는 매우 다양하게 설치할 수 있다. : 국부적 열처리, 국부적 용해 합금 및 재 용해 또는 아크용접 및 절단 등, 장점으로는 전자빔은 단순한 자장에 의하여 실제적으로 관성 없이 그 방향을 바꿀 수 있게 되며(100KHz 영역에서 굴절 주파수), 또한 비교적 크고 복잡한 테를 두른면이 균질한 에너지로 작용하게 된다.

전자빔의 직경은 1mm 이하이며 전력밀도는 $10^9 Wcm^{-2}$에 달한다. 열효율[1]은 레이저처리와 비교하면 높다.

약 100KeV 에너지인 전자의 침투깊이는 $10\mu m$ 이하에 도달하며 이 짧은 경로 상에 전체 에너지가 주로 열로 변화된다. 시편 내부로 열 이동의 과정으로써 열적 구배는 전자빔의 면적 효율과 작용 지속성에 의하여 넓은 경계로 변화될 수가 있다. 간단하게 열전도 문제를 확산과 유사하게 다루는데(3.1.3절 식 3.25) 일정한 표면 온도 T_0와 재료의 최초온도 T_w를 가진 1차원 이송 문제로써 시간 t가 지난 후 가장자리 거리 z내의 온도와 관계로 나타낸다.

---

[1] 열효율은 전체 빔작용이 시편에 열로써 변환되는 양으로 주어지며 그 값은 0.7~0.8에 이른다.

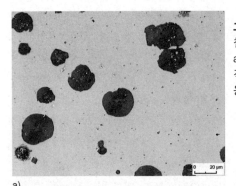

그림 4.161 구상흑연(EN-GJS-600)을 가진 주철의 전자빔 경화(EBH) 및 전자빔 용융(EBU) : a) 기본조직(부식하지 않은 것), b) EB-경화조직(개괄), c) 경화조직(b의 세부조직), d) EB-용융조직(개괄), e) 용융조직(d의 세부조직).

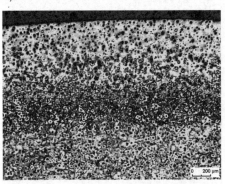

b)

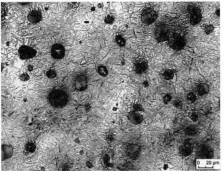

c)

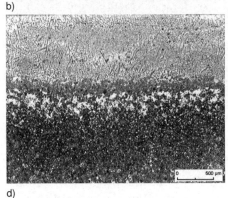

d)

e)

$$T(z, t) =$$

$$T_W + (T_O - T_W)[1 - erf(\frac{z}{2\sqrt{a \cdot t}})] \quad (4.32)$$

a : 온도 전도성

이러한 근거로 작용 깊이(깊이, 주어진 온도에서 시간 z가 지난 후 도달되는 것)를 추정할 수 있게 된다. 오늘날 정확한 모델화로 형성된 온도영역 및 일정한 영역에서 필요한 능률계수와 공정계수를 각각의 기술요소에 설정하게 된다. 목적으로 하는 가열 및 냉각속도는 선택된

빔 계수뿐만 아니라 재료의 온도 전도성 a에 의하여 좌우되는데 그 값은 $10^3 \sim 10^5$ Ks^{-1}이 보통이다.

하나의 응용 예로써 강의 **표면경화(EB 경화)**가 있으며 표면 인근 가장자리 영역에서 멀리까지 오스테나이트 영역내로 가열되면 도식적으로 다음과 같은 조직 구배를 이루게 된다(**템퍼링 강**).:

- 탄화물과 균질한 탄소분포의 완전 용해성 영역
- 용해된 탄화물을 가진 영역, 그러나 불균질한 탄소 분포(불충분한 확산)
- 완전하게 용해되지 않은 탄화물을 가진 영역
- 펄라이트 및 페라이트-펄라이트 조직

여기서 주목할 것은 높은 가열속도로 인하여 상태도에서 선이 현저하게 밀릴 수가 있다는 것이다.

이 가장자리 영역은 시편 내부로 빠른 열방출을 통하여 급랭시키면 퀜칭 조직과 변태조직이 조직구배를 이루며 국부적인 냉각 조건으로 다시 구배가 생성된다. :

- 마르텐사이트를 가진 영역(및 잔류 오스테나이트)
- 마르텐사이트-베이나이트 영역
- 어닐링한 기지조직

이러한 연속은 일반적으로 샘플의 구체적인 조직 생성이 천이형태에 따라 매우 다양하게 나타난다.

물론 에너지가 매우 높아 질 수가 있으므로 가장자리 영역이 용해된다. 예를 들면 주철에는 가장자리 영역의 용해에 적용하며 여기에는 특히 미세한 입자 가장자리조직이 생성 된다.

그 외에도 이러한 조건하에서 적당한 보충 재료를 첨가함으로써 표면 합금을 처리 할 수가 있게 된다.

그림 4.161에는 EB 퀜칭 후와 구상 흑연을 가진 주철의 EB 용해의 조직을 나타낸 것이다. 기본조직은 (a)에서 볼 수 있으며, 오스테나이트화에서는 흑연의 완전 용해는 이루어질 수가 없고 퀜칭 조직(b) 및 (c)는 구상 흑연이 크게 감소된 것을 볼 수 있다. EB 용해(d) 및 (e)는 매우 미세하여 단단한 레데뷸라이트 조직이 생성되어 흑연은 더 이상 나타나지 않는다.

EB 용해 합금의 예를 그림 4. 162에서 볼 수 있는데 용해된 합금 조직은 Si(어두운 부분), Al-Si공정(회색), 금속간상(밝은 부분)으로 각각 이루어져 있으며, 전자빔처리는 표면 개량과 유사하여 레이저 기술로 목표가 이루어 질 수가 있다.

또한 여기에는 보다 높은 능률밀도를 가진 에너지가 표면에 수반되고 급속한 가열 후 재료의 조직 변화에 대하여 이미 논의한 가능성이 유효하다.

레이저처리의 특성은 진공으로 해서는 아니 되며 광자의 침투깊이는 전자와 비교하면 낮다(nm 영역).

특히 금속재료에서는 표면 반사 때문에 열적 작용도가 낮으므로 표면의 거칠

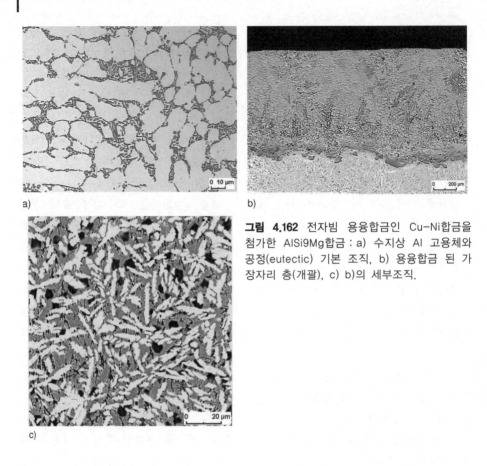

a)

b)

c)

그림 4.162 전자빔 용융합금인 Cu−Ni합금을 첨가한 AlSi9Mg합금 : a) 수지상 Al 고용체와 공정(eutectic) 기본 조직, b) 용융합금 된 가장자리 층(개괄), c) b)의 세부조직.

기 또는 흡수능 층(예, 흑연)을 적용함으로써 이것을 개선 할 수가 있다. 편광 이 거울 대칭으로 일어나며 전자빔에서 보다 낮은 주파수에서도 가능하다.

제5장
철과 철합금

5.1
선철과 강 제조의 개요

선철과 강의 제조에 있어서 가장 중요한 원료는 철 함유물(철광석, 집괴암, 스크랩)과 연료 및 환원제(코크스, 석탄, 기름, 가스) 그리고 그 밖의 첨가재(석회석, 합금 첨가재)이다. 철광석과 소결을 통해 열적으로 생산된 집괴암은 자연산화물이다(주로 Fe_2O_3, Fe_3O_4).

이러한 천연재료로부터 철의 회수는 화학적인 관점에서 환원과정에 근거하고, 다양한 반응 응집물들이 고려의 대상이 된다. 환원과정에서 일산화탄소 CO의 간접환원은

$$CO+O_{산화철} \rightarrow CO_2$$

Boudouard 반응과 함께 탄소의 직접 환원과 구별된다.

$$CO+O_{산화철} \rightarrow CO_2$$
$$CO_2+C_{코크스} \rightarrow 2CO$$

이런 방법으로 1차 철산화물로부터 **선철**이나 **해면철**이 만들어진다.

선철은 주로 고온로에서 생산되고 해면철은 이에 반해 직접환원법인 기체 환원이나 고체 환원법의 원리에 따라 생산된다. 선철은 약 3.5에서 4.5%의 탄소를 함유하고 그 밖에 Mn, Si, P, S 및 다른 동반 원소들을 함유하는데 이는 이 원소들이 초기 결합 반응 후에 철용체로부터, 황의 경우에는 슬래그로부터 생성되기 때문이다. ([A] : 철에 용해된 성분, (B) : 슬래그에 포함된 성분, {C} : 기체상에 포함된 성분):

$$SiO_2+2C \rightarrow [Si]+2CO$$

$$P_2O_5+5C \rightarrow 2[P]+5CO$$

$$황화물+CaO+[C] \rightarrow (CaS)+CO$$

철용체와 슬래그 용체 사이에는 황(S) 반응비 [S]/(S)가 성립하고, 이는 환원 조건하에서 작긴 하지만 그래도 철용체에서는 현저할 만큼 충분히 크다. 이러한 황은 침전 탈황을 통해 탄화칼슘(CaC_2)이나 다른 물질과 결합시켜 침전시킬 수 있다. 고체상태의 선철은 매우 취성이고 이로 인해 사용될 수 없는 특

성을 지니고 있기 때문에 추가적인 가공이 필요하다. 선철에서 강으로의 가공은 일반적으로 아직 용융인 액체상태로 장입온도 약 1320℃에서 이루어진다.

이와 달리 해면철은 대개 80에서 95%가 높은 온도로 예비 환원된 생산품으로 덩어리에서부터 미세립자의 형태로 추가적인 가공이 이루어진다.

강의 제조를 위해 사용되는 재료로 선철과 해면철 이외에 스크랩 강, 첨가재(석회석, 석회석암, 형석, 보크사이트, 철광석) 그리고 합금재(철합금, 탈산재)가 있다. 이 밖에 에너지 자원 및 냉각수, 공업적인 가스형태의 순수한 산소 등과 같은 보조 재료도 필요하다.

강의 제조에서 일부는 매우 복잡한 프로세스로 진행되는데, 화학적인 주 프로세스는 산화공정으로, 특성상 제강에서는 취련공정(fresh-process)이라 불리며 다양한 기술적인 **산소취련법**으로 가능하다. 취련은 연소를 의미하며 이는 선철에서 잉여의 탄소와 의도하지 않은 동반원소들의 일부가 연소, 즉 산화되어 금속용체로부터 산화물의 형태로 가스나 슬래그 상으로 분리됨을 말한다. 중요한 화학적 반응은 다음과 같다. :

• **탈탄반응**

$$[C]+[O] \rightarrow \{CO\}$$

• 동반원소의 **슬래그화**, 즉 탈 실리콘 (Si), 망간(Mn)반응, 탈인(P), 탈황(S)

$$[Si]+2[O]+2(CaO) \rightarrow (2CaO \cdot SiO_2)$$
$$[Mn]+[O] \rightarrow (MnO)$$
$$2[P]+5[O]+3(CaO) \rightarrow (3CaO \cdot P_2O_5)$$
$$[S]+(CaO) \rightarrow (CaS)+[O]$$

이 화학적 취련공정은 긴 반응 시간을 요구하고 화학양론적인 계산에 적합한 산소량으로 작업된다.

공정을 줄이기 위해 산소의 과잉공급으로 취련이 행해지도록 하기도 한다.

이로 인해 나중에 강의 특성에 유해하게 작용하고 취련공정 마지막에 용융 철로부터 분리되어야 하는 다량의 산소가 금속 융체 안에 존재하게 됨은 어쩔 수 없다.

산소의 분리는 이것을 안정한 산화물에 화학적으로 결합하고 결합된 형태의 산소를 즉각 슬래그 상으로 변화시킴으로써 가능하다.

여기에 규소철(페로실리콘) 형태의 규소나 적당한 양의 공업적으로 순수한 알루미늄과 같은 산소정련 반응대상이 필요하다. 이 반응을 **탈산**(산소의 제거)라고 한다.

$$[Si]+2[O] \rightarrow (SiO_2)$$
$$2[Al]+3[O] \rightarrow (Al_2O_3)$$

제 때에 슬래그 상으로 변하지 못한 탈탄 생산물의 부분은 응고될 때 강의 기지조직으로 둘러싸이고 **내생적 비금속 개재물**을 생성한다.

금속학에서는 이 미세한 산화물 입자

의 부분을 다른 개재물(외생적, 황화물 등과 같은)처럼 가능한 한 적게 포함하고자 한다.

이는 이들이 제조된 강에서 부적절한 형태와 크기 및 분포, 배열로 존재하면 일반적으로 많은 강의 특성에 부정적인 영향을 끼친다.

품질향상, 생산성 및 비용감소는 주로 환원 후의 취련반응로(converter, 전기 아크로)에서 진행되는 모든 공정들이 용융강의 후처리상으로 바꾸는 강 생산 기술의 변천을 가져왔다. 이 후처리를 **2차 정련**(secondary metallurgy)이라 한다.

이 후처리 방법에는 대기압 또는 진공에서, 가열 또는 비가열시, 산소나 다른 반응 가스처럼 활성화된 가스의 사용하에서의 처리법 등이 있다.

2차정련의 과제로는 화학 성분, 성분의 균질화와 융체의 온도 그리고 탈황, 탈인, 결함을 일으키는 미량원소의 제거, 탈산 등을 제어하는 것이다.

이를 위한 조치로는 활성 광석이나 산소 주입 또는 전자기 교반기를 이용한 활성화된 가스 처리, 깔대기나 다른 적당한 장치로 탈산재와 슬래그 생성 물질의 적정량 주입, 용융강에 고형재료 주입, 반응재를 철사 형태로 감기, 다양한 개별적 처리에 따라 진공에서 가스 제거, 가열 가능한 레이들(ladle)에서 용융강의 재가열 등이 이용된다.

이런 방법들은 원하는 강을 생산하기 위하여 목적에 맞는 제조공정과 합금원소 및 동반원소의 함유량에 비교적 적은 허용 오차의 제한을 두도록 서로 조화를 이룰 수 있게 한다.

고크롬 저탄소강과 같은 특수강의 생산에는 부분 취련된 융체까지만 통상적인 취련이 이루어지고 진공에서 특수 취련법과 함께 사용된다.

이런 방법으로 비싼 합금원소의 연소 손실을 줄일 수 있다.

준비된 용융강은 연속적인(**연속주조**) 또는 비연속적(**금형주조**)인 방법인 주조를 통해서 처리될 수 있다. 전통적인 주조 방법으로써 주괴주조(ingot casting)로 잘 알려진 비연속적인 주조는 주로 사각형 및 직사각형, 원형 및 타원형 또는 다각형의 단면을 가진 대형 잉곳(ingot)을 생산하기 위해 이용되고 일반적으로 그 후에는 단조나 프레스를 통해 계속 작업된다.

전 세계적으로 현재 용융강의 80% 이상이 연속 주조된다.

높은 연속주조의 이용으로 생산품의 향상된 품질과 같은 많은 장점들로 설명될 수 있다.

주괴주조에 비하여 연속주조는 8~10%의 높은 생산률, 가속되는 냉각으로 인해 편석이 거의 없는 균질한 응고조직, 균일한 생산과정과 저렴한 공정 자동화의 가능성 등의 이점이 있다. 연속주조에서의 주조성과 관련해서 강제조품의 경우에는 거의 제한이 없다.

시설 장치는 수직, 굽힘 및 원호와 타원호의 구도로 구분된다.

통상적으로 형강(section steel)의 윤곽에 알맞은 측면도와 마찬가지로 단면

형상은 원형, 정사각형 및 직사각형, 다각형 등이다.

주괴주조보다 그 단면적이 더 작고 열간 변형을 위한 경비가 줄어든다.

순도를 높이기 위해 특별히 고품질이 요구되는 고급강에는 특수처리에의 의하여 **비금속개재물**의 정련이 이루어진다.

이 특수 용용법에는 진공에서의 방법과 **전기-슬래그 정련법(Electro-Slag Refining)** 이 있다.

정련은 순도의 증가와 더불어 주괴편석이 없고 광범위한 냉각조직 및 매끄럽고 결점 없는 표면을 갖는 조밀한 주괴를 만들어 낸다.

선철의 생산, 정련공정, 2차정련공정, 연속주조와 연속냉각 등과 같은 이러한 야금공정은 시스템 공학적인 관점에서 복잡한 기술적 시스템으로 이해된다.

여기에서는 거의 예측할 수 없는, 그들 사이에 다양한 상호작용이 존재하는 관계들과 영향을 미치는 요소들이 프로세스의 진행 및 결과를 결정한다.

이런 시스템을 최적으로 다루기 위해서 컴퓨터에 의한 프로세스 제어 및 자동화에 대한 기초로 적당한 수학적인 모델형태로 프로세스를 기술하는 것이 필요하다.

5.2
순철 및 철합금 조직

순철과 철합금의 조직은 열처리를 통해서, 경우에 따라서는 소성변형의 작용 하에서, 그리고 철합금의 조직은 추가적으로 화학적 조성에 의해 결정된다.

실제 순철은 생산하기가 어려운데 기술적인 순철류는 아직 C, Si, Mn, P, S, Cu 등과 같은 다른 원소들이 존재한다.

합금 특성의 변화에 기인하는 철의 특성은 동소상변태에 대한 능력과 다른 원소들과 함께 탁월한 특성을 가진 합금으로 결합될 수 있는 능력이다.

철합금에는 강, 선철, 합금철 및 주철 등이 있는데 주로 강과 주철은 철재료로 구분된다. 철재료는 다른 원소들보다 높은, 평균적인 질량비율의 철을 함유하는 철합금이다.

기술적인 강은 금속학적인 의미에서 다중 성분 시스템이다, 즉 이들은 철(Fe)과 탄소(C) 이외에도 의도되었던, 의도되지 않았던지 간에 다른 원소들을 강 중에 포함하고 있다. Fe + C + 동반원소로 이루어진 성분계를 비 합금강, Fe + C + 동반원소 + 합금원소로 이루어진 성분계를 합금강이라 한다. 이 분류는 학문적으로 아주 정확하지는 않은데 "**비합금강**"도 철합금에 포함되기 때문이다. 그 외의 저, 중, 고합금강과 같은 합금강의 하부 분류는 대부분 규정되어 있지 않다. 합금원소들로는 Al, B, Ce, Co, Cr, Cu, Mn, Mo, N, Nb, Ni, P, Pb, S, Se, Si, Ta, Te, Ti, V, W, Zr 등이 있다. 동반원소에는 강에서 의도되지 않게 포함되어 있는 위에 기술된 모든 합금원소를 비롯해 As, Bi, H, O, Sb, Zn 등이 있다.

똑같은 원소가 경우에 따라 동반원소 및 합금원소가 될 수 있는 경우에 이와 관련된 규격에 이 동반원소의 함유량에 대해 상부 한계를 규정한다(표 5.1).

표 5.1 강에서 원소 상부 한계에 대한 값

원소	비합금강에서 동반원소에 대한 상부한계 값[wt.%]	미량원소 [wt.%]
Al	0.10	0.01
As	–	0.005
B	0.0008	0.0005
Bi	0.10	0.0005
Co	0.10	0.005
Cr	0.30	0.03
Cu	0.40	0.20
H	–	0.0006
Mn	1.65	0.05
Mo	0.08	0.03
란탄계열 (개별적)	0.05	0.01
Nb	0.06	0.01
Ni	0.30	0.05
P	–	0.02
Pb	0.40	0.005
S	–	0.02
Sb	–	0.002
Se	0.10	0.02
Si	0.50	0.03
Sn	–	0.02
Te	0.10	0.02
Ti	0.05	0.01
V	0.10	0.01
W	0.10	0.01
Zr	0.05	0.01
그밖에 (C, P, S, N, O 제외)	0.05	0.01

일부의 강에서는 적은 일정한 미량원소에 유념해야 하며 이러한 원료로부터 강에 의도되지 않게 포함되는 미량원소는 야금을 통해서는 거의 제어되지 않고 동반원소의 한계 이하에 존재하지만 현재의 지식으로는 현저하게 인식되고 일반적으로 강의 특성에 의도되지 않은 영향을 미칠 수 있는 원소들이다. 표 5.1에서 제시된 Al, Nb, Ti, V과 같은 원소들은 0.1 ~0.01% 정도의 적은 함유량으로도 강의 특성에 이미 뚜렷한 영향을 미치기 때문에 이들이 의도적으로 첨가될 경우에는 극 미량 원소가 아니라 **미소합금** 원소라고 표현한다(5.4.3.3절 참조). 귀금속과 Ag강은 철재료에서 합금원소로 고려되지 않는다.

5.2.1
순철

순철은 재료로서 큰 의미는 없지만 주요 공업적인 합금, 즉 강에 있어서 기본이 되는 금속이다. 실제 순철은 제조하기가 쉽지 않다. 가능한 제조법으로는 **염화철(전해철)**의 전기분해, $Fe(CO)_5$ **(카보닐철)**의 열분해 그리고 연철을 수소분위기에서 장시간 어닐링 하는 방법이 있다.

이렇게 얻어진 철은 C, Si, Mn, P, S, Cu 등의 원소들이 미량(0.001~0.01%)으로 항상 존재한다. 다양한 순도는 순철의 기계적 특성의 원인이 된다. 경도(약 60HB)와 항복강도(약 100Nmm^{-2}), 인장강도(약 200Nmm^{-2})가 아주 낮은 반면

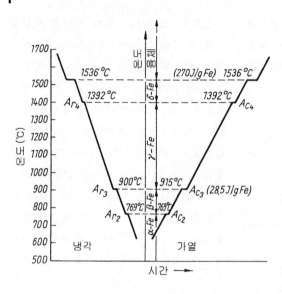

그림 5.1 순철의 냉각 및 가열곡선.

에 연신률(약 50%)과 단면수축률(약 80%) 및 충격인성($250Jcm^{-2}$)은 높다. 순철은 투자율이 높고 항자력이 낮아 전자공업에 응용된다.

철의 흥미 있는 또 하나의 특징은 철합금에서도 볼 수 있는 철의 동소변태이다. 일반적으로 순금속은 냉각곡선과 가열곡선에서 평형조건하에서 규정되는 정지점이 존재한다(그림 5.1). 1536℃에서의 정지점은 순철의 응고점 또는 용융점이라고 정의된다. 이는 순도에 따라 어느 정도 더 적은 값으로 주어지기도 한다. 응고점에서는 270J/g의 Fe결정화열이 방출된다.

1392℃ 정지점에서 철은 고체상태에서 변태를 하고 10.5J/g의 열방출을 한다. 900℃ 정지점에서도 똑같이 변태가 일어나고 28.5J/g의 열이 방출된다. 769℃의 정지점에서는 단지 적은 양의 열방출이 생기는데 이것은 769℃에서 철은 격자변

형이 일어나지 않는다는 증거이다. 이 온도를 **Curie 온도**라 하고, 이는 상자성과 강자성 상태간의 경계온도이다. 가열곡선에서도 근본적으로 동일한 정지점이 나타나는데, 다만 아래에서 두 번째 900℃대해서는 915℃로 약간 높은 온도의 정지점이 나타난다.

이 차이를 **이력(Hysteresis)**이라 한다. 이것은 열적인 영향에 의해서가 아니라 원자의 구조에 기인한 것이다. 정지점들은 국제적으로 동일하게 A_1, A_2, A_3, A_4로 표시된다(A는 불어 **arrêt,** 정지점을 뜻한다.)[1] 숫자들은 순수하게 세는 수를 나타내고, 기호 r과 c는 냉각(r : **refroidissement**)과 가열(c : **chauffage**)를 표시한다. 두 개

---

1) 이 의미는 완전히 논쟁의 여지가 없는 것은 아닌데 Ed. Maurer는 1954년 "50 Jahr wissenschaftliche Stahlhaertung"제목에서 주장하였으며, 이것은 F. Osmond가 1887년에 활자 a를 적용하였는데 이것은 러시아 야금학자 D.K. Tschernov가 1876년경에 어떤 강을 최초로 물에

표 5.2 순철의 변태

존재영역[℃]	형태	결정구조	격자상수[nm]	온도[℃]
~ 769	α Fe	체심입방	0.286	20
769 ~ 911	β Fe	체심입방	0.290	800
911 ~ 1392	γ Fe	면심입방	0.364	1100
1392 ~ 1536	δ Fe	체심입방	0.293	1425

의 상간의 열역학적인 평형온도를 A_e (e : **equilibre**)로 표시한다.

철에서 존재하는 동소체를 표 5.2에 나타내었다. 자성과 그에 좌우되는 특성들을 제외하면 모든 물리적 성질, 예를 들어 밀도, 격자상수, 열역학적 응력, 열팽창, 가스용해도 등이 똑같은 격자구조를 가지고 있는 α Fe와 δ Fe가 일치함을 보여준다.

철의 체심입방격자 변태와 면심입방격자 변태는 밀도 및 특성 등과 같은 여러 가지 면에서 구별된다.

높은 정수압 하에서는 더 큰 밀도를 가진 γ Fe가 더 유리한데, 즉 이 상의 영역이 더 확대된다.

11GPa의 압력 하에서 온도 A_{r3}은 겨우 490℃[2]이다. 표 5.2에는 상압 하에서의 값이다. 더 높은 압력 하에서 γ Fe는 (그림 5.2)에 제시된 영역보다 더 높은 밀도를 가진 육방정 ε Fe로 변태한다. α 와 γ 변태는 강에서도 존재하지만 ε 변태는 단지 고합금에서만 존재한다.

순철의 조직은 실온에서 다면체의 쌍정이 없는 조직인 페라이트(ferrite 라틴어 **ferrum**, 철)로 되어 있다(그림 5.3).

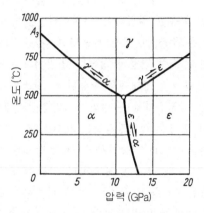

그림 5.2 높은 압력 하에서의 순철의 변태(Bundy에 의함).

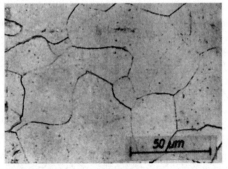

그림 5.3 0.02%C, 0.01%Si, 0.08%Mn, 0.007%P, 0.026%S를 함유한 α 철 조직 ; 페라이트, 1% 희석 HNO₃로 부식.

급랭한 온도를 "a"로 나타낸 것을 인용"한 것이다.
2) 이 절에서 변태온도에 대하여 주어진 숫자는 매우 서냉(2 또는 3K/min)하여 주어진 값이므로 평형에 인접한 것이다.

부식으로 다면체 페라이트와 함께 더 어두운 조직인 펄라이트를 볼 수 있다.

5.2.2
철-탄소 합금

거의 모든 공업적으로 사용되는 철합금은 탄소를 함유한다. 탄소는 철 다음으로 강에서 중요한 원소이다. 탄소는 철의 조직과 성질을 변화시키는데 비교적 적은 양으로도 충분하다. 높은 탄소를 함유한 철합금을 주철이라 한다. 주철은 주조상태에서 사용되고, 강은 그에 반해 소성 변형된 상태나 일반적으로 열적 후처리 상태에서 사용된다. 탄소는 강한 강도증가를 유발한다. 압연상태에서 비 합금강의 인장강도는 0.1wt.%C 마다 약 $90Nmm^{-2}$ 증가하고, 항복강도는 약 $40 \sim 50Nmm^{-2}$가 증가한다. Mn이나 Si 또는 Cr 등의 원소로 이와 비슷한 강도증가를 얻기 위해서는 약 1wt.%의 이들 원소의 함유가 요구된다.

탄소는 철합금에서 다양한 형태 즉, 고용체로 녹아서 존재하거나, **원소형 탄소(흑연, temper carbon)** 또는 탄화물(탄화철, 시멘타이트 Fe_3C, 합금화 고용체 또는 특수 탄화물)이라고 표현되는 화학적 결합, 이 둘 중 하나로 선택되어 존재한다. 따라서 철-탄소 합금에서 결정화 특성은 철-탄화철($Fe-Fe_3C$) 및 철-흑연(Fe-C)계의 두 가지 다른 상태도로 나타낸다. 순철-탄소 합금은 일반적으로 $Fe-Fe_3C$계를 따라서 결정화

된다. Fe_3C는 매우 느린 냉각, 여러 번의 용해와 응고, 높은 온도에서의 장시간 가열을 통해 Si가 존재할 경우 특히 탄소가 많은 합금에서 Fe와 C로 분해되며, 이 관계는 철-탄소(Fe-C)계에서 나타난다. 흑연은 평형과 근접한 조건 하에서 Fe_3C가 되고, 이 계는 안정 Fe-C계 라고 나타내며 준안정 $Fe-Fe_3C$계와 구별 된다.

그림 5.4는 독일 VDE(Verein Deutscher Eisenhuettenleute)에서 만든 철 탄소 상태도이다. 실선은 준 안정계를 나타내고, 여기서 안정계가 벗어난 만큼을 점선으로 나타내었다. 준 안정계에서는 그림에 나타난 형태로 순철은 왼쪽 경계를, 시멘타이트(Fe_3C)는 오른쪽 경계를 각각 생성한다. 순수한 시멘타이트는 평형에서 6.67%의 C를 함유하고 복잡한 격자구조를 가지고 있다. 사방정계 단위포 (a = 0.4517nm, b = 0.5079nm, c = 0.673nm)에서 각 3개의 Fe와 1개의 C 원자로 구성된 4개의 Fe_3C분자가 존재한다. 4개의 Fe원자마다 하나의 C원자를 사면체 형태로 둘러싼다. 각 사면체는 능선이나 모서리를 따라서 서로 연결되어 있다.

시멘타이트는 단단하고(800HV), 철보다 낮은 밀도($\rho = 7.4gcm^{-3}$)를 가지고 있으며 실온에서와 215℃까지 자성을 띤다. 높은 온도에서 시멘타이트는 철과 탄소로 분해된다. 따라서 용융점을 결정하기가 어렵다. 앞의 Fe-C상태도에는 용융점이 1330℃로 주어져 있지만, 사실 더 높은 온도로 보는 것이 좋을 것

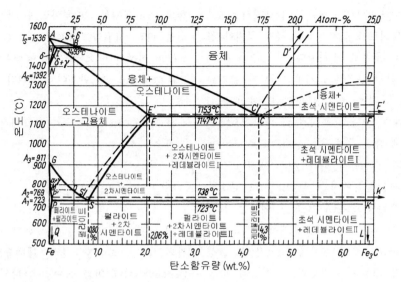

그림 5.4 철-탄소 상태도.

이다.

탄소함량이 6.67% 이상인 철-탄소 합금은 기술적으로 의미가 없다.

철-탄소 합금에서는 다음과 같은 고용체가 나타난다 :

명칭	최대 C-함유량	금속조직학적 표현
δ 고용체	1493℃에서 0.02%	δ 페라이트
γ 고용체	1147℃에서 2.06%	오스테나이트
α 고용체	723℃에서 0.02%	페라이트

탄소에 대한 FCC γ Fe의 용해도가 다른 동소체보다 분명히 큰 것을 알 수 있다. 균질상과 더불어 혼합구조(불균질)의 조직도 존재한다:

명칭	구성	존재 영역
펄라이트	88%페라이트 12%시멘트이트	T≤723℃ 0.02~6.67%C
레데뷸라이트 Ⅰ	5.14% 오스테나이트 +48.6 시멘타이트	T≤1147~723℃ 2.06~6.67%C
레데뷸라이트 Ⅱ	51.4% 페라이트 +48.6 시멘타이트	T≤723℃ 2.06~6.67%C

시멘타이트는 3개의 다른 형태에서 독립된 조직구성 성분으로 생성되지만 그 화학조성은 같다. :

명칭	생성
초석 시멘타이트	융체로부터 초석 결정화 (C-D선)
2차 시멘타이트	오스테나이트로부터 석출 (E-S선)
3차 시멘타이트	페라이트로부터 석출 (P-Q선)

4.3~6.67%C를 함유한 합금에서는 1차 시멘타이트가 융체로부터 길고 첨예한 침상으로 최초로 분리된다. E-S선을 따라 오스테나이트로부터 시멘타이트가 분리된다. 3차 시멘타이트는 페라이트에서 P-Q 용해도선을 따라 생성된다. 페라이트에서 탄소에 대한 용해도는 상대적으로 작아서 온도가 감소함에 따라 723℃에서 0.02%인 것이 실온에서는 약 10^{-5}%로 감소한다. 액상선 상부(A-B-C-D)에서는 모든 합금은 액체 상태로 존재하며, 고상선(A-H-I-E-C-F)하부에서는 완전 결정화되어 고체로 존재한다. 액상선과 고상선 사이에는 다른 양적 조성을 지닌 용탕과 함께 δ Fe, γ Fe 또는 Fe₃C의 반(半)액체 상태가 존재한다.

Fe-C 상태도는 각 경우의 특징적인 반응을 나타내는 3개의 등온선(포정반응 : 1493℃, **공정반응** : 1147℃, **공석반응** : 723℃)이 존재한다.

0.10~0.16%C의 Fe-C 합금에서의 **포정반응** :

$$\delta(H)+S(B) \rightarrow \delta(H)+\gamma(I) \ (1493℃)$$

0.16~0.51%C의 Fe-C 합금에서의 포정반응:

$$\delta(H)+S(B) \rightarrow \gamma(I)+S(B) \ (1493℃)$$

(B), (H), (I)등은 그림 5.4에 따라 탄소농도를 의미한다. 감소하는 온도와 함께 용탕의 조성은 용탕에서 뿐만 아니라 고용체에서도 평형조건하에서 탄소의 무제한의 농도 균일화가 이루어질 수 있는 B-C선을 따라 바뀐다. 따라서 1147℃까지는 2.06% 이상의 탄소함량에서 용탕은 4.3%C로 농축되고 공정반응이 시작된다.

2.06~6.67%C의 Fe-C 합금에서의 공정반응:

$$S(C) \rightarrow \gamma(E)+Z(F) \ (1147℃)$$

이 공정 응고반응에서는 독일 야금학자의 A.Ledebur를 따라 **레데뷸라이트(ledeburite)**라 이름 붙여진 하나의 특징적인 조직 구성요소가 생성된다.

탄소함유량이 6.67%까지의 조직은 응고 후에 바로 γ 고용체를 함유한다. 계속되는 온도 감소에서 탄소가 적은 α 고용체가 G-O-S선을 따라 또는 탄소가 많은 시멘타이트 결정이 E-S선을 따라 석출된다. 이 석출은 잔류 γ 고용체에 대한 농도의 변화, 즉 페라이트 생성의 경우에는 탄소 함량의 증가, 시멘타이트 생성의 경우에는 탄소함량의 감소를 의미한다. 이렇게 해서 γ 고용체는 평형상태 723℃에서 0.8%의 탄소를 함유한다. 723℃에서 P조성의 α 고용체, S조성의 γ 고용체, K조성의 시멘타이트는 서로 평형을 이룬다. 계속되는 γ 고용체의 변태는 냉각시 공석반응에 의해 발생한다.

γ 고용체의 공석반응:

$$\gamma(S) \rightarrow \alpha(P)+Z(K) \ (723℃)$$

공석변태에 의해 생긴 불균질한 조직

구성 성분을 펄라이트라고 하고, 페라이트와 시멘타이트의 특징적인 형태와 배열로 이루어져 있다(그림 5.11~5.14). 이 공석조직은 우리 눈에 줄무늬 격자처럼 보이는 층상구조에서 빛의 간섭을 통해 발생하는 진주광택 때문에 펄라이트라고 이름 붙여졌다.

경우에 따라 공석점 S, 공정점 C 그리고 그 밖의 점들은 철재료를 구분 짓는데 이용되기도 한다. :

명칭	C 함유
아공석강	Q~S
공석강	S
과공석강	S~E
아공정	E~C
주철	
공정주철	C
과공정추철	C~K

주의 : 강과 주철은 단지 철과 탄소로만 구성된 것이 아닌 다 성분계이다. 각 요소는 그들의 함량에 따라 변태점의 위치를 바꾼다. 예를 들면 0.5% 탄소를 함유한 합금강은 이미 과공석이거나 2% 이하의 탄소를 함유한 Cr강은 조직에서 레데뷸라이트 공정을 나타내는 레데뷸라이트 강으로 존재하기도 한다.

탄소는 철의 변태온도를 바꾼다. $\gamma \rightarrow \delta$ 변태(A_{r4})는 탄소함량의 증가로 1392℃(N점)에서 1493℃(H점)로 증가한다.

온도 A_{r3}은 탄소함량의 증가로 911℃(G점)에서 723℃(S점)로 감소한다. Curie 온도(M점)는 탄소함량에 실제로 영향을 받지 않는다. 오스테나이트는 페라이트와는 달리 상자성이므로 이(異)상영역 $\alpha + \gamma$(GOSPM 영역)에서는 자화도가 오스테나이트 영역의 증가에 비례하여 감소하고 O점에서는 0이 된다. Curie선은 S를 따라 감소하며 K점까지 등온으로 진행된다. 증가하는 탄소함유에 따른 A_4의 증가와 A_3의 감소는 γ 영역의 확장을 의미한다. 즉 탄소는 γ 영역을 확대시킨다. 탄소 외에도 N, Ni, Mn, Co등도 이러한 효과를 보인다. 이에 반해 Cr, Mo, Si, W, V, Al 등의 원소들은 γ 영역을 축소시키거나 완전히 차단한다.

철-탄소 합금에서는 순철에 대한 그림 5.1에서 나타나는 A_4에서 A_2 까지의 변태온도와 더불어 A_{c1}[1]과 A_{r1}, 경우에 따라서는 A_{cm}과 A_{rm}(표 5.3)도 나타난다. 점 A_{cm}과 A_{r1}에서의 열영향은 상대적으로 작아서 열분석으로는 거의 발견할 수 없다. 더 나은 검출방법으로는 비록 효과가 아주 분명하지는 않지만 열팽창 계수를 측정하는 것이다.

계속해서 평형조건에 가까운 냉각에서 응고와 변태과정이 하나의 선택된 철-탄소 합금에 대해서 다루며 여기에서 생겨나는 조직을 나타낸다.

0.05%C의 철-탄소 합금 : 액상선 A와 B사이에 도달하면 용체로부터 δ 고용체의 생성이 시작된다. 온도감소와 함께 δ Fe영역은 증가한다. 고상선에 도달하면서 약 1510℃에서 전체 용체가 응고된다(100% δ Fe). N-H선(1440℃) 아래

---

1) 기술적으로 중요한 많은 강과 순수한 Fe-C합금의 가열에서 차이는 전적으로 A_{c1}온도 뿐만아니라 A_1 구간으로 그 하부 한계 A_{1b}(b는 시작)와 상부 한계 A_{c1e}(e는 종료)가 나타나며, A_{c1b}와 A_{c1e}는 3상영역($\alpha + \gamma + K$)을 포함한다.

표 5.3 철-탄소 합금에서 상변태 온도

평형상태에서의 변태		냉각시 변태		가열시 변태	
A_{e1} (723℃)	오스테나이트 존재영역의 하부경계에 놓인 평형온도	A_{r1}	오스테나이트에서 페라이트 또는 페라이트와 시멘트아트로의 끝나는 온도	A_{c1}	오스테나이트의 생성이 시작되는 온도
A_{e3}(GS)	페라이트 존재영역의 상부경계에 놓인 평형온도	A_{r3}	페라이트 생성이 시작되는 온도	A_{c3}	페라이트에서 오스나이트로의 변태가 끝나는 온도
A_{em}(SE)	과공석강에서 시멘타이트 존재영역의 상부경계에 놓인 평형온도	A_{rm}	과공석강에서 오스테나이트로 부터의 시멘타이트 생성이 시작되는 온도	A_{cm}	과공석강에서 시멘타이트의 오스테나이트로의 용해가 끝나는 온도

에서는 δ Fe의 γ Fe로의 변태가 개시된다. 온도감소와 더불어 γ Fe 영역이 증가하고 이에 상응하는 δ Fe는 감소한다. 약 1420℃가 되면 N-I선에 도달하면서 이 변태가 끝나게 된다(100% γ Fe). γ Fe는 G-O-S선까지 도달하기까지 계속되다가 C가 적은 α Fe로 변태한다. 이 변태에서 아직 변태하지 않은 γ Fe는 탄소가 많아진다.

온도 A_{r1}(723℃)에서 α(P)와 γ(S) 그리고 시멘타이트(C)는 서로 평형을 유지한다. 이 온도 아래에서 계속되는 변태는 공석반응에 따라 진행된다. 온도감소와 함께 P-Q선에 상응하는 탄소에 대한 α 철의 용해도도 감소하고 3차 시멘타이트가 페라이트 입계에 석출된다.

실온에서의 조직은 다면체의 쌍정이 없는 페라이트 결정(밝은색, 초석 페라이트)과 낮은 배율의 광학현미경으로 아직 lamellar 구조를 잘 알아볼 수 없는 적은 양의 펄라이트 구조로 이루어져 있다(그림 5.5). 펄라이트는 입자경계와 입자섶이 발생하는 부분에 우선 존재한다.

펄라이트 주변의 3차 시멘타이트를 구별하기는 쉽지 않고 양이 아주 적어서 종종 무시되거나 경우에 따라서 펄라이트로 간주된다.

0.15%C의 철-탄소 합금 : 약 1525℃에서 1차 δ 고용체의 생성으로 융체로부터의 응고가 시작된다. 그 양은 온도가 감소하면서 증가한다. 1493℃에서 δ Fe상과 γ Fe상 그리고 융체는 평형을 이루고 γ Fe와 δ Fe에서의 포정반응에 따라 계속해서 변태가 진행된다. δ Fe영역은 온도감소와 함께 감소한다. I-N선(약 1475℃)에 도달하면 γ Fe만 존재하고, 이는 약 860℃(G-O-S선)까지 계속된다.

이 선 아래에서는 γ Fe로부터 α Fe의 생성이 시작된다. 온도감소와 더불어 다른 상이 감소함에 따라 새로 생겨난 상은 증가한다. 아직까지 변태하지 않은 γ Fe의 탄소 양이 증가하고 723℃에서 0.8%에 도달한다. 계속되는 온도감소와 함께 γ Fe는 공석반응에 따라 펄라이트로 된다. 이렇게 생성된 조직은 초석 페

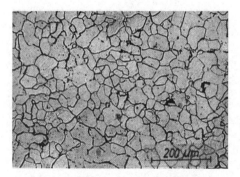

그림 5.5 Fe + 0.05%C, 페라이트(연철).

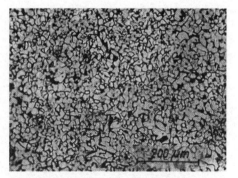

그림 5.6 Fe + 0.15%C, 페라이트(밝은 부분)과 펄라이트(어두운 부분). 침탄강.

라이트(밝은 부분)와 펄라이트(어두운 부분 ; 그림 5.6)로 이루어진다.

0.25%C의 철-탄소 합금 : 약 1520℃에서 융체로부터 1차 δ 고용체가 석출되기 시작한다. 이는 1493℃에서 포정반응을 일으켜 탄소를 포함하는 일정한 양의 잔류융체가 존재하는 γ 고용체로 변한다. 계속되는 온도감소와 함께 γ 영역은 융체의 감소만큼 증가한다. 응고선 I-E (약 1475℃)에 도달하면서 융체의 응고가 끝난다. 이 고체는 100% γ 고용체로 이루어져 있고, G-O-S선에 도달하면서 α Fe로 바뀌기 시작한다. 이 변태는 0.15% C를 함유한 철-탄소 합금의 경우와 마찬가지로 공석반응에 의한 분리로 끝난다.

초석 페라이트와 펄라이트 조직을 그림 5.7에 나타내었다.

0.40%C의 철-탄소 합금 : 응고과정이 0.25%C를 함유한 철-탄소 합금에서와 비슷하게 진행되고, 약 1450℃(응고선 I-E)에서 끝난다(100% γ Fe). γ Fe의 변태는 G-O-S에 도달하면 초석 페라이트를 생성하기 시작하고 723℃에서 0.8%의 탄소를 포함한 γ 고용체의 공석 분리

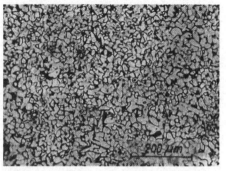

그림 5.7 Fe + 0.25% C, 페라이트(밝은 부분)와 펄라이트(어두운 부분).

로 종료된다. 실온에서의 페라이트-펄라이트 조직을 그림 5.8에 나타내었다.

0.60%C의 철-탄소 합금 : 변태는 액상온도에서 γ 고용체를 생성함으로써 개시되고, 응고는 약 1410℃(응고선)에서 종료된다. 계속되는 변태는 0.40%C를 함유한 철-탄소 합금에서와 마찬가지로 진행되지만, 조직에서 C 함량이 증가함에 따라 펄라이트 영역도 증가한다(그림 5.9).

0.80%C의 철-탄소 합금 : 응고과정이 0.60%C를 함유한 철-탄소 합금에서와 비슷하게 진행된다. 계속되는 γ 고용체의 변태에서 초석 페라이트가 석출되

그림 5.8 Fe + 0.40%C, 페라이트(밝은 부분)와 펄라이트(어두운 부분).

그림 5.10 Fe + 0.80%C, 펄라이트.

지 않는 것이 특징이다. 이는 γ 상이 공석 분리에 필요한 성분(0.8%C)을 이미 가지고 있기 때문이다. 이 경우에 A_{r3}와 A_{r1} 온도는 동일하며, 변태의 결과는 순수한 펄라이트 조직이다(그림 5.10).

순수 펄라이트는 페라이트(88%)와 시멘타이트(12%)로 이루어져 있다. 일반적으로 페라이트 기지에 시멘타이트가 판상으로 배치되고 이를 **lamellar 펄라이트**라 한다. 이 시멘타이트 결정은 평탄하거나 만곡되어 있으며 또한 절단될 수도 있다. 하나의 집단 내에서 그 형태는 상당히 균등하나 펄라이트 섬(island)과 섬간에는

차이를 보인다. 그림 5.11~5.14는 펄라이트의 미세 구조를 다양한 배율로 나타낸 것이다. 펄라이트의 lamellar 구조는 상대적으로 평형에 가깝지만 실제로는 페라이트와 시멘타이트 사이의 최종적인 평형 상태를 나타내지는 않는다.

평형에 가까운 열처리(700℃에서 lamellar 상 펄라이트를 장시간 가열)를 통해 구상의 lamellar가 생성된다. 그림 5.15는 이렇게 생성된 펄라이트 조직을 보여준다. 뜨거운 알칼리성 피크르산 나트륨 용액으로 부식하면 시멘타이트는 어둡게 변하며 밝은 페라이트형 기지와 뚜렷하게 대조를 이룬다(그림 5.16). 이 펄라이트

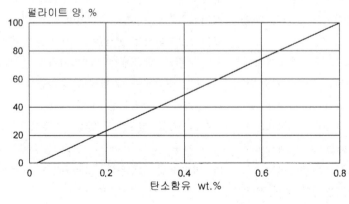

그림 5.9 합금의 탄소 함유와 조직의 펄라이트 양과의 관계.

그림 5.11 미세 lamellar 펄라이트.

그림 5.14 조대 lamellar 펄라이트 ; 페라이트 매우 심하게 부식.

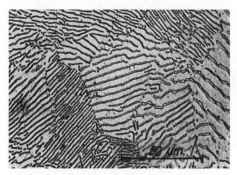

그림 5.12 조대 lamellar 펄라이트.

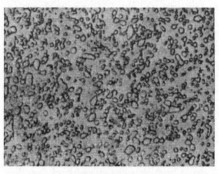

그림 5.15 입상(균일한) 펄라이트 ; 펄라이트 내의 작고 불 균질한 구형의 시멘타이트 ; 1% 희석 HNO_3로 부식.

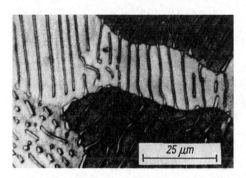

그림 5.13 조대 lamellar 펄라이트 ; 페라이트는 심하게 부식됨.

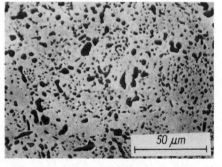

그림 5.16 입상(균일한) 펄라이트 ; 입상 시멘타이트 어둡게 부식 ; 뜨거운 알칼리성 피크르산 나트륨 용액으로 부식.

를 입상 펄라이트라 한다. 이 두 종류의 펄라이트는 단지 조직적으로만 구분되는 것이 아니라, 그들의 경도(입상 펄라이트 :

약 160~180HB ; lamellar 펄라이트: 약 240~260HB)로도 구분된다.

펄라이트 lamellar 간격은 순수한 철-

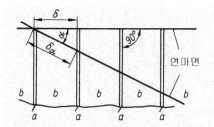

그림 5.17 펄라이트의 실제(δ)와 가시적(δ_α) lamellar간격 ; a = 시멘타이트. b = 페라이트.

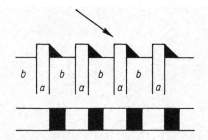

그림 5.18 펄라이트 단면(도식) ; 입사된 빛은 돌출된 시멘타이트 뒤에서 그림자를 생성한다. a = 시멘타이트. b = 페라이트.

탄소 합금에서의 뿐만 아니라 다른 공업적으로 중요한 강에 있어서 페라이트-펄라이트 조직의 분산도를 결정하는 **조직매개변수**이다. 따라서 종종 그것의 정량적인 표시가 요구된다. 분산도에 대한 척도는 **고유 경계면**[$mm^2 \ mm^{-3}$] 또는 이와 관계있는 펄라이트 lamellar 간격과 같은 크기들이다. 현미경으로 시편 연마면 위에서 관찰할 수 있는 펄라이트 lamellar 거리는 연마면의 페라이트-시멘타이트 lamellar 집단에서 잘린 각 α에 의해 결정된다(그림 5.17). 그러므로 실제 (δ)와 가시적 (δ_α) lamellar 간격을 구별해야 한다. 이 둘 사이에는 다음과 같은 관계식이 존재한다.

$$\delta_\alpha = \frac{\delta}{\cos \alpha}$$

절단각 α가 클수록 δ_α 도 커진다. $\alpha = 0°$에서 $\cos\alpha = 1$, 즉 $\delta_\alpha = \delta$이다. $80°$ 부터 δ_α는 매우 커진다($\delta_{80°} = 5\delta$; $\delta_{84°} = 10\delta$; $\delta_{87°} = 20\delta$). 페라이트와 시멘타이트는 원래 흰색이다.

따라서 두 가지의 흰 결정으로 된 펄라이트도 흰색이어야 한다. 일반적으로 현미경의 낮은 배율에서 펄라이트는 어둡게 나타나며, 이는 들어온 빛의 특수한 그림자 효과 때문이지 실제 색깔과는 상관이 없다. 질산이나 피크르산으로 부식하면 페라이트가 시멘타이트보다 더 심하게 부식된다. 대부분 시편면에 비스듬하게 비치는 빛은 돌출된 판상 시멘타이트 뒤에 그림자를 만들므로 그림자 효과가 나타난다(그림 5.18). 펄라이트를 심하게 부식시킬수록 페라이트는 깊이 부식되고 그림자 효과가 커진다.

1.15%C의 철-탄소 합금 : 융체는 850℃(S-E선)까지 계속되어 γ 고용체가 초정으로 정출되어 응고된다. S-E선 아래에서 2차 시멘타이트의 석출이 개시되고, 이는 주로 오스테나이트의 입계에서 생긴다. 723℃에서는 0.8%까지 C를 함유한 γ 고용체의 공석 분해가 발생한다. 펄라이트를 질산으로 심하게 부식하면 어둡게 변하나 2차 시멘타이트는 부식되지 않고 밝게 남는다(그림 5.19).

알칼리성 피크르산 나트륨으로 2차 시멘타이트는 어둡게 부식되며 미세한 펄라이트는 밝게 남으며 단지 펄라이트 내의 조대 시멘타이트 lamellar만 똑같

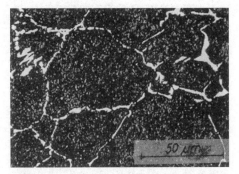

그림 5.19 Fe + 1.15%C(비합금 공구강) ; 펄라이트(어두운 부분) 입계의 페라이트(밝은 부분) ; 1% HNO₃ 부식.

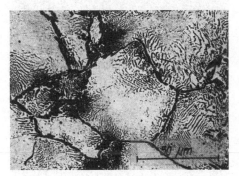

그림 5.20 Fe + 1.15%C(비합금 공구강) ; 펄라이트 내의 조대 시멘타이트, 알칼리성 피크르산 나트륨 부식.

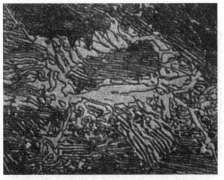

그림 5.21 Fe + 1.61%C ; 입계에 넓은 2차 시멘타이트 벤드를 가진 펄라이트 ; 1% HNO₃ 부식.

이 어둡게 변한다(그림 5.20).

합금의 탄소함량이 높을수록 입계에 존재하는 2차 시멘타이트의 석출물이 많아진다(그림 5.21). 입계에서의 2차 시멘타이트의 석출은 단지 상대적으로 느린 냉각에서만 발생한다. 빠른 냉각에서는 입자 내부로부터 탄소가 입계로 확산할 시간이 부족하다. 이런 경우에는 오스테나이트 결정내부(페라이트 결정내부는 실온)에서 완전히 또는 부분적으로 긴 바늘모양으로 석출된다(그림 5.22).

일정한 조건하에서 2차 시멘타이트의 줄무늬는 좁거나 넓은 페라이트 영역으로 둘러싸일 수 있고 펄라이트의 시멘타이트는 페라이트의 잔류 하에 2차 시멘타이트에 붙어 석출된다. 이를 펄라이트가 변종되었다고 한다(그림 5.23).

입계에서의 2차 시멘타이트는 강에서도 나타나는데 이는 일반적으로 여러가지 이유에서 바람직하지 못하다.

그 하나로 입계 시멘타이트는 취성을

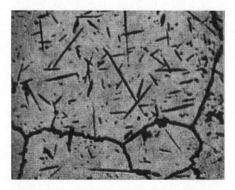

그림 5.22 Fe + 1.31%C ; 입계에 부분적으로 2차 시멘타이트, 부분적으로 원래 오스테나이트 입자였던 곳에서 석출, 알칼리성 피크르산 나트륨 부식.

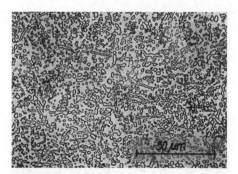

그림 5.24 Fe + 1.30%C ; 연화어닐링 ; 구상 시멘타이트.

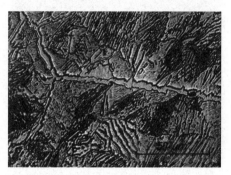

그림 5.23 Fe + 1.50%C ; 변종 펄라이트, 2차 시멘타이트 주변의 페라이트 영역.

그림 5.25 Fe + 2.15%C; 입계에 레데뷸라이트와 2차 시멘타이트를 가진 펄라이트.

일으키고 절삭가공 시 어려움을 유발한다. 또한 이것은 경화 전 오스테나이트 화를 통해 용해되기 어렵기 때문에 종종 시멘타이트를 연화풀림 해서 적당한 구상으로 변화시켜야만 한다(그림 5.24).

2.15%C의 철-탄소 합금 : 융체로부터 1차 탄소가 적은 γ 고용체가 약 1380℃에서부터 정출되기 시작한다. 잔류융체는 이를 통해 탄소가 많아지게 된다. 1147℃에서 조성 E의 γ 상과 조성 C의

융체는 서로 평형상태이다. 융체는 공정반응에 따라 레데뷸라이트 I로 응고된다.

계속되는 온도 감소에 따라 1차 γ 결정뿐만 아니라 레데뷸라이트 내의 γ 결정 및 2차 시멘타이트가 석출된다. 이는 γ 구성 성분이 723℃에서 공석 분해에 필요한 0.8%C에까지 이르게 한다. 실온에서의 조직은 펄라이트 내의 분해 된 1차 γ 고용체, 레데뷸라이트 II 및 2차 시멘타이트로 구성된다(그림 5.25).

2.5%C의 철-탄소 합금 : 변태과정이 근본적으로 2.15%C와 비슷하다.

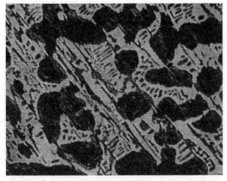

그림 5.26 Fe + 2.50%C(아공정 선철) ; 펄라이트로 변태한 γ 고용체(어두운 부분)와 레데뷸라이트.

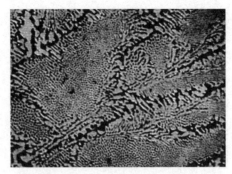

그림 5.28 Fe + 4.30%C(공정 선철) ; 레데뷸라이트의 γ고용체의 구상 생성.

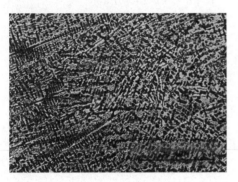

그림 5.27 Fe + 4.30%C(공정 선철) ; 레데뷸라이트의 γ결정의 수지상 생성.

그림 5.29 Fe + 5.50%C(과공정 선철) ; 레데뷸라이트 내의 침상 결정.

그림 5.26은 약간 높은 배율에서의 레데뷸라이트 II를 보여준다.

4.3%C의 철-탄소 합금 : 융체는 1차 정출 없이 공정 반응에 따라 레데뷸라이트 I로, 723℃ 아래에서는 레데뷸라이트 II로 각각 응고된다(그림 5.27, 5.28).

5.5%C의 철-탄소 합금 : 액상선에 도달하면 융체는 1차 시멘타이트를 침상모양으로 정출하고 1147℃에서는 공정반응에 따라 계속해서 응고될 수 있도록 융체에 4.3%의 C를 함유한다.

실온에서의 조직은 길고 뾰족한 1차 시멘타이트 조직이 레데뷸라이트에 박혀 있다(그림 5.29, 5.30).

준안정계 Fe-Fe₃C 상태도에 따라 결정화 된 모든 철-탄소 합금은 단지 α철(페라이트)과 Fe₃C(시멘타이트)로만 이루어지며, 이 두 결정은 1차, 2차 결정화 거동에 따라 그 형상과 배열에서 큰 차이를 보일 수 있다.

그러나 형상과 배열뿐만이 아니라 조직성분의 비율도 합금의 특성을 나타내는 의미중 하나이다.

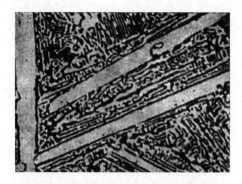

그림 5.30 Fe + 5.50%C(과공정 선철) ; 고배율로 본 레데뷰라이트 내의 침상 결정

평형상태에 가까운 조직은 합금의 탄소의 양이 주어지면 시멘타이트의 양을 계산할 수 있다. 예를 들어 2.5%C를 함유한 철-탄소 합금은

$$\frac{2.5}{6.67} \cdot 100\% = 37.5\% \text{ 의 시멘타이트}$$

를 함유한다. 순수한 상의 양뿐만 아니라 조직구성 성분인 펄라이트와 레데뷰라이트의 양도 지렛대법칙을 사용하여 계산할 수 있다.

예 1 : 순수한 펄라이트에서 시멘타이트와 페라이트는 각각 몇 %인가?

지렛대는 관계하고 있는 상의 조성을 통해 주어진다.

a = 0.8-0.0 = 0.8

b = 6.7-0.8 = 5.9

m_Z = 0.8/(5.9 + 0.8) · 100% = 12% 시멘타이트, m_F = 100 - 12 = 88% 페라이트

예 2 : 공정 레데뷰라이트에서 분해 된

γ 고용체와 시멘타이트는 각각 몇 %인가?

a = 4.3-2.06 = 2.24

b = 6.67-4.3 = 2.37

m_Z = 2.24/(2.24 + 2.37) · 100% = 48.6% 시멘타이트, m_P = 100 - 48.6 = 51.4% 펄라이트

예 3 : 0.25%C를 함유한 철-탄소 합금에서 페라이트와 펄라이트의 양은 각각 몇 %인가?

a = 0.25 - 0.0 = 0.25

b = 0.8 - 0.25 = 0.55

m_F = 0.55/(0.55 + 0.25) · 100% = 69% 페라이트 m_P = 100 - 69 = 31% 펄라이트

예 4 : 1.5%C를 포함한 철-탄소 합금에서 2차 시멘타이트와 펄라이트는 각각 몇 %인가?

a = 1.5-0.8 = 0.7

b = 6.7-1.5 = 5.2

m_P = 5.2/(0.7 + 5.2) · 100% = 88% 펄라이트 m_Z = 100 - 88 = 12% 2차 시멘타이트

예 5 : 2.5%C를 함유한 철-탄소 합금에서 분해 된 γ 고용체, 2차 시멘타이트 및 레데뷰라이트의 양은 각각 몇 %인가?

1147℃에서 γ와 레데뷰라이트에 대한 지렛대:

a = 2.5-2.06 = 0.44

b = 4.3-2.5 = 1.8

m_A = 1.8/(0.44 + 1.8) · 100% = 80.5% 오스테나이트, m_L = 100 - 80.5 = 19.5% 레데뷰라이트

레데뷸라이트로부터 2차 시멘타이트의 석출이 무시되면 입계 시멘타이트는 단지 80.5%의 1차 오스테나이트로만 석출된다. 100% 오스테나이트는 21.5%의 2차 시멘타이트를 생성시키고 80.5%의 오스테나이트는 $(80.5/100) \cdot 21.5 = 17.3$의 2차 시멘타이트를 생성한다. 잔류$(80.5 - 17.3 = 63.2\%)$ 오스테나이트는 723℃에서 펄라이트로 변태한다. 실온에서의 이 합금의 조직은 19.5%의 레데뷸라이트, 17.3%의 2차 시멘타이트 및 63.2%의 펄라이트로 이루어져 있다.

예 6 : 5%C를 함유한 철-탄소 합금에서 1차 시멘타이트와 레데뷸라이트의 양은 각각 몇 %인가?

a = 5.0 − 4.3 = 0.7

b = 6.7−5.0 = 1.7

$m_Z = 0.7/(0.7 + 1.7) \cdot 100\% = 29.2\%$ 1차 시멘타이트, $m_L = 100 − 29.2 = 70.8\%$ 레데뷸라이트

지렛대법칙을 조직도의 형태로 나타낼 수 있다(그림 5.31). 이 조직도로부터 예

를 들어 2.5%C함유량의 철-탄소 합금은 약 17%의 2차 시멘타이트, 63%의 펄라이트 및 20%의 레데뷸라이트로 되어 있음을 알 수 있다. 철-탄소 합금의 조직 구성성분의 양을 **Sauveur도**를 통해서도 알아낼 수 있다(그림 5.32). 2.5%C를 함유한 철-탄소 합금에 대해서는 아래와 같다.

선 UV = 펄라이트 내의 시멘타이트 8.5%

선 UW = 레데뷸라이트 내의 시멘타이트 9.5%

선 UX = γ Fe로부터 생긴 2차 시멘타이트 19.0%

선 UY = 전체 시멘타이트 37.0%

선 UZ = 펄라이트내의 페라이트 63.0%

4.3%C를 함유하는 순수 공정 응고 합금은 4.5%의 공석 시멘타이트, 11%의 2차 시멘타이트 및 레데뷸라이트 내의 48.5%의 시멘타이트로 이루어져 있다.

전체 시멘타이트 함량은 4.5 + 11 + 48.5 = 64%이고 페라이트는 36%이다.

높은 탄소함량에서 발생하는 시멘타이트는 안정하지 못하다. 이러한 시멘타

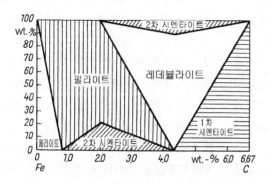

그림 5.31 철-탄소 합금의 조직도.

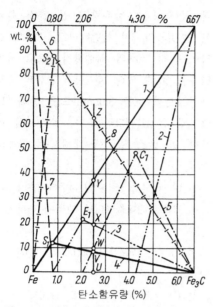

그림 5.32 각 조직성분량의 퍼센트를 직접 나타내는 Sauveur도
1 : 전체 시멘타이트, 2 : 1차 시멘타이트, 3 : 2차 시멘타이트, 4 : 공석 시멘타이트, 5 : 공정 시멘타이트, 6 : 전체 페라이트, 7 : 1차 페라이트, 8 ; 공석 페라이트, S_1 = 12%공석 시멘타이트, S_2 = 88%공석 페라이트, E_1 = 21.5% 2차 시멘타이트, C_1 = 48.6%공정 시멘타이트.

이트는 일정한 조건(아주 느린 냉각)하에서 철과 탄소(흑연)로 분해된다.

C'–D'선(안정된 Fe–C상태도)을 따라서 분리된 탄소를 **Kish graphite**라고하는데 철에 비해 비중이 낮은 편석(중력편석)을 일으키기 때문이며 융체표면에 거품덩어리를 생성하고 조직 내에는 거의 포함되어 있지 않다. 안정 계에서는 1153℃와 4.25%C에서 흑연-오스테나이트 공정이 존재한다. 오스테나이트의 최대 C 용해도는 점E'에서 2.03%이다. 선 P'–S'–K'는 793℃에 놓여있다.

어닐링을 통해서 준안정 Fe–Fe₃C계를

따라 응고된 합금은 안정계의 합금으로 변태될 수 있다. 시멘타이트의 분해는 약 500℃에서 이미 시작된다. 철과 탄소의 혼합물은 초기조직보다 더 큰 체적을 차지하기 때문에 이를 고온에서의 주철에 적용할 때는 다소 어려움이 있다. 이 과정을 **"주철의 성장"**이라고 한다.

한편 고온에서 시멘타이트의 분해가 공업적으로 이용되기도 하는데, 이를 통해 주조성은 양호하나 취성이 있는 주철을 인성이 있는 가단주철로 제조한다. 무엇보다도 안정계 Fe–C에만 의지하기보다는 Si와 같은 합금 원소를 첨가함으로써 가단화 과정을 촉진시킨다. 비 합금류를 포함하는 공업적으로 중요한 강과 주철은 탄소 외에도 수많은 다른 원소들을 포함한다(표 5.1). 모든 원소는 여러 가지 방법으로 철 재료의 동소 상변태에 영향을 끼친다. 그들은 철격자에서 탄소의 확산에 비교적 큰 영향을 미친다. 이를 통해 변태거동에서 순수한 철-탄소 합금과 비교했을 때 심한 차이가 생긴다(본문 5.5). 이것은 동시에 Fe–Fe₃C 상태도가 공업적으로 중요한 철합금에 적용할 수 없음을 의미한다. 다 조성계는 충분히 알려져 있지 않고 한 눈에 알아볼 수 없기 때문에 합금에서 포함된 원소의 영향을 철과 함께 2원계의 형태로 나타내고 개별적으로 다루도록 시도되어 왔다. 이 방법으로 조성사이의 다양한 상호작용을 이해하지 못하는 것은 당연하다. 여기에서 2원계 상태도는 단지 평형상태만을 나타내나 공업적으로 의미

있는 상태들은 비평형상태 하에서 발생한다는 것을 알 수 있다. 공업적으로 중요한 강들의 가열 및 냉각에서 비평형 상태의 상변태의 알맞은 설명들이 도식이나 개념, 모델, 소프트웨어 프로그램의 형태로, 또는 소성 변형과 같은 다른 영향들도 고려되어야 한다.

5.3
동질이상 상변태

5.3.1
기열 변태

지금까지 철합금의 변태에서 고려되어 온 것은 열적 평형과 2원계 Fe-C 합금에 대한 것이었다. 평형상태도는 평형상태에서의 변태와 조직상태를 표시한다. 합금원소 및 동반원소의 존재는 Fe-Fe$_3$C 상태도와는 다른 평형을 일으킨다. 주어진 평형계를 통해서 이상적 상태는 다음과 같은 이유로 제한되어 있다.

- 합금에서 상변태는 항상 용해도 변화와 연관된다.
- 고용체에서는 중요한 추가원소에 대해 대부분 하나의 온도의존 용해도가 존재한다.
- 변태시 원자들의 재배치가 수반되어야 한다.
- 평형상태의 설정에서 과포화 상태가 생성될 수 있기 때문에 아주 충분한 시간을

요구한다.

특히 실제 사용에서 강의 의미있는 조직생성은 열적인 비평형 상태에서 발생한다. 일반적으로 냉각에서 최종 조직상태는 상변태의 직접적인 결과이다. 그러나 미리 행해지는 가열에서 진행되는 변태는 뒤따르는 냉각에서 생성되는 조직에 영향을 줄 수 있다. 실제에서 특성에 영향을 미치는 대부분의 열적 처리는 실온에서 부터의 가열로 시작된다. 정해진 화학조성에서 이 특성들에는 그 외에 여러 가지 변수가 작용한다. 냉각에서 ($\gamma \rightarrow \alpha$) 변태뿐만 아니라 가열 시 ($\alpha \rightarrow \gamma$) -변태도 대단히 중요한 의미를 갖는다. 이것은 강이 ($\gamma \rightarrow \alpha$) 또는 ($\alpha \rightarrow \gamma$) 변태 없이 노멀라이징이나 담금질을 통해 경화될 수 없음을 알 수 있다.

γ 영역에 놓인 온도를 유지하는 것을 오스테나이트화라고 한다. 오스테나이트화는 일반적으로 많은 열처리의 첫 번째 단계이다. 강의 오스테나이트화에서 중요한 과제는 존재하는 탄화물(Carbide)과 같은 석출물의 용해와 특히 탄소에 대한 균질화이다. 오스테나이트화에서 조직의 변화는 직접적(고온 현미경) 또는 간접적(팽창계 및 다른 물리적 측정 방법)으로 관찰될 수 있다.

각 A$_{e1}$이상으로의 가열과정은 오스테나이트의 생성과 연결된다.

여기에서 가열전의 초기조직상태 즉, 지금까지 설명한 페라이트-펄라이트 또는 비평형 조직인 베이나이트나 마르텐

사이트 및 고용체는 무의미하다.

오스테나이트의 생성은 다양한 초기 조직으로부터의 $(\alpha \rightarrow \gamma)$ 변태를 포함한다. 상대적으로 낮은 온도에서 이미 생성될 수 있는 오스테나이트는 탄소를 용해시켜야 한다. 탄소의 근원은 초기조직에서 존재하는 탄화물 K이다.

따라서 오스테나이트화에서 발생하는 일부의 진행과정인 탄화물의 용해는 다음과 같다.:

$$\alpha + K \rightarrow \gamma$$

α 상은 펄라이트 내의 페라이트, 초석 페라이트(단단한 입자나 **Widmannstaetten** 배열(5. 3. 2. 3.절 참조)에서의 페라이트, 연화어닐링 조직에서의 페라이트 기지) 또는 베이나이트나 마르텐사이트로도 존재할 수 있다.

페라이트/탄화물 경계면에서 γ 결정핵 생성이 시작되고 오스테나이트 핵성장 에너지의 증가가 계속된다.

계속되는 진행에서 모든 탄화물은 오스테나이트로 둘러싸이고 페라이트내의 탄소가 마지막까지 완전히 소모될 때까지 확산되고 이를 통해 오스테나이트는 증가한다.

이것으로 실제 오스테나이트 생성이 끝난다.

결정핵 생성은 시간에 의존적임에도 불구하고 일반적으로 빠르게 진행된다.

이러한 시간 의존성은 등온 온도에서 **잠복기(incubation period)**를 생기게 하는

데 이는 변태 온도가 높을수록 짧다.

마지막 핵의 활성화로부터 오스테나이트 생성의 종료 기간을 성장기라고 하며 이 시기는 핵이 생성되는 기간보다 뚜렷하게 길다. 그러므로 오스테나이트 생성기간에 대해 이 기간만을 고려하는 것으로도 충분하다.

기술적으로는 제한된 시간 내에서 경우에 따라서는 더 높은 가열 온도로 진행된다. 전형적인 현상을 나타내게 하는 제한된 확산조건 등은 특색을 나타낸다.

높은 가열속도에서 결정핵 생성은 입자내부의 탄화물에서도 발생한다.

기술적인 가열에서 생겨난 오스테나이트는 일단 아직 불균질하고 잔류 탄화물을 포함하며 불균질한 오스테나이트 구조를 나타낸다.

증가하는 가열속도는 결정핵 생성과 확산에 시간이 부족함을 의미한다.

그 결과 변태온도 A_{c1}과 A_{c3}가 변하며 A_{cm}은 더 높은 온도로 이동한다.

가열속도가 변태온도에 미치는 영향에 대한 관계를 규정하기 위해 시도되어 왔는데 예를 들면, 강이 1%C와 1.4%Cr을 포함하고 가열속도가 $10Ks^{-1}$까지 일 때 Spektor에 의해 다음과 같이 정의된다. :

$$\triangle T = 39 \sqrt[3]{\nu}$$

$\triangle T$: A_{c1} 이상에서 변태개시 온도의 증가
ν : 가열속도 Ks^{-1}

아공석 및 공석 탄소강과 $1000Ks^{-1}$의 가

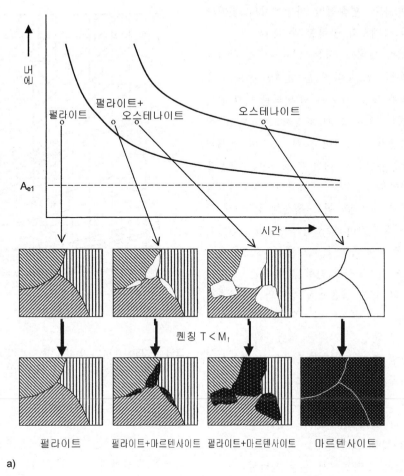

펄라이트   **펄라이트+마르텐사이트**   **펄라이트+마르텐사이트**   **마르텐사이트**

a)

그림 5.33a 강의 등온 변태에 대한 TTA곡선 : 도식적 설명.

열속도에 대하여 Guljajev와 Salkin에 의해 다음과 같이 주어진다.:

$$\triangle T = a + 25\lg\nu$$

a : 시멘타이트의 분산도에 의존하는 매개변수

가열속도는 오스테나이트의 균질도에 영향을 미친다. 가열속도가 클수록 오스테나이트 생성단계의 마지막에 아직 용해되지 않은 탄화물의 양이 더 많다. 이는 확산을 위한 시간이 아주 짧기 때문이다.

열처리의 실제에서는 가열시 조직변화의 도식과 같은 보조 자료를 필요로 한다. 이런 보조 자료에는 시간-온도-용해 또는 시간-온도-오스테나이트화 상태도 (TTA곡선)[1] 등이 있다. **TTA곡선**은 **등온**

---

1) 시간-온도-석출상태도로 교체 가능성이 존재하지 않는다면 축약하여 TTA상태도로만 적용할 것을 제안한다.

변태 또는 **연속적인** 가열에서의 변태에 대한 상태도와 구분할 수 있다.

등온 변태에 대한 TTA곡선은 각각의 시간에서 A_{e1}보다 높은 일정한 온도로 유지함에 있어서 $(\alpha \rightarrow \gamma)$ 변태를 나타낸다.

강이 온도 T로 **빠르게** 가열되고 이 온도에서 유지되어야 하는 것이 전제된다. 등온변화에 대한 TTA곡선은 등온을 따라야하고 온도 T에서의 유지시간과 더불어 오스테나이트 생성이 끝날 때 까지 처음조직이 감소한 만큼 오스테나이트 몫이 증가한다. 그 밖의 오스테나이트 생성 속도에 영향을 미치는 요소는 온도와 함께 처음조직 상태와 강의 조성이다. 따라서 TTA곡선은 그것의 구성을 기초로 하는 조건에만 해당된다.

그림 5.33b의 TTA곡선은 노멀라이징 상태에서 강 100Cr6 그리고 오스테나이트화 온도로의 가열속도 130Ks^{-1}에 해당된다. 여기에 나탄 난 것과 같은 동일한 탄화물 영역과 오스테나이트 입자크기 선은 그래프에서 종종 생략된다.

오스테나이트 생성의 시작과 끝은 고정되어야 한다.

연속적인 가열에 대한 TTA곡선은 표시된 가열곡선(각 경우마다 일정한 가열속도의 곡선)을 따라 읽는다. 그림 5.34는 34CrMo4강에 대한 것으로 이런 연속적인 TTA곡선의 예이다. 처음조직은 페라이트와 펄라이트로 이루어져 있다.

변태에서 가장 먼저 펄라이트가 사라지고 탄화물의 용해는 A_{c1e}와 A_{c3} 사이에서 잔류 페라이트의 변태와 함께 이

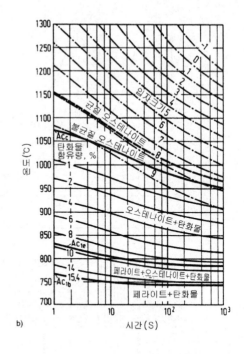

그림 5.33b 1%C, 0.34%Mn, 1.52%Cr 및 0.1%Ni을 포함한 강의 등온 TTA곡선.

루어진다.

A_{c3} 이상에서는 우선 비균질 오스테나이트가(점선까지) 그 다음에는 균질 오스테나이트가 존재하고 온도증가와 함께 오스테나이트 입자는 점차 조대해진다.

주어진 **ASTM 입자번호**는 아래와 같은 관계로 제곱인치마다 입자들의 수를 나타낸다. :

$$n = 2^{N-1}$$

n : 100배의 배율에서 제곱인치당 입자의 수

N : ASTM 입자수

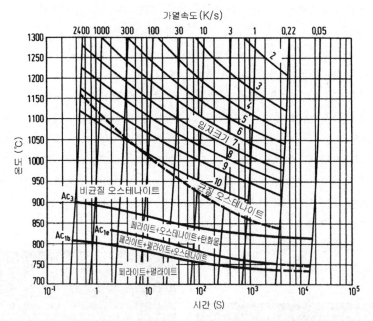

그림 5.34 034%C, 1.05%Cr 및 0.20%Mo을 함유한 강의 연속 가열에 대한 TTA-곡선.

강의 오스테나이트화 처리에서는 주로 아래와 같은 경우에 의하여 영향을 받는다.

- 강의 화학 조성
- 처음조직 상태

여기에서 조성과 초기조직 상태의 변화에 따라 TTA곡선도 새롭게 구성되어야 하고 이를 위해 조건들은 주어져야 한다.

조직을 조절하는데 있어서 근원이 되지 않는 다른 가열과정, 예를 들어 압연이나 단조에서의 예열, 용접 시 피할 수 없는 가열, 기계적 가공, 표면 마찰이나 상당한 열영향을 가져오는 작업들은 원치 않는 대부분의 오스테나이트 효과를 일으키며 종종 발생하는 오스테나이트 입자조대화는 감수해야 한다.

실제응용에서 오스테나이트화 할 때 용해된 산소에 의하여 스케일이나 가장자리 탈탄 및 연소와 같은 상품의 질을 떨어뜨릴 수 있는 현상에 주의해야 한다.

경우에 따라 노 내에 과잉 산소나 이산화탄소 및 수증기와 같은 산화성 가스가 존재하면 특히 높은 탄소함량을 가진 강에서나 열처리 시 강의 표면은 의도되지 않은 탈탄이 발생한다.

표면에 존재하는 탄화물은 점차 용해되고 탄소는 CO나 CO_2로 산화되어 노에서 빠져나간다. 탄소는 용해된 후에도 강의 표면에서 계속해서 산화되고 이런 식으로 강의 표면은 계속 탈탄이 진행된다. 금속 조직적 연마에서 탈탄된 표면 영역은 거의 영향을 받지 않은 중심부분

보다 현저히 적은 펄라이트를 나타낸다
(그림 5.35).

노 내에 과잉산소가 많이 존재하면 산
소가 철도 산화시키고(스케일) 이 스케일
속도가 탈탄속도보다 크기 때문에 대개
표면의 탈탄 층은 넓게 생성되지 않는다.
어닐링 온도가 ($\gamma \rightarrow \alpha$) 변태 영역에 있
는 동안에는 표면에 조대한 페라이트 입
자가 생기기 때문에 상대적으로 적은 산
화 포텐셜을 가진 노 내의 분위기는 좋지
않다. 페라이트 결정의 성장에서는 3~5%
의 작은 소성변형도가 적당하다.

수소도 탄소와 결합해서 탈탄작용을 하
고 메탄(CH_4)을 생성한다. 어닐링 온도
가 A_1과 A_3사이에 놓이면 탈탄된 지역
은 줄기모양의 페라이트 결정이 생성된
다(그림 5.36).

표면 탈탄된 강은 특히 담금질 경화 시
경도를 저하시킨다. 이는 공구의 절단능
력이 떨어지게 하는 표면 연성의 원인이
되고(그림 5.37) 금방 무뎌지게 한다.

그림 5.38은 구형재의 단면을 나타낸
것으로 산탄으로 때린 가장자리에 탈탄된

그림 5.37 줄(file)잇발 ; 표면 탈탄된 공구강 .

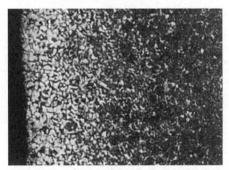

그림 5.35 0.60%C 강 ; 공기 분위기, 800℃
에서 3시간 가열 표면탈탄.

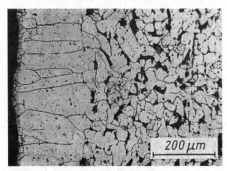

그림 5.36 0.25%C 강 ; 수소분위기로 800℃
에서 어닐링 표면탈탄 ; 줄기형 입자 생성.

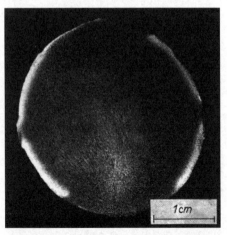

그림 5.38 구형재의 단면 ; 밝은 대칭적인 탈
탄영역. 5%희석 HNO_3로 부식하여 볼수있게 함.

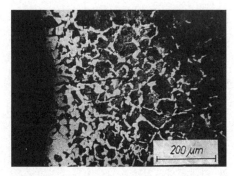

그림 5.39 0.90%C 강의 압축공기 컷터 ; 탈탄된 표면에 피로파괴 균열이 나타남.

것이며 담금질 후에 약한 반점이 있다.

동적인 고하중하의 공업재료에서 피로한계에 미치는 표면탈탄의 영향은 특히 심각하게 나타나는데 이는 페라이트 영역인 탈탄된 가장자리 부분에서 우선적으로 피로파괴 균열이 발생하기 때문이다 (그림 5.39).

그림 5.40은 퀜칭하고 템퍼링 한 C60 강으로 강도가 830 Nmm^{-2}인 벨브 레버의 피로파괴를 나타낸 것이다.

매끄럽고 notch선이 있는 결함인 피로파괴표면은 횡단면의 66%를 차지하고 결

정에 의한 파괴의 면은 34%이다. 이 피로파괴의 원인은 0.1mm 깊이의 가장자리 탈탄영역 때문이라고 할 수 있다.

높은 온도에서 강 내부의 산소는 특히 입자 경계를 따라 용해될 수 있고 이는 손상을 가져올 수 있다. 이에 대한 하나의 예로 1100~1200℃사이에 오랜 시간동안 방치된 60%Ni, 15%Cr 및 25%Fe를 함유한 저항선의 오스테나이트 조직을 들 수 있다(그림 5.41).

여기에서 입자 경계를 따라 생성된 점모양의 산화물로 인한 손상을 볼 수 있고 저항선이 굽힘으로 이미 파괴되었을 만큼 취약해진 정도가 크다. 가공 시 용해된 산소가 오스테나이트 입자경계에 넓은 면적의 산화물을 생성하여 손상된 강은 연소된 것으로 간주한다. 이것은 취성을 나타내고 변형 시 파괴를 보이는 등더 이상 쓸모가 없다. 그림 5.42는 연소된 체인 고리의 균열된 표면을 나타내고 그림 5.43은 오스테나이트 결정의 입자경계에 산화철이 축적된 것을 보여준다.

그림 5.40 가장자리 탈탄과 기계적인 표면 결함에 의해 0.60%C의 열처리한 강의 밸브레버에 발생한 피로파괴(R_m=830 Nmm^{-2}).

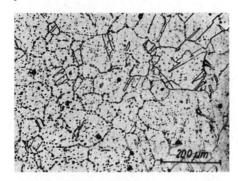

그림 5.41 60%Ni, 15%Cr 및 25%Fe의 저항선, 점모양의 산화물을 포함하는 오스테나이트.

그림 5.42 연소되고 굽힘에서 균열을 나타내는 체인 고리.

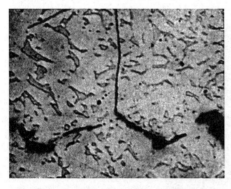

그림 5.43 입자경계에 산화물의 축적, 그림 5.42 이후에 나타난 연소된 체인 고리.

5.3.2
냉각 변태

5.3.2.1 일반적인 고찰

평형상태에서의 고찰은 적당한 온도와 오랜 시간동안 변하지 않는 일정한 압력 (일반적으로 정상 압력)에서의 상의 상태와 연관된다.

이런 이유로 지금까지의 고찰에서 시간은 변수로 고려되지 않았다. 공업적으로 의미 있는 조직상태는 압력과 온도의 시간적인 차이 및 조성의 독립적 혹은 조화된 결과로 이루어진다. 언급된 시간적인 진행에 대한 고체작용의 동역학과 실험적인 기초에 대해 기술되고 그 방법은 실험적인 형태로써 **시간-온도 곡선**이라고 한다.

기본적으로 모든 상들은 단지 정해진 온도 범위에서만 안정하다.

금속상은 불안정하고 반응 생성물이 새로운 조건하에서 안정된 상태를 나타내는 반응을 개시한다. 이런 반응을 석출반응이 포함된 상 변태라 한다. 상 변태에서는 불안정한 처음조직이 하나의 새로운 안정된 상으로 완전히 바뀐다.

석출반응에서의 처음조직은 일반적으로 이전에 생성된 하나 또는 여러개 상의 조성만이 변한다. 강에서의 모든 중요한 작용들은 결정핵 생성과 핵 성장으로부터 시작된다.

결정핵의 성장속도는 온도와 확산 그리고 처음상의 열적 불안정성을 통해 결정된다.

공업적인 철 합금에서 상의 변화는 거의 전적으로 이종핵 생성을 통해 도입된다.

생성된 핵의 성장 진행에 따라 철 합금에서 비(非)열적 핵 성장, 열적으로 활성화된 성장 및 열 이동으로 조절된 성장으로 구분된다.

생성된 결정핵의 비(非)열적 성장에 대한 상변태는 핵과 기지 사이의 경계면이 하나의 특정 원자가 근접원자를 놓지 않는, 격자를 통한 상호적인 원자의 움직임의 형태로 표현된다.

경계면의 움직임 속도는 음속에 이르고 온도에 의존하지 않는다.

열적으로 활성화된 성장에 대한 상변태는 경계면의 낮은 활동도에서 조성의 변화 없이 또는 더 큰 간격에 대한 조성의 변화를 수반하는 변태 진행과정, 그리고 조성의 변화와 높은 경계면의 활동도를 수반하는 변태의 진행과정으로 나눌 수 있다. 상경계면 또는 성장면의 활동도는 온도에 의존하고 온도감소와 함께 느려지고 완전히 정지 상태에 도달한다.

등온조건하에서 변태조직 영역의 기술에 대한 수많은 실험적인 관계가 존재한다. 하나의 예로 Avrami 관계를 들 수 있고 다음과 같다. :

$$M_t = 1 - \exp(-Kt^n)$$

M_t : 시간 t까지 조직의 변태된 부분

K : 상수(온도의존)

t : 시간

n : 지수

t의 함수로써 그래프 $\ln\ln(1-M_t)$는 하나의 직선을 이루고 기울기는 n이다.

n = 0.5에서 4까지 알려졌다. 등온 변태보다 냉각, 경우에 따라서는 연속냉각에서의 변태가 더 큰 의미를 갖는다. 원칙적으로 많은 양을 다룰 때 등온 조건에서와 똑같은 실험적인 것을 따른다.

철 재료에서 열적으로 활성화된 성장에 대한 예로 고정된 상태에서의 모든 다결정 변태와 더불어 재결정화나 편석 과정, 핵 성장(일부는 결정핵 생성이 없음) 및 석출과 융해과정을 들 수 있다.

상 변태에서 상당한 열 효과가 발생하면 성장전면의 진행은 열 이동 조건을 통해 조절된다(열 이동을 통해 조절된 성장).

이에 대한 전형적인 예로는 응고와 융해과정을 들 수 있다.

5.3.2.2 응고

평형조건하에서의 변태는 없어지거나 새로 생겨나는 상에서 항상 제한되지 않은 확산 평형을 전제로 하고 이는 평형에서는 시간적으로 제한되지 않은 확산조건이 우세하기 때문이다.

평형에 가까운 응고에서는 융체의 농도와 생성된 고체상이 액상선이나 고상선을 따라 변한다.

공업적으로 관심 있는 냉각속도로는 액체나 고체상태의 상에서의 제한되지 않은 확산평형은 불가능하다.

고체상의 조성이 초기조성에 도달하면 응고가 끝나게 되고 이는 응고의 마지막에서의 온도가 평형응고 온도 아래쪽에 놓임을 의미한다(일부는 상당히 아래쪽에 놓인다).

또 하나의 차이는 응고된 융체가 응고전면 근처에서 일정한 처음조성을 보이지 않고(평형상태에서 처럼) 최초로 응고된 영역이 마지막으로 응고된 영역보다 C가 부족한 곳에서 그 조성이 변한다.

고체에서 응고로 인한 농도차이를 결정편석 또는 초정 편석이라 한다.

이들은 공업적인 철 합금의 응고의 전형적인 특징이다.

그밖에 실제 **매크로 편석**으로 나타나는 것을 주괴 편석 또는 중심부 편석이라 한다. 금속조직학적 관점에서 관심있는 것은 특히 응고조직의 생성이다.

다른 금속합금과는 달리 강은 거의 대부분 수지상으로 응고한다(그림 5.44 a).

하나의 수지상은 오로지 과냉가된 융체에서만 생성된다. 수지상 결정은 우선적인 결정성장으로 정해진 방향으로 생겨난다. 수지상의 성장방향은 정확히 결정학적으로 배열된다. 철에서 수지상 축방향은 [1 0 0]이다. 수지상은 가지 뻗침이 증가하면서 규칙적으로 줄어드는 거리로 뻗어나간다("**전나무 결정**"). 융체에서 상대적으로 적은 양만이 수지상 골격을 생성하고 수지상 내부의 공간에 있는 잔류 응고 영역이 나머지를 생성한다. 집단에서 수지상의 분배는 실제로 열 이동조건에 의존한다.

그 후에는 열 흐름 방향에 따라 정확히 배열하는 수지상(횡단결정 영역 수지상)과 전적으로 방향에 의존하지 않는 수지상(주괴 중심부 접촉 수지상 또는 응고 웅덩이 내)으로 구분할 수 있다.

모든 생성과 성장 과정은 **과냉**을 필요로한다.

여러 가지 과냉의 종류가 있고 중요한것들은 아래와 같다.

- 열적인 과냉($T_{액상선}$ 아래로 온도 하강)
- 연속적인 과냉(농도의존)

응고전면 이전에는 양의 온도구배가 우세하고 수지상 응고의 필수적인 전제조건으로 연속적인 과냉이 지속된다. 이는 확산이 제한되어 있기 때문에 발생하는 응고전면 이전에서 농도의 증가에 기인한다.

응고조직에서 수지상의 배열은 냉각조건에 의존한다. 횡단 결정화는 응고전면에 수직으로 진행한다. 횡단 결정화 영역은 사정에 따라 주괴 중심(예, 수냉 된 결정에서의 응고)에까지 도달한다. 횡단결정은 똑같은 방향성을 가진 수지상의 그룹으로 이루어져 있고 육안으로도 종종 관찰된다. 횡단결정은 이들의 중심축에 수직으로 잘리고 규칙적인 수지상가지의 배치가 잘 드러난다. 일반적인 주괴응고에서도 똑같이 횡단결정 영역(수지상응고 지향영역)이 존재한다. 이들은 거의 주괴표면에 수직이다. 수지상 조직의 중요한 조직 매개변수는 **수지상 가지거리**이다. 이는 무엇보다 국부적인 응고시간 및 결정화속도에 의존한다(그림5.44b).

$$d_D = K\theta_f^n$$

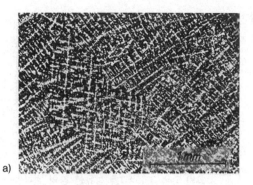

그림 5.44 수지상조직, a) 어닐링하지 않은 주강에서 수지상조직(1차 조직), 경사광, 부식제 : Oberhoffer, b) 수지상 가지거리의 국부적인 응고시간에 대한 의존성.

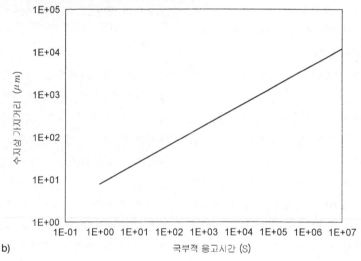

d : 수지상 가지거리
K : 상수(재료의존)
θ_f : 국부적인 응고시간
n : 지수

수지상 가지거리는 금속조직 사진에서 측정 가능하다. 수지상 조직의 생성은 미시적인 영역에서 **편석거동**에 영향을 준다. 단지 아주 느린 냉각에서와 고체 상태에서 용해된 원소의 확산능력이 좋을 때만 균질한 미세 결정이 생긴다. 편석의 경향은 원소마다 차이를 보인다.

많은 실용적인 목적을 위해 응고에서 편석 거동은 **편석계수**를 이용하여 유용하게 표현된다.

$$S_B = \frac{C_{max}}{C_{min}}$$

S_B, : 편석계수
C_{max}, : 합금원소가 풍부한 잔류용체에서 원소 B의 농도
C_{min}, : 합금원소가 부족한 수지상에서 원소 B의 농도

전자빔 미세분석으로 농도를 결정하는 것이 실험적으로 가능하다. 일반적으로 편석계수는 수지상 가지거리에 의존성을 보인다.

5.3.2.3 펄라이트 생성

Fe−Fe$_3$C 상태도의 취급과 관련해서 A$_1$보다 낮은 온도에서는 γ 고용체가 안정하지 않다고 밝혀졌고 이는 γ 고용체가 다음과 같이 변태하려고 하기 때문이다.

γ → α + 탄화물

α : 초석 페라이트 + 펄라이트내의 페라이트

이 변태는 본질적으로 하나의 다상 분리반응이다. 예를 들어 0.45%의 C를 함유한 γ 철로부터 0.02%보다 적은 C를 함유한 페라이트와 다양한 탄소함유량의 탄화물이 생성된다. 새로운 상의 생성은 시간에 의존하는 확산과정이 일어나는 동안 발생한다. 평형상태에 가까운 조건에 비해 계속해서 가속되는 기술적인 냉각에서는 과냉이 일반적이다. 증가하는 냉각속도와 함께 확산조건은 점점 더 불리해 진다. 그것은 변태온도가 낮은 값으로 이동하는 것으로 알 수 있다(그림 5.45). 여기서 A$_3$가 A$_1$보다 급속히 감소되고 이는 증가하는 냉각속도의 두 변태점 사이의 거리가 두 변태 온도가 최종적으로 같이 감소할 때까지 계속해서 줄어든다. 계속되는 냉각속도의 증가에서 Ar$_{3,1}$도 완전히 사라진다. 이것은 A$_3$에서 시작되는 확산에 의해 조절된 분해가 일정 냉각속도 이상에서는 더 이상 가능

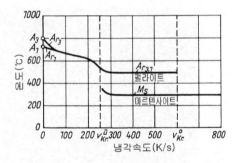

그림 5.45 0.45%C를 함유한 강의 냉각속도 증가에 따른 변태온도의 변화((Wever와 Rose에 의함) V$^u_{kr}$,하부 임계냉각속도 V$^o_{kr}$, 상부 임계 냉각속도

하지 않음을 의미한다. 이러한 특성화 냉각속도를 상부 임계냉각속도라고 한다. 이와 더불어 하부 임계냉각속도도 존재한다. 하부 임계냉각속도 이상에서 존재하는 변태점들은 5.3.2.4절에서 다룬다.

과냉 도표는 (γ → α) 변태의 열역학적인 가능성에 대한 정보를 제공하고 실제로 변태된 부분에 대해서는 언급되지 않는다. 왜냐하면 냉각속도는 상대적으로 규명하기가 까다롭기 때문에 실질적인 이해를 도모하기에는 취급하기 어려운 점이 있다. 변태온도를 속도의 역수, 즉 시간에 대해 나타내면 시간−온도−변태(TTT)곡선을 얻는다. 연속적인 냉각에서 변태는(앞에서 언급된 경우와 마찬가지로) 연속 TTT곡선(그림 5.46)에, 일정한 온도에서의 변태를 등온 TTT곡선(그림 5.47)에 나타낸다.

TTT곡선에서는 일반적으로 γ → 페라이트, γ → 펄라이트, γ → 베이나이트, γ → 마르텐사이트 변태의 시작을 나타내

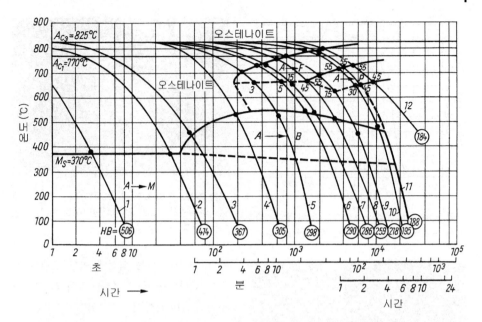

그림 5.46 0.25%C, 1.40%Cr, 0.50%Mo, 0.25%V을 함유한 강의 연속냉각에서의 시간-온도
-변태(Time-Temperature-Transformation)곡선.

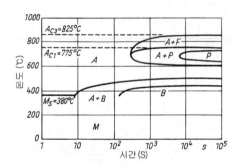

그림 5.47 0.25%C, 3.00%Cr, 0.40%Mo를
함유한 강의 시간-온도-변태곡선.

는 선과 각각의 변태의 종료를 나타내는
선이 표시된다. Avrami 관계에 따르면
(5. 3.2.1절 참조) 정량곡선은 하나의
특징적인 비선형 경로를 보이기 때문에
(그림 5.48) 변태량 M_t의 시간 의존성을
나타내기 위해서 변태된 영역을 변태의

개시와 종료 사이의 하나의 선으로 변태
량을 시간에 대한 의존성으로 설명하기
는 불가능하다. 이 그림은 0.98%C 강의
변태 곡선의 예로 강은 900℃에서 5분
동안 오스테나이트화 처리 되었고 700℃
의 납조(槽)로 즉시 옮겨 유지되었다. 오
스테나이트는 약 4분후에 변태되기 시
작하고 변태속도는 점차 증가하다가 다
시 작아진다는 것을 알 수 있다. 곡선은
0%와 100% 경계에서 점진적으로 접근
하고 변태의 시작과 끝을 분간하기가 쉽
지 않다. 통상적으로 오스테나이트의
1%가 변태되었을 때의 시간을 변태의
시작으로, 99%가 변태되었을 때의 시간
을 변태의 종료로 보는 것이 일반적이
다. 앞의 예에서 변태의 개시는 4.2분,

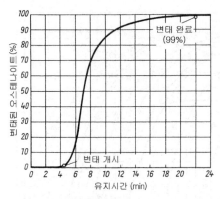

그림 5.48 700℃에서 0.98%C 강의 등온 TTT 곡선 오스테나이트→펄라이트 등온변태속도.

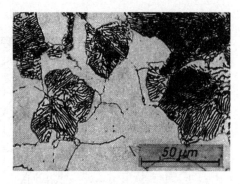

그림 5.50 0.98%C 강 900℃/6분 700℃/수냉, 마르텐사이트와 2차 시멘타이트 계속 진행되는 펄라이트 생성.

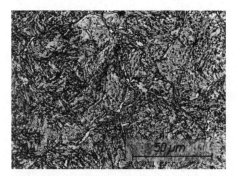

그림 5.49 0.98%C 강 900℃/4분 700℃/수냉 ; 마르텐사이트 및 2차 시멘타이트.

종료는 22분이다. 변태속도를 자세하게 알기 위해서 dM_t/dt의 미분 값이 사용된다. 실질적인 용도에서는 변태의 시작과 끝만을 기록하는 것으로도 충분하다. 변태와 석출의 개시와 종료의 결정을 위해서 일반적으로 고온현미경을 이용한 직접적인 관찰 방법과 간접적인 물리적인 측정 방법이 사용된다. 변태의 진행과정이 금속조직학적으로도 관찰될 수 있다. 시편을 다양한 유지 시간 후에 변태를 중지시키고 물에 침지 퀜칭하면, 오스테나이트만이 마르텐사이트로 변태

한다. 하지만 이는 이전에 이미 변태한 조직이 남아있을 수도 있다. 그림 5.49에서 조직은 700℃에서 4분 동안 유지한 후에 최종적으로 물에 퀜칭한 것이다. 조직은 완전한 마르텐사이트로 이루어져 있고 이는 ($\gamma \rightarrow \alpha$)변태가 개시되지 않았음을 의미한다. 700℃/6분/수냉 후에는 약 15%의 펄라이트와 85%의 마르텐사이트가 존재한다(그림 5.50), 즉 변태가 아직 종료되지 않았다. 8분 유지한 후에는 70%의 펄라이트와 30%의 마르텐사이트만이 존재한다(그림 5.51). 30분 유지한 후에는 변태종료를 이미 넘어섰고 조직은 펄라이트로만 이루어져있다(그림 5.52). 이 결과는 그림 5.48의 그래프와 일치한다.

($\gamma \rightarrow \alpha$)와 같은 상 변태는 일반적으로 시편의 길이변화를 1%(최대한 3%) 변태된 조직에서 선명하게 볼 수 있기 때문에 측정을 이용하여 관찰될 수 있다. 팽창계 측정을 이용한 상변태의 연구는 상변화 $\gamma \rightarrow \alpha$가 부피 팽창과 관

그림 5.51 0.98%C 강, 900℃/8분 700℃/수냉 ; 계속 진행된 펄라이트 생성.

그림 5.52 0.98%C 강, 900℃/30분 700℃/ 수냉, 계속 진행되는 펄라이트 생성 조대한 lamellar형 펄라이트.

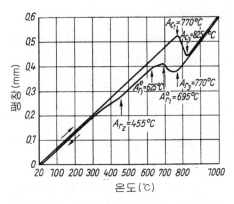

그림 5.53 0.25%C, 1.40%Cr, 0.50%Mo, 0.25%V를 함유한 강의 팽창계 곡선 ; 가열 및 냉각속도는 각각 4Kmin⁻¹.

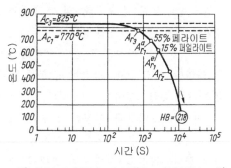

그림 5.54 0.25%C, 1.40%Cr, 0.50%Mo 및 0.25%V를 함유한 강 팽창계 시편의 온도-시간곡선에 변태온도와 페라이트와 펄라이트 양을 나타낸 것.

계되고 이것이 냉각에서 순전히 열적으로 제한된 수축과 겹치는 것을 관찰하는 것에 근거한다. 그림 5.53은 저합금강의 가열과 냉각에서의 팽창계 곡선을 나타낸다. 가열에서 시편은 열적인 영향으로 늘어나고(팽창) 냉각시에는 줄어든다(수축). 이 곡선은 4Kmin⁻¹의 가열 및 냉각속도에 근거한다. 곡선의 불연속성은 다음과 같은 변태 온도를 나타낸다.

A_{c1} = 770℃(오스테나이트 생성 개시)

A_{c3} = 825℃(오스테나이트 생성 종료)

A_{r3} = 770℃(페라이트 생성 개시)

A^a_{r1} = 695℃(펄라이트 생성 개시)

A^e_{r1} = 625℃(펄라이트 생성 종료)

A_{rz} = 455℃(베이나이트 생성 개시)

실온에서는 218HB(그림 5.54)의 경도를 보인다(비교, 그림 5.46 냉각곡선 9번). 조직은 55%의 초석 페라이트, 15% 펄라이트, 30%의 베이나이트(+ 마르텐사이트)로 구성되어 있다. 오스테나이트화 온도는 1000℃이다. 그림에서 곡선은 1000℃

에서 시작하지 않고 A_{c3}온도로 표준화되었다. 모든 냉각곡선의 변태점들의 연결을 통해 최종적으로 TTT곡선을 얻는다. 그림 5.46에서 TTT곡선의 냉각곡선 1에서 12까지에 대한 조직을 그림 5.55~ 5.66에 나타낸다.

이 간단한 고찰은 TTT곡선을 나타내기 위해 길이변화 $\triangle l$, 온도 T, 시간 t, 그리고 냉각 온도 도입시에는 냉각속도 ν가 기록되어야 한다. 다양한 형태의 팽창계 시편들이 사용된다. 시편에서 중요하게 요구되는 사항은 낮은 열용량과 횡단면에서의 낮은 온도구배 및 비틀림과 굽힘에 대한 충분한 안정성이다.

연속적인 TTT곡선은 표시된 냉각곡선을 따라야 하고 이는 각각이 일정한 냉각속도에 대한 것이기 때문이다. 등온 TTT곡선은 그때그때 일정한 온도에 따라 표시된 것이다. 그러므로 등온을 따라야 한다. 곡선의 설계에서 변태의 개시와 종료에 대한 선의 위치는 온도에 좌우되기 때문에 연속적인 경우와 등온의 경우, 온도의 처리는 동일하지 않다. 하나의 TTT곡선은 그것이 설계된 조건 하에서만 유효하다. 따라서 각 TTT곡선은 강의 화학조성, 사전처리(용해법, 변형), 오스테나이트화 조건(AT, AD) 및 $(\gamma \rightarrow \alpha)$변태 전의 오스테나이트 입자크기 등이 명시되어야 한다. 발생된 조직의 경도(HB, HV 또는 HRC)와 조직 구성성분(체적 퍼센트)등의 추가적인 정보도 필요하다.

다음 그림(그림 5.67~5.72)은 오스테나이트화 온도의 영향과 발생하는 변태조직에 대한 오스테나이트 입자 크기의 영향을 잘 보여준다. 1000℃에서의 오스테나이트화 후에 오스테나이트 입자와 변태조직은 아직 상대적으로 미세하고(그림 5.67, 5.68), 1100℃에서는 중간(그림 5.69, 5.70), 1200℃에서는 조대하다(그림 5.71, 5.72). 그 밖에 오스테나이트화 온도가 증가함에 따라 펄라이트와 베이나이트 단계는 마르텐사이트 단계를 위해 억제됨을 알 수 있다(그림 5.68, 5.70, 5.72). 이로 인해 냉각에서 오스테나이트의 변태의 생성은 세 가지 다른 과냉 단계로 나누어질 수 있다. :

1. 펄라이트 단계
2. 중간 단계
3. 마르텐사이트 단계

이들 사이에 명확한 온도경계는 없지만 각각의 변태기구에서 이러한 구분을 정당화시키는 뚜렷한 차이가 존재한다. 조직형태와 직접적인 고온 현미경으로의 관찰로부터 과냉 단계에서 결정핵생성 및 성장의 진행에 대한 이해를 이끌어낼 수 있다.

펄라이트 생성은 확산을 통한 탄소의 재분배가 이루어져야 하기 때문에 온도와 시간에 의존하고 결정핵 생성과 성장을 통해 일어난다. 아공석 뿐만 아니라 과공석 강에서도 변태조직의 첫 번째 부분은 오스테나이트의 입자경계에서 생성된다.(그림 5.73). (단지 아주 평형에 가

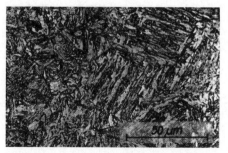

그림 5.55 0.25%C, 1.40%Cr, 0.50%Mo 및 0.25%V을 함유한 강 1000℃/수냉 ; 마르텐사이트 ; 506HB.

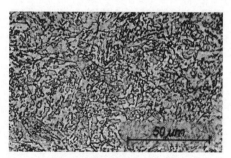

그림 5.58 0.25%Cr, 1.40%Cr, 0.50%Mo 및 0.25%V을 함유한 강 1000℃ /공랭 ; 베이나이트 및 마르텐사이트; 305 HB.

그림 5.56 0.25%C, 1.40%Cr, 0.50%Mo 및 0.25%V을 함유한 강, 1000℃/가압 공랭 ; 마르텐사이트 ; 414HB.

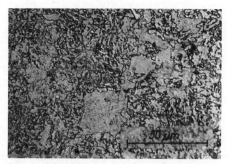

그림 5.59 0.25%C, 1.40%Cr, 0.50%Mo 및 0.25%V을 함유한 강, 1000℃ /노냉 ; 3% 페라이트 및 베이나이트, 마르텐사이트 ; 298 HB.

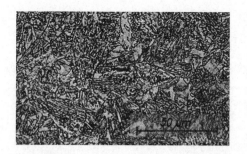

그림 5.57 0.25%C, 1.40%Cr, 0.50%Mo 및 0.25%V을 함유한 강, 1000℃/공랭 ; 마르텐사이트 및 베이나이트 ; 367HB.

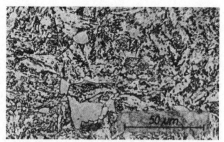

그림 5.60 0.25%C, 1.40%Cr, 0.50%Mo 및 0.25%V을 함유한 강, 1000℃ /노냉; 5% 페라이트와 베이나이트 및 마르텐사이트 ; 290 HB.

그림 5.61 0.25%C, 1.40%Cr, 0.50%Mo 및 0.25%V을 함유한 강, 1000℃/노냉 ; 15% 페라이트 및 베이나이트와 마르텐사이트 ; 286HB.

그림 5.64 0.25%C, 1.40%Cr, 0.50%Mo 및 0.25%V을 함유한 강, 1000℃ /냉각변수 II; 55% 페라이트, 30% 펄라이트 및 베이나이트와 마르텐사이트 ; 195 HB.

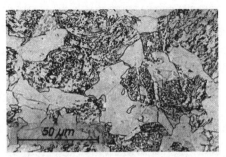

그림 5.62 0.25%C, 1.40%Cr, 0.50%Mo 및 0.25%V을 함유한 강, 1000℃/노냉 45% 페라이트 및 베이나이트와 마르텐사이트 ; 259HB.

그림 5.65 0.25%C, 1.40%Cr, 0.50%Mo 및 0.25%V을 함유한 강, 1000℃ /냉각변수 III; 55% 페라이트, 45% 펄라이트 ; 188 HB.

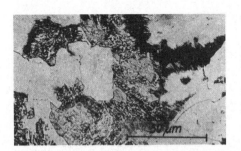

그림 5.63 0.25%C, 1.40%Cr, 0.50%Mo 및 0.25%V을 함유한 강, 1000℃/냉각변수 I ; 55% 페라이트 및 베이나이트와 마르텐사이트 ; 218HB.

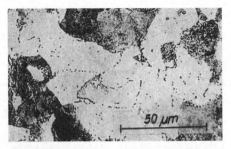

그림 5.66 0.25%C, 1.40%Cr, 0.50%Mo 및 0.25%V을 함유한 강, 1000℃/냉각변수 IV; 55% 페라이트와 45% 펄라이트 ; 184 HB.

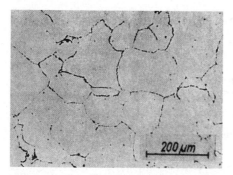

그림 5.67 1%C, 1.50%Cr, 30분 1000℃/ 노냉, 알카리성 피크르산나트륨 용액으로 부식.

그림 5.70 1%C, 1.50%Cr, 30분 1100℃/공랭 ; 마르텐사이트(밝은 부분), 펄라이트(어두운 부분), HNO₃로 부식.

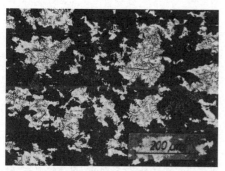

그림 5.68 1%C, 1.50%Cr, 30분 1000℃/공랭 마르텐사이트(밝은 부분), 펄라이트(어두운 부분), HNO₃로 부식.

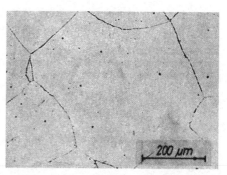

그림 5.71 1%C, 1.50%Cr, 30분 1200℃/노냉 ; 매우 조대한 입자, 알카리성 피크르산 나트륨으로 부식.

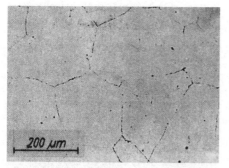

그림 5.69 1%C, 1.50%Cr, 30분 1100℃/노냉 ; 상대적으로 조대한 입자, 알카리성 피크르산나트륨으로 부식.

그림 5.72 1%C, 1.50%Cr, 30분 1200℃/공랭 ; 마르텐사이트(밝은 부분), 펄라이트(어두운 부분), HNO₃로 부식.

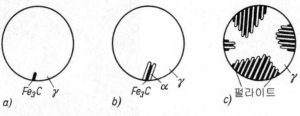

그림 5.73 오스테나이트 → 펄라이트 변태의 간략한 설명도.

까운 변태에서나 심한 불균질 오스테나이트에서는 오스테나이트 입자 내부에 성장 능력을 갖춘 핵이 발생한다). 오스테나이트로부터 공석 변태 이전에 생성된 상은 **초석 페라이트**(아 공석강에서) 또는 **초석 시멘타이트**(과공석강에서)이다. 펄라이트의 생성은 아직 변태되지 않은 오스테나이트에서 탄소가 많아(앞서 진행되는 초석 페라이트의 생성에 의해)지거나 탄소가 적어진(앞서 진행되는 초석 탄화물의 생성에 의해)이 전제된다. 초석상은 오스테나이트가 공석 분해에 필요한 성분에 도달할 때 까지 생성된다. 공석 분리를 위해 필요한 탄소함유량은 평형상태의 순수한 철-탄소 합금에서만 0.8%이고, 그 외의 강에서는 강

의 조성과 상응하는 과냉에 달려있다. 오스테나이트가 공석 조성을 만족하는 탄소축적 시점에 도달하면 두 상(페라이트, 시멘타이트)은 나란히 생성될 수 있고 연결된 반응이 진행된다. 이 반응의 결과는 펄라이트 집단을 이룬다(그림 5.74, 5.75). 연결된 반응의 진행이 펄라이트 내의 탄화물과 펄라이트 내의 페라이트가 성장 면에 수직으로 뚜렷한 모서리성장으로 생겨남을 이해할 수 있다.

이런 독특한 펄라이트의 구조는 불가피하다. 왜냐하면 확산의 진행에서는 단지 짧은 거리만을 필요로 하고, 체적에서 경계면 에너지와 비틀림 에너지의 합이 최소가 되기 때문이다. 모서리 성장 주위에 새로운 페라이트와 시멘타이트의

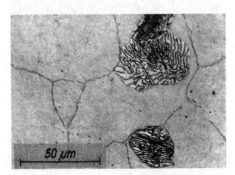

그림 5.74 0.98%C 강, 900℃/5분 700℃/수냉 ; 펄라이트 생성개시.

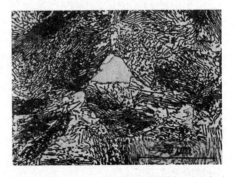

그림 5.75 0.98%C 강, 900℃/15분 700℃/수냉 ; 펄라이트 생성종료.

층을 생성하기 위해서 바로 근접 결정핵이 생성하는 것을 반복한다(그림 5.73). 이 결정핵 생성 과정은 각각의 특징적인 탄소농도 프로필을 가진 확산전면의 상호적인 생성으로 스스로 촉진됨을 알 수 있다. 또 다른 특징은 이중반응에서 결정핵 성장속도가 전체적으로 각 개별 반응에서보다 더 크다는 것이다. 성장하는 시멘타이트 층은 고유한 구조를 위해 평균이상으로 많은 탄소를 필요로 하기 때문에 성장하는 시멘타이트 층 이전에서 탄소농도 프로필은 최소를 나타낸다. 반대로 성장하는 페라이트 결정은 고유한 구조를 갖기 위해 평균 이하로 적은 탄소를 필요로 하기 때문에 성장하는 페라이트 층 이전의 농도 프로필은 최대를 나타낸다. 여기서 필요하지 않은 탄소는 부분적으로 확산균일화가 진행되는 인접한 오스테나이트 안으로 어느 정도 까지 보내진다. 이렇게 페라이트 뿐만아니라 시멘타이트를 통하여 펄라이트 핵이 발생될 수 있다. 결정핵 생성 확률은 근본적으로 펄라이트 생성의 경과를 결정하고, 이는 다음과 같은 인자에 의하여 영향을 받는다. :

- 오스테나이트 입계의 고유면[mm^2 mm^{-3}] : 오스테나이트 결정립계는 펄라이트 생성에서 결정핵 생성 장소의 역할을 한다. 결정핵 생성 확률은 고유한 오스테나이트 입계 면이 클수록 높다.
- 오스테나이트 입계의 상태 : 입계에서의 석출은 결정핵 생성 확률에 영향을

미칠 수 있다.
- 오스테나이트의 균질성 : 오스테나이트에서 불균질성은(예, 완전히 용해되지 않은 탄화물) 불균질 결정핵 생성을 유발한다.
- 오스테나이트에서 탄소의 확산계수 : 결정핵 생성을 위해 탄소의 축적이나 축출이 발생해야 하기 때문에 오스테나이트에서 탄소의 확산은 결정적인 역할을 한다.

$$D_c^\gamma = D_0^\gamma \exp\left(-\frac{Q_c^\gamma}{R \cdot T}\right)$$

Q_c^γ : γ 철에서 탄소의 확산을 위한 활성화 에너지
- 평형온도 이하 온도로의 과냉 :

$$\triangle T_m = (A_{C3} \; ; \; A_{C1}) - T_m$$

$\triangle T_m$: 과냉
T_m : 가장 짧은 개시시간에 속한 변태 온도 (펄라이트 개시에 대한 C-형태 곡선 정점에서의 온도)

펄라이트의 생성에서 최단 도약시간이 변태의 개시까지 놓일 경우 :

$$\triangle T_m = A_{C1} - T_m$$

페라이트의 생성에서 가장 짧은 개시시간이 변태의 개시까지 놓일 경우 :

$$\triangle T_m = A_{C3} - T_m$$

시멘타이트의 생성에서 가장 짧은 개시 변태의 개시까지 놓일 경우:

$$\triangle T_m = A_{Cm} - T_m$$

가장 짧은 개시 시간은 등온에서 펄라이트 단계의 변태 과정에 가장 중요한 양이다. 증가하는 냉각과 함께 격자전위로부터 새로운 입계면의 생성에 필요한 에너지가 증가한다. 가장 짧은 개시시간은 냉각 변태에서 **상부 임계냉각속도**에 상응한다.

탄소와 합금원소들은 TTT곡선에서 변태선의 위치를 뚜렷하게 변화시키는 변태거동에 상당한 영향을 미친다. 이들은 다음과 같은 방법으로 분류될 수 있다. :

a) 평형상태에 가까운 변태온도의 이동을 통한 변태거동의 영향 :
$A_{C1} = 739-22[\%C] + 2[\%Si] - 7[\%Mn] + 14[\%Cr] + 13[\%Mo] - 13[\%Ni] \pm 15$

$A_{C3} = 902-225[\%C] + 19[\%Si] - 11[\%Mn] - 5[\%Cr] + 13[\%Mo] - 20[\%Ni] + 55[\%V] \pm 20$

A_3와 A_1을 낮추는 원소들은 변태를 지체시키고 망간이나 니켈과 같은 원소들이 이런 영향을 미친다. Mn과 Ni가 합금된 강의 **TTT곡선**은 그 밖의 나머지 동일한 조건하의 Mn과 Ni을 함유하지 않은 강과 비교해 볼 때 A_3와 A_1이 낮아짐을 보인다. 이러한 온도의 저하는 비록 탄소의 확산계수가 망간을 통해 일반적인 농도지역에 직접적으로 거의 영향을 받지 않더라도 탄소의 확산을 방해한다. Ni에 대해서도 비슷하지만 Cr, Mo, W 및 Co, Si등과 같은 탄화물 생성 원소들에는 해당되지 않는다.

b) 탄소확산의 변화를 통한 변태거동의 영향 :

Mo과 W 및 다른 탄화물 생성 원소들을 통한 탄소 확산계수의 감소는 펄라이트 단계에서 변태 개시의 지체를 일으킨다. 이러한 지체는 언급된 원소들을 통한 평형온도의 미미한 증가로 가속되는 영향보다 근본적으로 심하게 나타난다.

c) **입계석출**을 통한 영향 :

합금원소가 γ 고용체의 변태에서 유리한 결정핵 장소인 오스테나이트 입계에 많아지면 상당한 영향을 미칠 수 있다. 이로 인해 초석 상의 결정핵 생성이 방해를 받는다. 이런 관계로 붕소(B)는 제거되어야 한다. 붕소는 원소크기 때문에 오스테나이트 입계에 많아지는 경향이 있고 이로 인해 아주 적은 농도로도 펄라이트 단계에서 변태의 상당히 심한 지체를 야기 시킨다. 이런 효과는 특수강에서 **경화능**의 향상을 위해 기술적으로 이용된다.

d) 오스테나이트에서 석출된 상을 통한 영향 :

a)에서 c)까지의 경우는 언급되지는 않았지만 오스테나이트에서 합금 및 동반원소가 실제로 용해되었다는 전제를 바탕으로 한다. 이들이 화합물로써 석출된 형태로 존재하면 간접적인 방법으로

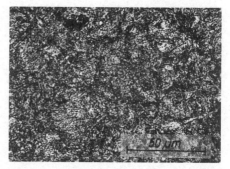

그림 5.76 0.98%C 강, 900℃/15초 600℃/ 수냉 ; 미세한 lamellar 펄라이트.

그림 5.77 0.98%C 강, 900℃/15초 500℃/ 수냉 ; 미세한 lamellar 펄라이트.

변태에 영향을 미칠 수 있는데 왜냐하면 오스테나이트 입계는 결정핵 생성의 장소로 작용하고 석출된 입자들을 통한 오스테나이트 성장의 억제로 고유의 오스테나이트 면이 변할 수 있기 때문이다. 이러한 간접적인 방법은 평형온도 이하에서 유지할 때 오스테나이트의 변태에서 변태된 조직 성분 M_t에 대해 다음과 같은 관계로 나타낸다. :

$$M_t = 1 - \exp\left[-K\left(\frac{t^n}{d_\gamma^m}\right)\right]$$

t : 등온 유지시간

K : 상수(온도의존)

d_γ : 오스테나이트 입자 직경(고유의 오스테나이트 면에 반비례)

n, m : 지수

　"일반적인" 펄라이트에서 펄라이트 내부의 페라이트와 시멘타이트의 lamellar 배치는 이미 언급되었다(5.2.2절). 일반적인 펄라이트의 특징으로 유효한 lamellar 간격는 전적으로 오스테나이트의 과냉에 의존한다. 그것은 과냉이 증가함에 따라 감소하고 특히 하부 펄라이트 단계의 조직에서는 작다. 펄라이트의 구조는 대개 특별히 좋은 조건하에서 높은 배율로 확인될 수 있다(전자현미경이나 SEM). 펄라이트 단계에서 가능한 만큼 증가하는 냉각속도와 함께 lamellar 간격은 작아질 것이다. 이를 통해서 경도 및 강도뿐만 아니라 인성에도 유리한 영향을 미치기 때문에 이 효과는 기술적인 의미를 갖는다. 이에 대한 것을 그림 5.75~5.77에 제시되었고 이들은 동일한 조건을 전제로 하고 700℃에서부터 600℃, 500℃로 등온 변태 온도가 바뀌었다. 더 명확한 조직 및 특성의 변화와 관계되는 베이나이트와 마르텐사이트 단계에서의 변태를 위해서 보다 심한 냉각이 도입된다(그림 5.78~5.80 및 표 5.4).

　Lamellar 펄라이트 외에도 **펄라이트 단계**의 **변종된 조직**도 존재한다. 지금까지 lamellar 배치는 평형상태 구조로 다루었는데 원칙상으로 그것은 맞는 얘기지만 펄라이트 단계에서 변종된 조직은

표 5.4 오스테나이트의 등온 변태(1%C 강, 900℃에서 5분 오스테나이트화)

온도	변태 개시	변태 종료	생성 조직	최종 조직 경도[HRC]
700	4.2 [min]	22 [min]	펄라이트	15
600	1 [s]	10 [s]	펄라이트	40
500	1 [s]	10 [s]	펄라이트	44
400	4 [s]	2 [min]	베이나이트(+펄라이트)	43
300	1 [min]	30 [min]	베이나이트	53
200	15 [min]	15 [h]	베이나이트	60
100	–	–	마르텐사이트	64
20	–	–	마르텐사이트	66

실제로 평형상태에 더 가까운 lamellar 구조의 조직 형태이다. 이것은 아주 평형상태에 가까운 변태, 즉 낮은 과냉이나 상당히 느린 냉각에서 발생한다. 이 변태는 더 이상 이미 언급된 관련 반응을 통해서가 아니라 페라이트와 시멘타이트 및 탄화물로부터 독립된 성장을 통해 발생한 페라이트, 펄라이트형 베이나이트다. 아공석 강에서는 펄라이트내의 페라이트가 과잉으로 존재하는 초석 페라이트에서 결정화되고, 펄라이트내의 시멘타이트는 페라이트의 입계에서 석출된다. 과공석 강에서는 공석분해 동안 시멘타이트가 초석 시멘타이트에서 결정화되고 동시에 생겨나는 페라이트는 이에 독립된 크기의 불규칙적인 영역을 생성한다(그림 5.23). 이에 대한 전제조건은 거의 제한되지 않은 확산이다. 변종 펄라이트는 가역적이며 그 조직에는 장단점이 있고 이는 실제 응용에서 의미를 갖는다. 탄소를 적게 함유한 강(연강)에서는 취성을 유발시키고 탄소를 많이 함유한 강(특히 과공석)에서는 구형 탄화물이 절삭 가공성을 개선시킨다. 따라서 이러한 조직은 종종 **구상화 어닐링**이나 **연화어닐링**을 통해서 의도적으로 조절된다.

 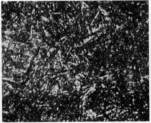 

그림 5.78 0.98%C 강, 900℃/4분 400℃/수냉 ; 페라이트 및 펄라이트.

그림 5.79 0.98%C 강, 900℃/30분 300℃/수냉 ; 베이나이트.

그림 5.80 0.98%C 강, 900℃/8시간 200℃/수냉 ; 베이나이트.

펄라이트 단계의 조직에는 초석조직도 포함된다. 이상적인 균질 오스테나이트의 초기 상태를 가진 공석강을 제외하고 펄라이트 생성 이전에 **초석 조직성분**이 생겨난다. 초석 조직성분은 페라이트와 시멘타이트이다. 이들은 생성조건에 따라 다양한 형태로 존재할 수 있다. 느린 냉각에서나 높은 등온 변태 온도에서 초석상의 생성은 오스테나이트 입계에서 시작된다. 입자의 경계는 이것으로 표시된다(페라이트 가장자리, 입계 시멘타이트). 동일한 조건하의 적은 탄소함유량에서는 페라이트의 가장자리에 집단적인 페라이트 입자가 발생한다(그림 5.6). 가속되는 냉각에서나 낮은 등온 변태온도에서는 더 이상 이전의 오스테나이트 입계가 드러나지 않고 페라이트나 시멘타이트의 침상 구조를 생성한다. 이것을 Widmannstaetten 배열이라고 한다(그림 5.81). 이것은 먼저 운석에서 관찰되었다. 전형적으로 침상 페라이트 결정은 오스테나이트 입계를 표시하지 않고 특히 입자내부로 뻗친다. 이러한 조직의 생성은 고온에서 선행된 오스테나이트화(과열)후에 상대적으로 심한 과냉을 통해 촉진된다. 이 Widmannstaetten 배열은 **주강**과 **용접조직**에 전형적으로 나타난다. Widmannsaetten 배열에서는 페라이트뿐만 아니라 시멘타이트도 존재할 수 있다(그림에서 처럼). 이런 종류의 조직들은 취성을 유발하기 때문에 일반적으로 바람직하지 못하다. 그러므로 기술적으로 관심 있는 조직에서는 이

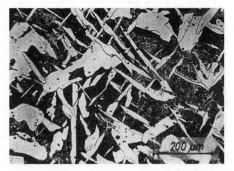

그림 5.81 Widmannstaetten 배열의 조직을 가진 주강.

를 피하거나 예방하는 것이 고려된다. 사전에 이를 예방하기 위해서는 발생요인의 제거를 통해 가능하지만, 용접에서처럼 항상 현실적인 것은 아니다. 발생된 조직을 제거하기 위해서는 재오스테나이트화나 펄라이트 단계에서의 느린 냉각을 통해 가능하다. 변태조건에 대한 것을 제외하고 초석상의 다양한 형태의 발생은 강의 탄소 함유량에 달려있다.

5.3.2.4 마르텐사이트 생성

마르텐사이트 생성에서는 면심입방 격자로부터 체심입방 격자로 확산 조절되는 전위뿐만 아니라 우세한 조건으로 인한 편석이 억제된다. 즉, 변태는 선행되는 확산 없이 진행되고 하나의 다른 기구를 따른다. 이 기구를 격자변형 변태라고 하며, 또는 **마르텐사이트 전단**이라고도 한다.

여기에서 탄소는 격자 내부에 **강제 용해**되어 존재한다. 심한 과냉에서나 모든 확산이 완전히 정지된 후 격자변형 변태에 기초해 발생하는 조직(그림 5.82)을

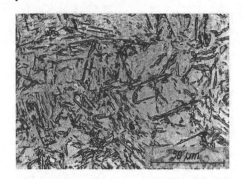

그림 5.82 0.45%C 강, 900℃로부터 물에 칭, 마르텐사이트.

마르텐사이트라고 한다(Adolf von Martens (1850-1914)에 의함).

마르텐사이트는 똑같은 화학조성에서 모든 다른 조직들보다 높은 경도를 나타낸다. 그러므로 마르텐사이트는 강에서 **경화조직**으로 간주된다. 하지만 급격한 경도 증가는 마르텐사이트 조직의 모든 조성에서 존재해야 하는 것은 아니다. 감소하는 탄소함유량과 함께 마르텐사이트 경도도 감소한다. 약 0.20% 보다 적은 탄소함유에서 마르텐사이트는 상당히 연하고 무르다.

마르텐사이트 생성은 **M_s 온도**(martensite start)에서 개시되고 **M_f 온도**(martensite finish)에서 마무리된다. 이것은 큰 과냉이나 하부 임계냉각속도 보다 큰 냉각속도를 필요로 한다. 하부 임계냉각속도 이상에서는 평형조건 하에서는 존재하지 않는 변태점 M_s가 나타난다. 상부 임계냉각속도 이상에서는 단지 M_s에서 개시되는 (그림 5.45 참조) 변태만이 존재한다. 마르텐사이트 생성의 종료 M_f는 M_s 온도와 같이 강의 조성에 의존하고 많은 기술적으로 중요한 강에서 실온 이하에 놓여있다.

마르텐사이트 단계의 완전한 변태는 다음과 같은 조건들을 만족 시킨다. :

- 오스테나이트화 온도 $T_A > A_{C3}$
- 냉각 속도 $\nu > \nu_{ok}$(상부 임계)
- 퀜칭 온도 $T_q < M_f$

"퀜칭 온도"는 담금질 매질의 온도를 의미한다.

국부적인 가열과 열전도 이상의 빠른 냉각으로 임계 냉각속도의 초과를 통한 의도되지 않은 마르텐사이트 생성도 종종 발생한다. 가끔 일반적으로 취성과 관련된 재료에 손상을 일으키는 마르텐사이트 생성이 문제가 된다. 이러한 의도되지 않은 마르텐사이트의 생성은 예를들어 용접에서의 열영향부, 철도 레일 위의 마찰부분 등에서 발생한다. 이런 종류의 기대되지 않는 마르텐사이트의 생성은 마르텐사이트의 발생에 대한 문제를 제기한다.

마르텐사이트 생성의 초기조직은 오스테나이트이다. 계속해서 확산이 억제되면 상황에 따라 변태조직에서 마르텐사이트와 이전의 오스테나이트 사이의 일정한 금속조직학적 관계를 알 수 있다. 특별한 검증된 부식액의 사용으로 이전 오스테나이트 입계를 연마 면에서의 입자경계로써 관찰할 수 있다(그림 5.83). 마르텐사이트 조직의 금속조직학적 형태는 실제로 여러 가지 형태를 갖고 있다. 따라서 마르텐사이트 조직의 형태는 한결같지 않다.

그림 5.83 1.05%C와 1.25%Cr을 함유한 강, 850℃에서부터 기름에 칭, 이전의 오스테나이트가 관찰되는 마르텐사이트, 염화 피크르산으로 부식.

그림 5.84 1.50%C 강, 1100℃로부터 냉수로 칭, 마르텐사이트 및 잔류 오스테나이트(밝은 부분은 판상 마르텐사이트).

유형 I	유형 II
침상 마르텐사이트	**판상 마르텐사이트**
수지상(세지) 마르텐사이트	침상 마르텐사이트
집단(massive) 마르텐사이트	접힘 마르텐사이트
변형 마르텐사이트	쌍정 마르텐사이트
세지(lath) 마르텐사이트	**판상(plate) 마르텐사이트**
묶음 마르텐사이트	acicular 마르텐사이트
집단 마르텐사이트	렌즈상 마르텐사이트
고온 마르텐사이트	저온 마르텐사이트
저탄소 마르텐사이트	고탄소 마르텐사이트
희석합금 마르텐사이트	고합금 마르텐사이트
전위 마르텐사이트	쌍정된 마르텐사이트
자체조절 마르텐사이트	
cell 마르텐사이트	
변형유기 마르텐사이트	

일반적으로 금속조직학적으로 마르텐사이트형태학을 밴드 형태의 마르텐사이트(ε **마르텐사이트**)와 α **마르텐사이트** 종류인 창모양 마르텐사이트와 판상-또는 침상 마르텐사이트로 나눌 수 있다(종류 I, II). 이런 마르텐사이트 종류에 대해서 전공 문헌에서는 다른 표시가 사용되기도 한다. :

밴드형 마르텐사이트는 12%이상의 망간을 함유한 오스테나이트 망간강에서 전형적이다. 결정은 매우 규칙성이고 크기는 다양하다.

판상 마르텐사이트는 잘 생성된 판상이나 침상의 결정을 포함한다. 근본적으로 오스테나이트화 온도를 증가시키면 오스테나이트 결정도 성장한다. 0.4%이상의 탄소를 함유한 강에서는 아직 변태하지 않은 **잔류 오스테나이트** 내부에 조대한 창모양의 마르텐사이트 결정이 존재한다(그림 5.84). 비슷한 실험에서 마르텐사이트 결정이 원반형 판상(plate)과 흡사하다(그림 5.85). 이 결정 사이의 각은 대개 60~120°로 관찰된다. 미세 현미경 영역에서의 결정은 미세한 쌍정 구조를 나타낸다. 결정의 크기는 다양하고 오스테나이트 결정면에서 결정면에 이르는 오스테나이트 결정 직경에 비례한다.

0.4%보다 적은 탄소를 함유한 강에서는 창모양 마르텐사이트가 생성된다(그림 5.86).

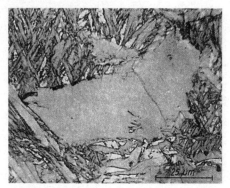

그림 5.85 1.80%C 강, 1100℃로부터 수냉 ; 판상 마르텐사이트.

그림5.87 15%Ni, 7%Mn을 함유한 철합금, 1000℃로부터 공랭. 창모양 마르텐사이트가 괴상으로 성장.

그림 5.86 15%Ni, 7%Mn을 함유한 철합금, 1000℃로부터 공랭. 창모양 마르텐사이트.

창모양 마르텐사이트 결정은 (111)γ면에 수직인 층으로 쌓이고 수많은 층들이 다량의 덩어리로 함께 성장한다(그림 5.87). 창모양 마르텐사이트는 오스테나이트 입자 체적을 통하여 의사(quasi)집단 또는 괴상 형태로 분해된다. 이 집단 경계를 대각경계라고 한다. 강의 조성에 따라 변형된 창모양 마르텐사이트 종류가 존재한다. 창모양의 넓이는 0.1~수 μm 사이에 놓여 있으며 C와 Cr 함유량이 증가함에 따라 증가한다. 집단에서 침상의 수는 cm^3

마다 10^{10}까지에 달한다. 결정적인 특징은 하부조직에서의 불규칙적인 망상 전위이다. 창모양 마르텐사이트는 일반적으로 변태의 종료 후에 냉각되는 동안 발생하는 ε 탄화물이나 시멘타이트를 포함한다(**자기 어닐링 효과**, 무엇보다 상대적으로 높은 M$_s$ 온도를 가진 강에서).

합금강뿐만 아니라 비 합금강에서도 마르텐사이트가 창모양이나 판상으로 존재할 수 있다. 창모양 마르텐사이트는 적은 양의 탄소와 합금원소 및 동반원소를 포함한 강에서 관찰된다. 마르텐사이트류의 존재는 우선 탄소 함유량에 좌우된다. M$_s$와 M$_f$온도가 탄소함량에 따른 것이 분명하기 때문에(표 5.5) 판상 마르텐사이트는 특히 낮은 M$_s$온도를 가진 강에서, 창모양 마르텐사이트는 높은 M$_s$온도를 가진 강에서 생성되는 것을 알 수 있다.

변태에서 오스테나이트→마르텐사이트 변태가 실제로 개시되는 M$_s$온도와 오스

표 5.5 M_S와 M_f에 미치는 탄소의 영향

%C	0.2	0.4	0.6	0.8	1.0	1.2	1.4	1.6
M_s [℃]	+410	+330	+280	+230	+190	+160	+130	+100
M_f [℃]	+300	+160	+40	−60	−100	−130	−160	−180

테나이트–마르텐사이트 반응의 평형온도가 구분되어야 한다. 마르텐사이트의 **전단변형**(종종 접힘기구로 표현됨)은 일정한 에너지를 필요로 한다. 일반적으로 강에서는 1100에서 1500 J mol^{-1}에 달하고 이는 초기 상(오스테나이트)과 새로운 상(마르텐사이트)의 자유 생성 엔탈피의 차이에서 온다. 오스테나이트와 마르텐사이트의 자유 엔탈피가 똑같은 온도는 T_0($T_0>Ms$)이다. 하지만 변태는 T_0에서 시작되는 것이 아니라 일정한 과냉이 필요하기 때문에 우선 이보다 낮은 온도인 M_s에서 시작된다. T_0와 M_s는 비슷하게 탄소와 합금의 함량에 의존한다. 1100에서 1500 J mol^{-1}의 에너지량에 상응하는 그 차이는 아래와 같다. :

$$T_0 - M_s \approx 220K$$

온도감소에서 M_s이하의 온도에서는 냉각속도에 독립적으로 아주 빠르게 일정한 양의 마르텐사이트가 생성된다(냉

각 마르텐사이트 생성). α 마르텐사이트(판상 마르텐사이트, 창모양 마르텐사이트)의 생성이 부피팽창과 관련되기 때문에 마르텐사이트 결정의 생성에서 주변의 오스테나이트도 응력 하에 놓이게 된다. 발생되는 심한 응력과 경우에 따른 소성변형은 마르텐사이트 전단변형에 대해 이 영역의 저항을 증가시킨다. 이런 이유에서 각각의 영역이 접힘 후에 과냉이 계속해서 증가해야 하고 이로 인해 변태가 계속하여 진행될 수 있으며 양 환산곡선에 계단곡선 형태로 나타난다. 과냉의 증가가 에너지 상승과 연관되어 있는 동안까지는 마르텐사이트 생성이 계속해서 진행되고 조직이 완전하게 변태된다.

마르텐사이트 조직은 결정학적인 특색을 보인다. α 철의 이상적인 체심입방 단위세포에서 정육면체의 모든 세 모서리의 길이가 같으면(그림 5.88) α 마르텐사이트의 구조는 격자 내의 강제 용해된 침입형 원자들 때문에 **정방형 구조**

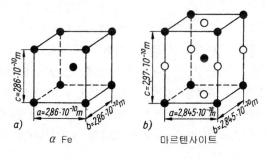

그림 **5.88** α 철의 단위세포(a), 마르텐사이트(b). ● Fe 원자, ○ C 원자.

(bct)를 갖는다. 침입한 원자들은 다른 축들이 단지 약간만 변할 때(그림에서는 무시됨), c 축이 연장된다. 따라서 c/a비의 관계는 증가하는 탄소함유량에 따라 선형으로 증가한다. 0%C에서는 c/a는 1, C> 0%에서 c/a>1(정방형 마르텐사이트), 1.5%C를 함유한 강에서는 c/a는 약 1.07이다. 질소에서도 유사한 현상이며 공업적으로 거의 의미가 없는 입방형 마르텐사이트와 정방형 마르텐사이트와 더불어 고합금강(c/a비 = 1.616, 육방형 최조밀충전)에서의 육방형 ε 마르텐사이트도 있다. 일반적인 퀜칭 마르텐사이트(창상 및 침상 또는 판상 마르텐사이트)는 정방형이다.

측정하면 적은 양의 탄소가 함유된 강의 퀜칭 마르텐사이트에서는 정방형 전위(정방성)가 관찰되지 않는다. 이에 대한 하나의 가능한 원인은 c/a 비의 도입에 영향을 미치는 이른바 **자기어닐링 효과**이다. 이 과정은 마르텐사이트 생성 후에 강이 냉각 될때 상대적으로 높은 온도 영역에서 충분히 유지될 때 진행된다. 정방형 마르텐사이트와 다른점은 똑같은 좌표 값에도 불구하고 ($\gamma \rightarrow \varepsilon$) 마르텐사이트 변태는 체적감소와 관련되어 있고 이는 2.1%에 달한다. 체적 감소에 의하여 동반되는 압축과 경우에 따라서는 주변 오스테나이트 영역의 소성변형 및 이와 결합하는 오스테나이트 안정화와 같은 동반현상으로 해소될 수 있다. 체심정방형 α 마르텐사이트의 생성에서는 초기 상과 새로 생성된 상간의 어떤 격자조화가 계속해서 존재한다. 마르텐사

그림 5.89 14%Mn을 함유한 철합금, 1150℃에서 공랭 ; 여러 종류의 6개 체심입방 α 마르텐사이트, 육방형 ε 상의 기지내에 결정학적인 평형 위치.

이트 결정은 결정학적으로 규칙적인 방법으로 발생한다(그림 5.89). 오스테나이트 격자와 새로 생겨난 마르텐사이트 상의 격자 사이에는 일치되는 점이 존재한다 **(부분 결맞음 마르텐사이트)**. 이미 1930년에 G.V. Kurdjumov와 G. Sachs는 면심입방 γ 격자와 체심정방 α 격자 사이에 다음과 같은 방향성 관계를 밝혀냈다. :

$$(1 1 1)_\gamma \, \| \, (0 1 1)_\alpha \; ; \; [1 0 \bar{1}]_\gamma \, \| \, [1 \bar{1} 1]_\alpha$$

이 관계를 그림 5.90에 그림으로 나타내었다. 오스테나이트의 정팔면체면 (1 1 1)$_\gamma$와 여기에서 생성되는 마르텐사이트의 12면체면(0 1 1)$_\alpha$는 원자들로 조밀하게 채워져 있고 비슷한 구조형태를 보인다. 두 면 모두 평행한 격자 방향 [1 0 1]$_\gamma$와 [1 1 1]$_\alpha$을 따른다. 이 **Kurdjumov-Sachs 결정방위관계**는 주로 강에서 나타나지만 다른 결정방위관계도 존재한다. 이 관계에 따라 하나의 고유한 오스테나이트의

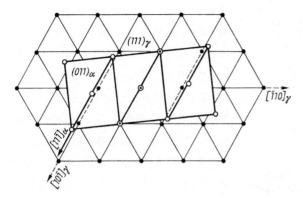

그림 5.90. Kurdjumov와 Sachs
에 의한 방향성 관계
$(111)_\gamma \| (011)_\alpha$; $[10\overline{1}]_\gamma \| [1\overline{1}1]_\alpha$.

방향성에서 총 24개의 다양한 방향성을
지닌 마르텐사이트 결정이 생성된다.

마르텐사이트 결정의 **정벽면(habit plane)**
이라고 불리는 판상 면은 오스테나이트 결
정에서 하나의 특정한 규칙적이고 일정
한 위치를 차지함이 밝혀졌다. 이는 당
연히 탄소와 합금원소 및 동반원소의 함
량에 좌우된다. 0.4% 이하의 C를 함유
한 강에서 정벽면은 $(1\ 1\ 1)_\gamma$이고, 높은
탄소를 함유한 강에서는 $(2\ 2\ 5)_\gamma$, 그리
고 1.4% 이상의 C를 함유한 강에서는
대략 $(3\ 10\ 15)_\gamma$이다. 일반적으로 정벽
면은 예측할 수 없는 지수를 보인다. 앞
에 나타낸 값들은 다만 근사값이다.

격자의 재배열은 외력에 의한 소성변
형과 비교할 수 있고 이것은 **협동적 원
자 움직임**에 있다. 이 협동적 원자 움직
임은 마르텐사이트 생성에서 **형태변형**을
가져온다. 이는 연마된 면에서 관찰될
수 있는 마르텐사이트 생성시의 **표면기
복(Relief)**으로 분명하게 나타난다(그림
5.91). 이 기복의 생성은 마르텐사이트
생성의 특징으로 나타나고 마르텐사이트

그림 5.91 15%Cr, 9%Ni을 함유한 철합금,
1100℃/−85℃; 마르텐사이트 생성을 통한
표면 기복.

결정이 오스테나이트로부터의 국부적인
소성변형을 통해 생성되었음을 말해준
다. 전자현미경 관찰로부터 마르텐사이
트 결정이 전위 형태의 결정결함(특히
창모양 마르텐사이트에서)을 포함하거나
쌍정이 생성된다(특히 판상이나 침상 마
르텐사이트에서).

언급한 남아있는 변형은 오스테나이
트보다 더 큰 고유체적을 필요로 하는,
생성된 마르텐사이트 결정이 오스테나이
트내에 공간을 적합하게 차지한다.

이는 전단 변형과 관계되며(그림 5.92),
오스테나이트 결정 내부의 한 영역을 직

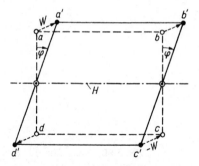

그림 5.92 전단에 의한 마르텐사이트생성(도식적) ; 처음격자 내에서 마르텐사이트 내의 a′-b′-c′-d′, φ : 전단각, W : 전단방향, H : 정벽면 = 마르텐사이트 결정의 판상면.

사각형 a-b-c-d로 표시하고 도형 a′-b′-c′-d′는 마르텐사이트 결정 내부에서 이에 속한 영역을 나타내고 정벽면(habit plane) H에서 원자들은 변태 시 위치가 변하지 않는다. H면 위에서 원자들은 W 방향으로 규칙적으로 이동하고 반대로 H면 아래서는 -W 방향으로 이동한다(**병렬 원자이동**). 따라서 원자들은 원래의 주변 원자들을 유지하고 전체적으로 때에 따라 일정한 양을 상대적으로 서로 밀어낸다. 이 양은 격자 상수보다 적고 확산은 일어나지 않는다. 이것은 마르텐사이트가 음속정도의 짧은 시간내에 0K까지의 낮은 온도에서 발생하기 때문이다. 이 변형은 전단각 φ을 가진 전단변형으로 표현될 수 있다. 이 각은 오스테나이트의 초기 모서리 각 a-d와 마르텐사이트 최종 모서리 각 a′-d′ 사이의 각이다. 강에서 φ≈10°이다.

이 협동적인 원자 움직임을 일으키는 힘은 열역학적인 자연현상이고 오스테나이트와 마르텐사이트의 자유 엔탈피의 차이에서 온다. 이것은 일정한 조건하에서의 외부로부터의 기계적인 힘으로 부분적으로 대치될 수 있다(응력이나 인장에 기인한 마르텐사이트 생성). 마르텐사이트 결정의 생성에서 근접 오스테나이트 영역의 변형을 통해서 두 상에서 변태응력이라고 불리는 고유응력이 발생한다. 전단각과 부피 차이에 따라 그리고 항복점 및 변형능 또는 변태 온도의 높이에 따라 응력은 횡단면을 지나는 국부적인 탄성 및 **소성변형(지연)** 또는 균열(**퀜칭균열**)과 파괴의 불균질 변형의 원인이 된다. 이 현상은 0.4%보다 많은 C를 함유한, 낮은 M_s 온도를 나타내는 강에서 심하게 나타난다(표 5.5 비교).

오늘날의 이론에 따르면 마르텐사이트 생성에서는 다음과 같은 중요한 특징들이 있다. :

• 초기 결정 및 마르텐사이트 결정은 제한된 확산으로 인해 똑같은 화학적 조성을 보이지만 다른 격자 구조를 가지고 있다.

• 초기 결정과 마르텐사이트 결정 사이에는 하나의 정의된 방향성 관계가 존재한다.

• 오스테나이트는 여러 가지의 결정학적으로 대등한 마르텐사이트 변종(變種)으로 변태할 수 있다. 그 최대값은 24이다.

• 마르텐사이트 생성은 표면기복의 생성을 가져오는 초기조직의 국부적인 전단 변형을 통해 생긴다.

• **부분 결맞음** α 마르텐사이트의 생성은 국부적인 탄성 및 소성변형 또는 균열의 발생을 불러일으킬 수 있는 고유응력의 발생과 연관되어 있다. 고유응력은 끊임없이 마르텐사이트 생성을 지향한다.

5.3.2.5 베이나이트 생성

베이나이트 단계와 중간 단계는 펄라이트와 마르텐사이트 사이의 발생 기구와 함께 조직 형태학과도 관계있다. 베이나이트 조직은 한편으로는 펄라이트 조직과 비슷함을 보이지만 다른 한편으로는 마르텐사이트와 유사하다. 베이나이트는 펄라이트 단계 이하와 마르텐사이트 단계 이상의 온도에서(약 200℃와 600℃사이) 오스테나이트로부터 페라이트–탄화물–덩어리의 비(非) lamellar 형태로 되는 이중상 조직이다. 페라이트와 탄화물의 크기와 형태, 분배 및 배열은 다양하다. 베이나이트 생성에서 다음과 같은 과정들이 진행 된다. :

– 전단과정을 통한 페라이트 결정의 생성
– 확산을 통한 오스테나이트와 페라이트의 탄소 재분배
– 페라이트와 오스테나이트에서 탄화물의 석출
– 응력이완 과정

이 과정들은 Cr, Mo, Ni과 같은 거의 적은 양의 치환형 가용 원소들의 합금첨가로 큰 영향을 받는다. 따라서 일치된 체계적인 베이나이트 조직은 존재하지 않는다. 근본적으로 이들은 하부 베이나이트와 상부 베이나이트로 나눈다. 상부 베이나이트의 형태학적인 특징은 중간 단계 페라이트 및 베이나이트 조직의 시멘타이트 또는 평행한 가지상이나 판상 형태의 탄화물 부분으로 배열된 것이다. 하부 베이나이트에서는 전형적으로 결정 안에 젓가락 형태의, 중심축에 비스듬하게 정렬된 ε 탄화물 석출과 함께 바늘형태의 중간단계 페라이트 결정을 보인다. 이 특징적인 구별은 금속조직학적으로 발견하기는 어렵지만 고배율에서는 가능하다. 하부 베이나이트와 창모양 마르텐사이트를 구분하는데 있어서의 문제도 거기에 있다. 상부와 하부 베이나이트의 경계는 약 350℃이다. 다양한 탄소함유량의 합금강에서는 이 외의 상부 베이나이트의 형태로도 나타난다. :

– 역 베이나이트 (베이나이트형 페라이트 가장자리를 가진 초기 석출된 침상 시멘타이트와 "보통의"상부 베이나이트)
– 입상 베이나이트 (가지 모양이나 불규칙적 구조의 중간 단계 페라이트 및 각기 다른 규칙성으로 그 사이에 존재하는 잔류 오스테나이트 집단)
– 탄화물이 존재하지 않는 베이나이트 (잔류 오스테나이트의 가장자리를 둘러싼 상대적으로 큰 판상 형태의 중간 단계 페라이트)

베이나이트 조직의 발생에 대한 견해

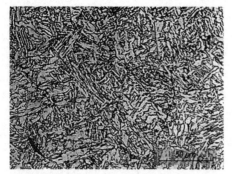

그림 5.93 0.15%C와 1.50%Mn을 함유한 강 ; 상부 베이나이트.

그림 5.94 0.15%C와 1.50%Mn을 함유한 강 ; 하부 베이나이트

는 일관적이지 않다. 가장 일반적인 견해는 베이나이트 생성이 펄라이트 생성과 흡사하다는 것이다. 즉, 페라이트와 시멘타이트는 확산 제어된 과정을 통해 생성된다. 하지만 이것은 펄라이트 단계의 바로 아래에서 생성되는 베이나이트에만 해당된다는 것을 알 수 있다. 왜냐하면 베이나이트 조직에서는 마르텐사이트 조직에서 처럼 일반적으로 표면의 기복생성이 관찰되고(5.3.2.4 절) 발생하는 탄화물은 약 300℃ 이상의 생성온도에서만 시멘타이트 형태로, 300℃ 이하에서는 ε 탄화물로 되어 있다. 그 밖에 성장

전면의 국부적인 농도의 진행은 치환형 용해 원소들에 대해서는 단지 아주 미세한 편차를 보이는데 반해 탄소에서는 탄소 확산을 의미하는 상대적으로 뚜렷한 농도구배를 보인다. 중간단계 페라이트의 결정학적인 특징, 구조, 기복생성 및 성장 형태의 관찰에 근거한 두 번째 견해는 하나의 큰 의미를 갖는다. 여기서는 중간 단계 페라이트의 결정핵 생성이 오스테나이트 입계나 다른 오스테나이트의 입자 내부의 격자 결함에서 마르텐사이트 종류로 진행되는, 즉 격자의 전단, 소위 협동적인 원자의 움직임으로 설명된다. 여기에는 변태온도가 M_s 온도 이상에 놓여있고(강의 평균 화학조성에 상응하는), 이러한 전단은 변태된 오스테나이트 영역이 그 전에 탄소가 부족해졌을 때 가능하다. 오스테나이트에서 이러한 국부적인 탄소의 부화는 이 영역에서 오스테나이트내의 용해된 탄소의 실제 농도에 의존하는 유효 M_s 온도의 증가를 의미한다.

오스테나이트에서 이러한 극 미소 탄소의 분리에 대해서도 일치되는 견해가 없다. 가장 그럴듯한 것은 처음부터 적은 C 농도를 보이는 오스테나이트 영역에서 격자의 전단이다. 결정적인 것은 변태 이전에 초기 오스테나이트에서 탄소가 부족해진 영역의 존재이다. 만약 존재한다면 이들은 오스테나이트화 온도에서 오랜 시간 동안 유지된 후에도, 즉 평형상태에 가까운 오스테나이트화 상태에서도 그대로 유지되는지 여부이다. 입계 영역에서는 침입형 용해 원자들에 대

한 높은 수용능력으로 인해 오스테나이트 내부에서 보다 뚜렷이 높은 탄소 농도를 보이고 온도의 감소에 따라 오스테나이트에서의 탄소의 용해도도 급격히 감소한다는 사실에 근거해 발생하는 평형분리를 생각할 수 있다. 오스테나이트에서 국부적인 농도 차이가 존재하면 유효 M_s 온도에도 차이가 있다.

마르텐사이트 생성과 구별되는 점은 상부 베이나이트 단계 영역에서의 변태가 이미 탄소가 부족한 오스테나이트 영역의 계속적인 탄소 축출을 위한 확산이 불가피하다. **상부 베이나이트**로의 변태에서는 **하부 베이나이트**와 비교해서 높은 온도에 놓여 있기 때문에 오스테나이트내의 탄소의 확산능이 덜 제한되어 있고 이로 인해 탄화물이 석출되는 방향으로의 탄소 확산이 가능하다. 오스테나이트에서 탄화물 생성에 있어서 적당한 장소는 이미 존재하는 탄소 과잉 위치, 즉 입계영역이다. 탄화물 생성으로 인해 입계와 근접한 오스테나이트 영역에서 넓은 지역의 탄소가 축출된다. 이것은 추가적인 탄소 고갈과 입자 내부로부터 탄소의 추후 공급이 이루어지는 이 영역의 유효 M_s 온도의 증가를 의미한다. 이 상태에 이르면 마르텐사이트 생성 기구에 따라 탄소가 고갈된 오스테나이트 영역에서 중간단계 페라이트가 생성된다. 결과물은 광범위한 탄화물이 없는 중간단계 페라이트 결정과 거기에 평행하게 배열된 탄화물 석출이다.

하부 베이나이트 단계에서는 탄소의 확산이 가능하기는 하지만 계속해서 감소하는 생성 온도로 인해 더 어려워진다. 따라서 탄화물의 초기 생성물은 상부 베이나이트에서처럼 높은 확률로 석출된다. 근본적으로 변태온도와 M_s 온도의 차이는 상부 베이나이트 단계에서보다 더 작다. 이것은 중간단계 페라이트가 탄소 부족 오스테나이트 영역에서 마르텐사이트 기구에 따라 즉시 생성될 수 있음을 의미한다. 생성된 베이나이트 결정은 생성된 직후 상부 베이나이트에서 보다 더 높은 어닐링 효과를 갖게 되는데 이는 열역학적으로 불안정한 상을 나타내기 때문이다(융체에서 높은 탄소 함유, 낮은 온도). 이 자기 어닐링의 결과로 초기에 생성된 베이나이트 결정에서 방향성을 지닌 탄화물이 석출된다(주로 ε 탄화물). 이를 통해 α 상의 탄소 함유량은 준안정 평형 상태까지 감소한다("기지조직"로써 ε 탄화물을 가진 것이 시멘타이를 가진 것보다 용해도가 더 높다). ε 탄화물의 변태 또는 베이나이트형 페라이트 내부에 존재하는 탄화물 입자의 계속된 확대가 오스테나이트로부터 페라이트 내부로 탄소를 확산시킨다. 이렇게하여 경계면의 이동이나 새로운 결정핵의 생성을 통해 변태가 진행된다. 오스테나이트로 방향성을 가진 중간단계 페라이트의 결정핵은 오스테나이트로부터 탄소가 다시 입자내부로 이동할 때만 계속해서 성장할 수 있다. 아직 변태하지 않은 오스테나이트내의 이러한 탄소의 축적은 격자상수의 변화에 따라 실험적으로 증명되었다. Fe 원자의 전위에 대해서는 여전히 완전한 설명이 없다. 이것은 전단 기구뿐만 아니라 근접영역 확산으로 발생할 수 있다. 아마도 이것으로부터 중간 단계 페라이트의 다양한 성장 형태의 발생에 대해 설명할 수 있을 것이다.

탄소 원자들의 수송은 속도를 결정하는 부분 반응이다. 그럼에도 불구하고 성장속도를 조절하는 과정에 대해서 각 온도에서의 확산에 상응하는 활성화 에너지는 발견되지 않았다. 이는 발생응력의 추가적인 영향을 암시한다. 응력은 마르텐사이트에서 오스테나이트와 페라이트 격자의 탄성 및 소성변형을 일으킨다. 이와 관련해 소성변형 및 경우에 따라 그 직후에 나타나는 연화과정을 동시에 연관시킬 수 있다. 이러한 설명은 적은 양의 탄소를 함유한 강에서 관찰되는 조직에 해당한다. 여기에서 베이나이트 조직 내의 다양한 전위 밀도 분포와 부분적인 미세구조가 나타난다.

냉각에 따라 발생하는 베이나이트 조직의 의미는 특히 복잡하다. 연속 냉각 시 진행되는 변태에서 아직 변태되지 않은 오스테나이트는 조직의 변태되지 않은 영역이 증가함에 따라 계속해서 탄소 농도도 증가한다. 동시에 온도의 하강과 함께 계속해서 변태 생성물이 발생하며, 또한 먼저 생성된 베이나이트 조직의 조성이 아직 가능한 탄소의 확산과 전위의 움직임을 통한 생성에 따라 계속해서 변할 수 있다는 것을 고려해야 한다.

합금 원소들은 펄라이트 단계에서 처럼 중간단계에서도 변태에 영향을 미친다. 즉 평형온도, 오스테나이트와 중간단계 페라이트에서 탄소의 확산, Ms 온도의 위치, 오스테나이트의 경화 및 오스테나이트 입계면에서의 합금 원소의 축적에 영향을 받는다.

베이나이트 조직은 미세하게 분포될수록 그 생성 온도는 더 낮아진다. 따라서 실제로는 Steven과 Haynes에 의해 중간 합금강에 해당하는 **Bₛ 온도(bainite start)**가 고려된다:

$$B_s[℃] = 830 - 270 \cdot (\%C) - 90 \cdot (\%Mn) - 37 \cdot (\%Ni) - 70 \cdot (\%Cr) - 83 \cdot (\%Mo)$$

$$B_f[℃] = B_s - 120[K]$$
B_f : (bainite finish)

베이나이트에 대해 오늘날의 해석에 따르면 다음과 같이 특징지을 수 있다. :

- 초기 조직으로써 오스테나이트와 베이나이트는 다양한 화학조성 및 격자 구조를 나타낸다.
- 베이나이트 내의 페라이트와 중간단계 페라이트는 높은 전위 밀도로 초석 및 펄라이트 내의 페라이트와 구별되는 공통점이 있지만 특정한 오스테나이트로의 방향성 관계를 가지고 있다.
- 수많은 다양한 베이나이트 조직들이 존재하고 이들의 생성모양은 강의 조성 및 생성 온도에 따라 다양하다.
- 베이나이트 생성에서 부분 과정인 페라이트 결정의 생성은 확산을 통한 오

스테나이트와 페라이트에서 탄소의 재분배, 페라이트와 오스테나이트에서 탄화물의 석출 및 응력완화 과정과 관계한다.

• 변태 거동은 기술적인 요소들과 합금원소를 통해 영향을 받을 수 있다. 이에 따라 베이나이트 생성은 약 200℃에서 600℃사이에서 이루어진다.

• 냉각온도 조건하에서 베이나이트 생성은 초기 오스테나이트에 비해 아직 변태되지 않은, 계속되는 진행에 결정적인 역할을 하는 오스테나이트의 특징적인 변화, 예를 들어 조성, 균질성, 입자구조, 미세구조, 전위의 배열 및 밀도, 응력 상태 등의 변화에 기인한다.

5.4
조직에 영향을 미치는 열처리

강은 고정된 화학 조성에서 열처리를 통해 광범위하게 그 조직과 특성이 변화될 수 있기 때문에 재료에서 특히 중요한 위치를 차지한다.

우리는 단순히 강에 대한 높은 요구뿐만 아니라 조화된 조건, 심지어는 서로 모순되고 달성되기 힘든 요구들에 익숙해져 있다.

좋은 품질의 강이 가격도 저렴하게 생산될 때 시장에서 수요된다.

금속학자나 재료학자들은 재료에서 강에 대한 요구들을 충족시키기 위해 노력해왔다.

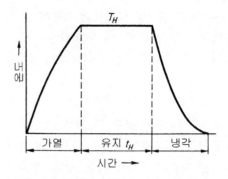

그림 5.95 열처리의 온도–시간–시스템 ; T_H 유지온도, t_H 유지시간.

이에 대해 우리가 다룰 수 있는 것들은 강의 화학 조성과 첫 눈에 나타나는 조직이다.

덧붙이자면 표면경화의 가능성을 제외하고는 응고 시점의 화학 조성은 거의 변하지 않는다.

가능한 조직 조합의 상당수가 아직 전혀 연구되지 않고 있다고 생각하면 이 대략적인 그림의 유효성이 제한된다.

조직 생성의 변화를 통해 같은 강의 조성에서 강의 특성에 영향을 미칠 수 있는 가능성은 아주 많다.

철의 동소상 변태는 열처리를 통해 조직에 영향을 미치는 것이 가능하게 한다.

열처리는 조직과 특성의 변화를 야기 시키기 위해 재료를 완전히 또는 부분적으로 시간–온도–연속하에서 가열, 유지, 냉각(그림 5.95)과 같은 단계별 과정을 거쳐 결과물을 얻는 것을 의미한다.

가열속도, 가열시간 및 유지시간, 노 내 공기의 조성 그리고 냉각속도 또는 변형으로 가능한 조합 등을 결정하는 것은 기술적인 열처리 규정에 개별적으로 다루어진다.

수많은 열처리 방법이 존재한다. 여기에서는 입체적 가열이 전형적이고 동시에 특히 조직에 영향을 미치는 방법들만을 다룬다.

방법을 구분하는 것은 다양한 시각으로 이루어진다. 여기서는 재료에 독립적인 또는 의존적인 방법으로 경우에 따라서는 재료의 특성에 따른 방법, 필요에 따른 적합한 방법으로 구분된다.

재료에 독립적인 것으로써의 방법은 (방법 1) 최적의 조직이나 특성을 나타내고 존재하는 상변태가 고려되어야 하는 것에 그 목적이 있다.

이와 구분해서 열처리 결과에 결정적인 영향을 받지 않는 재료에 의존적인 방법(방법 2)이 있다. 요구에 적합한 열처리를 위한 과제는 필요한 특성을 얻기 위한 조직의 설계이다.

5.4.1
재조직합성 재료의 독립직 치리

5.4.1.1 재결정 어닐링

소성 냉간변형은 경도와 강도의 증가를 가져온다.

한편으로는 변형률, 수축률 및 굽힘횟수 또한 그 밖의 다른 인성치를 감소시킨다.

가공경화는 조직에서 전위발생, 슬립선, 입자연신 및 취성을 나타내는 결정들의 종류(시멘타이트, **탄성경도**, **비금속 개재물**인 알루미나, 첨정석(spinel), 알루미나이트 등)를 통해 나타난다.

재결정 어닐링의 목적은 가공 경화 후에 발생하는 것을 막기 위한 것으로 조대한 입자의 조직들이 미세립자로 바뀌고 연성과 인성을 처음 값으로 돌려놓는다. 재결정 어닐링은 원래 일정한 강에 제한되어 있지 않다.

그러나 최소한 어느 일정한 정도까지만 냉간변형이 가능한 강에서 사용하는 것이 실제로 의미가 있다.

왜냐하면 재결정에서 원하는 조직 생성은 이미 진행된 소성변형의 최소한도를 요구하기 때문이다.

선이나 얇은 판의 생산에서 사용되는 강들은 냉간변형 강의 그룹에 속하며 따라서 재결정 어닐링은 이에 거의 필수적이다.

재결정화에서는 심하게 감소하는 전위밀도를 수반하고 완전한 새로운 입자를 생성하는 하나의 열적 활성화 과정이 관계된다(그림 5.96~5.101).

이 과정의 추진력은 조직 내에 축적된 변형 에너지이다. 일반적으로 재결정화는 일종의 회복이다.

낮은 변형도에서 재결정화는 사정에 따라 완전히 중지될 수 있다.

재결정화를 발생시킬 수 있는 최소한의 변형도를 임계 변형도라고 한다.

기술적인 관점에서 어닐링 온도와 시간은 특히 의미가 있다.

이 수치들을 설정하는데 있어서는 강의 재결정화 거동을 고려해야 한다.

이 재결정화 거동을 결정하는 데는 많은 요소가 있고 이는 처리 방법과 관련된 것,

그리고 재료와 관련된 것으로 나눌 수 있다.

처리 방법과 관련된 것으로는 이미 언급한 온도와 어닐링 시간 그리고 가열 속도를 들 수 있고 재료에 관련된 것으로는 강의 화학 조성과 초기 조직 및 변형으로 인한 조직을 들 수 있다.

재결정화 거동을 나타내기 위해 등온 및 연속 **시간-온도-재결정화 곡선**(TTR 곡선)이 있는데 설계에 있어 근거가 되는 조건에만 부합하는 시간-온도-변태 (TTT 곡선)과 비슷하며 강의 재결정화에 대한 중요한 정보를 제공한다.

그러나 유감스럽게도 이 곡선의 종류는 얼마 존재하지 않고 경우에 따라서는 공개되지 않지만 한편으로는 실험적인 설계나 수학적 모델에 기초한 예측에 상당히 많이 사용된다. 이것은 우리가 "재결정화 온도"를 계속해서 언급하는 이유이다. 이것은 단지 많든 적든 중요한 근거를 나타낸다.

Bočvar-Tammann의 실험식에 따르면 순금속에 대한 재결정화 온도 T_R과 융해온도 T_S 사이의 관계는 $T_R \approx 0.4\ T_S(K)$이다.

하지만 예를 들어 온도 T_R을 크게 변화시킬 수 있는 냉간변형도(표 5.6)에서는 이 실험식의 요소도 변한다(예 : 표 5.6에 주

어진 것에 따르면 전해철에서는 0.42에서 0.38로, 0.04%C를 함유한 연강에서는 0.54에서 0.41로). 순철에서보다 훨씬 더 복잡한 것은 강에서의 거동이다.

표 5.6 순철과 연철의 변형도가 재결정화 온도 T_R(℃)에 미치는 영향

변형도(%)	10	20	40	70
전해철	490	450	425	420
0.04%C의 연철	700	590	510	470

한 시간의 어닐링 후에 재결정화 과정이 실질적으로 끝나는 재결정화 온도로 나타나는 이 온도들이 실제 사용된다. 따라서 앞서 제시된 예, 그림 5.96~5.101에서 재결정화 온도는 650℃라고 할 수 있다. 조직은 과정의 마지막에서 4.7㎛의 중간 입자 크기의 다각형 페라이트 입자들과 석출된 시멘타이트로 이루어져 있다(비교 표 5.7). 간접적인 방법으로 특성값과 입자 크기가 변화함으로써 재결정화 거동을 평가하는 것도 가능하다(표 5.7).

냉간변형 후에 변형 가능한 조직을 만들기 위해 항상 재결정 어닐링이 유용한 것은 아니다. 시효경화된 강(비철 합금에서도 마찬가지로)은 재결정 어닐링에서

표 5.7 0.99%C를 함유한 강의 재결정화(냉간 압연율 90%)

온도 [℃]	20	400	550	600	650	750	875	950
입자크기[㎛]	–	–	–	–	4,7	6,2	10,6	21
경도[HB]	250	248	212	190	119	112	105	101
인장강도[N mm^{-2}]	860	850	760	640	420	390	370	360
연신률[%]	5	–	13	33	28	31	32	32

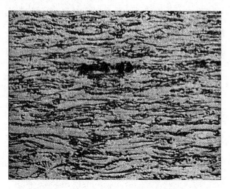

그림 5.96 0.09%C 함유 강, 압연(변형도 90%) 550℃에서 1시간 유지 ; 변형 조직.

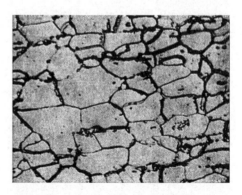

그림 5.99 0.09%C 함유 강, 압연(변형도90%) 700℃에서 1시간 유지 ; 페라이트와 입상 시멘타이트.

그림 5.97 0.09%C 함유 강, 압연(변형도 90%) 600℃에서 1시간 유지 ; 부분적으로 재결정된 조직.

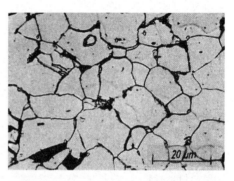

그림 5.100 0.09%C 함유 강, 압연(변형 도 90%) 900℃에서 1시간 유지 ; 페라이트-펄라이트 조직.

그림 5.98 0.09%C 함유 강, 압연(변형도 90%) 650℃에서 1시간 유지 ; 완전 재결정된 조직.

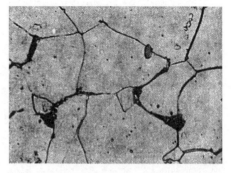

그림 5.101 0.09%C 함유 강, 압연(변형도90%) 950℃에서 1시간 유지 ; 조대하게 분산된 페라이트-펄라이트 조직.

시효경화 효과를 잃게 된다. 이런 종류의 재료들은 변형 후에 연화어닐링을 하거나 용체화 **어닐링(solution annealing)**을 하는 것이 좋다. 용체화 어닐링은 내화학성이 있고 고온에 잘 견디는 고 합금강에 대해서도 이용된다. 이는 재결정 어닐링에서는 석출로 인한 취성의 위험이 존재하기 때문이다.

재결정 어닐링에서 새로 생성된 조직의 입자 크기도 고려해야 한다. 특히 순철에서나 비합금강 및 약 0.3%C가 함유된 저합금강에서는 이미 위에서 언급한 것처럼 아주 적은 변형이 일어난 후에 새로운 입자의 생성이 전혀 발생하지 않는 것을 관찰할 수 있다(그림 5.102). 재결정화가 일어나는 임계 변형도 $\varphi_{임계}$는 약 8~12%이다. $\varphi_{임계}$ 규모의 변형은 거의 의도하지 않은 상당한 조대립자 생성을 초래한다. 따라서 이것을 가능하면 피해야 하지만 굽힘, 주조, 프레스, 천공, 절삭 및 다듬질시에는 변형도가 중심 변형 부분이 최대이고 영향을 받은 쪽으로 계속

해서 감소하며 그 사이에 놓인 영역에서 임계를 나타내기 때문에 거의 불가능하다. 이 임계 영역은 완만한 변형도 구배에서 특히 넓게 나타난다. 이런 현상은 브리넬 경도 압입자국으로 국부적인 소성변형이 일어난 후에 720℃에서 4시간 재결정 어닐링된 Armco철 시편의 예로 설명될 수 있다. 그림 5.103은 이 시편의 단면 연마된 것으로 둥근 압입자국에서의 변형이 가장 심하다. 이 곳에서 재결정 어닐링의 결과로 아주 미세한 입자가 발생했다(비교, 그림 5.102). 둥근 압입자국에서 어느 정도 떨어진 곳에서 임계 변형도 $\varphi_{임계}$에 도달했다.

그림 5.103에서 나타낸 흰색 직사각형 영역은 확실히 조대립자 영역으로 보인다. 그림 5.104는 이것을 확대하여 나타내었고 각 영역을 더 잘 알아볼 수 있다. 조대립자의 재결정화 된 조직들은 하부 임계 변형과 그로 인해 재결정화 되지 못한 조직과 천이 없이 인접해 있고 이에 일치하는 곡선이 그림 5.102에 나타나 있다.

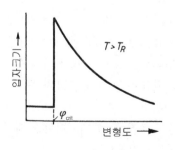

그림 5.102 연한 비합금강에서 변형도에 따른 재결정 입자의 크기.

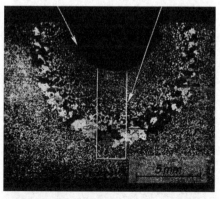

그림 5.103 Armco 철에서 구형 압입자 주변의 재결정을 통한 국부적인 조대립자 생성.

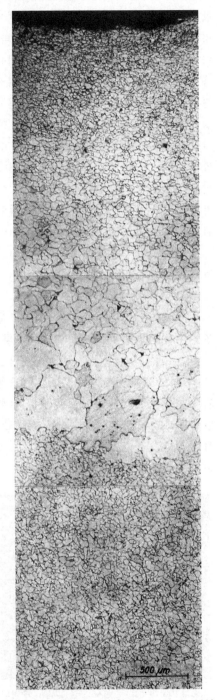

그림 5.104 그림 5.103의 확대 ; 2% HNO₃ 부식.

최소한 변형온도~1100℃ 이하에서 임계 변형도는 열간 변형에서도 중요하다. 기술적으로 관계가 있는 강의 재결정 어닐링에서 이들은 대부분 하나의 상이 아니고 α 나 γ 기본 조직과 더불어 그 밖의 다른 조직성분들, 즉 탄화물, 질화물, 탄질화물 등과 같은 여러 가지 형태와 크기와 배열로 되어 있다는 것을 고려해야 한다. 이러한 조직성분들의 영향은 그들의 특성에 따라 재결정화의 강화에서부터 재결정화의 지체를 지나 재결정화의 완전한 중단까지 아주 다양하게 작용할 수 있다.

5.4.1.2 구상화 어닐링

구상화 어닐링 또는 연화어닐링은 강의 경도를 목표치까지 감소시키는데 그 목적이 있다. 본래 목적은 절삭성과 성형성의 향상에 있다.

이런 특성들은 거의 대부분 "−성(ability)"으로 끝나는 복잡한 성질들로 쉽게 정량화할 수 없다.

이들은 경도측정을 용이하게 하는 것과 관계있으면 연화어닐링의 목적과도 연관된다.

절삭성의 상부경계는 일반적으로 인장 강도 $R_m = 1400 N mm^{-2}$에 놓여 있다.

절삭성은 강의 강도가 낮을수록 좋아지고 강도는 조직의 생성을 통해 영향을 받는다.

결국 조직에 영향을 미치는 것이 연화어닐링의 목표이다.

연화어닐링은 강에 대한 특수 열처리 방법이 아니다. Al−, Cu−, Ni−, Ti−합금과 같은 비철 합금에서도 사용된다.

절삭성과 성형성은 일반적으로 아래와 같은 여러 가지 요소들에 의해 영향을 받는다.

- 냉간변형
- 석출경화
- 조직성분의 양, 형태, 배열

어닐링이 **변형경화**를 없애는데 이용됨으로 재결정 어닐링이 관계된다(5.4.1.1절). 실제로 냉간변형과 **석출경화**는 대부분 동시에 존재하고 연화어닐링이 정확하게는 아니지만 이 둘에 대한 상위 개념으로 쓰인다.

강은 가공 온도로부터의 냉각 후에는 종종 조절되지 않은 조직으로 되어 있다. 이들은 조직들의 분산이나 연합(베이나이트와 더불어 lamellar 펄라이트 또는 마르텐사이트) 그리고 석출된 탄화물의 다른 형태 및 배열과 관련되어 있다. 균일하게 분포되고 금속기지 내의 구형으로 된 너무 조대하지 않은 탄화물이 우수한 절삭성과 성형성에 최상의 조건으로 작용한다. 다음의 예들은 이 주장을 뒷받침한다. 그림 5.105는 0.9%C를 함유한 노멀라이징 강의 lamellar 펄라이트 형태의 조직을 나타낸 것으로 이 강으로된 막대는 약 30°까지만 굽힘이 가능

그림 5.105 0.90%C 함유강, 노멀라이징 ; lamellar 펄라이트.

하고 이후에는 부러진다. 700℃에서 10시간 동안의 어닐링 후에 시멘타이트 lamellar는 완전히 균일한 형상을 나타낸다(그림 5.106). 이와 똑같은 소재는 구형 펄라이트를 가진 상태에서 템퍼링 없이 180°까지 굽힘이 가능하며 이는 연화어닐링 시 상당한 강도의 감소를 가져왔기 때문이다(표 5.8).

이들 구형의 펄라이트 탄화물은 열역학적 관점에서 볼 때 낮은 내부 에너지로 인해 lamellar나 또는 그 비슷한 형태보다 더 평형상태로 간주된다. 평형상태의 700℃에서 7시간 유지 ; 구상에 가까운 펄라이트 조직 상태는 A_1 온도 이하의 열적 처리를 통해 가능하다. 상의 의도된 상태가 평형에 가까울수록 그 발생 조건들도 평형에 가까워야 한다.

펄라이트 단계에서 등온변태는 평형

표 5.8 lamellar 및 구형 펄라이트 강의 강도와 인성

조직형태	항복강도 [N mm^{-2}]	인장강도 [N mm^{-2}]	연신률 [%]	단면수축률 [%]	경도 [HB]
lamellar 펄라이트	600	1050	8	15	300
조대한 펄라이트	280	550	25	60	155

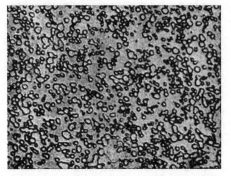

그림 5.106 0.90%C 함유강, 노멀라이징하고 700℃에서 10시간 유지 ; 구형 펄라이트.

에 아주 가깝게 A₁온도 바로 아래에서 발생한다(경우에 따라 A_{1b}). 이 온도로 근접한 것이 높은 온도로부터인지 또는 낮은 온도로부터인지는 중요하지 않다. 평형에 가까운 조직은 거의 사용되지 않고 현실적으로 불가능한 아주 느린 냉각을 통해 생각해 볼 수 있다.

이 균질화는 확산에 의해 조절된 과정이다. 완전한 균질화는 오랜 유지 시간(수 시간에서 수 일)을 필요로 한다. 균질화 과정을 가속시키기 위한 가능성을 찾는 것도 중요하다. 확산과정이 빠르게 진행될수록 이 과정에서의 온도는 더 높아진다. 연화어닐링에서 상부 온도 경계인 A₁ 온도가 높은 강은 이런 이유에서 다른 강들 보다 더 빨리 균질화가 가능하다.

어닐링 기술의 최적화를 위해 균일화 과정에 근본적으로 영향을 미치는 요소를 알아야 한다. 균질화 과정으로 이용되는 모델은 온도 T < A₁에서 C가 많은 상(시멘타이트)과 C부족 상(페라이트)이 동시에 존재하는 것을 전제로 한다. 이

두 상은 역학적으로 평형상태에 놓여 있다. 역학적으로 평형이란 두 상 사이에 끊임없는 물질교환이 이루어지는, 즉 C 원자가 시멘타이트 상에서 페라이트로 뿐만 아니라 반대 방향으로도 확산함을 의미한다. 두 상의 체적은 변하지 않기 때문에 한 방향으로 확산하는 원자의 수는 다른 방향으로 확산하는 원자의 수와 같고 이는 각 방향으로의 원자의 수가 평형을 이루는 것을 말한다. 페라이트로의 석출된 시멘타이트의 물질이동은 탄화물 용해에 상응한다. 페라이트에서 시멘타이트로의 물질의 이동은 탄화물 석출을 의미한다.

$$\frac{dV}{dt} = a(k_a - k_l)$$

V : 입자 체적
a : 인수
k_a : 석출 속도
k_l : 용해 속도

역학적 평형은 확산이 용해나 석출보다 빠르고 따라서 관계하는 상의 전체 체적에서의 농도가 똑같다는 조건하에서 $k_a = k_l$, 경우에 따라서는 dV/dt = 0을 의미한다. 이와 반대로 물질이동의 위치는 같지 않으나 한 방향으로나 다른 방향으로의 우선적인 위치가 있다. 물질이동의 위치가 용액 안으로나 또는 안에서 밖으로 우세한지는 고유 표면 S에 달려있다(A 표면적) : S = A/V. 작은 탄화물 입자나 시멘타이트 입자에서 이 특성화 표면은 평균

이상으로 크고 이는 이들의 표면 기복이나 또는 평균 기복(2.4절 참고)의 적분값이 크기 때문이다. 다음과 같은 의존성이 존재한다. :

$$\frac{dV}{dt} \sim (S_m - s)$$

이것은 작은 입자에서와 큰 입자들의 가장자리나 모서리 그리고 뾰족한 부분에서 용액이 우세하다. S_m은 시간 t에서 페라이트 기지안의 탄소 농도와 평형을 이루는 입자들이나 그 영역의 특성화 표면이다.

이 모델로부터 균질화 과정의 가속화에 대한 조건을 도출해 낼 수 있다. 균질화의 첫 번째 부분 단계, 즉 탄화물 입자나 그 영역의 용해가 이루어지면 평균 이상으로 큰 특성화 경계면($s > S_m$)의 특징을 나타내어 가속화 되고, 탄화물의 전체 균질화 과정이 짧아진다. 이러한 가속화는 A_{c1b}(경우에 따라 A_{e1}) 이상에서 단지 아주 작은 탄화물 입자들만이 용해되고 모서리나 가장자리 등에 있는 더 큰 입자들은 작을 경우에만 완전히 녹는 아주 짧은 시간으로 오스테나이트화 됨으로써 가능하다. 마지막으로 A_{c1b}(경우에 따라 A_{e1}) 이하의 온도로 빠르게 냉각되고 등온 유지된다. 이런 방법으로 변형 펄라이트의 최상 생성조건이 가능하다. :

- 용해되지 않은 탄화물은 재석출의 핵으로 작용한다.
- 역석출이 즉시 발생한다.

중요한 것은 오스테나이트가 완전히 변

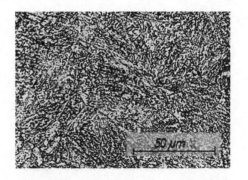

그림 5.107 0.22%C, 3%Cr, 0.40%Mo 단조강 ; 적은 양의 마르텐사이트를 포함한 베이나이트 조직, 378HB.

태할 때까지 유지하는 것이다. 이것이 보장될 수 없으면 등온 유지 후의 냉각이 아직 존재하는 오스테나이트가 비평형 조직(베이나이트와 같은)으로 변태할 수 없도록 천천히 이루어져야 한다. 빠른 균질화의 이상적인 초기 조직은 하부 베이나이트 단계와 마르텐사이트이다. 왜냐하면 이들은 처음부터 페라이트 기지안의 용해된 탄소원자의 높은 농도를 가져오기 때문이다. 초기조직이 베이나이트일 때 700℃에서 단지 4시간 유지했을 때 경도가 378에서 172HB로 감소했다는 예가 이를 증명한다(그림 5.107). 이것은 상대적으로 빠르게 아주 미세하게 분포된 연화어닐링 조직을 생성한다(그림 5.108). 합금강에서 균질화 되기 어려운 탄화물들은 이렇게 더 쉽게 균질화될 수 있다.

과공석강에서는 A_1 정도에서의 **Pendulum 어닐링**이 자주 권장된다. 이 처리는 A_1 이하에서의 유지시간이 탄화물 상에 있어서 A_1 이상의 부분 오스테나이트화에서 용핵으로 되는 것보다 빠르게 성장하는 것으

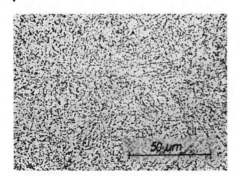

그림 5.108 0.22%C, 3%Cr, 0.40%Mo, 단조 후 700℃에서 4시간 어닐링, 노냉 ; 구상화 시멘타이트. 172HB.

그림 5.109 1.20%C 강, 펄라이트와 입계 시멘 타이트.

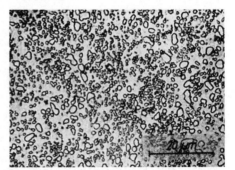

그림 5.110 1.20%C 강, 연화어닐링 ; 비균질 조 대한 탄화물 입자.

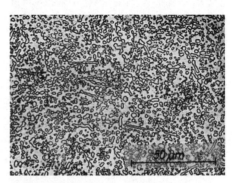

그림 5.111 1.20%C 강, 연화어닐링 ; 막대 모 양 2차 시멘타이트의 잔류.

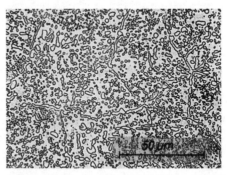

그림 5.112 1.20%C 강, 연화어닐링 ; 입계 망 상 시멘타이트.

로 나타날 때만 가능하다(비대칭 Pendulum). 기술적인 면에서 이것은 쉽지 않다.

과공석강은 조직 안에 입계 가장자리에 균질화되지 않은 2차 시멘타이트를 포함 할 수 있다(그림 5.109).

이것은 완전 오스테나이트화에서 오 스테나이트에 용해되기 때문에 때에 따 라 연화어닐링 전에 노멀라이징을 하는 것이 좋다. 그렇지 않으면 연화어닐링 조직에서 이전의 입계 시멘타이트의 잔 류조직으로써 비균질의 조대 탄화물을 발견하게 된다(그림 5.110). 어닐링 시간

이 충분하지 않으면 길쭉한 탄화물 입자의 잔류 시멘타이트(그림 5.111, 5.112)나 완 전히 균질화되지 않은 펄라이트 내의 시

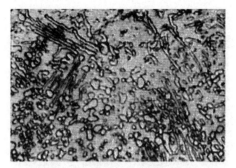

그림 5.113 0.90%C 강, 700℃에서 5시간 어닐링 ; lamellar 시멘타이트의 잔류.

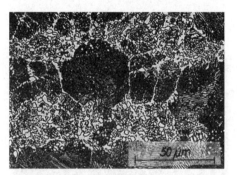

그림 5.114 1.05%C 강, 연화어닐링 ; 편석으로 야기된 줄무늬. lamellar 펄라이트와 구상화 시멘타이트.

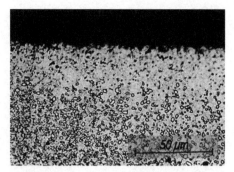

그림 5.115 1.05%C 강, 연화어닐링, 심한 가장 자리 탈탄 ; 가장자리 탄화물이 적은 페라이트.

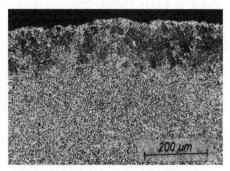

그림 5.116 1.05%C 강, 연화어닐링 약한 가장 자리 탈탄 ; 가장자리 lamellar 펄라이트.

멘타이트(그림 5.113)가 존재한다. 또한 편석이 심한 재료는 연화어닐링 시 어려움이 있다. 그림 5.114는 어닐링 후에 균질화된 lamellar 펄라이트의 줄무늬가 나란히 존재하는 직경 20mm의 길이 방향으로 연마된 압연봉을 나타낸다. 수시간에 걸친 어닐링은 강 표면의 탈탄을 유발한다. 이것은 가장자리가 단지 소량의 석출된 탄화물만이 존재하는 거의 순수 페라이트 조직이라 할 수 있다(그림 5.115). 가장자리 탈탄에 대한 대비나 대안책이 없으면 이로 인한 경도로 품질의 손실(**백점 현상**)이 초래될 수 있다.

가장자리 탈탄의 결과로 과공석강의 가장자리 영역은 A_{c1b}온도를 넘어서 세 상 영역($\alpha + \gamma + $ 탄화물)에 도달하면 공석이나 아공석 조성을 포함할 수 있고 lamellar 펄라이트로 될 수도 있다.

합금원소들은 탄화물 구상화에 상당한 영향을 미친다. 이것은 우선 A_1 온도가 아래나 위로 이동함으로써 그리고 짧은 시간 동안의 부분 오스테나이트화 후의 변태의 지연이 연화어닐링을 위한 강의 적합성을 변화시킴으로써 생긴다. 페라이트에서 탄소의 확산계수에 대한 영향은 대부분의 강에서 무시할 수 있다.

어닐링 시간이 길면 탄화물상과 페라이트 기지 사이에서 합금 원소의 분배가 생기고 이로 인해 탄화물상 내에 탄화물 생성 원소가 풍부해진다.

탄소와 합금원소의 영향은 연화어닐링 상태에 대해 최대 허용 경도치의 설정에 있어 고려된다. 비합금강에서는 조직의 탄화물상이 차지하는 부분이, 합금강에서는 여기에 추가적으로 합금 원소를 통한 기지조직의 고용경화가 최대 허용경도를 결정짓는데 중요한 역할을 한다.

5.4.1.3 조대립자 어닐링과 확산 어닐링

확산 어닐링의 목적은 상변화(액체/고체)에서 편석으로 인한 기지조직내의 농도차를 가능한 한 제거하는 것이다.

이들의 발생은 액체 상태와 고체 상태의 금속상에서 합금 원소와 동반 원소가 다양한 용해도를 보이고 이를 통해 응고시 미세편석의 형태로 분해되는 것에 근거한다.

미세편석의 정도는 응고조건과 액체와 고체의 상에서 용해된 원소의 확산을 통해 영향을 받는다.

강의 수지상 응고에서 농도 차이는 **결정편석**의 형태로 생긴다.

결정편석을 표시하기 위한 매개변수는 편석계수 c_{max}/c_{min}와 농도거리(국부적 농도 증가 영역 사이의 거리), 경우에 따라서는 변형된 재료에서 층 간격 λ이다. 이 두 크기는 농도구배를 결정한다.

농도차이는 조직 불균질의 원인이다. 조직 불균질은 등방성(그림 5.117)이거

그림 5.117 어닐링된 주강 ; 초정 인편석으로 인한 조대 페라이트-펄라이트 석출, 1% HNO_3로 부식.

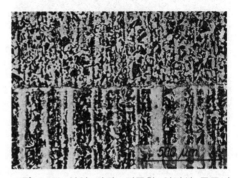

그림 5.118 압연 강판; 길쭉한 인편석 줄무늬로 인한 2차 페라이트-펄라이트 줄무늬조직, 위 : NHO_3로 부식(2차 줄무늬조직), 아래 : Oberhoffer로 부식(1차 줄무늬 조직).

나 이방성(그림 5.118)일 수 있다.

재료에서 선호되는 방향, 즉 지향되는 변태가 주어짐으로써 발생하는 조직 불균질에서는 2차 조직 줄무늬가 중요하다.

이 2차 조직 줄무늬는 압연 강에서 불균질한 형태로 빈번히 나타난다.

그들은 페라이트-펄라이트형, 펄라이트-탄화물형, 베이나이트 그리고 마르텐사이트 강에 존재한다. 줄무늬 2차 조직의 생성은 오스테나이트로부터의 냉각

에서의 변태 거동과 관계가 있다. 변태 거동은 미세 균질성이나 실제 오스테나이트에서 국부적인 탄소나 합금 및 동반 원소의 농도에 달려 있다.

이는 합금으로 인한 변태온도의 이동뿐만 아니라 변태에서 시간적인 지연도 고려될 수 있다.

이전의 수지상간의 공간들은 Mo, Si, P, Cr, V, W 등과 같은 원소들이 우선적으로 차지하고 평형변태온도의 증가가 발생한다.

이로 인해 냉각에서 아공석강의 변태는 합금이 풍부한 영역에서 초석 페라이트 생성으로 시작한다.

페라이트의 생성은 탄소의 분리와 관련되기 때문에 펄라이트(그림 5.117, 5.118)가 발생(아공석강에서는 반대의 탄소편석)하는 합금이 부족한 지역에서 탄소가 용해된다.

다른 한편으로는 수지상간 공간에서 평형변태온도를 아래로 이동시키는 망간이나 니켈 같은 원소들이 풍부해지면 합금 부족 지역에서 ($\gamma \rightarrow \alpha$)변태가 시작된다.

이 경우에 냉각시 변태가 페라이트 생성과 함께 합금 부족 영역에서 시작된다.

페라이트 생성에서 필요하지 않은 탄소는 펄라이트가 우선적으로 발생하는(아공석강에서의 직접 탄소편석) 합금이 풍부한 지역으로 이동된다. 그 밖에 거의 모든 일반적인 합금 및 동반 원소들은 특히 펄라이트 단계에서 상변태를 지연시킨다.

이로 인해 각 경우에 불균질한 특성을 가진 비평형의 변태조직이 생긴다.

느린 냉각에서 초석 페라이트나 초석 탄화물의 생성과 함께 변태가 시작된다.

첫 번째 페라이트나 탄화물의 위치는 높은 A_3 및 A_{cm} 온도와 함께 초기 줄무늬에서 생성된다.

페라이트로부터 용해도와 상응해서 불필요한 탄소는 확산을 통해 아직 변태하지 않은 오스테나이트로 되돌아간다.

이런 방법으로 탄소가 풍부해진 잔류 오스테나이트가 맨 먼저 변태하고 평균치보다 많은 공석상을 포함한다.

확산으로 제어된 변태에서 탄소와 관계된 이 오스테나이트의 분리는 줄무늬 효과의 증가를 야기 시킨다.

이 증대 효과는 아공석강에서 직접적인 탄소 편석의 경우에 합금 의존성이 특히 크다.

증가하는 냉각 속도와 함께 증대 효과는 계속해서 줄어든다. 이것은 비록 원인이 되는 초기 줄무늬가 같다고 할지라도 이 줄무늬 특성의 계속되는 감소를 나타낸다.

이로부터 2차 줄무늬 조직의 확산으로 제어된 ($\gamma \rightarrow \alpha$) 변태의 특성임을 알 수 있다.

접힘 과정을 통해 발생하는 조직(마르텐사이트, 베이나이트)들은 템퍼링과 석출 과정에서 화학성분으로 인한 차이가 서로 다른 부식손상을 가질 때만 줄무늬 구조를 나타낸다.

줄무늬 조직의 생성에 오스테나이트 입자 크기도 영향을 미친다. 오스테나이트 입계는 결정핵 생성이 용이한 장소이다.

특성화 오스테나이트 입자면과 더불어 오스테나이트 입계(동일 크기 또는 비동일 크기)의 배열도 영향을 끼친다. 미세하고 균질한 오스테나이트 입자는 줄무늬 2차 조직에 유리하다.

조대한 오스테나이트 입자에서는 결정핵 생성을 촉진하는 오스테나이트 입계의 변태가 쉽지 않은 1차 줄무늬를 자르고 이 영역 안으로 변태가 진행할 확률이 높다.

단지 확산 평형만이 줄무늬 조직을 근본적으로 제거할 수 있다. 노멀라이징과 같은 방법으로는 용해된 초석 줄무늬의 평형 없이 이 효과를 어느 정도 약화시키거나 그 줄무늬 조직을 단지 눈에 보이지 않게 한다.

이것은 줄무늬 조직이 이전의 열처리에서 사정에 따라 전혀 눈에 보이지 않다가 재 가열과 냉각 후 갑자기 나타나는 것으로 알 수 있다.

확산 어닐링은 농도차를 통해 사용 특성에 피해가 우려될 때 사용된다. 농도평형은 편석된 원소들의 확산으로만 이루어질 수 있고 즉, 이는 확산에 대한 조건을 얼마나 잘 만족시킬 수 있느냐가 어닐링 기술에서 중요하게 요구된다.

확산 어닐링은 1000~1200℃까지 온도로 강을 가열하고 화학조성에서의 차이를 가능한 한 평형화시키기 위해 이 온도에서 오랜 시간동안 유지하는 어닐링이다.

공정의 진행과 결과는 어닐링 온도와 어닐링 시간으로부터 결정된다. 상변태는 원래의 열처리 목적에 큰 의미가 없다.

이런 높은 온도에서의 오랜 시간의 어닐링은 부작용이 없지 않다.

확산 어닐링의 예상치 않은 부작용으로는 입자 조대화, 스케일, 표면 화학조성의 변화 등이 있다.

이러한 부작용이 심각해지지 않도록 실제로 사용되는 어닐링 온도와 유지 시간은 종종 기술적인 타결책의 결과이다.

입자의 조대화는 어닐링 공정에서 거의 피할 수 없다. 조대립자를 제거해야 한다면 확산 어닐링 이후에 노멀라이징이 행해져야 한다(5.4.2.1절 참고).

스케일과 화학조성의 변화는 보호가스 분위기에서 피할 수 있고 경우에 따라서는 제한될 수 있다.

이러한 대책의 필요성에 대해서는 구체적인 경우에 결정되어야 한다. 의도하지 않은 변형에 대해서 지지대를 튼튼히 하는 것이 도움이 된다.

모든 부작용들은 시간에 의존해서 진행되는 과정 결과이다. 따라서 어닐링 시간은 중요한 의미가 있다.

어닐링 시간에 대한 공업적인 규정은 선택된 어닐링 온도, 편석무늬의 거리(변형도에 의존하는), 편석된 원소들의 종류(확산 능력과 편석계수) 그리고 허용되는 잔류 편석의 정도 및 가능한 부작용들의 고려 하에 이루어져야 한다.

확산 어닐링은 상당한 에너지의 소비와 관계가 있다. 따라서 압연을 위한 예열에서와 같이 기술적으로 필수적인 가열에서는 농도차를 없애기 위한 시도가 이루어진다.

주조상태에서는 넓은 편석 간격으로 인해 변형된 상태에서 보다 농도의 차를 좁히는 것이 더 어려운 것은 당연하다.

초기 선간격은 필요한 어닐링 시간에 상대적으로 큰 영향을 미치는 요소이다.

이것은 변형도의 제곱근에 반비례한다. 변형도는 선간격의 감소를 가져온다.

순수한 열적 영향을 고려하지 않는다면 동시에 열간의 농도구배는 증가한다. 선간격의 감소는 농도평형에서 확산경로 감소를 의미한다.

강과 같은 다원계에서 완전한 농도평형은 불가능하다.

원소의 평형은 기본적으로 그들의 활동도, 즉 열적 작용을 일으키는 농도를 고려해서 발생한다.

몇 개의 원소들은 근본적으로 비슷한 확산력을 가지고 있다. 이 확산력만이 평형에 대해 결정적인 역할을 한다면 많은 원소들에 대해서도 대략 똑같은 균질화 거동을 기대할 수 있다.

그러나 사실 큰 차이가 있는데 예를 들어 망간과 크롬은 비슷한 확산계수를 가지고 있지만 크롬 함유량에서 농도차이를 줄이는 것은 망간 함유량에서 보다 더 어렵고 이는 크롬의 편석계수가 망간의 그것보다 더 크기 때문이다.

비소나 황과 같은 원소들은 높은 편석계수를 가지고 있으므로 평형을 맞추기가 더 어렵다.

이에 비해 탄소편석의 평형은 짧은 어닐링 시간을 필요로 한다.

조대립자 어닐링은 조대한 입자의 조직 생성을 목적으로 하며 이것의 유일한 장점은 감소된 연성으로 인해 절삭성을 증가시키는데 있다.

선박 밀링, 평상, 보링 등에서는 조대립자로 어닐링된 강은 잘게 부서져 덜 냉간경화된 칩은 공구절단의 예리함이 더 오래 지속되게 한다. 이러한 장점은 일련의 중요한 성질의 희생으로 얻어지는 단점을 감수해야 하므로 자주 조대립자 어닐링을 단념하는 것이 바람직할 수 있다. 당연히 후에 노멀라이징을 행함으로써 부정적인 조직 생성을 다시 없앨 수 있지만 그럼에도 불구하고 그 비용은 증가한다. 조대립자 어닐링을 피할 수 없다면 1000 ~1300℃에서 두 시간 동안 어닐링 하는 것이 최상의 결과를 가져온다. 이 높은 온도는 미세한 입자를 포함하는 미세 합금강에 해당한다. 이미 초과된 오스테나이트화는 연화철의 예(그림 5.119 및 5.120)에서처럼 변태조직에 영향을 미친다. 냉각방식은 조대한 입자가 분산된 변태 조직을 포함하게 해야 한다. 이것은 넓은 펄라이트 lamellar 간격의 생성을 위해서 노에서 천천히 냉각하거나 조절된 냉각을 통해서 나타날 수 있다. 조절된 냉각은 초석 페라이트 생성 온도 범위에서 상당히 빠르게 냉각하고 펄라이트 생성 온도 범위에서는 천천히 냉각하거나 등온으로 유지해서 조대하게 분산된 펄라이트가 발생하도록 해야 한다.

많은 펄라이트 영역을 포함한 강에서

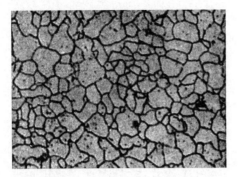

그림 5.119 0.04%C를 함유한 연철, 950℃에서 15분, 공랭 ; 미세립자 페라이트.

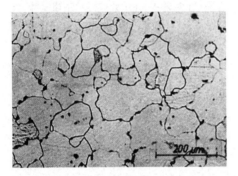

그림 5.120 0.04%C를 함유한 연철, 950℃에서 5시간, 공랭 ; 조대립자 페라이트.

는 노내에서의 냉각이 적은 펄라이트 영역을 포함한 강에서는 조절된 냉각을 다룬다.

5.4.2
재조직힙성 재료의 기본치리

제조 적합성 열처리의 재료의 기본처리로써 유효한 것은 어닐링 결과에 미치는 중요한 영향들이다.

5.4.2.1 노멀라이징

노멀라이징의 목적은 의도되지 않은 조직 생성을 막는데 있다. 이런 조직들은 불균질하고 조대한 입자의 조직이나 고용체, 주조상태나 용접 후, 혹은 불규칙한 냉각에 따라 변형된 재료에 존재할 수 있다. 의도된 조직은 가능한 한 평형의 미세 lamellar 펄라이트와 가능하면 20㎛를 넘지 않는 입자크기의 페라이트를 포함한 페라이트-펄라이트 조직과 경우에 따라서는 균질하게 분포된 초석 탄화물 입자가 미세하게 분포된 펄라이트-탄화물 조직들이 있다. 이러한 조직은 비합금 및 저합금강에서 균질 상태로 간주된다.

이 목적에 도달하기 위해 재결정화를 포함한 어닐링이 실행되어야 한다. 이 재결정화는 두 가지 완전한 상변태, 즉 가열시 ($\alpha \rightarrow \gamma$)-변태와 뒤이어 냉각시 ($\gamma \rightarrow \alpha$) 변태가 필수이다. 이런 이유에서 노멀라이징을 경우에 따라 **변태 어닐링**이라고 표현하기도 한다. 노멀라이징은 플레이크 (flake) 균열(그림 5.121, 5.122), 연소 (그림 5.42), 퀜칭균열(그림 5.123, 5.124), 과(過)압연 및 단조(그림5.125), 가장자리 용해, 과다한 지연 등과 같은 영구적인 재료 손상의 특성을 포함하지 않는 이상, 퀜칭 및 템퍼링, 과열, 용접, 냉간 및 열간 변형, 조대립자 어닐링 및 연화어닐링을 통해 발생한 조직 변화 및 특성 변화를 원래의 상태로 돌려 놓는다.

노멀라이징 기술은 아공석강에서 온도 T = 30 … 50 K > A_{c3}로 가열하고 이 온도에

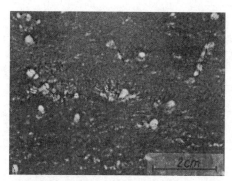

그림 5.121 편석지역에 발생한 flake 균열 ; Oberhoffer로 부식.

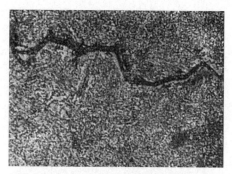

그림 5.124 칭균열의 입계 전파.

그림 5.122 청색 균열시편 ; 밝은 편석 줄무늬에서의 수소 flake(밝은 원형).

그림 5.125 크랭크 축에서의 과단조 ; oberhoffer로 부식.

의 생성과 존재하는 시멘타이트나 조대한 탄화물 입자의 용해가 A_{cm} 이상의 온도에서 가능하다. 그림 5.126은 1100℃의 온도에서 단조 후 노에서 서냉된 1.4%C를 함유한 과공석강의 조직이다.

이 조직은 조대하게 분산되었고 입계에 2차 시멘타이트가 보인다. 1000℃에서 가열하고 공기 중에서 냉각함으로써 미세하게 분산된 시멘타이트와 펄라이트의 조직이 발생한다(그림 5.127).

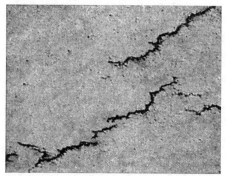

그림 5.123 경화된 공구에서의 칭균열.

서 완전히 오스테나이트화 될 때까지 유지, 펄라이트 단계로 변태하는 냉각과정을 포함한다. 과공석강에서는 완전한 오스테나이트

이렇게 높은 온도에서의 노멀라이징의 단점들(탈탄, 입자 조대화)은 과공석강의 노멀라이징에서는 종종 가열온도를

그림 5.126 1.40%C 강, 1100℃로 가열, 단조 후 노에서 서냉 ; 펄라이트와 2차 시멘타이트.

그림 5.127 1.40%C 강, 1000℃로부터 공랭 ; 2차 시멘타이트가 존재하지 않는 펄라이트.

A_{cle} 온도보다 30에서 50K 높게 선택함으로써 해결할 수 있다.

여기에서 펄라이트의 입자변형과 2차 시멘타이트는 거의 영향을 받지 않는다. 냉각에 관한 설명은 분분하다. 일반적으로 공기 중에서의 냉각이 시행된다.

"공기 중에서의 냉각"은 엄밀히 말하자면 가열재의 단면적에 의존하는 냉각속도를 의미하지만 정확하지는 않다.

하나의 똑같은 단면적에서 존재하는 온도 구배는 단면적을 횡단하는 불균질한 냉각을 의미한다.

이렇게 불분명한 조건에도 불구하고 행해질 수 있는 것은 이미 언급된 노멀라이징의 목적이 저탄소 및 중탄소강에 해당하고 이런 강들은 넓은 영역의 냉각속도에서 펄라이트 단계로 변태하기 때문이다. 단지 이런 강들에서만 노멀라이징이 실행된다.

공기 중에서 냉각시 이미 베이나이트나 마르텐사이트 단계로 변태하는 강들은 사실 노멀라이징에 부적합하다.

미세 분산 노멀라이징을 위한 조치로 노멀라이징 온도를 유지함에 있어서 오스테나이트 입자 성장을 막는 것이다.

오스테나이트화 온도를 넘어서거나 긴 유지시간은 불필요할 뿐만 아니라 변태 조직에 해가 되기 때문에 피해야 한다.

오스테아니트의 생성이 모든 체적요소에서 일어나면 일반적으로 냉각은 상대적으로 빠른 오스테나이트의 생성과 관계된다.

문제는 오스테나이트 생성의 진행 관찰이 직접적으로 밖에서부터 접근할 수 없고 적당한 수학적인 모델이 아직 전체적으로 사용될 수 없다는데 있다.

이렇게 생기는 불확실함은 유지시간에 대한 지침값이 제시됨에 따라 해결될 수 있다.

큰 재료를 가열함에 있어서 재료의 형상과 크기 및 강의 열전도도를 고려해야 한다.

열전도도는 모든 강에 대해 800℃ 이상에서는 거의 똑같다.

그러나 800℃ 이하에서는 큰 차이를 보인다.

이 온도범위에서는 합금 함유량이 높을수록 열전도도는 낮아진다.

특히 문제가 되는 것은 600℃ 이하의 온도에서인데 여기에서는 임계응력 상태를 견딜 수 있는 충분한 가소성이 없기 때문이다. 재료에서 큰 온도 차이를 피하기 위해서 특히 합금강의 큰 단면적은 천천히 혹은 단계적으로 가열되어야 한다. 강의 **탄소 당량농도**가 높을수록 단계적인 가열이 불가피하다. 탄소 당량농도는 합금화 거동에 대해 탄소와 더불어 다양한 합금 원소들의 영향으로 설명되는 특성화 값으로 표현된다. : $C_E = C + Mn/6 + (Cr + Mo + V)/5 + (Ni + Cu)/15$. 또한 기술적으로 의미 있는 유지시간의 측정에서 재료의 두께도 고려되어야 한다.

얇은 단면적의 냉각은 공기중에서 행해진다. 두꺼운 단면적의 경우에는 펄라이트 단계로의 알맞은 변태를 보장하는 특별한 냉각법(가압공기, 살수법)이 요구된다.

노멀라이징은 다음의 경우 사용된다.

- 열간 압연이나 단조 후
- 주강의 응고 후
- 재결정 어닐링 대신(5.4.1.1 참고)
- 용접 후
- 퀜칭경화 전

일반적으로 고강도인 용접에 적합한 구조용강에서는 그 특성에 따라 노멀라이징된 상태로 공급된다. 주강은 어닐링 처리되지 않은 상태에서는 주로 취성을

나타내고 조직은 조대하게 분산되고 형태학적으로 부적절하게 생성된다. 주조 조직은 용접 접합부위의 용융부와 비슷한, Widmannstaetten 배열의 초석 페라이트를 포함한다(그림 5.128). 노멀라이징은 이러한 조직 생성을 막는다. 그림 5.129~5.133은 노멀라이징 온도가 조직 생성에 미치는 영향을 보여준다.

0.25%C를 함유한 주강에서는 860℃에서 최적의 노멀라이징 조직을 보인다.

노멀라이징은 주강의 기계적 특성을 현저하게 향상시킨다(표 5.9).

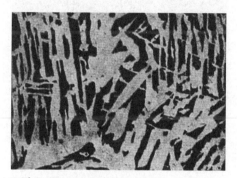

그림 5.128 0.25% C함유 주강 ; Widmannstaetten 배열의 페라이트.

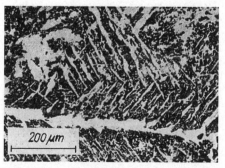

그림 5.129 0.25%C 함유 주강, 720℃에서 30분. 공랭.

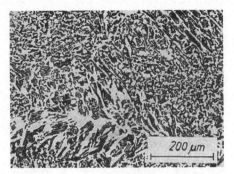

그림 5.130 0.25%C 함유 주강, 800℃에서 30분. 공랭.

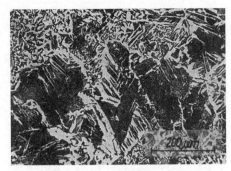

그림 5.132 0.25%C 함유 주강, 950℃에서 30분. 공랭.

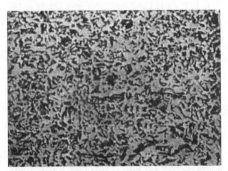

그림 5.131 0.25%C 함유 주강, 860℃에서 30분. 공랭.

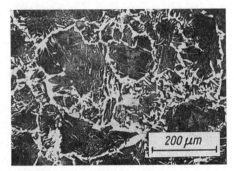

그림 5.133 0.25%C 함유 주강, 1050℃에서 30분. 공랭.

표 5.9 각기 다른 탄소를 함유한 주강의 기계적 성질에 미치는 노멀라이징의 영향

주강	%C	항복강도 [N mm^{-2}]	인장강도 [N mm^{-2}]	연신률 (%)	단면수축률 (%)	충격치 [J cm^{-2}]
어닐링하지 않은것	0.11	180	410	26	30	40
900℃에서 어닐링	0.11	260	420	30	59	170
어닐링 하지 않은 것	0.26	230	430	13	14	30
850℃에서 어닐링	0.26	290	480	24	41	90
어닐링 하지 않은 것	0.53	250	620	7	4	13
820℃에서 어닐링	0.53	350	700	16	18	35
어닐링 하지 않은 것	0.85	300	620	1	0,4	14
720℃에서 어닐링	0.85	320	720	9	7	20

그림 5.134 0.35%C를 함유한 강, 900℃에서 30분, 노냉 ; 조대하게 분산된 선상 페라이트-펄라이트 조직.

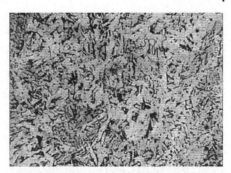

그림 5.137 용융영역의 주조조직 (Widmannstaetten 조직).

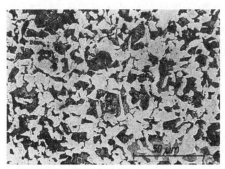

그림 5.135 0.35%C를 함유한 강, 900℃에서 30분, 공랭 ; 미세하게 분산된 선상 페라이트-펄라이트 조직.

그림 5.134와 5.135로부터 노멀라이징이 압연강에 미치는 영향을 유추할 수 있

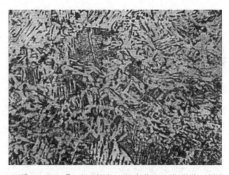

그림 5.138 용접 영역-기지재료 경계의 과열조직.

으며, 온도에 따라 조직에 미치는 작용을 열처리하지 않은 용접 접합부에서 공존하는 것을 관찰할 수 있다(그림 5.136).

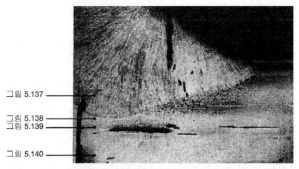

그림 5.137 ——
그림 5.138 ——
그림 5.139 ——
그림 5.140 ——

그림 5.136 용융영역과 기지재료 내에 균열이 나타난 용접 접합부 ; 1% 희석 HNO_3로 부식.

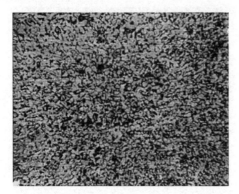

그림 5.139 기지재료 내의 용접열에 의한 노멀라이징 된 영역.

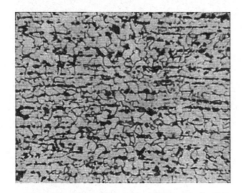

그림 5.140 용접에 의하여 영향을 받지 않은 기지재료 ; 2차 선상조직.

그림 5.136은 용접 접합부 단면의 개괄적인 사진을 나타낸 것으로 편석영역에는 응력균열이 나타나 있으며, 용융영역은 Widmannstaetten 조직을 함유하고 있다(그림 5.137).

기지재료는 용융영역에 인접하여 조대한 과열조직을 나타낸다(그림 5.138).

기지재료의 내부 부화영역은 용접열로 인하여 노멀라이징 영향을 받아 균일한 미세 분산물(그림 5.139)이 존재하며, 그림 5.140은 영향을 받지 않은 기지재료

이다.

5.4.2.2 일정한 성질을 갖는 어닐링

실제적으로 통상적인 연화어닐링 외에 특수강에 대하여 일정한 성질이나 또는 조직을 목적으로 자주 다른 처리가 요구되는데 여기서 무엇보다 저탄소를 함유한 합금강의 연화어닐링한 상태의 절삭가공에서는 통상적으로 "달라붙는" 경향이 생겨서 약간 높은 경도의 강보다 나쁜 작업성을 나타내며 더욱 중요한 것은 그 특유한, 즉 ($\gamma \rightarrow \alpha$) 변태거동을 지니고 있어 연속냉각에서 베이나이트가 없는 아주 균일한 페라이트-펄라이트형 조직을 생성할 수 없으므로 다음과 같은 처리가 고려된다. :

처리목적	표시
– 페라이트-펄라이트 조직	BG
– 일정한 인장강도	BF
– 전단성	C
– 구상 시멘타이트	GKZ

단순성과 제조성을 고려하여 또한 여기서는 시험평가 기준으로 경도를 응용하는데 그러나 통상적인 연화어닐링의 차이로 BG 및 BF 어닐링에서는 최대 허용경도 뿐만 아니라 미달되어서는 아니되는 최소 허용경도도 또한 규정하게 된다. 예를 들면 20MnCr5 표면경화강에는 다음과 같은 Brinell 경도 값이 유효한데, 즉 **BG 어닐링**한 상태의 약 60㎜직경의 경우에서는 152~201, **BF 어닐링**한 상태의 약 150㎜ 직경의 경우 170

~217, C 어닐링한 경우는 최대 255 및 연화어닐링한 상태는 최대 217HB가 각각 된다.

BG 어닐링에서는 짧은 시간 오스테나이트화 후에 펄라이트 단계 영역의 항온변태 온도로 급속 중간냉각하면 펄라이트가 생성된다.

기술적으로 가장 중요한 인자는 조직 생성에 결정적인 역할을 하는 항온 유지 온도이며 이것은 펄라이트 단계에서 가장 짧은 항온 변태온도를 설정하는데(항온시간-온도-변태곡선 참조) 일반적으로 약 640~680℃가 된다.

전통적인 연화어닐링과 비교하면 오스테나이트의 큰 과냉이 실현되어 생성된 변태조직은 구상 시멘타이트가 아니라 라멜라형 펄라이트를 함유하고 평형변태에 상당하는 것보다 많은 양의 펄라이트가 생성된다(**의사 공석구조**).

이렇게 하여 절삭 적합성이 개선되며 실제적으로 BG 어닐링에서는 또한 다른 표시로 펄라이트화 또는 펄라이트 단계에서 항온변태와 같이 응용되며, BG-어닐링을 통하여 생성된 조직을 "**흑-백 조직**"이라고 나타낸다.

GKZ 어닐링과 고유의 연화어닐링사이에 존재하는 표면을 관찰해보면 차이가 없으나 GKZ 어닐링은 연화어닐링과는 대조적으로 경도가 아니라(5.4.1.2절 참조), 실제적으로 완전하게 균일한 페라이트-탄화물형 조직을 목적으로 한다.

이것은 강에서 이루어지는데 펄라이트형 탄화물 외에 무엇보다 2차 시멘타이트

또는 합금된 탄화물이 조직 내에 함유되며 이것은 비교적 균일하지 못하고 특히 입계 석출물 형태로 존재하는 2차 시멘타이트는 절삭가공뿐만 아니라 예를 들면 인발에 의한 냉간 집단성형, 압출, 업셋 등과 같은 가공을 어렵게 한다.

경도값의 단순한 제시로 가공성을 신뢰할 수 있도록 충분하게 특성을 나타내지 못하므로 완전하게 균일한 탄화물을 가진 조직이 요구된다(GKZ = 구상 탄화물로 어닐링).

GKZ 어닐링의 시간-온도 시스템은 연화어닐링과 유사하나 과공석강에서 입계 시멘타이트의 완전한 균일성을 위해서는 어닐링 온도가 A_1 이상 또한 반복 어닐링이 요구되고 일반적인 연화어닐링에서 보다 높은 정점 온도가 고려된다.

GKZ 어닐링에 대한 기준치로 다음의 참고값이 유효하다. :

C-함량[%]	정점온도[℃]
<0.9	<A_1
0.9	730
0.9~1.2	750
1.2~1.6	770

어닐링에서 목적하는 조직은 최초 조직 상태에 의존되므로 아공석강에서 GKZ 어닐링에는 GKZ-N과 GKZ-H로 나눈다. GKZ-N은 노멀라이징한 초기상태를 가진 어닐링을 의미하며(5.4.2.1절 참조), 펄라이트 외에도 초석 페라이트를 함유한다. 어닐링한 상태에서는 이전의 고립된 펄

라이트 영역내의 페라이트 기지에 구상 시멘타이트가 존재하며, 한편 초석 페라이트 변화를 하지 않고, 또한 탄화물 분포는 비교적 불균일하다. GKZ-H는 비교적 균일한 탄화물 분포를 가진 조직으로 퀜칭된 초기조직(마르텐사이트)을 갖게 하는 어닐링이다.

5.4.3
응력직합 치리

강과 주철의 응력에 적합한 열처리 공정 과제는 조직을 생성시켜 구조물에서 각각의 장소가 외부로부터 작용한 응력 수준을 보다 높은 성질수준을 보장하는 것이다.

이 그룹의 중요한 공정에는 퀜칭경화 및 템퍼링, 베이나이트화 처리, 노멀라이징한 변형과 열적 및 기계적 변형 등이 있으며, 다른 공정으로는 5.5절의 재료그룹에서 다루는 가단화 처리가 있다.

5.4.3.1 칭 및 템퍼링과 베이나이트화

퀜칭 및 템퍼링과 베이나이트화 처리로 전체 구조물 단면에 충분한 인성을 가진 요구되는 강도를 갖도록 해야 한다.

인성요구는 피로강도를 보장하는데 특히 필수적이다.

강도와 인성사이에는 언제나 만족스러운 조화를 찾아내야하며, 이에 관하여 퀜칭 및 템퍼링과 베이나이트화 사이에는 종류와 방식에서 목적을 달성하는데 원칙적으로 차이가 없다.

베이나이트화와 퀜칭 및 템퍼링은 전에는 달랐지만 오늘날에는 통상적으로 더 이상 명칭을 사용하지 않는다(베이나이트화 : **중간단계 템퍼링**, 퀜칭 및 템퍼링 : **어닐링 템퍼링**)

템퍼링강의 강도 성질은 우선 템퍼링 상태에 좌우되며, 강조성 간에는 점진적인 차이가 존재한다.

그 외에도 **템퍼링 상태**는 **구조물 크기**(템퍼링 단면)와 강의 **경화성**과 **냉각제**에 따라 영향을 받으며, 경화성은 유효한 높은 경도(보통 마르텐사이트생성을 통한)를 수용하는 강의 능력을 의미하고 이것은 경도증가 능과 유효 경화성을 포함한다.

경도증가 능은 이상적인 조건하에서 퀜칭경화에 의한 가능한 최대 경도를 얻는 강의 성능을, 이에 대하여 유효 경화성은 일정한 표면깊이까지 정해진 경도에 도달하는 강의 적합성을 각각 의미한다.

유효 경화성은 경화깊이에 의하여 평가하는데, 즉 조직 상태를 일치시키거나 또는 경도값으로, 표면으로부터 층까지의 수직거리로 나타낸다.

경도증가 능과 유효 경화성은 경화능과 같이 대개 강의 화학조성에 의하여 좌우되나 또한 야금학적인 이력에도 의존한다. 이것은 해당하는 모델의 도움으로 예측될 수 있으나 그 실험적 규명을 위하여 추가적으로 일련의 시험을 실시하게 된다.

매우 중요한 것은 **Jominy test**로 실현할 수 있는데 이 시험은 축길이 100㎜와 직경 25㎜의 시린더형 강 표준시편을 오

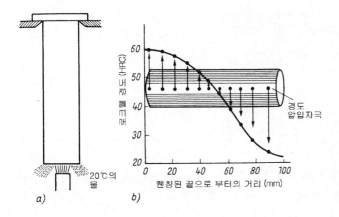

그림 5.141 Jominy end quench test ; a) 시편배치, b) 칭된 시편 길이 방향 경도 분포.

스테나이트화한 후 끝면에 일정하게 물을 분사하여 냉각시키며, 시험조건은 규격으로 되어 있다. 이 시험의 장점은 하나의 시편으로 연속적으로 각기 다른 냉각속도를 얻을 수 있는데 분사된 물이 직접 닿는 끝면의 냉각속도는 최대이고 퀜칭된 끝면으로부터 실린더 축방향의 거리가 증가됨에 따라 그 속도가 감소되며(그림 5.141), 그에 따라 조직변화가 일어난다.

퀜칭된 끝면에는 마르텐사이트가 생성되고 그 양은 끝면으로부터 거리가 증가됨에 따라, 베이나이트와 펄라이트를 조직으로 적당하게 점차적으로 감소된다. 최초 조직 상태에 비하여 가장 낮은 조직변화는, 냉각속도 또는 오스테나이트의 과냉이 가장 낮은 시편 크램핑 부분에서 일어난다.

조직생성은 성질변화를 일으키는데 축방향면을 연마하여 간단하게 경도를 측정하면 특성곡선을 얻게된다(그림 5.141 b).

이 경도 곡선을 활용하여 강시편의 경도중가 능과 유효 경화성을 판단하게 된다. 경화성은 무엇보다 강의 화학조성에

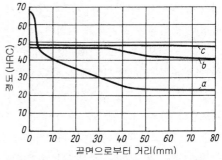

그림 5.142 끝부분 냉각곡선 ; a) 1.0%C를 함유한 비합금강, 800℃ ; b) 0.22%C, 3%Cr 및 0.4%Mo을 함유한 합금강, 900℃ ; c) 0.22%C, 17%Cr 및 2%Ni을 함유한 합금강, 1100℃.

따라 변하는데(그림 5.142), 각각의 강에 퀜칭 및 템퍼링과 베이나이트화가 적당하지는 않다는 것을 알 수 있다.

기본적으로 퀜칭 및 템퍼링과 베이나이트화는 ($\gamma \rightarrow \alpha$)변태를 가진 강에만 적합하며, 얻어진 경도(퀜칭 및 템퍼링) 공칭값의 안전을 위해서는 탄소의 최소함량(약 0.20% 이상)이어야만 된다.

그림 5.142의 곡선으로부터 유효 경화성에는 합금원소가 요구됨을 알 수 있다.

큰 단면 전체를 경화시키는데는 합금강을 사용하는 것이 필요하며, 합금원소가

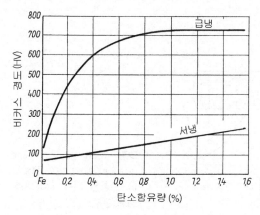

그림 5.143 비합금강을 서냉 또는 수냉한 후의 경도.

가격에 영향을 미치므로 마르텐사이트를 중심부 영역에는 포기하고 여기에 베이나이트를 중심부 조직으로 할 것인지에 대한 조절을 현명하게 판단해야 한다.

실제적으로 관련된 템퍼링강도, 인성 및 피로강도 등의 요구에 모순되지 않는다면 일반적으로 그와 같은 조절은 가능하다.

경화 기술은 주어진 경화도를 예정하여 표면으로부터 일정한 거리 또는 전체 단면에 일정한 경화도에 도달하게 된다.

경화도 H는 최대 가능한 경도(100% 마르텐사이트에서 $HRC_{최대}$)에 대한 실제 도달한 ($HRC_{실제}$)비로 나타낸다. :

$$H = \frac{HRC_{실제}}{HRC_{최대}}$$

경화도는 경화성을 규정하는 화학조성 외에도 유효한 퀜칭 및 템퍼링 성질에 도달하기 위해서는 재료에 적용된 전제조건이 매우 중요하다. 조직 내에 마르텐사이트 양이 많을수록 경화도는 높아지며, 페라이트, 펄라이트 및 베이나이트 등과 같은 다른 조직성분의 적은 양이 이미 존재한다면 인성과 피로한계가 감소된다. 그러므로 구조물의 응력이 높을수록 마르텐사이트 양이 많아야 한다.

높은 응력이 작용하는 부분에는 경화도 >0.9이어야 하는데 예를 들면, 높은 응력이 작용하는 자동차 부품에는 반경의 3/4 단면 부분의 경화조직에 마르텐사이트 양이 ≥90%가 필요하다. 덜 위험한 구조물의 경우에는 전체 단면에 마르텐사이트형 경화가 되지 않을 수 있다. 얻어진 경질성은 강의 탄소함량에 의존되는데 탄소함량이 약 0.20%까지는 퀜칭 상태에서 마르텐사이트는 비교적 연하고 인성을 갖는다(그림 5.143).

약 0.40%C를 함유한 경우에는 600HV의 경도에 도달하며, 0.80%C 이상에서의 마르텐사이트 경도는 탄소함량에 약간의 영향을 받고, 이러한 관련성이 기술적인 응용에 특히 중요하다.

일반적으로 아공석강은 오스테나이트 영역으로부터 퀜칭경화되는데, 따라서 가장자리 가까운 조직은 미세하게 분산된

그림 5.144 0.80%C를 함유한 강, 780℃로부터 적당하게 수냉 ; 미세분산물, structureless 로 나타난 마르텐사이트.

그림 5.145 1.20%C를 함유한 강, 연화어닐링한 후 760℃로부터   칭 ; 마르텐사이트와 균일한 탄화물.

완전 마르텐사이트로 된다(그림 5.144).

여기에 대하여 과공석 강은 2상영역 γ + 탄화물로부터 퀜칭하게 되며, 퀜칭조직에는 마르텐사이트 외에 또한 용해되지 않은 탄화물을 함유한다(그림 5.145).

탄화물과 마르텐사이트는 거의 같은 경도를 가지므로 존재하는 탄화물의 작은 입자가 경도강하를 일으키지 않고 반대로 사정에 따라서는 내마모성의 의도적인 증가를 일으킨다.

잘 퀜칭된 강의 파단면은 회색의 우단처럼 부드러운 모양을 나타낸다. 이상

그림 5.146 0.80%C를 함유한 강, 1100℃로부터 과열 수냉 ; 조대한 침상 마르텐사이트(어두운 부분)와 잔류 오스테나이트(밝은 부분).

적인 오스테나이트화 온도보다 높은 온도로부터 퀜칭하면 취성 조대결정의 마르텐사이트 조직을 갖게 된다(그림 5.146).

보통 과열된 퀜칭으로 조대결정 마르텐사이트만 생성되는 것이 아니고 퀜칭조직 내에는 또한 높은 잔류 오스테나이트량이 특히 높은 탄소를 함유한 강에서 함유된다.

조대결정 마르텐사이트 조직은 마르텐사이트 결정 내에 미세한 균열을 나타내며(그림 5.147), 이것은 큰 퀜칭균열의 시발점이 될 수 있다.

낮은 오스테나이트화 온도로부터 퀜칭한 강은 오스테나이트 또는 마르텐사이트에 탄소가 적게 용해되며 아공석강에서는 마르텐사이트 외에도 연한 페라이트가 나타날 수 있다(그림 5.148). 경질의 어둡게 나타난 마르텐사이트는 연한 페라이트와 분명하게 구별되고 동일한 하중의 미소 압입경도에서도 큰 차이를 나타낸다.

퀜칭온도는 퀜칭된 상태에서 기본적

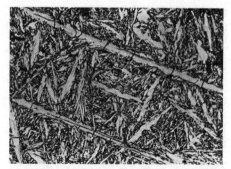

그림 5.147 조대한 침상 마르텐사이트 내에서 미소균열.

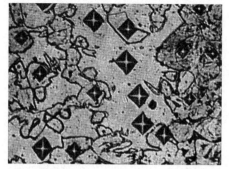

그림 5.148 0.30%C를 함유한 강, 740℃로부터 수냉 ; 페라이트와 마르텐사이트.

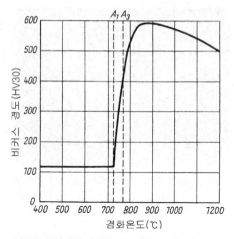

그림 5.149 0.6%C를 함유된 강의 경도에 미치는 칭온도의 영향.

인 경도를 규정하게 되는데 0.6%C를 함유한 강을 퀜칭온도로부터 수냉한 후의 경도분포를 나타낸다(그림 5.149).

A_1 온도 이하에서는 퀜칭경화가 일어나지 않고 A_1과 A_3 사이에는 퀜칭조직 내에 마르텐사이트가 증가됨으로 퀜칭경도는 약간 직선적으로 상승하여 이와 같은 조건에서 약 850℃의 퀜칭온도에서 최대경도에 도달되는데 여기서 탄화물 용해가 충분한 양에 도달되기 때문이다.

더 높은 퀜칭온도에서는 마르텐사이트 조직 내에 잔류 오스테나이트 양이 증가되므로 경도가 떨어진다.

이 예와 유사하게 각 경화성강에는 퀜칭기술 작업을 알아야하는 이상적인 퀜칭온도가 존재한다.

가속하여 가열작업을 할때는 증가되는 가열속도와 더불어 변태온도가 높은 온도로 이동한다는 것에 주의해야 한다 (5.3.1절 참조).

오스테나이트 내에 용해된 탄소만이 퀜칭 경화에 기여하나 탄화물에 결합된 탄소는 아니므로 퀜칭제품을 완전하게 가열하여 오스테나이트 내에 충분한 양의 탄화물이 용해되도록 퀜칭온도에서 유지시간을 측정해야 한다.

공석강의 경우, 탄화물 용해는 오스테나이트 내에 탄소가 균일하게 분포됨이 없이 (불균질 오스테나이트) 740℃에서 5시간, 760℃에서 약 15분, 780℃에서 5분 및 820℃에서 1분이 각각 소요된다.

완전 마르텐사이트 생성을 위해서는 퀜칭온도로부터 냉각이 매우 빨라야 하므로 상부 임계냉각속도를 초과하게 되며 강의 변태거동에 의해 좌우되고, 변태경향이 큰 강(예, 비합금강)은 퀜칭에서 급격히 작용하는 냉각제가 필요하며, 이에 대하여 심한 변태성을 지니고 있는 강은 정지된 공기 중 냉각에서도 경화된다. 따라서 냉각제로써는 완전히 다른 재료가 거론된다. 냉각제는 재료에 따라 분류하는데 냉각제품에 따라 비등점 상부 또는 하부에 둔다.

첫 번째 그룹은 액상 냉각제이며, 두 번째는 가스인데, 특히 적당한 것은 수소와 헬륨과 같은 양호한 열전도성을 가진 낮은 분자량을 가진 가스이다.

큰 단면을 가진 구조물의 퀜칭에서는 가장자리와 중심부사이의 온도구배를 설정하고 관찰하게 되는데 이것은 연속성을 갖게 되며 표면으로부터 일정한 거리에 상부 및 더구나 또한 하부 임계냉각 속에 도달하지 못하게 됨에 따라 단면 전체에 조직생성이 다르게 나타나는데 가장자리 영역에만 마르텐사이트 생성이 일어나고 계속하여 시편내부로 베이나이트, 펄라이트 및 경우에 따라서는 페라이트가 나타나는며 여기에 해당하는 경도와 강도가 가장자리로부터 중심부로 감소된다. 그림 5.150은 0.9%C를 함유한 20㎜직경의 봉상 비합금강을 800℃로부터 수냉한 직경을 예로 나타낸 것으로 밝게 나타난 가장자리는 마르텐사이트로 이루어져 있고 가장자리 영역의 경도는 800HV를, 어둡게 부식된 중심영역의 경도는 350HV를 각각 나타낸다.

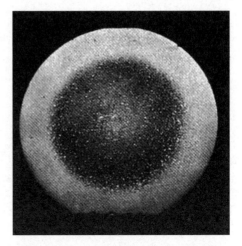

그림 5.150 0.90%C를 함유한 강 20㎜직경의 봉상 시편을 칭한 것, 5% 희석 HNO_3로 부식.

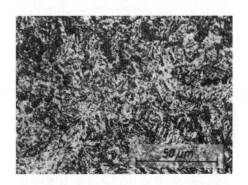

그림 5.151 그림 5.150으로부터 칭된 봉상 시편의 마르텐사이트 가장자리 조직.

그림 5.151은 봉상시편의 마르텐사이트 가장자리 조직을 높은 배율에서, 그림 5.152는 중심영역의 펄라이트-베이나이트 혼합조직을 각각 나타낸 것이다. 경화 깊이는 대부분의 합금원소에 의하여 개선된다.

그림 5.153은 거의 동일한 탄소함량에서 크롬 함량 증가로 경화 깊이가 개

그림 5.152 그림 5.150으로부터 칭된 봉상시편의 마르텐사이트-펄라이트 중심부 조직.

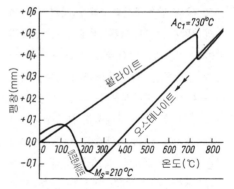

그림 5.154 0.90%C를 함유한 강의 열팽창곡선 ; 가열속도 2Kmm⁻¹, 870℃로부터 수냉.

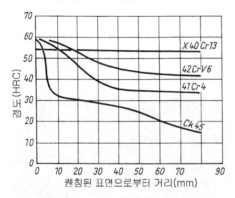

그림 5.153 거의 동일한 탄소함량(0.40%C)을 가진 강의 교반 칭곡선.

선된 것으로 교반 퀜칭곡선을 나타낸 것인데 퀜칭에서 내부 응력이 현저하게 나타나 형상변화가 잔류하며**(퀜칭지연)** 또는 게다가 파괴**(퀜칭균열)**를 일으킬 수 있다.

내부응력 출현에는 많은 원인이 존재하는데 하나의 원인은 상변태로부터 온다. 그림 5.154는 0.8%C를 함유한 강의 열분석 곡선의 예로서 870℃로부터 수냉한 것인데 냉각되는 동안 Ms에서 변태가 시작되어 점차 마르텐사이트로 변

태한다.

마르텐사이트의 정방형으로 변형된(distorted) α 격자보다 면심입방 γ 격자가 철원자로 더 조밀하게 충전되어 있으므로 마르텐사이트 생성으로 체적증가가 일어난다. 이러한 체적변화는 너무 낮은 온도에서 일어남으로 이로 인한 제약이 소성유동에 의하여 제거되지 않고 탄성변형(distortion)이 일어나 **변태응력**이 발생하며 이것은 Ms 온도가 낮을수록 더 커지고, 이외에도 **결정격자 응력**도 고려하게 되는데 이것은 마르텐사이트내의 강제로 용해된 과잉 탄소에 기인한다. 그러나 마르텐사이트 결정은 각기 다른 결정학적인 등가의 방위에 존재하므로 이러한 응력은 상대적으로 상쇄되고 퀜칭에서 마르텐사이트뿐만 아니라 이외에도 다른 체적과 열팽창계수를 가진 다른 조직종류가 생성되므로 경계면에는 **조직응력**이 발생된다. 시편 가장자리가 중심영역보다 더 빠르게 냉각되는 열작용으로 내부응력(예, 수축응력)이 생성되고 오스테나이트가 오래

동안 변태되지 않는 것은 가장자리의 온
도의존 수축이 중심영역보다 더 강하기
때문이며, 가장자리에는 이 상(phase)내
에 인장응력이 그리고 중심영역에는 압
축응력이 생성된다.

Ms 온도는 가장자리에 맨 먼저 도달되
므로 또한 마르텐사이트 생성이 가장자리
에서 먼저 나타나고 이것은 체적팽창으로
이어진다. 따라서 가장자리는 우선 인장
응력이 해소되고 점차 압축응력하에 놓이
게 되며 그렇지만 이렇게 하여 한계가 존
재하여 연성의 중심은 또한 현저한 같은
양의 인장응력을 수용할 수가 없다(내부
응력은 항상 유동응력보다 작게 남아
있다).

다음은 중심이 변태하며(팽창), 마르
텐사이트형 외부영역에 높은 인장응력이
생성되고 완전히 퀜칭된 시편은 실온에
서 가장자리에는 인장이, 중심에는 압축
응력이 각각 생긴다.

가파른 단면천이를 가진 시편 가장자
리와 모서리의 이러한 장소에 응력 피크
가 생성된다.

이러한 **형상응력**은 이렇게 하여 이루
어지며, 평면에 수직방향을 따라, 그렇
지만 가장자리에는 2방향으로, 모서리에
는 3방향으로 열이 각각 방출될 수 있
으며, 냉각속도와 이에 따른 수축은 면,
가장자리 및 모서리 등에서 그 크기가
다르다.

변태응력, 조직응력, 수축응력 및 형
상응력 등은 크기와 징후에 따라 서로가
국부적으로 강화되거나 또는 약화될 수

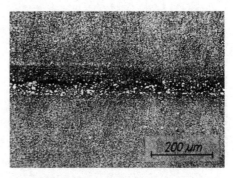

그림 5.155 고속도강의　칭된 공구에서　칭
균열. 탄화물 편석이 길이로 전파되었다.

있다. 퀜칭된 부분에서 응력분포는 그
결과에 따라 대개 매우 불균질하며, 비
대칭적 응력분포는 **퀜칭변형(distortion)**
을 유발하는데 이것은 퀜칭에서 단순하
게 변형된 부분의 불가피한 칫수 변화의
일반적인 수준을 능가하게 된다.

내부응력이 조직의 응집강도를 상회하
면 퀜칭균열 생성을 일으킨다(그림 5.123
및 5.124).

탄화물 집적과 같은 조직 불균일성은
추가적으로 국부적 응력 상승과 퀜칭균
열 생성에 적합성을 부여하게 된다(그림
5.155). 퀜칭균열은 선상 탄화물내로 전
파된다.

오스테나이트화에서 고상선을 벗어나
게 되며 가장자리, 모서리 및 측면에 다
소의 용해가 일어나기 시작하는데 이 용
해개시가 퀜칭균열의 시발점이 될 수 있
다. 그림 5.156은 고속도강을 과열 퀜칭
으로 탄화물 편석의 국부적인 장소에 용
해가 시작됨으로써 조직손상을 입게 되
는데 재응고된 용탕의 미소기공으로부터
시작하여 퀜칭균열이 생성된다. 그림 5.157

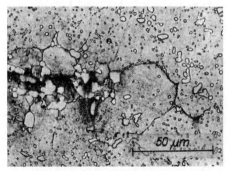

그림 5.156 약하게 과열   칭된 고속도강에서 칭균열의 시발점으로써 국부적인 용해.

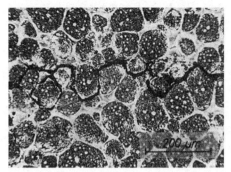

그림 5.157 심하게 과열   칭된 고속도강에서 레데뷸라이트 공정에 의한   칭 균열전파.

은 이전의 γ 고용체 입계에 레데뷸라이트 공정에 의하여 진행된 퀜칭균열을 가진 심하게 용해된 고속도강의 조직을 나타낸 것이다.

퀜칭균열은 퀜칭하는 동안 또는 퀜칭 후에 곧바로 생성되는데 가끔 하루 또는 일주일 후에 나타나므로 퀜칭 후 가능한 한 즉시 템퍼링 또는 응력제거를 시행해야 한다. 퀜칭된 강은 추가적인 응력에 대하여 매우 민감하며 빠른 가열 또는 그라인딩에서 나타날 수 있는 것처럼 용접-및 열 응력으로 인하여 균열생성이 초래될 수 있다(**그라인딩 균열**).

산(acid)에서 퀜칭된 강은 수소의 확산 침투로 **부식균열**의 원인이 될 수 있는데 수소는 또한 무엇보다 대형단면에서 **수소 프레이크(flake)**의 원인으로 나타날 수 있다.

템퍼링은 퀜칭 및 템퍼링의 기본적인 부분공정(process)으로 강에서는 Ac_1 이하에서 $(\gamma \rightarrow \alpha)$변태로 달성된다.

템퍼링에 의하여 최종적인 강도로 제조하는데 즉, 템퍼링의 과제는 인성과 강도의 이상적인 조합을 이루는 것이다. 여기서 일정한 강도감소는 감수하게 되며 템퍼링에서 기계적 성질의 변화는 템퍼링 또는 퀜칭 및 템퍼링 상태도 형태에 나타낸다. 템퍼링에서 무엇보다 고려해야 할 것은 특히 낮은 경화도의 퀜칭 후의 템퍼링 온도는 너무 낮게 하지 않고 **템퍼링 취성** 노치충격 인성의 천이온도가 높은 온도로 현저하게 이동함으로써, **템퍼취성**이 일어날 수 있는 템퍼링 온도영역을 피하게 된다.

이러한 현상은 인성에 보다 경도와 강도에 훨씬 많은 작용을 하며, 이것은 실온에서 현저하게 감소된 노치충격인성을 나타내고 입계손상은 추측하건데 부화된 외부원소가 원인이 된다.

특히 모리브덴이 없는 크롬합금, 망간합금 및 Cr-Ni합금 구조용강은 템퍼링 후에 매우 서냉할 경우 템퍼취성이 생길 수 있다. 템퍼링에서는 다른 금속학적인 과정이기는 하지만 게다가 변태변화가 일어나지가 않는데 이것은 팽창곡선에서 설명된다(그림 5.158).

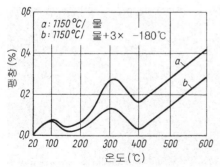

그림 5.158 1.30%C를 함유한 강을 1150℃로부터 수냉한 템퍼 팽창곡선. 가열속도 2Kmin⁻¹.

그림 5.159 1.30%C를 함유한 강, 1150℃/수냉, 조대한 마르텐사이트 결정(밝은 부분, 정방정)과 잔류 오스테나이트(어두운 부분).

이 시험에 응용된 1.3%C를 함유한 강은 1150℃로 과열하여 수냉 퀜칭하고 이어서 가열속도 2Kmm⁻¹로 템퍼링되었다. 퀜칭조직(그림 5.159)은 조대한 침상 마르텐사이트와 약 50%의 잔류 오스테나이트양으로 이루어져있다. 재가열에서 이러한 조직을 가진 강은 약 80℃까지 비교적 균일하게 연신되며 80~150℃ 사이에는 시편이 현저하게 줄어든다. 이렇게 하여 마르텐사이트 격자 내에 갇힌 탄소원자는 큰 이동성을 가지고 중간격자 위치로 확산되는 원인이 된다. 격자의 정

방정 변형은 증가되는 온도가 시간과 더불어 일정하게 감소되며, 약 100℃에서 이미 ε 탄화물의 미세한 결정 석출이 일어나는 것은 금속조직적으로 변화된 부식특성을 나타낸다(그림 5.160). 강은 약 150℃부터 290℃까지 온도증가와 더불어 연신된다.

정상적인 열팽창은 증가된 잔류 연신된 오스테나이트 분해를 통하여 팽창이 강화되어 탄화물 석출이 동반되며 이 변태 (γ → α)는 체적팽창을 일으켜 팽창계 시편의 추가적인 연장이 나타난다. 그림 5.161은 200℃에서 1시간 템퍼링한 후의 조직을 나타낸 것으로 부식된 사진에서 수많은 미세한 탄화 석출물에 의하여 마르텐사이트가 어둡게, 또한 존재하는 잔류 오스테나이트는 밝게 각각 나타나 있다.

200℃의 템퍼링 온도에서는 잔류오스테나이트의 완전한 변태는 너무 낮고 300℃에서 잔류 오스테나이트는 마침내 완전히 사라졌으며(그림 5.162), 조직은 비교적 탄화물이 부화된 마르텐사이트 결정으로 어둡게 부식되어 있다. 290~400℃ 사이에는 다시 수축이 일어나는데 마르텐사이트 결정 내에 과포화 탄소가 분해되어 탄화물 생성과 탄화물 석출의 원인이 되며, 이것으로 격자상수의 계속적인 감소가 일어난다.

약 400℃ 이상의 템퍼링 조직은 미세한 탄화물 입자가 축적된 페라이트로 이루어져 있다.

계속된 온도상승으로 탄화 석출물이 조대하게 되어 현미경으로 관찰 할 수가

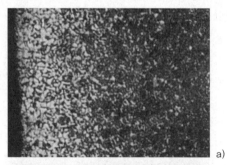

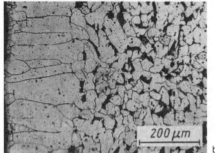

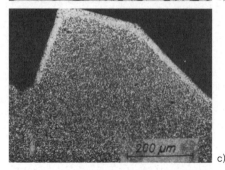

그림 5.160 1.30%C를 함유한 강, 1150℃/수냉, 100℃에서 1시간, 마르텐사이트 결정(어두운 부분, 입방) 및 잔류 오스테나이트(밝은 부분).

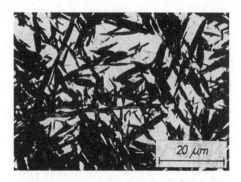

그림 5.161 1.30%C를 함유한 강, 1150℃/수냉, 200℃에서 1시간, 마르텐사이트 결정(어두운 부분, 입방)과 잔류 오스테나이트(밝은 부분).

그림 5.162 1.30%C를 함유한 강, 1150℃/수냉, 300℃에서 1시간, 마르텐사이트결정(어두운 부분, 입방).

있다. 그러나 이러한 응집과정은 팽창곡선에 더 이상 작용하지 않는다.

마르텐사이트로부터 생성된 페라이트의 침상구조는 또한 높은 템퍼링 온도에서 남아있는데 마르텐사이트구조에 방향을 가진 탄화 석출물을 함유하기 때문이며 우선 Ac_1 이상 온도에서 가열하면 없어

진다. 그림 5.163은 400℃에서 템퍼링 한 강의 조직을 나타낸 것으로 침상 페라이트를 분명하게 식별할 수 있다. 700℃에서 템퍼링한 후(즉 Ac_1직하)에는 탄화물 응집이 이미 계속 진행된다.

그러나 각종 침상 유사 마르텐사이트 결정은 아직도 존재한다(그림 5.164). 조직변화와 동시에 경도와 같은 성질변화도 나타내며(표 5.10). 여기서 고탄소를 함유한 강의 팽창곡선을 근거로 템퍼링

그림 5.163 1.30%C를 함유한 강, 1150℃/수냉, 400℃에서 1시간, 마르텐사이트 내에 석출된 시멘타이트.

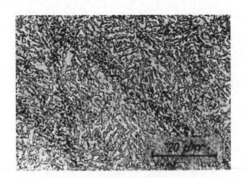

그림 5.164 1.30%C를 함유한 강, 1150℃/수냉, 700℃에서 1시간, 페라이트 및 구상 시멘타이트.

과정을 증명하는데 실제적인 방법이 비교적 우수하다.

이에 비하여 저탄소 함유강에서는 팽창곡선에 템퍼링 효과가 그렇게 현저하게 나타나지 않는데 마르텐사이트의 정방성, 잔류 오스테나이트의 양과 석출된 탄화물의 양은 탄소함량이 낮아짐에 따

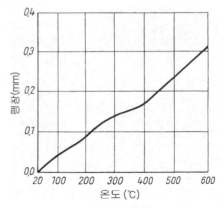

그림 5.165 0.45%C를 함유한 900℃로부터 수냉한 템퍼링 팽창곡선 ; 가열속도 $2Kmin^{-1}$.

라 감소되기 때문이다.

그림 5.165는 0.45%C를 함유한 템퍼링강을 $Kmin^{-1}$의 가열속도인 900℃로부터 수냉한 팽창곡선을 비교한 것인데 템퍼링 진행과정에서는 광학현미경조직사진으로 식별하기가 어렵다.

0.45%C를 함유한 강 팽창곡선에서 900℃로부터 퀜칭한 후 템퍼링 하지 않은 상태의 조직을 그림 5.166에 나타낸다.

그림 5.167~5.171은 300~700℃까지 템퍼링한 상태를 나타낸 것으로 부식된 조직사진에 연속적으로 처음에는 어둡고 나중에는 밝게 나타나있는데 침상조직은 최대한 템퍼링온도까지 남아 있다.

템퍼링에서 경도뿐만 아니라 예를 들면 0.45%C와 0.80%Mn을 함유한 강을 850℃로부터 퀜칭한 것과 같이 강도성

표 5.10 1.3%C를 함유한 강의 템퍼링온도(℃)에 따른 경도(HRC)의 영향

$T_{템퍼링}$[℃]	20	100	200	300	400	500	600	700
HRC	63	63	59	55	48	41	34	25

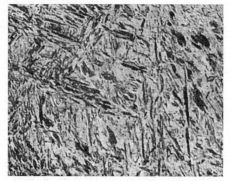

그림 5.166 0.45%C를 함유한 강, 900℃/수 냉, 정방정 마르텐사이트.

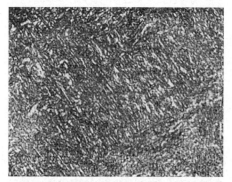

그림 5.167 0.45%C를 함유한 강, 900℃/수냉, 300℃에서 1시간, 템퍼링된 마르텐사이트.

질도 변하는 것을 나타낼 수 있다(표 5.11).

템퍼링에서 도달한 강도 값을 비교해 보면 압연된 상태보다 더 높은데(표 5.12 에서 C60강 데이터 참조), 퀜칭하기 전 오스테나이트 입자크기가 더 미세하고 어닐링이 조직성분의 균일한 분포에 기여하기 때문이다.

템퍼링에서 열처리품은 중심부 영역 까지 완전 경화가 될 수 없다는 것은 흔 히 있는 일인데 비합금강은 그와 같은 거동이 특히 현저함을 나타낸다.

그러므로 가끔 "**표피(shell)퀜칭**"이라 고 나타내며, 매크로 파단조직으로 그 차이를 분명하게 식별할 수 있다(그림 5.172).

마르텐사이트형 가장자리는 마르텐사 이트-펄라이트 중심으로부터 가파른 경 계를 이루고 있으며, 템퍼링 온도가 상 승됨에 따라 파단면은 전체 단면이 인성 변형 파괴방향으로 변태하고 파단면 양 상의 원래 차이는 점점 고르게 되며, 이

표 5.11 0.45%C를 함유한 강의 성질에 미치는 템퍼링 온도의 영향

템퍼링온도[℃]	300	400	500	600	700
브리넬경도[HB]	320	400	250	220	200
인장강도[Nmm^{-2}]	1050	1000	900	800	700
항복강도[Nmm^{-2}]	750	700	620	520	430
연신률[%]	10	15	20	25	30
수축률[%]	30	40	50	55	60

표 5.12 0.60%C를 함유한 강에서 같은 인장강도에서 압연 및 템퍼링한 상태의 기계적 특성 값

처리상태	인장강도(R$_m$)[Nmm^{-2}]	항복강도(R$_e$)[Nmm^{-2}]	연신률(A)[%]	단면 수축률(Z)[%]
압연한 것	850	520	5	10
템퍼링한 것	850	620	15	40

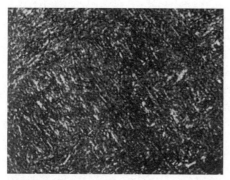

그림 5.168 0.45%C를 함유한 강, 900℃/수냉, 400℃에서 1시간, 템퍼링된 마르텐사이트.

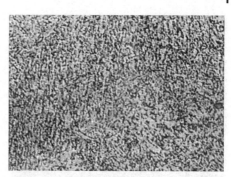

그림 5.171 0.45%C를 함유한 강, 900℃/수냉, 700℃에서 1시간, 템퍼링된 마르텐사이트.

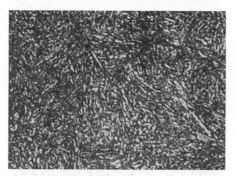

그림 5.169 0.45%C를 함유한 강, 900℃/수냉, 500℃에서 1시간, 템퍼링된 마르텐사이트.

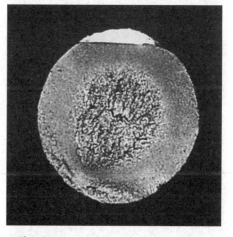

그림 5.172 0.90%C를 함유한 강의 파단모양, 750℃/수냉, 200℃에서 1시간.

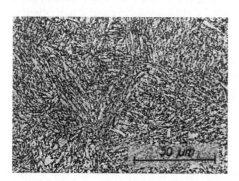

그림 5.170 0.45%C를 함유한 강, 900℃/수냉, 600℃에서 1시간, 템퍼링된 마르텐사이트.

렇게 하여 가장자리와 중심부 강도는 근접되어 가장자리에서 템퍼링에 의한 강도 손실은 중심부보다 더 크다. 그럼에

도 불구하고 일정한 최소 중심부 강도가 요구되며, 이때에는 자주 타협의 해결책으로 중심부에 최소한의 페라이트가 없는 변태를 고려해야 한다.

때때로 템퍼취성을 현미경조직적으로 증명할 수 있을까라는 질문을 하게 되는데 이것이 옳다면, 입계에 부화된 많아진 외부원자 또는 그 입계가 손상된 작용이 템퍼취성의 원인이 되며, 부화가 동시에 변화된 화학적 부식 훼손으로 나

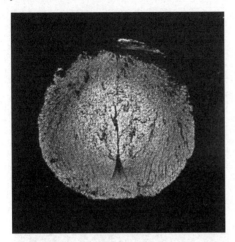

그림 5.173 0.90%C를 함유한 강의 파단모양, 750℃/수냉, 300℃에서 1시간.

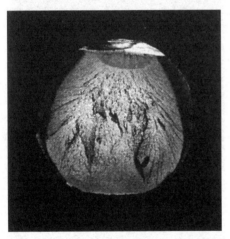

그림 5.174 0.90%C를 함유한 강의 파단모양, 750℃/수냉, 400℃에서 1시간.

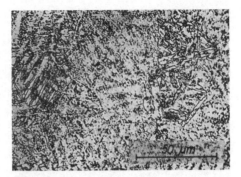

그림 5.175 0.27%C, 1.15%Mn 및 0.75%Cr 등을 함유한 강, 860℃/유냉/650℃에서 1시간/유냉 ; 템퍼인성, 1% 희석 HNO_3로 부식.

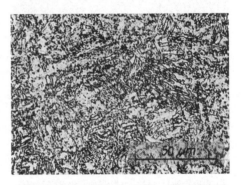

그림 5.176 0.27%C, 1.15%Mn 및 0.75%Cr 등을 함유한 강, 860℃/유냉/650℃에서 1시간/노냉 ; 템퍼취성, 1% 희석 HNO_3로 부식.

타난다면 그와 같은 증명은 가능하다.

현미경 조직에서 부식제로 자주 응용되는 알콜성 질산은 그와 같은 변화에 작용하지 않으며, 증거로 해당되는 조직사진을 제공해야 한다. 다음 두 그림은 같은 Mn-Cr합금강의 두 가지 다른 템퍼링 상태를 나타낸 것인데 그림 5.175는

860℃로부터 기름에 퀜칭한 후 650℃에서 1시간 템퍼링하고 이어서 유냉한 템퍼인성 상태조직을 다시 나타낸 것이며, 그림 5.176은 템퍼취성 상태의 조직을 나타낸 것이다. 템퍼취성 상태는 그 밖에 같은 예비처리에서 템퍼링 온도로부터 노냉으로 서냉하여 생긴 것이다. 템퍼링 상태의 노치 충격인성은 $KC = 210 \mathrm{Jcm}^{-2}$, 템퍼취성의 **노치 충격인성**은 $KC = 70 \mathrm{Jcm}^{-2}$를 각각 나타내며, 같이 부식한 조직에서 차이는 식별 할 수가 없고 다른 부식

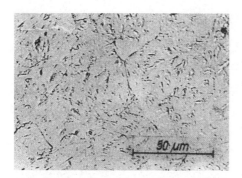

그림 5.177 0.27%C, 1.15%Mn 및 0.75%Cr 등을 함유한 강, 860℃/유냉/650℃에서 1시간/유냉 ; 템퍼인성, 크셀렌 피크린산으로 부식.

그림 5.179 0.27%C, 1.15%Mn 및 0.75%Cr 등을 함유한 강, 860℃/유냉/650℃에서 1시간/노냉/650℃에서 1시간/유냉 ; 크실렌-피크린산으로 부식.

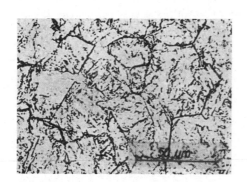

그림 5.178 0.27%C, 1.15%Mn 및 0.75%Cr 등을 함유한 강, 860℃/유냉/650℃에서 1시간/노냉 ; 템퍼취성, 크셀렌-피크린산으로 부식.

제인 과망간산칼륨-수산화칼륨 용액을 암시야 조명과 조합하며, Zepirol 10% 에타놀을 함유한 크실렌-피크린산용액 등은 템퍼취성의 증명을 위하여 이미 성공적으로 응용되고 있다.

크셀렌-피크린산용액은 500cm³ 크실렌에 50g고상 피크린산을 용해한 것으로 부식하기 전에 50cm³ 에타놀을 첨가하게 되며 10~60분까지 부식시간에 따라 제공하고 1~3분간 마무리 연마하면 각기 다른

부식사진을 얻게된다(그림 5.177 및 5.178).

템퍼취성 상태의 조직은 어두운 망상 다각형이 현저하며 이와는 달리 템퍼인성에서는 입자면 또는 입자 경계가 뚜렷하지 않다. 그림 5.175 및 5.176에 근거한 것과 같이 같은 강과 상태의 사진에서 나타난다.

템퍼취성은 이어지는 같은 온도에서 두 번째 템퍼링으로도 유냉한다면 없어지지 않으며(그림 5.179), 부식된 사진에서 어두운 망상입계는 템퍼취성을 나타내는 것이다.

이 열처리 후의 노치 충격인성은 $K_V = 80 \mathrm{J cm}^{-2}$(같은 강의 템퍼인성 ; $K_V = 210 \mathrm{J cm}^{-2}$와 비교)를 나타내며, 템퍼취성의 경향을 나타내는 강은 일반적으로 매우 오랜 템퍼링 시간을 유지한다면 템퍼링 온도로부터 서냉하여도 취성을 잃게 된다.

이러한 매우 오랜 템퍼링 시간으로 취성의 원인이 되는 외부원자의 부화가 석출물의 생성 또는 응집 형태로 되어 취

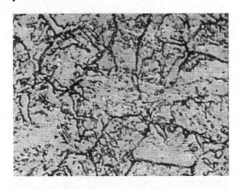

그림 5.180 0.27%C, 1.15%Mn 및 0.75%Cr 860℃/유냉/650℃에서 40시간/노냉 ; 템퍼인성. 크실렌-피크린산으로 부식.

성이 없거나 또는 낮은 원인이 된다(즉, 심각하지 않다). 그림 5.180은 이미 제시한 Mn-Cr강의 조직사진을 근거로 860℃로부터 퀜칭하고 650℃에서 40시간 템퍼링한 후 노냉한 것을 크실렌-피크린산으로 부식한 템퍼링조직 사진을 나타낸 것인데 어두운 망상입계가 템퍼취성의 징후를 나타냄에도 불구하고 이 처리 후 노치 충격인성은 $K_v = 180Jcm^{-2}$에 달한다.

강은 또한 입계의 일정한 부식성이 있지만 전적으로 템퍼인성을 나타내기도 한다. 그런 이유로부터 사용된 부식제가 템퍼취성에는 특별하게 확인 부식제가 없음을 추론하게 된다.

선행된 퀜칭으로 그 어떤 페라이트 및 펄라이트생성이 실제적으로 방지된다면 어두운 망상입계가 원래는 오스테나이트 입계 또는 입면의 장소였다는 것으로 드러난다. 원래의 오스테나이트 입계는 자주 화학적으로 나쁜 부식성을 나타내며, 알려진 조치로 템퍼취성 상태의

원래 오스테나이트 입계를 가시화 하는 데 화학적 부식으로 개선할 수 있다.

퀜칭 경화에 비하여 베이나이트화의 중요한 장점은 마르텐사이트 생성에서 주어지는 것과 같은 매우 큰 지연위험과 균열위험이 여기서는 위험이 되지 않는다.

물론 실제적인 베이나이트화에는 항상 주어지는 것은 아니지만 몇 가지의 전제조건이 있으므로 그 적용은 제한된다. 그 적용성에는 처리할 강의 변태거동과 다른 경우에는 구조물의 단면 등이 관련된다. 베이나이트화는 오스테나이트화뿐만 아니라 중간단계 영역 내에 항온 변태온도로 가속된 중간냉각으로 이루어져 있으며, 이온도에서 베이나이트 생성과 이어지는 냉각을 목적으로 유지한다. 전체적인 cycle은 불균형 온도와 항온부분으로 이루어져 있다는 의미이다. 불균형 온도 부분은 연속냉각에 대한 시간-온도-변태곡선과 항온변태에 대해서는 항온부분의 시간-온도-변태곡선에서 변태과정의 표현을 위하여 각각의 유용한 수단을 강구한다.

열처리품은 오스테나이트의 변태 전에 가장자리뿐만 아니라 또한 가능한 한 중심영역에도 이미 항온변태 온도(중간냉각제의 온도)로 중간냉각되어야 한다. 유지온도는 목적하는 경도 및 강도에 따라 설정한다. 요구되는 유지시간이 길면 베이나이트화는 비 경제적일 수 있으며, 베이나이트화는 또한 퀜칭경화에 대체되는 것이 아니라 예를 들면 스프링과 구상흑연을 가진 얇은 살두께의 주철로 된

표 5.13 0.75%C를 함유한 강을 어닐링하고 베이나이트화 처리한 상태에서 강도값(동일한 경도에서)

처리상태	[HRC]	인장강도(R_m)[Nmm^{-2}]	항복점(R_e)[Nmm^{-2}]	연신률(A)[%]	단면수축률Z[%]
어닐링	50	1720	850	0.5	1
베이나이트화	50	1950	1050	2	35

부품과 같은 그렇게 크지 않은 단면에서는 장점이 된다.

목적으로 하는 강도/인성은 약간 템퍼링된 마르텐사이트에 거의 접근한다. 템퍼링의 생략은 퀜칭균열 위험을 줄이는 외에도 베이나이트화의 중요한 장점이다.

때때로 베이나이트화는 어닐링보다 인성과 강도의 비가 유효하다(표 5.13).

베이나이트화 상태의 표에 나타낸 값은 0.75%C를 함유한 강의 직경 5mm봉상시편을 800℃의 금속욕(bath)으로부터 300℃로 급속중간 냉각한 것으로 300℃에서 15분 후에 변태가 완료 되었다.

비교목적으로 동일한 경도로 실시한 어닐링으로 800℃로부터 30℃의 기름에 퀜칭하고 이어서 320℃에서 30분간 템퍼링하였다.

5.4.3.2 노멀라이징된 변형

강 제품 제조에서 열간변형을 많이 이용하며, 여기서는 결정적으로 금속적인 공정 온도와 변형을 고려하여 시간적 경과를 제어함으로써 요구되는 재료성질에 도달하게 된다. 이런 종류의 처리는 "제어된 압연(controlled rolling)"의 표현으로 국제적인 문헌에 인용된다.

흥미 있는 정확한 언어 규정으로 VDE (독일철강인협회)연맹에 강제조업체가 노멀라이징 된 변형 및 열적-기계적 변형의 개념으로 규정하였으며, 세부적으로는 차이가 존재 하지만 "**제어된 압연**" 개념에 두 가지가 포함되는데 쉽게 이해를 돕기 위해서는 조직생성의 문제를 더 다루어야 한다.

노멀라이징 된 변형은 기본적인 공정으로써 일정한 온도영역에서 최종변형을 포함하고 노멀라이징(5.4.2.1절 참조)한 후에는 동일한 값이 되는 사용할 준비가 된 재료상태를 설정하며 실제로는 노멀라이징이 필요 없다. 여기에는 전통적인 열간변형 방법에 대하여 중요한 차이가 존재하며, 이것은 경제적 변형으로 매우 중요하다.

실제적인 노멀라이징과 유사한 경우에 노멀라이징된 변형은 균일한 미세립자 조직을 목적으로 조절하고 이것은 최종변형 후에 재결정과 조절된 입자크기는 변형도, 온도 및 시간 또한 조직상태(단일상 또는 다상)등에 의하여 좌우된다.

단일상의 오스테나이트 조직에는 재결정이 열간변형(**동적 재결정화**)뿐만 아니라 열간변형 및 변형정지(**정적 재결정화**)에서도 나타난다.

재결정화의 결과로 생성된 입자크기는 변형도가 높고 온도가 낮을수록 더 미세해진다.

탄화물, 질화물, 탄질화물 등과 같은 석출된 상은 입자 미세화에 추가적으로 기여를 할 수 있으며, 구조용강의 최적 최종 압연온도는 약 850~900℃에 달한다.

이것은 용접성 구조용강에 통상적인 노멀라이징 온도의 영역에 있는데 최종압연온도로부터 냉각에서 변태영역 내 냉각이 충분히 빠르게 이루어진다면 미세립자 오스테나이트가 미세분산 페라이트-펄라이트 조직으로 변태한다. 용접과 열방향 등에 의한 계속 작업에서 이어지는 열작용으로 이러한 조직을 변화시키나 반복된 노멀라이징으로 다시 회복될 수 있게 된다. 노멀라이징에 의한 변형으로 나타난 재료상태를 규격에서 N으로 표시된다.

5.4.3.3 열적-기계적 변형

열적-기계적 변형은 일정한 재료상태를 나타내는 제어된 최종변형이 포함되어있는데 이것은 열처리에 의하여 단독으로 생성될 수 없고 반복가능하지도 않다. 여기에는 노멀라이징한 변형에 대하여 근본적인 차이가 있으며 목적하는 조직상태내에도 추가적인 차이가 존재한다. 오스테나이트 재결정을 가능한 한 억제함으로써 재결정화 되지 않은 오스테나이트가 ($\gamma \rightarrow \alpha$) 변태 전에 초기 상태를 생성한다.

열적-기계적 변형의 주목적은 동시에 우수한 인성과 양호한 용접성에서 높은 항복값을 보장하는 것이며, 모든 요구조건에 부응하기 위하여 한편으로는 탄소 함량을 약 0.16%로 상한으로 해야 하고 다른 편에서는 Nb, Ti, V 등을 미소합금하며 경우에 따라서는 강화 가능성 대안으로써 다른 원소인 최소 0.015% 알루미늄을 함유한 화합물 응용한다.

Nb, Ti 및 V 원소들은 단독, 둘 또는 셋을 조합하여 응용하며 Nb, Ti 및 V의 전체 함량은 0.20%를 초과해서는 아니 된다.

조합과 함량은 기대하는 탄소 및 질소화합물에 따라 목표로 하며 그들의 특수한 작용에 따라 선택하게 되고 이들 **미소합금 원소**의 작용은 매우 복잡하고 효과적이다.

오스테나이트 내에 용해된 형태로 확산 방해 작용을 하고 A_{c3} 온도를 낮게 이동시키며 동적 및 정적 오스테나이트 재결정을 지연시킨다.

석출된 형태로는 이것은 오스테나이트 입자 성장을 방해하고 오스테나이트 재결정화에 영향을 미치며 페라이트 석출 경화에 작용할 수 있다.

열적-기계적 변형 기술은 3단계 또는 예열을 포함시키면 4단계로 분류하는데 이들의 각 단계는 어떤 경우에는 나중의 조직생성에 관여하게 된다. 예열에서 주의해야 할 것은 피할 수 없을 정도로 초과하는 오스테나이트 입자 조대화를 예방하는 것이다. 약 1200℃에서 강의 충분히 낮은 형상변화 강도를 고려한 예비 압연 단계에서 압연품은 심하게 재결정학되어 변형됨으로써 오스테나이트 입자 조대화가 증가되지 않는다. 중간압연 단계에는 온도 의존성이며 용해성 산물이 미소합금 원소의 화합물로 석출되는데 이것은 재결정과 입자성장에 영향을 미친다. 최종압연 단계는 A_{r3} 또는 A_{r3}와 A_{r1} 사이 온도에 있으며 재결정이 거의 완전하게 저지된다.

최종 압연온도와 $(\gamma \rightarrow \alpha)$ 변태가 개시되는 온도는 미소합금, 고강도, 용접성인 구조용강의 0.2% 연신한계 $R_{p0.2}$에 주로 영향이 미치는 것으로 입증되었다.

강의 강화는 최종압연온도 감소와 더불어 증가되고 물론 최종 압연온도가 감소됨에 따라 또한 강의 형상변화 강도는 증가되므로 낮은 온도에서 소성변형은 높은 압연력이 요구된다.

변태가 시작되는 온도는 강의 화학조성 외에도 또한 냉각속도에 좌우되며, 변태는 약 650~700℃ 이상에서 주로 일어나고 오스테나이트는 다면체 페라이트-펄라이트 조직으로 변태하는데 이 영역 이하에서는 주로 미세한 침상 페라이트 및 베이나이트형 페라이트이며, 바나듐 미소합금강에서는 특히 매우 미세 분산 석출물에 의하여 추가적으로 경화될 수 있다. 열적-기계적으로 변형된 재료상태는 TM표시로 규격에 나타내는데 이러한 공급 상태는 최종 압연온도로부터 냉각속도를 높이고 템퍼링 또는 스스로 템퍼링되는 등을 고려하여 제조방법에 포함시킬 수 있다. 일반적인 하중온도에서 재료상태는 안정을 목적으로 하며 그러나 추가적으로 580℃ 이상의 온도로 가열하면 특히 강도가 손실되는 성질 변화가 현저하게 일어날 수 있는데 그러나 낮은 합금함량을 가진 강은 재료의 두께에 따라 큰 경도 차이를 나타낸다.

성질의 이러한 불균일성은 수냉에서 온도구배의 결과이며 공랭에서는 통상적으로 고려해보면 실제적 역할을 하지 못한다.

5.5
기술적 철합금

기술적 철합금 및 강은 특히 성질의 큰 가변성을 가진 재료이며, 대부분의 합금 및 동반원소는 대체로 α 철, γ 철뿐만 아니라 δ 철에도 광범위하게 용해되므로 열처리에 따라 조직생성에 다양한 영향을 미치게 된다. 기술적으로 중요한 철합금에는 순수한 철-탄소합금에서처럼 주로 동일한 조직이 나타나고 그럼에도 불구하고 세부적으로는 형상의 특수성으로 그 특성을 나타낸다.

몇 가지 합금원소는 고용체와 시멘타이트의 고용차이가 있으며, C, N, O, S 등과 같은 일정한 합금원소를 가지고 다른 원소와 화합물을 생성할 수가 있다.

그 밖에도 합금원소를 통하여 탄소와 질소에 대한 철의 용해성이 다르게 변화되며, 이렇게 하여 평형선과 평형온도가 변한다. 합금은 순수한 철-탄소합금에서 알려지지 않은 예를 들면 금속간 화합물(예, FeCr)과 같은 상을 생성할 수 있게 된다.

Si, Cr, W, Mo, Ti, V, Al 및 P 등과

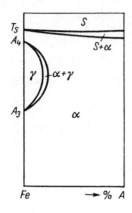

그림 5.181 γ 영역이 축소된 상태도(도식적) : A = Si, Cr, W, Mo, Ti, V, Al, P.

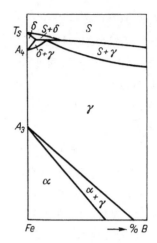

그림 5.182 γ 영역을 확대시키는 상태도(도식적) ; B = C, N, Mn, Ni.

같은 원소는 순철의 A_3온도를 위로, A_4 온도를 아래로 이동시킨다(그림. 5.181)

과정은 오스테나이트의 존재영역이 축소되어 있으며, 일정한 합금함량에서는 A_3 – 및 A_4 –온도가 함께 떨어지고 γ 영역이 수축된다. 해당되는 합금 함량을 가진 합금은 이 경계 상부에서는 페라이트로 응고되며 고체상태의 그 이하에서는 변태가 일어나지 않는다.

탄소는 순철의 A_3 및 A_4에 역작용을 한다는 것을 주목해야 한다(그림 5.4).

합금의 탄소함량에 따라 합금원소 작용의 약화로 변태온도가 완전하게 보상될 수가 있다. 그래서 예를 들면 2원 Fe –Cr 합금은 약 15%Cr부터 페라이트, 0.25%부터 또는 0.40%C 함량에서는 변태가 없는 크롬 한계농도를 24~29%로 이동시킨다.

그와 같은 **페라이트형 강**에는 ($\alpha \rightarrow \gamma$) 변태가 없으므로 제조를 목적으로 하는 재료고유 처리(**노멀라이징**), BG **어닐링**

(5.5.7절 참조), GKZ **어닐링**(5.4.2.2절 참조) 및 (5.4.3 절)인 **템퍼링, 베이나이트화, 표준화**하고 기본적인 **열적–기계적 성형** 등과 같은 조직에 영향을 미치는 열처리를 적용하지 않을 수가 있다. 소성변형한 후 재결정하는 입자변태를 생각해보면, 기술적으로 매번 가능한 것은 아니다.

Mn, Ni, Co, N 등과 탄소와 같이 유사한 다른 이동성 원소들은 순철의 A_3 온도를 아래로, A_4 온도를 위로 이동시킨다(그림 5.182).

이렇게 하여 **오스테나이트**의 존재영역이 확대되며, α 및 δ 철은 축소된다. A_3 온도의 이동은 첨가원소의 함량과 종류에 따라 계속될 수 있으며, 고상온도로부터 실온 및 그 이하까지도 오스테나이트 조직이 존재한다.

이와 같은 특성을 나타내는 합금강을 오스테나이트강이라고 하고 페라이트형 무변태 강에서처럼 열처리를 통하여 조직에 영향을 미치는 인자를 동일하게 제한하게 된다.

1군(group)과 2군의 원소를 동시에 함유한 강에는 하나 또는 다른 성질이 우수하며, 그러나 각종원소의 작용이 단순하게 첨가로써 나타나는 것이 아니라 각각의 성분이 상반된 작용을 하게 되며, 예를 들면 0.1%C와 8%Ni을 함유한 페라이트-펄라이트강이 그러하다.

그러나 18%Cr강의 경우에는 오스테나이트강에서는 크롬 단독으로 페라이트 안정화 작용을 한다. 강에 특히 중요한 것은 탄화물과 질화물인데 철보다도 탄화물 생성 경향이 큰 탄화물 생성원소에는 Cr, W, Mo, V, Ti, Nb 등이 있으며, Mn의 탄화물 생성경향은 비교적 약하다.

조직에는 이들 원소들이 또한 어닐링 후에도 균일하게 분포되지 않는다.

탄화물 생성원소는 탄화물상으로 현저하게 나타나며, Si, Ni, Co, Cu, Al 및 일부 Mn은 금속기지에 현저하게 집중된다. 탄소함량에 따라 기지와 탄화물상 사이에 합금원소의 분포가 변한다. 탄화물이 적은 조직에는 높은 탄화물 양을 가진 조직에서보다 기지에는 합금원소가 많다. 또한 열처리에 의하여 기지와 탄화물상 사이의 합금원소 분포에 영향을 미친다.

일반적으로, 온도상승과 더불어 탄소에 대한 기지의 용해도는 증가되며 탄화물은 증가하여 용해된다. 높은 온도로부터 실온으로 냉각속도를 증가시키면 합금원소가 기지에 많이 함유된다. 이어서 석출 어닐링으로 탄화물 석출이 일어나며 기지에는 다시 합금원소가 적어진다. 각각의 탄화물 상의 현미경적으로 규명은 간단하지 않고 선택적인 화학부식제를 이용하여 그림 5.183에 나타낸 조직과 같이 W, Cr 및 V을 많이 함유한 강을 규명할 수 있으며, 알카리성 철청화 (ferricynade)용액 부식에 의하여 텅스텐 탄화물과 크롬 탄화물만 어둡게 부식되고 철 탄화물과 바나듐 탄화물은 부식되지 않는다.

합금원소는 오스테나이트 내의 탄소용해도를 감소시킴으로써 공석농도를 낮은 탄소함량으로 이동시킨다(표 5.14).

표에는 2~15% 합금원소에 대한 공석조성 값을 포함하고 있는데 예를 들면 10%Cr과 0.40%C를 함유한 강의 공석조성을 나타낸다.

0.4%C와 13%C를 함유한 강은 이미

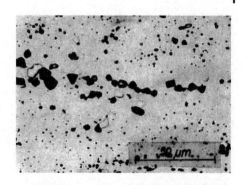

그림 5.183 Cr, W 및 V를 함유한 강 : 텅스텐 탄화물과 크롬 탄화물(어두운 부분), 철 탄화물과 바나듐 탄화물(밝은 부분), 알카리성 철청화 용액으로 부식.

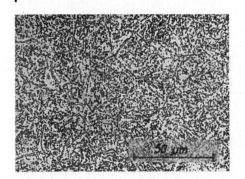

그림 5.184 0.40%C 및 13%Cr을 함유한 강, 연화어닐링 ; 많은 양의 Cr 탄화물.

그림 5.185 2% C와 12%Cr을 함유한 강, 주조한 것 망상 레데뷸라이트.

과공석이며 그 조직에는 퍼라이트 외에도 2차 탄화물이 포함되어 있다(그림 5.184).

탄소에 대한 오스테나이트의 최대 용해도는 순수한 Fe-C 재료 합금에서는 2.06%C를 함유하며, 합금원소에 의하여 감소된다.

Cr의 현저한 작용은 1%C와 15%Cr을 함유한 강에서 조직에 이미 레데뷸라이트를 함유하고 그러나 이 경우 레데뷸라이트는 3원 공정으로 결정화에서 3종류의 조성인 $\gamma + (Fe, Cr)_3 C + (Cr, Fe)_7 C_3$가 생성된다. γ 고용체는 서냉에서 페라이트 + 탄화물로 변태한다. 공정조직 조성을 함유한 강을 레데뷸라이트형 강이라 하며 높은 탄화물 함유로 인하여 내마모성이 우수하다. 그림 5.185는 2%C와 12%Cr을 함유한 레데뷸라이트형 크롬강을 주조

후 가속냉각한 조직을 나타낸 것이다.

초정 오스테나이트 고용체는 망상의 3원 레데뷸라이트 공정으로 둘러싸여 있다.

그림 5.186은 같은 강의 조직으로 단조 후 연화어닐링 하였는데 조대한 탄화물은 레데뷸라이트로부터 생성되었으며 이에 비하여 미세한 탄화물은 근본적으로 γ 고용체의 변태로 기인한 것이다.

합금원소의 또 다른 영향은 α 및 γ 철 내로의 탄소확산 작용이며, 대부분의 원소는 탄소확산을 어렵게 한다. 그러므로 탄소확산과 관련된 모든 상 변태는 비 합금강에서 보다 합금강에서 더 느리므로 합금강에서 탄소원자의 변태과정 경로가 없거나 또는 매우 짧은 확산경로가 필요하다.

표 5.14 공석 탄소를 함유한 합금강(%)

합금원소[%]	2	4	6	10	15
Ni	0.75	0.68	0.60	0.45	0.20
Mn	0.65	0.53	0.45	0.32	0.25
Cr	0.60	0.53	0.47	0.40	0.35
Si	0.55	0.45	0.37	0.30	–
W	0.34	0.20	0.20	0.27	–
Mo	0.23	0.17	0.21	–	–

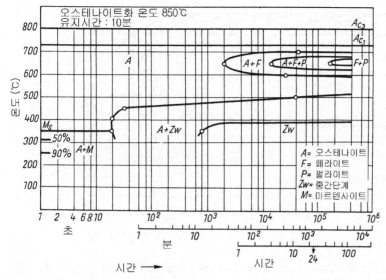

그림 5.187 0.30%C, 2.50%Ni, 1.00%Cr 및 0.40%Mo 등을 함유한 강의 항온시간-온도-변태곡선.

비교적 서냉에서 오스테나이트 변태가 비합금강에서처럼 우선하여 펄라이트 단계로 일어나지 않고 베이나이트 또는 심지어 마르텐사이트 단계로 계속하여 진행될 수 있다. 합금원소는 오스테나이트의 안정성을 상승시키고 우선 심한 과냉이 이러한 변태를 일으킬 수 있다. 합금강에서 여러 번의 변태거동 특성이 존재하는데 항온변태에서 페라이트/펄라이트 영역이 완전히 중간단계 영역으로부터 분리될 수 있다(그림 5.187).

나타낸 그림에서는 예로써 다음과 같은 data가 유효하다. :

0.3%C, 2.5%Ni, 1%Cr, 0.4%Mo ; T_A = 850℃, A_{C1} = 730℃, M_S = 350℃, 310℃에서 50% 마르텐사이트, 260℃에서 90% 마르텐사이트. 700℃~590℃사이 영역에서는 A→F+P 변태영역과 510℃~350℃

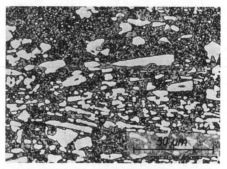

그림 5.186 2%C와 12%Cr을 함유한 강, 단조한 것 : 미세하고 조대한 탄화물.

사이에서는 A→중간단계 변태영역이 각각 존재하며, 590℃~510℃사이에서는 오스테나이트가 이 온도영역에서 존재하므로 변태가 일어나지 않는다.

이러한 현상은 과냉이 페라이트/펄라이트 생성에는 너무 강력하나 중간단계 생성에는 충분하지 못함을 설명될 수 있다. 펄라이트 단계에서 변태는 오랜 유

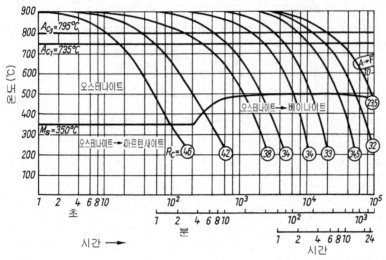

그림 5.188 0.30%C, 2.50%Ni, 1.00%Cr 및 0.40%Mo 등을 함유한 강을 연속냉각한 시간-온도-변태곡선.

지시간이 필요하며, 펄라이트 단계에서 완전한 변태는 약 670℃~630℃사이에서만 일어나고 중간단계에서 완전한 변태는 약 390℃~350℃사이에서만 일어난다.

또한 같은 강의 연속냉각에서는 심하게 지연된 페라이트/펄라이트 생성이 일어난다(그림 5.188).

가장 느린 냉각에서는 10% 페라이트가 생성되고 잔류 오스테나이트는 베이나이트로 변태한다. 공랭한 단면은 마르텐사이트 단계로 변태는 작고, 베이나이트 단계로 변태는 크다. 예를 들면 큰 단조품과 같은 큰 단면을 가진 구조물에는 열처리를 통하여 높은 강도를 얻어야 하므로 중요하다. 펄라이트 생성을 심하게 지연시키면 큰 단면을 경화시킬 수 있는데 여기서 또한 중심부에 베이나이트 생성을 목적으로 함으로 가장자리와 중심부 간의 성질차이가 너무 크지 않다.

지연된 펄라이트 생성은 상부 임계냉각속도와 관련된다(5.3.2.3절 참조). 표 5.15에는 Mn, Cr 및 Ni 등이 상부 임계냉각속도에 미치는 영향을 나타낸 것으로 합금원소가 상부 임계냉각속도를 강하시킴을 알 수 있는데, 그러나 오스테나이트화에서 이들 원소가 용해된다는 가정 하에 유효하다. 탄화물 또는 다른 불용성 화합물로 존재하는 원소는 임계냉각속도에 약간의 영향으로만 작용한다.

합금된 탄화물의 용해는 시멘타이트 용해보다 높은 온도가 필요하다.

오스테나이트화 온도가 높을수록 더 많은 탄화물이 용해됨으로써 또한 M_s 및 M_f온도가 낮아진다.

냉각제의 온도가 같다고 가정하여 즉 M_f온도가 냉각제 이하에 있다면 오스테나이트화 온도 또는 퀜칭온도 상승과 더

표 5.15 합금강의 임계냉각속도("Werkstoff-handbuch Stahl und Eisen" 에 의함)

%C	합금원소	800 및 700℃ 사이에서 $\nu_{임계}$ Ks^{-1}
0.40	–	600
0.42	0.55%Mn	550
0.40	1.60%Mn	50
0.35	2.20%Mn	8
0.42	1.12%Ni	450
0.52	3.12%Ni	180
0.40	4.80%Ni	85
0.55	0.56%Cr	400
0.48	1.11%Cr	100
0.52	1.96%Cr	22
0.38	2.64%Cr	10

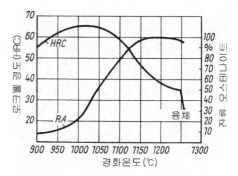

그림 5.189 2%C와 12%Cr을 함유한 강에서 경도와 잔류 오스테나이트 양의 칭온도 의 존성.

불어 항상 적은양의 마르텐사이트가 생성되고 잔류 오스테나이트 양이 조직 내에 증가된다(그림 5.189).

약 1000℃로부터 냉각 후에는 최대경도가 65HRC에 달하며, 이 온도에서는 복합 탄화물$(Fe, Cr)_3C$만이 용해된다. 퀜칭 온도가 상승함과 더불어 또한 높게 합금된 탄화물의 용해가 증가됨으로써 잔류 오스테나이트 양이 100%까지 연속적으로 상승된다. 약 1200℃에서는 더 이상의 마르텐사이트는 생성되지 않고 1200℃로부터 냉각한 후의 조직은 오스테나이트로만 이루어져 있고 경우에 따라서는 특수 탄화물도 존재한다.

이러한 상태는 실제적으로 비자성이며 경도는 35HRC 정도가 된다. 다이어그램에 근거하여 존재하는 조직변화를 다음의 연속된 그림으로 설명된다(그림 5.190 ~5.193).

1050℃로부터 냉각한 후에는 현저한 마르텐사이트 기지 내에 수많은 크롬 탄

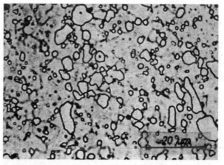

그림 5.190 2%C 및 12%Cr을 함유한 강, 1050℃/유냉 ; 현저한 마르텐사이트 기지 내에 Cr 탄화물. HNO₃로 부식.

화물$(Fe, Cr)_7C_3$이 박혀있다. 부식제로는 HNO₃를 사용하였으며 이 부식제는 높은 크롬함량으로 인하여 기지는 더 이상 부식되지 않으므로 마르텐사이트 조직은 나타날 수가 없다. 탄화물 분포를 평가하려면 이러한 종류의 부식을 한다. 마르텐사이트 조직을 관찰하기 위해서는 그리세린에 왕수를 혼합한 부식제를 추천한다.

1150℃로부터 냉각한 후 생성된 조직은 탄화물의 수가 감소된 것을 볼 수 있

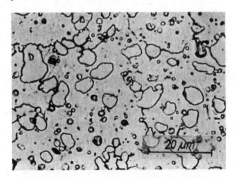

그림 5.191 2%C 및 12%Cr을 함유한 강, 1150℃/유냉 ; 현저한 마르텐사이트 기지 내에 Cr 탄화물, HNO₃로 부식.

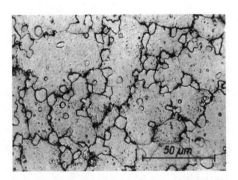

그림 5.192 2%C 및 12%Cr을 함유한 강, 1250℃/유냉 ; 오스테나이트 기지 내에 Cr-탄화물. HNO₃로 부식.

으며(그림 5.191), 1250℃로부터 냉각한 상태는 오스테나이트와 약간의 탄화물로 이루어져 있고 오스테나이트 입계를 식별할 수 있다(그림 5.192). 1270℃까지 가열하여 강을 용해하면 입계와 입자사이영역에 레데뷸라이트 공정이 나타난다(그림 5.193).

합금원소를 통하여 소개한 조직영향은 실제적으로 잘 제어함으로써 목적하는 성질을 얻을 수 있게 되며, 여기서 적합한 값에 대한 다양한 요구를 고려하

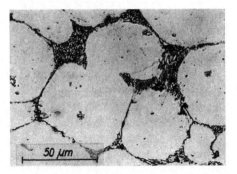

그림 5.193 2%C 및 12%Cr을 함유한 강, 1270℃/유냉 ; 입계에 레데뷸라이트 ; HNO_3 로 부식.

게 된다. 여러가지 목적에는 비합금강이 적합하며, 여기서는 동반 원소의 작용이 요구되는 성질을 보장하는데 충분하나 또한 비합금강에서는 조직제어가 매우 중요하다.

5.5.1
용접성 구조용강

용접성 구조용강은 주로 구조물 재료로 사용되며, 가공성질 외에도 기계적 성질이 주요 관심 사항인데 즉, 특히 강도 성질 및 기계적 응력(정적, 동적 통상적인 온도, 낮은 온도 및 높은 온도에서 충격)에 대한 거동에 따라 평가된다.

용접성 구조용강에 요구되는 성질의 다양성은 이미 세분되어 있다. 또한 가공성질 및 사용성질은 중요하며, 어떤 용도의 경우에는 추가적으로 특수한 물리적 및 화학적 성질의 보장을 목적으로 한다.

기계적 응력에 대한 이러한 거동의 특

성표시를 위하여 특성량 및 특성 계수를 사용한다.

특성계수는 일반적으로 강의 구조와 조직에 의존하는데 용접성 구조용강에는 주로 탄성계수와 탄성한계 R_e가 관심거리이다. 탄성계수는 동일한 하중방향에서 단축응력에 대한 탄성연신의 비로 나타낸다. :

$$E = \frac{\sigma}{\varepsilon}$$

E : 탄성계수 Nmm^{-2}

σ : 응력 Nmm^{-2}

ε : 탄성연신

탄성계수는 구부리고, 기울이고, 주름지는 등의 안정성 상태에 대한 경계 조건을 규정하게 되며, 그 수치는 원자의 결합력에 달려있다. 이와 같은 근거로부터 구조적 또는 화학적 결합에 의하여 격자 내에는 매우 적은 영향을 미친다.

온도상승에서는 그 값이 감소되며 즉, 강은 온도상승과 더불어 강성(stiffness)이 감소된다. 이것은 화재의 경우에 강지주 구조물은 하중하에서 안정성이 매우 중요하며, 화재로부터 잘 보호하기 위하여 이런 종류의 구조물은 내화성강으로 개발하게 된다.

실온에서 체심입방격자의 강에서 평균 탄성계수는 $E = 200000 \sim 210000 Nmm^{-2}$, 면심입방격자의 경우에는 $E \sim 180000 Nmm^{-2}$를 갖는다.

탄성계수는 이방성인데 즉, 결정방향에 따라 다르며 αFe의 [1 0 0]방향에서는

$E = 135000 Nmm^{-2}$, [1 1 1]방향에서는 290000 Nmm^{-2}를 각각 나타낸다.

결정적인 탄성계수 상승은 집합조직(texture) 생성으로 가능할 것으로 추론된다.

용접구조에 사용되는 구조용강은 강이 노출되는 모든 온도에서 사용목적에 따라 충분히 높은 강도와 가능한 한 높은 인성을 나타내야 하는데 즉, 강도특성은 이 강이 처한 요구사항의 관점에서만 고려한 것이며, 추가적으로 성형성과 파단 안전성이 요구된다. 유용한 재료에는 응력에 적합한 성질과 가공성질 및 가격간의 최적화가 요구된다.

구조용강에서 기계적 응력에 대한 거동은 소성변형이 시작될 때 항복점에 의하여 그 단축 인장한계로써 특성을 나타낸다. 소성 변형의 시작은 수많은 전위운동의 개시와 연관되며, 전위운동을 방해하는 것으로는 존재하는 외부원자, 석출된 작은 입자, 내부 경계면 또는 입자면 및 전위 등이 있다(표 5.16). 각각의 강은 모든 이러한 가능성이 완전하게 유효하지는 않다. 예를 들면, 비 합금강에서는 탄소와 동반원소의 작용으로 고용된 외부원자에 의하여 강화가 제한된다.

비 합금강은 특히 경제적으로 큰 의미를 갖는다.

용접성 구조용강은 일반 구조용강에 속하는데 "**일반 구조용강**"은 정확하게 규정되어 있지 않고 일반적으로 강을 가공하는 큰 산업체와 소기업에서 사용되는 광범위한 영역을 의미 하며 고층 및 저층

구조, 교량 및 수중구조, 용기, 기구 또한 기계 및 자동차 구조 등에 응용된다. 생산제품은 특수 성형품, 띠(band) 및 각기 다른 두께의 판과 단조품 등에 이르기까지 형강의 거의 모든 공급형태를 포괄하며 일반적인 **구조용강**은 구조물에서 외부적인 기계적 응력 하에 존재하고 허용되지 않는 탄성과 특히 소성 형상변화를 나타내서는 아니될 뿐만 아니라 취성파괴에 대한 충분히 높은 안정성을 가져야 한다. 강 구조물의 손상은 각종 파괴기구로부터 원인을 찾을 수 있는데 일반적으로 기계적 과하중에서 재료는 정적인 인장시험에서와 유사하게 거동하게 된다.

과하중으로 인하여 항복점 및 연신한계를 벗어나 구조물에서 잔류 변형이 나타난다.

하중이 계속하여 증가되면 균일한 소성이 발생되는데(인장시험에서 균일 연신과 비교) 균일한 소성의 원인은 수축된 영역에서 강화가 너무 높으므로 소성

변형이 인접영역으로 계속 전파되기 때문이다. 이러한 소성변형으로 전위밀도의 상승을 일으켜 균일한 응력이 부여된 조직영역에 의하여 전체적으로 강화가 이루어진다. 계속적으로 증가되는 연신으로 강의 소성능은 점차적으로 소진되며, 마지막으로 재료 내에서 가장 심하게 소성변형된 장소에 기계적 불안정성이 나타나는데 이 불안정성은 강의 강화능이 더 이상 충분하지 못하고 계속되는 소성변형을 인접영역에 전파할 수 없게 되어 그 결과 단면이 수축되며, 계속된 하중은 파괴(전성파괴)를 일으키고 전성파괴는 수축의 시작과 더불어 생기는데 초기에 이미 존재하는 확장에 의하거나 또는 소성변형으로 생성된 **미세균열(micro crack)**에 의하여 발생된다. **거시적(macro)** 관점에서 이것은 인장시험에서 얻어지는 인장강도 및 균일연신과 수축연신으로 기계적 불안전성 또는 변형파괴에 의한 손상으로 나타낸다. 파단면의 전형적인 특

표 5.16 다상 강에 대한 강화작용 기구(Hougardy에 의함)

강화영향	항복응력과의 관계	기술적으로 도달할 수 있는 최대값 Nmm^{-2}
외부원자	$\Delta\sigma :\sim \dfrac{\Delta\sigma}{\Delta C}$ σ : 격자상수 C : 농도	400
작은 입자	$\Delta\sigma_\sigma \sim \dfrac{1}{\ell}$ ℓ : 입자간 거리	3000
전위	$\Delta\sigma_v \sim \sqrt{\rho}$ ρ : 전위밀도	1500
입자면	$\Delta\sigma_k \sim \sqrt{S_V}$ S_V : 고유 경계면	200

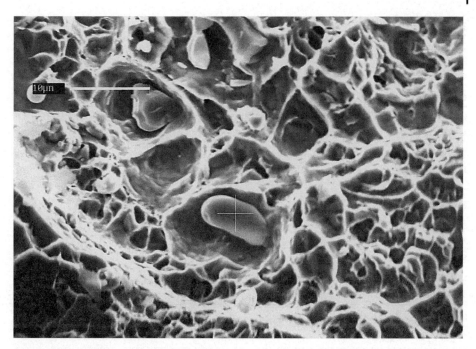

그림 5.194 전성파괴의 파단면(SEM 사진).

징인 전성파괴는 섬유상 또는 **벌집구조**이다(그림 5.194).

이것은 **딤플(dimple)생성**으로 재료의 최초 분리가 나타난 장소이며, 그 사이의 돌출부 또는 브리지에서 마지막 균열이 발생된다.

딤플 내에는 가끔 비 변형성의 비금속 개재물 또는 석출된 작은 입자들이 관찰되므로 개재물/금속의 계면에서 재료분리가 일어나며 존재하는 개재물과 작은 입자들이 이 기구에 의하여 강의 성질을 결정하는데 영향을 미치게 된다.

강에는 다소의 비금속 개재물이 존재하며 완전하게 개재물이 없는 강을 제조하기는 불가능하고 비금속 개재물을 현미경 조직 검사로 판단하기는 간단하지 않다.

크기, 형상, 양, 크기분포, 반사색, 경도, 공간적분포, 성형성, 조성 및 응집성 및 다른 특성 등을 평가하게 된다.

개재물을 정성 및 정량적으로 평가하기 위하여는 일반적으로 다이아몬드 연

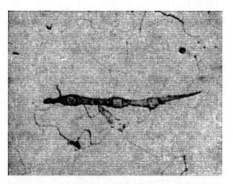

그림 5.195 압연한 강판에서 규산염 개재물을 가진 황화 개재물.

표 5.17 철강에서 비금속 개재물의 규명 부식(Campbell과 Comstock에 의함, 개량 처리한 것)

정밀 연마한 시편을 칼라필터 없이 백색광으로 현미경 조직 분석함

A. 청색, 황색, 적색 및 자색 개재물

확인	조치
심하게 끓인 수산화칼륨에 10분간 부식	

부식된 것 :
황화철
부식되지 않으면 :
- 쉽게 연마된 자색 개재물 :
산화크롬
- 모서리를 가진 장미형 개재물,
까다롭고 흠 없이 연마 :
탄질화티탄
- 황색, 입방형 결정 :
질화 지르코늄

B. 회색 또는 흑색 개재물

확인	조치
	a) 10% 희석 알콜성 HNO_3로 10초간 부식
부식된 것 : **석회**	
부식되지 않으면 :	→ b) 10% 희석 수용성 크롬산으로 5분간 부식
부식된 것 : **황화망간**	
부식되지 않으면 :	→ c) 끓는 알카리성 Na-피크린산염용액으로 5분간 부식
부식된 것 : **산화망간**	
부식되지 않으면 :	→ d) 강력한 끓는 KOH로 10분간 부식
부식된 것 : **규소망간**	
부식되지 않으면 :	→ e) 포화된 알콜성 염화주석용액으로 10분간 부식
부식된 것 : **산화철**	
부식되지 않으면 :	→ f) 20% 희석 플루오르화수소산용액으로 10분간 부식
부식된 것 : **규소철**	
부식되지 않으면 :	→ g) 새롭게 연마하고 색깔과 형상을 분석

어두운 색의 미세 입자,
까다롭고 흠 없이 연마,
변형된 강에는 선상으로 되지 않음 : **Tonerde**
색이 나타나지 않고 매우 어둡다면 : → h) 연마 : 미세립자, 가볍게 흠없이 경면

반짝이는 곳의 조대하고 모진 입자 : **모래입자**(주강에서)
청색의 모나지 않은 입자 :
산화티탄 가능성(Ti가 함유된 강에서)

마제로 미세연마한 부식하지 않은 시편으로 분석한다. 단순한 개재물 종류는 동일성을 확인하기 위한 부식으로 규명될 수 있는데(표 5.17). 변형된 강에서는 황화 개재물은 대개 청황색으로 늘어난 형상으로 식별된다(그림 5.195). 비금속 개재물은 전성파괴에서만 작용하지 않고 노치충격 인성에 내부 노치로 작용하게 되며, 그러나 전성파괴 외에도 또한 강 구조물에서 취성파괴 손상을 일으킨다. 취성파괴에서는 강의 손상이 이미 언급한 매크로적으로 식별할 수 있는 소성변형과 연관된 것이 아니라 파괴가 결정 입계/또는 횡단결정(벽개파괴) 면부분에서 나타난다(그림 5.196).

재료손상의 이러한 형태는 결함의 외부적 징후이므로 특히 위험하여 용접 구조물에 사용된 강에는 결함손상이 발생될 수 있어 큰 주의가 요구된다. 이러한 결함손상의 평가로 요구되는 성질을 보장하게 된다.

일반적인 구조용강의 조직은 사용 상태에서 초석형 페라이트와 펄라이트로 이루어져 있으며 강도는 탄소함량에 의하여 좌우된다. 탄소함량이 증가되면 압연된 종류나 또는 노멀라이징 상태로 공급되는 경우에는 항복점이 증가되는데 이것은 펄라이트 양의 증가와 관련되며 Pickering식이 유효하다. :

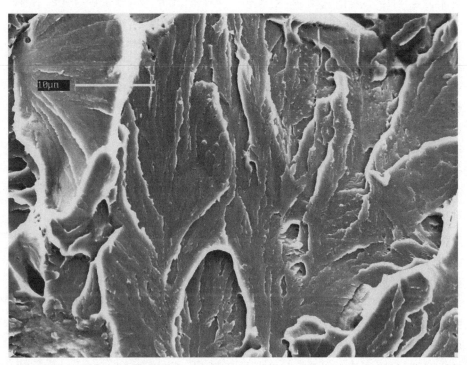

그림 5.196 취성파괴에서 파단면(SEM 사진).

$$R_{P0.2} = \sqrt[3]{\nu_F} \cdot {}_{P0.2;F} + (1 - \sqrt[3]{\nu_F}) \cdot R_{P0.2;P}$$

$R_{P0.2}$: 0.2% 연신한계

$\nu_F = 1 - \nu_P$: 조직 내에서 페라이트 양

ν_P : 조직 내에서 펄라이트 양

$R_{P0.2;F}$: 초석 페라이트의 0.2% 연신한계

$R_{P0.2;P}$: 펄라이트의 0.2% 연신한계

이 식에서 처음에는 펄라이트 양이 비교적 낮으나 이 양의 증가로 크게 강화됨을 의미한다(그림 5.197). 조직 내의 페라이트 + 펄라이트는 순수한 페라이트뿐만 아니라 순수한 펄라이트도 중요하다.

페라이트의 강도상승 가능성은 고용체내에 존재하는 전위, 입자 및 아결정립(subgrain), 외부원자와 미세하게 분포된 2차 상(표 5.16 참조) 등에 의하여 전위 운동을 방해하기 때문이다. 일반적인구조용강에서 석출된 작은 입자에 의한 페라이트 강화는 무시할 수 있으며, 페라이트 내에 용해된 동반원소 Mn, Si 및 N에 의하여 강화가 이루어지고 중요한 것은 미세한 페라이트 입자크기이다. 라멜라형 펄라이트의 강도는 두 조직 성분인 펄라이트형 페라이트와 펄라이트형 시멘타이트의 방향성 배열의 연한 조직성분(펄라이트형 페라이트)에서 전위의 자유통로의 우선 근접이 중요한데 이것은 페라이트 라멜라의 폭에 의하여 정해진다. 라멜라 간격이 작을수록 펄라이트의 0.2%-연신한계는 커진다. 라멜라 간격은 펄라이트의 생성온도와 더불어 비례하여 변하며

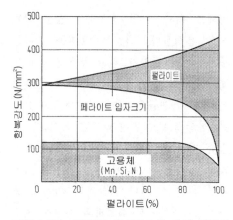

그림 5.197 페라이트-펄라이트형 강의 항복강도에 대한 강도기여("Werkstoffkunde Stahl", Bd. 1, 1984에서 발췌).

또한 이것은 냉각속도 증가와 더불어 감소한다. 일반 구조용강에서 취성 파괴는 **재료상태 인자** 외에도 **응력상태 인자**가 중요하다. 응력상태 인자는 시험방법에 의하여 고려해야 한다.

일반 구조용강에서 취성파괴 경향은 노치 충격굽힘시험으로 상대적 평가를 하게되며 취성파괴 안정성의 측정에는 **천이온도**로 규정하게 된다.

천이온도는 취성파괴 부분이 50%에서 또는 예를 들면 27J의 충격에너지에서 산출한다.

일반적인 구조용강에서 대부분의 경우에 20℃에서 일정한 충격인성의 필요한 최소값을 설정하게 된다.

조직은 강도뿐만 아니라 또한 천이온도에 현저한 영향을 미치며, 여기서 각각은 조직 매개변수인 페라이트 입자크기와 펄라이트 라멜라 간격 등에 주목한다.

용접성 구조용강의 기본성질에는 용접 적합성으로 제조에서 재료에 주어진 성질로 인하여 기지재료에는 허용되지 않는 심한 손상이 일어나지 않으므로 용접접합에 설정된 각각의 요구사항에 따라 제조될 수 있게 된다면 용접 적합성이 달성된다.

강의 용접 적합성 평가는 복잡한 크기를 다룸으로 간단하지 않다. 용접 적합성은 주어진 사용 조건하에서 강의 변태거동에 의하여 또한 여기서 생성된 조직과 그 성질에 의하여 정해진다. 용접은 부분적으로는 극한 조건하(높은 온도, 임계온도 영역)에 놓이는 열처리로 나타내며, 이렇게 됨에 따라 또한 극심한 조직변화를 일으킬 수 있다.

일반 구조용강에서 이렇게 높은 온도에서는 오스테나이트 입자 성장이 일어나는데 일반적으로 입자성장 첨가제를 함유하지 않고 이미 극히 짧은 시간에 입자 조대화가 강화된다.

용접에서 조직 변화는 용접-시간-온도변태 상태도로 나타낸다. 여기서 시간-온도-변태 상태도는 높은 오스테나이트화 온도에 해당되며, 오스테나이트화 온도가 상승하면 열영향부에서 조대화된 오스테나이트 입자 구조의 영향으로 펄라이트 단계의 변태가 지연된다. 이렇게 하여 베이나이트 단계 및 마르텐사이트 단계가 현저하게 나타난다.

1300℃의 높은 온도와 용융온도 사이의 변태거동에서 변화가 비교적 낮아 일반적으로 용접-시간-온도-변태 상태도는 1300℃를 오스테나이트화 온도로 기본으로 하여 일반적인 팽창계에서 측정될 수 있다.

이 강에서 오스테나이트의 변태는 기본적으로 800~500℃ 사이에서 진행되므로 이 영역에서 냉각은 이 두 온도사이의 냉각시간 $t_{8/5}$에 의하여 자주 나타내며, 임계값은 $t_{8/5}$시간이 감소됨에 따라 인성연신, 수축 및 노치 충격인성 등이 감소됨으로 짧은 시간이다.

그 밖에도 냉각에서 생성된 응력(구조물에 의한 수축 방해), 구조물의 기하학적 응력, 변태조건에 따른 체적변화 등으로 인하여 응력이 발생된다. 응력에 의하여 야기된 치수변화 및 형상변화는 전 가열 및 후 가열과 또한 용접과정에서 한계를 갖도록 할 수 있게 된다. 이 응력이 일정한 정도를 초과하게 되면 균열을 일으킬 수 있다(**열간균열, 응고균열, 용해균열, 냉간균열**, 수소에 의한 균열, **석출균열, 라멜라균열** 등).

판 표면상의 응력분포는 기지재료-전극의 재료결합으로 규명하게 된다. 페라이트-펄라이트형 판 고강도 전극의 결합으로 용접부의 압축응력을 계산한다. 페라이트-펄라이트형 강에서는 균열 생성에 의한 용접부의 특히 위험한 영역은 용융영역 자체가 아니라 열영향부이다.

페라이트-펄라이트형 강에서 열영향부 균열생성에 의한 재료손상의 위험은 마르텐사이트 생성과 조대립자 2차 조직생성으로 더욱 심화되며 용접에서 판 두께와 열 이송이 추가적인 영향인자가 된다. 일반적인 구조용강에서 조대립자의 2차 조직은 후처리 없이도 방해가 되지 않는다. 열영향부에서 마르텐사이트 생성과 그 과정은 강의 탄소함량이 결정적이다. 탄소는 2중 관점에서 중요한데 하나는 탄소에 의한 상부 임계냉각속도가 강하됨으로써 **열영향부**의 조직에는 마르텐사이트 양이 탄소함량 증가와 더불어 증가되며 다른 것은 탄소함량의 증가로 마르텐사이트 경도가 상승하여 열영향부에서 취성 및 균열 위험이 증가된다. 그러므로 강에서 열적 후처리를 하지 않은 용융용접의 최대 탄소 함량은 0.22%로 제한된다.

E295(St50-2), E335(St60-2), E360(St70-2)[1] 등과 같은 일반 구조용강에 대한 **다양한 용접성**에는 이러한 제한은 해당되지 않는다. 예를 들면 높은 응력이 작용하지 않는 축과 크레인 레일 등과 같은 우선 맨 처음 용접되어서는 아니되는 곳에 응용에 적합하며, 그 외에도 열영향부에서 균열 경향은 강의 취성파괴 경향에 의하여 영향을 받으며, 이것은 한편으로는 강의 품질을 규정하게 된다(내부노치, 조대립자, P와 S에 대한 순도, 다축 응력상태, 용융특성, 시효성질, 주조 및 탈산특성 등).

S355(St52-3)강으로부터 얻어진 지식을 응용하여 모든 알려진 강화기구의 **고강도 용접성 구조강**을 개발하게 되었다.

이러한 강은 우수한 용접 적합성에서 취성파괴 안정성에 최상의 요구조건이 충족되

며 0.2% 연신한계의 최소값이 $355\,Nmm^{-2}$가 보장되고 강도 가변성은 $1000\,Nmm^{-2}$ 이상까지 포함되며, 이러한 큰 차이는 각각의 기지조직으로는 안전조치를 취하기는 어려우므로 이 강그룹에서는 특징적인 조직에 따라 페라이트-펄라이트형 기지조직을 가진 노멀라이징한 용접에 적합한 미세립자 구조용강, 베이나이트형 공랭 어닐링한 강과 마르텐사이트 조직을 가진 수냉 어닐링한 강 등으로 구별한다. 강도 가변성의 하부경계에 있는 페라이트-펄라이트형 용접성 구조용강은 대개 약간 높은 Si를 함유한 Mn이 합금된 것이다(그림 5.198).

그림은 0.20%C, 0.55%Si, 1.75%Mn, ≤0.030%P 및 ≤0.035%S를 함유한 S355규격의 용접성 구조용강의 페라이트-펄라이트형 조직을 나타낸 것으로 이러한 저합금 구조용강은 인장강도가 $490\sim630\,Nmm^{-2}$, 최소 항복점이 $355\,Nmm^{-2}$ 및 파괴연신은 $A_5 = 22\%$에 달한다.

일반적인 공급형태는 노멀라이징한 것이며, 무엇보다 취성파괴 안전성과 용접 적합성을 개선하기 위하여 C, P 및 S 등의 함량을 감소시키며, 높은 요구에서는 일반 구조용강과는 대조적으로 펄라이트 양을 증가시킨다(그림 5.199).

강도를 상승시키는데 탄소 부작용의 역할은 더 이상 없다.

페라이트-펄라이트형 조직을 가진 고강도 미세립자강은 망간이 합금되어있거나 또는 Al, V, Ti, Nb 등과 같은 미세립자 첨가원소를 함유하며, 이들 첨가원

---

1) 강규격 DIN EN 10 0.25으로 짧게 나타내며, 이전에는 통상적으로 붙여 친숙한 규격으로 제시하게 되었다.

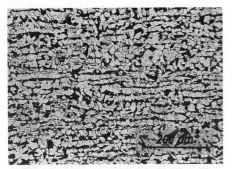

그림 5.198 0.20%C, 1.75%Mn 및 0.55% Si 등을 함유한 강, 노멀라이징한 것 : 2차 선상 조직.

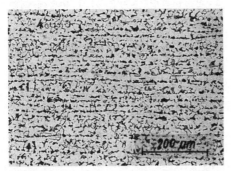

그림 5.199 0.15%C, 0.025%P 및 0.015% S 를 함유한 강, 노멀라이징 한 것 : 2차 선상 조직.

소는 오스테나이트 입자를 미세화시키고 페라이트 내에서 석출 경화를 일으킨다. 그러므로 강도의 심각한 손실을 우려할 필요 없이 탄소함량을 더욱 감소시켜 높은 취성파괴 안전성과 양호한 용접성의 장점을 얻을 수 있다.

이 방향으로 계속 발전시켜 "펄라이트 가 적은 강(PAS)" 또는 **pearlite reduced steel(PRS)**을 개발하게 되었다.

입자 미세화와 석출 경화는 취성파괴 안전성에 관하여 상반된 작용을 하게 되며, 입자 미세화와 석출경화는 취성파괴 안정성에 대하여 경화기구가 취성파괴 안전성에 작용하는 것을 항상 평가해야 한다. 평가에서 입자 미세화 양이 항복점 상승에 최소 40%에 달한다면 취성파괴안정성은 나빠지지 않는다.

정확한 평가를 위하여는 화합물(질화물, 탄화물 및 탄질화물)인 입자 미세화 첨가제 의 **용해속도** 및 **석출속도**를 알아야 한다.

압연하기 위하여 가열하면(1200℃) AlN 은 거의 완전하게 용해되며(일반적으로 알루미늄으로 탈산한 강에는 ≈0.025%와 ≈0.010%N가 포함됨), 압연하는 동안에는 석출이 거의 일어나지 않는다. 서냉하면 600~700℃사이에서 α 고용체 내에 AlN 이 석출되며, 이어서 850~920℃ 사이에서 노멀라이징하면 오스테나이트 내에 균일한 질화 분산물이 생성되는데 이것은 Al의 입자 미세화 작용은 우선 압연하고 노멀라이징에 의하여 완전하게 이루어짐으로 페라이트-펄라이트형 고강도 용접성 구조용강을 "노멀라이징한 용접성 미세 입자강"이라고 한다.

V는 질소뿐만 아니라 탄소와 비교적 높은 친화성을 나타내어 VN과 VC를 생성하며 철에서 그 용해성은 온도에 의존한다. 탄소와 질소는 화합물에서 상호치환성이므로 V(C, N)를 생성한다. 이러한 입방형 탄질화물은 AlN(육방형)보다 열학적으로 안정성이 떨어진다.

이것은 Fe 격자 내에 입방형 상으로 존재하지만 AlN보다 석출속도가 더 높으므로 입자 미세화뿐만 아니라 페라이트의 시효경화에 유효하다. 그러나 바나듐 미소 합금강에서는 시효경화에 대한 입자 미세화의 비가 작으므로 일반적으로 취성작용이 현저하다.

이것은 바나듐 화합물의 용해성이 상대적으로 크기 때문이다. 냉각되는 동안 먼저 α 고용체의 생성과 더불어 석출이 시작되며 미세한 석출물의 선상배열이 자주 관찰되고 이것은 $(\gamma \rightarrow \alpha)$ 변태되는 동안 페라이트 내에 생성되는데 성장선단의 위치는 시간에 따라 나타난다. 높은 취성파괴 안전성을 고려하면 여러 가지 경우에 Al+V을 조합하여 응용하는데 이 조합에서는 AlN은 입자 미세화와 V(C, N)은 석출경화가 현저하므로 우수한 성질조합을 위하여 조성을 조정할 수 있게 된다. 특수한 값을 위해서 미소 합금강에서는 그 밖에도 최적의 노멀라이징 온도를 880~910℃로 설정해야 한다.

특히 바나듐 미소 합금강에서는 상부 온도 한계를 넘게 되면 노치 충격인성의 천이온도에 부정적인 영향을 가진 계속된 석출경화가 일어난다. 또한 Ti와 Nb의 강화작용은 페라이트의 입자 미세화와 시효경화에 기인하는데 V와 Al과의 차이는 석출경화의 열적 내구성이 근본적으로 더 큼으로 Ti 및 Nb 미소 합금강의 열간압연 및 노멀라이징 온도 영역에서는 첨가물의 많은 부분이 석출된 형태로 존재하며 입자성장을 억제하는데 유효할 수 있다.

이와 같은 이유로 Ti 및 Nb 미소 합금강에서는 입자 미세화가 현저하게 이루어진다. 그러므로 특히 Nb 미소 합금강은 일반적으로 높은 강도에도 불구하고 또한 높은 **취성파괴 안전성**을 갖는다. 그러나 미소 합금강에는 또한 그와 같은 석출상태가 생길 수 있으며 이것은 위험한 재료성질을 유발할 수 있다. 최적의 재료상태는 열적-기계적 성형에 의하여 부여할 수 있다(5.4.3.3절 참조).

열적-기계적 성형에서 변형의 진행과정에는 재결정, $(\gamma \rightarrow \alpha)$ 변태와 석출에서 페라이트 입자가 매우 미세하게되어 상당한 석출경화가 이루어진다. 페라이트-펄라이트형 조직을 가진 용접에 적합한 미세 입자강은 충분하게 높은 취성파괴 안전성에서 약 $500\,Nmm^{-2}$의 0.2% 연신한계 값으로 제조될 수 있다.

높은 강도요구에 대하여는 이 조직이 더 이상 충분하지 못하므로 베이나이트 조직으로 해야 한다. 용접성 구조용강의 조직은 강도뿐만 아니라 용접 적합성을 보장할 수 있도록 특수한 요구를 설정하게 되는데 이것은 베이나이트 조직으로 저탄소이어야 함으로 최대 탄소 함량은 약 0.08~0.10%가 한계이며, 즉 여기서 탄소는 강도상승 원소로써는 거의 상실하고 게다가 용접 적합성과 취성파괴 안전성에 치명적인 작용을 하게 된다.

조직은 가능한 한 미세한 분산물이어야 하는데 분산성이 증가되면 강도뿐만 아니라 인성이 개선되고 또한 가능한 한 전체 단면이 베이나이트이어야 한다. 현장에서 이러한 요구를 실현시키기 위해서는 특수한 합금 기술조치와 특수한 처리조치 등을 종합하여 검토하게 된다.

미세한 집합조직과 높은 전위밀도를 가

진 기존의 중간단계 페라이트를 베이나이트 조직으로 의도적으로 조절하는데 중간단계 페라이트 내에서 아결정립자의 평균크기는 ㎛영역이며 그와 같은 조직을 얻기 위해서는 냉각에서 강의 특별한 변태거동이 필요하다. 변태거동은 조절되어야 하므로 노멀라이징의 시간-온도 곡선에 해당하는 즉, 공랭을 포함하는 모든 처리로 베이나이트 단계로의 변태가 가능하다.

용접에 적합한 페라이트-펄라이트형 미세 입자강에는 냉각에서 페라이트가 없는 베이나이트조직이 생성될 수 없으므로 이러한 요구가 충분하지 못하다. 페라이트/펄라이트생성 영역은 완전히 지연되어야 하므로 공랭에서 다각형 페라이트도 펄라이트도 생성될 수가 없게 된다. 변태거동에서 그와 같은 변화는 합금을 통해서만 가능하며, 거의 모든 합금원소의 변태는 펄라이트 단계에서 지연되므로 가용성과 가격을 고려하여 원소의 응용을 결정하게 된다. 적당한 합금원소는 Si, Mn, Ni, Cr, Mo 및 B 외에도 V와 Cu를 조합하여 사용하게 된다. 그러나 매우 적은 양에서도 작용하는 B는 야금학적으로 다루기가 단순하지 않으므로 고강도 용접성 구조용강에서 예외의 경우에 응용된다. 경우에 따라 베이나이트형, 고강도 용접성 구조용강에서 공랭과 주어진 경우에 마르텐사이트 단계에서 변태를 일으키는 다원합금강이 중요하다.

펄라이트 단계에서 합금원소의 작용 외에 M_s온도, B_s온도 및 평형 변태온도인 A_1과 A_3의 작용에 대해서도 주목하게 된다. 강도 상승 인자로써 입자 경계 및 상경계, 전위와 전위배열, 용해된 외부원자 및 석출 등이 중요하다.

베이나이트형의 공기 중 열처리한 강의 주목할 만한 조직 특성은 라멜라형 펄라이트가 없는 것인데 서냉하면 큰 단면에서 중심부에 약간의 탄화물을 가진 페라이트/탄화물 조직과 유사한 라멜라형 펄라이트가 저탄소 함량 조건에서 약간 생성된다. 페라이트는 펄라이트가 공석상을 포함하지 않으므로 **다면체** 또는 **초석페라이트**로 나타난다. 다면체 페라이트는 중간단계 페라이트와 달리 현저한 집합조직이 없고 연한 조직성분으로써 강도를 감소시키므로 그 생성은 억제한다. 다면체 페라이트의 생성영역은 오랜 시간이 소요되며 대개 중간단계 영역으로부터 분리된다.

이에 대하여 중간단계 생성은 실제 지연되지 않으므로 비교적 폭이 넓은 재료 두께 영역에서는 공랭에 의하여 오스테나이트가 베이나이트로 변태할 수 있다.

저합금 용접성강의 조직특성은 베이나이트조직의 형태로 나타나는데 전형적인 것은 탄소함량이 많은 잔류 오스테나이트가 고립된 마르텐사이트인 **입자형 베이나이트**를 함유할 수 있다. 이러한 비교적 불안정한 조직은 열영향부 영역에서 광범위한 변화를 견디어 내야한다. 그러나 용접조건에 따라 열영향부 영역은 오스테나이트화가 되며 이어지는 냉각으로 중간단계 또는 중간단계와 마르텐사이트 단계로의 변태가 다시 일어난다. 또한 용접성 구조용강 분야에서 높은 강도요구는 마르텐사이트 조직으로만 실현되는데 여기에 해당되는 강을 수냉 열처리한 고강도 용접성 구조용강이라 하는데 이 강으로 최소 항복점 영역이 $510 Nmm^{-2} \sim 1000 Nmm^{-2}$ 까지 충족되며, 높은 인성과 용접 적합성이 결합되어 이 요구에 "연성" 마르텐사이트로도 만족 되고, 결정적인 것은 화학조성과 수냉을 조합하는 것이다. 탄소함량은 최대 0.15~0.20% 가 한계이며, 합금구조는 기본적으로 요구되는 항복점과 인성뿐만 아니라 생산품 두께에 따라 정해진다. 적용된 합금원소는 원칙적으로 베이나이트강에서와 동일하며 가장 중요한 과제는 전체단면의 열처리성 안전인데 일반적으로 베이나이트강에서 보다 낮은 합금원소 함량으로 충족된다. 그럼에도 불구하고 너무 낮은 합금원소를 가진 강은 재료두께에 따라 큰 경도차이를 나타내는데 이러한 성질의 불균일성은 수냉에서 온도구배에 기인하며 이것은 공랭에서는 일반적으로 측정에서 실제적인 역할을 하지 못한다.

5.5.2
고강도강

고강도강은 특수한 사용목적을 위해서 완전히 다른 종류가 고려되며 이것은 특수한 요구도 충족해야 할 때도 있다.

다수의 이러한 요구는 상호모순 될 수 도 있으므로 만족시키기는 쉽지 않다. 따라서 어느 정도의 요구에서 일정하게 제한된다.

이와 같은 강의 예에는 조선용 강, 관제조용 강과 강 **콘크리트 구조용강** 등이 있으며, 조선용강은 조성, 조직생성 및 성질 등에 관련하여 일반 구조용강과 용접성이 우수한 고강도 구조용강과 큰 유사성을 가지고 있다.

배관 및 구조용 관에 사용되는 강 종은 광범위하게 용접성이 우수한 강 종과 유사하다. 어떤 성질값은 생산품 형태로 요구되며 사소한 다른 것들은 규격화되어 있고 알려진 성질의 특성이 가끔 차이를 나타낸다.

강 콘크리트구조에 사용되는 강은 철근강 즉, 콘크리트 내에 강을 심(core)으로 사용한다.

콘크리트-강으로 복합된 재료는 콘크리트와 강의 우수한 성질을 거의 이상적으로 결합하게 된다.

콘크리트는 높은 내기후성과 경화되지 않은 상태에서 우수한 조직생성 등을 통하여 높은 압축응력을 지탱하는 능력이 뛰어나다. 콘크리트의 중요한 단점인 낮은 인장강도(압축강도의 4~10%에 불과함)를 강이 보상한다.

강은 인장력과 전단력을 지탱하고 콘크리트는 압축력과 강을 공격적 부식매체로 부터 보호하는 등 복합작용을 하게 된다.

강과 콘크리트의 복합재료로써 기능이 재료의 직접적인 요구사항을 충족시키게 된다.

강 콘크리트 구조용강에 중요한 요구사항에는 충분한 강도, 적당한 접합성질과 특수성질 등이 있으며, 특수성질에는 크립강도가 인장항복 영역에서 내구성 및 작업성(굽힘 또는 봉을 구부리는데 필요하므로 냉간굽힘의 적합성, 선의 냉간 압연에 필요한 받침대 등이 이에 속한다).

용접성에 관련된 요구사항은 일반구조용강에서보다 일반적으로 낮으며 모든 용접방법에는 해당되지 않으나, 어떤 경우에 텍(tack)용접에는 충족시킨다.

응용목적에 따라 요구되는 강도수준 및 특수성질을 정하게 된다. 철근강은 부식을 예방해야하며, 산소와 습기가 밖에서부터 강 표면으로 들어가지 않도록 하고 시멘트는 부식을 촉진하는 성분(예, cl^- 이온)을 함유해서는 안 된다.

콘크리트에 균열생성은 유해하고 이것은 콘크리트의 하중이 인장응력 영역으로부터 압축응력 영역으로 전이되어 철근에 인장 초기응력을 일으킴으로써 나타날 수 있다.

응용목적에 따라 콘크리트강은 강 콘크리트 건설과 구조물의 응력을 가하지 않은 철근과 PS(Prestressed)콘크리트로 나눈다. 응력을 가하지 않은 철근강은 콘크리트가 굳어질 때까지는 응력 없이 유지되며 굳혀진 후에는 구조물의 자중(dead weight)에 의한 응력만이 주로 하중을 수용한다. 이에 대하여 PS 콘크리트강은 콘크리트에 압축 예비응력을 부여할 수 있도록 미리 응력이 가해져야 한다.

콘크리트의 압축 예비응력은 매우 커야 하므로 수용하는 작용응력(자중, 구조물의 하중, 운행하중, 온도변화에 따른 응력, 수축, 크립 등)은 응력상태를 어느 정도만 변화시킴으로써 콘크리트에 응력이 생기지 않도록 하거나 또는 어느 정도 높이에서 해로운 균열이 나타나지 않도록 한다. 또한 교차하중에서는 콘크리트에 압축영역 내에서만 응력이 가해져야 한다.

응력이 가해지지 않은 철근에 사용되는 콘크리트 강의 항복점 공칭 값으로 $420 \sim 500\,Nmm^{-2}$가 요구되며, 강도 상승을 위한 가장 경제적인 조치는 Mn 고용체를 생성하여 퀜칭한 페라이트-펄라이트 조직이 압연상태에서 존재하는 것이다. 인성과 용접성에 영향을 미치는 탄소함량은 상부 한계이므로 입자 미세화와 강도 상승작용을 하는 Nb와 V를 첨가한다.

열간 압연한 강은 스트레치(stretch) 또는 비틈(twist)을 통하여 즉, 냉간변형에 의하여 계속 경화될 수 있다.

응력을 가하지 않은 철근에 사용되는 콘크리트강의 강도상승의 다른 가능성은 압연열로부터 온도를 제어하여 냉각하는 것인데 여기서 봉강은 일반적인 압연상태에서 페라이트-펄라이트조직이 바람직하며 오스테나이트 영역으로부터 급격한 수냉으로 심하게 급랭하면 마르텐사이트 가장자리 영역이 생성된다. 냉각된 압력 수를 짧은 시간에 터빈에 작동하면 냉각제품의 가장자리와 중심부 영역사이에 큰 온도구배가 만들어지며, 짧은 냉각시간은 가장자리 영역의 마르텐사이트 변태에는 적당하나 재료의 완전냉각에는 충분하지 않다.

페라이트-펄라이트조직으로 변태하는 아직도 남아있는 중심부 영역의 잔류열은 표면으로 전도되어 가열됨으로서 마르텐사이트 가장자리 영역에 스스로 템퍼링을 일으키게 된다.

PS 콘크리트강은 정적응력뿐만 아니라 동적(진동)응력을 받게 되며, 인장 예비응력은 매우 커야하며 또한 콘크리트의 진동과 크립에 의하여 인장력 손실로 빼앗길 수 있다.

예비응력에서 강이 도달할 수 있는 탄성연신이 클수록 초기 예비응력으로 인한 인장력 손실은 작아진다.

이 탄성연신은 강의 탄성한계의 절대 높이에 좌우된다. 그러므로 통용되는 인장시험의 공칭 data에 0.01% 연신한계를 보충하여 계산하게 된다.

응용 가능한 경도상승은 PS 콘크리트강의 생산품 형상에 따라 조정하게 되며, 자경성강, 냉간경화강 및 열처리한 강 등으로 구별한다. 응용상태에서 조직은 페라이트와 펄라이트 및 템퍼링 된 마르텐사이트 등이다.

콘크리트강의 복합된 성질을 보장하기 위하여 외부형태는 매끄러운 봉상이며 또한 표면이 윤곽된 형태로 공급된다.

콘크리트강의 진동과 크립이 추가적인 문제점으로 나타난다. 상대적인 길이변화에 비례하여 인장응력과 압축응력이 증가된다. 콘크리트 내에서 응력 증가는 $150 Nmm^{-2}$까지 지탱할 수 있으며 크립의 이러한 작용은 강의 후응력을 통하여 감소되거나 또는 처음부터 추가로 높은 예비응력이 소요되는데 이러한 양은 이미 포함되어 있다.

오늘날에는 대개 고강도 선재강은 후응력 없이도 응용될 수 있다. 그 밖에도 콘크리트의 진동은 재료를 추가함으로써 체적증가를 일으켜 조정하게 된다. 이러한 종류에 적당한 첨가재료인 포틀랜드 시멘트에는 $CaSO_4$(**원천 콘크리트**)와 같은 석고가 있다.

열처리강인 기계구조강은 그 화학조성을 근거로 경화성이며 열처리한 상태의 주어진 인장강도에서 우수한 인성을 나타낸다. 그 외에 많은 다른 강의 예를 들면 공구강, 표면경화강, 일부의 스테인레스강 등도 열처리성이다.

원래의 열처리강은 기계 구조물에서 나타나는 것처럼 응력에 적합하게 한다.

정적응력을 받는 구조물은 항복점과 인장강도를 근거로 계산되며, 높은 응력에서는 또한 연신, 수축 및 충격인성도 고려된다. 동적 진동응력을 받는 구조물은 우수한 피로 한계를 나타내야 한다. 짧게 나타내어 "**피로강도**" 성질은 재료의 역할뿐만 아니라 소위 구조물의 형상강도에 의하여 크게 영향을 받는다.

높은 응력을 받는 부품이 우수한 피로강도를 갖기 위한 전제조건은 완벽한 열처리와 우수한 인성값이다.

열처리성은 화학조성에 의해 결정되므로 조성은 간접적 영향으로 평가된다.

강의 피로강도는 일반적으로(즉, 동일한 조건 하에서) 인장강도 증가와 더불어 증가된다. 그러나 강도 수준이 높을수록 표면 거칠기가 피로강도에 심하게 작용하게 된다. 열처리한 상태에서 공칭값 항복강도(R_e), 인장강도(R_m), 연신률(A), 단면수축률(Z) 및 충격인성(KV) 등이 평가되며, 또한 R_e, R_m과 A는 노멀라이징 상태에서 연화어닐한 상태(TA)와 "전단 처리한"(TS)상태에서 HB 최대 경도값이 된다. 열처리강의 중요한 사용시험에는 **경화능(Hardenability)** 시험이 있는데(5.4.3.1절 참조), 경화능은 주로 강조성에 의해 좌우되며, 비합금 뿐만 아니라 합금된 열처리 강의 탄소함량은 0.25~0.60%사이에 존재한다. 하부 한계 이하에서는 마르텐사이트 생성이 가능하나 경도수용(요구경도)은 높은 강도요구를 충족시키기에는 충분하지 않다.

0.60%C 이상의 탄소함량에서는 탄소가 잔류 오스테나이트를 안정화시키므로 증가되는 탄소함량으로는 계속된 경도상승이 나타나지 않으며 전체 합금함량은 5% 한계를 넘지 않고, 중요한 합금 원소에는 Mn, Si, Cr, Ni, Mo 및 V 등이 있다.

열처리강의 노멀라이징한 상태에서는 페라이트-펄라이트조직이 나타난다(그림 5.200). 그림에 나타낸 조직은 0.25%C, 2.1%Mn 및 0.12%V 등을 함유한 강의 노

멀라이징 조직이며, 이 강은 열처리한 상태에서 $900 Nmm^{-2}$의 인장강도, $700 Nmm^{-2}$의 0.2% 연신한계, 20%연신률, 60%수축률과 실온에서 $100 Jcm^{-2}$ 충격인성을 각각 나타낸다(그림 5.201).

템퍼링강의 강도성질은 우선 템퍼링상태에서 좌우되며 여기에서 물론 강의 조성에 따라 점진적인 차이를 나타낸다. 그 외에도 템퍼링 상태에서 구조물 크기(템퍼링된 단면)와 퀜칭제의 냉각작용에 따라 강의 경화성에 영향을 미친다. 목

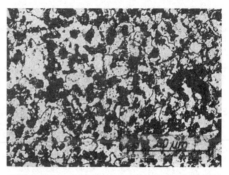

그림 5.200 0.25%C, 2.10%Mn 및 0.12%V 등을 함유한 강, 노멀라이징 : 페라이트 및 펄라이트. 미세립자.

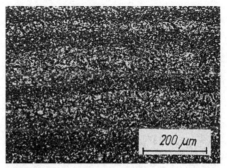

그림 5.201 0.25%C, 2.10%Mn 및 0.12%V 등을 함유한 강, 칭하고 템퍼링한 것 ; 템퍼링된 마르텐사이트.

적하는 템퍼링강도, 인성 및 피로강도에 따라 일정한 경화도(5.4.3.1절 참조)가 표면으로부터 일정한 거리까지 또는 전체 단면에 이르도록 해야 한다.

경화도는 화학조성 외에도 경화성을 규정하며, 요구되는 템퍼링 성질을 설정하는데 중요한 전제조건이 된다. 경화도가 높을수록 조직 내에 마르텐사이트 양이 많아진다. 이미 적은 양의 다른 조직 성분인 페라이트, 펄라이트 및 베이나이트 등이 존재한다면 인성과 피로강도가 감소된다.

높은 응력의 자동차 부품은 반경의 3/4 단면위치의 퀜칭조직 내에 마르텐사이트 부분이 최소한 90%가 요구되므로 경화도는 >0.9이어야 한다.

그렇게 높지 않은 응력의 구조물에는 마르텐사이트 경화가 전체 단면에 필요하지 않을 수 있다.

최종 설정된 강도는 템퍼링에 의하여 달성되며, 템퍼링의 목적은 인성과 강도가 최적으로 복합된 것이고 일정한 강도 감소가 구매에서 일어난다.

많은 템퍼링강에 과열 민감성이 나타날 수 있으며, 퀜칭균열 특성으로(5.3.2.4절 참조) 템퍼취성(5.4.3.1절 참조)과 비금속 개재물에 의한 피로강도의 손상 등이 일어난다. 과열 민감성은 전형적인 야금학적으로 조대립자강(Mn강과 혼합물 없는 Mn-Si강)에서처럼, 일반적인 오스테나이트화 온도영역에서 강력한(자발적인) 오스테나이트 성장으로 이해된다. 과열된 오스테나이트 조직은 조대한 2차 조직을

수반하는데 이것은 특히 피로강도에 나쁜 작용을 한다. 템퍼링강은 과열 민감성과 템퍼취성 경향에 관련하여 각기 다른 특성을 나타낸다.

퀜칭균열 경향에 관하여는 템퍼링강 사이에는 분명한 차이가 있으며, 퀜칭균열에 민감한 강은 약한 냉각제에서 또는 고압가스 흐름에서 냉각시켜야 한다.

퀜칭균열 경향은 탄소함량 외에도 퀜칭하려는 구조물의 기하학적인 형상에도 좌우된다. 기술에서 나타나는 파괴의 85~90%가 **피로파괴**이다.

대부분의 피로파괴는 재료결함에 의해서만은 아니고 형상과 표면영향에 의한 원인이 되고 또한 피로파괴 생성에는 비금속 개재물이 참여한다는 것을 고려해야 한다. 특히 탄성 경화성 개재물(5.4.1.1절 참조)은 템퍼링 된 구조물의 동적응력에서 표면인근에 균열 장소로 작용하므로 강 제조에서 주의해야 한다.

피로강도는 인장강도 증가와 더불어 증가되나 개재물 직경이 클수록 그 증가는 작아진다. 주위에 큰 경질 개재물이 존재하면 특히 치명적인 응력영역이 생성되어 개재물/기지 계면에 응력첨단을 가진 접선(tangent)인장응력과 원주방향의 압축응력의 특성이 나타난다.

템퍼링강과 직접 연관된 비금속 개재물의 위험성이 부각되므로 기계적으로 특히 높은 응력을 받게 되는 템퍼링강의 일반적인 다른 강에서처럼 높은 응력수준에서 각 개재물이 작용하여 피로강도에 미치는 영향은 기계적으로 적은 응력

을 받는 강에서 보다 민감하게 반응하게 된다.

개재물과 관련하여 다른 강에서도 고강도 용접성 구조강 예를 들면, 적게 응력을 받는 일반 구조용강에서 보다 큰 역할을 한다.

이에 관하여 지적할 것은 모든 개재물이 동일한 위험 가능성을 나타내지는 않는데 황화 개재물은 탄성적 경질 개재물에 속하지 않으므로 피로강도에 비교적 위험하지 않고 반대로 칩(chip) 절단작용을 이용하여 산업체에서 그렇게 높지 않은 응력 부품을 경제적으로 절삭제조하게 되는데 템퍼링강은 또한 기계분야에서 다양한 형상제조에 응용되어 많은 절삭가공으로 제조하게 된다.

황화 개재물에 의한 칩 절단작용을 활용하기 위해서는 강의 S함유량을 0.020~0.035%로 높여야 한다고 알려져 있다 (예, 강 38CrS2, 25CrMo4, 34CrMo4, 42CrMo4).

S는 쾌삭강에서처럼 거의 황화물로만 존재한다(그림 5.202 및 5.203). 변형된 재료의 길이방향에서는 황화물이 전형적으로 늘어난 선상 형태로 식별할 수 있으며, 물론 축적된 개재물은 금속과 함께 파손되어 나타난다. 그러므로 S가 함유된 강을 구입할 때는 강도의 일정한 손실을 고려해야 한다.

그와 같은 손실을 받아들일 수 없다면 형상변화를 다른 방법으로 해야 하는데 그 가능성의 하나에는 냉간 **집단(massive) 변형**이 있는데 냉간성형은 일반적으로 연화

어닐링 상태에서 이루어진다(그림 5.204).

그림은 0.3%C, 1.8%Cr, 2.1%Ni 및 0.4%Mo 등을 함유한 템퍼링강의 연화 어닐링 조직을 나타낸 것으로 강은 먼저 880℃에서 노멀라이징하고 이어서 670℃에서 8시간 연화어닐링 하였다. 페라이트 기지 내에 탄화물이 아주 미세하게 분포되어 있으며, 브리넬 경도는 240HB이다.

템퍼링 처리 후에는 항복점이 낮아져 그와 같은 조치가 유동성을 허용한다면 성형은 템퍼링한 상태에서 행할 수 있다.

이 합금을 850℃에서 유냉한 후 600℃에서 템퍼링하면 $1200 Nmm^{-2}$의 높은 인장강도와 $900 Nmm^{-2}$의 0.2% 연신한계, 15%연신 및 56%의 수축률이 나타나지만 그러나 이러한 예는 항상 이루어지는 것은 아니다.

템퍼링 조직은 이 처리후에는 미세분산물이 된다(그림 5.205). 성형성은 강의 화학조성에 의하여 좌우되나 조성이 성형성에 우선할 수는 없고 먼저 필요한 퀜칭성에 따라 선택된다. 이상적이라면,

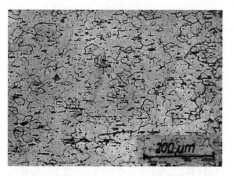

그림 5.202 0.09%C 및 0.20%S를 함유한 강 ; 적은 양의 시멘타이트와 수많은 변형방향으로 늘어난 황화 개재물. 길이방향 시편.

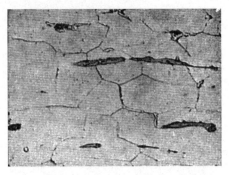

그림 5.203 0.09%C 및 0.20%S를 함유한 강 ; 적은 양의 시멘타이트와 수많은 변형방향 으로 늘어난 황화 개재물, 길이방향 시편, 고 배율.

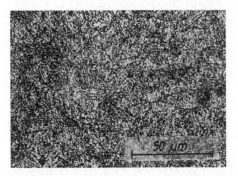

그림 5.205 0.30%C, 2.10%Ni, 1.80%Cr 및 0.40%Mo 등을 함유한 강, 어닐링 ; 템퍼링 된 마르텐사이트.

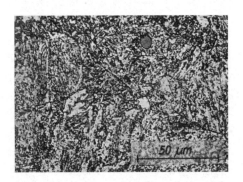

그림 5.204 0.30%C, 2.10%Ni, 1.80%Cr 및 0.40%Mo 등을 함유한 강, 노멀라이징 및 연화 어닐링 ; 페라이트 기지 내에 미세한 탄화물.

냉간성형 하기 전과 하는 동안에 경화가 되지 않은 상태이고 성형이 완료된 후에 경화가 이루어진다. 목적하는 경화성을 얻기위하여 사용되는 합금원소는 그와 같은 요구를 받아들이지 않는데 이 원소 들은 경화성만 상승시키는 것이 아니고 동시에 또한 고용체 경화 작용을 하기 때문이다. 냉간 성형성의 특별한 요구에 는 예를 들면, 상부한계를 갖게 되는 Si 와 같이 무엇보다 페라이트를 경화시키

는 원소종류의 함량이어야 하는데 이점 에 있어서 적당하게 작용하는 것은 B이며, 용해된 상태에서 약 0.002%함량임에도 어닐링한 상태에서 강도에 영향을 미치지 않고 경화성을 현저하게 향상시킬 수가 있다.

예를 들면 크랭크 축과 같은 대형품 은 일반적으로 단조에 의하여 제조되는 데 그림 5.206은 0.4%C 및 1%Cr을 함 유한 템퍼링강 40Cr4를 단조하고 서냉 한 페라이트-펄라이트 조직을 나타낸 것 으로 브리넬 경도가 200HB이다. 이 강은 단조 후에 공기 중에서 빠르게 냉각시켜 베이나이트 조직이 생성 되었으며 (그림 5.207), 이 상태에서 280HB이다. 이 강 을 840℃에서 유냉하고 600℃에서 템퍼 링하면 $950 Nmm^{-2}$의 인장강도, $700 Nmm^{-2}$ 의 0.2%연신한계, 20%연신률 및 65% 수 축률에 도달하고 이 강은 또한 **불꽃 경화** 에 의하여 표면경화에도 매우 적합하다.

특수 응용목적을 위한 고강도강 군에 는 대형 단조품과 스프링강이 여기에 속

그림 5.206 0.40%C 및 1%Cr을 함유한 강, 단조 후에 매우 서냉한 것 ; 페라이트와 펄라이트.

그림 5.207 0.40%C 및 1%Cr을 함유한 강, 단조 후에 공랭한 것; 베이나이트.

한다. 대형 단조품강은 회전하는 대칭 구조물 제조에 필요한데 일반적으로 빠르게 회전하는 기계에서 높은 원심력이 사용되며 여기서는 가장 높은 응력이 충분해야 한다. 제조에서 대형 제품크기는 제조 가능성의 한계에 자주 접하게 된다. 사용하는 재료의 요구조건은 무엇보다 항복점, 인성 및 무결함 등에 근거를 두는데 높은 안전 위험성과 특히 큰 손상 등에 의하여 파괴될 수 있기 때문이다.

이들 강에서는 용해로부터 마지막 열처리까지 강 제조공정에서 품질검사를 포함

하여 큰 주괴단면과 관련된 순도, 편석성질, 큰 온도구배 및 응력구배 등과 같은 문제의 조절능력을 위한 추가적인 조치가 필요하다.

몇 가지 그와 같은 조치에는 최대로 탈황을 시켜 황화물 형상이 기계적 성질의 이방성에 미치는 영향을 감소시키도록 하며, 주괴가 일정한 형상을 유지하도록 적당한 주괴응고를 보호하여 단조작업을 쉽게 할 수 있도록 하고 진공에서 주괴로 주조함으로써 수소함량을 줄이며, 주괴 캡을 떼어내거나 또는 주괴 캡을 가열함으로써 완료된 잔류응고를 도와주는데(최소한 캡 선까지), 탄소와 합금원소 함량이 적은 강을 추가로 주입하면 응고되는 동안 대형 주괴에서는 중심부 편석 생성에 역작용을 일으키며, 특수 제조 방법에 따라 재용해면 편석이 적은 치밀한 주괴를 제조할 수 있다. 특히 가장자리와 중심부간의 큰 온도차이로 인하여 또한 열처리에도 문제가 있다.

목적하는 성질을 얻기 위하여는 퀜칭하고 템퍼링에 대해서만 논의하게 된다. 자주 퀜칭과 템퍼링을 노멀라이징에 앞서 하게 되며, 특히 소위 A 편석(주괴 중심부로부터 편석선이 하부로 향하여 기울어져 나타남) 영역 내에는 위험성이 존재하여 조직은 조대립자로 남는데 이것을 없애기 위하여 여러 번의 변태 어닐링 처리를 하여 유냉 또는 수냉처리를 하게 된다.

수냉에는 침지뿐만 아니라 스프레이 처리도 가능하다.

합금강에서 마르텐사이트 생성은 표

면 인접영역에만 이루어질 수 있으며, 나머지 영역은 베이나이트 단계에서 변태하고 여기에는 각기 다른 페라이트 양을 함유할 수 있다. 페라이트가 없는 전체 퀜칭은 고합금강(약 2~4%Ni ; 높은 Cr 및 Mo함량)에서만 큰 단면에 도달될 수 있다.

복잡한 형상을 가진 부분은 가장자리와 중심부 사이의 온도구배의 연속으로 높은 자체응력이 생성되므로 기술적으로 가능한 냉각속도로는 완전하게 이용할 수 없게 되며, 제품이 파열될 수가 있다. 이 문제를 조절하여 개선하기 위해서는 냉각에서 응력상태의 예상을 위한 수학적 모델을 응용한다.

대형 단조품에서 계속되는 문제는 강의 **박편(flake)민감성**으로 박편은 수소에 기인하며, 단단한 철의 수소에 대한 용해성은 비교적 낮으나 용탕은 상당히 많은 수소를 흡수한다. 실온에서 철의 수소에 대한 용해도는 100g Fe당 약 $0.1cm^3 H_2$이며, 1500℃에서 0.1MPa의 수소분압은 100g Fe당 약 12cm³가 용해되고 용융점에서는 100g Fe당 약 25cm³이다.

철 변태의 변환에서 용해도 도약(jump)이 존재한다(그림 5.208).

강에 존재하는 함량에서 수소는 안정된 화합물을 생성하지 않고, 재료손상의 형태이긴 하지만 조직 내에는 직접 출현하지 않는다. 이것은 철과 더불어 침입형 고용체를 생성한다. 수소의 철 내의 확산계수는 특히 크므로 강에서 실온 또는 약간 높은 온도에서 이미 원자형태를

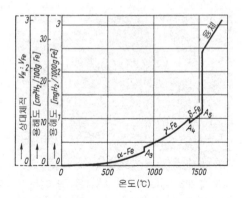

그림 5.208 온도에 따른 철의 수소용해도(수소분압 0.1MPa).

상실할 수 있다.

대형 단조품에서는 특수한 문제가 발생하는데 수소의 확산 경로가 매우 크고 그 거리가 멀어 오랜 확산시간이 요구된다.

이것은 관찰되지 않으며 용해도 한계를 벗어날 경우에는 수소분자의 생성으로 고용되고 남은 과잉수소는 밀려나는데 즉, 다음 식에 따라 H-원자의 재결합이 일어난다.

$$2H \rightarrow H_2$$

분자수소는 실제적으로 확산능력이 없으며 생성된 곳에 둘러싸여 머무르게 된다.

가스는 철격자 내에 일정한 체적으로 응력을 작용하며 따라서 높은 압력을 받게 된다. 수소압은 매우 높은값에 도달하므로 강의 항복점과 인장강도는 이 위치에서 초과하게 되어 국부적인 소성변형을 일으켜 작은 기공을 생성하여 마지막에는 재료가 파열된다. 이와 같은 기공은 연마면과 진행된 파괴면(**청열취성**)

그림 5.209 박편을 가진 42MnV7 강의 청열취성 시편 ; 시편은 850℃에서   칭하고 350℃에서 템퍼링, 350℃에서 파단 함, 금속광택이 나는 둥근 박편, 이것은 하늘색 바탕으로부터 잘 드러나 있다.

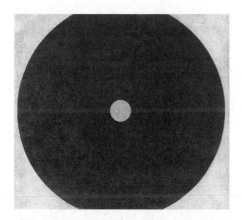

그림 5.210 박편을 가진 42MnV7 강으로 된 부식용 원형판 ; 미세하게 연마된 원형판, 60℃에서 진한 HCl1 + H₂O4 양비의 부식액에서 부식.

에 박편(flake)으로 보인다(그림 5.209 및 5.210)

편석 된 영역에는 수소박편이 현저하게 나타나 있으며, 이 박편을 줄이기 위해서는 첨가재의 습기를 제거하고 내화재를 최고 상태로 한다. 또 다른 가능성으로 용탕을 진공처리하고 박편없는 어닐링 또는 주괴의 서냉 등이 있으며 경비가 많이 들기는 하지만 가끔 필수불가결 하다.

재료시험과 조직시험에는 심하게 전체가 경화된 최고응력을 받은 단조품의 성질이 시편장소와 방향에 따라 차이가 있다는 것을 고려해야 한다. 일반적으로 재료성질의 시험은 외부로부터 직경의 1/6거리에서 시행하는데 구조물의 하중은 대개 가장자리 가까운 직경영역이 중심부 영역보다 높기 때문이다. 시편방향은 길이, 가로, 접선 및 원주가 되며 가공품의 외부 치수가 아니라 단조 섬유방향을 적용한 것이다. 길이 방향 시험에서는 편석에 의하여 적게 침해되며 이에 비하여 포켓드릴의 드릴중심시편에 원주방향 시험에서는 주 편석영역까지 도달하게 되고, 단면부분의 성질이 가장 나쁜 위치로 나타난다. 템퍼링강의 특수군으로 스프링강이 속할 수 있는데 스퍼링은 충격형 또는 진동하는 하중을 받아들이거나 또는 정적 하중하에 작업능력을 저장하게 된다.

이러한 기능을 발휘하기 위해서 스프링재료는 높은 인장강도 외에도 가급적 높은 탄성계수를 가져야 하며, 이러한 조합을 위해서 철강재료에서는 냉간경화한 후 열처리하거나 또는 열처리만 하며 다른 재료도 폭넓게 고려되므로 강으로 스프링을 제조하는 것은 논리적인 관심거리이다. 또는 합금 구조용강으로 열간 또는 냉간상태에서 스프링으로 성형하고 스프링 부품으로 가공하며 대개 퀜칭한 후 템퍼링하면 사용에 필요한 강도성질을 갖게 된다. 원리적으로는 모든 템퍼링강은 템퍼링 상태에서 다소 스프링 재료로써 적당하나 상부 강도범위의 강은 장점을 갖는다. 사용목적에 따라서 추가적으로 특수요구를 높이는데 높은 온도에서 작업해야 할 경우는 스프링의 내열성을, 부식성 매체에 사용될 경우에는 스프링의 내식성을, 물리적 장치에 사용되는 스프링은 비자성 등이 각각 요구된다. 피로강도를 고려한다면 특히 우수한 표면품질이 요구되며, 그와 같은 스프링에는 가장자리 기공, 균열, 노치(notch), 스케일 및 녹흠(자국), 조대한 비금속 개재물과 탈탄된 표면 등을 가능한 한 줄여야 한다.

가장자리 탈탄은 피로강도를 낮추는데 탈탄된 가장자리는 냉각에서 이미 시간적으로 페라이트 변태가 시작되어 중심부의 변태에서는 인장응력이 작용되기 때문이다. 가끔 피로강도는 강구(steel ball)로 **숏 피닝(shot peening)**에 의하여 표면을 경화시켜 개선 될 수가 있다. Si는 **가장자리 탈탄**을 촉진하므로(그림 5.35 및 5.36) 스프링강의 합금원소로서는 의미를 상실한다. 그 외에도 템퍼링강에서 처럼 같은 원리로 화학조성을 선택함으로써 유효하며, 대체로 스프링 제조에는 퀜칭이 필요하다.

Si의 계속적으로 가능한 부작용은 높은 탄소함량에서 흑연 석출과 **흑색파단**을 촉진시키며(그림 5.211), Si는 Fe로부터 고용체 내로 받아들이는 경향이 강하다. 강중에 약 5%까지 Si는 높은 탄소를 함유한 **복탄화물**$(Fe, Si)_3C$로써 존재한다.

Si는 탄소에 대한 페라이트의 용해도를 낮추고 철 탄화물의 안전성을 감소시키며, 또한 높은 Si함량에서는 어닐링 할 때 철 탄화물을 철과 흑연으로 분리시키게 된다.

예를 들면, 0.8%C와 2%Si를 함유한 강은 오랜 시간 어닐링으로 조직에는 **뜨임탄소(temper carbon)**를 함유하여 흑색파단 양상을 나타내게 된다.

열처리를 통한 강도상승은 전체단면을 마르텐사이트 조직으로 만드는 것인데, 실제로 템퍼링강과의 차이는 일반적으로 템퍼링강에서는 단면전체 퀜칭에 50% 마르텐사이트 양이면 충분하나 스프링강에서는 최소한 중심부가 80%, 특별한 경우에는 100% 마르텐사이트에 도달해야 하며, 이 경우에만 인장강도가 1000~1900 Nmm^{-2}에 달하게 된다.

인장강도를 고려하면 입자 미세화 값에 근거를 둔다.

그림 5.212는 Si-Mn이 합금된 스프링강의 템퍼링 조직으로 830℃에서 유냉하고 400℃에서 템퍼링하면 이 강은

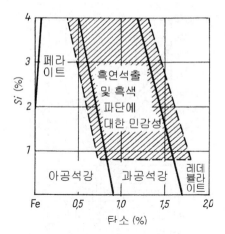

그림 5.211 3원 Fe-C-Si합금 조직("Werkstoff handbuch Stahl und Eisen"에 의함).

그림 5.212 0.65%C 1.75%Si 및 1%Mn 등을 함유한 강 ; 템퍼링 된 마르텐사이트.

$1600\,Nmm^{-2}$의 인장강도와 5% 연신률에 도달된다.

언급한 연화어닐링으로 스프링의 형상을 쉽게 만들게 된다. 그림 5.213은 0.45%C와 1.5%Si가 함유된 아공석 실리콘 스프링강의 연화어닐링 조직인데 계속하여 820℃에서 퀜칭하여 수냉하고 400℃에서 템퍼링하면 이 강은 $1350\,Nmm^{-2}$의 인장강도와 6%의 연신률을 나타낸다.

냉간경화 된 스프링은 인발 또는 압연

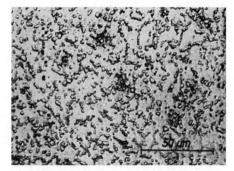

그림 5.213 0.45%C 및 1.5%Si를 함유한 강 ; 연화어닐링 한 것.

에 의하여 냉간변형 되며, 스프링의 형상화를 위해서는 냉간인발 또는 냉간압연 후에도 우수한 형상 변화능을 재료 내에 유지하고 있어야 한다. 200~300℃에서 짧은 시간 템퍼링 하면 일반적으로 탄성한계의 상승이 유효하게 나타난다.

5.5.3
저온강

기구, 용기 및 배관구조 또한 일반적인 기계분야에는 저장, 운송 및 액체가스 설치 등과 같은 저온 응력온도에서 사용 될 수 있는 강의 수요가 존재한다.

가스의 유동성을 제공하는 경제적인 장점은 이러한 강의 응용분야에서 오늘날 큰 의미를 부여하여, 특수강의 개발을 촉진시킨다. 저온에서 사용되는 강의 요구조건은 사용목적으로부터 직접적으로 파생되며, -40℃(일부는 -200℃ 이하)이하의 온도에서 충분한 인성, 낮은 취성파괴 민감성 및 적당한 용접성 등이며 저온에서 우수한 인성에 대한 요구는 이 강 군(group)이 냉간 인성강의 이름을 빌린 것이다.

냉간 인성강은 −40℃ 이하의 온도에서 사용될 수 있으며, 가장 낮은 사용온도에서 최소의 충격인성은 ISO−V notch 시편에서 $27 J Cm^{-2}$를 나타내고 냉간기술에 의한 구조물이 계속적인 용접기술로 완성되기 때문에 특히 용접 구조물이 저온에서 현저한 기계적 응력을 받게 된다.

인성의 평가는 일반적으로 노치 충격인성-온도곡선 또는 천이온도에 의한다.

페라이트 기지조직을 가진 강은 이 곡선에서 현저한 급격한 강하를 나타내며, 오스테나이트강은 전형적으로 다소 평탄하게 강하되는 충격인성-온도곡선을 나타낸다. 가장 낮은 사용온도에서 최소인성 요구를 만족할 수 있다면 기본적으로 두 종류의 강은 저온에서 사용이 적당하다. 그에 따라 상용되는 냉간 인성강에서 페라이트형과 오스테나이트형강으로 구분한다.

페라이트형 냉간 인성강에는 비합금 및 니켈이 없는 저합금(예, C15, 26CrMo4)과 니켈 합금강 등이 여기에 속한다. 니켈강의 조직생성은 매우 관심거리이나 니켈이 없는 강보다 또한 약간 복잡하여 화학조성에 따라 심하게 영향을 받으며 조직생성을 잘 이해하기 위해서는 순수한 Fe−Ni 합금의 조직 상태도를 관찰해야 한다(그림 5.214).

면심입방 격자를 가진 금속으로서 니켈은 철의 γ 영역을 확대하며, 가열과 냉각에 따라 변태영역에서 현저한 차

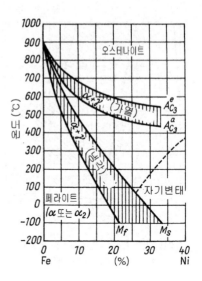

그림 5.214 Fe−Ni 실제 상태도.

이를 확인 할 수 있는데, 이 현상(**이력 : hysteresis**)은 니켈함량의 상승과 더불어 증가됨으로 같은 합금에서도 일정한 온도의 이력영역 내에서 두 가지 기본적으로 다른 조직상태가 나타난다.

오스테나이트 영역으로부터 이 온도는 냉각에 의하여 도달되며 합금은 오스테나이트로 남아있고 그러나 실온으로부터 이와 같은 온도로 가열하면 페라이트 및 마르텐사이트로 남아 있게 된다(**비가역 합금).**

6~7% 이상 Ni을 함유한 합금의 서냉에서는 페라이트가 아니라 무확산 변태를 통하여 입방형 마르텐사이트로 변태한다.

탄소가 없는 Fe−Ni합금에서 마르텐사이트는 오스테나이트로부터 마르텐사이트가 생성되었던 오스테나이트와 같은 조성을 같게 되며, 입방형 마르텐사이트

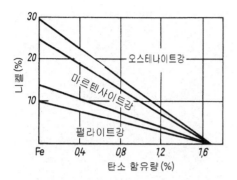

그림 5.215 니켈강의 조직(Guillet에 의함).

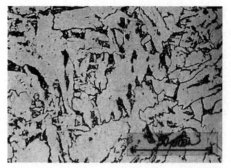

그림 5.216 0.12%C 및 5%Ni을 함유한 강, 단조한 것, 페라이트와 펄라이트, Widmannstaetten조직.

는 낮은 경도를 갖는다.

그와 같은 현상은 니켈강에서도 나타나며 물론 여기서 조직생성은 복잡한데 한편으로는 약 400~500℃ 이상의 온도에서 확산과정이 가능하여 따라서 페라이트가 생성될 수 있으며, 다른 편으로는 17%Ni 이상을 함유한 강에서는 M_f 온도가 실온이하로 떨어져 저온처리에 의하여 계속된 마르텐사이트 생성이 이루어질 수 있고 그 밖에도 강에는 입방형이 아니라 장방형의 변형된(distorted) 마르텐사이트가 생성된다.

니켈함량이 약 6%까지 함유한 강은 일반적인 구조용강과 유사한 변태를 하는데 즉, 냉각에서 페라이트-퍼얼라이트 조직을 갖게 되며, 그 펄라이트 양은 탄소 함량에 따라 좌우된다(그림 5.215와 5.216).

그림 5.217에 나타낸 것은 13%Ni을 함유한 강을 850℃로부터 공랭한 조직과 비교하면 300~100℃사이에서 생성된 마르텐사이트로 되어 있고 경도는 341HB를 갖는다.

이 강은 약 575~660℃사이에서 약 3

그림 5.217 13%Ni을 함유한 강, 850℃/공랭 ; α' 마르텐사이트, 341HB.

$K\min^{-1}$의 가열속도로 가열하면 $(\alpha \rightarrow \gamma)$ 변태를 한다.

850℃로부터 400℃로 냉각하면 동일한 강의 조직은 M_S 온도가 400℃ 이하에 있으므로 오스테나이트로 되어 있다. 실온으로부터 400℃로 가열한다면 이에 반해 마르텐사이트는 아직도 안정한데 이 온도가 A_3 이하이기 때문이다. 이 강이 500~575℃사이에서 상당히 오래 템퍼링 된다면 확산과정을 통하여 니켈이 적은 페라이트와 니켈이 많은 오스테나이트가 생성된다. 후자는 냉각에서 니켈

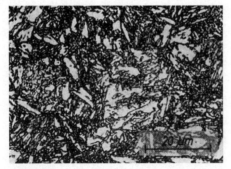

그림 5.218 13%Ni을 함유한 강, 850℃/공랭/500℃에서 24시간 유지 ; α 마르텐사이트, 페라이트(밝은 부분)와 오스테나이트, 278HB.

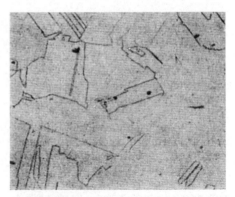

그림 5.220 28%Ni을 함유한 강, 1050℃/수냉 ; 오스테나이트, 빙초산으로 부식.

그림 5.219 25%Ni을 함유한 강, 1050℃/수냉 ; 마르텐사이트와 잔류 오스테나이트(밝은 부분), 티오황산나트륨으로 부식.

그림 5.221 28%Ni을 함유한 강, 1050℃/수냉/-196℃에서 2시간 유지, 마르텐사이트와 잔류 오스테나이트(밝은 부분), 티오황산나트륨으로 부식.

함량에 따라 실온 이상 또는 이하에서 적어도 일부가 다시 마르텐사이트로 변태하며(그림 5.218), 경도는 278HB로 떨어진다.

M_S 온도는 실온이상이나 M_f 온도는 실온이하이므로 20℃까지 냉각하면 마르텐사이트와 오스테나이트가 혼합된 조직이 생성된다(그림 5.219).

그에 비해 28%Ni을 함유한 강을 실온으로 냉각한 후에는(그림 5.220)순수한 오스테나이트가 남아있는데, M_S 온도가 거의 0℃이고 더 이상 내려가지 않기 때문

이다.

그럼에도 불구하고 이 강은 심랭되면 오스테나이트가 계속하여 마르텐사이트로 변태한다(그림 5.221).

니켈함량이 34% 이상이면 오스테나이트는 안정하며 또한 심랭에서도 더 이상 변태하지 않는다(그림 5.222).

냉간 인성강의 조직은 열처리하여 사용 상태로 되는데 페라이트형강에는 열처리로써 노멀라이징 또는 어닐링이 중

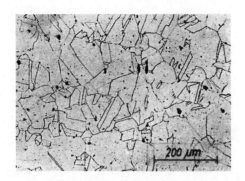

그림 5.222 36%Ni을 함유한 강(Invar강), 매우 낮은 열팽창, 오스테나이트, 강자성.

요하며, 9% 니켈강에는 선택적으로 노멀라이징, 어닐링 후 공랭, 어닐링 후 수냉 및 템퍼링을 하게 된다.

템퍼링에서는 9%Ni강은 온도에 따라 부분적으로 안정된 오스테나이트가 생성되며, 템퍼링온도를 550℃로부터 625℃로 상승시키면(4시간 템퍼링) 오스테나이트 양이 7%에서 43%로 많아지고 이 오스테나이트는 인성을 향상시킨다. 저온에 사용되는 강에는 니켈이 중요한 원소인데, 이것은 낮은 온도에서 인성을 높이고 퀜칭 침투성을 개선하며, 과열 민감성을 감소시키고 템퍼링 취성의 위험을 감소시키며 열적시효를 낮춘다.

니켈은 또한 냉간인성 오스테나이트강에는 중요한 성분이며 Cr-Ni강의 합금

군(예, X8CrNiTi18.10)이 여기에 속한다. 오스테나이트강은 노치 충격인성-온도곡선에서 현저하게 급격한 강하도 없고 저온에서 높은 노치 충격인성 값에 도달한다(표 5.18). 그러므로 이것은 특히 저온에서 사용하는 것이 적당하며, 오스테나이트형 Cr-Mn강의 합금군에 유효하다(예, X40MnCr22.4).

오스테나이트형 상태의 거동을 살펴보면 강에 일반적으로 유효한 저온 특성에 관한 설명이 입증된다. 이러한 오스테나이트 상태의 거동 원인은 페라이트에 비교하여 오스테나이트 내에서는 전위와 입계에 침입형 원소의 부화(enrich)경향이 낮고 **적층결함(stacking fault)**에너지가 낮기 때문이다.

격자결함에 외부원자의 낮은 부화경향은 침입형 원자에 대한 용해도 및 동일한 조건하에서 침입형 공간에 수용할 수 있는 가능성 등이 α Fe에서보다 γ Fe에서가 더 큰 결과이며, 오스테나이트 내에는 침입형으로 용해된 원자가 강제적으로 존재하는 것이 적으므로 구조적인 격자결함으로 이동한다.

그 외에도 동일한 조건하에서 조밀하게 충전된 γ 고용체 내로의 확산이 α Fe

표 5.18 오스테나이트형 Cr-Ni강의 기계적 특성

시험온도 [℃]	항복강도 $[Nmm^{-2}]$	인장강도 $[Nmm^{-2}]$	연신률 [%]	단면수축률 [%]	충격인성 $[J\,Cm^{-2}]$
+20	280	550	56	75	240
−183	350	1560	34	51	180

에서보다 나쁘므로 먼저 낮은 온도에서 (감소된 격자상수에서) 입자면상에 열역학적으로 가능한 편석이 심하게 일어난다.

적층결함 에너지는 그런 의미에서 중요하며, 적층결함은 전위 분할의 결과로 부분 전위에서 생성되고 전위 에너지는 전위 분할에 의하여 감소된다. 전위의 분할 현상은 특히 면심입방격자에서 관찰된다. 분할된 전위는 소성변형에서 그 격자면을 떠나기가 더욱 어려운데 그 경로는 전위밀도가 슬립면상에서 빠르게 상승하고 슬립은 매우 많은 슬립면상에 분포 된다(미세한 슬립 분포).

미세한 슬립 분포는 평균 슬립 밴드(band) 거리가 1mm보다 적으며, 조대한 슬립분포는 강력한 슬립단계 끝에 큰 응력 농도가 존재함으로 취성파괴를 일으킬 수 있으며, 큰 응력농도는 전위의 심한 축적의 원인이 되어 장애물로 균열핵생성 가능성이 매우 높아진다.

그 결과를 고려해보면 슬립 밴드(band) 분포의 미세화에 의하여 냉간인성이 개선되며, 특히 가격 면으로 유리한 페라이트형강에서는 일반적으로 오스테나이트형강보다 낮은 냉간인성을 나타낸다. 그러나 전위 분할만이 슬립 밴드 분포에 영향을 미치는 것이 아니라 석출된 작은 입자인 2차 상도 영향을 미친다. 작은 입자는 이동하는 전위와 함께 각기 다른 상호 작용을 하며, 이것은 움직이는 전위에 의하여 절단되거나 또는 둘러싸이게 된다.

이러한 기구는 실제적으로 나타나며 특히 작은 입자의 반경에 의하여 좌우된다.

임계이하의 반경을 가진 작은 입자를 미세하게 **결맞게(coherent)**석출된 입자는 에너지 측면에서 우선하여 절단되고, 임계이상의 반경을 가진, 즉 주로 결맞지 않게(incoherent) 석출된 작은 입자들은 우선적으로 둘러싸이게 된다(**Orowan 기구**). 작은 입자에 의한 절단은 비교적 적은 수의 슬립면이 슬립에 관여한다는 의미이며, 또는 다른 표현으로는 냉간인성에 반대영향을 미치는 조대한 슬립 분포가 존재한다는 것이다. 이와 연관하여 니켈의 작용을 볼 수 있는데 니켈은 준 안정 탄화물 입자와 질화물 입자를 임계이상의 크기로 성장을 촉진시킨다. 경험을 통하여 알게 된 것은 5%와 9%Ni이 특히 작은 입자 성장에 유효한 작용을 한다. 니켈은 비교적 고가의 합금원소이므로 가능하면 적은 양을 함유시키는데 예를 들면 약 3.5 또는 5%로 한다. 그럼에도 불구하고 더 값비싼 **냉간인성강**을 찾는 것이 현실적인 과제로 남아있다.

페라이트 고용체내에 미세한 슬립 분포와 용해된 원자가 입계에 부화를 계속적으로 방해하도록 하는 것이 필요하나 그러나 그와 같은 부화는 완전하게 방해해서는 아니되고 부화도를 아주 작게 유지하면 입계 손상이 나타나지 않으므로 이와 연관하여 미세립자 조직이 매우 중요하다.

미세립자는 한편으로 전위의 자유로운 진행 경로를 짧게 함으로써 전위축적 길이를 감소시키고 또한 균열핵 생성가능성이 감소되며, 다른 편으로는 동반원소와 미량원소가 동일한 함량에서 감소된 원소부화를 가진 경계면을 확대시키는 것을 의미한다. 이 강에는 인성 외에도 우수한 강도도 요구되는데 낮은 온도에서 응력을 받게 되는 강에는 온도가 낮아지면 격자 마찰응력이 증가됨에 따라 강도는 증가된다. 기술적으로 사용되는 강에는 이와 연관하여 온도 감소와 더불어 증가된 항복점이 나타내게 된다. 많은 경우에 항복점으로 일반적인 0.2% 연신한계가 아니라 1%연신한계를 적용하는데 이것은 계산할 때 파라미터로써 활용되기 때문이다.

그와 같은 경우에 큰 변형성을 유효하게 사용할 수 있다. 3.5.5 또는 9%Ni을 함유한 니켈강은 매우 우수한 저온성질을 가지므로 −100~−200℃에서 사용영역을 확대할 수 있게 된다.

저온에서 오스테나이트 고용체는 우수한 성형성을 나타내는데 이것은 높은 인성을 의미하며 그러나 오스테나이트의 이렇게 유용한 성질은 저온에서도 실제 안정하게 유지되고 또한 마르텐사이트로 변태하지 않고 오스테나이트 안정성에 평가척도가 필요한 경우에만 사용하게 된다. 오스테나이트 안정화 척도는 마르텐사이트가 생성되는 각각의 온도이다.

M_S 온도 및 M_d 온도(d: **변형**, M_d : 변태 유인된 마르텐사이트 생성 개시)가 낮을수록 오스테나이트는 더욱 안정화된다. 오스테나이트형강에서 모든 중요한 합금원소는 M_s 온도를 저하시키는 작용을 하는데 즉, 일반적으로 오스테나이

트 안정화를 개선함으로써 페라이트가 없는 오스테나이트 조직이 생성된다. 망간강은 ε 마르텐사이트를 생성하는 경향이 있으며(육방형), 15.5%Cr 및 9%Ni 이상과 적은 양의 Mn을 함유한 강에는 마르텐사이트의 다른 변태가 나타난다. :

$$\gamma \rightarrow \varepsilon \text{ 마르텐사이트} \rightarrow \alpha' \text{ 마르텐사이트}$$

오스테나이트 변태는 고용체 내에 낮은 C와 N 함량과 저온 변태 온도, 소성변형과 낮은 변형온도에 의하여 촉진된다.

합금원소에 의존한 조직 변화는 성질 변화로 나타나는데 성질의 의미는 준안정 오스테나이트강의 소성변형에서 인장시험하는 동안 변형성 마르텐사이트 생성에 의하여 조직이 또한 스스로 변하므로 그렇게 간단하지 않다. 육방형 ε 상은 변형저항이 현저함으로 경화가 일어난다. 니켈은 또한 오스테나이트형강에서 냉간인성 성질을 향상시키며 니켈의 일부는 질소에 의하여 대체 될 수 있는데 이 원소는 마찬가지로 오스테나이트의 저온 안정성을 높이기 때문이다. 망간의 작용은 다르게 나타나는데 완전히 안정된 오스테나이트가 아닌 경우에는 망간은 α' 마르텐사이트 생성을 억제하여 노치 충격인성이 향상된다.

안정된 N 오스테나이트에서 망간은 노치 충격인성을 악화시킬 수 있다. 제어되지 않은 석출 상태는 성질에 부정적인 영향을 미칠 수 있으므로 오스테나이트형강은 대개 약 1050℃에서 용체화

어닐링을 한 후 수냉하게 된다.

5.5.4
고온강

고온에서 사용되는 내열강이 개발되었는데 내열강은 약 540℃까지 온도에서 기계적 응력을 받으며 오래동안 사용할 수 있게 된다.

고 내열강은 약 800℃에서 응력온도의 상부한계가 있으며 이와 같은 종류의 재료에 전형적인 사용영역에는 전기 에너지를 생산하는 열 발전소, 고정된 가스터빈, 핵발전소, 화학 장치(예, 석유화학 및 원유가공 산업체), 산업용 노, 항공기 엔진 등의 구조이다.

내열강의 주 생산 형태는 판, 관, 단조품 및 주조품 등으로 소요된다. 응력은 일반적으로 고정된 사용온도에서 일정한 기계적 응력에 의하여 나타낸다. 예를 들면, 열 발전 장치에서 응력은 증기압에 의하여 초기 하중영역 내에 증기 제조기와 증기배관 등에서 발생된다. 일정한 응력을 받는 구조물은 통계적 시험으로 제공되는 파라미터로 계산된다. 그러나 시험은 높은 응력 온도에서 표준 재료 성질을 적응 시켜야 한다. 높은 응력 온도에서 강의 표준성질은 크립(creep)이라고도하는 시간에 따른 연신경향으로 나타내며, 크립은 두 가지 이유로 중요한데 하나는 내열성 시험에서 크립이 작용한 변화를 고려해야 하며, 일반적으로 시험에서 응력 유지시간과 응력온도가 포함

되고, 두 가지 모두는 후에 사용 응력의 크기로 존재해야한다. 두 번째는 각종 조치를 통하여 크립과정에 영향을 미쳐 내열성을 향상시킬 수가 있다.

낮은 응력 온도에서 미미한 변화가 일어나지 않는다면 시간에 의존하는 연신은 사정에 따라서는 경시할 수가 있다. 응력 온도가 높을수록 시간에 의존한 연신에 의하여 변화가 심하게 눈에 띄게 나타나면 더 이상 경시할 수가 없게 된다.

높은 온도의 일정한 하중에서 연신의 시간에 따른 변화에 대해서는 시간의존도로부터 정보가 제공된다. 여기로부터 증가되는 하중시간과 더불어 파괴강도와 연신한계는 낮아진다.

이러한 감소는 오랜시간 응력이 가해지는 동안에 생긴 조직 변화에 기인한 것이다. 그 이유와 조직변화를 이해하는 것은 강을 사용하는데 중요하며, 구조물의 수명을 평가하기 위해서는 일정한 하중에서 이 변화가 점차적으로 정지하든가 또는 다소의 심한 수축 후에 파괴되는지를 아는 것은 중요하다. 아마도 모든 기술적으로 흥미 있는 조직 상태는 다소 준안정이라고 할 수 있으며 그 결과 고온에서 사용할 때 변화가 생긴다. 이러한 변화로 평형 근접상태가 이루어져 낮은 자유에너지를 갖게 된다. 오랜 시간 응력 하에서 사용되면 또한 비교적 평형 근접한 최초조직도 변화된다. 고온의 오랜 시간 응력 하에서의 조직변화는 주로 탄화물상의 내부 변화이며 탄화물의 화학조성 변화가 합금원소의 재분배

를 통하여 입자면상에 탄화물의 석출과 응고가 나타난다. 그와 같은 종류의 조직 변화가 존재함으로 오랜 시간과 고온응력에서 높은 강도를 얻는 것은 실온에서 강도상승에서보다 다른 측면에서 고려하게 된다.

재결정이 일어날 수 없는 온도에서는 입자 미세화에 의한 강도 상승이 유효한데 입계가 유동을 방해하기 때문이다. 입자 미세화를 통한 강도상승은 비교적 작은 온도영역으로 제한된다. 또한 내열성을 보장하기위하여 다른 가능성을 찾아야 한다. 이에 적당한 것으로는 철원자의 확산을 방해하는 치환형 고용체의 생성, 탄화물, 질화물 및 금속간 화합물 등과 같은 용해가 어려운 안정된 화합물의 생성 등이다. 특히 유용한 것은 바나듐과 나오브 및 Mo_2C 상과 같은 탄화물과 질화탄소 등인데 이러한 것들은 오랜 시간 열처리해도 약간만 또는 전혀 생성되지 않기 때문이다. 이에 비하여 Fe_3C 는 매우 빠르게 분리되고 따라서 크립 방해작용을 하지 않는다.

그와 같은 조건하의 오스테나이트에서는 원자의 확산이 페라이트 내에서 보다 낮기 때문에 오스테나이트 기본조직은 페라이트에서보다 크립속도가 낮게 나타난다. 강도 상승을 위한 이미 언급한 가능성과 일치하는 것은 적당히 높은 온도에서 페라이트형강 또한 높은 온도에서 시간을 기준으로 한 범위의 오스테나이트형강과 Co-Cr-Ni-Fe합금 등을 사용한다. 합금원소 함량의 증가와 더불어 가능한 사용온도는 증가되며, 최대 사용온도는 내열 미세립자 구조용강에는 약 400℃, Mn 합금 보일러 구조용강에는 약 475℃, Mo합금 및 Mo-Cr 합금 보일러 구조용강에는 약 500℃, 12%Cr 강에는 약 600℃ 및 오스테나이트형 내열 Cr-Ni 강에는 약 600℃ 등에 달한다(표 5.19).

표에는 합금원소가 650℃에서 1000시간 하중을 가한 후 파괴가 일어났을 때 ($R_{m/1000/650℃}$) 각각의 응력에 미치는 영향에 대한 참조 값을 나타낸 것이다. 페라이트형 내열강의 장시간 내열성은 특히 열처리 상태에 의해 좌우되며, 조직상태는 구조물의 수명을 규정하게 된다. 적용한 열처리에서는 경우에 따라 응

표 5.19 Cr-Ni강의 시간기준 강도값 $R_{m/1000/650℃}$

조성[%]				인장강도 $R_{m/1000/650℃}$ Nmm^{-2}
C	Cr	Ni	기타	
0.08	19.0	9.5	–	105
0.08	18.9	10.5	1.0 Nb	120
0.08	18.0	9.5	0.5 Ti	123
0.10	18.0	12.0	2.5 Mo	175
0.15	21.0	20.0	2.0 Co, 3.0 Mo, 2.0 W, 1.0 Nb, 0.15 N	323
0.25	19.0	9.0	1.25 Mo, 1.2 W, 0.3 Nb, 0.2 Ti	350

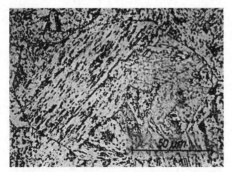

그림 5.223 0.15%C, 1.55%Cr 및 0.48%Mo 등을 함유한 강, 압연한 것 ; 베이나이트.

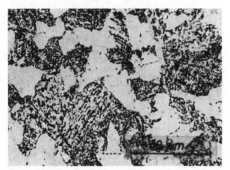

그림 5.224 0.15%C, 1.55%Cr 및 0.48%Mo 등을 함유한 강, 공기 중에서 어닐링 한 것 ; 페라이트 및 템퍼링 된 베이나이트.

력온도와 시간에 대한 각각의 조직 상태를 설정하도록 조절해야 한다. 조직생성과 강도성질은 또한 두께가 두꺼운 구조물에서는 단면 전체가 가능한 한 균질해야 한다. 이러한 의미에서 전체단면에 힘은 한곳이 아니라 골고루 지탱해야하며, 재료손상이 처음부터 없어야 한다.

페라트형 탄화물강에서 열처리에는 노멀라이징과 퀜칭은 공랭 또는 액상냉매 또는 가스 흐름조건에서 실시하고 이어서 템퍼링하게 된다.

그림 5.223은 0.15%C, 1.55%Cr 및 0.48%Mo 등을 함유한 내열강의 압연 후 조직을 나타낸 것인데 베이나이트로 이루어져있다. 베이나이트 생성은 Cr과 주로 Mo에 의하여 촉진되며, 이 강은 800℃에서 오스테나이트화 한 후 공랭하고 600℃에서 템퍼링 하였으며 초석 페라이트가 생성되고 잔류 오스테나이트는 다시 베이나이트로 변태하였다(그림 5.224).

이 강은 약 530℃의 응력온도까지 보일러 구조에 응용되며, V는 내열성을 향상시키고 약간의 과열 민감성을 개선한다. 피로강도 및 내크립성 등은 V에 의하여 또한 유효하게 영향을 미치며, 0.5%C, 1%Cr 및 0.2%V 등을 함유한 Cr-V강은 높은 탄성한계와 우수한 내크립성을 가지고 있어 내열 스프링 제조에 응용된다. 압연 또는 단조한 내열성 오스테나이트 형강은 오스테나이트 기지와 수많은 조대하고 미세한 탄화물이 석출되어 있으며, 이것은 대개 불균일하게 분포되어 있다(그림 5.225 및 5.226), 그러므로 오스테나이트형 내열강은 1050~1100℃에서 용체화 어닐링을 하고 이어서 수냉하며 후에 응력온도를 높여 석출 어닐링을 하게 된다.

고온에서 오랜 시간 응력을 받는 경우에는 사용안전에 관하여 인성상실을 피하기 위하여 특별한 주의를 해야 하며, 인성 또는 변형능은 예를 들면 용접 접합의 열 영향영역에서 높은 응력 집중 장소와 비금속 개재물과 미소균열 주위의 응력제거는 매우 중요한 의미를 갖는다. 이러한 치명적인 장소로부터 충분히 빠

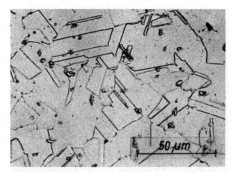

그림 5.225 0.10%C 17.10%Cr, 16.8%Ni, 1.50%W, 1.00%V 및 1.32%Nb+Ta, 등을 함유한 내열 오스테나이트형 Cr-Ni 강 ; V2A 부식액으로 부식.

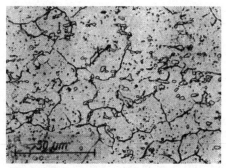

그림 5.226 0.38%C, 18.20%Cr, 17.5%Ni, 9.3%Co, 2.90%W, 1.90%Mo, 0.30%V 및 1.93%Nb+Ta 등을 함유한 내열 오스테나이트형 Cr-Ni 강 ; 왕수로 부식.

르게 응력을 제거함으로써 여기의 크립저항 또는 이완저항을 작게 해야 한다. 그 밖에도 초과 응력하의 전체온도 영역에서 점진적인 인성변형으로 일정한 변형능을 보장하게 되며, 이러한 관점에서 초과응력을 적시에 인식하여 여기에 해당하는 안전조치를 취할 수 있게 된다. 목표로 한 재료상태를 크립강도와 변형능 간을 조절하게 된다. 그러나 이러한 상태는 특히 높은 사용온도에서는 변화

가 생기고 오랜시간은 취성을 나타난다. 오랜시간 취성의 원인은 완전히 분명하지 않으며, 그 중 하나는 미소원소인 Pb, Bi, As, Sb 및 Sn 또한 P의 원인으로 알려져 있다. 이들 원소는 입계에 부화됨으로써 손상을 일으키는데 이러한 근거로부터 내열강을 용해할 때는 가능한 한 낮은 미량원소를 집중 관리하게 된다. 또 다른 원인은 금속 간 α 상 FeCr의 생성이며, α 상의 생성은 Cr 함량의 증가와 더불어 촉진된다. 그러나 이것은 또한 고용체내에서 Cr/Ni 비에 의하여 좌우되며, δ 페라이트의 변태와도 관련될 수도 있다. 내열 Cr-Ni 강에서 δ 페라이트의 변태기구는 비교적 복잡하고 그 각 과정을 그림 5.227~5.230에 나타낸다.

이미 존재하거나 새로 생성되는 조직성분을 가시화하기 위하여 여러 번 부식이 필요하며, 왕수로 부식하면 우선 각결정의 윤곽을 볼 수 있고 계속하여 10% 수용성 크롬산으로 전해부식하면 석출된 미세 탄화물의 색깔이 어두운 색~검은색을 나타내고 여기서 α 상은 용해되어 나오고 이에 해당되는 구멍이 또한 어두운 색~검은색을 띠나 큰 조각으로 볼 수 있다. 마지막으로 시편을 약 500℃에서 5분간 공기 중에서 산화시키면 오스테나이트는 적갈색으로 되나, 그러나 잔류 δ 페라이트는 밝게 남아 있다. 1100℃로부터 퀜칭하면 약 20%로 석출된 δ 페라이트 결정과 일부 용해되지 않은 탄화물을 가진 오스테나이트 조직으로 된다.

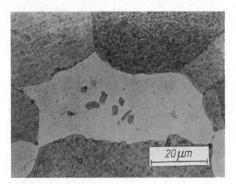

그림 5.227 0.10%C, 20%Cr, 10%Ni 및 적은 양의 W, V 및 Nb를 가진 강, 1100℃/수냉 /750℃에서 2분간 유지/공랭 ; δ 페라이트 (밝은 부분), 석출 된 오스테나이트(어두운 부분).

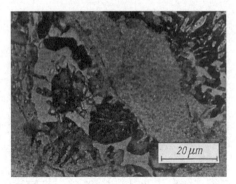

그림 5.229 0.10%C, 20%Cr, 10%Ni 및 적은 양의 W, V 및 Nb, 1100℃/수냉/750℃ 5시 간 유지/공랭, 오스테나이트와 σ 상으로 된 장미형 공석 혼합물.

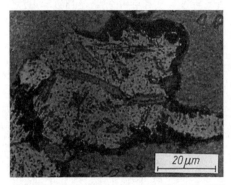

그림 5.228 0.10%C, 20%Cr, 10%Ni 및 적은 양의 W, V 및 Nb, 1100℃/수냉/750℃에서 1 시간유지/공랭 ; δ 페라이트(밝은 부분), 석 출된 오스테나이트(암회색), 탄화물(어두운 점) 및 σ 상(어두운 조각).

750℃에서 2분간 템퍼링유지 후에는 이미 δ 페라이트 내에는 작은 오스테나 이트 결정이 생성된다(그림 5.227). 오 랜 시간 템퍼링 한 후에는 계속하여 미 세한 탄화물(어두운 점)과 주로 특히 단 단하고 취성이 있는 σ 상의 많은 양이 오스테나이트와 δ 페라이트 사이의 입계 에 석출된다. 그림 5.228은 750℃에서

1시간 유지 후 변태 과정을 설명한 것인 데 일정한 시간이 지난 후 공석 반응이 생기며, 여기서는 δ 페라이트로부터 동 시에 오스테나이트와 σ 상이 나란히 미 세한 혼합물 형태로 석출 된다.

그림 5.229는 δ 페라이트 분해의 이러 한 과정을 나타낸 것으로 오스테나이트 와 σ 상으로 된 부분적인 장미형을 생성 한다. 석출과정 경과 후에는 일반적으로 약간의 δ 페라이트도 함유 되어 있다.

최종 조직은 비자성 성분인 오스테나 이트와 σ 상 및 탄화물의 혼합물로 되 어 있는데 이것은 균질한 δ 페라이트를 750℃에서 10시간 템퍼링 하여 생성된 것이며, 나머지는 강자성 상 δ 페라이트 로 되어 있다(그림 5.230).

Ti와 Al (%Ti + %Al > 0.5%)함량이 충 분히 높은 강에서는 금속 간 γ' 상 $Ni_3(Al, Ti)$이 석출되며, 이 석출과정은 니켈과 결합으로 고용체의 변화가 일어남으로 순수한 오스테나이트강에서는 σ 상이 또

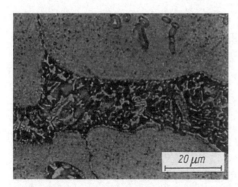

그림 5.230 0.1%C, 20%Cr, 10%Ni 및 적은 양의 W, V 및 Nb, 1100℃/수냉/750℃에서 10시간 유지/공랭 ; 오스테나이트 내에서 δ 페라이트 분해가 실제적으로 완료된 것, 탄화물(오스테나이트 기지 내와 입계)과 σ 상.

한 생성 될 수 있다. 이미 언급한 금속간 화합물외에 또 다른 것이 나타날 수도 있는데 모두가 σ 상과 같이 그렇게 심한 취성을 유발하지 않고 현저한 강도 상승에 기여하게 된다.

Mo을 함량이 높은 경우에 안정화 되지 않은 Cr-Ni 강에서는 Laves상(Fe_2Mo)과 Chi상($Fe_{36}Cr_{12}Mo_{10}$)의 석출이 일어날 수 있다.

Nb가 없는 경우에서는 **σ 상**과 Laves 상의 생성이 적당하나 **Chi상**에 대하여는 그렇지 않다.

취성을 일으키는 금속간 화합물을 없애기 위하여 Mo함량을 줄이면 유효 할 수 있다. 또한 W은 Laves상 즉, Fe_2W (육방정)상을 생성하며, 이상은 주로 입자내부에 석출되므로 내 크립에 이용 될 수 있다. 응용하는 W 함량(wt.%)은 상대적인 원자크기가 크기 때문에 일반적으로 이 원소는 금속간 화합물을 석출하

기 위해서는 필요한 Mo 함량 보다 높다. Laves상 Fe_2(Mo, W, Nb)는 10%Co를 가진 강에 높은 내열성을 부여하며, σ 상 및 Chi상은 이러한 강에는 나타나지 않는다. Co는 재결정온도와 탄소 용해도를 높이며, 용체화 어닐링에서 탄화물상의 용해가 쉬워진다. 그러므로 코발트 강에서는 사용응력이 작용하는 동안에는 강력한 탄화물 석출을 고려해야 한다. 따라서 일반적으로 10또는 20%Co를 함유한 강은 또한 0.40%까지 약간 높은 탄소함량이며 탄화물 생성원소의 양이 높고 석출된 탄화물과 Laves상 Fe_2(Mo, W, Nb)가 코발트를 함유한 내열강에서는 중요한 내열성을 지탱하는데 중요한 역할을 하기 때문이다.

화학에서 수소첨가 처리법을 응용하기 위해서 강은 일반적으로 내열강에 요구되는 성질 외에도 추가적으로 수소를 함유한 가스에 대한 높은 내성을 나타내야 한다. 특수한 응력을 나타내는 특히 수소가 높은 압력 하에 존재하면 강 표면에 확산되어 탄화철을 감소시킨다. :

$$Fe_3C + 4\{H\} \rightarrow 3Fe + \{CH_4\}$$

극한 조건(600℃ 온도까지 ; 1000기압까지)에서 이 반응이 유효하다. 탄소는 메탄형태로 생성되어 격자로부터 제거되며, 수소의 큰 확산능으로 인하여 이런 방식으로 짧은 시간에 큰 단면이 탈탄될 수 있다. 게다가 이전에 작은 탄화물 입자가 존재했던 장소에는 메탄생성

후에는 재료분리와 이완 장소가 나타난다. 이러한 이완 장소에는 생성된 가스 형상의 메탄이 모여 압력이 증가되고 가스가 세어나갈 수 있는 길이 없으므로 폭파작용(폭파압력 가정)이 일어나 추가적인 균열생성이 발생되어 이로부터 현저한 재료손상이 발생한다.

이러한 것을 고려하여 1911년 Haber-Bosch법칙에 따라 질소와 수소로부터 암모니아를 합성하는 최초의 큰 기술적 실험에 성공하였다. 비합금강으로 된 두 개의 관이 200bar에서 사용온도 500~600℃, 80시간 사용 후에 파손되었는데 내부 관벽 영역에서 펄라이트 조직이 사라졌으며, 이렇게 하여 응접이 방해되어 강도가 심하게 감소되었고 또한 영향을 받지 않은 외부 관벽층도 그 압력을 지탱할 수가 없어 파손되었다.

특히 주목할 값은 탈탄 처리 후에 파단수축과 노치 충격작용으로 파단연신 값이 급격하게 떨어진다는 것이다. 내 압력수소 강에 집중적인 연구가 수행되었는데 내열강에서 압력수소를 통하여 추가적으로 화학적 응력을 제어할 수 있다. 언급한 극한 조건하에서는 수소흡수가 실제적으로 방해 되지 않으므로 탄화물 생성원소를 첨가 함으로써 탈탄을 피하거나 또는 경계에 유지하도록 할 수 있다. 이와 관련하여 Si, Ni 및 Cu 등과 같은 원소는 탄화물을 생성하지 않으므로 관심거리가 아니며, Cr, W 및 Mo 등과 같은 탄화물 생성원소는 압력수소에 대한 내성을 높인다. 이들 원소가 소량

함유되면 우선 탄화철에 용해되고 이것이 환원에 대하여 안정화 되고 탄화물상에서 반응이 압력수소 내성을 변화 시킨다. 약 3%Cr에서는 탄화물$(Fe, Cr)_3C$가 Cr 특수 탄화물 $(Cr, Fe)_7C_3$로 변태한다. 이 변태는 내성의 불연속적인 상승과 관련 된다. 이로부터 귀결하여 약 3%Cr을 함유한 강에는 압력수소 내성을 갖는 특별한 의미를 부여한다. V, Ti, Zr 및 Nb 등과 같은 원소는 비교적 적은 함량에서는 초기 개선 작용을 하나 계속하여 압력수소 내성을 증가 시키지는 않는다.

초기 개선은 언급한 원소들이 먼저 $(Fe, Cr)_3C$로부터 흡수되어 이것을 안정화시키며, 시멘타이트형 탄화물 내에 그 용해도는 낮아 그 효과는 크지 않다. Mo과 W의 작용은 이 농도영역에서 비교적 높다. 먼저 높은 농도에서 이들 원소(V, Ti, Zr, Nb)는 탄화철로 인하여 여기에 해당되는 특수 탄화물이 사라진다면 언급한 원소의 작용에 의하여 압력수소 내성이 급격히 상승하게 된다. 구조물에서는 우선 두께 200mm 이상, 18m길이까지, 무게 300t까지의 관에 적용한다.

내 압력수소강은 압력수소 하중을 받는 특수성을 가진 대형 단조품과 내열강의 요구에 적용되며, 특히 중요한 것은 조직의 균일성인데 조직이 약한 장소는 수소에 의하여 국부적인 손상으로 적은 저항을 나타내게 된다. 필요한 강도상승은 오직 열처리에 의하여 이루어질 수 있으며, 예를 들면 냉간변형은 수소손상 속도를 현저하게 높이게 된다. 퀜칭 후

에 목적하는 탄화물 또는 특수 탄화물 생성은 A_{c1} 직하온도에서 오랜 시간 템퍼링을 통하여 달성된다.

5.5.5
특수한 부식 성질을 가진 강

강은 화학적 부식에 일반적으로 쉽게 작용한다. 즉, 부식에 방지책 없이 접촉하게 되면 많은 경우에 부식에 노출된다. 부식은 강과 외부에서 작용하는 부식적 매체사이에 화학적 및 전기 화학적 상호작용으로 강이 측정할 수 있을 만큼 변화를 일으켜 기능적 피해를 초래할 수 있다. 부식은 여러 형태로 나타나며, 공격적인 부식성 매체에는 함수성 매체로써 소금과 금속용체 및 가스 등이 있다. 자연 환경에서 거의 모든 부식 진행은 함수성 부식매체가 대부분이며 기술영역의 대부분 부식성 공격에는 높은 온도에서 일어나지 않는다. 여기서 함수성 상(phase)은 항상 가시적인 것은 아니다. 자주 분위기 부식에서와 같이 보이지 않는 액상막(film)도 해당된다. 강의 함수성 매체에서 부식은 두 가지의 전기적 전하이동이 포함되는데 즉, 강에서 전자 이동으로 전극이 생성되고 용액(전해액)에서 전하이동이 이온이동을 통하여 이루어진다.

금속용해의 기본 반응은 :

$$Fe \rightarrow Fe^{2+} + 2e^-$$

금속에 관련하여 부식의 의미는 금속/전해액 상경계에서 산화과정이 진행되며 이 과정을 양극반응이라 한다. 음극 반응으로 PH 값이 정해진다. 중성 또는 약한 알카리 매체에서는 다음과 같은 음극 반응이 일어 난다. :

$$O_2 + 2H_2O + 4e^- \rightarrow 4OH^-$$

OH^- 이온은 Fe^+ 이온과 함께 $FeO(OH)$ 를 생성한다. 부식방지의 관점에서는 수산화철의 몇 가지 달갑지 않은 성질에 주의를 요한다. ;

- 비교적 높은 열역학적 안정성
- 강 표면에 낮은 접착강도
- 물과 산소에 대한 높은 침투성
- 비교적 우수한 전기 전도성

산(acid) 매체에서 음극반응 :

$$2H^+ + 2e^{최소} \rightarrow \{H_2\}$$

산 매체에서 부식은 산내의 금속이 용해되는 것이며, 그러나 여기서 철이 산화되기 때문에 이 반응을 또한 부식과정으로 해석 할 수 있다.

부식과정의 결정적인 부분 진행은 감소된 재료(주로 산소)의 상경계로 이동과 전하의 이동이다. 부식을 저지하기 위해서는 전기가 통하지 않고 물과 가스가 침투되지 않도록 하여 금속산화물의 이동 과정이 이루어지지 않는다면 가능하다. 순철과 비합금 강에서는 철이 쉽게 산화 될 수는 있지만 그와 같은 종류의 성질을 가진 산화층이 생성되지 않는다.

쉽게 산화되는 것은 철의 원자구조와 연관되어 있으며, 철 원자는 안정된 상태로 바뀌기 위하여 전자를 주위에 제공하는 경향이 있다. 이러한 현상은 전기화학적 전위차로 그 위치로 나타낸다.

철의 부식방지를 위한 실제적인 가능성은 산화에 필요한 활성에너지를 상승시키면 전하의 주위와 교환이 분리된 층에 의하여 차단되므로 자유전자 천이가 불가능해 지며 다른 경우는 부식된 철의 전위를 부식되지 않은 철의 전위보다 높게 상승시키면 전자의 방출이 어려워진다. 부식은 금속 구조물의 기능 또는 전체 시스템에 피해를 초래할 수 있으므로 부식 방지 즉, 강과 주위와의 사이에 화학적 및 전기화학적인 상호작용이 일어나기 전에 방지하는 것이 특히 큰 경제적 중요성을 갖는다.

외부로부터 적용한 내 부식층 외에도 강의 화학적 성질에 대한 활성적인 방지책이 이루어진다. 부식매체에서 일반적으로 강의 응력은 기계적 뿐만 아니라 화학적 성질이며, 화학적 부하를 고려하면 내기후성강, 녹슬지 않는 강(stainless steel) 및 내열강 등으로 구별된다. **내기후성강**은 가끔 또한 "내기후성 또는 부식둔감" 강이라고 하고 각기 다른 강도 등급으로 나누어지는데 분위기 부식에 대한 저항을 높인 저합금 용접성 구조용강으로 분류된다. 대기 중에서 사용되는 강 구조물 상에 가장 자주 나타나는 부식현상의 형태는 녹이스는 것인데 녹이스는 것은 철의 산화물 또는 수산화물이 생성되는 것으로 이해된다. 순수한 습한 공기에서 철의 녹 조성은 lepidocrocite[1] γ FeO(OH), goethite α FeO(OH) 및 magnetite Fe_3O_4 등이며, 먼지 같은 SO_2, Cl^- 이온 등과 같은 부식에 필요한 재료에 의하여 주위의 공기가 많거나 적게 심하게 오염되어 있으므로 약산(acid)영역에서 염화물과 황화물 생성을 통하여 녹이 슬어 떨어지는 것이 계속하여 촉진될 수 있다.

하나의 아이디어로써, 대기 중에서 부식이 일어나기 전에 강 표면을 보호하기 위하여 특수한 장벽층(barrier lager)성질을 가진 치밀하고 단단한 표면 녹층을 생성시킴으로써 녹슬어 떨어지는 속도를 줄일 수 있다(그림 5.231). 이런 종류의 녹층 생성은 Cu 및 P 등과 같은 원소를 합금하며 경우에 따라서는 Cr, Ni, Mo 등과의 화합물을 통하여 촉진된다.

여기서 Cu와 P는 기계적 성질에 좋지 못한 영향을 미치므로 적당한 조치로 보완해야 된다.

재료에 대한 깊은 지식으로 오늘날 P 및 Cu 함량이 높고 Ni 없이도 우수한 인성과 용접성을 가진 강이 생산될 수 있다. 이 강의 조직은 페라이트-펄라이트형이며 일반 구조용강과 거의 구별하

---

1) 붉은 ruby~적갈색을 띤 광물 FeO(OH)이며, 수산화 철산화물로 이루어져 있는 산화철의 중요한 성분이다.

그림 5.231 내기후성강의 녹층.

기 어렵다. 내기후성강은 일반적으로 노멀라이징(normalizing)한 미세립자 강으로 공급된다. 필요한 강도는 입자 미세화, 석출경화 및 Mn함량을 증가시켜 제조할 수 있다. **스테인레스강**은 구조용강으로 대기를 포함하여 공격적인 부식매체에 대하여 전혀 일으키지 않거나 또는 미미하게 표면에 노출된 변화를 일으키는데 두 군(group)으로 나눌 수 있다. :

• 2.5%보다 Ni을 적게 함유한 스테인레스강

• 2.5%보다 Ni을 많이 함유한 스테인레스강

스테인레스강에서 중요한 합금원소는 Cr이며, 몇 가지 예외를 제외하고 스테인레스강은 12% 이상 Cr을 함유하며, 금속표면의 보호는 **부동태화(passivation)**를 통하여 이루어진다. 부동태화는 Cr이 산소원자 또는 가장 바깥 얇은 산화층의 흡착으로 붙은 층을 통하여 이루어지는데 그 층의 두께는 수 나노(nano)미터에 지나지 않으므로 금속적 외관은 사람의 눈으로는 관찰 할 수 없으며, 강을 활성(즉, 화학적 용해성)으로부터 부동화(즉, 화학적 안정성)상태로 변화시킨다.

이 층은 공기 중에서 매우 짧은 시간에 스스로 생성되고 또한 이전에 기계적으로 손상된 경우에도 마찬가지이다. 스테인레스강 특히 순수한 크롬강은 부동태층이 손상되어 재 부동태화가 어렵거나 또는 불가능하게 된다면 환원성 작용을 하는 매체에 대하여 민감하게 반응한다. 부동태화를 가정하면, 크롬은 고용체로 용해되어 존재하며 그렇지 않으면 크롬 탄화물로 결합되어 있으므로 스테인레스강의 조직은 그 격자구조에는 의존되지 않고 그 외의 상태는 가능하면 탄화물이 없어야 한다.

Ni, Mo, Cu, Mn, Ti, Nb/Ta 등과 같은 다른 원소들은 화학적 내구성을 유지하는 작용을 하며 또한 용접성, 성형성 등과 같은 추가적인 성질을 보증하는데 필요하다.

따라서 스테인레스강은 합금 군이 다양하다.

그 중요한 것에는 Cr, CrNi, CrNi(X)[1], CrMo, CrM(X), CrNiMo(X), CrNiTi 또는 CrNiNb 및 CrNiMoTi 또는 CrNiMoNb 등이 있다.

전형적인 조직생성에 따라 페라이트형, 부분 페라이트형, 마르텐사이트형, 오스테나이트-페라이트형 및 오스테나이트형 스테인레스강으로 구별한다.

---

1) (X)는 계속 되는 합금원소 함유에 따른 합금군을 의미한다.

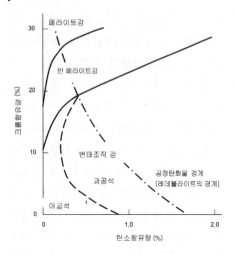

그림 5.232 크롬강의 조직(Tofaute 등에 의함).

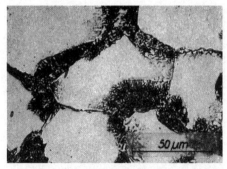

그림 5.233 0.04%C 및 14.5%Cr을 함유한 아공석 크롬강; 페라이트 및 펄라이트.

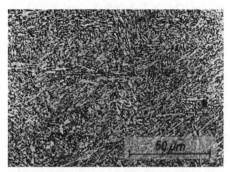

그림 5.234 0.20%C, 13%Cr을 함유한 템퍼링성 스테인레스강, 템퍼링 한 것 ; 어닐링 된 마르텐사이트.

크롬강의 조직은 정확하게 구별 될 수 있다(그림 5.232).

그림 5.233은 14.5%Cr 및 0.04%C를 함유한 강을 서냉한 후의 조직을 나타낸 것으로 페라이트 입계에 탄화물이 존재하며, 템퍼링(920℃/기름/700℃/2시간)에서 탄화물은 용해되었다(그림 5.234).

인장강도 $750\,Nmm^{-2}$, 0.2% 연신한계 $600\,Nmm^{-2}$, 연신률 25%, 수축률 65% 및 실온에서 충격인성 $80\,JCm^{-2}$를 각각 나타낸다.

이 강은 마르텐사이트형 스테인레스 크롬강 군중에 경화성 크롬강으로 탄소함량은 최소한 0.20%이며, 어닐링한 상태에서 페라이트 내에 석출된 수많은 Cr 탄화물 $(Cr,Fe)_7C_3$가 존재한다(그림 5.235).

이 상태에서는 특히 내 화학성은 나타나지 않고 다만 경화된 또는 템퍼링 된 상태이다. 0.10%C 이하와 16%Cr 이상을 함유한 강은 순수한 페라이트형이다.

"순수한 페라이트"는 $(\gamma \to \alpha)$ 변태가 존재하지 않고 급랭경화에 의한 열적 강도상승은 더 이상 가능하지 않다. 조직은 고상온도로부터 실온까지의 전체온도 영역에서 페라이트형이 존재하는데 그 사이에는 부분 또는 반 페라이트형 스테인레스 크롬강이며(그림 5.232참조). 최소한 12%Cr과 약 0.10~0.20%C를 함유한다. 높은 온도에서는 페라이트와 오스테나이트 조직으로 이루어져 있고 냉각으로 변태조직이 나타나는데 변태조직의 화학적 성질에서 중요한 것은 가급적 탄화물이

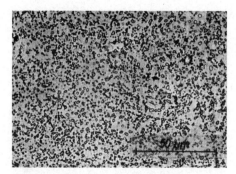

그림 5.235 0.20%C, 13%Cr을 함유한 템퍼링성 스테인레스강을 연화어닐링(soft annealing)한 것, 페라이트와 구상화 된 탄화물.

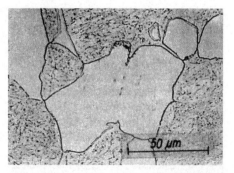

그림 5.237 0.22%C, 17%Cr 및 1.5%Ni을 함유한 부분 페라이트형 스테인레스강, 템퍼링 한 것 : 어닐링 된 마르텐사이트(회색)과 δ 페라이트(밝은 색).

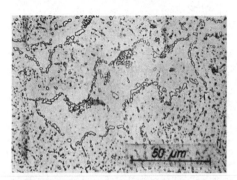

그림 5.236 0.22%C, 17%Cr 및 1.5%Ni을 함유한 부분 페라이트형 스테인레스강, 연화어닐링 한 것 ; 구상화 된 탄화물과 δ 페라이트를 가진 페라이트 기지. 왕수로 부식.

그림 5.238 0.22%C, 17%Cr 및 1.7%Ni을 함유한 부분 페라이트형 스테인레스강, 1100℃/유냉 ; 마르텐사이트와 δ 페라이트(밝은 부분).

적어야 함으로 가능하면 마르텐사이트형이어야 한다. 연화어닐링 조직에는 페라이트 기지 내에 탄화물과 δ 페라이트를 함유하며(그림 5.236), 템퍼링 후(1000℃/유냉/700℃에서 어닐링)의 조직에는 어닐링 된 마르텐사이트와 δ 페라이트 섬(island)으로 되어 있다(그림 5.237).

이 상태에서 강은 인장강도 $900\,Nmm^{-2}$, 0.2% 연신한계 $650\,Nmm^{-2}$, 연신률 18% 및 50%수축률을 각각 나타내며, 높은 온도로부터 급랭되면 페라이트-마르텐사이트형 조직으로 조대하게 된다(그림 5.238).

δ 페라이트는 경화에는 작용하지 않고 이 형의 강은 우수한 내화학성을 가진 부분 경화성강이다.

모든 크롬강이라고 내 화학성이 아니며, 높은 탄소와 크롬을 함유한 강은 레데뷸라이트형 즉, 3원 공정(변태된 γ 고용체 + (Fe, Cr)$_3$ + (Cr, Fe)$_7$C$_3$)C + (Cr, Fe)$_7$C$_3$)이 나타난다(그림 5.239).

이미 언급한 경우에는 냉각이 너무 빠르게 진행되므로 오스테나이트 변태가 억

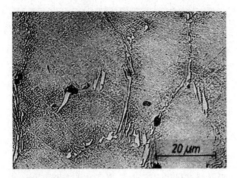

그림 5.239 0.62%C 및 21%Cr을 함유한 레데뷸라이트형 크롬강, 주조한 것 ; 초정 입계에 레데뷸라이트.

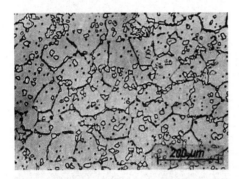

그림 5.240 0.4%C와 32%Cr을 함유한 페라이트형 크롬강 ; 페라이트와 탄화물 (Cr, Fe)$_7$C$_3$.

제되어 입계에 레데뷸라이트를 가진 초정 γ 고용체로 된 조직이 생성되며, 어닐링 또는 서냉에서 오스테나이트는 페라이트와 탄화물로 변태하는데 여기에는 탄화물이 현저하게 존재 할 수 있다(그림 5.185 및 5.185 참조). 낮은 탄소 함량과 매우 높은 크롬 함량을 가진 강은 크롬 페라이트와 탄화물이 생성되며(그림 5.240), 0.4%C와 32%Cr을 함유한 이 강은 페라이트형 스테인레스 크롬강처럼 변태가 없고 노멀라이징도 경화도 되지 않으며 탄화물은 (Cr, Fe)$_7$C$_3$로 되

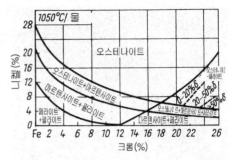

그림 5.241 Cr-Ni강의 조직(확장된 Mauer-조직도).

어 있다.

Cr-Ni스테인레스강 및 Cr-Ni-Mo강에는 각기 다른 조직이 생성되는데 약 0.2%C를 함유한 이 강을 1050℃에서 수냉한 상태의 조직의 개괄을 **Maurer 조직도**로 나타낸다(그림 5.241).

이 군으로부터 낮은 탄소함량을 가진 오스테나이트-페라이트형 및 오스테나이트형 강은 스테인레스강으로써 특히 중요한 의미를 나타내는데 우수한 내식성, 용접성 및 냉간 성형성 등이 우수하다.

기술적인 응용에서 조직은 매우 중요하며, 통용되는 열처리(1050℃에서 용체화 어닐링, 수냉)에 의하든지 또는 공랭하면 조직은 균질한 다면체 오스테나이트로 된다(그림 5.242 및 5.243). 이 오스테나이트는 또한 준안정이고 실온에서는 무한하게 오래 유지되지만 높은 온도에서는 그렇지 못하다.

실온의 평형상태에서 이 강의 조직은 3가지 조직성분인 오스테나이트, δ 페라이트 및 탄화물 등이 나타나며 그 외에도 일정한 상태에서 계속되는 상으로는

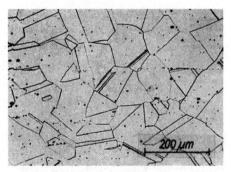

그림 5.242 0.10%C, 18%Cr 및 9%Ni을 함유한 오스테나이트형 스테인레스 Cr-Ni 강 ; 1050℃/수냉 ; 균질한 오스테나이트, V2A-부식액으로 부식.

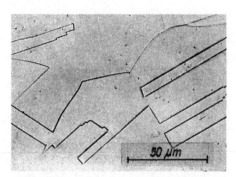

그림 5.243 0.10%C, 18%Cr 및 9%Ni을 함유한 오스테나이트형 스테인레스 Cr-Ni강, 1050℃/물 ; 균질한 오스테나이트, V2A-부식액으로 부식. 고배율.

금속간 화합물 FeCr(σ 상)이 존재한다. 이상적인 경우에 실제적으로 나타나는 이 조직성분은 강의 조성, 열처리, 고온에서 유지기간 및 경우에 따라 나타나는 냉간 성형성 등에 의하여 영향을 받는다. γ 상의 탄소에 대한 용해성은 온도에 의하여 영향을 받는다(그림 5.244).

0.1%C를 함유한 18/8-Cr-Ni강은 900℃ 이상에서는 오스테나이트이며, 서냉한 경우에, 또는 적당한 온도로 재가열하

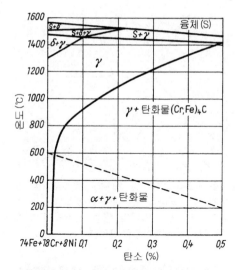

그림 5.244 18%Cr 및 8%Ni을 함유한 Cr-Ni-Fe 합금의 탄소 용해도.

게 되면 용해도선 이하에서 탄화물이 나타난다.

탄화물 석출은 입계뿐만 아니라 쌍정 라멜라(lamellar)의 길이를 따라 나타나는데 10% 희석 크롬산으로 전해 부식하면 관찰할 수 있다.

탄화물은 각기 다른 형상과 배열로 나타날 수 있는데 그림 5.246은 0.18%C를 함유한 스테인레스 18/8- Cr-Ni강을 1050℃에서 수냉한 후 수중에서 점용접한 조직으로 조대한 탄화물 석출을 나타낸 것인데 어닐링 한 후 500~800℃의 임계온도에서 50시간 유지한 경우, 탄화 석출물의 각기 다른 석출물형상이 생성된다(그림 5.247~5.250).

500 및 600℃에서 유지한 후에는 띠형상의 탄화물이, 이에 비하여 700 및 800℃에서 유지한 후에는 진주목걸이형이 유지온도가 높아질수록 탄화물의 응집이

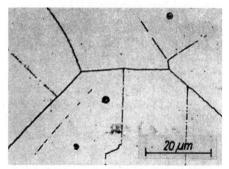

그림 5.245 0.10%C, 18%Cr 및 9%Ni을 함유한 오스테나이트형 스테인레스 Cr-Ni강, 1050℃/노냉 ; 입계와 쌍정 라멜라에 석출된 탄화물, 크롬산으로 전해부식.

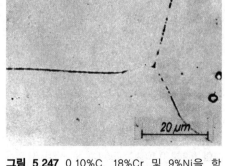

그림 5.247 0.10%C, 18%Cr 및 9%Ni을 함유한 오스테나이트형 스테인레스 Cr-Ni 강, 1050℃/수냉/500℃에서 5시간 유지 ; 입계에 석출된 탄화물.

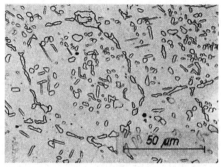

그림 5.246 0.10%C, 18%Cr과 9%Ni을 함유한 오스테나이트형 스테인레스 Cr-Ni 강, 용접한 것 ; 용접영역에 인접하여 석출된 조대한 탄화물.

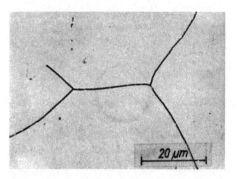

그림 5.248 0.10%C, 18%Cr 및 9%Ni을 함유한 오스테나이트형 스테인레스 Cr-Ni 강, 1050℃/수냉/600℃에서 50시간 유지 ; 입계에 모인 망상 탄화물.

증가되는 것이 현저하게 나타난다.

오스테나이트 입계에 탄화물 띠(band)를 가진 이전에 보급되어온 X10CrNi18.9강은 더 이상 내식성이 없는데 그 이유에 대하여 여러 가지를 관찰한 결과, 하나의 견해로 낮은 온도에서 생성된 탄화물은 부식에 민감하여 입계에서 용해되며, 또 다른 견해는 탄화물에 크롬이 많아 입계에서 탄화물 생성으로 기지로부터 많은 크롬이 빠져 나가게 됨으로써 여기서 크롬 함량이 내식성 한계인 12%Cr 이하로 떨어져 부식매체 작용으로 **입계부식(intercrystalline corrosion) (입자붕괴)**이 일어날 수 있으며, 탄화물 막(film)에 인접한 크롬이 적은 영역에서 용해되어 나오기 때문이다.

이렇게 하여 결합되어 있는 각 결정간이 이완되어 강이 파손되고 결국에는 미세립자로 서로 떨어진다(그림 5.251).

그림에 나타낸 강은 X10CrNi18.9로 손

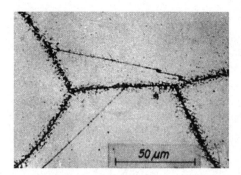

그림 5.249 0.10%C, 18Cr 및 9%Ni을 함유한 오스테나이트형 스테인레스 Cr-Ni강, 1050℃/수냉/700℃에서 50시간 유지 ; 탄화물 응집 개시.

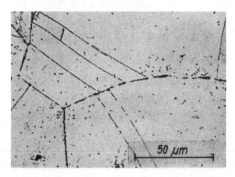

그림 5.250 0.10%C, 18%Cr 및 9%Ni을 함유한 오스테나이트형 스테인레스 Cr-Ni강, 1050℃/수냉/800℃에서 50시간 유지 ; 입계에 탄화물의 응집.

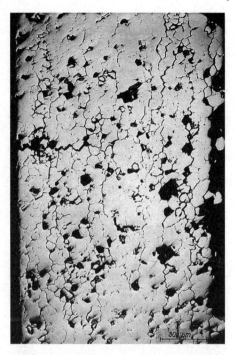

그림 5.251 0.10%C, 18%Cr 및 9%Ni을 함유한 오스테나이트형 스테인레스 Cr-Ni강 ; 입계부식(입자붕괴), 부식하지 않은것.

상이 이미 진행된 단계에 이르러 입계부식은 외부 응력에 의하여 촉진된다.

스테인레스 Cr-Ni강의 입자붕괴 용이성에 대해서는 Strauss 시험으로 확인할 수 있으며, 환류 냉각기에 사용된 피스턴 강시편을 끓는 황산유화동 용액(10% 희석 황산 + 10% 유화동)에 144시간 침지한 후 현미경 조직검사 또는 시편을 굽힘 시험하였다. 입자붕괴는 심한 굽힘에서 재료손상이 문제가 되므로 미리 그 방법을 찾는다면 손상은 피할 수 있다. 입자붕괴를 피하기 위한 모든 조치는 오스테나이트 입계에 연관된 탄화물 막을 피하는 것을 목표로 해야 한다.

약 1050℃에서 용체화 어닐링을 통하여 제어할 수 없이 석출된 탄화물이 용해되며 계속하여 빠른 수냉으로 재석출이 저지된다. 탄소함량을 0.05% 이하로(예, X2CrNi19.11) 낮추면 입계부식을 줄이거나 또는 완전히 사라지게 된다. 730~850℃사이에서 오랜 시간 어닐링 하면 탄화물이 응집됨으로써 연관된 탄화물의 막이 깨어진다. 강력한 탄화물 생성 원소인 Ti(예, %Ti/%C 비가 최소 5인 X6Cr NiTi18.10)

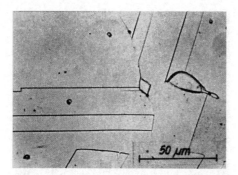

그림 5.253 0.10%C, 18%Cr 및 9%Ni을 함유한 오스테나이트형 스테인레스 Cr-Ni강, 1300℃/수냉 ; δ 페라이트 생성 개시(0.5% δ), V2A 부식액으로 부식.

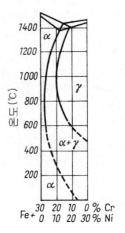

그림 5.252 Fe-Ni 합금에서 상 경계선 $\alpha/\gamma + \gamma$ 및 $\alpha + \gamma/\alpha$의 Cr-Ni 비 의존성.

하여 크롬 탄화물 생성이 더 이상 일어나지 않으므로 여기서 나타난 탄화물 석출이 12%Cr의 내식경계를 넘지 않을 수 있다. 결국 많은 양의 δ 페라이트(약 20%)가 존재하여 조직 내에 입계부식이 예방된다.

입계에 탄화물 석출은 강의 화학적 성질뿐만 아니라 또한 기계적 성질도 손상시킨다(표 5.20). 평형상태에서 Cr-Ni강의 조직에 δ 페라이트가 함유되느냐 또는 아니냐는 강의 열처리에만 의존하지 않고 또한 실제조성에 의하여 좌우된다(그림 5.244 및 5.252).

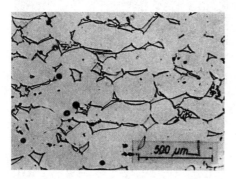

그림 5.254 0.10%C, 18%Cr 및 9%Ni을 함유한 오스테나이트형 스테인레스 Cr-Ni강, 1350℃/수냉, 진행된 δ 페라이트 생성(10% δ), V2A 부식액으로 부식

또는 Nb(예, %Nb/%C 비가 최소 10인 X6CrNiNb18.10)를 첨가하면 탄소와 결합

표 5.20 오스테나이트형, Cr-Ni강의 석출 어닐링에 의한 기계적 특성 값에 미치는 영향

열처리	항복강도 $R_e[Nmm^{-2}]$	인장강도 $R_m[Nmm^{-2}]$	연신률 $A_5[\%]$	충격인성 $KC[JCm^{-2}]$
1050℃/수냉	280	650	60	250
1050℃/수냉 + 700℃에서 50시간 유지	330	680	57	200
1050℃/수냉 + 800℃에서 50시간 유지	350	700	50	100

니켈함량이 표준 이하에서 탄소함량이 낮으면 Cr과 Si 함량이 약간 높을 수 있는데 중간온도 영역에서 오랜 어닐링에 하면 마르텐사이트와 유사한 침상형 상을 가진 δ 페라이트가 나타날 수 있기 때문이다.

그림 5.252로부터 상 경계선 $\gamma/(\gamma+\alpha)$는 감소하는 것은 중간온도영역에서 페라이트 생성이 제한됨을 의미한다. 낮은 온도뿐만 아니라 높은 온도에서도 조직 내에 많은 부분의 페라이트가 나타난다.

그림 5.253 및 5.254는 X10CrNi18.9강 조직 내에 페라이트 부분에 미치는 어닐링 온도의 영향을 나타낸 것으로 1300℃에서 어닐링 한 후 수냉하면 조직 내에는 약 0.5% δ 페라이트만 존재하며, 1350℃에서 어닐링 한 후에는 이에 비하여 이미 10%가 존재 한다(그림 5.254)

예를 들면 주조된 강 또는 용접연결부에서처럼 결정 편석은 δ 페라이트에 많은 부분이 나타날 수 있다. 균질화 되거나 또는 열간변형된 경우는 δ 페라이트부분이 다시 감소되거나 또는 완전히 사라질 수 있다. 철의 γ 영역을 축소하는 특히 Ti, Nb 및 Mo 등과 같은 원소의 함량이 증가 되면, δ 페라이트 양이 또한 증가된다(그림 5.255). 언급한 원소들은 γ 영역을 축소시킬 뿐만 아니라 탄소 및 질소와 결합함으로써 오스테나이트 기지가 계속 불안정하게 된다.

δ 페라이트가 조직 내에 존재하면 상자성 성질을 심하게 증가시키며 경화성이 낮고 이에 대하여 성형성은 감소된

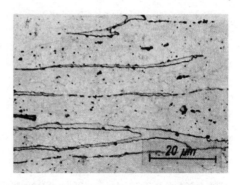

그림 5.255 18%Cr, 8%Ni 및 Nb/Ta비 (Nb + Ta)/C = 15 인 오스테나이트형 스테인레스 Cr-Ni강 ; 압연한 것 ; δ 페라이트선(4% δ).

다. 한편으로는 δ 페라이트는 입자붕괴뿐만 아니라 주조품과 용접부에 열간균열 생성을 억제한다. Cr함량이 18% 이상에서 565~925℃ 온도에서 오랜 시간 어닐링하면 오스테나이트보다 Cr이 많고 Ni이 적은 δ 페라이트가 될 수 있으므로 취성의 σ 상 FeCr으로 바뀌게 된다(그림 5.256).

Mo, Si, Nb 및 Ti 등의 원소는 δ 상생성에 적당하며, σ 상은 강의 경도와 강도를 증가시키나 동시에 연신률, 단면 수축률 및 충격인성을 감소시키고 내식성은 약간만 변화된다.

1050℃에서 어닐링하고 급랭하면 σ 상이 사라지는 작용을 하여 취성이 제거된다.

오스테나이트 안정성은 질소와 탄소함량을 크게 감소시킴으로써 이루어지며, 또한 이들 원소가 Ti 및 Nb와 결합하게 되면 심하게 감소되는데 이것에 추가로 할 수 있는 조치는 냉각 또는 소성변형을 하면 오스테나이트가 α' 마르텐사이트(그림 5.257). 또는 육방 ε 마르텐사

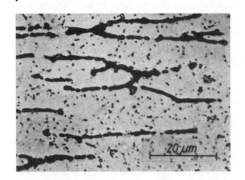

그림 5.256 0.10%C, 18%Cr, 9%Ni 및 Nb를 함유한 오스테나이트형 스테인레스 Cr-Ni강을 압연하고 800℃에서 50시간 어닐링 한 것 ; δ 페라이트로부터 생성된 σ 상(어두운 것)과 미세탄화물. 크롬산으로 전해부식.

그림 5.257 0.08%C, 18%Cr, 10%Ni 및 Ti 등을 함유한 오스테나이트형 스테인레스 Cr-Ni 강 ; 시편 제작에서 생성된 α′ 마르텐사이트, V2A 부식액으로 부식.

이트로 변태할 수 있고, 후자는 α′ 마르텐사이트로 계속 변태된다(그림 5.258).

Mn을 합금한 오스테나이트형 강과 유사하게 오스테나이트형 Cr-Ni 강은 화학조성에 따라 두 가지의 다른 방법으로 마르텐사이트가 생성된다. :

γ→α 마르텐사이트
γ′→ε 마르텐사이트 →α′ 마르텐사이트

사용 상태에서 오스테나이트 조직이 나타나는 오스테나이트형 스테인레스강 이외에는 오스테나이트-페라이트형 강의 군이 관심거리인데 이것은 부분 페라이트형 크롬강과 구별하며 그 외에도 화학조성에 따라 서냉에서 펄라이트가 아니고 급랭에서도 마르텐사이트로 변태하지 않고 모든 온도에서 그리고 냉각속도에 의존하지 않으며 δ 페라이트와 오스테나이트로 이루어진 조직이 나타나는데(그림 5.259), 이것은 수냉에서도 오스테나

그림 5.258 0.02%C, 18%Cr 및 10%Ni 등을 함유한 오스테나이트형 스테인레스 Cr-Ni 강 ; -196℃에서 2% 연신한 것 ; 오스테나이트(밝은 회색), ε 마르텐사이트(어두운 회색 선) 및 α′마르텐사이트(ε 마르텐사이트 내에 검은 대들보 모양). 알콜성 염산으로 부식.

이트형 조직 성분을 함유하므로 경화 및 열처리성이 아니다.

스테인레스강은 최악의 사용하에 또는 표면에 부동태 막을 생성할 수 없거나 또는 외부로부터 화학적 또는 기계적 작용으로 파손되고 복구될 수 없는 경우, 전

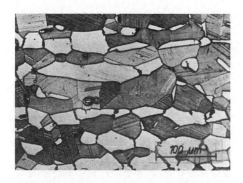

그림 5.259 0.10%C, 1.7%Si, 15.4%Mn, 10.8%Cr 및 1.0%Ti 등을 함유한 오스테나이트-페라이트형 스테인레스강, 1250℃/수냉 ; 오스테나이트(어두운 부분)와 δ 페라이트(밝은 부분).

문적인 조치를 취하지 않으면 부식될 수 있다. 평면부식 외에도 접촉부식 및 틈부식 또한 여러 종류의 선택부식이 존재한다. 자주 나타나는 부식으로는 공식(pitting), 입계부식 및 응력균열부식과 진동균열부식 등이 존재한다. 고온부식에 대하여 특수한 **내열강**이 개발되게 되었으며, 이것은 화학 및 석유화학, 노 구조와 발전설비(방사선관, 지지부 및 운반부, 열탐지기의 보호관, 어닐링상자, 스케일링로 등), 세라믹 산업에서(벨트 컨베이어, 에나멜굽는 장치 등) 또한 산업체에서 열처리(고온 먼지 제거장치 및 배출가스 독성가스 제거장치) 등에 응용된다.

복합응력에는 이 강이 사용되며, 공칭응력은 산화에서 또한 최소 600℃온도응력에서 스케일 손실 등을 의미한다. 570℃ 이상 온도의 산소에서 철은 산화되어 3종류의 산화물을 생성 한다. :

• FeO(Wuestite) : 그 함량은 결함이 없

는 구조에서 약 90%

• Fe$_3$O$_4$(Magnetite) : 그 함량은 결함이 없는 구조에서 약 7~9%

• FeO$_3$(Haematite) : 그 함량은 결함이 없는 구조에서 약 1~3%

산화는 조직 내에 결함, 개재물 또는 이미 생성된 산화철은 우수한 전기전도성의 스케일층 등으로 존재하며 스케일층은 철 이온과 산소이온의 이동에 적은 저항으로 작용한다. 이와 같은 결함으로 국부적인 스케일이 생겨 긴 것을 "도랑(trench)생성"이라하고 이와 같은 현상은 모서리, 구석과 표면이 손상된 곳에 우선하여 나타난다.

내열성을 개선하기 위하여 단단하게 접착된 치밀한 산화물층을 생성하면 이온 이송뿐만 아니라 전하 이송으로 큰 저항을 생성한다. 이러한 목적을 위하여 합금하는데 합금함량을 증가시킴으로써 강의 내성이 증가되는 것을 경험으로 알게 되었으며, 그러므로 합금을 하지 않는 비합금 내열성강은 존재하지 않는다.

선호하는 합금원소는 단단한 접착성 산화물을 생성하고 부식성 매체의 불필요한 성분과 쉽게 결합하지 않으며, 양호한 템퍼링성과 값이 저렴한 것이다. 내열성강의 중요한 군은 CrAl 또는 Cr Ti, CrNi, CrNi(X), CrNiSi 및 NiCrAl (X) 등이다.

내열성강의 분류는 조직 상태에 따라 페라이트형을 포함하여 페라이트-펄라이트형, 페라이트-오스테나이트형 및 오스테나이트형 내열성강 등으로 분류한다. 약 5~7%Cr과 Al함량이 높은 페라이트-펄라이트 형 강은 약 800℃까지만 공기 중에서 내성이 있다.

페라이트형 강(Sicromale)은 γ 영역을 축소하고 $(\alpha \rightarrow \gamma)$변태를 완전히 억제하는 원소를 일정한 양 이상 함유 (Cr $\geq$ 13% ; C $\leq$ 12% ; Al < 2.0% ; Si < 2.0% ; 여기서 1%Si는 3~4%Cr의 작용에 해당됨) 한다면 무변태를 한다.

내열성 오스테나이트형 Cr-Ni강은 또한 주목할만한데 0.12%C, 25%Cr 및 20%Ni을 함유한 강은 1150℃에서 공기 중에서 내열성이 있으며, 또한 페라이트형 강 X10CrAl24은 같은 스케일 발생한계 온도에 도달한다.

페라이트-오스테나이트형강은 오스테나이트형강과는 % Cr/%Ni의 높은 비로 구별된다.

일반적으로 페라이트형강은 어닐링한 상태로 공급되며, 이에 대해 페라이트-오스테나이트형강과 오스테나이트형 내열성 강은 대개 용체화 어닐링을 하고 수냉하여 준비된다. 내열 및 내스케일성 강은 짧은 응력과 오랜 시간 응력에서 단단하게 접착된 산화물층을 생성 할 수 있으면 유효하며, 이 강은 높은 온도의 가스, 분진 또한 550℃ 이상의 온도에서 용융염과 금속용탕으로부터 손상되기 전에 보호된다.

높은 온도에서 화학적 공격(부식)은 산소에 국한되지 않고, 또한 질소도 이 강으로된 구조물의 수명에 단점으로 작용할 수 있는데(특히 높은 Al을 함유한 강에서 질화), 또한 가스 분위기의 형태로 작용한다. 환원성 분위기(예, 질소-수소 혼합)는 질화작용을 할 수 있으며, 다른 예를 들면, 메탄 또는 프로판과 같은 Co, CO_2 및 탄소-수소로 이루어진 탄소를 함유한 가스는 침탄작용을 할 수 있다. 유황을 함유한 가스는 SO_2에 의하든 또는 유화수소에 의하여 이루어진다. 예를 들면, Cl과 같은 할로겐을 함유한 분위기 가스도 강을 부식시킬 수 있다.

부식은 소금, 에나멜, 세라믹 물질, 예를 들면 바나듐 산화물과 모리브덴 산화물과 같은 금속용체와 저용점 금속 산화물 등에 의하여도 진행 될 수 있다.

유황을 함유한 가스는 니켈을 함유한 강에는 사용을 권하지 않는데 저용점 유화니켈 공정을 생성하는 경향이 있기 때문이다. 내열성강은 또한 사용온도에서는 장시간 취성 발생 가능성을 고려하여 제한될 수 있다.

5.5.6
특수 자성강

철 합금은 중요한 금속적 자성재료에 속하며, 강자성은 온도에 따라 변한다. **큐리(curie)온도**이상에서 강은 상자성이고, Al, Si, Mn, Ti 등은 순철에 비교하여 큐리온도를 낮추며 Co와 Ni은 높이고 또한 Cr은 낮은 함량에서는 그 온도를 높이나 Cr함량이 높을수록 큐리온도는 상대적으로 낮아진다.

표 5.21에는 강의 큐리온도를 나타낸다. 특수 자성을 가진 강에 나타나는 기계적 및 화학적 성질에 관심이 있으며, 물리적 성질에 의하여만 평가되고 경자성, 연자성 및 비자성강 으로 분류할 수 있다.

경자성 재료의 항자력은 $10000\,Am^{-1}$ 이상, 연자성 재료의 경우는 $10000\,Am^{-1}$ 이하로 각각 나타난다.

IEC(International Electrical Commission) 권고에 따르면 순철재료 군에서 연자성 재료에는 저탄소강, 실리콘강, 다른 강에는 Ni-Fe 합금, Co-Fe 합금 등으로 나눈다. 사용 목적에 따라 연자성강은 강전과 약전기술로 분류되며, 첫 번째 군에는 변압기강 및 Dynamo강, 두 번째는 계전기강 등이 각각 속한다. 계전기 재료에는 주로 연철 또는 극 저탄소강을 열간 또는 냉간 압연한 밴드(band), 압연 또는 인발한 선, 단조품 또는 어닐링하거나 하지 않은 주조품 등이 사용 된다.

연자성강은 강전기술 응용에 큰 의미를 갖으며, 가장 중요한 조건은 작동할 때 쉬운 자화와 전기 교류영역 내의 자화전환에서 최소한의 손실이며, 이 조건을 만족시키기 위하여 재료는 초기 및 최대 도자율이 높고 최소의 항자력과 큰

표 5.21 각기 다른 조성 강에 대한 큐리온도 T_c
(data 인용 : H. Rohloff u.A. Zastera : Physikalische Eigenschaften gebraeuchlicher Staehle, Verlag Staehleisen Duesseldorf, 1996)

%C	%Si	%Mn	%P	%Al	%Cr	%Cu	%Mo	%Ni	%V	%Nb	T_c[℃]
0.019	0.35	0.37	0.030	0.06	28.01			3.69	0.06	0.65	540
0.07	0.78	0.42		0.86	18.19						660
0.23	0.54	0.57			16.34			1.45			700
0.19	0.26	0.47	0.014		11.80		1.07	0.80	0.35		740
0.07	1.02	0.42		1.20	6.73						750
0.12	2.37	0.54			4.75			0.09			750
0.14	0.33	0.98	0.011	0.026	0.27	0.69	0.30	1.18		0.032	750
0.15	0.27	0.65	0.020	0.009	0.01	0.05					770
0.15	0.26	0.51	0.024	0.020	0.52	0.07	0.53	0.34	0.26		770
0.15	0.25	0.62	0.011	0.025	0.87	0.11	0.51	0.12			770
0.20	0.28	0.77	0.014	0.032	0.06	0.13	0.35	0.06			770
0.06	0.96	0.56	0.021	0.025	1.90	0.10	0.31	0.15	0.36		780
0.216	1.08	0.62	0.021	0.012	24.05			4.27			875
0.066	0.17	0.50	0.009	0.026				9.37			1003
0.16	0.28	0.68	0.010	0.004	11.13		1.26	0.84	0.28		1013
0.089	0.34	0.40	0.010	0.018				5.62			1035
0.157	0.40	0.57	0.014	0.002	1.00		0.48				1041
0.101	0.33	0.46	0.021	0.019	2.06		0.90				1058

비저항을 나타내야 한다.

물리적 성질은 화학조성과 조직상태 및 순도에 의하여 크게 영향을 받는다. 순철의 20℃에서 비저항은 $0.1 \Omega mm^2 m^{-1}$ 이며, 순철의 초기 및 최대 도자율에 대한 통계는 분산되어 있는데 **초기 도자율**의 크기는 약 $13 \cdot 10^{-3} TmA^{-1}$와 최대 도자율은 약 $250 \cdot 10^{-3} TmA^{-1}$를 갖는다. 항자력은 화학조성, 조직, 입자크기 및 석출물, 상태 등의 변화에 쉽게 반응한다. 무엇보다 이와 같은 이유로 강 제조업체는 언급한 물리적 성질을 보증하지 않고 시효된 시편에 대하여 일정한 자성편광(분극)에서 **자화 전환손실**의 최대 값을 제시한다.(일반적으로 1.0, 1.5 또는 1.7T에서).

실리콘을 합금하면 물리적인 재료특성에서 수배로 작용을 하며, 실리콘은 철의 용융점을 심하게 강하시켜 액상선과 고상선 간의 온도 구간이 매우 좁아짐으로 실리콘을 합금한 강에서 실리콘 편석은 나타나지 않게 되고 또 다른 특성으로는 실리콘은 γ 영역을 축소시킨다.

순수한 Fe-Si 합금에는 A_3 점과 A_4 점이 1.8%Si에서 동시에 임계농도를 갖게 된다.

0.01%C를 함유하면 언급한 임계농도를 약 2%Si로 이동시키며, 0.1%C에서는 3.5%Si가 되고, 3.5%Si 이상과 0.1%C 이하를 함유한 강은 고상온도가 순수 페라이트의 가장 낮은 온도까지(그림 5.211 참조), 즉 ($\alpha \rightarrow \gamma$) 변태가 존재하지 않게 된다.

γ 영역을 축소함으로써 임계함량 이하의 Si 함량을 증가시킨 변태성 실리콘강에서 변태온도를 상승시키며 Si wt.% 당 50K를 상승시키는 것으로 계산할 수 있다.

또한 조대한 입자 처리도 가능하며, 조대립자 조직은 항자력을 감소시켜 바람직한 강이 된다.

Si에 대한 α 철의 용해도는 실온에서 14%이며, 페라이트는 약 6.5%Si까지 철격자 내에 대개 통계적으로 무질서한 원자분포로 나타난다. Si함량이 높으면 격자내의 원자는 규칙적인 분포를 나타내며 유사 화합물 특성을 가진 과조직을 생성한다.

이러한 배열과정은 전기전도도의 상승과 심한 취성을 일으킨다. 실리콘을 함유한 강은 약 3%Si까지만 냉간 가공이 가능하며 약 7%Si부터는 또한 매우 나쁜 열간 성형성을 나타내고 약 10%Si 부터는 비절삭 성형성은 실제적으로 더 이상 불가능하다. Si는 강의 비저항을 원자 % 당 약 $0.07 \Omega mm^2 m^{-1}$씩 증가시키므로 합금원소로써 특히 흥미가 있다. 연자성강은 약 6%함량까지 강전기술에 응용되며, 물론 높은 Si함량은 임계온도 영역인 650으로부터 420℃까지 냉각을 촉진시킴으로써 열간영역에서 과조직 생성을 억제한다면 기술적으로 관리할 수가 있다.

그림 5.260은 0.30mm두께를 가진 변압기판의 단면을 나타낸 것으로 조직은 균질하고 매우 조대한 페라이트 결정으로 되어 있으며, 0.04%C와 4.34%Si를

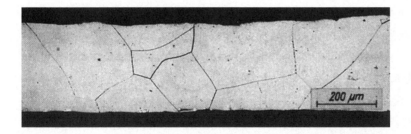

그림 5.260 0.04%C, 4.34%Si, 0.11%Mn, 0.015%P, 0.07%Cr, 0.006%S, 0.08%Ni, 0.16%Cu, 0.001%Al 및 0.009%N를 함유한 강의 0.3mm 두께 변압기 판의 단면, 조대한 페라이트 결정, HNO_3로 부식.

함유한 강은 변태가 일어나지 않음으로 노멀라이징에 의하여 입자를 바꿀 수가 없다. 그와 같은 강에는 큰 페라이트 결정으로 작은 경계면이 바람직한데, 입자면은 결정구조 결함으로 항자력을 크게 함으로써 자성변환에서 에너지 손실을 증가시키기 때문이다.

전혀 원하지 않는 것은 Fe_3C 석출물인데 이것은 자성의 시효를 초래하기 때문이다.

자화 전환손실을 최소($<1 Wkg^{-1}$)로 하기 위해서는 탄소함량과 불순물을 가능한 한 적게 함유함으로서 조직에 제어할 수 없는 석출물이 남아 있지 않도록 해야 한다(그림 5.261).

4%Si 이상을 함유한 강은 이미 취성을 나타내고 성형에서 입계균열을 생성하게 된다. 따라서 판은 실온이 아니라 200~300℃에서 압연하는데 재료는 이 온도영역에서 양호한 소성 변형성이기 때문이다.

최상의 자성은 높은 Si 함량을 가진 강을 냉간압연한 전기 강판으로 2차 재결정을 제어 할 수 있다면 바람직한 집합조직(texture)이 생성되는데 적당한 집합조직 종류는 **Goss 집합조직**이며, 이것은 가능한 한 압연방향에 평행하게 배열된 체심입방 페라이트 격자의 특히 쉽게 자화되는 결정방향 〈100〉으로 {100} 면이 압연면에 놓여있는 경우이다. 예를 들면 MnS와 같은 특수한 제어상(phase)의 작용을 통하여 재결정화에서 미세한 입자기지를 약화시키고 Goss 방향성을 가진 지향성 결정으로 할 수 있다(지향성 입자 변압기판).

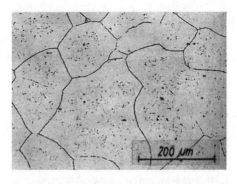

그림 5.261 0.05%C와 3.8%Si를 함유한 변압기강 ; 페라이트.

선명한 집합조직은 MnS 대신에 질화 알루미늄과 같은 다른 제어상으로 개선할 수 있다. 두 번째 집합조직 종류는 **주사위면 집합조직**으로, 이 조직으로 판 평면에 존재하는 자화가 어려운 주사위 대각선 방향을 억제하게 된다.

연자성 재료의 영역은 현저한 개발 작업이 이루어지고 있는데 탄소함량이 적은 철에 16%까지 Al을 합금하고 Si함량도 계속 높여 강에 Si와 Al의 복합응용, Ni-Fe합금, Co-Fe합금, Fe-Nd-B합금 및 아몰퍼스 금속합금(**금속성 유리**) 사용 등을 지속적으로 개발하고 있다.

경자성강에 영구자석을 만들기 위한 조건에는 가능한 한 높은 일정한 **자속(magnet flux)**이 유지되어야 하는데 여기에 추가하여 가능한 한 높은 포화분극이 실현되어야 하며 이것은 온도에 의존하지 않거나 약간만 의존해야 한다. 높은 큐리온도는 바람직하다(표 5.21 참조).

경자성 재료의 에너지 생성$(B \cdot H)_{max}$(H 자력, B **자화도**)이 좋은 평가기준이 된다. 경자성 재료로부터 요구되는 것으로는 큰 **항자력** H_c뿐만 아니라 높은 잔류자기 B_r 또한 **Faust 법칙**이 유효하여 "자기적 경도"는 기계적 경도에 평행한 성질을 갖는다. 경화성강은 예를 들면 경화된 상태에서 1%C, 최대 6%Cr, 최대 6%W 및 최대 40%Co를 함유한 강에서 처럼 영구자석을 만드는데 일정한 의미를 갖는다.

합금원소는 경도, 큐리온도, 물리적 성질 및 특히 Co는 **포화분극**에 영향을

미친다.

그러나 마르텐사이트 생성으로 강화뿐만 아니라 적당한 화합물의 석출을 통하여 시효경화의 의미도 있다. 예를 들면 20~30% 니켈강으로 그 외에도 Al, Co, Cu, V 등과 같은 합금원소를 함유하면 시효경화 처리를 할 수 있게 된다. 시효경화성 Fe-Ni합금은 18~30%Ni 외에 Al, Ti, Co, Nb 등을 함유하면 해당하는 열처리 후에는 Rockwell 경도가 68 HRC 까지 도달하며 인장강도는 $3000 Nmm^{-2}$가 된다. 자계 내에서 석출처리를 실행할 수 있다면 이상적인 결과를 얻게 된다. 비자성강은 자력 $80 Cm^{-1}$에서 상대적 자기도자율이 최대 1.01~1.05를 나타내며, 그와 같은 도자율 값은 면심입방 기본격자를 가진 강, 따라서 오스테나이트형 Cr-Ni강, 또는 Cr-Mn강, (그림 5.262)에서 마르텐사이트 변태가 일어날 수 없고, 또한 낮은 온도로 냉각, 냉간변형 등과 같은 후속 처리에서도 일어날 수 없다면 도달 될 수 있다.

주의해야 할 것은 큐리온도는 오스테나이트형강의 화학조성에 의존한다는 것이다.

주어진 M_s 온도에 의하여 α' 마르텐사이트 생성이 개시됨으로 "안정된 오스테나이트" 상태의 하부 온도경계로써 M_s 온도를 추측할 수 있다 ;

$M_s[℃] = 1305 - 1665([\%C] + [\%N])$

$- 28[\%Si] - 33[\%Mn] - 41[\%Cr] - 61[\%Ni]$

γ 영역을 확대하고, 마르텐사이트 생성을 어렵게 하는 원소뿐만 아니라 Si와

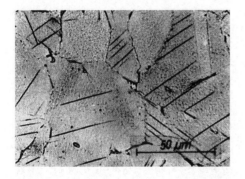

그림 5.262 0.25%Mn, 9%Ni 및 12%Cr 등을 함유한 비자성강, 1100℃/수냉 ; 오스테나이트.

Cr과 같이 식에서는 고려되지 않은 원소가 페라이트 안정화 원소로 알려져 있다. 고니켈 함량에서 니켈함량 증가와 더불어 큐리온도는 심하게 상승하므로 30%Ni 이상을 함유한 합금은 면심입방기본 격자가 존재하는 조직이지만 실온에서 강자성이다(그림 5.263). 이 영역에서는 Fe-Ni 합금성질을 가지고 있어 순수 니켈처럼 유사하여 강자성이다.

5.5.7
특수 가공성질 강

특수 가공성질을 가진 강 그룹은 특수 냉간 성형성을 가진 강, **쾌삭강**, **표면경화강** 및 **질화강** 또한 **불꽃 경화** 및 **유도경화강** 등을 포함한다. 강에 요구되는 조건을 위하여 특수한 가공기술을 적용하게 된다. 냉간 성형강에는 박판(thin sheet)과 냉간 밴드강, 선재강, 냉간 업셋강, 압출강과 리벳 및 체인강 등이 속한다.

이들 그룹 중에 박판과 냉간 밴드강이 큰 의미를 갖는다. 박판과 냉간 밴드로 두께 3mm까지 상당수의 국가에서는 2.75mm까지 제조하며 최소 두께는 1mm 이하이다. 압연기술로 제조 가능한 폭은 2200mm 이상이다. 기본적으로 박판에는 두 종류의 응용군으로 구별되는데 즉, 우수한 변형성이 요구되는 판과 추

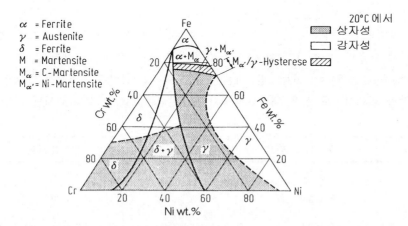

그림 5.263 0.03%C, 0.3%Si 및 1.2%Mn을 함유한 Fe-Cr-Ni 합금 조성의 자성상태 의존성, 1100℃/수냉("Werkstoffkunde Stahl", Bol.2로부터 발췌).

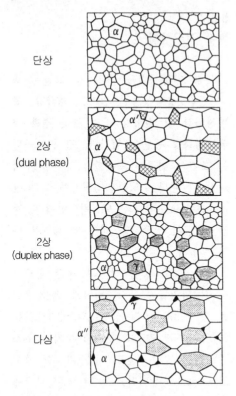

단상

2상
(dual phase)

2상
(duplex phase)

다상

그림 5.264 박판과 냉간밴드 냉간 성형성강의 조직(도식적).

가로 일정한 강도(고강도 박판강) 및 또한 내식성, 내연소성 등과 같은 다른 성질이 요구되는 판이다.

첫 번째 그룹의 강에 가장 중요한 요구조건은 냉간성형에서 가능하면 적은 힘과 작업 필요성으로 높은 형상변화에

서 결함(파손, 균열, 표면결함)을 보증해야 한다. 재료 문제는 박판과 냉간 밴드에서 원리는 같다. 성형성을 위해서는 우선 강의 화학조성이 결정적이며, 성형성을 갖도록 하는 높은 요구에서 1/100%의 탄소와 동반원소가 중요하다.

비합금강의 압연상태에서 몇 가지 성질변화를 각각에 대하여 0.01%로 선택된 원소를 표에 나타낸다.

우수한 성형성을 가진 판은 비 합금강으로 제조되며, 박강판은 성형 작업이 전제되어 있는 경우에는 합금원소가 없는 가능하면 순수한 저탄소강을 선택하게 된다. 그 조직은 다만 약간의 펄라이트 양을 가진 페라이트로 되어 있다. 높은 강도를 가진 **미세강판**($R_e = 260 \sim 350\,Nmm^{-2}$; $= R_m 400 \sim 700\,Nmm^{-2}$)은 예를 들면, 이동용 기계부품, 횡단연결부, 종방향 지지대, 축방향 지지대, wheel dish 펀치부의 제조에 필요하다. 이들은 연성의 비합금 박강판으로 연결부가 없이 상당한 강도를 갖게 된다. 냉간 성형성과 강도는 상호간의 요구가 되므로 필요한 성질을 부여하기 위하여는 절충하는데 이것을 위해서는 원래의 성형성에 비하여 제한하고 비 합금, 연강으로 한다. 인장강

원소	항복점의 변화[Nmm^{-2}]	인장강도[Nmm^{-2}]	파단연신[%]
C	+ 2.98	+ 7.02	− 0.43
Si	+ 0.37	+ 0.83	− 0.05
Mn	+ 0.99	+ 1.43	− 0.04
P	+ 8.32	+ 12.87	− 1.05

도를 증가 시키면 파단연신은 감소하게 되며, 그러나 동일한 강도에서는 파단연신 값 A_{50mm}가 5~35% 까지 나타난다. 박판과 냉간 밴드, 고강도 냉간 성형성강은 그 조직에 따라 단일상과 조대 다상강으로 나눌 수 있는데 이 분류에서 크기가 작은 석출물과 같은 조직성분은 입자크기로는 고려되지 않는다.

단일상에는 인(P) 합금 박판강, **bake-경화강**, **IF강**, 미세합금 및 등방(isotrope)강 등이 있으며, 2상 박판강에는 2상(dual phase)강이, **TRIP강**은 다상(multi-phase)이다.

냉간성형 박판강의 강도상승에는 고용체경화를 응용하며, 첨가 합금원소에는 Si, Mn 및 특히 P가 적당하고 P함량은 0.1%까지 첨가되는데 항복점이 340 Nmm^{-2}까지 도달한다. P는 냉간성형강에 다른 이유로 관심 있는 원소인데 재결정 집합조직의 강화로 **수직 이방성**의 평균값을 $r_m \cong 1.8$까지 상승시키므로 우수한 deep drawing 성이 보장된다. r값은 인장 변형에서 두께 형상 변화에 대한, 폭 변화의 비를 대수적으로 나타낸 것이다. :

$$r = \ln\frac{bo}{b_1} / \ln\frac{do}{d_1}$$

b_o 및 d_o는 판 시편의 최초 폭 및 두께, b_1 및 d_1은 변형 후 시편의 최종 폭 및 두께를 각각 나타낸다. 자동차 산업에서 냉간 성형성 미세강판의 주요 고객은 높은 강도를 가진 인(P)을 합금한 강 외에도 **bake hardening강**(자동차 문짝 등 칼라 등을 위하여 굽는 것)을 사용하게 되며 또한 고용체 경화강은 템퍼링 후에 치환형 원소의 고용 된 부분에 의하여 더욱 강도가 상승되는 시효 현상을 나타내지만 이러한 시효효과는 실온에서가 아니고 판을 가공 작업할 때까지 보관기간 동안이 아니라 적당히 높은 온도에서 완성된 구조품에 랙커 가열처리를 하여 원하는 강도를 얻게 된다. 중요한 것은 한편으로는 압하율과 n값을 고려한 예비연신이며 다른 편으로는 연신변형(stretcher strain 또는 **Lueders line**)이 없도록 최적조건을 찾는 것이다.

2상(dual phase)강에는 또한 유효한 성질조합이 나타나며, 제조 원리는 냉간압연 후 750~900℃노의 $\alpha + \gamma$ 2상영역에서 연속 어닐링 한 후 가속 냉각하면 2상 조직이 생성되는데 여기에 생성된 조직은 페라이트(α)와 마르텐사이트(α')로 이루어져 있다. 조직 내에서 페라이트와 마르텐사이트의 양은 어닐링 온도에 의하여 달라지며 펄라이트 단계의 변태는 피해야 한다.

이 강의 유효한 냉간성형성은 상대적으로 낮은 항복점비, 두드러진 항복점 결합과 높은 **강화지수**(exponent) n에 기인하며, 강화지수는 **유동곡선(flow curve)**으로부터 얻는다. :

$$\sigma_w = a \cdot \varphi^n$$

σ_w : 진응력(true stress)

a : 재료 의존상수

φ : 대수적 형상변화

두드러진 항복점 결함은 동시에 또한 항복점 연신(Lueders 연신)결함, 즉 연신변형(stretcher strain 또는 Lueders line)을 의미한다.

두얼(dual)상강의 변형에서 움직이는 전위는 페라이트 내에서만 생성되고 따라서 페라이트상이 변형의 주 역할을 수행하게 되며 마르텐사이트는 변형에 관여하지 않는다. 이러한 관점에서 두 얼상강은 복합재료와 유사하다.

2상 조직과 고용체 경화를 통한 강도 상승 외에도 또한 전위를 통한 강화 및 입자 미세화와 석출을 통한 경화 등의 다른 알려진 기구에 의하여도 가능하다. 파단연신이 나빠지지 않기 때문에 입자 미세화가 적당하다. : 그러나 입자 크기의 영향이 강도와 연신에만 관계되어서는 아니되고 그 영향에 따라 강화지수를 평가해야 한다. 페라이트 입자조직이 미세할수록 전위의 자유로운 진행경로가 작아짐으로써 결국 강화지수는 감소된다. 이러한 감소는 사정에 따라서 이어지는 큰 변형으로 항복변형에 불리할 수도 있다. 냉간 성형성 미세판강 영역의 개발은 최적화 성질을 가진 새로운 재료와 적합한 제조기술 특성에 관하여 지속적인 관심을 통하여 달성되며, 조직이 제공하는 모든 정보를 분석하여 가공성질과 강도 성질의 최적 상태를 규명하게 된다. 상부의 강도 다양성에는 TRIP강 (TRIP ; transformation induced plasti-

city)과 **복합상강 CP**(CP ; complex phase) 등으로 분류한다.

TRIP강은 비교적 높은 잔류 오스테나이트 양(γ)을 가진 페라이트-베이나이트 조직($\alpha + \alpha''$) 즉, 조직은 다상으로 되어 있으며, 잔류 오스테나이트는 구조물이 완성되는 동안 소성변형의 영향으로 마르텐사이트로 변태하는데 여기에는 강화가 현저하게 수반된다.

인장강도는 $1000\,Nmm^{-2}$까지 또는 그 이상에 도달한다. 이 강의 특별한 장점은 성형(소성변형)에 의한 강화(경화)가 시간이 지난 후에 나타나며 즉, 성형에서 우선 나타난다. CP강의 조직은 각기 다른 미세 마르텐사이트와 각종 베이나이트로 이루어져 있다. IF강(IF ; interstitial free)은 매우 우수한 냉간 성형성을 가지고 있으며, 파단연신 값을 $A_{80} = 40\%$ 이상 실현할 수 있다. IF강은 가장 낮은 탈탄강(%C, %N가 각각 < 50ppm)으로 **경년변화**가 없고 현저한 항복점 부족으로 수축연신이 나타나지 않으며 따라서 **연신변형**(stretcher strain 또는 Lueders line)이 없다.

미소 합금원소의 양이 또한 낮으므로 석출강화도 이 강의 조직에는 비교적 질화탄소, 유화물, 유화탄소 그리고 다른 미세한 분산물 들이 아주 낮게 검출된다.

대부분 강종으로 생산될 수 있는 선 (wire)에는, 예를 들면 일반 구조용강, 템퍼링강, 콘크리트강 및 스프링강 등이 있다. 그러나 대부분의 선재는 비 합금 강으로 제조되며, 탄소함량은 $\leq 0.06\%$~약

1%까지 이고, 선재제조의 통상적인 기술은 직경 5~6mm로 열간압연으로 생산된다. 이 압연 선재는 특수한 열처리를 통하여 냉간성형을 하게되는데 이 열처리를 **패턴팅(patenting)**이라 한다. Patenting의 목적은 펄라이트 단계 이하영역에서 오스테나이트의 변태로 우수한 냉간 인발성, 미세 라멜라형 펄라이트 조직을 갖게 하는 것이다. A_{c3} 온도 이상의 오스테나이트화 후에 약 400~550℃에서 변태가 일어난다.

패턴팅은 항온(전통적인 방법) 또는 압연열로부터 냉각을 조절하여 시행한다. 우수한 결과를 얻기 위해서는 강의 변태성질을 고려해야 한다. 전통적인 공정에서 설정된 항온 유지 온도는 생성된 펄라이트 조직이 미세 또는 조대한 라멜라 인자로 정해진다. 초석(proeutectoid) 페라이트 생성은 가능한 한 억제되어야 하며 열간 압연후 조직은 다소 조대 분산물이다(그림 5.265). Patenting후에는 균일하고 미세분산된 펄라이트조직이 존재한다(그림 5.266).

이 조직은 우수한 냉간 인발성을 나타내며, 선재의 단면에 따라 연속적인 변태에서 냉각은 찬 공기공급이나 또는 물론 가속 시켜야 한다. 냉간인발을 통한 계속 가공은 스케일을 제거하고 미리 윤활제를 사용해야 한다. 강종과 요구하는 최종 규격에 따라 중간 어닐링을 추가 하게 되는데 중간 어닐링의 목적은 소르바이트-트루스타이트조직(펄라이트 단계 이하) 또는 구상 시멘타이트를 가

그림 5.265 0.60%C를 함유한 비 합금강, 압연한 선재 ; 펄라이트와 페라이트.

그림 5.266 0.60%C를 함유한 비 합금강, 500℃에서 패턴팅 ; 펄라이트.

진 페라이트조직(연화어닐링 조직)을 다시 갖게 하는 것이다.

완성된 선재의 사용상태는 냉간변형된 펄라이트 및 페라이트-펄라이트형으로 템퍼링(특히 스프링) 조직이거나 또는 패턴팅 조직이며, 냉간 인발 후(전술한 경우 약 70%)에는 길이방향으로 늘어난 조직(그림 5.267)이나, 단면에는 냉간성형의 흔적은 확인 할 수가 없다(그림 5.268).

부적절한 Patenting(높은 항온 변태온도 및 서냉)은 조직내에 초석 페라이트의 양을 증가시킨다(그림 5.269 및 5.270).

그림 5.267 0.60%C를 함유한 비 합금강, 500℃에서 패턴팅하고 냉간인발한 것(변형도 70%) ; 길이시편.

그림 5.269 0.55%C를 함유한 비 합금강, 잘 못 패턴팅된 것 ; 페라이트(밝은 부분)의 양이 너무 많음, 길이시편.

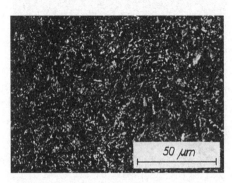

그림 5.268 0.60%C를 함유한 비 합금강, 500℃에서 패턴팅하고 냉간인발한 것(변형도 70%) ; 단면시편.

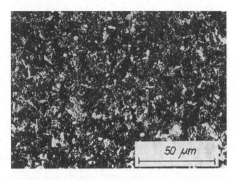

그림 5.270 0.55%C를 함유한 비 합금강, 잘 못 패턴팅된 것 ; 페라이트(밝은 부분)의 양이 너무 많음. 단면시편.

선재제조와 연관된 야금학적 및 재료학적으로 중요한 문제는 인발성, 비금속 개재물과 관련된 순도 및 표면상태 등이다.

인발성은 선재파단으로 가공성에 두드러지게 방해를 받지 않을 때까지의 단면감소이며, 가공성에 미치는 영향인자는 강의 화학조성(특히 탄소함량), 조직상태(페라이트와 펄라이트의 양, 라멜라형 시멘타이트의 거리와 두께, 조직 분산성, 경우에 따라서는 마르텐사이트 또는 베이나이트의 양)과 표면상태 등이다. 스

크랩으로부터 반입된 원소인 Cu, Ni, Mo, Co, Sn, As, Cr 등은 품질저하를 일으키며 일정하지 않은 함량으로 초기품질이 불균일하게 된다. 그 밖에도 조대한 탄화물, 경질 비 변형성 산화물 상 및 유황축적 등으로 인하여 파괴를 일으킬 수 있다. 압연선재의 불충분한 표면품질로 인하여 불가피하게 불량품이나 완성된 선재가 품질이 저하됨으로 기술적 시험에서 세심한 주의가 요구된다. **냉간업셋(upset)** 및 **압출용강**은 특히 냉간 성형

성질을 가진 강으로 냉간업셋 및 압출은 **냉간집단(massive)성형방법**이며, 예를 들면 기어 휠, 피스턴 핀, 스크류 너트 및 자동차용 점화 플러그 해드 등에 사용된다. 냉간업셋과 냉간압출에서는 강의 항복점 이상에서 변형되는데 두 방법의 차이는 업셋에서는 단면 확대이며 압출에서는 단면 감소로 나타난다. 단면 감소는 매우 클수 있으며(80%까지), 변형에서는 재료가 분리되지 않고 충분하게 형(form)에 충전되어야 한다. 형상 변형능과 관련된 높은 요구사항을 강에 부여하게 되며, 가장 중요한 요구사항에는 충분한 냉간성형성, 우수한 표면상태 및 경우에 따라서는 열적 예비처리를 해야 하는 낮은 초기강도에 적합한 변형이 필요하므로 냉간업셋강과 냉간인발강은 일반적으로 인장강도는 상부한계와 단면수축과 연신은 하부한계가 유효하다.

변형시키고자 하는 강에서 한 장소가 수직 응력에 의한 분해 파단강도 또는 전단응력에 의한 전단파단 강도에 도달되지 않고, **임계전단응력**(과도한 슬립과정 도입에서 그 각각의 전단응력으로 소성변형이 시작됨)이 외부의 최대전단응력을 능가한다면 강이 소성 냉간집단 변형을 일으키는데 적합한 상태가 될 수 있다.

변형성에 중요한 것은 전단 파단강도 및 분해 파단강도와 임계전단응력(소성변형의 시작) 사이의 차이다.

이 차이가 클수록, 변형에서 재료의 손상 위험이 적어진다. 그 밖에도 형상 변화에 의한 국부적인 차이가 생김으로써 강도가 상승된다. 이것이 매우 커면 변형하고자 하는 재료의 다른 곳에는 변형 되지 않고 있으나 한 곳은 이미 임계조건에 존재하게 된다. 냉간집단 변형성의 표준크기는 일정한 변형도에 대한 유동응력이며(성형기술에서 형상변화 강도 또는 변형강도를 K_f로 나타냄), 이것은 초기 강도와 변형조건에 따른 강화에 의하여 좌우되고 또한 조직과 화학조성에 영향을 미치게 된다. 변형강도에 가장 큰 영향을 미치는 것은 탄소의 작용이며, Si는 Al로 탈산처리 한 비합금 냉간업셋 강과 냉간인발 강에 최대 0.10%까지가 한계이고, 다른 동반원소인 Cu, Ni, Mo 등은 혼입되지 않도록 해야 하는데 이 원소들이 함유되면 성형성을 해치게 된다. Cr은 어닐링 상태에서 변형강도를 약간 상승시키나 어닐링에서 탄화물 생성을 촉진시킨다. 흥미로운 작용은 B인데 함량은 0.0010~0.0030%(< 0.0050%)까지 함량이 변하며, 오스테나이트 → 페라이트변태를 지연시킴으로써 실제적으로 항복응력이 아니라 경화성은 개선된다. 이렇게 하여 먼저 성형변형 한 후에 경화시키게 된다. 보론 합금의 간접적인 장점은 이 원소를 응용함으로써 동시에 변형강도를 상승시키고 경화성을 상승시키는 다른 원소의 함량을 줄일 수 있다.

B의 경화성 상승작용은 복합적으로 의존되는데 오스테나이트에 용해된 B원자는 상대적으로 큰 원자반경으로 인하여

생성된 초석 페라이트에 의해 침입형으로 받아들일 수 없게 됨으로 그 결과 수용능이 더 좋은 입계영역으로 확산되어야한다. 이 과정에는 시간이 필요하며, 펄라이트 단계에서($\gamma \rightarrow \alpha$)변태가 지연된다. 또한 탄소는 확산제어 된 $(\gamma \rightarrow \alpha)$변태를 지연시켜 공석조성 영역에서 변태속도를 최소화시킨다. 이렇게 하여 B의 경화성 상승작용은 특히 상대적으로 탄소함량이 낮은 아공석강에서 입증될 수 있다. 탄소함량이 증가됨에 따라 이 영향은 점차 사라진다. 변태를 수반하는 고침탄강에서는 B의 작용은 나타나지 않으므로 이런 강의 경화성 개선을 위한 B첨가는 특별한 의미가 없다. 따라서 B첨가는 용해한계를 넘어서는 화합물을 생성하기 때문에 사용하지 않는다. 변형성질을 고려하면 냉간인발과 관련하여 가끔 시멘타이트구상화 어닐링을 활용하게 되며, 저합금강에서는 노멀라이징을 통하여 페라이트-펄라이트조직을 갖게 하는 것이 적당한데, 그러나 강 계열에서는 그 변태특성 때문에 연속적인 변태로 순수한 페라이트-펄라이트 조직을 생성하는 것은 거의 불가능 하다. 강은 연속냉각에서 페라이트-펄라이트 조직 외에도 일정한 베이나이트를 생성하여 성형이 어려워짐으로 노멀라이징 대신에 페라이트-펄라이트 어닐링을 하게 된다. 페라이트-펄라이트 어닐링을 펄라이트화라고도 하는데, 이것은 900~1000℃에서 오스테나이트화하고 조절된 중간냉각으로 펄라이트 단계의 항온 변태라고 본다. 이 처리의 목적은 고

립된(island) 펄라이트의 균일한 분포와 베이나이트와 마르텐사이트 생성을 방지하는 것이다. 고탄소를 함유한 강에서는 조직 성분의 종류뿐만 아니라 또한 탄화물의 형상도 중요한데 특히 시멘타이트구상화 어닐링으로 개선될 수 있는 0.35%C 이상의 강에 유효하다. 이 처리의 목적은 펄라이트의 탄화물 구상화이다. 어닐링 시간과 온도에 따라 구상화도가 정해진다. 예비 냉간성형(예, 예비 인발된 상태)된 경우는 구상화 과정을 촉진시키며, 일반적으로 구상화도는 70%까지 충분한 성형성이 보장된다. 비금속 개재물은 심한 냉간성형에서 임계 재료영역에 응력집중을 일으켜 균열생성의 원인이 될 수 있다. 특히 위험한 것은 개재물의 선상배열인데 최신 야금에서는 매우 높은 순도로 산화 비금속 개재물을 억제할 수 있어서 냉간성형에는 더 이상 지장을 주지 않는다. 냉간업셋팅한 리벳과 냉간굽힘한 체인(chain) 등과 같이 접합부, 리벳 및 체인 등에 적합한 강은 냉간성형강 군(group)이 사용된다. 냉간성형능 외에도 다른 성질도 중요하며, 리벳과 체인용으로 언급한 강은 냉간 집단성형강이 합리적이다.

특별한 재료문제는 리벳, 스크류 및 체인용강의 복잡한 요구사항으로부터 발생된다. 요구사항으로는 냉간 집단성형성, 절삭성, 경화성, 내식성, 용접성 등과 같은 광범위하게 다양한 성질과 관련된다. 이러한 요구사항의 우선순위는 예를 들면, 일반적인 강도인 스크류와 너트는

절삭성 또는 냉간 성형성이 요구사항에서 최우선이며, 고강도강에서는 경화성, 용접된 환봉체인에서는 용접성 등이 중요하다. 접합요소에는 고강도로 표면경화강과 템퍼링강, 특수목적으로 스테인레스 또는 내열강을 응용한다. 체인은 그와 같은 품질요구가 없으므로 체인품질은 차이가 있으며, 성능인자가 특별히 입증되어야 하는 체인품질을 위해서는 보통강도강, 템퍼링강, 고강도강 및 내마모 강과 특수한 물리적, 화학적 성질을 가진강 등을 이용한다. **쾌삭강(free cutting steel)** 은 특히 부품을 경제적으로 제조하기위하여 빠르게 작동하는 절삭자동화를 구상한 것으로 요구되는 절삭성은 최소한의 공구마모에서 높은 절단속도, 가능한 한 칫수정밀성과 매끄러운 공장물 표면 및 칩이 짧게 끊어져 복잡하지 않은 칩 분리 등이 포함된다. 절삭성질은 조직이 결정적으로 작용하는데 최상의 절삭성질을 보장하는 조직은 에를 들면 MnS 개재물(그림 5.202 및 5.203)과 같은 연한 조각으로 칩이 끊어지게 하는 마모를 일으키는 성분이 가능한 한 적게 함유된 낮은 인성의 페라이트 기지로 이루어져 있다. 우수한 절삭성을 목적으로 하는 조치로는 페라이트 내에 충분한 용해성인 동반원소를 가진 합금이며, 페라이트 취성을 일으키고 또한 금속과의 연관을 차단하는 유황과 같은 적당한 입자를 도입하는 것이다.

유황은 강에서 충분하게 탈황되지 않으므로 많이 편석 된다(그림 2.271 및 5.272).

쾌삭강은 경제적인 절삭을 위한 적합

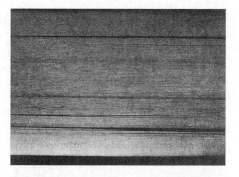

그림 5.271 0.09%C와 0.20%S를 함유한 림드(rimmed) 쾌삭강에서 MnS 주괴편석 ; 길이방향시편, Heyn으로 부식.

그림 5.272 0.09%C와 0.20%S를 함유한 림드 쾌삭강에서 MnS 주괴편석 ; 단면 방향시편. Heyn으로 부식.

성 외에도 통상적인 구조용강에 나타나는 성질의 일정한 응용목적의 역할을 해야 하는데 그 조치에는 사용성질에는 상반되는 절삭성을 향상시키며, 반대 요구사항 간에 절충을 하게 된다. 일반적으로 응용되는 쾌삭강(≤0.10%C를 가진 연강)에는 쾌삭 표면경화강, 쾌삭 템퍼링강 및 스테인레스 쾌삭강 등으로 구분

표 5.22 비합금강에서 침탄시간과 온도에 따른 침탄깊이 의존성

침탄시간[h]	1	5	10	30	60
T=850[℃]	0.4[mm]	0.8[mm]	1.2[mm]	1.5[mm]	2.5[mm]
T=900[℃]	0.6[mm]	1.2[mm]	1.5[mm]	2.5[mm]	4.5[mm]

하며, 쾌삭강은 일반적으로 기계적 및 화학적 관점에서는 탈황강과 비교하여 그렇게 비중이 높지 않다. 그럼에도 불구하고 구조물의 중요한 대량 생산품으로 다양하게 응용된다. 표면 경화강은 제한된 탄소함량을 가진 비합금 및 합금 구조용강으로 그 상부한계는 약 0.25%C 이며, 구조품으로 제조되고 표면층은 경화하기 전에 일반적으로 침탄 또는 침탄 질화처리를 하며, 열처리성강과 유사한 방법으로 응력을 받게 되고 차이는 주로 추가적인 응력이 표면영역에 존재하여 마모된다. 표면의 내마모성은 피로강도와 내부강도 외에도 이 강에 요구되는 중요한 성질에 속한다. 요구되는 성질에 강조성을 맞추게 되며 그 외에도 성질을 위한 열처리도 중요하다.

내마모성 가장자리는 표면 침탄 후 퀜칭으로 생성되며, 이것은 또한 준비된 구조물의 표준적 성질인데 그중에 화학적-열적처리(침탄, 완전히 또는 일부)와 어닐링으로 응력이 완전하게 제거되는 열처리(전체를 완전 가열 후 퀜칭)로 이루어진 열처를 조합하게 된다. 화학적-열적처리는 일관 공정으로 이루어져 있으며 비교적 경비가 많이 소요되어 다음 공정을 추천 한다. :

• 다양한 공정과 함께 직접퀜칭

– 침탄 온도로부터 직접퀜칭
– 퀜칭온도[1]로 온도를 낮춘 후 직접퀜칭
– 침탄온도로부터 직접퀜칭하고 최적의 퀜칭온도로 부터 퀜칭(이중퀜칭)
• 다양한 공정과 함께 단순퀜칭
– 중심부 또는 가장자리 퀜칭온도로부터 단순퀜칭
– 중간 어닐링 후 단순퀜칭
• 다양한 공정과 함께 항온변태 후 퀜칭
– 펄라이트 단계에서 실온으로 냉각시키지 않고 항온변태 후 퀜칭
– 펄라이트 단계에서 실온으로 냉각하고 항온변태 후 퀜칭

이 처리의 결과는 의사(Quasi) 재료복합이며, 가장자리 성질은 퀜칭(경화)된 공구강이고 중심부는 "겉보기(blinde)로 퀜칭 된" 최대 0.25%C를 가진 연강을 나타낸다.

침탄되고 퀜칭된 가장자리 영역은 마모에 대한 저항을 높이고, 비교적 인성을 가진 중심영역은 정적 및 급격한 하중을 수용하게 된다. 합금된 표면경화강은 비교적 우수한 경화침투성이 뛰어나며 노멀라이징 온도로부터 공랭하면 이

---

1) 여기서 하부 칭온도는 최적의 오스테나이트화 온도에서 칭하는 것을 의미함.

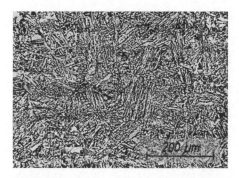

그림 5.273 0.25%C, 1.25%Mn 및 1.25%Cr을 함유한 강 ; 900℃/공랭, 베이나이트.

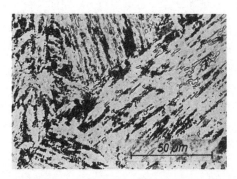

그림 5.274 0.25%C, 1.25%Mn 및 1.25%Cr을 함유한 강 ; 900℃/공랭, 베이나이트. 높은 배율.

미 베이나이트가 생성된다(그림 5.273 및 5.274).

침탄은 적당하게 탄소를 생성하는 고상, 액상 또는 기상의 매체에 의하여 850~약 1000℃에서 이루어 진다.

침탄된 가장자리 층의 두께는 온도외에도 침탄시간에 의하여 좌우된다(표 5.22 고상 침탄제).

낮은 침탄온도에서는 가장자리로부터 중심부로의 급격한 천이가 생겨 침탄된 층이 떨어지는 위험성이 있다. 이상적인 것은 가장자리 탄소함량으로 가장자리 영역에 가능한 한 탄화물 및 잔류 오스테나이트가 적은 경화조직을 생성하는 것이다. 특히 크롬이 많은 Cr-Mn- 또는 Cr-Ni강은 가장자리 영역에 탄화물을 생성하는 경향이 있다. 따라서 최대 가장자리 탄소함량은 강의 합금함량에 맞추어야 하는데 일반적으로 0.8%의 한계를 상회하지 않아야 한다. 가장자리로부터 중심부로의 탄소함량 천이는 너무 급격하지 않아야 하고 침탄분위기는 가능한 한 낮은 산소 포텐셜을 갖게 함으로써 가장자리 산화를 억제할 수 있게 된다.

가장자리 산화로 인한 위험은 특히 높은 Si 및 Cr을 함유한 강이며, 이에 대해 비 합금 및 Ni 또는 Mo를 합금한 강은 그 가능성은 적다. 침탄에서 낮은 산소 포텐셜은 압력을 줄여 진공에서 이루어진다. 침탄은 가장자리층의 변태거동을 변화시키는데 이 상태는 퀜칭에서 고려되어야 한다. 가장자리 영역은 공석조성에 인접한 침탄된 상태이며 기지 재료는 아공석이다. 침탄은 변태온도 A_{c1}과 A_{c3} 및 M_s 온도를 평형에 인접한 위치로 변화시키며, 또한 임계 냉각속도도 변화시킨다. 최적의 오스테나이트화 온도는 A_{c3} 온도의 위치에 따라 선택되어야 하므로 가장자리와 중심부의 퀜칭온도는 다르게 된다. 퀜칭온도를 중심부영역의 A_{c3} 온도에 맞추어 고정하게 되면, 가장자리 영역은 과열된 퀜칭을 나타낸다. 가장자리와 중심부간의 급격한 천이를 줄이기 위하여 약 900℃에서 침탄한 후 이어서 중간냉각하고 다시 오스테나이트화 하여 냉각을 하지 않고, 직접퀜칭하게 된다

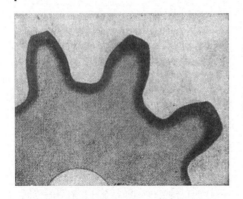

그림 5.275 표면경화 칭한 가장자리 치차, 10% 희석 HNO₃로 부식.

그림 5.276 그림 5.275의 가장자리 치차, 마르텐사이트.

(직접퀜칭). 직접퀜칭은 경제적인 방법이지만 특히 가장자리가 과열된 퀜칭이 나타난다. 표면경화강에는 입자 미세화 첨가재를 함유하고 있어 이것이 침탄 온도에서 오스테나이트 입자성장을 저해하는 작용을 함으로(직접퀜칭성강), 과열의 해로운 부작용(오스테나이트 입자 조대화)은 최소화 할 수 있게 된다.

그 외에도 직접퀜칭에는 퀜칭온도를 낮추고 또한 **2중퀜칭**을 적용할 수 있게 된다. 가장자리 조직은 마르텐사이트(그림 5.275 및 5.276)이며, 중심부는 탄소가 적은 마르텐사이트와 가장자리로부터 중심부 조직으로의 천이는 점차적으로 이루어진다.

그림 5.277에 나타낸 0.10%C를 함유한 비 합금 **표면경화강**으로 된 잘못 침탄하고 퀜칭한 롤러(roller)의 가장자리 영역을 비교한 것인데 가장자리 영역은 급격하게 경계를 이루고 탄소가 적은 중심부로의 천이가 없다. 중심부 조직은 페라이트 및 마르텐사이트 결정이 서로

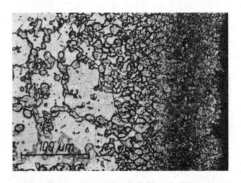

그림 5.277 0.10%C를 함유한 비 합금강, 잘못 표면경화 칭된 것, 침탄된 가장자리 영역으로부터 중심부로의 천이가 급격하다.

예리한 경계를 이루고 있다. 그와 같은 조직은 침탄온도가 너무 낮고 탄소가 강 내부로 충분하게 멀리 확산 될 수 없기 때문에 생긴 것이다.

자주 나타나는 결함으로는 과침탄으로 공석 농도를 넘게 되면 오스테나이트 입자의 입계에 껍질모양의 2차 시멘타이트가 생성되며(그림 5.278), 또한 과침탄으로 오스테나이트 입자조대화가 일어나 침탄층의 취성이 계속 높아진다.

퀜칭에서는 표면경화층에 **퀜칭균열**을 일으킬 수 있는 현저한 응력이 나타난다

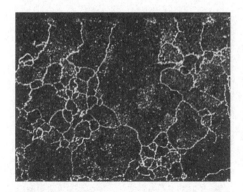

그림 5.278 Cr-Ni강 ; 과침탄 된 표면경화층, 10%희석 HNO_3로 부식.

(그림 5.279). 축의 단면을 부식하면 표면경화 층과 거의 같은 깊이로 균열이 나타난 것을 볼 수 있다(그림 5.280).

구조품을 침탄한 후 높은 온도에서 오랜 시간 어닐링 하면 과침탄 된 아직 균열이 생기지 않은 가장자리층은 재사용할 수 있게 된다.

경우에 따라서 아직 존재하는 2차 시멘타이트는 A_{cm} 이상 노멀라이징을 통하여 없앨 수 있으며, 퀜칭에서 침탄한 부품은 일반적인 퀜칭에서처럼 같은 관점에서 고려하게 되는데 과열, 초과된 유지시간, 퀜칭미달 및 불균일한 또는 급격한 퀜칭 등은 여기서도 같은 결함을 일으킨

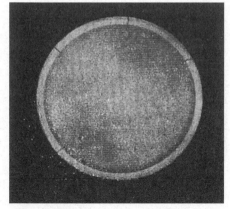

그림 5.280 그림 5.279의 표면경화 칭한 축의 단면 ; 표면경화층과 같은 길이의 칭균열 ; 5% 희석 HNO_3로 부식.

다. 준비된 구조물 상태에서 가장자리 영역의 조직은 잔류 오스테나이트와 2차 시멘타이트가 없는 가능한 한 미세하게 분포된 마르텐사이트이고 중심부는 페라이트가 없는 퀜칭조직이어야 한다. 잔류오스테나이트는 표면에서 경도감소를 일으킴으로써 내마모성을 약화시켜 내피로성을 낮추고 연마균열의 위험을 증가시킨다.

질화강은 템퍼링성강으로 질화물 생성원소를 함유하며, 이들 원소는 질화와 침탄질화를 통하여 높은 가장자리층 경도를 목적으로 하는데 특히 적당하다.

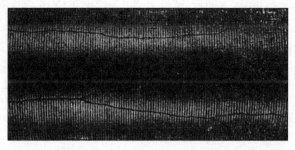

그림 5.279 Cr-Ni-강으로 된 표면경화 칭한 축의 칭균열, 과침탄으로 생긴 것.

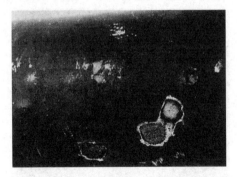

그림 5.284 주름이지고 떨어져 나온 곳이 있는 Cr-Al 강으로 된 질화된 관.

그림 5.281 Cr-Al 강 ; 칭하고 질화처리한 것, 아주 미세한 질화 석출물.

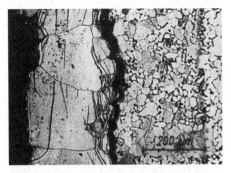

그림 5.285 그림 5.284의 관의 질화층 단면 ; 조대한 질화 석출물로 인하여 파열된 탈탄 가장자리 영역.

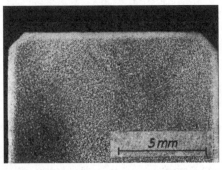

그림 5.282 질화된 공작물의 육안조직 ; 5% 희석 HNO₃로 부식.

가장 많이 사용되고 있는 질화강에는 0.1 ~0.5%C 외에도 3.5%까지 Cr, 약 1%까지 Mo, 0.3%까지 V 및 1.2%까지 Al 등이 함유되어 있으며, 질화하기 전에 필요한 중심부 강도를 위하여 템퍼링 한다. 질화에서 확산 침투된 질소는 높은 피로 한계와 향상된 부식성질을 가진 내마모성 표면을 생성한다(4.4.3.1절 참조).

질화강은 침탄강에 비하여 자경성 표면을 갖고 일반적으로 질화 후 열처리를 하지 않는다. 질화층의 조직은 질소가 없는 기지조직이 쉽게 부식되는 것과 구

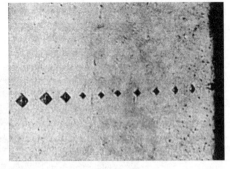

그림 5.283 질화층의 미소경도 분포 ; 질화층 2000의 Hₘ, 기지재료의 Hₘ은 320.

별된다(그림 5.281).

그림 5.282는 질화처리한 공작물의 육안조직으로 파단에서 질화층은 매우 미세한 파단 입자를 식별할 수 있다. 경도는 표면으로부터 기지재료 쪽으로 감소된다(그림 5.283). 질화에서 질화된 강의 표면에는 가장자리 탈탄이 일어나지 않는다. 다른 경우에는 가장자리에 인접하여 조대한 탄소가 적은 페라이트 결정과 또한 조대한 질화물이 석출됨으로써 가장자리층이 쉽게 떨어질 수 있다 (그림 5.284).

파괴 된 질화층의 단면을 보여주는데 특히 입계에는 네모형 페라이트 결정과 조대한 질화물이 생성되어 있으며 (그림 5.285), 이렇게 연결된 입계영역의 취성으로 강은 질화에 의한 체적증가가 더 이상 수용될 수 없게 되어 가장자리층은 파열된다.

불꽃경화 및 **유도경화강**은 비 합금 또는 합금 템퍼링성강으로 중심부 영역의 강도와 인성에 근본적으로 영향을 미치지 않고 국부적으로 오스테나이트화하고 퀜칭함으로써 가장자리 영역을 경화시키게 되는데 이것은 원래의 템퍼링강과 매우 유사한 것으로부터 기인하며, 특히 탄소함량을 정밀 분석함으로써 구별된다. 정밀 분석으로 목적하는 부분 경도의 높은 품질을 가능하게 한다.

5.5.8
특수 마모성강

독일만 해도 강의 마모로 인한 년간 경제적 손실은 백만 유로(EUR)가 된다. 강에서 마모는 항상 표면응력과 마모쌍이 존재한다고 가정한다(고체/고체, 고체/액체, 고체/고체입자를 가진 기체 등).

마모쌍과 응력 형태가 조합되면 여러 가지 마찰종류가 생기며, 모든 마모종류에는 다소 복잡한 응력 형태가 존재하므로 대개 간단하게 평가하기에는 가능하지 않다. 재료 사용과 연관된 강의 마모저항에 미치는 영향은 경험적으로 입증하는 것이 지배적이며, 일반적으로 조직 성분의 경도는 마찰제의 경도보다 커야 한다. 조대한 성분이 취성으로 빠져나감으로써 마모가 일어나지 않는다면 조직 성분의 경도는 독자적으로 마모저항의 유용한 증거를 제공하게 된다.

강에 존재하는 조직의 종류는 각기 다른 마모저항을 나타내며, 마르텐사이트 및 베이나이트와 같은 퀜칭조직, 경질재료가 많은(예, 탄화물이 많은) 경화된 조직 또는 비 경화성 페라이트 기지 또한 망간이 많은 오스테나이트형 퀜칭조직 등은 높은 내마모성을 나타낸다는 것을 경험을 통하여 알게 된다. 특별한 사용목적에 따라 마모저항을 높인 강에는 레일강, 롤러 베어링강 및 공구강 등이 있다.

통용되는 레일강은 페라이트에 시멘타이트형 탄화물이 석출되어 있으며, 여기에는 페라이트-펄라이트 조직이 가능한 한 미세한 분산물로 존재해야 한다. 비 금속 개재물인 탄성적 경화성인 부분은 충분하게 낮춰야 하는데 개재물은 레일

그림 5.286 1.2%C와 12%Mn을 함유한 경질 망간강 ; 주조된 것, 내마모성.

그림 5.288 경질 망간강, 1000℃/공랭 ; 입계에 탄화물 (Fe, Mn)₃C.

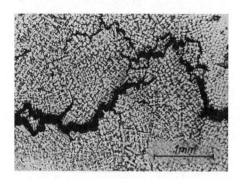

그림 5.287 경질 망간강의 build-up 용접 ; 초정 입계균열.

상부영역 강의 피로성질에 부정적인 영향을 미칠 수 있기 때문이다. 높은 응력을 갖는 레일은 베이나이트형 또는 부분 퀜칭으로 일부 마르텐사이트조직을 갖는다. 가장 높은 마모저항의 경우에는 철로뿐만 아니라 분쇄기, 착암기 및 쟁기 등에서 마모부분은 1.2~1.4%C와 12~14%Mn을 함유하고 Mn : C = 10:1 비율을 가진 **경질 망간강**을 사용한다. 그 특성은 높은 경화능으로 인한 낮은 경도, 낮은 항복점이지만 높은 마모저항, 가공한 시편 표면이 깨끗해야하며, 80%연신이 전제되어야 한다. 절삭가공은 경질금속

공구로써만 또한 연마가 가능하다. 성형은 일반적으로 주조를 통하여 하게 되고 주조조직에는 잘 식별할 수 있는 조대립자, 초정, 불균질한 오스테나이트 수지상 등이다(그림 5.285).

표면이 소성변형되면 브리넬경도가 200에서 500HB로 상승하며, 대부분의 오스테나이트형강과 같이 경질 망간강도 일반적인 경우에 비자성이다. 자주 마모부품 표면층에 경질 망간강으로 덧살부침 용접을 하게 된다.

페라이트와 오스테나이트의 열팽창 계수의 차이로 여기에는 **입계응력균열(inter-crystalline stress cracking)**이 생길 수가 있다(그림 5.278).

그러므로 경질 망간강의 덧살부침(build-up) 용접 후에는 응력제거 목적으로 서냉해야 된다. 높은 온도에서 단조한 경질 망간강은 서냉함으로써 **복탄화물**(Fe, Mn)₃C이 입계에 석출되며 내부는 침상으로 될 수 있다(그림 5.289).

경질 망간강을 1050℃로부터 퀜칭한 후의 성질은 연하고 인성을 가지며 우선

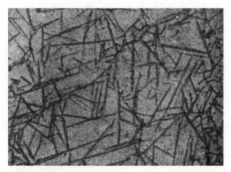

그림 5.289 경질 망간강, 1000℃/노냉 ; 입자내부에 침상 탄화물.

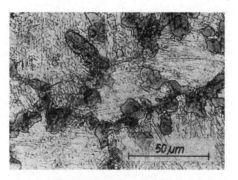

그림 5.291 경질 망간강, 1050℃/수냉/500℃에서 10시간 ; 오스테나이트, 탄화물 및 펄라이트.

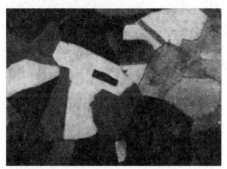

그림 5.290 경질 망간강, 1050℃/수냉 ; 균질한 오스테나이트.

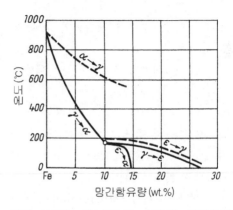

그림 5.292 기술적으로 중요한 냉각에서 Fe-Mn 합금의 상변태도.

계속된 석출 어닐링에서 경화되는데 퀜칭된 상태에서 탄소가 과포화 용체로 오스테나이트 내에 존재한다(그림 5.290). 이 상태에서 경도는 190HB, 강도는 1000 Nmm^{-2} 및 연신률은 50%를 각각 나타낸다.

550℃에서 10시간 어닐링 한 후에는 오스테나이트로부터 미세한 라멜라(lamellar)형 펄라이트와 마르텐사이트가 생성된다(그림 5.291). 따라서 강은 자성을 갖게 되고 400HB로 경도가 상승된다.

냉간성형된 경질 망간강의 조직에는 수많은 슬립선이 나타나고, 그 사이에는 **적층결함(stacking fault)**, ε 마르텐사이트와 작은 양의 α' 마르텐사이트가 존재하여 이것은 높은 경화의 원인이 된다.

10%까지 Mn을 함유한 저탄소강에서는 오스테나이트가 α' 마르텐사이트로 변태가 시작되어 곧 ($\gamma \rightarrow \alpha$)선에 이르게 되며 큰 온도간격을 이루고 여기서 생성된 마르텐사이트 조직은 그림 5.293으로부터 9%Mn강에서 볼 수 있다.

계속된 가열로 회귀변태가 시작되어 곧 높은 온도에 놓여 있는 $\alpha \rightarrow \gamma$선에 도달하게 된다. 이들 두 선 간에는 온도

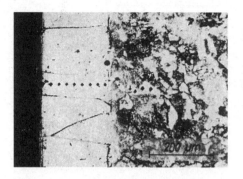

그림 5.293 9%Mn을 함유한 Fe-Mn합금, 1000℃/공랭 ; α′ 마르텐사이트, HNO₃로 부식.

그림 5.294 13.8%Mn을 함유한 Fe-Mn합금, 1000℃/공랭 ; 오스테나이트(회색 기지), ε 마르텐사이트(판형 흰색) 및 α 마르텐사이트(침상 검은색), 티오황산나트륨+2중황산염칼륨으로 부식.

구간이 존재하며 Fe-Mn합금에서는 두 개의 다른 상 생성이 제한없이 오래 동안 유지된다.

높은 온도로부터 이 온도구간 내에서 냉각하여 이 온도가 지속되면 100%의 오스테나이트가 남아 있으나 반대로 실온으로부터 이 온도구간 내로 가열하여 이 온도가 지속되면 100%의 α′ 마르텐사이트로 이루어진다.

이 현상을 **비가역성(irreversibility)**이라 하고 약 5~10%Mn을 함유한 Fe-Mn강이 여기에 속한다. 10~14.5Mn을 함유한 경우에는 오스테나이트로부터 냉각하는 동안 또한 확산 없이 먼저 육방형 ε 마르텐사이트가 생기는데 이것은 계속된 냉각으로 다소 완전한 α′ 마르텐사이트로 변태되며, 이러한 이중반응으로 한 조직에 두 가지 마르텐사이트 종류를 함유하게 된다(그림 5.294).

ε마르텐사이트는 오스테나이트의 정8면체면에 판상으로 분리과정을 통하여 생성되며, α′ 마르텐사이트는 창 끝과 유사한 침상으로 생성되고 ε 마르텐사이트

의 내부에 긴 축(long axis)이 있으며 그 폭은 ε 마르텐사이트 판의 두께에 따라 제한된다.

재가열하면 ε 마르텐사이트는 200~300 ℃에서 이미 변태되며, 그러나 α 마르텐사이트는 먼저 550~650℃ 사이에서 오스테나이트로 돌아간다.

14.5~27%Mn을 함유한 합금에서는 냉각되는 동안 (γ → ε)변태만 일어나나 완전하지 못함으로 항상 50%의 높은 잔류오스테나이트 양이 더 남아 있다(그림 5.295). 다시 재가열에서 약간 높은 온도에서만 (ε → γ) 회귀변태가 시작된다.

27%Mn 이상을 함유한 강은 냉각에서 더 이상 변태는 일어나지 않고 순수한 오스테나이트로 남아있다(그림 5.296). 합금원소 Mn은 높은 정수압(hydrostatic pressure)에서처럼 철격자 내에서 유사한 형태로 변태에 작용한다. 망간의 일부는 금속기지로, 또다른 일부는 탄화철로 가며, 망간 특수 탄화물은 강에는 존

그림 5.295 14.5%Mn을 함유한 Fe-Mn합금, 1000℃/공랭 ; 오스테나이트(어두운 부분) 및 ε 마르텐사이트(밝은 부분), 티오황산나트륨 +2중황산염카륨으로 부식.

그림 5.296 31%Mn을 함유한 Fe-Mn강 ; 오스테나이트, 티오황산나트륨+2중황산염카륨으로 부식.

재하지 않는다.

예를 들면 X210Cr12와 같은 복탄화물 외에도 특수 탄화물을 함유한 강은 어닐링에서 시효경화와 유사한 현상을 나타낸다. 언급한 크롬강의 조직은 평형상태의 실온에서 복탄화물(Fe, Cr)$_3$C와 특수 탄화물(Cr, Fe)$_7$C$_3$가 석출된 α 고용체로 이루어져 있다. 1200℃로 어닐링하면 복탄화물과 특수탄화물의 일부는 폭넓게 용해되어 M$_s$ 온도를 심하게 낮추며 강은 실온으로 퀜칭된 후에는 오스테나이트로 남는다(그림 5.192 ; 5.5절 참조).

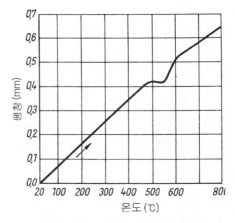

그림 5.297 2%C 및 12%Cr을 함유한 강을 1200℃에서 유냉한 어닐링 팽창계 곡선 ; 가열속도 2$Kmin^{-1}$.

이 조직상태를 2$Kmin^{-1}$의 가열속도를 가열한 팽창계 곡선을 그림 5.297에 나타내는데 오스테나이트는 이 온도영역에서 비교적 안정함으로 시편은 약 450℃까지 균일하게 연신된다. 450℃ 이상에서는 수축이 관찰되며, 이것은 (Cr, Fe)$_7$C$_3$ 탄화물의 석출에 기인한다. 550℃부터 곡선이 다시 상승하는 것은 합금이 적게 함유된 변태에 의한 것으로 페라이트 내에 불안정하게 된 오스테나이트가 원인이다.

1200℃로 어닐링하여 퀜칭한 강 X210 Cr12에는 약 450℃까지 조직변화도 아니고 경도변화에는 작용하지 않는다(그림 5.298). 특수탄화물 석출 증가에 의하여 경도가 60HRC로 현저하게 상승된다. 더 높은 온도에서는 경도가 급격히 떨어진다. 거의 같은 온도영역에서는 잔류 오스테나이트 양이 100으로부터 계속하여 0%로 감소된다.

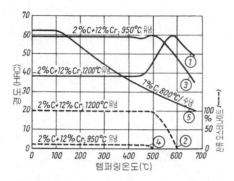

그림 5.298 2%C 및 12%Cr을 함유한 강을 950℃에서 또는 1200℃에서 1시간 어닐링한 후 유냉한 어닐링 곡선(Rapatz에 의함).

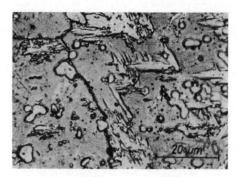

그림 5.300 2%C 및 12%Cr을 함유한 강, 1200℃/유냉/1시간 500℃ ; 특수탄화물(Cr, Fe)$_7$C$_3$ 및 마르텐사이트를 가진 오스테나이트.

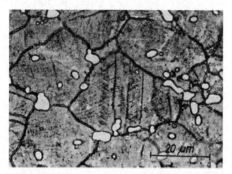

그림 5.299 2%C 및 12%Cr을 함유한 강, 1200℃/유냉/1시간 400℃ ; 특수탄화물 (Cr, Fe)$_7$C$_3$를 함유한 오스테나이트, 왕수 + Glycerin으로 부식.

크롬강을 1200℃부터가 아니라 950℃에서 유냉하면 조직은 90%의 마르텐사이트와 10%의 잔류오스테나이트로 이루어진다. 퀜칭경도(초기경도)는 60HRC에 근접하며, 450℃ 이상에서 경도의 재상승은 낮은 잔류오스테나이트 양이 처음보다 더 적기 때문이다. 1200℃에서 퀜칭한 X210Cr12강의 조직은 어닐링한 후에 실온에서도 450℃ 이상의 마르텐사이트를 함유한다. 마르텐사이트 양은 어닐링한 온도가 높을수록 많아진다.

400℃에서 어닐링한 후 조직에는 다면체 오스테나이트로 이루어져 있으며 쌍정 라멜라도 식별할 수 있으며, 퀜칭에서는 용해되지 않은 크롬 특수탄화물(Cr, Fe)$_7$C$_3$가 석출되어 있다(그림 5.299).

어닐링 온도를 500, 550 및 600℃로 증가시키면 마르텐사이트 양이 증가된다(그림 5.300~5.302). 일반적으로 950~1000℃까지 퀜칭한 크롬강은 400 및 600℃ 사이에서 어닐링한 후에는 변태능을 가진 오스테나이트의 양이 너무 적기 때문에 실제적으로 조직변화는 없으며 조직 내에는 나타나지 않는다(그림 5.303 및 5.304).

롤러 베어링강은 주로 롤러 베어링 구조요소 제조에 사용되며 또한 공구제조에도 응용된다. 롤러 베어링 구조요소는 특히 높은 점 및 선하중을 지탱해야 하므로 롤러 베어링강은 마모성 마찰에 대한 높은 저항과 우수한 칫수 안정성과 퀜칭한 상태에서 충분한 인성 등이 요구된다. 이러한 요구에는 먼저 단단한 마르텐사이트 조직의 높은 균일성이 부합

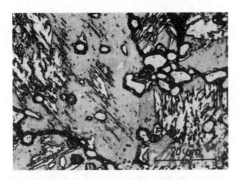

그림 5.301 2%C 및 12%Cr을 함유한 강, 1200℃/유냉/1시간 550℃ ; 특수탄화물(Cr, Fe)$_7$C$_3$ 및 마르텐사이트를 가진 오스테나이트.

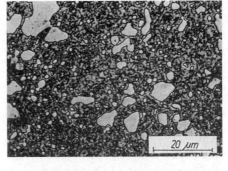

그림 5.303 2%C 및 12%Cr을 함유한 강 950℃/유냉/1시간 400℃ ; 마르텐사이트 및 특수탄화물(Cr, Fe)$_7$C$_3$, HCl + 크롬산으로 부식.

그림 5.302 2%C 및 12%Cr을 함유한 강, 1200℃/유냉/1시간 600℃; 특수탄화물(Cr, Fe)$_7$C$_3$ 및 마르텐사이트를 가진 오스테나이트.

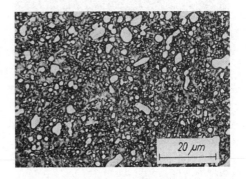

그림 5.304 2%C 및 12%Cr을 함유한 강, 950℃/유냉/1시간 600℃ ; 마르텐사이트 + 특수탄화물(Cr, Fe)$_7$C$_3$.

된다. 일반적으로 롤러 베어링강은 약 1%C를 함유하고 크롬합금이다. 30mm 이상의 단면 템퍼링성을 향상시키기 위해서는 1%까지 Mn을 첨가할 수 있으며, Si와 Mo의 첨가는 또한 퀜칭성을 개선할 수 있다. Ni과 Cu는 오스테나이트 안정화에 역 작용을 하므로 0.30 또는 0.25%로 제한하게 된다.

가장 자주 사용되는 롤러 베어링강은 과공석 Cr강 및 Cr-Mn강이다. 과공석 강은 퀜칭 하지 않은 상태에서 펄라이트

외에도 2차 시멘타이트를 함유한다(그림 5.305). 탄화물에서는 시멘타이트형 Fe-Cr 복탄화물(Cr, Fe)$_3$C$_7$을 위하여 15%까지 Cr을 함유할 수 있다. 압연온도가 낮았을 경우에는 압연 후 냉각을 급속하게 함으로써 압연상태에서 조직이 미세한 분산물로 된다(그림 5.306). 언급한 전 제조건이 만족되지 않으면, 즉 마무리 압연이 높은 온도에서 이루어지고 서냉된다면 조직은 입계 시멘타이트를 가진 다소 폭이 넓은 선상 펄라이트로 된다

그림 5.305 1%C 및 1.5%Cr을 함유한 강, 입계에 2차 시멘타이트를 가지 펄라이트.

그림 5.307 1%C 및 1.5%Cr을 함유한 강, 너무 높은 압연 온도에서 압연하고 서냉 ; 펄라이트와 2차 시멘타이트.

그림 5.306 1%C 및 1.5%Cr을 함유한 강, 압연한 것 ; 펄라이트.

그림 5.308 1%C 및 1.5%Cr을 함유한 강, 완벽한 연화어닐링 ; 페라이트 기지 내에 구상화된 탄화물 입자.

(그림 5.307).

그와 같은 탄화물 조직은 연화어닐링에서 응집되기가 어렵다. 펄라이트형 최초조직은 연화어닐링에서 균일하게 분포된 구형 탄화물립자로 된다(그림 5.308). 조대한 라멜라형 펄라이트와 입계 시멘타이트로 된 최초조직은 최적의 연화어닐링 조직이 되지 않아 2차 시멘타이트에서 일부만 응집된다(그림 5.309).

그 후 퀜칭으로 적당하지 않은 성질을 갖게 되어 강은 비교적 취성이 되고 스폴링(spalling)이 생기게 된다.

그러므로 입계 시멘타이트를 가진 롤러 베어링강은 연화어닐링 전에 880~900℃에서 노멀라이징하고(100Cr6의 A_{cm} 은 850℃에 있음) 이어진 공랭을 추천한다.

큰 단면에서는 입계 시멘타이트의 재석출을 확실하게 저지하기 위하여 바람이 부는 공기 중에서 냉각시키는 것이 필요하다.

절삭가공에서 가장 적당한 경도는 180~200HB이다.

롤러 베어링강 100Cr6의 경도는 820~850℃에서 유냉, 수냉 또는 다른 적당한 냉각제에 따라 측정하게 된다. 수냉

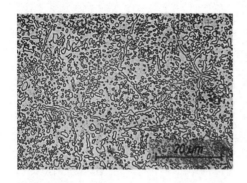

그림 5.309 1%C 및 1.5%Cr을 함유한 강, 불충분한 연화어닐링 ; 입계 시멘타이트가 잔류된 외에 페라이트 기지 내에 구상화 된 탄화물 입자.

그림 5.310 1%C, 1.5%Cr을 함유한 강, 840 ℃/유냉 ; 마르텐사이트와 균일하게 분포된 구상 탄화물.

에서는 물론 높은 퀜칭균열의 위험이 있으며 퀜칭 조직은 균일하게 분포된 탄화물을 가진 미세 침상 마르텐사이트로 되어 있다(그림 5.310).

과열된 퀜칭에서는 탄화물이 완전히 용해되며 오스테나이트 입자 조대화가 우려되고 잔류 오스테나이트를 가진 조대한 침상 마르텐사이트가 된다(그림 5.311).

그림 5.311 1%C, 1.5%Cr을 함유한 강, 1000 ℃/유냉 ; 조대한 침상 마르텐사이트와 잔류 오스테나이트(밝은 부분).

잔류 오스테나이트는 비교적 연한 상으로써 작용하여 63~65가 58HRC로 떨어진다. 그와 같은 상태는 과퀜칭되어 강의 내마모성이 감소되어 낮은 경도로 지주 탄화물이 경도 결함을 갖게 된다.

또 다른 조직 부적합성은 **선상 탄화물**인데 그 원인은 합금 원소 및 동반원소와 응고에서 수지상형 편석으로 인하여 초석 오스테나이트 내에서 탄소 등의 불균일한 분포로 나타난다. 또한 선상 탄화물은 퀜칭한 상태에서 균일한 성질을 더 이상 보장할 수 없게 된다.

선상을 없애기 위해서는 노멀라이징 으로는 충분하지 못하고 확산 어닐링이 더 유효하다. **공구강**에는 매우 높은 내마모성, 일부는 또한 높은 온도에서 나타난다. 공구강은 수공구 및 측정공구와 또한 **재료**를 가공하는 공구를 제조하는 데 특수강이 적합하다(때때로 주조 및 소결한 탄화 경질금속이 이 재료군에 속한다). 공구용 강은 또한 다른 목적으로 사용된다. 공구강은 어떤 경우에 화학조성, 전형적인 합금원소 또는 조직에 대해서는 다른 강에서도 이러한 사항이 겹칠 수 있으므로 크게 중요하지 않게 보고 오로지 사용 목적으로만 인식한다. 공구강에는 **냉간가공강, 열간가공강** 및 **고속도강** 등으로 나누는데 냉간 가공강은 작업 표면온도가 200℃를 넘지 않는 경우에 사용 목적에 따라 비 합금강과 합금강으로 고려하며, 열간 가공강은 이미 언급한 작업 표면 온도 경계를 초과하는 사용목적에 따라 합금강이 여기에 속한다. 고속도강은 성형 공구 작업표면에 높은 상대적인 속도를 가지고 약 600℃까지 온도에서 사용되는 절삭 공구는 합금강이 사용된다. 냉간 가공강의 조직은 사용 상태에서 마르텐사이트, 탄소 함량과 합금 양에 따라 시멘타이트 또는 특수탄화물 결정이 가급적 균일한 분포로 되어 있다. 필요한 경도는 A_{c1} 이상 또는 바로 A_{c3} 이상의 온도로부터 수냉 또는 유냉을 통하여 이루어진다.

약 100℃에서 이어지는 템퍼링은 퀜칭응력을 제거하는 목적이 있으며, 인성을 개선하기 위하여는 높은 템퍼링 온도를 적용하나 일정한 경도가 상실된다. 냉간 가공강으로 된 공구의 비교적 낮은 절단성능은 퀜칭에서 생성된 준안정 마르텐사이트의 불 충분한 내 템퍼링성에 기인한다.

절단 날(모서리)의 표면온도는 200℃가 되면 이미 현저하게 경도가 떨어져 날이 급격히 무디어 진다.

그에 비해 고속도강은 약 600℃까지 내 템퍼링성인데, 즉 암적색 어닐링(약

565℃)에서도 경도를 상실하지 않으므로 이 강은 높은 절삭성능을 달성할 수 있다. 고속도강의 주요 합금원소는 W 및 Mo이며, 그 외에도 V 및 일정한 양의 Cr을 함유하고, 또한 고성능 고속 가공강에는 Co를 함유한다. W은 아공석 및 과공석 사이 또한 과공석과 레데뷸라이트 사이의 조직 영역의 탄소함량을 낮추게 된다(그림 5.312).

그러므로 0.85%C와 12.5%Cr을 함유한 강은 레데뷸라이트형 크롬강의 군에 속하며, 조직 내에 레데뷸라이트 양은 V와 Mo 또한 다른 원소 등과 같은 탄화물 생성원소를 첨가함으로 조절된다. 자경성 레데뷸라이트 탄화물의 양을 높이면 고속도강 공구가 우수한 절단성을 갖게 된다. 고속도강의 조직은 높은 탄화물 생성원소의 양으로 인하여 특수성이 나타난다. 레데뷸라이트형 강을 주조 후에 퀜칭하게 되면 넓은 망상 레데뷸라이트에 에워싸인 초정 오스테나이트 고용체와 크고 긴 침상 마르텐사이트 결정을 함유한다(그림 5.313).

서냉 후에는 조직에는 오스테나이트도 마르텐사이트도 존재하지 않고 오스테나이트가 페라이트와 탄화물로 분해된다. 탄화물과 기지사이에 합금원소의 분포는 균일하지 않다. 일반적으로 기지에는 0.3~0.4%C와 나머지는 탄화물로 존재한다.

Fe, Co 및 Ni은 통상적으로 주로 기지에, W, Mo 및 V는 탄화물에 나타난다. Cr은 양쪽 조직성분에 균일하게 분포된다. 기지 내에만 용해된 원소는 퀜

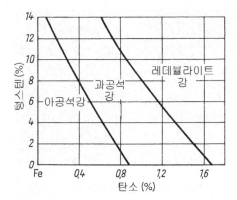

그림 5.312 텅스텐 강의 조직생성(Oberhoffer, Daeves 및 Rapatz에 의함).

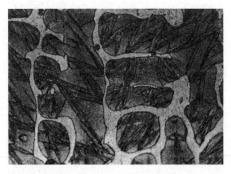

그림 5.313 0.9%C, 10.1%W 및 2.8%Cr을 함유한 고속도강, 주조함 ; 레데뷸라이트, 마르텐사이트 및 오스테나이트.

칭성과 열간경도에 영향을 미친다. W, Mo 및 V 함량이 증가됨에 따라 탄화물 경도와 내 템퍼링성이 증가된다. 후자는 고속 가공강에 특히 중요한 의미를 갖는다. 높은 합금함량으로 이 강은 더 이상의 적당한 경화성이 없고 또한 단조가 불가능 하게 됨으로 그 특성을 다시 상실하게 된다. 망상 레데뷸라이트는 취성을 일으키며, 탄화물의 분산은 균일해야 하는데 탄화물 분산은 우선 주조 입자크기에 의하여 변형도에 영향을 미친다.

주조 입자크기가 미세할수록 또한 탄화물 분산이 균일할수록 변형도는 커진다. 열간성형은 1100~900℃ 온도영역에서 이루어지며, 특히 대형 최종제품에서 측정한 단조비가 그렇게 높지 않을 수 있고, 가끔 선상 탄화물 또는 다소의 개방된 망상 탄화물이 조직 내에 남아있다. 여기서 이러한 소위 편석 탄화물이 재료의 가장자리보다 중심에 심하게 뚜렷하게 나타난다. 5~10%까지 희석된 질산으로 강하게 부식시키면 어둡게 부식된 기지로부터 탄화물 부화(enrich)가 밝게 두드러져 나타난다(그림 5.314). 조대한 탄화물 부화는 퀜칭응력을 증가시켜 미세절단 공구의 절단에서 미세하게 부서지게 하는데 적당하다. 선상 및 망상 탄화물에서 탄화물 부화의 위험성을 평가하는 데는 공구의 크기와 형상 외에도 공구의 작업방법 등을 고려하게 된다. 예를 들면 트위스트드릴과 리머에 사용되는 고속도강에는 절삭 작업이 매우 미세하므로 선상 탄화물이 나타나서는 아니된다. 그에 비해 대형 밀링커터, 기어피니온커터 및 서큐러소오(circular saw) 치차 등에는 선상 탄화물이 어느정도까지는 공구의 내구성에는 영향을 미치지 않는다.

고속도강은 절삭성을 보장하기 위하여 800℃에서 연화어닐링을 하게 되며, 연화어닐링상태에서 조직은 각기 다른 크기의 수많은 탄화물이 페라이트 기지에 박혀있다(그림 5.315).

완성된 고속도 공구강은 일반적으로

그림 5.314 5번 단조한 고속도강 ; 약하게 나타난 망상 탄화물, 10%희석 HNO₃로 부식.

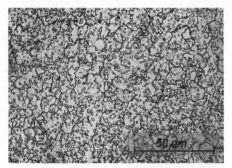

그림 5.316 고속도강, 적당하게 칭한 것 ; 탄화물을 가진 미세한 다면체 조직, 1%희석 HNO₃부식.

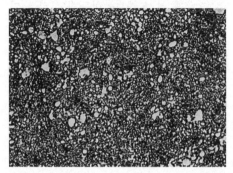

그림 5.315 고속도강, 단조하고 연화어닐링한것 ; 수많이 석출된 구상 탄화물을 가진 페라이트.

템퍼링한 상태에서 사용된다. 고속도강의 최적 퀜칭온도는 고상온도 직하 즉 강의 조성에 따라 1190~1265℃사이 이다.

이러한 높은 온도에서는 우선 저합금 탄화물과 특수탄화물의 일부가 용해되며, 레데뷸라이트 탄화물은 용해되지 않고 오스테나이트 내에 석출되어 남아 있으므로 오스테나이트 입자조대화를 매우 강력하게 저지한다.

고속도강을 유냉 또는 고압가스에서 냉각한 후의 조직은 0.85%C, 12.5%W, 4.5%Cr, 2.5%V 및 1%Mo 등을 함유한 강

을 1240℃에서 유냉 했을 때의 예와 같이, 마르텐사이트, 잔류 오스테나이트 및 용해되지 않은 탄화물 등으로 되어 있다 (그림 3.316).

연화어닐링한 상태와 비교하면 현저하게 낮은 탄화물 양을 알아볼 수 있다 (그림 5.315와 비교).

고속도강의 퀜칭조직은 1200℃ 이상의 온도로부터 퀜칭하게 되면 다면체 조직의 특성을 나타내며, 희석된 질산에서 부식하면 마르텐사이트도 아니고 잔류 오스테나이트도 아닌 밝게 나타난 다면체를 알아볼 수 있다. 그러나 마르텐사이트 조직은 염산에서 부식하면 나타난다. 다면체 구조와 용해되지 않은 탄화물을 알아보기 위해서는 HNO₃ 부식액이 유효하다.

퀜칭한 상태에서 성질에 특히 중요한 것은 오스테나이트화 온도 즉 퀜칭온도인데 오스테나이트화 온도가 상승됨에 따라 내 템퍼링 저항성으로 공구의 수명과 절단능이 증가된다.

그림 5.317 고속도강, 과열 칭한 것 ; 조대한 다면체 조직, 1%희석 HNO₃로 부식.

상부 온도한계는 고상온도에 인접하여 오스테나이트 입자조대화가 심하게 나타나 모서리 용해와 가장자리가 용해되는 심각한 위험을 초래한다.

과열퀜칭(예, 1280℃로부터)으로 조대화된 다면 체조직이 생성되며(그림 5.317), 현저한 입자조대화와 정상적인 퀜칭(그림 5.316)과 비교하면 적은 수의 용해되지 않은 탄화물이 존재하는데 과열퀜칭의 결과이다.

다면체에 선상 탄화물 또는 더군다나 레데뷸라이트가 나타나서 국부적으로 고상온도를 초과하게 된다. 유지시간은 퀜칭온도와 공작물의 크기에 따라 주의해야 하는데 과도한 유지시간은 과열과 같은 유사한 현상을 초래할 수 있기 때문이다.

퀜칭 후 처음 경도는 60~65HRC이며, 400~500℃로 템퍼링하면 약간의 경도 감소가 일어나지만 이에 대해 500~600℃로 템퍼링하면 경도 감소가 일어나지 않는다. 그 이유는 **시효경화현상**으로 2차 경화가 일어나기 때문이며, 이것은

고속도강의 내 템퍼링성에 기여한다. 고속도강의 템퍼링 작용을 강화하기 위하여 여러번 템퍼링한다. 템퍼링은 탄화물 석출 외에도 템퍼링 온도로부터 급랭에서 먼저 잔류 오스테나이트로부터 2차 마르텐사이트가 자주 생성되므로 2차 마르텐사이트는 이어지는 템퍼링에서 작용에 영향을 받는다.

적당하게 퀜칭되고 템퍼링한 고속도강은 미세침상의 탄화물이 균일하게 분포되어 있으며 **집합조직(texture)**이 없이 나타난 기지에 박혀있다(그림 5.318).

망상 다면체는 사라지고 조직성분으로서 레데뷸라이트는 나타나지 않는다.

텅스텐이 합금된 고속도강에서는 탄화물 반응이 관찰되며, 어닐링처리를 잘못하면 이 강은 두 방향으로 파괴된다. 일반적으로 Fe-W 복탄화물 Fe_3W_3C는 오랜 시간 어닐링에서 나타날 수 있으며, 일부는 WC로 변하게 되는데 이것은 복탄화물보다 더 많은 탄소와 결합되어 있으며 오스테나이트화에서 용해되지 않아 퀜칭성이 감소된다. 조직 내에 수많이 존재하는 탄화물은 현미경 조직시편 연마를 제약하며 이것은 대개 혼탁한 젖같이 나타난다. 알카리성 시안화철(ferricyanide)용액으로 부식하면 두 가지 탄화 텅스텐 Fe_3W_3C와 WC가 서로 구별된다.

복탄화물은 어둡게 부식되며 특수탄화물은 부식되지 않고 밝게 보인다.

두 번째로 700~800℃사이에서 오랜 시간 어닐링하여 이 온도구간 내에서 서냉하거나 또는 낮은 온도에서 단조하면

그림 5.318 고속도강, 칭하고 650℃에서 두 번 템퍼링 한 것 ; 균일하게 분포된 미세 탄화물을 가진 입계는 눈에 띄지 않는 미세 침상 마르텐사이트(어두운 부분).

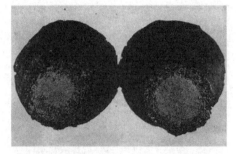

그림 5.319 텅스텐강, 주조하고 어닐링 한 것; 흑색파단.

탄화물의 일부가 원소성분으로 분해되는데 즉, **뜨임탄소(temper carbon)**를 생성함으로써 퀜칭에서 오스테나이트 기지에 용해된 탄소가 적어져 퀜칭성을 감소시키게 된다.

뜨임탄소의 파단면이 어둡게 나타나므로 이 현상을 **흑색파단(black fracture)**라고 한다(그림 5.319).

그림에서는 예로서 1.4%C, 0.75%Si, 9.47%Mn, 12.3%Cr, 8.6%W, 2.2%V, 0.9%Mo 및 0.3%Ti 등을 함유한 강에 해당되는데 밝은 중심부는 흑색파단된 가장자리 영역과 현저하게 드러나 있다. 현미경 조직사진에는 입계에 존재하는 탄화물 일부가(그림 5.320) 또는 완전히 흑연으로 변태된 것을 각각 나타낸다(그림 5.321).

합금원소는 흑색 파단성에 영향을 미치는데 Si, W, Ni 및 Co는 증가시키나 Cr, Mn, Ti, V 및 Nb 등은 흑연생성을 어렵게 한다.

쉬운 경우에는 높은 온도에서 가열하

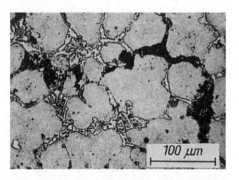

그림 5.320 그림 5.319의 텅스텐강, 주조하고 어닐링 한 것 ; 탄화물 일부가 분해된 것.

거나 또는 단조하면 흑연은 다시 용해되어 또한 흑색파단이 다시 사라질 수 있으며 퀜칭성이 원래 위치로 상승될 수 있게 된다. 열간경도와 관련하여 경질금속(hard metal) 만이 고속도강을 능가한다. 고속도강에 비하여 경질금속의 높은 경도는 마르텐사이트에 의한 것이 아니라 자경성 안정상(주로 탄화물)으로 가열에서 높은 경도는 실제적으로는 상실되지 않거나 또는 매우 점차적으로 상실된다. 경질금속에는 **스텔라이트(stellite)**와 유사한 용융야금 또는 분말야금으로 제조된 합금이 여기에 속한다. 2~3%C, 35

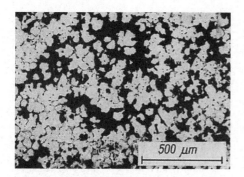

그림 5.321 그림 5.319의 텅스텐강, 주조하고 어닐링 한 것 ; 탄화물이 완전히 흑연으로 분해 된 것.

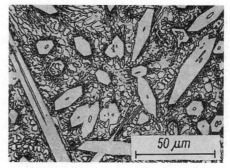

그림 5.322 2.2%C, 29%Cr, 11%W, 44%Co 및 잔부 Fe 등을 함유한 경질금속(stellite), 주조 된 것.

~55%Co, 25~35%Cr, 10~25%W 및 잔부로써 Fe 등을 함유한 Co-Cr-W 합금으로 Co는 일부 Ni로, W은 일부 Mo, V, Ti 및 Ta 등으로 대체 될 수 있다.

주조된 경질금속의 조직에는 공정기지에 다소의 조대한 침상 탄화물이 박혀있다(그림 5.322). 스텔라이트의 경도는 실온에서 약 63HRC이며, 1100℃에서도 약 43HRC가 되어 매우 내마모성이 우수하고 그 외에도 내식성과 내스케일성이 있다.

내마모성을 갖게한 공구부품에는 게이지의 접촉면, 밸브콘(valve cone), 착암기(chisel), 스웨이지(swage)의 작업면 및 그와 같은 종류가 있다.

스텔라이트는 지주강에 용융액상으로 떨어지게 한다. 주조된 탄화물 경질금속은 W탄화물과 Mo탄화물(W_2C 및 Mo_2C)로 되어 있으며 W과 Mo는 Cr, Ti, Ta 및 Zr 등으로 일부 대체될 수 있다. 인성을 보장하기 위하여 20%까지 Fe, Ni 및 Co 등을 함유할 수 있으며, 조직은 공정기지에 탄화물이 석출되어 있다.

경도는 실온에서 75~80HRC를, 1000℃에서도 60~65HRC를 유지한다. 장점으로는 열간경도, 내마모성과 내식성 등이며, 단점은 높은 취성과 낮은 내스케일성 등이다. 탄화물 경질금속은 대부분 인발다이, jewel 베어링, sand blast nozzle 등에 응용된다. 경질금속부품은 Cu로 지주강에 땜납 한다. 소결한 경질금속은 텅스텐탄화물(81~89%W, 5.2~ 6%C)과 코발트(5~13%Co)로 이루어진 경질금속과 구별되며, 여기서는 텅스텐탄화물 WC의 일부를 티탄탄화물로 대체될 수 있다. 그 외 합금원도에는 MO, Ta 및 다른 원소도 포함된다. 조직에는 인성이 있는 코발트가 많은 고용체기지 내에 탄화물이 석출되어 있다(그림 5.323).

소결한 경질금속의 경도는 실온에서 80HRC, 1000℃에서도 65HRC를 나타낸다.

내마모성은 높고 대부분의 목적에서 인성은 우수하다. 내스케일성과 내식성은 모두 높지 않다. Ti는 내식성을 개선한다. 이러한 경질금속은 절삭가공 공구

그림 5.323 14%TiC, 78%WC 및 8%Co를 함유한 탄화물 경질금속, 소결한 것 ; WC(흰색 모난 결정), WC와 TiC(회색 둥근 결정)가 혼합된 탄화물과 코발트가 많은 고용체(흑색), 시편은 다이아몬드 페이스트로 연마, 400℃에서 70분간 가열부식.

와 가장 단단한 재료뿐만 아니라 가장 연한 재료 즉, 경질주물, 퀜칭한 강, 유리 세라믹, 탄소, 플라스틱, 경질고무 등에 적합하다. 경질금속은 작은 판형태로 Cu로 지주강에 땜납 한다.

5.5.9
주철

강 이외에 주철재료도 철 재료에 속한다. 여기에는 주강합금, 주철합금 및 특수합금 등을 포함하는데 주강합금은 주철합금과 구별하기를 일반적으로 열처리한 상태에서 흑연 또는 유리 탄소는 없고 다른 형태로 조직 내에 존재한다.

주철은 라멜라 흑연을 가진 주철(GG), 구상흑연을 가진 주철(GGG), **버미큐라(vermicular)흑연**을 가진 주철(GGV), **냉경주철(GH)** 및 **가단주철(GT)** 등의 종류

가 있으며 가장 중요한 성분은 철 이외에 탄소(2~4%), Si가 3%까지 및 P는 2%까지 등이다. 이런 종류의 합금은 우수한 주조성을 나타내지만 그러나 비교적 취성이 있으므로 성형은 대개 주조 및 경우에 따라서 절삭가공을 통하여 이루어지며 소성변형을 통해서는 매우 적다.

냉경(chilled) 주철은 **크롬주철**과 같이 내마모성, 준안정으로 응고된 주철재료에 속한다.

라멜라 흑연을 가진 주철(GG)에서는 조직 내에 탄소의 대부분 양이 라멜라형 흑연으로 존재한다(그림 5.324).

흑연 라멜라는 양, 크기 및 배열 등이 변할 수 있다.

구상흑연(GGG)을 가진 주철의 조직특징은 분리된 탄소가 계속하여 거의 완전하게 구상흑연으로 되는 것이다. 이 두 가지 종류사이 위치한 주철은 버미큐라 흑연(GGV)[1]을 가진다. 그 조직 특징은 땅딸막하고 둥근 벌레모양 흑연 라멜라이다.

냉경(chill) 주물(GH)은 내마모성, 준안정 응고된 주철재료에 속하며 합금되거나 또는 비합금일 수 있는데 공정 조직성분을 함유한다. 냉경주철은 비합금 레데뷸라이트 주철로 가장자리 영역에만 준안정으로 응고되므로 셸(shell) 냉경주물이라고 한다. 가단주철(GT)에서는 아공정 철-탄소-규소합금이 준안정 응고되는 것이 중요하며 열처리(temper)

---

1) vermicular 벌레모양

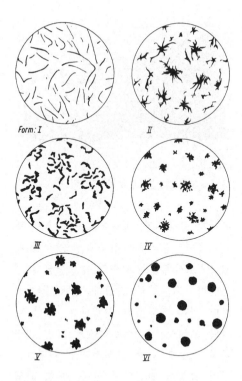

Form: I   II
III   IV
V   VI

그림 5.324 주철에서 특징적인 흑연형상
("Stahlguss-und Gusseisenlegierung," Leipzig
Stuttgart, 1992).

후에는 레데뷸라이트형 시멘타이트와 2
차 시멘타이트가 조직 내에 함유되어 있
지 않다. Temper는 시멘타이트형 탄화
물을 분해하여 **뜨임탄소(temper carbon)**
로 분해시키는 작용을 한다. 또한 파단
면의 양상은 다르며, 이에 따라 백주철
(냉경주물), **반(mottled)주철** 및 **회주철**
로 구별한다. 파단양상은 조직을 규정하
게 되는데 **백주철**은 펄라이트와 레데뷸
라이트로 이루어져 있으며, 반주철은 추
가로 원소 흑연이 작은 판상 흑연의 형
상으로 함유되고 회주철에는 전형적인
조직으로 펄라이트형 또는 페라이트-펄

라이트형 기지에 정출된 흑연으로 되어
있다.

조직생성은 화학조성(특히 탄소와 규소
함량)외에도 냉각속도가 영향을 미친다.

높은 냉각속도에서는 백주철의 생성
에 냉각속도가 낮으면 회주철의 생성에
각각 적당하다. 셸(shell) 냉경주물에는
3가지종류의 주물이 관찰 될 수 있다(그
림 5.325). 시편의 마지막에 응고된 백
주철(레데뷸라이트형)은 칠(chill)벽 가까
이에서 급속냉각 되었으며, 서냉된 측면
은 회주철로 응고되었고 그 사이에는 반
주철 영역이 나타나 있다. 아공정 백주
철의 조직은 실온에서 레데뷸라이트, 펄
라이트 및 2차 시멘타이트로 되어 있으
며, 공석 백주철의 조직은 레데뷸라이트
로, 과 공정 백주철에는 초정 시멘타이
트와 레데뷸라이트로 이루어져 있다.

극히 서냉하거나 또는 높은 규소함량
에서는 매우 안정하지 않은 탄화철 Fe_3C
가 철과 탄소성분에서(**간접흑연 생성**) 반
응식에 의하여 분해된다.

$$Fe_3C \rightarrow 3Fe + C$$

융체로부터 흑연의 일정부분이 이미 결
정화 될 수가 있다(**직접흑연 생성**).

흑연은 육방으로 결정화 되며, 흑연의
형상은 결정화 조건에 따라 영향이 미치
는데 라멜라형으로부터 중간형상을 거쳐
구상으로 된다(그림 5.324).

주철합금이 응고됨에 따른 계를 안정
계라고 한다. 주철합금은 강의 다성분계

와 같이 규격으로 되었으며 2원계 철-탄소는 생성된 조직에 대하여 대체적인 방향을 제시해준다. 예를 들면, 실제합금에서 A_1구간 내에는 3상 영역($\alpha + \gamma + C$)이 존재하지만 그러나 순수한 철-탄소합금에는 그렇지 않다. A_1구간의 하부한계는 $A_{1,1}$과 상부에는 $A_{1,2}$로 나타낸 준안정계로부터 벗어난다.

Si함량이 증가됨에 따라 A_1구간은 커지며, 기술적으로 관련된 주철합금은 어느 정도 우수하지만 그에 비해 Fe-C-Si 3원계에서 상 영역은 두 가지 안정/준안정으로써 존재한다. 주철은 수지상으로 응고되며, 그러나 수지상 조직은 이어지는 냉각에서 진행되는 상변태가 유지되지 않으므로 남아있다. 그럼에도 불구하고 초정 응고조직은 강에서와 유사하게 편석거동은 중요하다. 변태조직에 관하여 어떤 유사성이 존재한다. :

그림 5.325 셸 냉경주물의 파단면.

준안정계(Fe-Fe₃C)

초정 레데뷸라이트(오스테나이트+시멘타이트)

펄라이트(페라이트+시멘타이트)

초정 시멘타이트

2차 시멘타이트

안정계(Fe-C)

공정흑연(오스테나이트+흑연)

공석흑연(페라이트+흑연)

초정 흑연

2차 흑연

3%C를 함유한 주철합금의 조직은 실온에서 공정흑연, 페라이트-공석흑연 및 2차 흑연, 냉각에서 정출된 γ Fe로 되어 있다. 초정흑연은 과공정 주조합금의 성분이며, 회주철의 결정화는 백주철에서보다 실제 복잡하게 진행된다. 또한 나타난 조직성분은 백주철에서 처럼 여러 가지 이유로 금속 조직적으로 규명하는 것이 그렇게 간단하지 않다. 어떤 과냉을 통하여 탄소의 최소부분이 철탄화물로 분리된다. 이러한 분리는 먼저 철과 흑연에서 계속된 냉각과정에서 일어나며, 그 밖에도 흑연 생성은 이미 존재하는 흑연 핵에 따라 크게 좌우되고 흑연은 심하게 결정화 되는 경향이 있는데, 이렇게 하여 각각의 작은 판상흑연(공정으로부터 또는 정출이 일어남)의 근거가 되어 현미경 조직시편에서 확실하게 볼 수가 있다. 냉각 속도가 작을수록 흑연 결정은 더 많이 함께 성장하며, 공정흑연은 예를 들면 높은 Si함량(약 4%)과 빠른 냉각에서(냉경주물)만 미세하게 분산되어 성장한다. 서냉에서 흑연결정은 조대한 응집을 거쳐 결국 입계흑연으로 함께 성장한다. 또한 용탕의 예비처리와

그림 5.326 뜨임 탄소, 어닐링에서 시멘타이트 분해에 의하여 생성된 것. HNO_3로 부식.

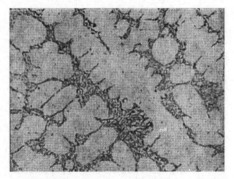

그림 5.327 주철, Si 부화(enrich) ; 공정흑연. 부식하지 않은 것.

다른 원소가 존재하면 흑연생성에 영향을 미친다. 액상온도를 훨씬 초과하여 오랜 시간 유지하면 흑연의 현저한 미세화가 일어난다. 인(P)함량이 높은(약 1.5%) 주철에는 흑연이 대개 새집형으로 모인 것을 볼 수 있는데 새집형 흑연생성은 추측하건데 인 편석에 기인한 것으로 본다. Mg 또는 Ce를 용탕에 첨가하면 흑연이 구형으로 생성될 수 있다. 그림 5.326~5.331에는 흑연의 중요 생성형태를 보여준다.

그림 5.326은 레데뷸라이트 주철의 조직으로, 1000℃에서 50시간 중성분위기에서 어닐링하고 서냉하였다. 레데뷸라이트는 분해되고 탄소는 구근종류와 같이 생성되어 소위 템퍼탄소로 함께 뭉쳐있다. 그러나 또한 펄라이트형 시멘타이트의 일부는 분해되고 페라이트 영역 주위에는 뜨임탄소의 징후가 보인다. 그림 3.327은 아공정 주철합금을 급랭 후에 생성된 것과 같은 미세하게 분산된 공정 흑연을 가진 수지상형상에 초정 철고용체를 나타낸 것이다.

서냉 후에는 공정 흑연결정이 조대한 작은 판상입계흑연으로 함께 성장한다(그림 5.328). 그림 5.329에는 라멜라형 흑연을 가진 주철의 일반적인, 비교적 조대한 흑연 생성을 보여준다. 인(P)을 많이 함유한 주철(예술주물)의 **새집형 흑연**을 그림 5.330에 나타내며, Mg으로 처리한 주철의 구상흑연을 그림 5.331에서 알아볼 수 있다.

라멜라 흑연에서 흑연형상과 흑연배열의 현미경적 규명은 표준 시리즈 방법(standard-series method)으로 정형화된 사진으로 만들게 된다. 라멜라 흑연을 가지고 2~4%C를 함유한 통상적인 주철의 결정화는 대개 다음과 같이 기술하는데 용탕으로부터 아마도 이미 흑연핵이 존재하며, 초정 γ 고용체를 정출하며, 잔류 용탕은 공정온도에서 일부는 레데뷸라이트로 그리고 일부는 흑연으로 응고된다.

계속된 냉각으로 레데뷸라이트형 시멘타이트가 오스테나이트와 흑연으로 분해된다. 전체 오스테나이트로부터 2차흑

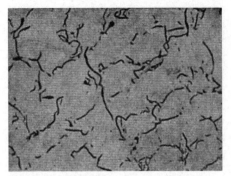

그림 5.328 입계흑연, 부식하지 않은 것.

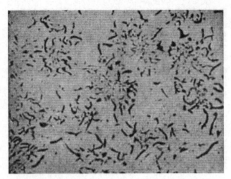

그림 5.330 P 부화 주철 ; 새집형 흑연, 부식하지 않은 것.

그림 5.329 정상적인 주철 ; 조대한 라멜라 흑연, 부식하지 않은 것.

연이 1차 흑연결정으로 정출되어 계속 성장하게 된다. 공석온도에서는 오스테나이트는 펄라이트로 변태하고 펄라이트형 시멘타이트는 공석온도 직하에서 페라이트와 흑연으로 변하게 되며, 여기서 흑연이 이미 존재하는 작은 판상 흑연에 결정화된다.

잔류된 페라이트는 페라이트 깃의 형태로 흑연맥을 감싸게 되고, 조성과 냉각속도에 따라 펄라이트 분해가 많거나 또는 적게 계속 진행될 수 있다. 매우 서냉하거나 또는 추가적으로 어닐링하면 펄라이트는 완전히 분해되어 조직은 조

대한 흑연과 페라이트로 된다.

더욱 빠른 냉각에서는 펄라이트가 작은 판상 흑연의 주위에서만 분해되어 이것은 잔류 펄라이트와 경계를 이루는 페라이트 깃이 된다. 더 빠른 냉각에서는 결국 펄라이트 분해가 완전히 억제됨으로써 펄라이트 기지에 흑연이 정출된 조직으로 된다. 기지조직에 따라 페라이트형, 페라이트-펄라이트형 및 펄라이트 주철로 구분한다.

라멜라 흑연을 가진 과공정 주철에서는 용탕으로부터 초정 흑연이 결정화되며, 중력 편석으로 인하여 이것이 용탕의 표면에 거품형태가 생성된다(kish graphite). 용탕으로부터 초정흑연의 결정화는 과공정 주철은 4.5%C보다 더 많이 함유하기는 드물기 때문이다. 주철에 가장 중요한 합금원소인 Si는(약 3%까지) 공정조성을 탄소함량을 증가시키게 된다.

Si 함량[%]	0.03	0.93	1.74	2.73	4.68	6.99
공정조성[%C]	4.24	3.90	3.70	3.38	2.79	2.25

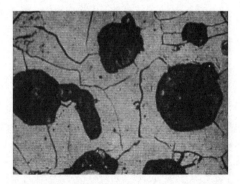

그림 5.331 주철, Mg로 처리한 것 ; 구상흑연, 부식하지 않은 것.

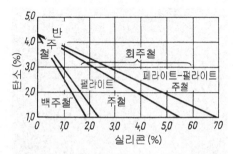

그림 5.332 주철 상태도(Maurer에 의함).

유사하게 냉각속도를 감소시킨 것처럼 안정된 철-흑연계에 유리한 방향으로 작용하게 된다. Si의 탄화물 분해에 도움이된 영향은 E.Maurer에 의한 **주철상태도**로부터 유래된다(그림 5.332). 주철 종류에 따라 일정한 핵생성 및 냉각 조건에서 탄소 및 Si함량에 따른 의존성을 나타낸 것이다(공기 중에서 건조한 형에 30mm직경의 봉으로 주조한 것). 낮은 함량의 탄소와 Si는 레데뷸라이트형 조직을 가진 백주철로 응고되며(그림 5.333). 높은 Si함량은 펄라이트형 주철 생성에 적당하고, 그 조직은 펄라이트형 기지 내에 정출된 라멜라흑연으로 되어있다(그림 5.334).

더 높은 Si함량에서는 페라이트-펄라이트형 주철이 되는데 그 조직은 페라이트 펄라이트 및 흑연으로 이루어져 있다(그림 5.335).

낮은 Si함량과 높은 탄소함량은 일부의 레데뷸라이트와 펄라이트, 일부는 흑연으로 된 조직을 가진 반주철의 특성이다(그림 5.336). 주철에서 조직생성은 냉각에 의하여 폭넓은 한계에서 영향을 미친다. **SIPP 상태도**는 **Maurer 상태도**와 조직생성에서 냉각조건의 존성과포화도(공정탄소농도에 대한 탄소함량의 비)에서 차이를 나타내며, **Laplanche 상태도**는 탄소함량과 Si함량이 추가된 조성 의존성 인자 K를 포함하고 이것은 흑연화 경향을 나타내는 것으로 조직생성에 미치는 영향의 크기이다. :

그 밖에도 Si는 또한 오스테나이트 내에 탄소의 용해도를 감소시켜 공석조성에서 탄소함량을 낮추며 공석온도선과 공석점을 높인다. 주철의 조직에서 특히 중요한 것은 Si의 탄화철에 대한 영향인데 높은 Si함량에서는 그 조성에서 철과 탄소가 쉽게 분해된다. 이 분해는 분명하여 시멘타이트로부터 탄소가 Si로 치환된다. :

$$Fe_3C + Si \rightarrow Fe_3Si + C$$

Si 함량이 증가되면 높은 탄소함량과

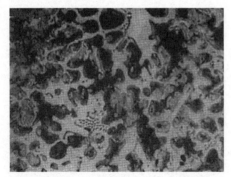

그림 5.333 백주철 ; 레데뷸라이트와 펄라이트.

그림 5.335 페라이트-펄라이트형 주철 ; 펄라이트, 페라이트 및 흑연(+steadite).

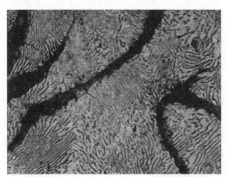

그림 5.334 펄라이트형 주철 ; 펄라이트와 흑연.

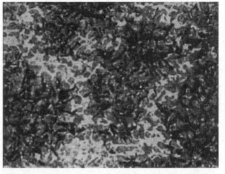

그림 5.336 반주철 ; 레데뷸라이트, 펄라이트 및 흑연.

$$K = 4/3 \ Si[1 - 5/(3C + Si]$$

Si, C 함량은 wt.%

K 값이 증가되면 조직은 레데뷸라이트로부터 펄라이트를 거쳐 페라이트-펄라이트로 변하며 동일한 냉각조건으로 가정한다(동일한 봉상 시편 직경).

실제에 있어서는 구조(주물의 두께)와 주조종류(사형주물, 냉경주물)등을 통하여 냉각속도는 대개 정해짐으로 목적으로 하는 조직을 얻기 위한 가능성은 탄소와 Si함량을 변화시키는 것이 유일하

다. 사형주물에서는 철판(냉경)을 부분적으로 설치함으로써 표면의 경도가 높은 백선조직을 얻을 수 있다. 조직에 미치는 냉각속도의 영향은 주철의 "살두께 민감성"의 원인이 된다. 주철의 특징 중에 주어진 조성과 구조종류에서 주물 두께가 두꺼울수록 연하게 되는데 이것은 냉각속도의 영향이 그 인자이다. 냉각이 느릴수록 조직 내에는 많은 페라이트가 나타나서 주철은 연하게 된다. 살두께가 얇은 주물은 조직 내에 더 많은 펄라이트가 존재하게 되어 높은 경도를 나타낸

다. 주철의 조직생성에 미치는 화학조성의 영향은 특히 첨가원소의 오스테나이트와 시멘타이트에서의 각기 다른 용해성이 중요한데 이것이 편석 성질과 조성 및 잔류용체의 응고에 영향을 미치기 때문이다. 오스테나이트 내에 용해성이 우수한 원소에는 Si 외에도 Cu, Ni 및 Al 등이며 Cr, Mo 및 Mn 등은 그에 비해 주로 시멘타이트 내에 부화된다.

예를 들면, 주철에 0.3~1.2%Mn을 함유하면 이것이 시멘타이트로 들어감으로써 복탄화물(Fe, Mn)₃C의 생성을 촉진하여 탄화물의 내구성을 높이게 된다.

그 밖에도 Mn은 펄라이트의 분산성을 변화시키며, 라멜라 펄라이트의 거리를 감소시키는 작용을 하고, 이것은 A_3 온도 강하와 연관된다.

매우 높은 Mn함량은 강에서와 같이 유사하게 먼저 마르텐사이트를 생성하고 오스테나이트 조직을 촉진한다.

Bi, Pb, Sb, Se, Te 및 Ti 등과 같은 원소는 비교적 적은 함량으로 대개 흑연형상에 불리한 영향을 미치므로 "방해원소"라고 한다.

14~18%Si를 함유한 주철은 여러 종류의 산(acid), 무엇보다 뜨거운 높은 농도의 질산과 뜨거운 황산 등에 대한 탁월한 내식성을 가지고 있다.

마찬가지로 5~3.5%Ni, 2~8Cr, 2~16%Cu, 3~10%Mn 및 경우에 따라서는 3%까지 Al 등을 함유한 주철도 내산성이 있다. P는 주철의 용탕 유동성을 높이고 내마모성을 개선하고 주철의 일반적인 탄소

와 P함량에서는 950℃융체 3원 공정에서 Fe₃C, Fe₃P 및 γ 고용체를 생성한다. 이 공정은 주철에서 특수한 조직성분을 나타내므로 이것을 인화물공정 또는 스테이다이트라고 하며 2.4%C와 6.89%P를 함유한다.

응고과정은 3원계 Fe-Fe₃P-Fe₃C에서 설명한다(그림 5.337).

1050℃용융 2원 (α Fe+Fe₃P)공정에서의 응고온도는 탄소함량의 증가와 더불어 낮아지며(2원 공정 홈(groove) I), P의 첨가에 의하여 2원 가장자리 계 Fe -Fe₃C에서는 포정반응으로 융체 + δ Fe→γ Fe, P가 없고 1493℃에서 평형상태 하에서 진행되며, 마찬가지로 낮은 온도로 이동된다(홈 II). 홈 I과 II는 0.8%C 및 9.2%P와 1005℃의 U점에서 만난다.

철의 (α 또는 δ)고용체는 탄소와 P를 추가로 가용함으로써 1005℃에서 3원 α 고용체의 농도는 0.3%C + 2.2%P + 97.5% Fe가 된다(a 점).

같은 방법으로 철의 3원 γ 고용체는 P를 가용함으로써 1005℃에서 0.5%C + 2.0%P + 97.5%Fe의 조성으로 된다(b 점). 1005℃에서는 평형상태로 Fe_3P, 3원 α 고용체(a), 3원 γ 고용체(b) 및 조성 U의 융체 등 4상이 공존한다.

이것을 일컬어서 천이면 $Fe_3P-a-b-U$ 상에 1005℃에서 3원 포정반응이 일어난다 ; 여기서 α 고용체(a)가 융체S(U)와 반응하여 γ 고용체(b)와 Fe_3P를 생성 한다 :

$$\alpha\ Fe(C,P)_a + S(U) \rightarrow \gamma\ Fe(C,P)_b + Fe_3P$$

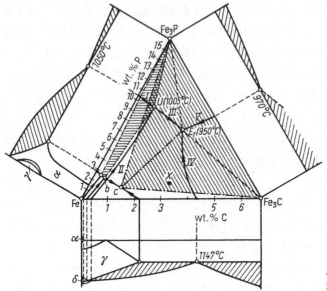

그림 5.337 Fe-Fe₃C-Fe₃P 3원계의 응고과정.

이 반응에서 α 상은 완전히 소진되고 잔류용체는 온도강화와 함께 그 조성이 U로부터 E_T로 변하며, 이때 γ 고용체와 Fe₃P가 2원 공정으로 함께 정출된다(2원 공정 홈 Ⅱ). 동시에 γ 고용체의 조성은 계속하여 b로부터 c로 이동되며, 가장자리 계 Fe-Fe₃C로부터 2원-공정 홈 Ⅳ로 떨어지고, 2원 공정(γ Fe+Fe₃C)를 따라서 정출된다. 홈 V상에는 2원(Fe₃P+Fe₃C) 공정이 정출된다.

3개의 2원 공정 홈 Ⅲ, Ⅵ 및 V 등은 3원공정점 E_T점에서 만나고 950℃에서 2.4%C + 6.89%P + 90.71%Fe상에 존재한다. 여기서 일정한 온도에서 잔류용체가 응고되며, 조성 C의 3상 Fe₃C, Fe₃P 및 3원 γ 고용체가 동시에 정출되고 3원 인화물 공정이 생성되는데 약 41% Fe₃P, 30% Fe₃C 및 29%γ 고용체

를 함유한다. 예를 들면 3.0%C와 1.5%P(그림 5.337에서 X점)를 함유한 백주철의 냉각에서 조직생성은 비교적 적은 탄소를 함유한 초정 γ 고용체생성이 시작되므로 잔류 용체에는 2원 공정 홈 Ⅳ를 만날 때까지 오랫동안 탄소가 부화된다. 그 후 γ 고용체는 시멘타이트와 함께 레데뷸라이트로 정출된다. 레데뷸라이트의 응고는 Fe-Fe₃C 상태도에서와 같이 1147℃에서가 아니라 낮은 온도에서 이루어진다. P함량이 높을수록 그 차이는 커진다. 잔류 용체는 이렇게 하여 P가 부화되며 홈Ⅳ가 그 조성이 되며, 950℃에서 3원점 E_T에 도달한다. 동시에 γ 고용체는 C점의 농도를 갖는 P가 부화된다. 950℃의 일정한 온도에서 전체 잔류용체는 3원공정(Fe₃C+Fe₃P+γ Fe)으로 결정화되어 주철은 완전 응고된다.

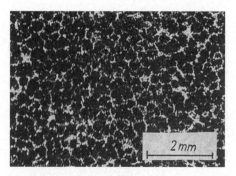

그림 5.338 0.4%P를 함유한 라멜라 흑연을 가진 주철 ; 3원 인화물공정(steadite), 20% 희석 HNO₃로 부식.

그림 5.339 1%P를 함유한 라멜라 흑연을 가진 주철 ; 3원 인화물공정(steadite), 20%희석 HNO₃로 부식

계속된 냉각으로 γ 고용체의 조성만 변하며, 950℃에서 1.2%C + 1.1%P(C점)를 가지나 이에 비해 745℃에서는 0.8%C + 1.0%P 만이 함유한다. 또한 P함량처럼 탄소함량은 온도가 낮아지면 적어진다. 분리된 P와 탄소는 Fe₃C와 Fe₃P로 정출되며, 745℃에서 이 3원 γ 고용체는 펄라이트로 분해되는데 펄라이트는 0.1%C와 1.5%P로 이루어진 α 고용체와 시멘타이트로 되어 있다.

높은 Si 함량(>2%)으로 약 950℃에서 서냉하면 안정된 3원(γ Fe+Fe₃P+흑연) 공정을 정출한다. 흑연은 매우 느린 응고에서나 또는 어닐링한 주철에서 이미 존재하는 라멜라 흑연에 붙어 우선하여 결정화되므로 조직사진에는 2원(α Fe+Fe₃P) 공정 같이 보인다. 그러나 여기에서 실제에는 항상 변종된 3원공정이다(의사 2원공정).

조직 내에 인(P) 분포를 알아보기 위해서는 10~20% 희석 질산에 부식하면 된다. 여기서는 금속기지는 어두운 흑색으

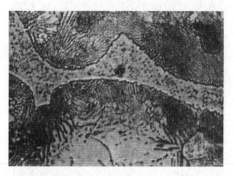

그림 5.340 펄라이트 주물 ; 3원 인화물공정 (steadite), 1% 희석 HNO₃로 부식.

로 되는 반면 스테다이트(steadite)는 입계에 밝은 조직 성분이 분명하게 드러나 있다(그림 5.338). 그림 5.339는 1.0%P를 함유한 주철제 피스턴 링의 단면을 나타낸 것으로 스테다이트가 균일하게 분포되어 있으면 촘촘한 망상으로 생성되어 있고 이것은 내마모성을 가진다.

적당하지 않은 것은 망상 스테다이트가 조대하거나 또는 망상이 개방된 경우이며, 고배율로 확대하면 불균질한 구조와 인화물공정의 전형적인 잔류영역 모양을 식별할 수 있다(그림 5.340 및 5.341).

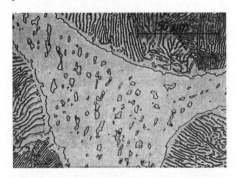

그림 5.341 주철 내의 스테다이트 ; 조대분산물, 1% HNO₃로 부식.

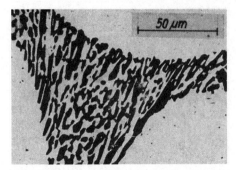

그림 5.343 주철 내의 스테다이트(그림 5.341과 같음) ; 조대한 분산물, 청화철용액으로 부식(어두운 부분 ; Fe₃P).

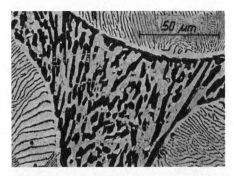

그림 5.342 주철 내의 스테다이트(그림 5.341과 같음) ; 조대한 분산물, 뜨거운 알카리성 나트륨 피크린산 용액에서 부식(어두운 부분 ; Fe₃C).

두 경우에서 기지조직은 순수한 펄라이트이며, 뜨거운 알카리성 나트륨 피크린산 용액에는 시멘타이트만 어둡게, 페라이트와 인화철은 부식되지 않고 밝게 남아있다(그림 5.342).

이에 비하여 새롭게 조제한 청화철(ferricynade)용액에서 부식하면 인화철만 어둡게, 시멘타이트와 페라이트는 밝게 남아있다(그림 5.343).

조직 내에 레데뷸라이트 또는 펄라이트 부분이 많을수록 주철의 경도는 높아

지며, 약 100HB를 가진 페라이트, 250~350HB가진 펄라이트 그리고 시멘타이트와 스테다이트는 700~800HB의 경도인데 비하여 흑연의 경도는 낮다.

흑연 양은 비교적 좁은 한계에서만 변함으로 기본적인 주철의 경도는 기지의 조성에 의해 정해진다. 주철의 경도는 페라이트 양이 증가됨에 따라 간소되며 시멘타이트와 인화물 양이 증가됨에 따라 상승한다. 기지의 경도는 퀜칭 또는 베이나이트화에 의하여 높아진다. 주철의 강도는 흑연 결정의 생성형태에 의하여 결정적인 영향을 받는다. 흑연의 특수한 영향은 두 가지 다른 인자에 의하여 정해지는데 즉, 지탱하고 있는 단면 감소와 노치(notch)작용이다. 연한 흑연은 공칭 인장응력을 지탱할 능력이 없으므로, 인장응력 선은 작은 판상흑연을 돌아서 가야하므로 그 경로가 길어지고 지탱하고 있는 단면이 50% 이상 감소된다. 이러한 형태의 영향은 흑연 축적의 형상에 좌우되는데, 이것은 라멜라 흑연

에서는 최대가, 구상흑연에서는 최소가 된다. 버미큘라(vermicular) 흑연을 가진 주철은 그 중간 위치를 갖는다.

흑연 축적의 예리한 끝과 모서리에는 응력 집중이 나타나며(노치응력), 이것이 주철의 연신과 충격강도를 낮추는 원인이 된다.

주철 최상의 기계적 성질은 펄라이트 기지에 흑인이 미세하게 분포 된 것이다. 용탕을 과열하고 급랭하면 탄소와 P의 적당한 함량에서 그와 같은 펄라이트 주물을 제조할 수 있다. 흑연 결정은 비압축성이어서 높은 압축응력을 지탱할 수 있으므로 주철의 압축강도는 인장강도에 비하여 약 3~4.5배가 된다. 주조된 부품은 내마모성이 관심거리인데 최상의 내마모성은 높은 P함량(약 1%P)과 조대한 라멜라흑연을 가진 펄라이트형 주철에서 나타나는데 이것은 일정한 윤활작용에 기인한다.

조대한 라멜라흑연을 가진 조직의 단점으로 주철의 틈새는 가스가 영향을 미칠 수 있는데 가스분자는 작은 판상 흑연을 통과하거나 또는 그 내부를 돌아다닐 수 있기 때문이다. 산소가 존재하면 작은 판상흑연 주위에 철의 산화가 일어남으로써 재료가 파괴된다(그림 5.344).

그림은 30년간 사용한 후 **내부산화**에 의하여 파괴된 주철제 증기터빈 케이스의 조직을 나타낸 것으로 전체 라멜라흑연은 증기를 침투시켜 FeO층을 에워싸게 된다.

아주 유사한 경우에 주철은 이미 상

그림 5.344 뜨거운 증기에 의하여 파괴된 주철제 증기터빈 케이스 ; 라멜라 흑연을 에워싼 두꺼운 산화철층, HNO_3로 부식.

온에서 국부적 부식에 의하여 파괴 될 수 있는데 결함사진은 이러한 현상으로 **스폰지형** 또는 **해면철**이라 하고 땅속에 설치한 주철관에서 자주 나타난다. 산(acid) 또는 염소 함량이 적은 땅속, 예를 들면 습기가 있는 또는 늪 같은 지역, 바다 가까운 또는 화학공장 근처 등에서 오랜 시간 손상이 촉진된다. 주철의 기지는 여기서 특히 산화철 FeO로 변화된다. 흑연과 **인화물공정**은 약간 또는 전혀 부식 되지 않는다.

주철은 점차적으로 스폰지 단계에서 연화되어 칼로 절단 할 수 있게 되며, 표면에서 떼어낸 녹층은 어두운 조각의 해면철을 알아볼 수 있고 이것은 금속 표면으로부터 잘 떨어져 나온다(그림 5.345).

스폰지형으로 손상된 주철의 조직은 (그림 5.346) 인화물공정(밝은 망상)과 흑색흑연이 정출된 어두운 회색 기지(주로 FeO)로 이루어져 있다.

라멜라흑연을 가진 주철의 특수한 성질

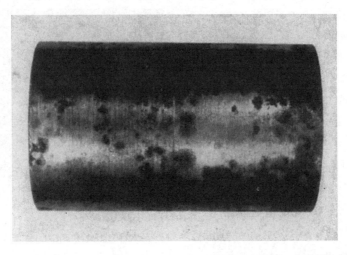

그림 5.345 라멜라 흑연을 가진 주철제 관 ; 뒤집은 표면, 여러 곳이 스폰지형으로 손상됨.

중 하나는 매우 우수한 **감쇠능(damping capacity)**인데 이것은 열간에서 기계적 진동변화로 이해되며, 예를 들면 철봉을 매달고 해머로 치면 소리가 오래 지속되는 반면 회주철의 경우는 약간만 진동한 후 멈추어 조용해진다. 따라서 주철은 주기적으로 가해지는 구조물의 해로운 진동을 감소시키는데 중요함으로 진동흡수재로써 사용된다.

그래서 동력기계 및 작업기계 등에 소음을 감소시키기 위하여 주철제 부품을 사용하게 되는 이유가 된다. 선반대는 대개 항상 라멜라흑연을 가진 주철로 제조하게 된다. 주철의 기본적인 성질은 의심할 여지없이 우수한 주조성인데 약 1150℃의 낮은 공정온도에 기인한다. 탄소함량이 상승함에 따라 용탕의 유동성은 공정농도까지 증가되는데, P에 3원 인화물공정의 용융점이 950℃에 불과하기 때문이다. 용탕의 점도는 더욱 낮아

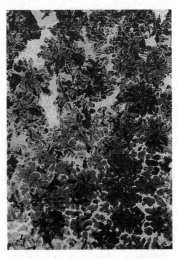

그림 5.346 라멜라 흑연을 가진 주철 ; 스폰지형으로 파괴 된 것, FeO(어두운 회색), 스테다이트(흰색) 및 흑연(흑색).

지며 일반적인 주철 종류에서 흑연의 일부는 용탕으로부터 이미 정출되고 다른 부분은 냉각되는 동안 시멘타이트로부터 생성되고, 가단주철에서는 추가로 특히 오랜 시간 어닐링을 통하여 탄화철이 분

그림 5.347 흑심 가단주철 ; 페라이트와 템퍼 탄소.

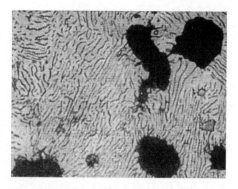

그림 5.348 백심 가단주철 ; 펄라이트와 템퍼 탄소.

해된다. 생성된 흑연이 작은 구조형태로 축적된 것을 템퍼탄소라 하며, 파단면을 보면 흑색과 흰색의 가단주철을 구별하게 된다. 가단주철(GTS 또는 GTW)은 준안정으로 응고된 템퍼원료 주물로부터 중성 어닐링(S로 표시)하거나 또는 탈탄 어닐링(W로 표시)하여 제조된다. 템퍼원료 주물은 실제로 준안정으로 응고될 수 있고 탄소와 Si의 전체 함량은 4.2%를 넘지 않아야 하며, 가단주철은 전성을 가진 주철재료로 유효하다. 흑심 가단주철은 어두운 파단면이고 조직은 페라이트와 템퍼탄소로 되어 있다(그림 5.347).

중성 매체에서 어닐링하면 레데뷸라이트형 시멘타이트와 2차 시멘타이트의 흑연화가 이루어진다. Si는 흑연화 과정을 촉진 시키므로 템퍼원료 주물의 Si함량에 따라 어닐링 시간과 온도를 선택하게 되는데 어닐링 시간을 줄이기 위해서는 탄소함량을 가급적 2.3~2.7% 사이로 하고 Si함량은 가급적 높게 한다(1.2~1.5%).

백심 가단주철은 밝은 파단면을 나타

내고 템퍼원료 주물을 산화작용하에서 제조하는데 가장자리 영역이 탈탄되며 이렇게 하여 가장자리 영역의 조직은 순수한 페라이트와 중심부 영역은 펄라이트와 템퍼탄소로 되어 있다(그림 5.348). 그 중간에 페라이트-펄라이트 천이층이 존재하는데 이것은 또한 템퍼탄소를 함유 될 수 있고, 주물 두께가 얇은 주물에만 균일한 탈탄이 될 수 있으나 두꺼운 주물은 단면상에 불균일한 조직이 가끔 나타난다. 그러므로 주물 두께에 따라 성질이 주어진다. Si는 흑연화 과정을 촉진하고 동시에 오스테나이트 내에서 탄소의 확산을 감소시키므로 백심 가단주철에서는 흑심 가단주철에서 보다 Si함량을 줄이게 된다.

크롬주철의 조직은 초정 탄화물공정 외에도 현저한 마르텐사이트 기지의 증거가 되는 2차 정출된 탄화물 M_7C_3형을 함유한다. 조직에는 주조상태에서 마르텐사이트 외에도 또한 잔류 오스테나이트, 베이나이트 및 펄라이트를 함유하고 있으므로 성분은 마르텐사이트보다 마찰 마모에 대한 저항이 낮다.

목적하는 내마모성을 고려하면 이어지는 열처리가 유효하며 목적을 달성하기 위하여 M_7C_3 탄화물의 용해 없이 전체 단면을 가능하면 완전히 마르텐사이트 조직으로 하게 된다. 그러나 M_7C_3탄화물은 열적으로 비교적 안정하므로 완전한 마르텐사이트 생성에 도달하기는 어렵고 흑연화 되지 않는다. 퀜칭 균열을 없애기 위하여 공랭하며, 탄소 함량이 적고 구조가 복잡하지 않은 부품은 유냉할 수 있다.

크롬 함량이 현저하게 많으면 탄화물로 결합되어 퀜칭과정이 필요 없으며, 경화성은 일반적으로 Cr/C 비가 증가됨에 따라 상승한다.

경화성의 효과적인 상승은 Mo이 그 외에 작용을 하나 또한 Mn, Ni 및 Cu 등과 같은 다른 합금 원소도 경화 침투성을 향상 시킨다. 그러나 후자의 작용은 동시에 오스테나이트를 안정화 시키므로 그 함량의 상부한계를 두어야 한다.

ADI(austempered ductile iron)는 비합금 또는 합금 주철을 특수 열처리하여 구상흑연을 증가시켜 제조하는데 유익한 강도와 인성 및 내마모성 등을 얻기 위하여 구상흑연, 베이나이트형 페라이트 및 오스테나이트(그림 5.349) 등으로 이루어진 다상조직을 특별히 생기게 하는 것이 의미가 있다고 본다. 페라이트는 침상 또는 판상결정으로 존재하며(그림 5.350) 이것은 약 230~450℃ 사이의 온도구역 즉, 합금의 M_s온도 상부에서

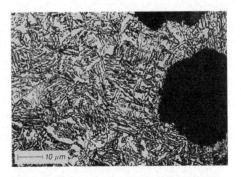

그림 5.349 ADI 조직, 침상 페라이트, 오스테나이트(밝은 부분) 및 흑연(검은 부분) ; Kovacs에 의함.

항온유지하면 오스테나이트로부터 생성된다. ASTM A 644-92에는 이 조직을 이례적으로 **ausferrite**로 나타내며, 이것은 근본적으로 낮은 탄소함량을 가진 철합금에서 생성되는 것과 유사한 탄화물을 함유한 베이나이트로 제한한다.

여기서는 베이나이트형 페라이트가 오스테나이트에 박혀있는데 이것은 추측컨대 격자변형 또는 전단기구에 따라 이전의 탄화물 정출 없이 생성된 것으로 나타난 것이다.

여기서 강과의 차이는 ADI에서는 조성에 따라 M_s온도가 분명히 200℃ 이하이며 항온변태온도는 그보다 약간만 높은데 즉, 이것도 마찬가지로 상응하여 낮다.

Ausferrite의 아직 변태되지 않은 오스테나이트에는 페라이트 생성을 통하여 탄소가 부화되며, 온도가 낮아 짐으로써 탄화물이 생성되지 않고 M_s온도가 계속 떨어져 조직 내에는 오스테나이트 양이 현저하게 남아있다. 이러한 준안정 오스

테나이트가 ADI 주철에 연신값을 부여하고 그 이후에도 마르텐사이트 변태를 일어나게 해서는 아니되므로 적당한 변태온도를 선택하여 오스테나이트 양은 10~30%사이로 조절한다.

항온변태온도가 낮을수록 조직 내에 오스테나이트 양은 적어지고 페라이트 결정이 미세해져서 강도가 증가된다. 열처리에서 오스테나이트화는 중간 냉각과 항온으로 유지되어 있으므로(그림 5.351), 주철합금의 오스테나이트화와 변태거동을 고려해야만 한다.

오스테나이트화 온도와 소요시간은 오스테나이트에 용해된 탄소량에 달려있으며, 항온변태온도까지 중간 냉각을 매우 빠르게 진행하여 펄라이트가 생성 되지 않도록 해야 한다. 펄라이트는 성질을 악화시킨다. 이러한 요구의 비합금 주철에서 이 요구를 만족하기 위해서는 비합금 주철에서 어려움이 야기될 수 있으며, 중간 냉각에서 비합금 주철 종류는 15초 이상을 초과하지 않으므로 중간 냉각과 항온 유지는 대개 염욕을 사용한다. 기술적이고 경제적인 관심과 환경 친화적인 열처리 방법으로 고압가스 흐름에서 처리하게 된 것이다. 항온 유지는 목적하는 온도와 이상적인 처리 소요시간에 따라 제한한다. 정확하게 측정한 항온 유지시간에 따라 침상 페라이트의 생성은 끝나지 않을 수도 있고 또한 오스테나이트에 용해된 탄소 양이 너무 적어서 오스테나이트가 충분하게 안정화되지 않아 후속적인 냉각으로 일부분이 마르텐사이트로 변태될 가능성이 있으며, 그 외에도 계속적인 마르텐사이트 생성 가능성은 고려되어야 한다. 공정 응고에는 항상 농도차이가 존재 할 수 있으므로 낮은 온도로 항온을 유지하면 국부적

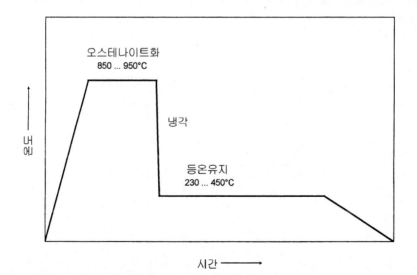

그림 5.351 ADI의 열처리 온도-시간도.

인 마르텐사이트가 생성될 수 있다. 그럼에도 불구하고 이 마르텐사이트는 처음 언급한 가능성과의 차이로 충분하게 오랜 시간 유지하면 유효한 어닐링 처리로 그 취성영향이 어느 정도 상실 된다.

다른 편으로는 너무 오래 유지하면 원하지 않는 탄화물 생성을 초래할 수 있다. 목적하는 조직은 침상 페라이트와 탄소함량이 높은 오스테나이트이며, 펄라이트와 마르텐사이트에는 탄화물이 없어야

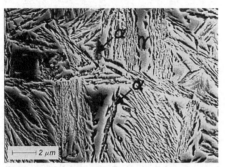

그림 5.350 구상 흑연을 가진 주철(그림 절단으로 구상흑연은 포함되지 않음), 고배율에서 침상 페라이트(α) 및 오스테나이트(γ); Kovacs에 의함.

한다.

ADI의 화학조성은 일반적인 주철 종류에는 구상 흑연을 함유하며, 탄소함량은 3.3~3.7%, Si 함량은 1.9~2.4%사이에 있다.

Mn함량은 가능한 한 0.10%를 넘지 않아야 하는데 Mn은 입계에 탄화물 생성을 촉진하기 때문이다. P와 다른 동반원소의 함량은 또한 낮아야 하며, 펄라이트 생성을 지연시키기 위하여는 Cu, Ni 또는 Mo 등을 첨가 할 수 있다.

제6장
기술적 비철금속과 그 합금
조직

6.1
동과 그 합금

6.1.1
순동

동은 황화광물로부터 대부분 채굴되며, 광석의 동 함량이 낮으므로 제련하기 전에 광석 내의 동 함량을 높이기 위하여 여러 종류의 제련방법을 응용하게 된다. 제련 후의 동의 순도는 96~99% 정도이며 SO_2가스 분리를 통하여 응고될 때 가스기공을 함유하게 되어 **조동(blister copper)**이라고 한다. 최종적으로 화염로 또는 원통체(Trommel)로 내에서 화염 정제하여 순도를 높이고 조동의 탈가스 처리를 하게 되며 여기서 **폴링(poling)**은 특수한 의미를 갖게 되는데 빠져나가는 수증기와 CO_2생성하에 Cu_2O가 Cu로 환원된다. 폴링에서는 초기에 너도밤나무 또는 자작나무를 용탕에 삽입하여 이루어진다. 최근에는 천연가스, 프로판가스, 재생가스 또는 암모니아 등을 이 공정에 사용하게 되며, 이렇게 제조된 점착성과 인성을 가진 폴링된 동 용탕은 낮은

산소를 함유함으로 용탕의 수소흡수도 낮아져 산화성 동반원소를 해롭지 않은 산화물로 변화시킨다. 최종적으로 용탕을 우선 양극판 형태로 주조하고 정제 전해액에서 순도를 높이기 위하여 양극 동으로 작업하게 된다.

제조된 음극판은 용해하여 주조형태 또는 매트형태의 중간제품으로 주조한다. 음극동의 순도와 용해공정에 따라 각종 종류의 동으로 생산된다. :

- 산소함유 E-Cu,
- 무산소 OF-Cu,
- 무산소, 인(P)으로 탈산처리한 SE-Cu (잔류 P가 가장 낮음), SW-Cu와 SF-Cu(잔류 P가 높음).

인으로 탈산한 SE-Cu의 조직을 그림 6.1에 나타내는데 다면체 결정으로 **어닐링 쌍정(annealing twin)**을 포함하고 있다. 그림 6.2에는 산소가 함유된 동의 주조조직을 다시 나타낸 것으로 밝게 나타난 동 결정 주위에 동과 Cu_2O로 이루어진 공정조직을 볼 수 있다. 기본적으로 동의 사용상 특성은 높은 열 및 전기적 전

그림 6.1 압연하고 연화어닐링 한 SE-Cu 조직, Cumi4로 부식, 어닐링 쌍정을 가진 면심입방 동결정.

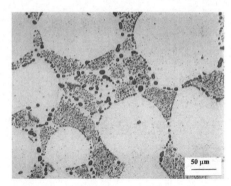

그림 6.2 산소함유 동의 주조조직, 밝은 부분은 부식된 동결정과 (Cu+Cu₂O)공정, 부식되지 않음.

도성이다. 전도성 값은 불순물 원소의 종류와 농도에 따라 좌우되는데 동의 조직 내에 Cu_2O형태로 존재하는 산소는 전기 전도도에는 약간만 영향을 미치나 이에 대하여 탈산동 종류의 전기적 및 열적 전도성은 잔류 인(P) 함량의 증가로 현저하게 감소된다.

잔류 인이 적은 99.95% 이상 순도의 연화어닐링(soft annealing)한 동의 20℃에서 전기전도성 값은 최소 $58\text{m}\Omega^{-1}mm^{-2}$(100% IACS : International Annealed Copper Standard)가 된다. **Wiedemann-Franz법칙**에 따르면 전기전도도 값에 상당하는 열전도도 $400\,WK^{-1}m^{-1}$과 잘 일치한다.

순동은 구조물과 화학장치 분야의 응용에서 중요성은 공기, 수분뿐만 아니라 거의 모든 알카리성 용액에서도 내식성이 높다.

표면층 생성으로 금속을 부동태화 시키는데 알려져 있기로는 대기중 사용에서 녹청층이 생성되며 이것은 혼합 염기

성 염화동으로 이루어져 있다.

한편, 산화되지 않은 산(acid)에서 동은 용해된 산소를 함유하지 않는 한 내식성이 있다. 순동은 면심입방격자로 **동질다형(polymorph)변태**는 일어나지 않으며 연화어닐링한 상태에서 우수한 전성이 나타남으로써 광범위하게 다양한 기술적인 반제품으로 제조하게 된다. 연화어닐링 상태에서 강도와 경도는 낮으나 냉간성형을 통하여 강도와 경도의 상승이 가능하지만 전성은 낮아지고 또한 약간의 전기전도도의 감소가 일어난다. 제조공정에서 순동에는 유황과 산소가 함유되며 Cu-S상태도의 Cu가 많은 부분을 나타내는데(그림 6.3), 고체상태의 동에서 S는 실제적으로 불용성이며 두 성분이 Cu_2S로 결합되어 $Cu-Cu_2S$의 공정계를 생성한다.

공정점은 1067℃에서 0.77%S를 함유하고 그림 6.4는 과공정 합금을 서냉하여 부식하지 않은 조직을 나타낸 것으로 융

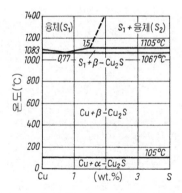

그림 6.3 Cu-S상태도의 Cu가 많은 부분.

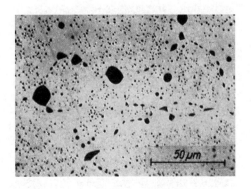

그림 6.4 5%S를 함유한 Cu주조조직, Cu 기지에 구상의 Cu₂S 개재물, 부식하지 않은 것.

체 S_2로부터 조대한 입상 Cu₂S가 또한 융체 S_1으로부터는 Cu + Cu₂S 공정이 각각 생성된 것을 알아볼 수 있다.

희석 HF로 부식하면 Cu₂O 결정과 Cu₂S 결정의 현미경조직 관찰이 가능한데 Cu₂O 결정은 부식되지 않으나 Cu₂S 결정은 어두운 색깔로 부식된다.

그림 6.5에는 Cu가 많은 Cu-O₂ 부분 상태도로 Cu-S상태도(그림 6.3)와 유사하다. 고체 상태에서 산소는 Cu에 거의 용해되지 않고 용탕으로부터 직접 Cu₂O로 결정화 되며 약 375℃에서 Cu₂O가 CuO로 이례적인 변태가 일어남으로써 실제조건에서 Cu₂O상이 실온에서도 존재하게 되어 Cu와 Cu₂O는 공정계를 생성하게 된다. 공정점은 1065℃에서 산소함량이 0.39%이며, 그림 6.6은 0.09% 산소가 함유된 아공정 합금의 부식되지 않은 주조조직을 나타낸 것이다. 두 융체로부터 초정 Cu결정이 정출되며 잔류융체의 결정화로 Cu-Cu₂O로 이루어진 공정이 생성 된다. CuO 결정은 일반적인 명시야광에서 회청색을

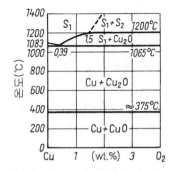

그림 6.5 Cu-O₂상태도의 Cu가 많은 부분.

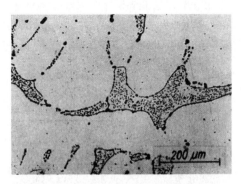

그림 6.6 0.09% 산소를 함유한 아공정 동 합금 주조조직, 초정 동결정과 (Cu-Cu₂O) 공정, 부식하지 않은 것.

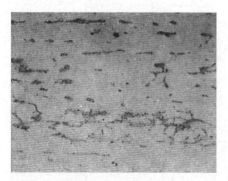

그림 6.7 아공정 동-산소 합금의 길이 시편, 변형도 5%, 동 기지에 연신된 (Cu+Cu₂O)공정, 부식하지 않은 것.

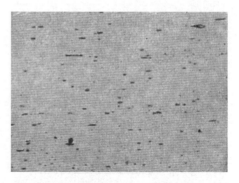

그림 6.8 아공정 동-산소 합금의 길이 시편, 변형도 100%, 분산된 (Cu+Cu₂O)공정, 부식하지 않은 것.

띄며, 암홍색의 원래 색깔은 편광 또는 암시야광에서 관찰할 수 있다.

이어지는 변형으로 관찰되었던 아공정 합금의 주조조직이 그림 6.7과 같이 변하며 길이방향 시편은 그림 6.8로 나타낸다. 변형도가 낮으면 망상공정이 신장되며(그림 6.7), 변형도가 증가됨에 따라 공정의 망상조직이 해소된다. 심한 변형 후의 2차 조직 내에는 규칙적으로 분포된 Cu_2O-입자를 관찰할 수가 있다(그림 6.8). Cu+0.67%O_2를 함유한 과공정 합금의 주조조직 생성을 그림 6.9에 다시 나타낸 것인데 용체 S_2로부터 결정화된 초정 Cu_2O-수지상으로 2차로 잔류용체가 공정으로 응고된다. 주조된 동의 As가 없는 산소 함량을 정량적 조직분석으로 규명하게 되며, 다음 관계가 유효하다 :

$$11wt.\%O_2 \cong 100wt.\%Cu_2O$$
$$0.39wt.\%O_2 \cong 100\% \text{ 공정} \cong 3.5wt.\%Cu_2O$$

조직 사진에서 공정이 차지하는 X면적

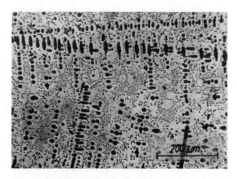

그림 6.9 0.67% 산소를 함유한 과공정 동 합금의 주조조직, Cu_2O수지상과 (Cu+Cu_2O)공정, 부식하지 않은 것.

% 중 다음 식에서 동 내에 존재하는 Ywt.% 산소를 측정한다.

$$Y = (X/100) \cdot 0.39[wt.\% \ O_2]$$

시편(그림 6.6)에서 공정 조직성분의 면적부분을 규명하게 되는데 23.4 면적%가 되며 이것으로부터 0.09wt.% 합금의 산소함량을 계산하면 $Y = (23.4/100) \cdot 0.39 = 0.09wt.\%O_2$가 된다. 전기전도성은 우수하나 조직 내에 적은 양의 Cu_2O가 존재

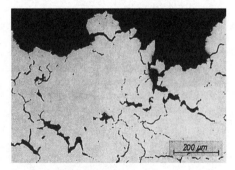

그림 6.10 산소를 함유한 동의 입계에 수소취성으로 인하여 나타난 기공.

그림 6.11 산소를 함유한 동의 수소취성으로 인하여 나타난 균열.

하면 동의 강도와 경도에는 약간의 영향만 미치게 되며, Cu_2O는 파단연신과 파단수축을 현저하게 감소시킨다. 그 밖에도 주조에서 기공을 발생시키는 경향이 있으므로 동에서 Cu_2O함량은 대개 1%로 제한한다. 산소를 함유한 동은 납땜과 용접에서 나타날 수가 있는 것과 같이 수소가 함유된 분위기에서 열처리는 하지 않는다. 원자형으로 용해된 수소는 조직 내로 빠른 속도로 확산되어 Cu_2O와 반응하게 된다.

$$Cu_2O + 2[H] \rightarrow Cu + H_2O$$

증기 형태의 물은 높은 압력으로 기공과 균열로 조직의 손상을 초래한다(그림 6.10과 6.11). 언급한 손상기구를 산소를 함유한 동의 **수소취성**이라 한다.

6.1.2
황동

Cu-Zn 합금으로 Cu함량이 50% 이상인

경우에 황동이라고 한다. **Tombac**은 Cu가 많은(Cu > 70%) 것으로 우수한 냉간 성형성과 내식성을 나타낸다. 3.5%Pb까지 함유한 황동은 절삭성이 개선되며 Pb는 Cu 내에서 불용성으로 조직 내에 미세한 입자형태로 분산되어 존재하고 칩(chip)을 절단하는 작용을 함으로써 절삭에서 긴 나선형 칩 생성을 방해하게 된다. 특수황동은 Cu-Zn 합금에 사용상 성질을 최적화 할 목적으로 Al, Ni, Fe, Mn 및 Si 등의 합금원소를 함유하며 그림 6.12는 Cu-Zn계 상태도를 나타낸 것인데 Zn함량에 따라 다음과 같이 분류한다. :

- α 황동, 조직은 Zn을 함유한 Cu의 α 고용체로만 이루어짐.
- $(\alpha + \beta')$ 황동, 조직은 α 고용체와 β' 상으로 불균일하게 나타남.
- 균질한 β' 조직을 가진 β' 황동

α 황동 조직

황동의 Zn함량은 32.5% 이하이며, 융체로부터 직접 면심입방 α 상(조직형태 A1)

이 결정화되고 고체 상태에서 상변태가 일어나지 않으므로 20℃로 냉각 된 후에는 α 고용체로 된 균질한 조직이 존재한다(그림 6.13).

$$융체 \rightarrow \alpha$$

Cu가 많은 α 황동은 고체상태에서 상변태가 일어나지 않으므로 열처리를 통하여 경화되지 않는다. 기계적 강도는 냉각 변형으로 높일 수 있으며, 냉간경화로 합금의 전성을 감소시키는 원인이 된다. 32.5~37%Zn 농도영역에서 **포정계(peritectic system)**가 나타나며, 포정점은 902℃에서 36.8%Zn을 함유한다. 황동은 포정농도에서 융체로부터 초정 α 고용체가 결정화 되고 902℃에서 이 고상과 융체가 반응하여 무질서한 체심입방 고온상 β(결정구조형 A2)가 생성된다.

$$융체 + \alpha \rightarrow \beta$$

농도구역 32.5~36.8%Zn에서는 포정 반응 후에도 α가 존재함으로 이 합금은 응고 후에 바로 불균질(α + β)조직을 갖게 된다.

$$융체 + \alpha \rightarrow \beta + \alpha$$

합금이 계속하여 서냉되면 온도가 내려감에 따라 Cu의 Zn에 대한 용해도가 증가되어 α 상의 존재영역이 확장되어 β 상이 α 상으로 변태가 일어난다.

$$\beta + \alpha \rightarrow \alpha$$

이 합금은 20℃로 서냉 후에는 α 고용체의 균질한 조직을 가지며 그림 6.14 a는 Pb가 없는 CuZn37 황동조직으로 2상 영역으로부터 서냉한 것이다.

α 입자 내에는 수많은 어닐링 쌍정이 보인다. (β +α)영역으로부터 급랭하면 잔류 β' 상이 조직 내에 존재하며(그림 6.14 b), 낮은 온도에서 Cu와 Zn원자의 제한된 확산이 일어남으로 기술적으로 통상적인 냉각조건 하에서는 α 고용체로부터 β' 상

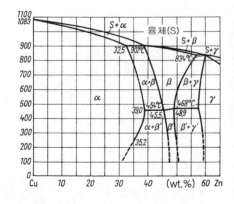

그림 6.12 Cu-Zn상태도의 Cu가 많은 부분.

그림 6.13 황동 CuZn30의 조직, Cumi5로 부식, 어닐링 쌍정을 가진 균질 α 고용체.

그림 6.14 황동 CuZn30의 조직, Cumi1로 부식, a) ($\beta + \alpha$)영역으로부터 서냉 후의 면심입방 α 고용체, b) ($\beta + \alpha$)영역으로부터 가속냉각 후의 α 고용체와 어둡게 부식된 잔류 β' 상.

의 석출이 일어나지 않는다(그림 6.12에서 가능).

($\alpha + \beta'$) 황동조직

농도영역 약 37~45%Zn에서 황동의 Zn 함량은 그림 6.12에 해당되는 합금에서 불균질 조직을 갖게 되며 결정화 종료 후에는 α 및 β 상 또는 Zn농도가 높을 경우에는 체심입방 β 상만의 조직으로 이루어진다.

합금을 서냉하면 β 상이 일부만 면심입방 α 상으로 변태하고 무질서한 체심입방 고온상 β가 저온에서도 존재한다. 454℃

에서 규칙변태 $\beta \rightarrow \beta'$가 일어난다. β' 상은 규칙적인 원자분포를 가진 입방결정 구조(결정구조형 B2, CsCl 형태)이며, 단위세포의 공간 중심점에 Zn원자가 존재한다.

상 천이과정은 다음 반응으로 나타낸다.

$$융체 \rightarrow \beta + (\alpha) \rightarrow \beta + \alpha \rightarrow \beta' + \alpha$$

20℃로 서냉하면 α 고용체와 규칙적인 β 상으로 된 불균질 조직으로 되며 그림 6.15에는 두 ($\alpha + \beta'$)황동조직을 다시 나타내는데 그림 (a)부분은 Pb가 없는 합금조직으로 면심입방 α 입자로 쌍정을 포함하고 있으며 이들 입자사이에는 어둡게 부식된 잔류 β'상이 관찰된다. Pb를 함유한 합금(그림 b부분)으로 밝게 부식된 α 입자와 어두운 β'기지로 되어있으며 제 3의 조직성분으로는 미세하게 분포된 Pb의 검은 입자로 Cu 내에 불용성이다.

β' 황동조직

Cu-Zn 합금에서 Zn함량이 약 46~50% 범위로 β' 황동은 이 군에 속한다. 그림 6.16은 47.5%Zn을 함유한 β' 황동의 조대립자 주조직을 나타낸 것이다. 이러한 입자 조대화 된 β'상의 비교적 높은 경도로 인하여 낮은 온도에서 취성을 나타낸다.

그러므로 α 및 ($\alpha + \beta'$)황동과 비교하여 거의 사용되지 않는다. β' 황동은 Zn을 약 49% 이상 함유하며, 그림 6.12에

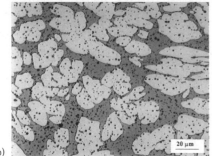

그림 6.15 $(\alpha + \beta')$황동조직, Cumi1로 부식,
a) Pb가 없는 합금, b) Pb를 함유한 합금,
밝은 부분 : 어닐링 쌍정을 가진 α 고용체,
어두운 부분 : β 상, 검은 입자 : Pb.

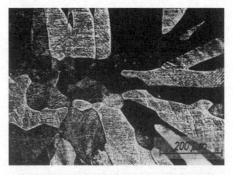

그림 6.16 47.5%Zn을 함유한 β'황동의 주조
조직, 조대립자 β' 상.

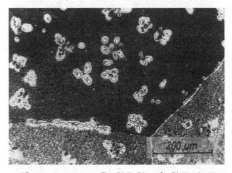

그림 6.17 52%Zn을 함유한 β' 황동의 주조
조직, γ' 상 석출이 입계와 β' 입사 내부에
나타나 있다.

나타낸 것과 같이 서냉에서 초정 결정화
된 β 상으로부터 γ 상이 석출된다.

두 상은 계속되는 내각에서 변태한다.
규칙적으로 배열되지 않은 β 상은 이미
언급한 $\beta \rightarrow \beta'$규칙변태를 따르게 된다. γ
상은 γ'상으로 변태하며 그림 6.17은 그
외 종류의 β 황동 주조조직을 나타낸
것인데 γ'석출이 입계뿐만 아니라 β'입
자 내부에도 볼 수 있다.

γ' 상 (Cu_5Zn_8)은 취성을 가진 금속간
화합물로 복잡한 입방체 결정구조($D8_2$
형)이다. 조직 내에 γ' 상의 함량이 증
가함에 따라 합금은 경화되고 취성이 증
가된다.

$(\alpha + \beta')$ 황동 조직에 미치는 열처리의 영향

앞에 나타낸 황동조직에서 Cu-Zn계의
상태도가 통용됨을 가정하고 상태량의 변
화가 서서히 일어난다면 물질계는 가장
낮은 자유엔탈피 상태에 도달하게 된다.
상태량 온도는(압력과 농도는 일정함),
가열과 냉각속도가 낮다면 언급한 가정이
이루어진다.

이러한 조건 하에서는 온도와 시간에
의존된 Cu와 Zn원자의 확산과정이 일어
나는데 확산에 의존된 상 천이와 조직생
성과 연관된 상태도가 필요하다.

상태량 온도의 변화가 빠르게 일어난다면 전형적인 비 평형상태가 존재한다. 물질계는 가장 낮은 자유엔탈피에 도달하지 못하는데 Cu 및 Zn원자의 확산과정의 방해 또는 완전히 억제되어 상 천이가 여기에 해당하는 상태도에서는 일어나지 않기 때문이다.

합금의 화학 조성과 냉각조건에 따라서 비평형 변태가 일어남으로써 황동조직에는 준 안전상이 생성된다. 이러한 현상은 특히 $(\alpha + \beta')$황동에서 일어나는데 이 합금군은 고체상태에서 $(\beta \rightarrow \alpha)$변태, 규칙 변태 $\beta \rightarrow \beta'$ 및 마르텐사이트형 상 천이 $\beta' \rightarrow \beta''$가 나타나기 때문이다. 다음에는 오스트나이트화 개념에 근거하여 경화성 강에 이 열처리를 적용하며, 황동과 청동의 변태를 위하여 균질한 β 상태에서 베타화의 개념을 적용한다. 그림 6.18에는 $(\alpha + \beta')$ 황동인 CuZn40Pb를 각종 열처리 후의 조직을 나타냈다. 열처리에는 작은 시편을 사용했는데 두께 즉, 표면에서 거리에 미치는 냉각속도의 영향은 배재하였다. 시편은 400~800℃까지 간격을 두고 가열하여 각각 20분간 그 온도에서 유지한 후 수냉하였다. 최초상태의 조직은 (a)에 나타냈는데 매우 미세한 입자와 밝게 부식된 α 고용체, 어두운 색깔의 β'상과 기지조직에 박혀있는 Pb입자들로 되어 있다.

400℃에서 열처리한 시편의 조직은 (a)와 (b)를 비교해보면 처음 조직과 구별이 되지 않는다.

500℃와 600℃에서 열처리한 시편은 조직변화가 생겼는데 두 가지의 기본적인 영향을 확인할 수 있다. 부분 그림 (c)와 (d)로부터 처음조직과 비교하면 더 조대하고 β' 상의 안정화가 나타나 있다. 가열온도를 700 및 750℃로 올리면 계속 입자가 조대화되고 β' 상의 안정화가 나타난다. 단면부분의 전체조직에서 부분 그림 (e)와 (f)에서 알 수 있듯이 밝게 부식된 α 입자는 분명하게 감소되었다. 800℃에서 시편을 수냉하면 β' 상(부분 그림 g)이 완전히 안정화 되어있으며, Pb의 작은 입자가 존재함을 알 수 있다.

조직이 조대립자화 되어 있음으로 부식된 시편에서 육안으로도 입자구조를 볼 수 있다.

그림 6.19에는 800℃에서 20분간 유지한 시편을 부식한 조직이다. 작은 시편을 바람이 있는 공기 중에서 냉각하면 공랭은 수냉에 비해서 냉각속도가 더 느리므로 Cu와 Zn원자의 확산과정이 가능하며 높은 온도상인 β의 면심입방 α 상으로 부분 변태가 일어난다. 냉각이 가속되면서 β영역으로부터 α 상이 입상이 아니라 조대한 침상으로 생성된다. 변태되지 않은 β 상은 규칙변태 $\beta \rightarrow \beta'$를 따른다. 20℃까지 냉각한 후에는 조직에는 3종류의 상이 존재한다(그림 6.19). :

밝은 α 침상, 어둡게 부식된 β'상이 이들 침상 사이와 구상의 Pb 작은 입자들이 사이에 존재한다.

수냉을 통하여 생성된 β' 상(그림 6.20 a)은 준안정이다.

다음 그림에서 나타낸 것과 같이 어닐링하면 안정된 평형상으로 변태한다. 그

그림 6.18 각종 온도에서 가열한 후의 $(\alpha + \beta')$ 황동 CuZn40Pb의 조직, 유지시간 20분, 수냉, Cumi1로 부식,
a) 처음조직, b) 400℃, c) 500℃, d) 600℃, e) 700℃, f) 750℃, g) 800℃.

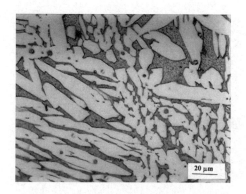

그림 6.19 800℃에서 20분간 유지 후 바람이 있는 공기 중에서 냉각한 $(\alpha + \beta')$황동 CuZn40Pb의 조직, Cumi1로 부식, 밝게 부식된 조대한 α 침상, 어둡게 부식된 β'상과 작은 Pb입자들이 존재한다.

림 6.20과 6.21은 황동 CuZn40Pb의 베타화 및 수냉시편의 조직을 나타낸 것인데 여러 온도에서 30분간 어닐링 한 후 수냉하였다. 이미 낮은 어닐링온도에서 베이나이트 변태기구에 의하여 준안정 β' 상이 부분적으로 분해가 시작되었다(Garwood, Hornbogen, Warlimont).

그림 6.20b은 250℃에서 어닐링 한 후의 조직으로 이전의 β' 입계는 밝게 부식된 α 가장자리로 나타나있다. 입자 내에는 어두운 Pb 작은 입자 주위에 미세한 구조를 볼 수 있다.

광학현미경의 해상도에서는 입자 내의 세부조직을 관찰기에는 충분하지 못하여 그림 6.21은 고해상도의 SEM에서 입자내부를 나타낸 것인데 β' 상으로부터 생성된 미세한 침상상을 알아 볼 수 있다. 정확한 결정구조는 여러 가지로 기술된다.

미세한 침상상은 높은 어닐링 온도(T >300℃)에서 같은 침상 α 상으로 변태한

다. 천이상이 더 이상 존재하지 않고 그림 6.20 c, 6.20 d 및 6.20 e에서와 같이 매우 미세한 α 상의 혼합물이 존재한다.

계속된 어닐링온도의 상승으로 두 종류의 근본적인 효과가 나타나는데 한편은 조대화와 α 상의 침상이 응집되어 관찰된다(그림 6.20f 및 6.20g).

다른 쪽은 부분 베타화와 어닐링한 시편의 수냉의 결과로 β'상의 새로운 안정화가 이루어진다. 준안정 β'상 분해의 첫 단계는 그림 6.22에서와 같이 시편의 경화효과이다. 880℃에서 수냉 후에는 베타화 된 시편의 경도는 120 HV 30이 된다.

210℃에서 어닐링하면 경도가 220 HV 30으로 상승하는 일정한 **잠복기(incubaton period)**가 존재한다. 보다 높은 어닐링 온도(250 및 300℃)에서는 그 과정이 가속되어 경화효과가 감소되고 잠복기가 단축되며 낮은 최대경도로 경도의 감소가 나타난다. 언급한 열처리(베타화 및 수냉 또는 베타화, 수냉 및 어닐링)를 통한 $(\alpha + \beta')$ 황동의 성질은 일정한 경계에서 변할 수 있기는 하지만, 실제에는 소수만 응용되는데 근본적인 의미로 합금으로 형상기억 재료에 응용된다. Zn의 낮은 기화온도(906℃)로 인하여 황동의 열처리에서 가장자리에 Zn함량의 감소가 나타난다. 가장자리층의 이러한 열적 **탈아연**은 균질한 α 황동에서 금속 조직적으로는 검출되지 않는다. 이에 대하여 $(\alpha + \beta')$ 황동에서는 Zn함량이 감소됨에 따라 α 고용체부분이 표면 인접영역에는 증가됨으로써 이와 같은 현상이

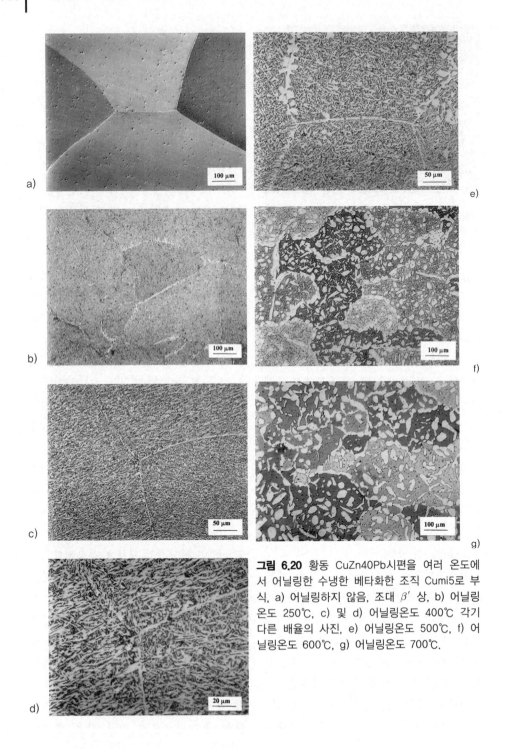

그림 6.20 황동 CuZn40Pb시편을 여러 온도에서 어닐링한 수냉한 베타화한 조직 Cumi5로 부식, a) 어닐링하지 않음, 조대 β' 상, b) 어닐링온도 250℃, c) 및 d) 어닐링온도 400℃ 각기 다른 배율의 사진, e) 어닐링온도 500℃, f) 어닐링온도 600℃, g) 어닐링온도 700℃.

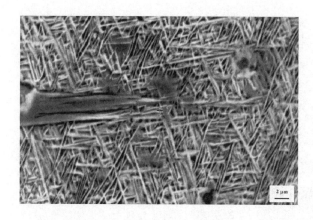

그림 6.21 황동 CuZn40Pb시편을 250℃에서 어닐링 후 수냉한 베타화한 조직, β' 기지 내에 미세 침상 천이상. SEM사진

조직변화로 관찰된다. 그림 6.23은 황동 시편의 중심부 조직으로 850℃에서 30분간 어닐링한 후 노냉한 것이다. 어둡게 부식된 β' 기지와 밝은 부분은 α 상 입자들로 이루어져 있다. 전체조직에서 α 상의 함량은 약 50%이다. 그림 6.23 b는 같은 시편의 가장자리층에서 조직 생성을 나타낸 것인데 α 상의 함량은 분리된 **아연증발**로 인하여 분명하게 증가되어 있으며, 직접표면에는 α 고용체 조직으로만 이루어져 있다. 따라서 황동의 표면층의 사용성질이 중심영역과 비교하여 약간 다르다. α 고용체 함량이 증가됨에

따라 면심입방체인 α 고용체는 규칙적인 β' 상에 비하여 경도와 강도가 낮기 때문에 강도와 경도가 감소된다.

Zn함량 감소와 표면 조직의 균질화로 인하여 내식성이 증가된다. 열적 탈아연 단계가 진행됨에 따라 황동의 표면인접 조직영역에 또한 기공이 나타날 수 있다. 그림 6.23 b에는 밀폐된 α 층 내에 약간의 기공이 관찰된다.

황동의 탈아연은 또한 부식적 응력을 통하여 발생할 수도 있다. 이러한 전기화학적 부식은 우선 Zn과 Cu가 함께 용해되며, 높은 전기화학적 전위로 인하여

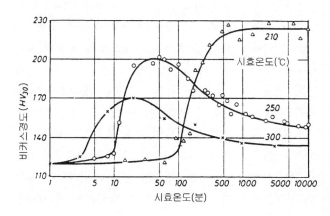

그림 6.22 CuZn40 합금 시편을 베타화하고 수냉, 어닐링온도와 유지시간에 따른 경도, Hornbogen에 의함.

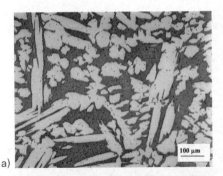

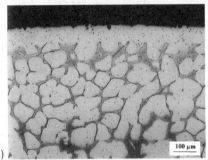

그림 6.23 850℃에서 30분간 어닐링 후 노냉한 $(\alpha + \beta')$ 황동 CuZn40Pb조직, Cumi5로 부식, 중심조직에는 어두운 β' 기지 내에 밝은 α 상 입자가 존재하며, α 상의 밀폐된 층을 가진 가장자리 조직.

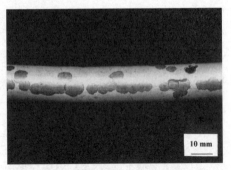

그림 6.24 탈아연에 의한 황동관의 부분적인 부식, 황동표면상에 어두운 동 침전물, 균열과 덩어리 형태의 발생.

그림 6.25 황동선 망에 응력부식균열로 나타난 균열과 파괴.

Cu가 해면형상으로 황동 표면상에 다시 분리된다. 그림 6.24는 관 표면에 생긴 이러한 현상을 나타낸 것인데 어두운 동 침전물이 밝은 황동표면에 뚜렷하게 솟아나있다. 일부분은 국부적인 부식 훼손으로 관 벽에 구멍이 뚫려져 있다. 탈아연은 황동의 Zn함량이 증가됨에 따라 상승하는 경향이 있으며 Cu가 많은 황동은 탈아연이 일어나지 않는다. 조직 내에 α 상뿐만 아니라 β 상 외에도 조직의 불균일화로 인하여 추가적인 선택부식기구가 작용함으로 탈아연 현상을 상승시키게 된다. Zn의 많은 β' 상은 Zn이 적은 α 고용체와 비교하여 낮은 **전기화학적 전위**를 가지고 있으므로 부식공격에 우선적으로 놓이게 된다. Al, Sn 또는 Si(특수황동) 등과 2원 황동 합금을 통하여 또한 As와 P를 적게 첨가함으로써 황동의 탈아연 작용경향을 줄일 수 있다. 약 20% 이상의 Zn을 함유한 황동은 **응력부식균열**에 대하여 저항력이 약하다. 그림 6.25에는 선으로 된 망이 많은 파손으로 부서진 것을 나타낸 것인데 이 망은 냉각장치에 암모니아를 함유한 공기에 접촉되어 있었다. 그림 6.26은 CuZn30으로 된 냉매중

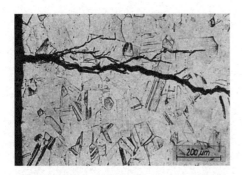

그림 6.26 냉매 증발관에서 응력부식균열로 나타난 균열.

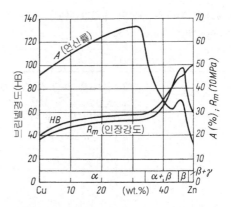

그림 6.27 연화어닐링한 Cu-Zn 합금에서 경도, 인장강도 및 파단연신의 Zn함량 의존성, Carpenter와 Robertson에 의함.

발관 표면에 균열이 나타난 것인데 균열은 입계뿐만 아니라 입내에도 진행되어 있다. 균열 가까이의 거시적 소성변형은 일반적으로 관찰되지 않는다. 응력부식균열은 동시에 기계적 인장응력과 일정한 부식 매체의 작용으로 없앨 수 있다. 250~300% 사이의 온도에서 응력제거 어닐링으로 황동의 응력부식균열 경향을 피할 수 있다. 이러한 조치로는 입증하기가 충분하지 못하나 저항력이 약하지 않은 합금이나 또는 도금에 적용하면 손상을 피하는데 필수적이다. Zn함량의 영향과 조직구조로 연관된 몇 가지 기계적 값을 연화어닐링한 Cu-Zn 합금에 대하여 그림 6.27에 나타낸다. α 황동의 경도와 인장강도는 Zn함량의 증가와 더불어 근소하게 높아진다. 관심을 가지고 볼 값은 파단연신으로 Zn함량 증가와 더불어 약 30%에서 최대값이 된다. α 고용체의 우수한 냉간 성형성은 많은 기술적 반제품과 규격품으로 제조에 근거가 된다.

냉간변형을 통하여 경화성 및 열처리성 α 황동의 경우에만 기계적 강도를 높일 수가 있으나 이러한 효과는 인성의 감소와 연관 된다. 단단한 β' 사이 조직 내에 생성은 경도와 인장강도의 상승이 촉진된다. 그렇지만 그림 6.27에서 알 수 있듯이 이와 연관하여 파단연신은 분명하게 감소된다. 따라서 $(\alpha + \beta')$ 및 β'황동은 α 황동과 비교하면 냉간변형성이 떨어진다. 상대적으로 우수한 열간성형성이 나타난다. 취성의 γ' 상이 조직에 나타나면 합금은 취화된다. 인장강도뿐만 아니라 파단연신도 조직 내에서 γ' 상이 증가됨에 따라 분명하게 떨어진다. 표 6.1과 6.2에는 가공 및 주물황동에 대하여 가공성질, 사용성질과 응용분야 등을 함께 나타냈다.

황동의 조직은 경질 납땜에 응용하는데 6.9.1절에 다루게 된다.

6.1.3
특수황동

특수황동은 2원계 Cu-Zn 합금에 Al,

표 6.1 가공용 황동의 성질과 용도

a. Pb가 없는 황동

합금	성질	용도
CuZn10	매우 우수한 냉간 성형성, 우수한 납땜 및 용접성, 매우 높은 내식성, 내탈아연 및 응력부식균열	판, 띠, 형재, 관, 선 및 규격품, 전자기술에서 설치부분, 시계 및 장식산업에 소품, 세공 및 금속관 드로잉품, 기구 하우징, 스프링 및 장식 등
CuZn15		
CuZn20		
CuZn30		
CuZn37	우수한 냉간 성형성, 우수한 납땜 및 용접성, 높은 내식성, 냉간 성형을 위한 주 합금	
CuZn40	우수한 열간성형성, 우수한 납땜 및 용접성, 높은 내식성 우수한 열간 성형성	

b. Pb함유 황동

합금	성질	용도
CuZn36Pb1.5	우수한 열간 성형성, 매우 우수한 절삭성, 높은 내식성	기술적 반제품 및 규격품, 시계 산업의 소품, 광학 및 전자기술, 부속품
CuZn36Pb3		
CuZn39Pb0.5		
CuZn39Pb3		
CuZn40Pb2		

표 6.2 황동주물의 성질과 용도

합금	성질	용도
G-CuZn15	높은 내식성, 양호한 납땜 및 용접성	기계 구조물 및 설치 구조물 필터 부품과 같은 기구 하우징, 정밀기계 및 광학에서 형상 주조품 등
G-CuZn33Pb	높은 내식성, 양호한 절삭성	
G-CuZn37Pb		

Sn, Ni, Fe, Mn 및 Si 등을 합금한 것으로, 화학조성의 변화로 조직구조에 영향을 미치는데 조직의 상 조성과 상의 성질 자체가 변한다. 이렇게 하여 특수황동은 2원계 Cu-Zn 합금에 비하여 개선되고 일부는 새로운 종류의 사용성질을 갖게 되며 한편으로 강도, 경도 및 인성 등과 같은 기계적 성질의 개선도 이루어진다. 또한 높은 내식성, 내침식성 및 내마모성 등도 달성된다. 그 외에도 어떤 특수황동에는 형상기억 성질인 **의탄성(pseudo elasticity)**과 같은 새로운 성질도 나타난다.

특수황동은 대개 불균질 조직구조를 가지며, 그 화학조성은 $(\alpha + \beta')$조직으로 이루어져 나타난다. 그 외에도 첨가되는 합금원소가 금속간화합물을 생성함으로 조직 내에는 연속된 상이 존재한다. 합금강에서 페라이트와 오스테나이트 안정화 합금원소가 있는 것과 유사하게 특수황동에서도 합금원소 간에는 α 상과 β' 상을 안정화시키는 원소를 구별한다. 첨가되는 합금원소가 조직의 상 조성에 작용은(양비 α상/β상) Guillet에 따른 등가계수로 평가된다.

표 6.3에는 사용되는 합금의 이 계수를 나타낸 것이다. 다음과 같은 관계에서 합금의 겉보기 Cu함량을 평가할 수 있다. :

$$X = 100 \cdot A \cdot [100+a \cdot (GK-1)]^{-1}$$

[wt.%Cu]

A : 합금의 분석된 Cu함량 wt.%,

a : 첨가된 합금원소의 함량 wt.%

특수황동 CuZn37Al2조직의 분석된 Cu함량은 α 고용체로만 이루어져 있어야 한다. 위에 언급한 관계에 따라 Al의 영향을 고려하면 55.5%의 겉보기 Cu함량이 되고 따라서 조직은 대부분이 β'상 (72 vol.%)으로 이루어진다.

$$X = (100 \cdot 63) \cdot [100+2(6-1)]^{-1}$$
$$= 55.5 \text{ wt.%Cu}$$

여기서 등가계수 GK = 1인 Pb는 Cu 내에서 불용성이므로 분석에 영향을 미치는 Cu함량을 변동시키는데 작용하지 않으므로 합금 원소로서 고려하지 않는다. 등가계수 GK = -1.3인 Ni은 고용체 형태로 용해되어 존재한다면 조직 내에서 α 상을 안정화 시킨다.

또한 Al이 합금으로 함유된 경우에는 Ni이 이 원소와 금속간화합물인 NiAl을 생성하는데(조직형태 B2), 이것을 K 상이라고 한다. 특수황동은 Ni을 3%까지 함유하며 파단연신, 노치충격, 열간강도 및 내식성을 향상 시킨다. 입증된 합금 CuZn35Ni2의 규격에는 또한 2%Mn과 1%Al이 함유

표 6.3 등가계수 GK (Guillet에 따름)

합금원소	Al	Sn	Ni	Mn	Fe	Si	Pb
GK	6	2	−03	0.5	0.9	10	1

그림 6.28 특수황동 CuZn35Ni2의 조직, Cumi1로 부식, 밝은 부분 : α 고용체, 어두운 부분 : β′ 상, 회색 석출물 : K 상.

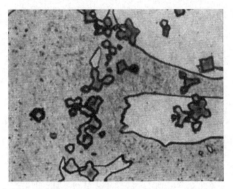

그림 6.29 34%Zn, 2.1%Fe, 2%Mn, 0.5%Ni, 0.7%Al, 및 0.6%Sn을 함유한 특수황동 조직, α 및 β′입자 내에 FeZn7 석출물.

되어 있는 것으로 우수한 내식성과 함께 높은 강도를 나타낸다.

그림 6.28은 이 합금에서 (α + β′)조직을 나타낸 것인데 밝게 부식된 α 입자 내에 뿐만 아니라 어둡게 부식된 β 상 내에도 클로버잎과 같이 자주 나타나는 K 상이 미세하게 분포된 석출물을 볼 수 있다.

Mn은 특수황동에서 Ni과 유사하게 사용 성질에 작용하며 5%까지 함유할 수 있다. Mn은 고용체 형태로 용해되어 있고 β′상 안정화에는 Ni과 차이가 있다. 자주 Mn은 Al, Fe 또는 Si 등의 원소와 함께 합금하며, 이들 합금은 높은 강도 및 내마찰 마모성을 나타낸다. Mn이 함유되어 사용되는 특수황동에는 CuZn40Mn2 및 CuZn 23Al6Mn4Fe3 등이 있다. Fe는 특수황동에 입자미세화 작용으로 합금하며, 이것은 용탕으로부터 미세분산 석출물 생성에 기인하는데 입자미세화는 강도와 전성을 향상시키는데 작용한다. 특수황동에는 Fe를 3.5%까지 함유할 수 있다. 고체 상태에서 α 및 β 상에 대한 Fe의 고용도는 낮으며

그 외에도 온도 의존성이다. 따라서 Fe는 조직 내에 금속간 화합물로 존재한다.

그림 6.29는 (α + β′) 합금조직을 나타낸 것인데 FeZn7석출물을 함유하고 염화철로 부식하면 FeZn7 입자는 매우 어두운 색깔을 나타낸다. Fe의 용해도는 온도에 의존함으로 Fe를 함유한 특수황동은 경화성이다.

Al과 Fe를 함유한 특수황동에서는 Al과 Fe원소가 **금속간화합물**(FeAl, Fe3Al)을 생성하며, 또한 이것을 K 상이라고 한다. 이것은 조직에서 석출물로 존재하며(그림 6.30) 입방체 결정구조를 가지고 있다(결정구조형 B2).

Sb는 특수황동에 약 1%까지 농도를 함유하고 고용체 형태로 용해되며 β′ 상을 안정화 시킨다. 이것은 화학적으로 안정한 보호막층을 생성하여 내식성을 높이는데, 알려진 합금으로는 CuZn38Sn1 (**Naval Brass**)와 CuZn28Sn1 (**Admiraltiy Metal**) 등이 있다. 특수황동은 또한 Si를 합금하는데 α 고용체에 Si의 용해도는 Zn함량이 증가됨에 따라 감소한다. 순수한 Cu에는

4%까지 Si를 고용체 형태로 용해될 수 있으며, 32%Zn함량에서 α 고용체의 용해도는 0.5%Si에 지나지 않는다. 용해된 Si는 β' 상을 안정화시키고 황동의 응력부식균열을 감소시키고 열적 탈아연을 줄이기 위하여 열적으로 안정한 표면 보호층을 생성시킨다. 용해한계까지 Si함량을 상승시키면 조직 내에 규화물이 나타나며 이것은 합금의 마찰 마모성을 현저하게 상승시킨다. CuZn31Si1 합금은 베어링 부싱 뿐만 아니라 마찰응력이 작용하는 유도장치와 미끄럼 요소 등을 제조하는데 적당하다. 특수황동 주물에는 일반적으로 4%까지 Si를 함유하는데 얇은 두께 주조품에서 우수한 주조성이 확보되며 G-CuZn15Si4(Si tomback)는 주조성이 매우 우수하며 담수와 해수에 높은 내식성을 갖는다. 또한 Al은 β' 상을 안정화시키고 고용체형태에서는 용해된다.

고용체 강화와 Ni 및 Fe와의 금속간 화합물 생성으로 인하여 강도 및 경도상승과 또한 강과의 접촉에서 미끄럼 성질이 개선된다. 그러므로 Al을 함유한 특수황동(예, CuZn40Al1, CuZn40Al2)은 슬립 베어링, 미끄럼 요소, 피스턴 유도장치 및 웜기어링 등의 제조에 응용된다.

그밖에 Al 합금을 통하여 내식성, 내침식 부식성 및 내공동침식 등을 증가 시킬 수 있다. 또한 특수황동 주물인 G-CuZn35Al1 및 G-CuZn35AlNi5는 높은 기계적 하중뿐만 아니라 부식, 침식 및 **공동(cavitation)** 상태 하에 있어서 표면응력을 받고 있는 선박프로펠러 제조에 적당하다.

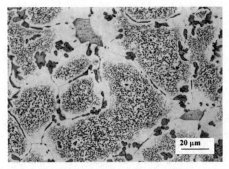

그림 6.30 특수황동 G-CuZn35Al1FeNi의 초정조직, Cumi1로 부식, 밝게 부식된 부분은 미세하게 분산된 NiAl 석출물을 가진 α 입자, α 입자 자투리에는 조대한 FeAl 석출물과 잔류 β' 상으로 되어있다.

그림 6.30은 특수황동 주물 G-CuZn 35 Al1Ni5의 조직생성을 나타낸 것인데 다상조직은 대부분 α 고용체로 되어 있으며 그 내부에는 미세하게 분산된 NiAl 석출물이 나타나있고 그 옆에 입계입자 내에는 금속간 화합물 FeAl의 조대한 입자가 존재한다.

α 고용체의 삼각형 모양의 자투리에는 잔류 β' 상이 계속하여 조직성분으로 나타난다. 전통적인 Ni-Ti 합금(Nitinol)과 Ni를 함유한 알루미늄청동 외에도 Al을 함유한 특수황동에서도 형상기억 성질과 의탄성과 같은 특수한 기계적 성질을 관찰할 수 있다.

통용되는 특수황동 CuZn26Al4을 850℃에서 10분간 베타화한 후 수냉한 조직을 그림 6.31 a)와 b)에 나타낸다.

β 영역으로부터 급랭하면 (β → α)변태가 억제되고 불규칙적이고 체심입방체 고온상 β(결정구조형 A2)가 규칙적이고 입방체인 β' 상(결정구조형 B2)으로 변태된다.

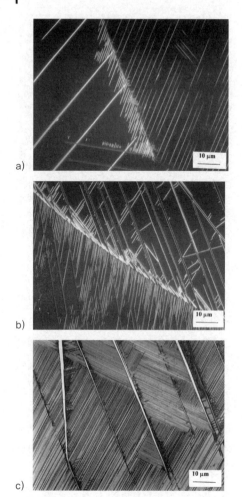

그림 6.31 형상기억 합금 CuZn26Al4, Cumi5로 부식, a) 및 b)는 베타화하고 수냉한 조직, β' 입계에 β'' 마르텐사이트 생성이 개시됨, c) 베타화한 후 수냉하고 굽힘 한 조직, 침상 β'' 마르텐사이트.

이러한 규칙변태는 마르텐사이트 생성에 속한다. M_s 온도에 도달하자마자 즉, 온도가 낮아지면 β' 상이 β'' 마르텐사이트(결정구조형 18R)로 변태하며 β 영역으로부터 수냉한 시편의 변태거동은 다음 반응으로 나타낸다.

$$\beta \to \beta' \to \beta' + \beta''$$

그 결과 합금의 M_s 온도는 20℃보다 약간 높다. 판상시편을 굽히면 변형유인 마르텐사이트 생성($M_d > 20℃$)이 시작되고 잔류 β' 상의 β'' 마르텐사이트로의 변태가 계속된다(그림 6.31 c). 마르텐사이트변태와 형상기억효과 및 의탄성 간의 관계는 6.2.2절에서 자세히 다루기로 한다. 특수황동에서는 또한 탈아연과 응력부식균열을 통하여 부식 손상이 나타날 수 있으며, 2원 황동 합금에 비교하면 이와 같은 부식 발생 형태는 낮은 민감성을 나타낸다. CuZn20Al2와 CuZn28Sn1 합금은 해수의 작용 하에서 탈아연과 응력제거어닐링 상태에서 응력부식균열에 대하여 매우 우수한 내구성을 나타낸다. 극한의 하중상태에서 또한 부식손상이 나타날 수 있다. 그림 6.32는 CuZn35Ni2로 된 냉각관의 파열된 형상을 나타낸 것인데 응력부식균열로 인하여 파손되었다. 균열은 관축에 약 45°각도로 진행되었으며, 이 방향에는 최대 전단응력분이 작용한다. 그림 6.32 b)에서는 특히 결정 횡단 균열진행이 나타나있다.

6.1.4
주석청동

주석청동은 알루미늄청동과 Cu-Ni 합금과 함께 내식성 Cu기지 합금에 속한다. 수많은 주석청동은 또한 강과 접촉에서 탁월한 마찰 마모성질을 나타낸다. 주석청동은 가공 및 주조 합금으로 제조되며, 가공

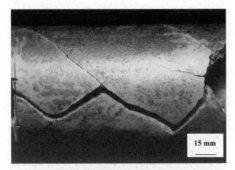

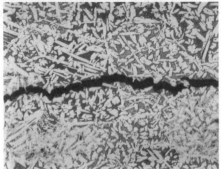

그림 6.32 특수황동 CuZn35Ni2로 된 특수 황동 냉각관의 응력부식 균열에 의한 균열, a) 표면에서의 균열 진행, b) 표면에 수직으로 균열 진행, Cumi1으로 부식.

합금의 Sn함량은 대개 8%가 한계이고 이에 대하여 주물 합금은 10% 이상 Sn이 함유된다. 성질을 최적화하기 위하여 2원 합금 외에도 다원 합금으로 P, Zn, Pb, 및 또는 Ni 등과 같은 합금원소를 첨가하여 사용하며, Cu-Sn-Zn-Pb주조 합금을 **놋쇠 (red bronze)**라고 한다. P를 첨가하면 주석청동을 탈산하여 사용성질에 좋지 않은 영향을 미치는 SnO_2생성을 피할 수가 있다. 그 외에도 또한 P를 합금원소로 첨가하여 주석청동의 용탕 유동성과 주조성 그리고 마찰마모성질을 개선하게 된다. P를 최대 0.4%까지 함유하는 CuSn8P 합금은 미

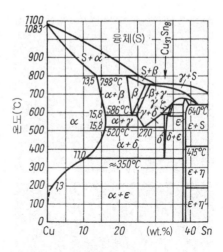

그림 6.33 Cu-Sn평형 상태도의 Cu가 많은 영역.

끄럼 베어링 재료로 가장 우수한 것으로 입증되었다.

합금의 전기전도도와 열간 성형성은 P로 인하여 감소된다. 그림 6.33은 Cu-Sn 평형상태도의 Cu가 많은 부분을 나타낸 것인데 응고구간이 넓기 때문에 융체로부터 α 상의 결정화가 이루어지며 Sn의 느린 확산속도로 인하여 주물 합금의 초정조직에는 현저한 결정편석이 자주 나타난다.

그림 6.34는 10%Sn을 함유한 2원 합금에서 수지상 초정조직을 나타내고 초정으로 결정화 된 수지상 줄기와 가지는 수지상간 조직영역에 비하여 Cu함량이 현저하게 높아 평형상태도의 응고구간 $(S+α)$내에서 **연결선(tie line)**을 그은 것처럼 쉽게 식별할 수 있다.

약 550℃ 이상의 온도에서 오랜 시간 어닐링하면 적어도 결정편석이 부분적으로 없어진다. 그림 6.34b에는 700℃에서 균질화 어닐링한 후의 주석청동의 조직으로 쌍정 α

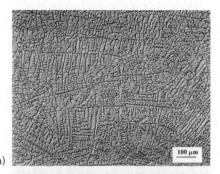

그림 6.34 10%Sn을 함유한 주석청동의 조직, a) 수지상 초정조직, 부식하지 않은 것, b) 700℃에서 4시간 균질화 어닐링한 후 공랭한 쌍정으로 나타나는 α 고용체, Cumi4로 부식.

고용체로 이루어져 있다. 그 밖에도 주석청동은 주괴의 **역편석**이 생성되는 경향이 있으며 Sn의 부화(rich)형태로 그리고 또한 주괴의 가장자리 영역에 P가 나타난다. 이 편석은 열처리를 통하여 없앨 수 없다.

그림 6.33에서 Cu는 최대 15.8%Sn을 고용체 형태로 고용할 수 있으며, 약 520℃ 이하에서는 온도가 낮아짐에 따라 Sn에 대한 α 고용체의 분해도는 감소하여 석출과정이 기대된다.

Cu 내에서 Sn의 확산속도가 낮기 때문에 이 석출은 매우 느린 냉각에서는 스스로 나타나지 않으므로 Sn은 α 고용체 내에 용해된 상태로 존재한다. 이것은 또한 심하게 냉간변형한 시편을 오랜 시간 어닐링을 통하여 α 고용체로부터 육방 ε 상의 석출을 일으킬 수 있다. 고온상인 β는 황동의 β 상 처럼 체심입방 결정구조(결정구조형 A2)를 갖는다. 이것은 서냉에서 공석혼합물 변태이며, α 상(결정구조형 A1)과 γ 상으로 이루어져 있다. γ 상은 규칙적인 입방체조직(결정구조형 DO_3)을 갖는다.

520℃에서 γ 상의 공석분해로 α 상과 δ 상의 혼합물로 된다.

$$\gamma \rightarrow \alpha + \delta$$

δ 상($Cu_{31}Su_8$)은 복잡한 결정구조(결정구조형 D8$_2$)를 가지며, 이것은 황동에서 γ' 상의 결정구조와 흡사하다. 단위세포에서 격자상수는 1.79nm, 416개 원자가 존재한다. δ 상은 높은 경도와 취성을 나타내며, 이것은 Sn이 부화된 주석청동 주물의 본래 경화된 조직성분 이다. 이에 해당하는 상태도상에서 δ 상은 350℃에서 공석이 α 상과 ε 상으로 변태한다.

$$\delta \rightarrow \alpha + \varepsilon$$

ε 상(Cu_3Sn)은 의사(Pseudo) 육방결정구조(결정구조형 A3)로 결정화 된다. Sn은 Cu 내에서의 확산속도가 낮으므로 δ 상의 공석분해는 낮은 냉각속도에서는 역시 일어나지 않는다. 따라서 δ 상 또는 공석($\alpha + \delta$)은 20℃에서 주석청동 조직에도 나타난다. 냉각조건에 따른 **결정편석**과 고

체 상태에서 Sn의 낮은 확산속도로 인하여 열역학적 평형이 이루어지지 않으므로 그림 6.33의 평형상태도에서 주석청동의 상 천이와 조직구조를 설명하는 데는 제한적으로만 가능하다. 그러므로 변태 상태도를 제시하는데 상 천이와 이에 따른 조직 생성은 기술적으로 통용되는 주조 및 열처리 조건 하에서 더욱 확실하게 설명된다.

그림 6.35는 주조된 합금에 대한 실제 상태도를 나타내는데 $(\alpha + \delta)$ 공석은 약 6%Sn에서 이미 주조조직 내에 존재하며 여기서 더욱 주조에서 냉각속도가 조직생성에 영향을 미치게 된다. 실제적으로 일반적인 어닐링시간을 엄수하여 균질화 어닐링을 통하여 실제 상태도가 그림 6.35 a 및 b를 비교하여 변화된 것을 나타낸다.

균질한 α 고용체의 존재영역은 균질화

어닐링을 통하여 확대된다. $(\alpha + \delta)$ 공석은 먼저 높은 Sn함량에서 조직 내에 나타난다.

아공석 합금 CuSn20의 균질화한 조직을 그림 6.36에 나타내는데 조직 내에는 밝게 나타난 α 상의 옆에는 $(\alpha+\delta)$ 공석이 존재한다.

그림 6.37에는 균질화 된 27%Sn을 함유한 공석 주석청동의 조직으로 $(\alpha+\delta)$ 공석만 나타난 조직이다. 그림 6.38은 균질화 된 CuSn30 공석과 조직으로 밝게 부식 된 δ 상 입자와 $(\alpha + \delta)$ 공석으로 이루어져 있다.

그림 6.39에는 Sn함량에 따른 2원 주석청동의 **기계적 특성곡선**을 나타낸 것인데 가공용 합금의 영역(Sn<8%)에는 α 고용체로 된 단일상 조직이 나타나있고 Sn함

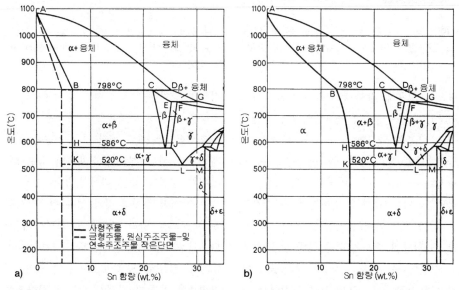

그림 6.35 주석청동에 대한 실제 변태 상태도, a) 주조 합금, b) 열처리 합금, Deutschen Kupferinstituts의 특별 출판된 DKI A 1531 및 1536에서 인용함.

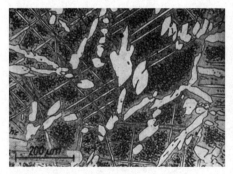

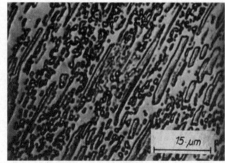

그림 6.36 20%Sn을 함유한 균질화 된 주석 청동의 조직, 밝게 부식된 α 고용체와 $(\alpha + \delta)$ 공석.

그림 6.37 27%Sn을 함유한 균질화 된 주석 청동의 조직, $(\alpha + \delta)$ 공석.

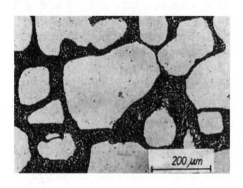

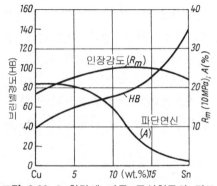

그림 6.38 3%Sn을 함유한 균질화 된 주석청동의 조직, 밝게 부식된 δ 입자와 $(\alpha + \delta)$ 공석.

그림 6.39 Sn함량에 따른 주석청동의 경도, 강도 및 파단연신, Carpenter 및 Robertson에 의함.

량으로 고용체 강화로 인하여 인장강도와 경도가 증가된다. 이 농도영역에서 파단연신은 비교적 약간만 감소된다. 주물용 청동과 같이 Sn함량이 높으면 경도상승이 현저하게 나타난다. 이러한 경도상승으로 파단연신이 신속하게 떨어진다. 인장강도는 한 면에서 최대로 진행 된 후에 감소된다. Sn함량의 증가에 따른 이와 같은 기계적 성질변화는 경도의 상승과 취성을 유발하는 δ 상과 $(\alpha + \delta)$ 공석이 조직에서 나타나기 때문이다. 조직 내에 이러한 조직

성분의 양이 증가됨에 따라 주석청동의 성형성은 심하게 억제되므로 가공용 합금의 Sn함량을 약 8%로 제한한다. 가공용 주석청동으로 된 반제품의 실제적인 응용에는 기계적 성질과 높은 내식성 또는 다른 면에는 기계적 성질과 강과 접촉 될 때 마찰 및 마모특성 등을 적당하게 조합하게 된다. 사용되는 합금으로는 CuSn2, CuSn4, CuSn6, CuSn8 및 CuSn8P 등이 있다. 냉간변형을 통하여 기계적 강도가 상승되는데 냉간강화에 의하여 전성은 감소된다.

표 6.4에는 가공용 합금의 전형적인 구조물 응용 예를 나타낸다. 주석청동 주물과 red bronze 합금은 형상주물품으로 제조되는데 이것은 높은 기계적 하중 외에도 부식, 공동(cavitation), 침식 또는 마모 등을 통하여 경계면 응력하에 놓이게 된다. 성질을 개선하기 위하여 Pb 및 Ni과 같은 합금원소를 첨가하기도 한다. 특히 청동주물은 종을 만드는데 사용된다(G-CuSn20).

표 6.5는 구조물 응용 예를 나타낸 것이다. 미끄럼 베어링에 응용되는 주석청동과 red bronze의 조직과 성질에 관하여는 6.9.2절에서 자세히 다루기로 한다.

표 6.4 가공용 청동의 응용 예

합금	응용
Cu Sn2	판, 띠, 프로파일, 관 및선, 나사, 너트, 스프링, 망, 금속관, 통전스프링, 전자기술에서 콘센트 및 소켓 등과 같은 규격품
Cu Sn4	
Cu Sn6	
Cu Sn8	규격품, 스프링, 미끄럼 베어링, 기어 및 웜기어
Cu Sn9	

표 6.5 주물용 청동과 red bronze 합금의 응용 예

합금	응용
G-Cu Sn10	아마추어 및 펌퍼 케이스
G-Cu Sn12	펌퍼작동 기어, 웜기어 및 태, 나사, 미끄럼골
G-Cu Sn12 Ni	아마추어 및 펌퍼 케이스, 펌퍼작동 기어
G-Cu Sn12 Pb	미끄럼베어링 및 미끄럼골
G-Cu Sn10 Zn	웜기어, 미끄럼 베어링외피, 선수관
G-Cu Sn7 Zn Pb	미끄럼 베어링 외피 및 부시
G-Cu Sn5 Zn Pb	아마추어 및 펌퍼 케이스

6.1.5
알루미늄청동과 다원 알루미늄청동

주석청동과 유사하게 이 합금군은 기계적 성질과 부식, 침식, 공동화 및 마찰 등을 통한 경계면 응력에 대한 높은 저항성이 잘 조합된 우수한 성질을 나타낸다. 2원계 알루미늄청동은 8%까지 Al을 함유하고 대부분 가공용 합금으로 제조된다. 다원 알루미늄청동은 가공용 및 주물용으로 제조되는데 알루미늄을 9~14% 함유한다. 이러한 다원 합금의 사용성질을 개선하기 위하여 Ni, Fe 및 Mn 등의 합금원소를 첨가한다.

2원 알루미늄청동의 조직

그림 6.40은 Cu-Al 합금의 상태도에서 Cu가 많은 부분을 나타낸 것이다. 상태도는 Cu-Zn(그림 6.12)계와 유사하며 7.5%Al보다 적은 합금의 조직은 융체로부터 직접 결정화 된 면심입방 α 고용체(결정구조형 Al)로만 이루어져 있다.

$$융체 \rightarrow \alpha$$

그림 6.41은 2원 청동 합금 G-CuAl7의 주조조직을 나타낸 것인데 입자 내에는 수지상 조직을 볼 수 있다. 초정으로 결정화 된 수지상 줄기와 가지는 상태도에서 Cu 함량이 높은 부분으로 수지상간 조직영역과 비교된다. 균질화 어닐링으로 농도평형이 이루어져 α 입자로 수지상은 사라진다(그림 6.41b). 균질 α 조직을 가진 청동은 고체 상태에서 상변태가 나타나지 않으므

로 열처리에 의한 퀜칭성 및 템퍼링성이 아니다. 그 강도와 경도는 냉간변형을 통하여 상승시킬 수 있으며, 냉간경화를 일으킬 수 있으나 전성은 감소된다. 7.5~9.5%Al농도 영역에서는 그림 6.40에서 보듯이 공정부 분계에 존재한다.

아공정 합금에서는 α 고용체의 아공정 결정화가, 과공정 합금에서는 체심입방 β 상(결정구조형 A2)의 아공정 결정화가 각각 이루어지며, 잔류융체는 공정으로 응고된다. 응고는 다음 반응으로 나타낸다.

아공정 합금 :

융체 → α + 융체 → α + (α + β)

과공정 합금 :

융체 → β + 융체 → β + (α + β)

상태도로부터 8.5%Al보다 적은 아공정 합금을 20℃로 서냉하면 균질한 α 조직을 갖는다. 응고 직후 이 합금은 α 및 β 상 조직으로 된다. 계속된 서냉에서 β 상이 α 상내로 변태되며 α 및 (α + β) 영역 간의 경계에 도달하면 조직이 α 고용체로만 이루어진다(그림 6.40). 낮은 온도에서 Cu와 Al원자의 낮은 확산속도로 인하여 β → α 의 완전한 변태는 약 8%Al이하를 함유한 청동에서만 일어나며 여기에 비하여 8%< Al<9.4%를 함유한 2원 합금청동은 20℃ 로 냉각한 후 대개 불균질한 조직을 갖는다. 9.4~약 15%Al의 농도영역에서는 β 상 이 융체로부터 직접 결정화된다(그림 6.40). 565℃에서 충분히 서냉한다고 가정한다면 고온상 β의 공석분해가 일어난다.

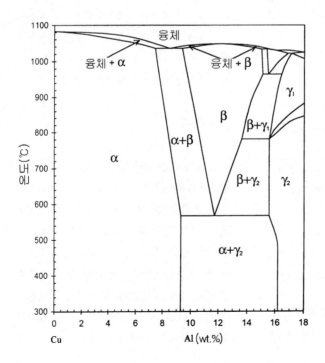

그림 6.40 Cu-Al상태도의 Cu가 많은 부분, Macken 및 Smith에 의함.

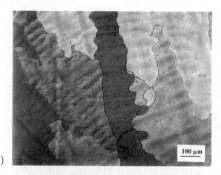

a)

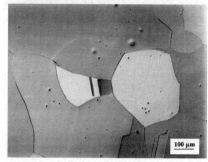

b)

그림 6.41 2원 Al청동 G-CuAl7조직, Cumi5
로 부식, a) 수지상 초정조직, b) 950℃에서
20분간 어닐링한 후 노냉하였으며 어닐링 쌍
정을 가진 균질한 α 고용체 조직.

$$\beta \rightarrow (\alpha + \gamma_2)$$

과공석 합금에서는 공석 변태 전에 β 상
으로부터 사방형 결정조직인 γ_1상의 석출
이 일어나며 780℃에서는 γ_2 상(Cu_9Al_4, 결
정구조형 $D8_3$)으로 변태된다.

융체
$$\rightarrow \beta \rightarrow \gamma_1 + \beta \rightarrow \gamma_2 + \beta$$
$$\rightarrow \gamma_2 + (\alpha + \gamma_2)$$

γ_2 상은 높은 경도와 취성을 갖고 있으
므로 조직 내에서 이 상의 체적증가와 더
불어 합금의 취화가 일어난다. 14%Al을 함

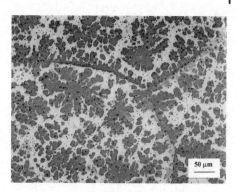

그림 6.42 14%Al과 낮은 Fe를 함유한 알루
미늄청동 주조조직, Cumi1로 부식, 입계 가
장자리와 장미형태의 γ_2 상 밝게 부식된 잔
류 β 상, 미세하게 분포된 K 석출물.

유한 합금의 조직 내에 γ_2 상의 미소경도
는 620 HM 20이며, γ_2 상은 α 및 β 상과
비교하면 낮은 전기화학적 전위를 갖는다.
이러한 조직에 따른 전위차를 통하여 선
택부식 및 탈 알루미늄 등과 같은 특수한
부식형태가 발생된다. 탈 알루미늄에서와
유사한 부식기구가 황동의 탈아연에서도
일어난다. 그림 6.42는 14%Al과 약간의
Fe가 함유된 청동의 조직을 나타낸 것인
데 입계 가장자리 형태의 검게 부식된 γ_2
상과 β 입자 내에 장미형상의 석출물이 나
타난 것을 볼 수 있다. 그 외에도 합금에
Fe가 함유되어 있으므로 조직 내에는 미
세하게 분산된 K 석출물도 나타낸다. 잔
류 β 상의 공석분해는 β 영역으로부터 시
편의 노냉을 통하여 도달하지 못한다. 아
공석 알루미늄청동에서 아공석 α 석출 후
잔류 β 상이 $(\alpha + \gamma_2)$공석으로 변태가 일어
난다.

융체 $\rightarrow \beta \rightarrow \alpha + \beta \rightarrow \alpha + (\alpha + \gamma_2)$

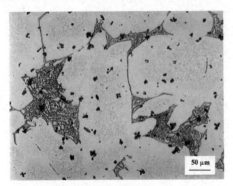

그림 6.43 10.5%Al과 낮은 Fe 및 Ni을 함유한 알루미늄청동의 주조조직, Cumi1로 부식, 밝게 부식된 α 고용체, $(\alpha + \gamma_2)$공석 및 K 석출물.

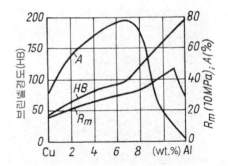

그림 6.44 어닐링 한 알루미늄청동의 Al함량에 따른 경도, 인장강도(R_m) 및 파단연신(A)의 영향. Carpenter와 Robertson에 의함.

그림 6.43은 10.5%Al을 함유한 청동을 20°C로 서냉한 후의 조직으로 합금에는 약간의 Fe와 Ni을 함유하고 있다. 조직은 밝게 부식된 α 입자와 $(\alpha + \gamma_2)$공석 및 K 석출물로 이루어져 있다.

2원계 청동의 Al함량에 따른 기계적 특성치 의존성을 그림 6.44에 나타낸다. 균질한 α 고용체 영역에서 경도와 강도뿐만 아니라 파단연신도 알루미늄 함량과 더불어 증가한다. 이 균질 합금은 냉간 및 열간 성형성이 양호하다. β 상이 나타남과 더불어 오른쪽 취성의 γ_2상이 조직에 불균질하게 청동에 존재함으로써 경도상승이 가속되어 파단연신이 떨어진다. γ_2상과 $(\alpha + \gamma_2)$ 공석량이 조직 내에 높아질수록 취성 효과에 의하여 인장강도도 강하된다. 이와 같이 알루미늄이 많이 함유된 합금은 일반적으로 열간성형을 한다.

다원 알루미늄청동 조직

화학조성에 따라 이 동 합금은 3그룹으로 나눈다.

- 9~11%Al을 함유한 다원 알루미늄청동은 Fe와 Ni을 함유한다.
- 6~8%Al을 함유한 다원 알루미늄청동은 Fe와 Ni 외에도 Mn함량이 높다(약 12% 까지).
- 14~15%Al을 많이 함유한 경우에는 Fe, Ni 및 Mn을 첨가한 합금이다.

Cu-Al상태도에 미치는 합금원소 Fe 및 Ni의 영향을 그림 6.45 의사 2원 절단면 상태도로 나타낸다. Fe와 Ni의 합금으로 그림 6.45의 두 상태도에서 비교한 것과 같이 상 경계선과 공석점이 Al함량이 높은 쪽으로 이동시키는 작용을 한다. 그 외에도 Fe와 Ni은 Al과 금속간 화합물을 형성하여 의사 2원 절단면에서는 일반적으로 K 상으로 나타낸다. 나타난 K 상은 새로운 상 경계선을 형성하며, 이것은 냉각에서 α 및 β 상으로부터 K 상의 석출개시로 나타난다. 이러한 상 경계선을 통하여 낮은 온도에서 의사 2원 절단면 상태도상에 다원 상영역 $(\alpha + K)$ 및 $(\beta + K)$이 나타남으로 2원계 상태도의 균질 α 상 및 β 상의 존재 영역이 제한된다.

2원계 단면(그림 6.45)에 해당하는 약 9~11%Al을 함유한 다원 청동을 K 상으로부터 서냉한 후의 조직은 α 상과 공석 $(\alpha + \gamma_2)$으로 되어있다.

$$융체 \rightarrow \beta \rightarrow K + \beta \rightarrow K + \alpha + \beta$$
$$\rightarrow K + \alpha + (\alpha + \gamma_2)$$

낮은 온도에서 원자의 제한된 확산으로 인하여 의사 2원 절단면에 해당되는 고상 천이도 또한 서냉에서는 일어나지 않는다. 기술적으로 통상적인 냉각조건하에서는 시간-온도 변태곡선이 고온상 β의 분해를 나타내는데 더 적당하다. 그림 6.46에는 다원 알루미늄청동인 9.9%Al, 5.3%Fe, 5.1%Ni 및 0.9%Mn을 함유한 그와 같은 상태도를 나타낸 것이다. 여기에 해당되는 상태도에는 합금을 서냉하면 다음과 같은 상변태가 일어난다.

$$융체 \rightarrow \beta \rightarrow K_2 + \beta \rightarrow K_2 + \alpha + \beta \rightarrow K_2 + \alpha$$
$$+ (\alpha + K_3) \rightarrow K_2 + \alpha + (\alpha + K_3) + K_4$$

그림 6.47은 GS-CuAl10Fe5Ni5 사형주조 합금의 조직을 나타낸 것인데 이미 언급한 변태 역학과 그림 6.46에 조직 장방형과 일치하며 조대한 K_2 석출물로 이루어져 있고 이것은 밝게 부식된 α 고용체, 라멜라형 의사공석$(\alpha + K_3)$, 또한 α 상으로부터 석출된 미세하게 분산된 K_4입자들로 되어 있다.

화학조성과 나타난 형상에 따라 조직 내에는 그림 6.48에 절취한 것과 같이 K 상을 5가지 변형으로 나눈다(Brezina, Hasan, Culpan 및 Rose, Feest 및 Cook). K 상의 정확한 화학조성은 합금의 열처리에 따라 좌우된다. Ni가 많은 K 상(기본조성 NiAl)은 입방형(결정구조형 B2)으로 결정화되며, Fe가 많은 K 상(기본조성 Fe$_3$Al)은 복잡한 입방결정조직(결정구조형 DO$_3$)으로 Fe가 많은 K_1 상은 융체로부터 직접 결정화되며 입자미세화 효과를 갖는다.

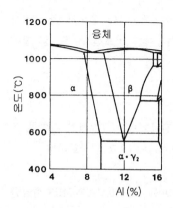

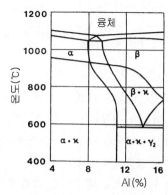

그림 6.45 Cu-Al(왼쪽)상태도 및 2원 절단면 Cu-Al-5%Fe-5%Ni (오른쪽)상태도, Brezina에 의함.

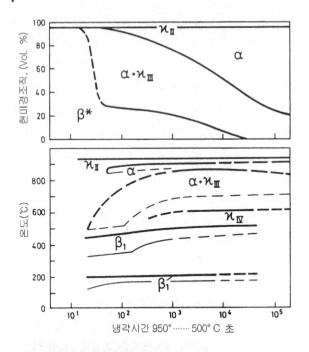

그림 6.46 G-CuAl9, 9Fe5, 3Ni5, 1Mn0.9를 함유한 합금의 연속 온도-시간곡선과 조직 장방형, 950℃에서 60분간 베타화, Brezina에 의함.

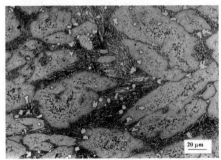

그림 6.47 GS-CuAl10Fe5Ni5 사형주조한 합금의 초정조직, Cumi5로 부식, 밝게 부식된 α 고용체, 라멜라형 의사 공석($\alpha + K_3$), 조대한 K_2 석출물 및 미세하게 분산된 K_4석출물.

또한 Fe가 많은 K_2 상은 β 상으로부터 석출로 생성된다. Ni이 많은 K_3 상은 라멜라형 의사공석인 α 상과 더불어 생성된다. Fe가 많은 K_4 및 Ni가 많은 K_5 상은 α 상에서 석출물로 존재한다. K 상은 강도상승의 역할과 부동태 효과를 나타냄으로 내식

성에 미치는 영향도 나쁘지 않다.

알루미늄이 많은 작은 청동시편을 균질한 β 영역으로부터 급랭하면 확산의존 석출과정과 또한 확산의존 $(\beta \rightarrow \alpha)$변태가 수냉에 의하여 억제되기 때문에 비평형 변태가 일어난다. 고온상 β가 낮은 온도에서도 존재하며 약 400℃ 온도 영역에서(그림 6.46) 규칙적인 β_1 상(결정구조형 DO₃)으로 변태한다. 수냉으로 Ms 온도가 약 200℃ 이하로 내려간다면 마르텐사이트 상 천이가 $\beta_1 \rightarrow \beta'_1$로 일어난다.

$$\beta \rightarrow \beta_1 \rightarrow \beta'_1$$

β'_1 마르텐사이트는 규칙적인 사방형 조직(결정구조형 18R)으로 결정화된다.

그림 6.49에는 G-CuAl10Fe5Ni5 합금을

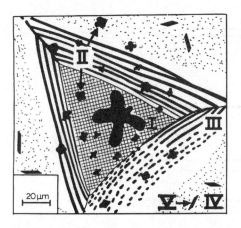

그림 6.48 조직 내에서 K 상 생성형태의 도식적 설명, K, Fe가 많은 석출물은 융체로부터, K_2 Fe가 많은 석출물은 β 상으로부터, 의사공석인 Ni이 많은 K_3상, Fe가 많은 K_4 및 Ni이 많은 K_5 상은 α 상으로부터 석출된다, Brezina에 의함.

균질한 β 영역으로부터 수냉한 후의 조직을 나타낸 것인데 이전의 β입자를 입계에서 볼 수 있으며 β_1' 마르텐사이트가 존재한다.

그림 6.50에는 Mn이 많은 GS-CuAl6Mn10ZnFeNi사형주조 합금의 초정조직으로 밝게 부식된 불규칙한 면심 α 상 입자, 어둡게 부식된 잔류 β 상 및 K_2 석출물로 되어 있다. 조직생성은 그림 6.51에서 G-CuAl8Mn12Fe3Ni2 합금을 연속 냉각한 시간-온도 변태곡선으로 설명할 수 있는데 여기서 근사적으로 Mn이 많은 알루미늄청동을 관찰하는 것도 유효하다.

불규칙한 체심입방 고온상 β(결정구조형 A2)는 융체로부터 결정화 되며 다음은 서냉에서 K_2 상이 석출되고 β 상은 마지막으로 면심입방 α 상으로 다만 완전하지 않게 변

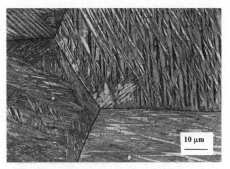

그림 6.49 GS-CuAl10Fe5Ni5 합금의 1000℃에서 수냉한 조직, Cumi1로 부식, 규칙적이고 사방형 β_1' 마르텐사이트.

그림 6.50 GS-CuAl6Mn10ZnFeNi사형주조한 초정조직, Cumi5로 부식, 밝게 부식된 α 고용체, 어둡게 부식된 잔류 β 상, 조대한 K_2석출물.

태가 일어난다. β 상의 규칙변태는 일어나지 않는다. 20℃로 냉각 후에는 불규칙적인 β 상이 조직 내에 존재한다. 결론적으로 변태역학을 다음 반응으로 나타 낼 수 있다.

$$융체 \rightarrow \beta \rightarrow K_2 + \beta \rightarrow K_2 + \alpha + \beta$$

20℃에서 존재하는 조직의 상조성은 조직 장방형(그림 6.51)에서 오랜 시간 냉각

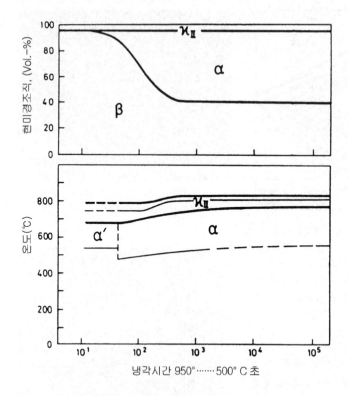

그림 6.51 G-CuAl8Mn 12Fe3Ni2 합금을 900℃에서 60분간 β화한 연속 냉각 시간-온도 변태곡선과 조직 장방형 Brezina에 의함, 약간 부식함.

했을 때 주어진다.

Mn이 많은 청동의 작은 시편을 균질한 β 영역으로부터 수냉하면 확산 의존성인 석출과정과 격자변태가 억제된다. 알루미늄 함량이 높은(그림 6.49) 청동과 구별되는 것은 여기서는 거의 완전하게 안정화된 불규칙적인 체심입방 고온상 β(결정구조형 A2)를 그림 6.52와 같이 관찰할 수 있고 조직은 조대립자임으로 입자조직을 부식된 시편에서 육안으로도 관찰할 수 있다. 수냉을 통하여 생성된 β 상은 준안정이며, 그림 6.53은 베타화하고 수냉한 시편을 20℃에서 냉간 압연성형한 조직을 나타낸 것인데 β 입자 내에는 밝게 부식된 침상 마르텐사이트가 생성되어 있다. X-선회절에서

이러한 변형 유인된 α 마르텐사이트로 불규칙적인 체심입방 조직(결정구조형 A1)을 관찰할 수 있다.

합금의 M_d 온도는 20℃ 이상이다. 낮은 온도 냉각으로 베타화하고 수냉한 시편을 액체질소에서 그림 6.54에 나타낸 것과 같이 마르텐사이트변태 $β → α'$가 일어난다. 이러한 결과로부터 합금의 M_s 온도가 20℃ 이하라는 것이 분명해 진다.

비교적 낮은 알루미늄을 함유하고 망간 함량이 많은 불균질 다원 알루미늄청동은 특수한 기계적 성질을 나타내는데 이러한 합금에서 의탄성 거동과 **형상기억효과**를 규명하게 된다(Kainuma, Takahashi 및 Ishida). 이러한 특수 성질은 마르텐사이

그림 6.52 GS-CuAl6Mn10ZnFeNi 합금을 900℃로부터 수냉한 후의 조직, Cumi5로 부식, 조대립자 β 상.

그림 6.53 GS-CuAl6Mn10ZnFeNi 합금을 900℃로부터 수냉하고 5% 냉간 압연한 시편으로 β 기지 내에 변형유인된 α′ 마르텐사이트조직, Cumi1로 부식.

트 상천이 β → α′로 기인됨을 알 수 있다. 6.2.2절에서 마르텐사이트 상천이와 의탄성과 형상기억효과의 연관성에 대하여 자세하게 다루기로 한다. (α + β′)황동에서도 이와 유사하게 망간함량이 높은 다원 알루미늄청동의 준안정 β 상이 어닐링에 의하여 분해된다. 그림 6.55는 G-CuAl6Mn10ZnFeNi 합금의 베타화된 시편조직에 미치는 어닐링 온도를 나타낸 것인데 각 온도에서 시편을 30분간 유지한 후 어닐링 조직을 안정화하기 위하여 수냉하였다. 그림 6.55 a는 어닐링 하지 않은 조직으로 불규칙한 β 상(결정구조형 A2)으로 되어있다. 약 150~350℃온도 영역에서는 β → β₁으로 규칙적인 변태가 일어나며 (Kainuma, Takahashi 및 Ishida), 그림 6.56 b에서 보듯이 규칙적인 β₁ 상(결정구조형 L2₁)이 β 기지 내의 맨 밖에 미세한 침상형태로 나타난다. 이것이 합금의 경도를 상승시킨다(그림 6.56). 400℃에서 어닐링하면 안정된 α 상내에 규칙적인 β₁ 상이 변태를 일으키며,

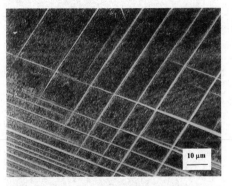

그림 6.54 GS-CuAl6Mn10ZnFeNi 합금 시편을 900℃로부터 수냉하고 액체질소에서 저온 냉각 했을 때 나타난 β 기지 내에 비열적 α′ 마르텐사이트조직. Cumi5로 부식.

이렇게 하여 경도가 감소된다(그림 6.57). 조직은 미세한 침상 α 상과 변태되지 않은 β 상(그림 6.55c)으로 이루어져있다. 어닐링 온도가 계속 상승하면 입자가 조대화되고 α 침상이 단일화됨으로써(그림 6.55d) 경도가 지속적으로 감소된다. 어닐링온도가 (α → β) 변태개시를 초과하면 다시 다면체 α 입자가 나타나고 조직 내의 β 상 부분은 시편을 수냉하면 증가된다(그림 6.55e).

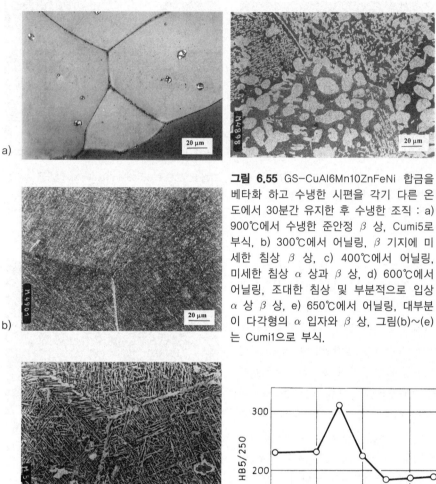

a)

e)

b)

c)

d)

그림 6.55 GS-CuAl6Mn10ZnFeNi 합금을 베타화 하고 수냉한 시편을 각기 다른 온도에서 30분간 유지한 후 수냉한 조직 : a) 900℃에서 수냉한 준안정 β 상, Cumi5로 부식, b) 300℃에서 어닐링, β 기지에 미세한 침상 β 상, c) 400℃에서 어닐링, 미세한 침상 α 상과 β 상, d) 600℃에서 어닐링, 조대한 침상 및 부분적으로 입상 α 상 β 상, e) 650℃에서 어닐링, 대부분이 다각형의 α 입자와 β 상, 그림(b)~(e)는 Cumi1으로 부식.

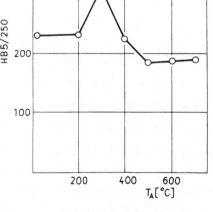

그림 6.56 GS-CuAl6Mn10ZnFeNi 합금을 경화 베타화 하고 수냉한 시편의 어닐링에서 30분간 유지한 후 수냉 했을 때 어닐링 온도, 유지시간 의존성.

알루미늄청동 및 다원 알루미늄청동은 높은 기계적 하중 외에도 부식, 침식, 공동 및/또는 마멸 등의 형태로 표면 내응력이 작용하는 구조물 등에 응용된다. 그 밖에도 몇 가지 합금(28~29at%Al, 3~4.5at.%Ni) 등은 의탄성재료와 형상기억합금 등에 흥미가 있다. 표 6.6에는 가공 및 주조 합금의 응용 예를 나타낸 것이다. 다원 알루미늄청동의 슬립 베어링의 특수용도는 6.9.2절에서 다루기로 한다.

표 6.6 알루미늄청동 및 다원 알루미늄청동의 응용

가공용 합금	응용
Cu Al8,	판, 띠(band), 관 및 형재
Cu Al8 As,	
Cu Al8 Fe3	
Cu Al9 Mn2	웜 기어, 슬립 베어링, 밸브 페이스
Cu Al10 Ni Fe,	성형공구, 슬립 베어링,
Cu Al11 Ni Fe	밸브페이스, 밸브

주물용 합금	응용
G-Cu Al10 Fe	하우싱, 피니언, 기어휠, 신크로링
G-Cu Al9 Ni	아마추어 및 펌퍼
G-Cu Al10 Ni	하우싱, 선박 프로펠러
G-Cu Al11 Ni	웜기어, 헤리컬 기어, 펌퍼작동 기어

6.1.6
Pb 청동과 Pb-Sn 청동

이 청동은 대부분 주조 합금으로 제조되며 강과 접촉에서 적당한 마찰 성질과 우수한 내식성을 가지고 있다. 이전에 자주 사용되어온 2원 Pb청동은 기계적 강도가 낮아 사용하기가 쉽지 않았다. 따라서 Sn을 함유한 기계적 강도가 높은 Pb청동으로 대치되었다. 이 3원 Cu 합금은 22% Pb와 10%Sn을 함유하고 있는데 Sn은 Cu기지의 고용체 강화를 일으킴으로써 청동의 기계적 강도를 상승 시킨다. 그림 6.57에는 Cu-Pb계의 편정 상태도를 나타낸다. 두 성분은 액상 상태에서 부분 혼합성이며, 고체 상태에서 비혼합성이다. 상태도의 Cu가 많은 쪽은(Pb<36%) 기술적으로 사용에 중요한 청동이며, 단일 액상이 존재한다. 액상선과 편정온도(954℃) 사이의 온도 구간에는 융체로부터 초정 Cu결정이 결정화 되고 954℃와 고상온도(326℃)사이에는 Cu결정과 잔류융체가 존재하며, 326℃에서는 Pb가 결정화된다. 20℃로 냉각한 후에는 Cu기지에 Pb개재물로 이루어진 불균질 조직이 존재한다. 그림 6.58은 G-CuPb15Sn 합금의 조대한 입자와 불규칙한 주조조직을 나타내고 어두운 Pb입자는 Cu와 Sn으로 이루어진 수지상으로 응고된 고용체 기지로부터 분명하게 드러나 있다. Pb를 가능하면 균일하게 분포 시키려고 노력하는데 Pb와 Cu간의 밀도차이와 응고 구간이 크기 때문에 Pb-Sn청동은 중력편석 되는 경향이 있다. 이러한 석출물의 분해를 줄이기 위하여는 합금의 주조에서 용탕을 급속냉각 해야 한다.

복합 베어링 제조에 관하여는 6.9.2절에서 자세히 다루게 되며 원심주조를 통하여 이러한 요구를 만족하게 한다.

표 6.7에는 Sn을 함유한 Pb황동의 응용

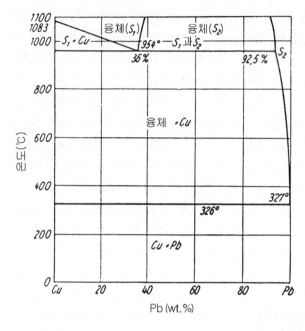

그림 6.57 Cu-Pb상태도, Hansen에 의함.

예를 나타낸 것인데 이 합금군의 특별한 의미는 슬립 베어링 제조에 유효하다.

표 6.7 Sn을 함유한 Pb황동

합금	응용
G-Cu Pb5 Sn	내식성 금형 주조품
G-Cu Pb10 Sn	연소엔진의 접착베어링
G-Cu Pb15 Sn	연소엔진의 고응력
G-Cu Pb22 Sn	접착베어링

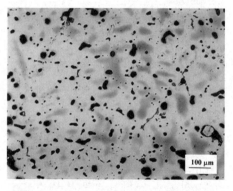

그림 6.58 Sn을 함유한 Pb청동 G-CuPb15Sn 의 초정조직, Cumi4로 부식, 수지상 Cu-Sn고용체 내의 어두운 Pb개재물.

6.1.7
베릴리움청동

이 구리 합금은 약 2.5%까지 Be를 함유하며 대부분 가공용으로 제조된다. 베릴리움청동은 경화성인데 이러한 열처리를 통하여 강도값을 얻게 되며 이 값은 높은 강도의 구조용강과 비교 될 만하다. 또한 베릴리움청동의 사용상 성질에는 높은 내식성과 비자성을 가지고 있다. 합금에는 십분의 수 %만 함유하며 전기적 및 열적 전도도가 양호하므로 전기기술에 전류가 흐르는 구조 부품으로 제조된다.

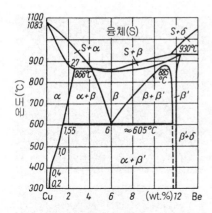

그림 6.59 Cu-Be상태도의 Cu가 많은 쪽.

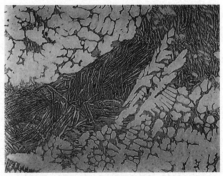

그림 6.60 2%Be를 함유한 베릴리움청동 주물의 수지상 초정조직, Cumi1으로 부식, 석출물과 $(\alpha+\beta')$공석을 가진 부식된 α 고용체.

그림 6.59는 Cu-Be 합금 상태도의 Cu가 많은 쪽을 나타낸 것인데 합금에는 2.7%Be 이하에서 융체로부터 면심입방 α 고용체가 결정화된다(결정구조형 A1).

융체 $\rightarrow \alpha$

Be에 대한 α 고용체의 최대용해도는 포정온도(866℃)에서 2.7%이며 온도가 내려가면 감소된다. 공석온도(605℃)에서는 1.55%Be를 고용한다. 20℃에서는 Cu 내에 Be의 매우 낮은 농도만이 고용된다(그림 6.59).

α 고용체내에 더 이상 용해되지 않는 Be는 서냉에서 금속간 화합물 형태인 β'(입방)로 석출된다. β'상은 규칙적인 입방결정구조이다(결정구조형 B2).

$\alpha \rightarrow \alpha + \beta'$

그림 6.60에는 2%Be를 함유한 베릴리움청동의 조대하고 불규칙한 초정조직을 나타낸 것이다. Cu가 많은 수지상 줄기와

가지는 밝게 부식된 α 고용체로 이루어져 있으며 β'상의 미세한 석출물을 함유하고 있다. Cu가 적은 수지상간 영역에는 어둡게 부식된 $(\alpha + \beta')$공석이 존재하는데 상태도(그림 6.59)에서 보면 융체로부터 Cu가 많은 α 수지상이 초정으로 결정화 된 것이다. 잔류융체는 Be이 부화되고 866℃에서 수지상간 영역으로 잔류융체와 초정으로 결정화된 α 고용체간에 포정반응이 일어난다. 포정점(866℃, 4.2%Be)이 왼쪽에 존재하므로 포정변태가 안전하게 진행되지 않고, α 고용체가 잔존한다.

융체 $\rightarrow$ 융체 $+ \alpha \rightarrow \beta + \alpha$

α 고용체는 Cu가 많은 수지상내에 β 상은 Cu가 적은 수지상간 영역에 각각 존재한다. 605℃에서는 β 상의 공석분해가 일어난다.

$\beta \rightarrow \alpha + \beta'$

주조조직에 나타나는 전체 변태과정을

다음과 같이 나타낸다.

$$융체 \rightarrow \alpha \rightarrow \alpha + \beta \rightarrow \alpha + (\alpha + \beta')$$
$$\rightarrow (\alpha + \beta') + \beta' 석출물을 가진 \alpha$$

20℃에서 존재하는 조직의 상조성에 해당하는 것을 정확하게 그림 6.60에 나타낸다. 그림 6.61에는 2%Be를 함유한 2개의 주조 합금 시편을 나타낸 것인데 820℃에서 60분간 어닐링하고 각기 다르게 냉각하였다. 그림 6.61 a는 수냉한 시편의 조직으로 밝게 부식된 α 고용체, 어닐링 쌍정과 어둡게 부식된 β 상을 함유하고 있다. 수냉한 시편은 β 상의 공석분해와 α 고용체로부터 β' 상의 석출이 억제된다. 수냉한 시편을 추가적으로 템퍼링하면 그림 6.62에서와 같이 β 상의 공석분해 뿐만 아니라 α 고용체로부터 β' 상의 석출도 가능하게 된다. 그림 6.61 b에는 공랭한 시편의 조직을 나타낸 것인데 공랭에 의한 낮은 냉각속도로 인하여 β 상의 공석분해가 일어났다. 온도가 낮아지면(그림 6.59) Be에 대한 α 고용체의 용해도 감소는 베릴리움청동의 시효경화성의 전제조건이 된다. 약 750℃~800℃에서 고용화 어닐링 하면 β' 상이 먼저 α 고용체내로 고용되고 균질한 고용체상태의 안정화는 20℃까지 수냉하여 달성된다.

그림 6.63은 800℃에서 어닐링 **용체화 처리(Solution treatment)**하고 수냉한 베릴리움청동의 조직을 나타낸 것인데 과포화 α 고용체에 어닐링 쌍정이 함유되어있다. Be로 과포화된 고용체의 분해는 높은

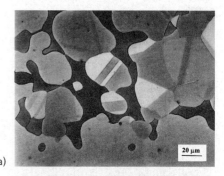

a)

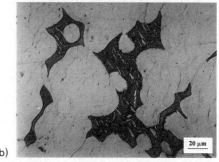

b)

그림 6.61 2%Be를 함유한 베릴리움청동 주물을 각기 다른 열처리한 후의 조직, Cumi5로 부식, a) 820℃/60분/수냉, 쌍정화된 α 고용체와 준안정 β 상, b) 820℃/60분/공랭, 밝게 부식된 α 고용체와 $(\alpha+\beta')$공석.

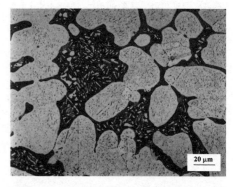

그림 6.62 2%Be를 함유한 베릴리움청동 주물을 β 영역으로부터 수냉한 후 650℃에서 30분간 어닐링 한 조직, Cumi5로 부식, β' 석출물과 $(\alpha+\beta')$ 공정을 가진 α 고용체.

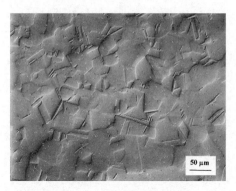

그림 6.63 1.7%Be를 함유한 베릴리움청동을 고용화 어닐링하고 수냉한 후의 조직, Cumi5로 부식, 쌍정을 가진 과포화 된 균질한 α 고용체조직.

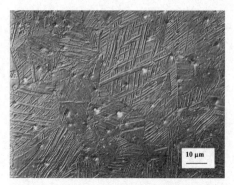

그림 6.64 1.7%Be를 함유한 베릴리움청동을 고용화 어닐링하여 수냉하고 315℃에서 1시간 시효한 조직, Cumi5로 부식, 결정학적인 방향성의 선을 가진 α 고용체 조직.

온도에서 시효를 통하여 이루어진다. 알루미늄 합금의 시효경화와 유사하게 이 과정에서는 단일상과 2상 **편석(segregation)**간에 구별된다. 온도구간 약 150~325℃에서는 **Guinier-Preston Zone**이 생성되며, **격자결함**과 **결맞음(coherency)**으로 인하여 주위의 기지격자와 강도가 상승된 결맞음 응력이 발생된다.

$$\alpha \rightarrow \alpha + \text{Guinier-Preston Zone}$$

조직에서 이러한 시효경화 과정을 그림 6.64에 나타낸 것과 같이 미세하고 결정 내에 결정학적인 방향성을 가진 선을 알아볼 수 있다. 고용화 어닐링 한 후 수냉하고 시편을 315℃에서 2시간 동안 유지한 후 공랭하면 시효경화가 일어난다. α 고용체내에는 결정학적인 방향성인 선을 분명하게 볼 수 있다. 단일상의 편석의 결과로 생기는 탄성격자 **변형왜곡**은 그림 6.66으로부터 알 수 있듯이 합금의 강도와 경도

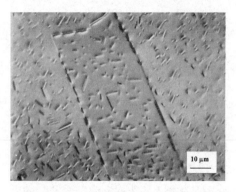

그림 6.65 2%Be를 함유한 베릴리움청동을 고용화 어닐링하여 수냉하고 500℃에서 1시간 시효한 조직, Cumi5로 부식, β' 석출물을 가진 α 고용체.

의 현저한 상승을 초래한다.

높은 시효경화 온도(325~375℃)에서는 2상 석출이 일어난다. 이 과정의 결과로 사방정 중간상인 β' 상이 α 고용체 내에 생긴다.

$$\alpha \rightarrow \alpha + \beta'$$

그림 6.65에는 베릴리움청동의 조직으로

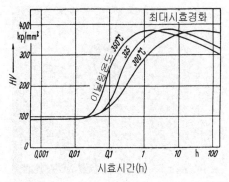

그림 6.66 고용화 어닐링하고 수냉한 베릴리움청동의 경도에 미치는 시효온도와 유지시간의 영향, Reinbach에 의함.

고용화 어닐링 하고 수냉한 후 500℃에서 60분간 시효처리 한 것이다. 높은 시효온도로 인하여 β' 석출물이 비교적 조대함으로 조직 내에서 잘 볼 수 있다. 이러한 석출물은 **비결맞음(incoherency)**이며 기지조직 내에 조대하게 분포되어 있으므로 최대 **시효경화 효과**(그림 6.66)를 일으키지 않는다. 이 합금은 과시효 되었다.

시효경화를 통하여 베릴리움청동의 경도와 강도가 현저하게 상승되며, 용체화 처리 상태에서 이루어지는 냉간변형을 통하여 경화효과를 더욱 상승 시킬 수가 있다. 석출 경화된 합금은 0.2% 연신한계가 900MPa, 인장강도는 1300MPa까지 나타난다. 규격 합금 CuBe1.7과 CuBe2는 높은 탄성한계와 유동한계 내식성 및 비자성화로 인하여 고강성, 내식성과 비자성 스프링 장치 구조에서 고강성, 비자성 구조물 등과 같은 각종 구조물 형태로 제조하여 사용된다. 청동은 비교적 높은 전기전도도를 나타냄으로 전류 접촉 및 리레이 스프링 등을 제조하는데는 10분의 수 %Be을 함유한다.

오래전부터 베릴리움청동은 스파크가 없는 공구에 응용하였는데 폭발 위험성이 있는 공간에서 이러한 공구가 필요하다. 비발화성 성질은 베릴리움청동의 비교적 높은 열전도성과 표면에 떨어져 나온 입자들을 조밀한 산화막을 생성하여 접합하게 된다.

6.1.8
Cu-Ni 합금

이 합금군은 가공용 및 주조용 합금을 포함하며, 기계적 성질과 높은 내식성, 내침식 및 내공동 성질 등과 적당한 조합이 양호하다. 또한 일부 합금은 높은 비저항과 전기저항의 온도계수가 낮으므로 전기저항재료로 적당하다(예 : CuNi44 및 CuNi44Mn1).

합금 CuNi44Mn1은 Cu와 Fe의 조합으로 열응력을 제공하므로 열전대 제조에 사용된다. 가공용 합금 CuNi25는 동전 합금 (**Muenz alloy**)으로 사용되며, 독일에서는 이 재료로 50 peny 및 1 Mark 동전에 사용된다. 2원 합금 외에도 통용되는 다원 합금에는 성질을 최적화 하기위하여 Fe, Mn 등과 같은 추가적인 원소를 함유한다. Fe는 내식성을 향상시키는 작용을 하며, Mn은 탈산제로써 작용하는데 S와 결합하여 MnS형태로 제거 된다. 또한 Mn은 합금의 강도를 상승시킨다. Si와 Be를 첨가하여 합금의 경화성을 갖게 한다.

Cu-Ni 합금의 조직은 Cu-Ni상태도와 함께 이미 다루었다(3.4.1절).

Cu와 Ni은 같은 결정구조를 가지고 원

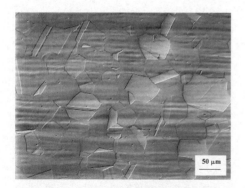

그림 6.67 2원 CuNi25의 연화어닐링(Soft annealing)한 조직, Cumi6로 부식, 어닐링 쌍정(annealing twin)을 가진 균질한 α 고용체.

표 6.8 Cu-Ni기지 가공 및 주조 합금의 응용 예

가공용 합금	응용
Cu Ni10 Fe1 Mn	열교환기 및 응축기 등의 관 및 접지, 해수관 장치 등
Cu Ni30 Mn1 Fe	조선 및 해상기술에서 해수이송 관 장치
Cu Ni30 Fe2 Mn2	고강도, 내식성관
주물용 합금	**응용**
G-Cu Ni10	화학공업, 조선 및 해상기술의 형주물품(이음쇠, 펌퍼)
G-Cu Ni30	

자반경만이 약간 다르다. 그러므로 고체 상태에서는 성분이 완전 고용형으로 존재하며, 조직은 그림 6.67에서와 같이 균질한 α 고용체로 이루어져 있다. 균질하고 면심입방 조직임으로 Cu-Ni 합금은 우수한 전연성과 내식성을 가지고 있으며, 냉간 성형성이 매우 우수함으로 많은 다양한 중간제품을 제조하는 근거가 되며 또한 냉간 성형성이 합금의 기계적 강도를 높이는 데 응용된다. 그럼에도 불구하고 냉간 경화된 제품은 제한된 전성을 갖는다. 니켈 함량이 30%까지 기계적 성질과 내식성, 내침식성 및 내공동성 등이 적당하게 조합되어 있으며, 표 6.8에서 보듯이 적은 양의 Fe와 Mn을 첨가하여 내식 구조물 재료로 응용된다. 다른 구리 합금과 비교하면 이 합금은 탁월한 내 **응력부식균열(stress corrosion cracking)**성을 나타낸다. 12~25%Ni을 함유한 Cu-Ni 합금에 Zn을 첨가하면 Ag와 유사하게 보임으로 니켈실버(Nickel Silver)라고 한다.

그림 6.68은 그와 같은 합금의 수지상 주조조직을 나타낸 것인데 어둡게 부식된 Cu가 많은 수지상 줄기와 가지가 밝은 수지상간 조직영역에서 분명하게 부각되어 있다. 균질 어닐링을 통하여 고용체의 농도 평형이 이루어진다. 니켈실버 합금에는 기계적 성질과 높은 내식성이 적당하게 조합되어 있으며, 그 외에도 광학적으로 우수한 표면을 나타냄으로 광학기구 제조와 의료기술 및 주방기구 산업에 응용된다. Pb가 포함되어 있거나 포함되지 않은 니켈실버로 구별하며 Pb를 니켈 실버에 합금함으로써 황동에서와 유사하게 절삭성을 개

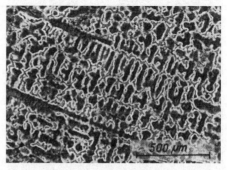

그림 6.68 18%Ni과 22%Zn을 함유한 니켈실버의 수지상 주조조직.

선할 수 있다. 사용되는 합금에는 : CuNi 12Zn24, CuNi18Zn20, CuNi12Zn30Pb1, CuNi18Zn19Pb1, CuNi7Zn39Mn5Pb3 등이 있다.

6.2
니켈 및 그 합금

6.2.1
순수 니켈

니켈은 대개 황화광물로부터 정련하는데 원료광은 철-니켈 Pyrites이며, 황철광 및 황동광으로 이루어져 있다. 분광을 선광한 후에 정광으로 하여 광석을 부분 배소(roast) 하여 노에 잠입하여 용해하면 니켈 외에 Fe, Co 및 Cu 많은 양의 S를 함유한다. 전로 (converter)를 이용하여 원하지 않는 동반 원소를 제거하면 Cu-Ni 미세메트(matte), 즉 니켈메트(nickel matte)를 얻게 된다. 작게 깬 니켈메트는 여러 가지의 제조방법을 적용하여(Carbonyl법, 전해법) Cu-Ni

합금을 제조하며, 정련 니켈은 계속하여 가공한다. 정련니켈은 순도에 따라 분류하는데 그 종류는 H-Ni99, H-Ni99.5 및 H-Ni99.9 등은 Co함량을 높인(1.5%까지) 것이고, H-Ni99.92, H-Ni99.95 및 H-Ni99.96 등은 Co함량을 0.1% 이하로한 종류가 있다. 니켈은 면심입방 결정구조를 가지며(결정구조형 A1), 또한 낮은 온도에서는 우수한 전성과 냉간 성형성을 나타낸다. 그림 6.69는 순수니켈의 조직을 나타내는데 입자 내에는 **어닐링 쌍정(annealing twin)**이 존재하며, 니켈의 **다형격자변태(polymorphic lattice transformation)**는 알려져 있지 않다. 니켈은 강자성 금속이며, 큐리(curie) 온도(358℃) 이하에서는 자기적 원자 모우먼트(momente)의 강자성 배열 상태가 되어 **바이스(Weiss) 영역** 내에서 **구역벽(domain wall)**을 통하여 분리된다. Ni-Fe 합금은 자성재료로써 중요한 역할을 한다.

그림 6.70은 15%Fe, 6%Cu 및 2%Cr을 함유한 연자성 니켈 합금의 조직인데 **Mumetall**로 알려져 있다. 니켈 응용의 기본은 물 및 많은

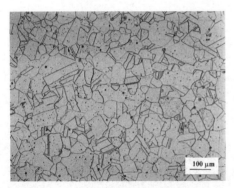

그림 6.69 순수니켈의 연화(soft)어닐링한 조직, Nimi2로 부식, 쌍정으로 된 니켈 결정.

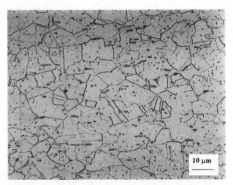

그림 6.70 Mumetall의 조직, Adler 부식액으로 부식, 쌍정을 가진 면심입방 α 고용체.

화학약품, 특히 알카리 용액에 대한 우수한 내식성이다. 용해 도가니, 증발 도가니 및 집게 등과 같은 수많은 실험실 장치 등이 순수한 니켈로 제조된다.

니켈은 유황과 높은 친화력으로 문제를 야기하는데 열적 작업에서 그리고 유황이 함유된 분위기에서 이 금속을 사용 할 경우 조직의 입계에 손상을 일으키며, 입계에 유황이 확산되어 들어감으로써 니켈과 유화니켈로 된 저용점 공정(용융점 645℃)이 생성된다. 열간성형과 용접에서 열간 취성을 일으킨다. Mg와 Mn을 첨가하면 Ni보다 S와 보다 높은 친화력을 가지므로 유화니켈 생성을 저지하여 열간취성을 없앨 수 있다. 생산되는 대부분의 니켈은 니켈 합금강, 구리기지 합금 및 내열니켈기지 합금 등으로 사용된다. 또한 니켈은 도금에도 많이 사용되며, 화학장치에는 니켈 도금한 강판을 많이 응용한다. 강에 크롬화할 경우에는 보통 니켈 중간층을 입힌다. 니켈-크롬 합금(NiCr12)으로 된 쌍의 저니켈 합금(NiMn2)은 열전대로 응용되는데 약 1200℃까지 온도를 측정할 수 있다. 저니켈 합금(NiMn4)에 Mn과 Si를 함유한 경우는 가솔린 모터에서 발화 전극 제조에 응용된다.

6.2.2
니켈 합금

내고온 니켈 합금

내고온 니켈 합금은 다원 합금으로 주조 및 가공용 합금으로 제조되어 기계적 및 열적으로 높은 응력을 받는 구조물에 사용된다. 이 재료의 대표적인 응용은 가스터빈의 작동 및 가이드 블레이드이다. 항공기 터빈은 연소실에서 연속된 블레이드의 모서리 부분은 약 1000℃까지 온도에서 직접 움직이게 된다. 이 온도에서 재료는 소성변형 또는 파단이 생기지 않고 정적 및 동적 하중을 지탱해야하며 그 밖에도 유해한 가스와 연소산물에 의한 부식에도 잘 견뎌야 한다. 다음에 나타내는 것과 같이 합금의 적당한 화학조성과 제조와 구조물의 가공에서 일정한 기술을 응용함으로써 요구되는 합금의 사용성질을 보장할 수 있는 조직으로 만들 수 있게 된다. 고내열 재료의 합금원소는 조직에 미치는 작용에 따라 여러 그룹으로 나누며, 여기서 어떤 원소는 중복된 작용을 한다. Cr, Co, Mo 및 W과 같은 δ 안정화 원소는 면심입방 니켈의 고용체 경화를 일으키며, 농도영역 내에서 일반적으로 내열 합금에는 이들 원소가 γ 고용체(결정구조형 A1) 내에 용해된다. Cr은 대부분의 합금에 약 10~20%를 함유하는데 이 것을 Ni-Cr상태에 나타낸다(그림 6.71). 고용체 경화를 통하여 낮은 온도에서 강도의 상승 외에도 **전위크립(creep)**이 γ 고용체 내에 제한됨으로써 고온에서 합금의 크립강도가 증가된다. Al은 Ni과 금속간화합물(Ni_3Al)을 생성하며, 이 것을 γ' 상이라고 한다. 면심입방 γ 상(결정구조형 A1)과 γ' 상은 규칙적인 원자분포를 가진 입방결정구조를 가지고 있어(결정구조형 $L1_2$)구별된다. 두 상은 격자상수가 다르므로 상간에는 **격자결합 불합치**가

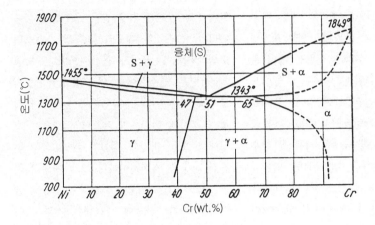

그림 6.71 Ni-Cr상태도 "Metal Handbook"에 의함.

존재하는데 이것은 **결맞음(coherency)**의 경우에 두 상은 탄성적 **격자왜곡(distortion)**을 일으킨다. 다원계에서는 γ' 상은 또한 다른 원소를 용해하게 된다. 그래서 Ni원자는 Co 및 Mo원자 또는 Al, Ti 및 Ta 등의 원자를 통하여 치환된다. γ'은 조직 기지의 입자경화를 일으키고 이것은 고온 영역에까지 유효하며, 내열 합금에서 강도 상승의 기본기구이다. γ 기지와 결맞음을 이룸으로써 γ 및 γ' 상 간에는 이미 언급한 격자결함 응력 외에도 강도가 상승되는 결맞음 응력이 생성된다.

Ni-Al상태도로부터(그림 6. 72) γ' 상은 융체로부터 이미 생성될 수 있으며, 주조 상태에서는 균일하지 않은 크기의 입자, 생성형태 및 분포가 조직에 나타난다. 그러므로 합금은 응고 후에 여러 단계의 열처리를 하게 된다. 용체화 처리에서 γ' 상은 먼저 고용체 기지에 용해된다. 용체화 온도로부터 주조상태와 비교해보면 균일한 형상이 다시 석출된다. 높은 온도에서 적

합한 석출에 의하여 조직 내에 γ' 상의 입자크기와 형상의 균일성이 지속적으로 개선된다. 열처리의 이러한 효과는 조직 생성에 미치는 영향을 이용하여 수지상과 수지상간 영역사이 또한 잔류 공정의 용해가 일어나 농도 균형을 이루게 된다. 합금원소가 균일하게 분포된 조직으로 된다. 입계활성 합금원소인 B 및 Zr은 다결정 여러 합금의 입계 내에서 확산과정을 방해함으로써 확산크립(creep)과 입계슬립(slip)이 감소되는 중요한 역할을 하게 된다. 단결정 합금에서는 이들 합금원소는 필요하지 않다. 새로운 여러 합금에는 Re를 합금원소로 첨가하는데 이것은 강력한 확산저지를 통하여 크립과정에 역작용을 하게 된다. 이미 언급한 여러 종류의 합금원소는 적은 농도로 존재하며, 여러 가지 화학조성의 탄화물(McC, M_6C, 및 $M_{23}C_6$)이 다결정 합금에서 입계에 우선하여 생성되며, 이 탄화물은 입계 슬립을 방해하므로 내크립성을 증가시키는 작용을 한다. 여기서 탄화

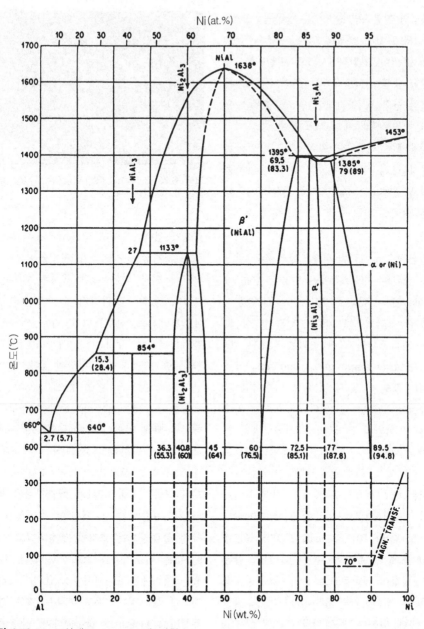

그림 6.72 Ni-Al상태도, Hansen에 의함.

물 막(film)과 연관된 생성이 입계에서 일
어나는 것을 감소시켜야 하는데 이것은 합
금의 취성파괴를 일으키게 된다. Hf을 합

금하면 열적으로 매우 안정하며 미세하게
분산된 탄화물을 생성함으로 이러한 목적
을 이룰 수가 있다. 니켈 합금의 내구성, 고

내열성의 기본적인 중요성은 합금원소인 Cr 및 Al의 보호층 생성에 있다. 산소와 반응으로 표면이 치밀하게 되고 이들 원소가 단단한 표면 산화층을 생성하여 금속의 계속적인 산화 및 공격적인 연소산물에 의한 부식 등으로부터 예방 하게 된다.

장래에는 산화 및 부식에 대한 합금의 내구성을 계속 증가시키기 위하여 구조물 표면에 알루미늄 및 크롬이 많은 표면 보호층 외에도 다른 방법을 적용하게 될 것이다.

결론적으로 평형 상태도에서 고내열성 니켈 합금의 주조조직에는 다음과 같은 상 (phase)이 나타날 수 있다. : 면심입방 γ 고용체, 규칙적으로 배열된 입방 γ' 상 및 각종 화학조성을 가진 탄화물 등이다. **대각경계(large angle grain boundary)**영역에서는 또한 γ 및 γ' 상으로 이루어진 잔류공정이 나타날 수 있다. 화학조성 외에도 내열 합금의 조직생성은 가공방법을 통하여 정해지는데 가스터빈 블레이드(blade)의 제조 및 가공에 응용된다. 다결정 합금에서는 단조 합금과 주조 합금 간에 차이가 있다. 단조 재료로써는 합금종류(Nimonic 80, Nimonic 101, Udimet 720)가 있는데 조직 내에 γ' 부분이 증가됨에 따라 합금의 성형성이 제한됨으로 조직 내에 비교적 적은 γ' 상의 양(약 30~40%까지)을 갖는다. 그에 비하여 주조 합금의 조직에는 높은 γ' 상(약 70vol.%까지)이 나타난다. γ' 상 양이 증가함에 따라 절삭저항이 높아짐으로 이 합금은 최종형상으로 정밀주조에 응용되며, 주조품을 기계적 후가공을 할

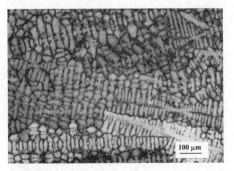

그림 6.73 Inconel 738 합금의 수지상 초정조직, V2A-부식액으로 부식.

필요가 없다. 그림 6.73은 Inconel 738 합금의 수지상 초정조직을 저배율로 나타낸 것인데 입자 내에는 잘 생성된 수지상이 나타나 있다. 대각경계는 불규칙적이며, 물결모양으로 진행되었고 이 영역에서는 결정학적으로 각기 다른 방향을 가진 수지상 줄기와 가지가 성장된 것을 알 수 있다.

그림 6.74a는 수지상 줄기 내부조직을 다시 나타낸 것인데 상이 균일하게 분포되어 있다. γ 안정화 원소인 Cr, Co, Mo, W 등이 수지상 줄기와 가지에 부화(enrich) 되어 있다. 그림 6.74b는 대각경계에 석출된 탄화물을 나타낸 것이며, 수지상간 영역에 불규칙적인 조직이 생성되었고 그림 6.74c는 미소기공을 보여주고 있다. 수지상간 영역에는 γ' 생성원소(Al, Ti, Ta)의 부화가 확인된다. 주조 후에는 자주 **열간등압(hot isostatic press)**하며, 구조물은 이미 언급한 열처리를 한다. 열간등압프레스(HIP)를 통하여 강도를 감소시키는 응고과정에서 초정조직의 수지상간 영역에서 빈번히 나타날 수 있는 미소기공과 크기를

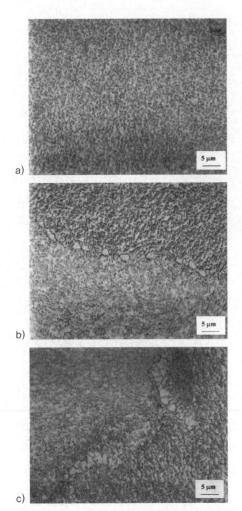

그림 6.74 그림 6.73을 확대하여 절단 한 것, Beraha Ⅱ로 부식, a) 수지상 줄기 조직, b) 대각경계 영역 조직, c) 수지상간 영역 조직.

줄이게 된다.

그림 6.75는 그림 6.74a로부터 확대한 조직영역으로 SEM에서 관찰한 것인데 SEM의 높은 해상도에 의하여 미세 구조의 하나하나를 잘 볼 수 있다. 조직은 γ 상 및 γ' 상으로 이루어져 있다. γ' 상은 어두운 입자 형태로 존재하며 일부는 주사위 형태

와 같이 나타나 있고 밝고-회색인 γ 가지가 존재한다. 조직기지 내에 γ' 입자의 불균일한 크기, 생성형태 및 분포 등으로 인하여 이상적인 강도특성을 기대할 수는 없다. 고내열성 니켈 합금의 성질을 근본적으로 개선하기 위하여 지향성 응고를 통하여 도달할 수 있게 된다. 통상적인 진공 정밀주조와 차별화하여 주형으로부터 지향성 열방출 작용하에 용탕을 응고시킨다. 이러한 응고조건과 결정성장의 **이방성 (anisotropy)**의 결과로 용탕으로부터 **주상 (columnar)결정** 또는 긴 입자조직이 생성된다. 그림 6.76에는 수퍼 합금 CM 247 LC의 주상결정 초정 조직을 다시 나타낸 것인데, 6.76a는 매크로 조직을 나타내며, 그림 6.77에 결정학적 방위삼각형에서와 같이 응고방향(ER) [001] 방향으로 주상결정이 나타나 있다. 대각경계의 불규칙하고 물결모양의 진행은 입자에 수지상 응고에 기인한 것이다. 그림 6.76 b와 c는 수지상이 응고방향에 대하여 수직 및 평행으로 생성 된 것을 나타내고, 대각경계의 영역에는 탄화물뿐만 아니라 밝게 부식된 잔류 공정이 존재한다(그림 6.76b).

주상결정 조직을 통하여 합금의 응고방향에 확산통로를 확대하는 작용을 한다. 이것은 입계에 확산크립을 방해하며 따라서 길이방향에 크립강도를 상승시키게 되는데 가스터빈의 작동 블레이드에 이 방향에 최대 크립저항이 된다. 터빈 블레이드 재료의 사용성질을 최적화하기 위하여 주조에 의한 단결정 니켈 합금으로 목적을 이룰 수가 있다. 주조물의 제조는 진공 정

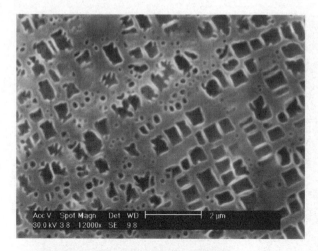

그림 6.75 수지상 줄기의 SEM 조직, 밝은 γ 기지 내에 어두운 γ' 상이 존재함.

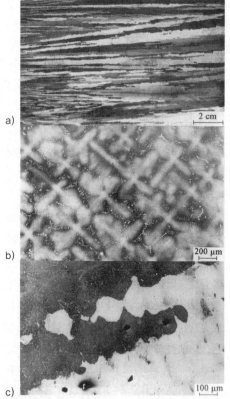

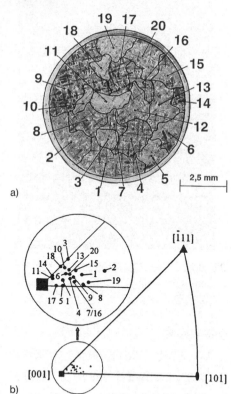

그림 6.76 Super 합금 CM 247 LC의 지향성 응고 주상결정 조직, a) 길이방향 시편의 매크로 조직, b) 횡단면 시편, c) 길이방향 시편 근거 : Dissertation R. Kowalewski, Universitaet Erlangen–Nuernberg.

그림 6.77 CM 247 LC 합금의 지향성 응고된 횡단면 시편과 결정학적 방위 삼각형에서 주상결정에 해당되는 위치, 근거 : Dissertation R. Kowalewski, Universitaet Erlaugen–Nuernberg.

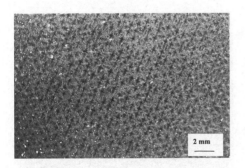

그림 6.78 단결정 합금 CMSX-6을 주조하고 열처리한 상태의 (001) 절단 시편의 조직, 어둡게 부식된 수지상 줄기와 가지 및 밝게 부식된 수지상간 조직영역, 근거 : Dissertation M. Ott, Universitaet Erlangen-Nuernberg.

밀주조에서 합금을 지향성으로 응고하는 것과 유사하게 지향성 열방출 외에도 **접종(inoculation)**결정을 응용하게 된다. 이 접종 결정으로 용탕의 단결정 응고를 이루기 위하여 특수한 형태의 주형을 응용한다. 조직에서 대각경계를 제거함으로써 확산크립과 입계슬립이 억제되며, 이렇게 하여 합금은 특히 높은 크립강도에 도달하게 된다. 그림 6.78은 단결정 super 합금 CMSX-6을 주조하고 열처리한 상태로부터 (001) 절단시편의 조직생성을 나타낸 것인데 매우 균일한 수지상 조직으로 되어 있으며, 합금의 매우 낮은 탄소함량(0.02%)으로 인하여 탄화물이 나타나 있지 않다.

그림 6.79에는 합금 CMSX-6의 SEM사진을 다시 나타낸 것인데 여기서는 단결정으로부터 (001)절단면으로 그림 6.79a는 수지상 영역의 현미경 조직을, b는 수지상간 영역을 각각 나타낸다. 두 조직을 비교해 보면 수지상 영역 내에서 입방 또는 주사위 형상의 어두운 γ' 입자의 생성이 수

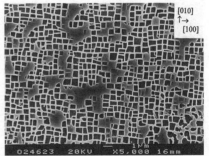

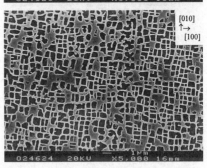

그림 6.79 단결정 합금 CMSX-6을 주조하고 열처리 한 (001) 절단시편의 SEM조직 사진, a) 수지상 영역, b) 수지 상간 영역, γ' 상은 어둡게 보이는 주사위 모양, γ 상은 밝은 선과 회색 면으로 나타남, 근거: Dissertation M. Ott, Universitaet-Nuernberg.

지상간 영역보다 분명히 현저하게 나타나 있다. 수지상간 영역 내에 γ' 상의 불규칙한 생성은 이 조직영역이 낮은 균일성 때문으로 기인된다. γ 상은 조직에서 밝은 선 모양과 납작하고 회색을 띤 영역으로 나타나 있다.

그림 6.80은 같은 합금 현미경 조직의 TEM 암시야(dark field)사진을 나타낸 것인데 TEM의 높은 해상도로 주사위 모양으로 생성된 밝게 보이는 γ' 작은 입자들이 분명하게 나타나 있다. 이것은 어두운 경로의 γ 상과 결맞음이며, 주사위모양의 γ' 상 생성이 이 결맞음 위에 바로 이루어지

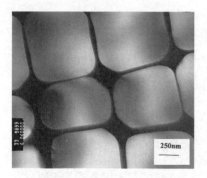

그림 6.80 단결정 합금 CMSX-6을 주조하고 열처리한 (001) 절단시편의 TEM 암시야(dark field) 현미경조직 사진, 어두운 γ 기지 내에 밝은 γ′ 주사위, 근거 : Dissertation M, Ott, Universitaet Erlangen-Nuernberg.

며, 기지 내로 낮은 탄성 왜곡 에너지 상태로 돌아가려는 경향이 있다. 〈100〉 방향으로 γ/γ′ 경계면 배열을 통하여 가장 낮은 탄성율을 가진 면심입방 구조의 결정학적 방향이 나타나 이러한 상태에 도달하게 된다. γ′ 주사위의 주기율 배열 에서도 마찬가지로 이 상태가 나타날 수 있다. 고내열 합금의 기계적 강도와 사용수명에는 가스터빈이 작동 할 때 최대의 사용응력 작용 하에 조직의 안정화를 통하여 결정적인 역할을 하게 된다. 수많은 검사에서 이러한 조건(높은 기계적응력, 높은 온도)하에서 조직구조의 시간 의존성 변화는 사용성질의 원하지 않는 변화로써 피할 수 없는 것으로 나타났다.

그림 6.81에는 단결정 Super 합금 CMSX-6을 크립응력을 가한 후의 (010)-절단시편 조직의 SEM사진을 다시 나타낸 것이다. 크립시험은 1050℃에서 24시간 실시하였으며, 인장-압축하중을 가하였다. 그림

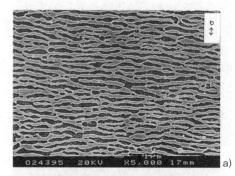

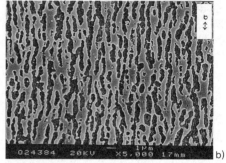

그림 6.81 단결정 합금 CMSX-6을 1050℃에서 크리프 하중을 가한 후 (010) 절단시편의 SEM사진, 밝은 γ 기지 내에 어두운 γ′ 판상, a) 수직방향의 인장응력 하에 크리프 후, b) 수직방향의 압축응력 하에 크리프 후, 근거 : Dissertation M. Ott, Universitaet Erlangen-Nuernberg.

(a)는 인장응력을 가한 시편을, (b)는 압축응력을 가한 시편을 각각 나타낸 것이다.

합금의 최초조직(그림 6.79)과 조직사진을 비교하면 크립하중으로 인하여 조직변화를 분명하게 식별할 수 있다. 입방형 γ/γ′형상이 조대한 판상 γ/γ′형상으로 변태 하였으며, 여기서 어둡게 보이는 줄은 작용한 응력(인장 또는 압축)의 종류에 따라 나타난 γ′ 판상이다.

이러한 과정을 지향성 조대화 또는 뗏목 생성이라고 하며, 그 원인과 과정의 역학

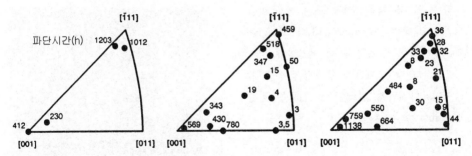

그림 6.82 합금 CMSX-2시편에서 결정학적 방위와 γ' 입자크기 L_r'가 파단시까지의 시간에 미치는 영향, 760℃에서 750MPa 응력 하에서 시험하였으며, 왼쪽 : L_r' = 230nm, 중간 : L_r' = 300nm 및 오른쪽 : L_r' = 450nm, P. Caron, Y. Otha에 의함.

에 대하여 여러 가지 모델을 개발 하였다. γ' 상의 부분적인 용해를 비롯하여 재석출은 외부응력의 작용 하에 발생한 소성변형과 γ/γ'경계면 영역에서 정합응력의 변화가 이 과정의 중요한 의미이다. 결국 확산을 통하여 γ 및 γ' 안정화 합금원소의 분포가 영향을 미쳐 조직생성이 변화한다. 단 결정 Super 합금에서 조직에 나타나기 쉬운 성질은 이방성이다.

그림 6.82는 단결정 합금 CMSX-2의 시편의 크리프 시험결과로 나타난 상태를 보여준 것이다. 파괴가 개시될 때까지 시간은 시편의 결정학적 방향에 좌우되기 쉽다. 측정한 구간 외에도 γ' 입자의 크기가 파단이 결정적으로 일어나기까지의 시간에 영향을 미친다. 시편은 [001] 방향근처를 시험하게 되며, γ' 입자크기가 커질수록 수명은 증가된다. 이에 대하여 시편의 [111] 방향 근처에 응력을 가하면 γ' 입자크기가 증가됨에 따라 파단까지의 시간이 감소된다.

표 6.9는 고내열 니켈 합금의 화학조성을

표 6.9 고내열 니켈기지 합금의 화학조성 (wt.%)

	Cr	Co	Mo	W	Al	Ti	Ta	Nb	기타
NIMONIC 101	24	19	1.1		1.5	3		0.9	0.01 B
NIMONIC 90	20	18			1.5	2.4			
UDIMET 720	18	15	3	1.2	2.5	5.1			0.03 B
INCONEL 713	13		4.5		6.2	1		2.3	
INCONEL 738	15	8.5	1.8	2.6	3.4	3.4	1.8	0.9	0.1 Zr
CM 247 LC	8.4	9.2	1	9.5	5.5	0.8	3.2		1.5 Hf
CMSX-6	10	5	3		4.9	4.8	2		0.1 Hf
CMSX-4	6.4	9.7	0.6	6.4	5.7	1	6.5		2.9 Re

나타낸 것인데 처음 3가지 예는 단조 합금 그룹에 속하며, Inconel 713C와 Inconel 738은 대개 진공 정밀주조로 제조한다.

CM 247 LC는 대표적인 지향성 응고 합금이며, 마지막에 언급한 두 재료는 단결정 Super 합금이다.

내열 및 내식 합금

NiCr20은 내열 및 내식 합금으로 상용되는데 화학조성은 가장 균질한 조직을 나타내므로 정해져 있다. 고내열 합금에서 이미 나타낸 것과 같이 니켈은 현저한 농도가 크롬에 고용체 형태로 용해됨으로써(그림 6.71) 내스케일성과 내식성이 향상됨은 물론 기계적 강도도 증가된다. 내열 합금에서 (예: NiCr20Ti, NiCr15Fe)는 크롬이 합금으로 니켈의 내스케일성, 즉 내산화성에 결정적인 역할을 한다. 약 1100℃온도까지 내 산화성을 가지며, 산화성 및 환원성 분위기에서도 견디는데 이것은 치밀하고 단단한 표면의 산화크롬층에 기인한다. 그림 6.83은 열간단조한 NiCr20Ti 합금의 조직을 나타낸 것인데 면심입방 γ 고용체(결정구조형 A1)의 입자크기는 불규칙하며, 입자 내에는 수많은 쌍정을 관찰할 수 있다. 그 밖에 조직에는 석출물이 존재하고 입자 내부에는 각각의 조대한 초석이 확인되며 명시야(bright field)에서 밝은 노란색으로 나타나고 부분적으로는 모난형상으로 되어 있다(그림 6.83b). Erdoes에 따르면 이러한 특징은 탄화질화 티탄에 의한 것이다. 조대한 석출물 외에도 입자 및 쌍정경계에 특히 미세한 분산물을 관찰할 수 있는데,

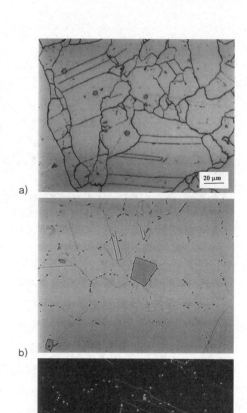

그림 6.83 공급 상태의 NiCr20Ti 합금의 조직, Cumi2로 부식, a) 및 b) 는 명시야에서 관찰, c) 편광에서 관찰.

Erdoes에 따르면 이것은 탄화물 $M_{23}C_6$ 및 M_6C에 해당 된다고 할 수 있다. 편광에서 관찰하면 이러한 미세 석출물은 어두운 기지 내에 밝게 나타난다(그림 6.83c). 750℃에서 60분간 어닐링 한 후에는 입자내 조대한 석출물이 변화되지 않고 존재하며 이에 반하여 어닐링을 통하여 미세 석출물의

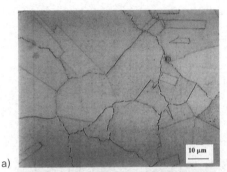

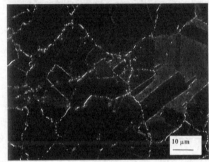

그림 6.84 NiCr20Ti 합금을 750℃에서 60분
간 어닐링 한 후의 조직, Cumi2로 부식, a)
명시야에서 관찰, b) 편광에서 관찰.

분포와 생성형태는 변하여 이것이 입계와
쌍정경계에 완전히 나타난다. 곳곳에 탄화
물의 경계모양의 석출물이 관찰된다.

그림 6.84 a 및 b는 명시야와 편광에서 관
찰한 조직절단부의 상태를 나타낸 것이다.
내식성 니켈기지 재료는 크롬 및 모리브덴
함유 합금(예: NiMo30, NiCr21Mo, NiCr22
Mo9Nb)외에도 구리와 알루미늄을 함유한
합금(예: NiCu30, NiCu30Al)을 응용한다.

이들 합금은 특히 내식성이 우수하며, 또
한 응력부식균열, 염소이온이 함유된 부식
매체에서 **공식(pitting corrosion)** 및 입계
부식 등에 잘 견딘다. 내입자파손(분해)을
증가시키기 위하여 Ni-Cr-Mo 합금 및 LC

종류**(저탄소)**에서 또한 안정화 처리한 종
류로 제조하는 데는 적은 농도의 Ti 또는
Nb를 첨가하여 탄소를 분리시키는 것이다.
이 합금의 기술적인 조치는 또한 내식성
오스테나이트강에도 응용되고 있다.

형상기억합금

이미 언급한 구리기지 합금 외에 일정한
니켈 합금**(Nitinol)**은 **의사(Pseudo)탄성** 및
형상기억 효과와 같은 특수한 기계적 성질
을 나타낸다. 이들 재료군은 2원 Ni-Ti
합금과 3원 합금(Ni-Ti-Cu 및 Ni-Ti-Fe
합금계)으로 분류된다. 그림 6.85는 Ni-Ti
상태도를 나타내며, 의사탄성과 **형상기억
효과**는 β 상(NiTi)의 마르텐사이트변태 특
성이다. 이러한 금속간화합물은 용탕으로
부터 직접 결정화되고 체심입방 결정구조
를 갖는다(결정구조형 A2). 이것은 냉각에
서 규칙변태 $\beta \rightarrow \beta_1$의 결과이며, β_1 상은
입방체로 결정화 되는데(결정구조형 B2)
여기서는 공간격자 내에 Ni 및 Ti원자가
균일하게 분포된다.

그림 6.86은 50.7%Ni이 함유된 Ni-Ti
합금을 β화하고 수냉한 상태의 조직을 나
타낸 것인데 β_1 상의 입자와 석출물이 미세
하게 분포되어 있으며, 탄화티탄 및 TiN_2O_x
화합물을 규명하게 된다. 합금은 비교적
높은 니켈이 함유 되어 있으므로 M_s 온도는
20℃ 이하에 존재하며(그림 6.87), 합금을
20℃로 냉각하면 β_1 조직이 나타난다.

형상기억합금의 기계적 거동은 그림 6.88
에 나타낸 것과 같이 응력온도에 좌우되기
쉽다. 합금의 M_d 온도의 상부인 T온도가

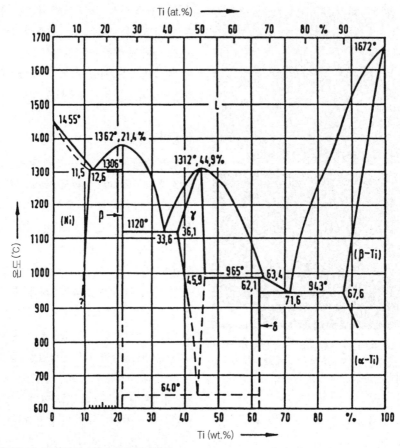

그림 6.85 Ni-Ti상태도, Stoeckel에 의함.

그림 6.86 50.7%Ni을 함유한 Ni-Ti 합금을 20℃로 냉각 한 후의 조직, β_1 상의 입자와 미세하게 분포된 석출물, 근거 : Dissertation D. Wurzel, Ruhr-Universitaet Bochum.

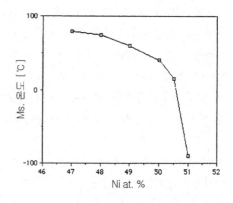

그림 6.87 2원 Ni-Ti 합금 Ni함량에 따른 M_s 온도 의존성, Stoeckel에 의함.

되면 여기서 β로 나타난 최초상은 마르텐사이트 생성에 대하여 안정하며 재료는 기계적응력 하에 있는 통상적인 구조물 재료처럼 된다(그림 6.88a). 작용된 응력으로 먼저 β 상의 탄성변형이 일어나고 곧 탄성한계 $R_{p\beta}$를 넘게 되어 일반적인 슬립에 의하여 재료의 소성변형이 일어난다.

응력탄성 마르텐사이트변태와 의사성

탄성응력 마르텐사이트변태와 의사탄성 합금에 $M_d > T > A_f > M_s$ 온도에서 기계적응력을 가하면 의사탄성 특성을 관찰할 수 있으며(그림 6.88b), 응력을 가하면 먼저 β 상의 탄성변형이 일어나게 되고, 응력이 R_e에 도달하면 **응력유기(induced) 마르텐사이트생성**인 $\beta \rightarrow \alpha$가 일어난다. 응력유기 마르텐사이트생성에서는 전단계만 작동되어 최대전단응력이 나타난다. 따라서 모든 결정학적인 가능성에 마르텐사이트변태가 일어나지 않고 마르텐사이트의 우선 변태만이 일어난다. 응력유기 마르텐사이트생성이 결합되어 격자변화의 형상변화가 응력곡선에서 수평에 해당되는 의사탄성변형을 일으키게 된다.

$\sigma < R_{p\alpha}$에서 하중을 중단하면, 마르텐사이트의 소성변형은 일반적인 슬립에 의하여 일어나지 않는다. 탄성적 격자왜곡의 작용 하에서 응력을 가하면 시편에는 마지막 응력 제거로 $\alpha \rightarrow \beta$의 역변태가 일어난다. 이렇게 연결되어 격자변태 형상변화는

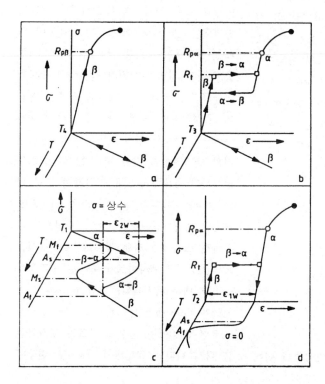

그림 6.88 의사탄성 및 형상기억효과의 도식적 설명, 최초상은 β로 α는 마르텐사이트로 각각 일반적으로 표시하며, R_p는 탄성한계, R_t는 응력으로 응력유기 마르텐사이트 생성이 일어난다. Hornbogen에 의함.

사라지고 시편의 의사탄성변형이 돌아온다. 완전 응력제거 후에는 β 상의 탄성변형이 완전히 복원 된다.

열탄성 마르텐사이트변태와 형상기억효과

합금에 $A_s > T > M_s$ 온도에서 기계적 응력을 가하면, 그림 6.88 d에서와 같은 **일방향-형상기억효과(One way-Shape memory effect)**가 나타난다. 응력이 작용하는 동안에는 의사탄성에서 처럼 동일한 과정이 일어난다(그림 6.88 b). 지금은 A_s 온도 이하에 있으므로 응력을 제거한 후에도 α로 나타낸 마르텐사이트가 아직도 존재하며 따라서 형상변화 ε_{1W}가 존재한다. 이러한 형상 변화의 복원생성은 먼저 합금을 $T > A_f$ 최종가열에서 일어나는데 $\alpha \to \beta$변태가 일어나기 때문이다. 시편은 다시 원래의 형상을 갖게 된다. 적당한 변형 또는 변형과 석출과정을 결합함으로써 재료의 형상기억 성질에 결정적인 영향을 미칠 수 있으며 그림 6.88c에 나타낸 것과 같이 **양방향 효과(two way effect)**를 나타낸다. 형상변화 ε_{2W}는 외부응력 작용 없이 온도에 의존하여 가역(reversible)적으로 일어난다.

6.3
코발트 및 그 합금

6.3.1
순수 코발트

코발트는 유화광과 산화광으로부터 얻어 지며, Co 외에도 Cu, Fe 및 Ni 등을 함유한다. 고가의 선광과 정광 후에 용융제련하게 된다. 여러 종류의 화학적 및 전해법을 응용하여 코발트는 다른 금속과 분리되고 순수 코발트가 생산된다. 코발트는 큐리온도 1127℃ 이하에서 강자성을 띠며, 동소변태를 하는 금속에 속한다. 용체로부터 면심입방체인 고온상 γ로 결정화되며(결정구조형 A1), 계속된 냉각으로 조밀육방 ε개량(modification)변태를 하며(결정구조형 A3), 이 변태는 390℃에서 일어난다. 가열에서는 보다 높은 변태온도(450℃)가 관찰되는데 ($\varepsilon \to \gamma$)변태의 온도이력(hysteresis)은 상천이(transition)의 전단기구에 기인한다. 낮은 변태온도로 인하여 열적으로 활성화된 확산과정 없이 마르텐사이트변태에서와 같은 격자변태가 일어난다. 이 격자변태는 큰 원자그룹이 상호작용하여 원래 위치로부터 새로운 격자 위치로 움직임을 통하여 일어나며 격자 상수와 비교하면 이동크기는 작다. 그 밖에도 관계된 상간의 결정학적인 방향 관련성이 존재한다. 코발트의 순도와 열처리에 따라 ($\gamma \to \varepsilon$)변태의 불완전성이 자주 나타남으로 20℃로 냉각하면 변태하지 않은 고온상이 조직 내에 존재할 수 있다. 그림 6.89는 코발트를 20℃로 냉각하였을 때 ε 상 및 γ 상으로 이루어진 조직을 나타낸 것이다. 조직생성은 고합금 ε 마르텐사이트가 함유된 망간강의 조직과 매우 유사하다. 그림 6.89와 그림 5.83을 비교 해본다.

그림 6.90에는 순수 코발트의 냉각곡선을 다시 나타낸 것인데 ($\gamma \to \varepsilon$)로 변태하

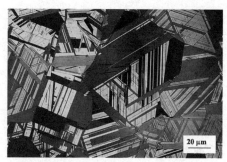

그림 6.89 순수 코발트조직, Comi6로 부식, 조밀육방 ε 상(밝은 부분)과 면심입방 잔류 γ 상(어두운 부분).

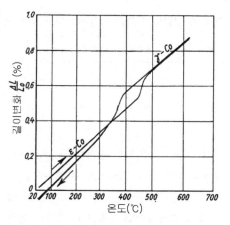

그림 6.90 순수 코발트의 냉각곡선, 20℃로 서냉 후에는 조직 내에 65vol.%의 ε 상 및 35vol.%의 γ 상이 존재한다.

는 동안 시편의 수축이 일어나며 반대방향 변태 ε → γ에서는 지연이 관찰된다. 이러한 지연효과는 ε과 γ 코발트의 결정격자 내에서 원자의 충전밀도의 차이에 기인한다. 육방 최조밀 충전된 ε 개량(변태)은 면심입방 γ 상에 비하여 충전밀도가 높은데 육방 ε 상의 c/a비가 이상치 1.633 이하인 1.6228이기 때문이다. 코발트는 20℃에서 적당한 전성을 가진 비교적 높은 기계적 강도를 나타내는데 조직 내에 슬립계가 적은 육방최조밀 충전된 상이 많이 존재하기 때문이다.

코발트의 내식성에 관하여는 표준저항에서 전위는 -0.28V로 Fe보다 약간 귀(noble)하다. 공기와 맑은 물에는 비교적 내식성 있으나 해수에는 부식된다. 희석산과 알카리에도 마찬가지로 심하게 부식되며, 코발트의 높은 온도에서 내산화성은 낮다.

6.3.2
코발트 합금

가스터빈 구조의 고내열 및 고온가스 내식

성 재료로 이미 언급한 니켈 합금 외에 코발트기지 합금을 사용 하는데 가공 및 주조 합금 2가지로 구분한다. 화학조성의 표준치를 2가지 합금에 대하여 표 6.1에 예를 나타낸다. 주조 합금은 가공 합금과 비교하면 Cr과 C함량이 높다. HS21 합금과 다른 주조 합금(MAR-M509, MAR-M302, MAR-M322, X-40)과 비교하면 탄소함량이 0.5~1.0%로 높다. 그밖에도 여러 가지 합금으로 Ta, Nb 및 Ti 등은 강력한 탄화물 생성 원소이며 또한 B, Zr 등의 원소가 존재하면 입계로의 확산이 억제 되고 확산크립과 입계슬립에 대한 입계저항이 높아진다.

고내열 니켈기지 합금과 비교하면 코발트 합금은 단순한 조직구조를 가지고 있다. 그림 6.91은 탄화물 경화 합금 Haynes 188 (CoCr22Ni22W14)을 950℃에서 30시간 어닐링 한 후 조직의 SEM사진을 나타낸 것인데 면심입방 기지와 텅스텐이 많은 탄화물인 M_6C형태가 나타나 있으며, 이것은 기

표 6.10 코발트의 가공 합금(HS25)과 주조 합금(HS21)의 표준화학조성(wt.%)

합금	%Co	%C	%Cr	%Ni	%Fe	%W	%Mo
HS25	54	0.15	20	10		15	
HS21	62	0.25	27	3	1		5

지의 입계와 입내에 존재한다. 조직에는 내열성 니켈기지 합금에서 존재 하는 γ' 상이 여기서는 나타나지 않는다. Cr, Ni 및 W 등의 **고용체강화 작용**으로 기지는 높은 내크립파단강도와 내피로강도를 가지고 있다. 탄화물의 열적 및 시간적 안정성이 특별한 의미를 갖는데 이러한 탄화물의 종류, 양, 크기 및 분포가 기지의 입자강화와 확산크립과 입계슬립에 대한 입계의 성향에 결정적으로 영향을 미치기 때문이다.

코발트기지 합금은 비경화성이므로 니켈기지 합금에 비하여 내크립 파단강도와 내피로강도가 낮다. 기계적 높은 응력 하에 있는 가스터빈의 작동블레이드 제조에는

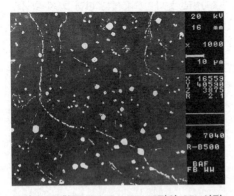

그림 6.91 합금 Haynes 188 조직의 SEM사진, 면심입방기지 입자와 텅스텐이 많은 M_6C 탄화물이 입계와 입내에 존재한다. 근거 : U. Martin, TU Bergakademie Freiberg.

이 합금은 사용하지 않는다. 그러나 회전하지 않는 가벼운 블레이드와 특히 연소실에서 기계적 응력이 적은 고온가스 부식으로 심한 응력을 받는 경우에는 이 합금이 사용된다. 이미 1929년부터 코발트기지 합금이 우수한 생체 적합성과 적당한 기계적 성질과 내식성을 가지고 있어 생체재료로 응용되어 왔다. 이와 같은 합금은 하중이 작용되는 **이식조직(implante)** 예를 들면, 좌골관절의 지지대 및 구체(ball body), 치아 임플란트로 제조된다. 주조 및 가공 합금으로 분류하는데 대표적인 주조 합금(상용명: Vitallium)은 27~30%Cr, 5~7%Mo 및 최대 0.35%C를 함유하며, 그림 6.92는 이 합금을 두 가지 다른 종류로 부식한 후 조직을 나타낸 것 이다. 그림 6.92a는 시효 된 Beraha II 부식액으로 부식한 것인데 조직의 입계가 분명하게 나타나 있으며, 입내에는 면심입방결정 구조로 되어 있고 또한 어둡게 부식된 수지상과 미세하게 분포된 탄화물도 알아 볼 수 있다. 이들 탄화물은 합금의 내마찰마모에 중요하며 관절의 임플란트 수명에 관계된다. 그림 6.92 b는 갖 조제한 Beraha II 부식액으로 부식한 후 조직을 다시 나타낸 것인데 수지상과 수지상간 영역을 분명하게 볼 수 있으며, 조직의 입계는 보기가 어렵다.

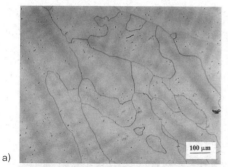

그림 6.92 Co-Cr-Mo합금의 주조조직, a) 시효된 Braha II로 부식, b) 갓 제조한 Beraha II로 부식.

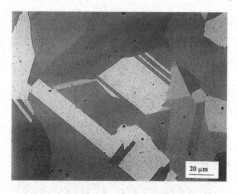

그림 6.93 단조한 Co-Ni-Mo 합금의 조직, Comi6으로 부식, 쌍정으로 된 면심입방 고용체와 미세분산 탄화물.

주조 합금 외에 가공합금 즉, 단조합금으로 통용되는 임플란트 및 외과수술용 기구로 제조되는데 탄소함량이 낮고(C<0.1%) 또한 니켈이 합금되어 있다(상용명: Haynes stellite25, Protasul10, MP35 N). 니켈함량은 약 10~35%이며, 그림 6.93은 그와 같은 단조 합금의 조직을 나타낸 것인데 시편의 부식액은 Beraha II로 부식하였으며, 면심입방기지의 입자에는 어닐링 쌍정(annealing twin)이 나타나 있고 또한 입자 내에는 미세분산 탄화물을 볼 수 있다. 주조 합금과 비교하면 가공 합금은 균일하고 미세립자 조직이므로 강도와 인성이 높다.

또한 코발트는 Stellite와 경질금속 제조에 사용되며, Stellite는 탄소를 함유한 합금으로 그 조직은 비교적 연한 코발트 및 니켈기지와 W, Mo 및 Cr 등과 같은 고용점 금속탄화물이 석출되어 있다. 이것은 주조 및 가공 합금으로 제조되며 주조 합금에는 탄소 및 텅스텐 함량이 높다. 그러므로 주조된 Stellite는 경도와 열간경도가 높으나 단조된 합금보다는 취성이 높다. 그림 6.94 a에는 주조된 Stellite의 조직을 나타낸 것인데 밝게 부식된 초정결정화된 조대한 침상탄화물이 미세립자 기지에 박혀있다. 자연적인 경도와 열적으로 안정화된 탄화물의 양이 높으므로, 특히 텅스텐 탄화물 WC 및 W_2C가 존재하여 이 합금은 1000℃에서도 높은 경도와 내마찰 마모성을 가지고 있다. Stellite는 대부분 열간인발 및 프레스 공구와 같은 마찰응력이 작용하는 성형공구와 또한 밸브콘(cone)과 페이스(face)등과 같은 마찰응력이 작용하는 기계구조물 등을 제조하는데 응용된다. 여기서 이 합금의 코팅이 근본적인 의미를

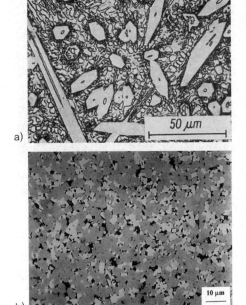

소결된 경질금속의 원료로 분말 혼합물(WC, Co, TiC, TaC)의 기공성 성형체를 압축하고 여러 단계의 소결을 거치면 그림 6.94 b와 같은 미세립자와 균일한 조직으로 되며, 자연경질과 내열 탄화물(WC 및 TC-TiC 혼합탄화물), 어둡게 부식된 코발트는 탄화물 간의 인성이 증가된 접착제 작용을 한다. 소결된 경질금속은 또한 특히 높은 경도와 열 간경도 높은 내마찰 마모성이 나타난다. 이것은 **성형공구**(예: drawing nozzle, 스웨이지) 및 절삭공구(예: 경질금속을 삽입한 드릴, 밀링 커터, saw blade) 등에 사용된다. 후자의 경우 소결된 경질 금속편을 컷터 위에 강으로 된 지지대와 접합한다.

그림 6.94 Stellite와 경질금속의 조직, a) 2.2%C, 11%W, 29%Cr, 44%Co, 나머지 Fe 등을 함유한 주조된 Stellite, 미세립자 기지 내에 초정 결정화 된 조대한 침상 탄화물, b) 소결 된 경질금속, 400℃에서 유지 부식, 검은색 : Co, 흰색 : 탄화 텅스텐, 회색 : 혼합탄화물.

6.4
아연 및 그 합금

6.4.1
순수 아연

가지며 강(steel)으로 된 구조물의 작용면에 적용한다.

경질금속에는 주조된 것과 분말 야금으로 제조된 것으로 구별하는데 주조 합금은 텅스텐과 탄소가 대부분이며 응고 후의 초정조직 내에는 높은 경도와 열간경도를 가진 두 종류의 탄화 텅스텐(WC와 W_2C)이 존재한다. 주조조직은 조대립자이며 불균일하며, 이러한 특징적인 조직과 탄화 텅스텐의 높은 자연경도는 주조경질 금속의 취성의 원인이 됨으로 jet nozzle과 drawing nozzle로 제조하며 드릴링 공구에 응용된다.

아연은 산화아연을 공기 중에서 배소(roast) 처리하여 대개 ZnS로부터 얻는다. 얻어진 산화아연을 계속 처리하는데, 증류 또는 전해를 통하여 금속아연으로 된다. 증류에서는 산화아연이 탄소를 작용하여 환원 되는데 이 과정은 약 1200℃~1300℃ 온도의 머플로에서 일어난다. 낮은 증발온도(906℃)로 인하여 아연은 높은 온도에서 증기상이다. 액상아연은 증발아연의 응축을 통하여 얻어진다. 이러한 불순물이 함유된 중간 생성물을 용해하고 분해 증류하여 상용아연과 순수아연으로 제조한다. 기술적으로

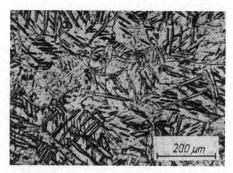

그림 6.95 냉간변형 된 순수 아연의 조직, 변형 쌍정을 가진 육방형 아연결정.

중요한 전해정련은 산화아연을 먼저 황산으로 녹이고, 불순물을 분리한 후 아연은 전해를 통하여 침출액을 분리, 용해하여 상용아연과 순수아연으로 가공된다. 순수아연은 상용아연과 비교하면 높은 순도 (99.9~99.99%)를 가지고 있으며, 아연의 불순물 금속에는 Pb, Cd, Sn 및 Fe 등이 있다. 새로운 규격(DIN EN 1179)에는 1차 아연으로 나타내는데 순도에 따라 Z1~Z5 까지 분류하며 Z1의 최고 순도는 99.95%, Z5의 가장 낮은 순도는 98.5%이다. 아연은 조밀육방형으로 충전된 결정구조(결정구조형 A3)이며, **동질다형(Polymorph)변태**는 알려져 있지 않다. 아연의 기계적 성질은 금속의 순도와 기술적인 가공상태에 의존한다. 주조된 아연의 파단연신은 조대립자와 초정조직의 불균일한 생성으로 1% 이하이다. 이에 비하여 압연하고 어닐링한 아연은 미세립자와 균일한 조직구조임으로 높은 파단연신 값을 갖는다(35~45%). 육방형 조밀충전된 결정구조임으로 입방으로 결정화된 금속과 비교하면 적은 슬립계가 나타나기 때문에 이 금속에는 냉간취성

을 일으키는 경향이 있다. 냉간성형된 아연의 조직에는 수많은 쌍정(twin)이 관찰 되며(그림 6.95), 슬립을 통한 변형은 제한되어 변형기구로 **기계적 쌍정(mechanical twin)** 현상이 나타난다. 아연의 성형성과 경화현상의 특별한 의미는 낮은 온도에서 결정회복과 재결정이 거의 나타난 상태이다. 최저 재결정온도를 **Tammann법칙**을 이용하여 추측하는데 순수아연의 재결정은 20℃에서 거의 이루어질 수 있다. 20℃에서 변형하면 아연의 일정한 강도상승이 나타나며 결정회복과 재결정으로 인하여 석출이 진행되어 냉간변형된 아연의 강도감소가 일어남으로 아연 및 많은 아연 합금에서는 냉간강화된 중간제품의 제조가 불가능 하다.

제조된 아연의 대부분은 녹이 생기는 강의 도금에 사용되는데 대개 침지형의 열간 아연도금으로 제조되며 즉, 강 생산품을 **용융아연**에 침지한다.

아연도금층의 생성과 두께는 용융조(molten bath)의 온도와 조성 및 침지시간에 의하여 정해진다. 그림 6.96에는 비합금강에서 여러 번 생성된 그와 같은 도금층의 단면을 나타낸 것이며 여기에 해당하는 Fe-Zn 평형 상태도와 도금층 구조는 도식적으로 그림 6.97에서와 같이 α 고용체로 이루어진 얇은 층이 직접 강 표면에 생성된다.

얇은 층이므로 이 층을 금속조직으로 관찰하기는 어렵다. α 층 위에 얇은 Γ 상(Fe$_3$Zn$_{10}$)이 생성되고 결정구조는 γ 황동형에 해당된다. 그림 6.96에서 Γ 층은 좁은 형태로 어둡게 부식된 영역으로 보인다. 다음 δ_1 층은 강 쪽에 울타리 모양과 표면 쪽으로

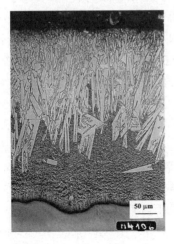

그림 6.96 비합금구조용강에 열간아연도금한 단면, Znmi5로 부식.

아연의 용해도는 매우 낮으며, Γ, δ_1 및 ζ 등은 취성이 있는 금속간화합물 상이므로 열간 아연도금에서 이 합금층을 가능한 한 적은 두께로 하려고 노력한다. 이것은 용융조(bath)의 적당한 화학조성을 통하여 이루어지는데 여기서 알루미늄 함유가 중요하며 0.1···%Al은 용융조에서 합금층 생성을 억제하는 작용을 한다. 이러한 억제효과는 용융조의 온도와 침지시간에 의존한다.

아연은 표준저항계에서 전기적 음전위(-0.76V)를 가지지만 분위기 조건하에서 그리고 통풍이 되는 담수에서도 비교적 내식성이 있다. 이것은 치밀하고 양호한 표면 보호층이 생성되기 때문인데 염기성 아연결합으로 특히 **탄화아연(Zinccarbonate)** 으로 이루어져 있다. 아연은 또한 철의 음극 보호작용을 하는데 아연은 철보다 낮은 **전기화학적 전위**를 가지고 있으므로 양극 쪽으로 국부원소를 생성하여 용해된다.

치밀하게 생성되어있다. δ_1 상(FeZn$_{10}$)은 육방 결정구조를 갖고 있으며 이어서 ζ 층이 줄기 입자형으로 나타나는데 ζ 상(FeZn$_{13}$)은 단사정(monocline)으로 결정화 된다. 직접 표면에는 상태도에서 η 상으로 나타낸 아연이 존재한다. 20℃에서 철에 대한

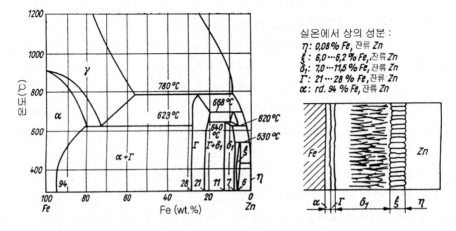

실온에서 상의 성분 :
η : 0.08 % Fe, 잔류 Zn
ξ : 6.0···6.2 % Fe, 잔류 Zn
δ_1 : 7.0···11.5 % Fe, 잔류 Zn
Γ : 21···28 % Fe, 잔류 Zn
α : rd. 94 % Fe, 잔류 Zn

그림 6.97 Fe-Zn평형 상태도 및 아연 도금층 생성의 도식적 설명, J.Schramm에 의함.

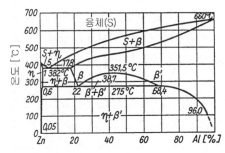

그림 6.98 Zn-Al평형 상태도.

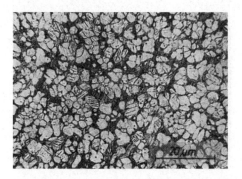

그림 6.99 1.5%Al을 함유한 아공정 Zn-Al 합금의 초정조직은 β'석출물을 가진 초기공정 η 입자(밝은 부분)와 $(\eta+\beta')$공정(회색부분).

6.4.2
아연 합금

아연 합금은 거의 대부분이 주조합금으로 사용되며, 아연의 기본적인 합금원소는 Al과 Cu이고 그 외에도 선택 부식이 되기 쉬운 것을 줄이기 위하여 0.02~0.05%Mg을 함유하며 일정한 동반원소(Pb, Cd, Bi 및 Sn)도 존재하게 된다. 조직구조의 제시는 해당되는 재료계의 평형 상태로 부터 목적에 맞게 나타낸다. 그림 6.98은 Zn-Al 평형 상태도를 다시 나타낸 것인데 평형 상태도의 아연이 많은 쪽에는 공정부분계가 나타나고 5%Al의 382℃ 온도에서 공정점이 존재하며 Al에 대한 육방격자 Zn의 용해도는 낮으며, 온도 강하와 더불어 감소한다. 공정온도에서 육방형 η 고용체가 약 1%Al을 용해나, 20℃에서는 0.05%Al만이 용해 할 수 있다. 과공정 Zn-Al 합금에서는 면심입방 β 고용체가 융체로부터 결정화된다.

이 고온상 β는 275℃ 온도에서 η 고용체와 β' 상으로 이루어진 공석으로 분해된다. β' 상은 마찬가지로 면심입방형 결정구조를 가지고 있으며, β 상의 공석분해는

약 0.2%의 선수축을 동반한다.

1.5%Al을 함유한 아공정 아연 합금을 융체로부터 서냉하면 융체로부터 η 상이 결정화되고 곧바로 액상선에 도달하여 내려간다. 이러한 초기 공정 결정화는 공정온도 382℃까지 진행된다. 잔류융체의 화학조성은 공정점 방향으로 밀리게 되어 공정으로 응고된다. 온도가 내려감에 따라 Al에 대한 η 고용체의 감소된 용해도는 결국 석출과정이 일어나며, 고용체로부터 β 상이 분리되는데 또한 이 석출과정에는 수축이 수반된다. 이 아공정 합금의 20℃까지의 냉각 후 조직은 η 상의 초기공정과 β' 석출물로 된 공정으로 되어있다(그림 6.99).

아공정 합금 ZnAl4의 주조조직은 공정점(5%Al)의 농도에 인접하여 있으며, 합금 ZnAl15의 조직과 정량적 상조성이 유사하다(그림 6.99). 그림 6.100과 그림 6.99를 비교하면 Al이 많은 합금의 전체조직에서 공정의 양이 현저하게 많이 존재한다. 합금을 $(\eta+\beta')$영역으로부터 수냉하면 β 상의 공석분해를 억제할 수 있으며, 이 열처

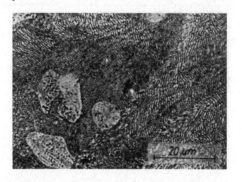

그림 6.100 4%Al을 함유한 Zn-Al 아공정 초정조직, β' 석출물과 층상(lamellar) 공정 $(\eta+\beta')$을 가진 적은 양의 η 입자.

리 후의 조직은 준안정 β 상으로 되어 있다. 20℃에서 짧은 시간 유지 후에도 이미 준안정 β 상의 원자확산이 일어나기 시작하여 η 상과 β' 상으로 된 미세립자 혼합물 내로 분해된다. 이 과정은 재료의 수축이 수반되는 β 상의 공석분해와 유사하다. Mg가 β 상의 분해를 지연시키게 되며, Cu는 이 과정을 촉진시킨다.

여러 가지의 고상변태로 인하여 길이 변화 또는 체적변화가 아연주조 합금으로 제조하는 구조물의 치수에 영향을 미치게 된다. 그 영향은 2원 합금 Zn-Al에서 보다 3원 합금 Zn-Al-Cu에서 더 크므로 압력주조 합금 GD-ZnAl4Cu1은 같은 유지 조건에서 수축이 0.135%를 나타낸다. Cu가 없는 합금을 70~100℃에서 많은 시간 **인공시효(artificial aging)**를 하게 되면 이 과정이 적어도 빠르게 진행되어 매우 적은 수축(0.03~0.04%)이 관찰된다. Zn-Al-Cu 합금에서는 유지시간에 따라 길이 증가가 나타난다. 3원 주조 합금의 조직구조는 3원계 Zn-Al-Cu의 Zn이 많은 모서리로 나타내는데 그림 6.101은 이 3원계의 **투영도(projection diagram)**를 다시 나타낸 것이다.

액상상태에서는 성분의 완전 혼화성이며, 372℃ 온도의 89.1%Zn + 7.05%Al + 3.85%Cu 농도에 공정점이 존재하는데 여기에는 융

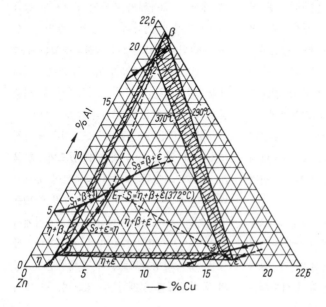

그림 6.101 3원계 Zn-Al-Cu의 아연이 많은 모서리 투영도(Projection diagram).

표 6.11 η, β 및 ε 상의 화학조성(wt.%)의 온도 의존성

상	T=360℃			T=290℃		
	%Zn	%Al	%Cu	%Zn	%Al	%Cu
η	96.0	1.25	2.75	96.75	1.00	2.25
β	78.10	20.40	1.50	76.20	22.60	1.20
ε	83.30	1.20	15.50	82.60	0.60	16.80

체 및 3가지 상, η, β, 및 ε이 평형을 이룬다. 또한 2개의 2원 공정선과 하나의 포정선이 존재한다. 이 선을 따라 각각 융체와 언급한 2가지 상이 공존한다. η 상으로 나타낸 Al 및 Cu를 함유한 Zn고용체는 육방형 최조밀충전된 결정 구조로 되어있다. β 상으로 나타낸 것은 Zn과 Cu를 함유한 고용체이며, 면심입방 결정구조이다. ε 상은 Cu와 Al을 함유한 Zn의 금속간 화합물로 육방형 최조밀충전되어 결정화되며, Cu와 Al에 대한 ε 상의 계속된 용해영역이 존재한다. 3가지 η, β 및 ε 상의 화학조성은 온도에 의존성이고 표 6.11은 이러한 현상을 두 가지 다른 온도에서 나타낸 것이며, 한편, 그림 6.101에는 상의 이러한 온도의존성을 3모서리 내에 놓여 있는 음

영으로 나타낸 모서리 옆면을 따라 표시하였다. 표 6.11에 해당하는 합금원소에 대한 고용체의 용해도는 온도 강하와 더불어 감소됨으로 석출과정을 계산한다. β 고용체는 T>275℃ 온도에서만 안정하며, 이 온도에서 냉각으로 β 고용체의 공석분해가 일어난다. :

$$\beta \rightarrow \beta' + \eta$$

2원 Zn-Al 합금에서와 유사하게 3원 합금에서도 역시 공석분해와 연관되고 이미 언급한 석출과정인 체적 또는 길이 변화가 관찰된다.

3원 합금의 조직구조는 화학조성에만 의존되지 않고, 그림 6.101~6.103으로부터

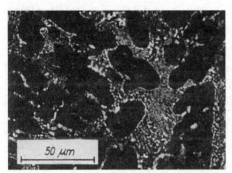

그림 6.102 합금 GK-ZnAl4Cu1을 300℃로 예열한 금형에 550℃에서 주조한 후의 초정조직, 어둡게 부식된 η 상 입자, ε 석출물을 함유한 공정.

그림 6.103 합금 GK-ZnAl4Cu1을 예열하지 않은 금형에 550℃에서 주조한 후의 초정조직, 수지상 η 상.

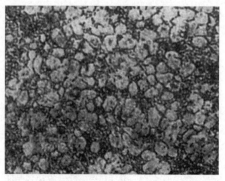

그림 6.104 합금 GD−ZnAl4Cu1의 압력주조 후의 초정조직, 밝게 부식 된, η 상의 조대 립자와 미세립자 공정.

보듯이 조직의 생성이 여러가지 주조조건에 따라 정해질 수 있다.

그림 6.102와 6.103은 합금 GK−ZnAl4Cu1을 다른 온도의 두 종류 금형에 주조한 후의 조직을 나타낸 것인데 예열된 금형의 경우에는 융체의 냉각이 비교적 느리므로 주조조직은 초정 결정화된 조대한 η 입자, Cu가 많은 ε 석출물을 함유하고 2차로 생성된 공정($\eta + \beta'$)으로 되어 있다. 금형을 예열하지 않은 경우에는 융체의 냉각이 빠르게 진행되어 그 주조조직(그림 6.103)에는 수지상과 잔류융체가 계속 억제됨으로써 농도 평형이 이루어져 현저한 수지상

구조가 나타나는데 이 조직은 주물의 취성과 파단성을 높게 한다.

그림 6.104는 합금 ZnAl4Cu1의 조직생성을 나타낸 것인데 압력 주조법으로 주조하였으며, 초정으로 생성된 η 상의 조대립자와 2차 결정화된 공정으로 되어 있고, 균일하고 미세립자 조직구조로 주물의 적당한 기계적 성질이 보장된다. 우수한 주조성으로 용탕의 주형 충전성이 우수하고 양호한 사용 성질로 인하여 아연 주조 합금은 대부분 주조 합금으로 사용한다. 주조방법은 대개 압력주조를 시행한다.

2원 및 3원 합금을 압력주조 하려는데 복잡한 주조 형태와 양질의 얇은 두께, 높은 치수 안정성을 가진 구조물(예: 기화기 커버)을 경제적으로 제작한다. 주조에서 비교적 낮은 작업온도로 인하여 주형의 열응력이 낮고 사용수명이 길다.

표 6.12에는 아연 주조합금의 기계적 성질을 나타낸 것인데 이미 언급한 바와 같이 아연과 아연 합금은 낮은 온도에서 결정회복과 재결정이 일어남으로 20℃부근 온도 영역에서 크립과정이 발생하는데 온도상승과 더불어 강도값의 빠른 강하를 관찰할

표 6.12 20℃에서 아연 주조합금의 기계적 성질, ☆) DIN 1743, ☆☆) DIN EN 12844, GD−압력주물, GK−금형주물

합금	약어☆	약어☆☆	E−율 [GPa]	항복점($R_{p0.2}$) [MPa]	인장강도(R_m) [MPa]	연신률(A_5) [%]	경도 HB10/500
GD−ZnAl4	Z 400	ZP 3	85	200	280	10	83
GD−ZnAl4Cu1	Z 410	ZP 5	85	250	330	5	92
GK−ZnAl4Cu3	Z 430	ZP 2	85	270	335	5	102
GK−ZnAl6Cu1	Z 610	ZP 6	85	185	240	3	85

수 있다. 따라서 아연 합금은 20℃ 이상의 온도에서의 응용에는 적합하지 않다.

6.5
알루미늄 및 그 합금

6.5.1
순수 알루미늄

알루미늄 생산 원료로 사용되는 보크사이트(Bauxite)에는 50~65%Al₂O₃가 함유되어 있고 그 외에도 Fe₂O₃, SiO₂, TiO₂ 및 물이 포함되어 있다. 작게 분쇄하고 건조한 후 Al₂O₃알루미늄산 나트륨으로부터 나트륨 알카리용액을 사용하여 제조하며, 이것은 물에 용해성이므로 선광된 보크사이트의 불용성 **적니(red mud)**와 분리된다. 알루미늄산 나트륨은 안정적이지 않고 수산화 알루미늄으로 계속 희석되어 나트륨 알카리용액으로 변화된다. 침전된 수산화 알루미늄은 회전로에서 약 1300℃로 탈수하면 산화 알루미늄이 된다. 얻어진 산화

알루미늄을 계속 가공하여 Heroult, Hall 및 Betts 원리를 따라 용융 액상전해를 통하여 이루어진다. Al₂O₃는 용해된 **빙정석 (Cryolite : Na3AlF₆)**을 첨가하여 약 950℃에서 전해한다. **전해셀(cell)**은 음극역할을 하는 탄소로 피복된 조와 위에서 용융조 (molten bath)에 침지된 탄소양극으로 되어있다. 액상의 원료 알루미늄은 조바닥에 모이게 되어 여기서 출탕될 수 있으며 주괴(ingot)와 형재로 주조된다. 또한 형재 (압연 및 프레스 품)로도 주조되며 연속주조도 자주 응용된다. **용융 액상전해**에서는 많은 양의 전기 에너지를 사용하는데 1kg 알루미늄을 제조하기 위하여 약 6KWh 가 소요된다. 높은 전기전도도와 내식성이 요구되는 특수한 용도에는 순수 알루미늄이 필요한데 이것은 Betts에 의한 3층 전해방법으로 제조된다. 이 전해법은 양극기능을 하는 탄소로 된 바닥 전극을 가진 조(bath furnace)에서 작업한다. 불순물이 포함된 제련 알루미늄을 적당한 밀도로 하기 위하여 Cu와 Zn을 첨가하는데 이것은 하부 층

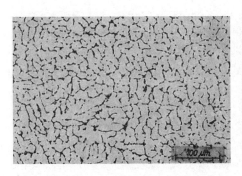

그림 6.105 99.5%순도를 가진 연속주조한 소재 알루미늄의 처음 조직, 부식하지 않은 시편.

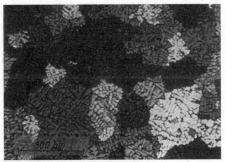

그림 6.106 99.5%순도를 가진 연속 주조한 소재 알루미늄의 높은 배율에서 조직, 전해 부식한 시편.

에 생성된다. 이 양극금속은 Al₂O₃, 빙정석과 염화바륨으로 이루어진 전해액에 존재하며, 양극금속보다 밀도가 낮다. 상부 혹 연음극에는 가장 밀도가 낮은 분리된 순수 알루미늄이 존재하며, 여기서 출탕하여 주조하고 반제품으로 계속 가공 한다. 여기에 병행하여 양극금속에 제련 알루미늄을 다시 첨가한다. 전해법은 또한 많은 전기에너지를 소모하며 750~800℃에서 작업한다. 첨언하건데 알루미늄 재료의 많은 부분이 스크랩으로부터 회수 생산된다는 것이다. 규격에서 알루미늄은 순도에 따라 나누는데 구식 규격(DIN 1712, 1군~3군)에는 가장 순수한 알루미늄(Al99.99 순도 및 Al99.98 순도), 순수한 알루미늄 (Al99.9, Al99.8, Al99.7) 그리고 대부분 전기전도도를 갖는 E-Al 등으로 구분한다. 신규격(DIN EN 573, 1군~4군)에도 마찬가지로 알루미늄 순도에 따라 차별화하는데 1000 계열로 나타낸다. 알루미늄의 기본적인 불순물은 Si와 Fe이며, 알루미늄의 조직생성은 순도와 기술적인 제조조건과 가공방법에 의존한다. 그림 6.105는 연속주조한 소재 알루미늄의 부식하지 않은 시편 조직생성을 나타낸 것으로 연속주조에서는 금형의 급랭 작용으로 용탕은 상대적으로 급격한 냉각이 일어난다. 따라서 미세립자와 균일한 조직이 존재하게 되고 응고가 빠르게 진행됨으로써 입자 내의 농도 평형이 방해를 받으며 잔류용체에 불순물의 부화(enrich)가 일어나 입계에 석출물의 심한 석출이 일어난다. 그림 6.106에서 처럼 내부 수지상 셀 조직에는 주조조직의 입자가 나타나 있다.

그림 6.107에는 변형하고 재결정된 순수 알루미늄의 조직을 나타낸 것으로 면심입방 입자인데 다른 면심입방 금속조직과 비교하면 **어닐링 쌍정(annealing twin)**이 존재하지 않는다. 입자 내에는 각기 다른 미세하게 분산된 석출물을 알아 볼 수 있다. 그림 6.108은 변형하고 재결정된 소재 알루미늄을 그림 6.107과 같은 배율로 나타낸 것인데 조직 내에는 현저하게 많은 양의 석출물이 존재 하는 것을 확인할 수 있

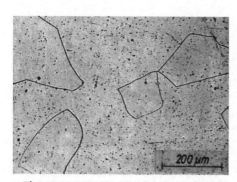

그림 6.107 99.92%순도를 가진 순수 알루미늄을 변형하고 재결정한 조직, 각기 다른 석출물이 존재하는 조대 알루미늄 결정.

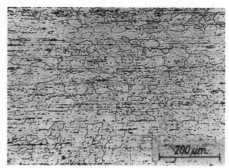

그림 6.108 99.1% 순도를 가진 소재 알루미늄을 변형하고 재결정한 조직, 각기 다른 많은 석출물이 존재하는 미세 알루미늄 결정.

다. 이것은 소재 알루미늄의 낮은 순도에 기인한 것이다. 그림 6.107과 6.108을 비교해 보면 순수 알루미늄의 조직은 입자가 더 조대하다. 이것은 순도가 높아짐에 따라 높은 온도에서 알루미늄의 입자성장 경향이 커짐에 근거한 것이다. 적은 양의 B 및 Ti를 첨가하면 알루미늄의 입자 조대화를 억제 할 수 있다.

알루미늄은 비중이 $2.79gcm^{-3}$이므로 경금속에 속하며, 특히 알루미늄 합금은 자동차, 선박 및 항공기 제조와 같은 가벼운 구조재로써 많이 응용된다. 알루미늄은 표준 저항 시리즈에서 강력한 전기적 음(negative) 전하를 띠므로(-1.7V) 탁월한 내식성을 가지고 있는데 이것은 자발적인 **부동태효과**에 기인하며, 산소와 반응으로 표면에 Al_2O_3의 얇고 양호한 표면 피복층을 생성하여 금속이 더 이상 부식되지 않도록 보호해 준다. 표면에 중단 없는 치밀한 피복층이 생성된다면 완전한 부동태효과가 이루어진다. 조직 내에서 불순물과 석출물이 이 과정을 억제함으로써 피복층에 결함을 유발하게 된다. 그러므로 알루미늄의 순도와 더불어 내식성이 증가된다. 화학적인 부식제와 양극산화를 통하여 피복층의 치밀성과 두께를 조절함으로써 금속의 내식성을 증가 시킬 수 있다. 공기 중, 담수 및 수많은 유기산에서 알루미늄의 내식성은 비교적 높으며, 금속뿐만 아니라 부식 생성물도 생리학적으로 위험하지 않으므로 순수한 알루미늄은 음료산업에서 용기로 또한 포일(foil)은 식료품의 포장재로 각각 제조된다. 비산화성, 무기산(예: 플루오르화 수소

산) 및 특히 알카리 등과 같은 시약은 피복층을 용해하므로 부식된다. 알루미늄의 피복층 생성 경향은 내식성에서 장점이 되며, 존재하는 피복층은 매우 높은 용융점을 가지고 용해할 때 표피를 생성함으로 금속의 납땜 및 용접에서는 문제점을 야기시키는데 접합부에서 충분하지 못한 강도를 나타낸다. 그러므로 접합하기 전에 용제처리를 하여 표피층을 제거해야 한다. 접합부영역의 부식을 줄이기 위하여 접합 후에는 잔류 용제를 완전히 제거 할 필요가 있다. 순수 알루미늄은 $37.6m\ \Omega^{-1}mm^{-2}$의 높은 전기전도도를 가지며, 이것은 약 62% IACS에 해당된다. 구리에서와 유사하게 전도 값은 금속의 순도에 좌우된다. 가벼운 재료로써 낮은 밀도의 요구를 높인다면 알루미늄은 전기전도도 재료로 응용되며 전기에너지를 이송하는 공중 송전선에도 사용된다. Wiedemann 및 Franz 법칙에 따르면 알루미늄의 높은 열전도성과 높은 전기전도성은 등가(equivalent)이며, 20℃에서 232 W $m^{-1}K^{-1}$이다. 동반원소와 합금원소에 의하여 순수 알루미늄의 열전도성은 감소된다. 면심입방 결정구조(결정구조형 A1)이므로 알루미늄은 낮은 온도에서도 우수한 전성과 인성을 가지고 있으며, 매우 우수한 성형성으로 인하여 다양한 기술적 반제품 생산기반으로 사용된다. 알루미늄은 냉간취성 경향이 없고, 합금제조에서 낮은 온도영역 파단연신의 상승이 관찰된다. 냉간변형을 통하여 알루미늄의 기계적 강도를 상승시킬 수 있으나 냉간성형에 의하여 금속의 전성은 감소된다.

6.5.2
Al-Si 합금

우수한 주조성으로 인하여 2원계 Al-Si 합금뿐만 아니라 Mg 및 Cu를 함유하는 3원계 합금 등이 주물용 합금으로 응용된다. 일정한 다원 합금으로 피스턴, 연소모터의 실린더 블록 및 해드 등의 제조에 응용되며 또한 이 군(group)으로 분류된다. 실리콘 외에도 높은 열간강도를 얻기 위하여 Cu, Ni 및 Mg 등과 같은 합금원소를 첨가 한다. Al-Si주조 합금의 Si함량은 약 5~20%이며, 2원 합금의 조직구조를 나타내기 위해서는 유용한 2원계 Al-Si평형상태도로부터 얻을 수 있는데 여기서 고려해야 될 점은 합금내에 존재하는 동반원소와 각종 주조방법에 따라 용탕의 빠른 냉각이 일어남으로 평형상태도의 유효성 조건은 제한됨으로 평형상태에서의 조직 생성효과는 차이를 나타낼 수 있다. 그림 6.109는 Al-Si 평형 상태도의 Al이 많은 부분을 나타낸 것으로 공정계가 존재하며, 공정점은 11.7%Si에서 577℃온도이다. 면심입방 α 고용체의 Si에 대한 용해도는 온도가 내려감에 따라 감소되어 공정온도에서는 1.65%Si이고 20℃에서 α 고용체 내에는 실제적으로 Si는 용해되지 않는다. 이러한 온도의존성 용해도로 인하여 2원계 Al-Si 합금은 시효 경화성이며, 나타나는 **시효 경화효과**가 미약함으로 기술적으로는 응용되지 않는다.

Si>1.65%를 함유한 아공정 합금의 응고에서 용탕으로부터 α 고용체의 초정 결정

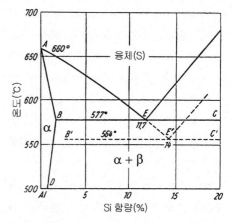

그림 6.109 Al-Si 평형 상태도의 Al이 많은 부분, Edwards, Frary 및 Jeffries에 의함.

화가 일어나며, 2차 응고로 잔류 용체가 공정으로 된다. :

$$용체 \rightarrow (\alpha + \beta)$$
$$용체 \rightarrow \alpha + 용체 \rightarrow \alpha + (\alpha + \beta)$$

과공정 합금에서는 용체로부터 β 상이 우선공정 결정화되며, 마지막으로 잔류용체가 공정으로 결정화된다.

$$용체 \rightarrow \beta + 용체 \rightarrow \beta + (\alpha + \beta)$$

Hansen에 따르면 고체 상태에서 Si내의 Al은 불용성임으로 β 상은 순수 Si(결정구조형 A4)와 같다.

그림 6.110a는 13%Si를 함유한 사형주조 합금의 부식하지 않은 시편의 조직을 나타낸 것인데 침상 β 입자와 알루미늄이 많은 α 기지로 되어 있다. 이 공정은 불규칙하고 조대한 구조임으로 변종된 공정이라고 한다. 표 6.13에 나타낸 것과 같이

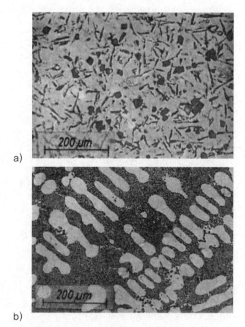

a)

b)

그림 6.110 13%Si를 가진 사형 주조한 합금의 조직, a) 용탕을 개량처리 하지 않은 것, 부식하지 않은 시편, b) 용탕을 개량처리한 것, 부식한 시편.

a)

b)

그림 6.111 13%Si를 함유한 사형 주조합금의 충격시편 파단 조감도, a) 용탕을 개량처리 하지 않은 것, b) 용탕을 개량처리한 것.

이러한 합금의 조직은 적당하지 않은 강도 성질과 취성파괴를 유발하게 된다. 충격시편의 파단면(그림 6.111a)을 보면 취성의 β 입자를 통하여 만들어진 결정형 입자영역을 식별 할 수 있다. 그림 6.111b에는 같은 합금을 Na으로 용탕처리를 한 후의 초정조직을 다시 나타낸 것인데 이러한 용탕처리로 공정점이 높은 Si함량으로 낮은 온도로 각각 이동되었으며(그림 6.109), 이것을 합금의 **개량처리(modification)**라 고 한다. 조직은 수지상 구조를 가지고 미세립자 $(\alpha + \beta)$ 공정인 밝게 부식된 많은 α 입자로 되어 있고, 이것은 아공정 합금의 조직구조에 해당된다. 개량처리한 합금

의 강도 성질은 처리하지 않은 합금과 비교하면 표 6.13에 나타낸 것과 같이 현저하게 우수하다. 탁한 회색의 파단면상에는 결정형 입자영역이 나타나지 않는다(그림 6.111b).

Sr로서 용탕처리를 하면 동등한 개량효과를 얻을 수 있으며, 이러한 개량 형태는

표 6.13 주조 합금 G-AlSi13의 인장강도와 파단연신에 미치는 개량처리의 영향

합금상태	인장강도 [MPa]	파단연신 [%]
개량처리하지 않은것	100~120	3~5
개량처리 한 것	240~280	10~15

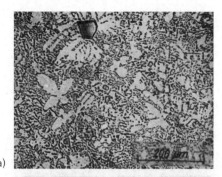

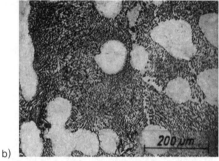

그림 6.112 13%Si를 함유한 합금을 금형 주조 후의 초정조직, a) 개량처리 하지 않은 것, b) Na로 개량처리 한 것.

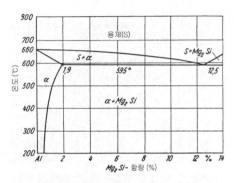

그림 6.113 Al-Mg₂Si계의 의사(quasi) 2원 절단 상태로 Gayle에 의함.

합금을 여러 번 녹여도 효과는 유지되는 장점이 있으나 이에 대하여 Na으로 개량 처리할 때는 합금을 녹일 때 마다 새로운 용탕처리가 필요하다. Al-Si 합금의 조직 생성은 또한 주조방법에 영향을 받게 된다. 그림 6.112에는 13%Si를 함유한 합금을 개량처리 한 것과 하지 않은 것을 금형에 주조한 초정조직을 다시 나타낸 것인데 용탕의 높은 냉각속도로 인하여 개량처리를 적용하지 않은 조직(그림 6.112a), 개량 처리하고 사형주조한 합금(그림 6.112b)과 유사하며, 밝게 부식된 선행 공정 α 입자와 미세한 입자 $(\alpha + \beta)$공정을 관찰할 수 있다. 2원계 Al-Si 합금에 Mg를 합금한

시효 경화성 주조 합금이 된다. G-AlSi10Mg, G-AlSi7Mg, G-AlSi5Mg 등과 같은 합금에는 Mg함량은 10분의 수 %에 지나지 않으며, 시효 경화성의 기본적인 조건은 그림 6.113에 나타낸 것과 같이 Mg와 Si에 대한 면심입방 α 고용체의 온도 의존성 용해도이다. 공정온도에서의 용해도는 1.9%, 200 ℃에서는 0.2%로 감소된다.

합금은 대개 열간경화되며, 이러한 열처리를 통하여 0.2% 연신한계가 경화되지 않은 2원 합금과 비교하여 거의 100% 상승된다. 불균질 조직임에도 불구하고 경화된 합금은 양호한 내식성을 나타낸다. 고강도 및 내열 주조 합금으로 Cu가 합금된 Al-Si 합금이 응용되는데 합금규격으로는 G-AlSi9Cu3 및 G-AlSi6Cu4가 있다. 여기서 Cu는 입자 미세화 및 강도 상승 작용을 하며 그 외에도 규격화되어 있지 않은 합금도 통용되는데 예를 들면, 자동차구조에서 쐐기꼴 피대 및 브레이크 판 제조에 사용되는 내마모 합금 G-AlSi17Cu4가 있다. 그림 6.114에는 규격화 되어있지 않은 G-AlSi7Cu1 합금을 사형 주조한 초정조

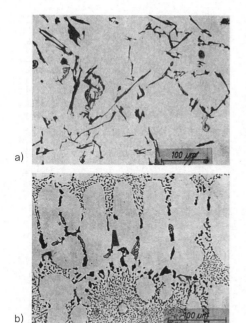

a)

b)

그림 6.114 사형주조한 합금 G-AlSi7Cu1의 초정조직, a) 개량처리하지 않은 것, b) Sr로 개량 처리한 것.

그림 6.115 합금 G-AlSi12CuMgNi로 된 피스턴의 피로 파단면의 조감도, 피스턴의 사용시간은 8000h.

통하여 재료의 내열성을 높인다. 높은 온도에서 내피로성도 가지고 있으며, 피스턴 바닥의 열 **교차응력**으로 **피로균열**이 생길 수 가 있다.

그림 6.115는 합금 G-AlSi12CuMgNi로 제조된 선박용 디젤모터 피스턴의 피로파괴 된 조감도를 나타낸 것으로 그림의 상부는 특징적인 하중선을 가진 피로균열이 진행된 피스턴 바닥을 알아 볼 수 있으며, 하부에는 피스턴으로부터 시편을 채취할 때 추가적으로 강제로 떼어 내어 발생한 깊이 깨진 구조로 심하게 파단된 면을 식별할 수 있다. 이미 언급한 열적, 기계적 응력 외에도 피스턴 합금은 또한 마찰마모 하중 하에 놓여 있다. 조직 내에 단단한 β 입자 부분이 많이 존재하여 높은 내마모성을 갖는다. 그림 6.116에 나타낸 것과 같이 과공정 피스턴합금 G-AlSi22CuMgNi은 적은 농도의 Co, Mn 및 Fe 등도 함유하고 있으며, 초정으로 결정화 된 β 입자와 미세립자 공정 $(\alpha + \beta)$으로 이루어져 있다. 인(P)으로 용탕처리를 하면 입자미세화 효과를 일으켜 β 상의 조대립자 생성이 억제된

직을 나타낸 것으로 용탕은 개량처리를 하지 않았으므로 α 입자와 변종된 공정으로 이루어진 불규칙한 조직을 나타낸다. Sr으로 용탕을 개량처리 한 후에는 2원 합금을 개량 처리한 것처럼 밝게 부식된 선행 공정 α 입자와 미세립자 공정 $(\alpha + \beta)$으로 된 조직이 나타난다. 십분의 수 % Mg를 합금하면 AlSiCu 합금은 시효경화성이 된다. 낮은 밀도뿐만 아니라 비교적 높은 내열성 및 열전도성으로 인하여 Al-Si 주조 합금에 Cu, Ni 및 Hg 등을 첨가함으로써 내연기관 모터제조에 응용된다. 합금의 낮은 밀도로 인하여 피스턴의 무게가 감소되며 높은 열전도성으로 연소열을 빠르게 전달하게 된다. Cu, Ni 및 Mg 등의 합금을

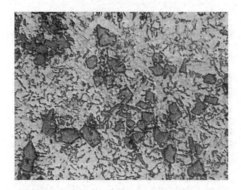

그림 6.116 피스턴 합금 G-AlSi22CuMgNi의 초정조직, 밝은 회색으로 부식된 β 입자와 미세립자 공정$(\alpha+\beta)$.

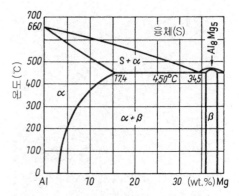

그림 6.117 Al-Mg상태도의 Al이 많은 부분.

다. 과공정 합금(예: G-AlSi 21CuNiMg, G-AlSi25CuMgNi, G-AlSi 20CuNi) 외에도 공정 피스턴 합금(예: G-AlSi12CuMgNi, G-AlSi13Mg CuNi, G-AlSi12Ni2CuMg) 이 사용된다.

6.5.3
Al-Mg 합금 및 Al-Mn 합금

Al-Mg 합금

이 합금은 가공용 합금과 주물용 합금으로 제조되며, 기술적으로 사용되는 가공용 합금의 Mg함량(예: AlMg1, AlMg3, AlMg5)은 **입계부식(intercrystalline corrosion)**과, **응력부식균열(stress corrosion cracking)**을 피하기 위하여 5%로 제한한다. 이에 대하여 주조 합금에는 10%까지 함유한다. (예: G-AlMg3, G-AlMg5, G-AlMg9) 주조 합금은 사형뿐만 아니라 금형주조(GK), 압력주조(GD) 및 정밀주조(GF) 등으로 제조된다. 합금의 조직구조를 나타내는 데는 상태도가 유용하여 활용되나 합금제조와 열

처리에서 이 상태도는 유효성 조건에서 불완전하여 보충될 수 있으므로 평형의 경우에서와는 조직구조가 편차가 존재한다는 것을 규정해야 한다. 알루미늄과 금속간 화합물 Al_8Mg_5, 이것을 β 상(입방결정구조, 공간군 Fd3m)이라 하는데, 공정계(그림 6.117)를 생성하며, 공정점은 34.5%Mg에서 450℃에 존재한다.

알루미늄이 많은 α 고용체의 Mg에 대한 용해성은 공정온도에서 17.4%가 100℃에서는 3%로 감소된다. 온도가 낮아지면 용해성이 감소될 수 있으므로 2원 합금은 시효 경화성이 되며, 실현할 수 있는 시효 경화효과는 낮으므로 이 열처리가 실제에는 응용되지는 않는다.

그림 6.118은 가공용 합금 AlMg5을 균질한 α 영역으로부터 서냉한 후의 조직을 나타낸 것인데 해당되는 상태도(그림 6.117)에서는 α 고용체와 미세하게 분포된 β 상 석출물로 이루어져 있으며, 그 외에도 어둡게 부식된 균일하지 않은 조대한 초정 석출물을 확인할 수 있다.

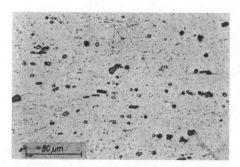

그림 6.118 합금 AlMg5의 조직, 밝게 부식된 α 고용체, β 상의 미세분산 입자 및 조대하고 균일하지 않은 석출물.

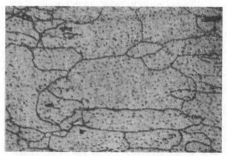

그림 6.119 합금 AlMg9의 조직, 밝게 부식된 α 고용체, 입계 가장자리 및 입자 내에는 미세하게 분산된 β 상의 석출물, 어둡게 부식된 균일하지 않은 석출물.

또한 합금 AlMg9의 변형된 조직을 그림 6.119에 다시 나타낸다. 이 합금은 가공용 합금으로는 규격으로 되어 있지 않으나, Mg함량이 높으므로 조직 내에 β 상의 생성형태를 매우 잘 나타낸다.

조직에는 밝게 부식된 α 상 입자, 입계에는 β 상의 연결된 가장자리, α 입자 내에는 β 상의 미세하게 분산된 석출물 및 조대한 초정 석출물로 이루어져 있다(그림 6.119).

α 입계에 β 상의 연결된 가장자리가 합금의 내식성에 영향을 미치는데 Mg함량이 증가되면 조직 내에 β 상 부분의 양이 상승함으로 무엇보다 Mg가 많은 합금에서 이것이 나타난다. β 상은 α 상에 비하여 **음전하(electro-negative potential)**를 가지며 부식원소의 생성에서 양극으로 용해된다. 이것은 그림 6.120에 나타낸 것과 같이 입계부식(intercrystalline corrosion)을 일으킨다. 입계부식을 피하기 위해서는 β 상의 연결된 입계 가장자리를 피하는 것이 필요한데 적당한 열처리를 통하여 그리고 일정한 합금을 첨가함으로써 가능하다. 그

림 6.121은 AlMg9 합금을 균질한 α 영역으로부터 급랭 후에 80℃에서 가열한 조직을 나타낸 것으로 β 상은 진주목걸이 형태로 α 입계에 중단되어 석출되어있다. 입계 가장자리가 중단되어 있으므로 입계부식기구가 억제되며 또한 합금에 Mn을 첨가하면 Mg가 많은 합금의 입계부식 경향을 피할 수가 있다. 이 원소가 α 입계에 β 상의 연결된 가장자리 생성을 방해한다.

그림 6.122에서 보듯이 Al-Mg가공용 합금의 0.2% 연신한계와 인장강도가 Mg함량의 증가와 더불어 상승되어 있으며,

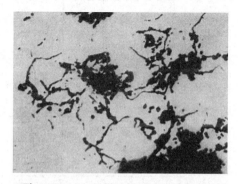

그림 6.120 AlMg3 합금의 해수에서 입계부식을 통한 손상된 조직, 부식하지 않은 시편.

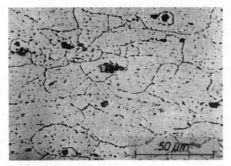

그림 6.121 AlMg9 합금의 균질한 α 영역으로부터 급랭한 후 80℃에서 48시간 가열한 조직, α 입계에 β 상의 석출물이 진주목걸이 형태로 되어 있다.

이것은 Mg를 통한 알루미늄의 고용체 경화에 기인한다. 조직 내에 β 상을 존재시켜 계속적인 강도 상승에 기여하게 된다. Mg함량 증가로 처음에는 파단연신이 감소되며, 약 3%Mg에서 최소값이 지난 후 차차 다시 증가된다. 냉간변형을 통하여 자연경화된 Al-Mg 합금의 강도는 상승될 수 있다. Al-Mg가공용 불순물 원소의 농

도가 높지 않다면 합금의 공기 중, 담수 및 해수에서 내식성은 양호하며, 적당한 열처리는 이미 성공적으로 통용되고 있다.

그림 6.123과 6.124에는 주조 합금 G-AlMg3 및 G-AlMg5의 초정조직을 나타낸 것인데 밝게 부식된 α 입자 및 석출물 또한 입계에는 공정 그리고 α 입자의 입자조각으로 되어 있다. 공정 조직 성분(그림 6.124)은 상태도(그림 6.117)에 따라 조직에는 나타나지 않았다. 이 현상은 합금 내에 동반원소 (Si, Fe, Mn)가 존재하여 조직 내에 결정편석을 일으킴으로 기인한 것이다. 2원 주조 합금에 Si를 통하여 양호한 주조성뿐만 아니라 시효경화성이 가능하다. 규격으로 된 합금에는 G-AlMg3Si 및 G-AlMg5Si 등이 있다. Al-Mg 주조 합금의 조직생성은 응용한 주조방법에도 의존하며, 정밀 주조법을 사용하면 특히 미세한 조직을 얻게 되어 사형 주조상태와

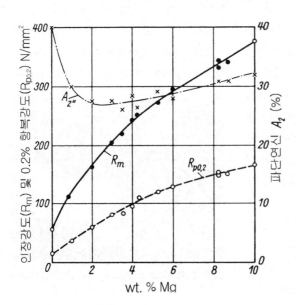

그림 6.122 연화어닐링한 Al-Mg 가공용 합금의 Mg함량에 따른 기계적 성질 의존성, Dix에 의함.

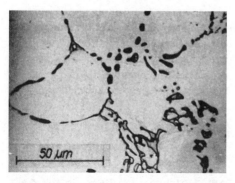

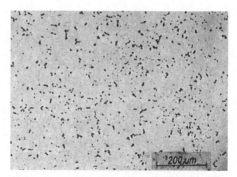

그림 6.123 0.3%Ti를 함유한 G-AlMg3 합금의 초정조직, 밝게 부식 된 α 고용체와 어둡게 부식된 입계 석출물(밝은 회색 : AlMnSi, 검은 부분 : Mg₂Si).

그림 6.124 G-AlMg5 합금의 초정조직, 밝게 부식된 α 고용체와 어둡게 부식된 입계 공정.

비교하여 합금의 현저한 강도 상승을 이루게 된다.

Al-Mn 합금

이 합금은 자연경화 가공용 합금으로 사용되며, Mg함량은 대개 1.5% 이하인데 높은 농도에서는 취성상인 Al₆Mn(사방결정 구조, 공간군 Cmcm)이 조직 내에 생성될 수 있기 때문이다. 규격 합금으로는 AlMn0.2, AlMn0.6 및 AlMn1 등이 있다. 2원 합금 외에도 3원 합금(예: AlMn1Cu, AlMn1Mg)도 제조되며, Mg 및 Cu가 추가로 함유되어 있으며, Mg와 Cu는 조직의 입자 미세화 작용을 하여 합금의 양호한 기계적 성질을 갖게 한다. 그림 6.125에는 Al-Mn상태도를 다시 나타낸 것으로 이미 낮은 Mn 농도에서 공정 부분계가 나타나며, 공정점은 1.9%Mn에서 온도는 657℃이다. Mn에 대한 알루미늄의 용해도는 온도강하와 더불어 감소된다. 공정온도에서는 약 1.8%Mn이 고용체 형태로 용해될 수 있으나 20℃

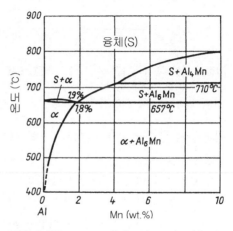

그림 6.125 Al-Mn 상태도의 Al이 많은 쪽, Mondolfo에 의함.

에서 용해도는 매우 낮다. 이러한 온도 의존성인 용해도에도 불구하고 열처리가 성질에 미치는 영향이 적으므로 Al-Mn 합금은 시효경화하지 않는다. 금속간화합물 Al₆Mn의 α 고용체로부터 석출이 심하게 나타남으로 Mn의 과포화 고용체가 20℃까지 존재하여 조직은 단일상이 된다. 용해된 Mn은 알루미늄의 고용체 경화작용을 한다. Al-Mn 가공용 합금의 강도는 그림 6.126에 나타낸 것과 같이 약 1% 농도영

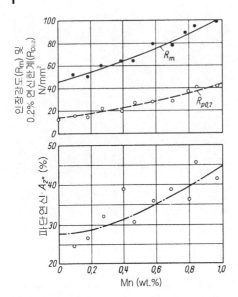

그림 6.126 Al−Mn 가공용 합금을 565℃에서 급랭한 후의 Mn함량에 따른 기계적 성질 의 존성, Van Horn에 의함.

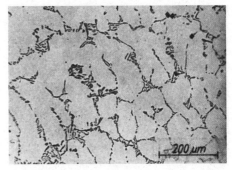

그림 6.127 1.9%Mn을 함유한 합금의 주조조직, 밝게 부식된 α 고용체와 ($\alpha+Al_6Mn$)공정.

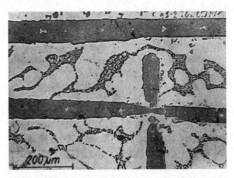

그림 6.128 4%Mn이 함유된 과공정 합금의 조직, 회색으로 부식된 판상의 Al_6Mn상의 결정, 밝게 부식된 α 입자 및 어둡게 부식된 공정.

역까지 Mn함량 증가와 더불어 상당히 단조롭게 상승한다.

주목할 것은 이 농도구간에서 합금의 파단연신은 또한 Mn함량 증가와 더불어 상승한다. 합금의 Mn함량이 1.8%이상이 되면 α 고용체 외에 공정 조직성분이 조직 내에 나타난다.

그림 6.127은 1.9%Mn을 함유한 비규격 합금의 조직을 나타낸 것으로 이 화학조성은 공정 농도에 해당되므로 완전 공정조직이 존재한다. 그럼에도 불구하고 밝게 부식된 초정공정 α 고용체와 적은 부분의 (α +Al₆Mn) 공정으로 되어 있다. 이 편차는 용탕으로부터 Al₆Mn 상의 결정화에 기인한 것이며, 이렇게 하여 평형의 경우에 응고 차이가 생기고 용탕으로부터 초정 α 고용체가 생성된다. 잔류융체는 Mn이 많아

지며 공정으로 응고된다.

그림 6.128은 비규격으로 4%Mn을 함유한 과공정 합금의 초정조직으로 어두운 회색으로 부식된 조대한 판상 금속간화합물 Al_2Mn과 밝게 부식된 α 상 입자와 공정으로 이루어져 있다. 초정은 융체로부터 조대한 Al_6Mn 판상을 생성한다. 융체로부터 Al_6Mn의 결정화 관성으로 인하여 평형이 방해되어 융체로부터 마지막으로 α 입자가 결정화 된다. 이것은 Mn이 포함된 과포화된 잔류융체와 결정화 되고 그 후 공정 : 융체 → α + Al₆Mn 조대한 Al₆Mn판상은

취성이 있으므로 합금은 적당하지 않은 기계적 성질을 나타낸다.

Al-Mn-가공용 합금의 내식성은 순수한 알루미늄에 뒤지지 않을 정도로 우수하다. Mn의 확산저지 작용으로 인하여 재결정 영역을 높은 온도로 이동시킨다. 따라서 이 합금은 상당한 내열성을 가지므로 약 150℃까지 응용 할 수 있다. 높은 기계적 강도 및 내식성 그리고 양호한 용접성 등을 갖춘 3원 Al-Mg-Mn가공용 합금이 통용되며, 규격에는 다음과 같은 합금이 포함된다 : AlMg1.5Mn, AlMg3.5Mn, AlMg4.5 Mn 및 AlMg5Mn. 합금의 Mn함량은 1% 이하이다. 그림 6.129는 AlMg4.5Mn 합금의 선상 2차 조직을 나타내며, 면심입방 α 입자, 조대한 초정 석출물 및 미세하게 분산된 2차 석출물로 되어 있다. Mn의 강도 상승작용으로 이 합금에서 Mg 함량의 제한에도 불구하고 Mg가 많은 합금처럼 최대 5%까지 기계적 강도가 상승 할 수 있다. 합금은 **입계부식**과 **응력부식균열**을 일으키는 경향은 낮다.

6.5.4
다원 합금

항공, 자동차 및 조선 산업에서 재료의 경량 구조는 특별한 의미를 갖는데 여기에 시효경화성의 알루미늄 가공용 합금이 사용된다. 시효경화를 통하여 이 합금의 기계적 강도는 구조용강의 강도 값에 도달한다. 합금의 시효경화성에 대한 기본적인 조건은 온도가 내려감에 따라 기지금속인 알

그림 6.129 AlMg4.5Mn 가공용 합금의 조직, Almi5로 부식, 선상으로 배열된 조대립자 초정 석출물과 미세하게 분산된 2차 석출물.

루미늄의 합금원소에 대한 용해도가 감소되는 것이다. Al-Mg-Si합금계에 대한 이러한 상태는 이미 의사(quasi) 단면 AlMg$_2$Si에 근거(그림 6.113)로 나타낸다. 그림 6.130에는 Al-Cu상태도의 알루미늄이 많은 쪽을 다시 나타낸 것이다. Al 및 θ 상(Al$_2$Cu, 결정구조형 C16)은 공정부분계를 이룬다.

ω 고용체의 Cu에 대한 용해도는 공정온도(548℃)에서 5.7%이며, 온도 강하와 더불어 감소하여 20℃에서 Cu의 ω 고용체에는 실제적으로 불용성이다. 균질한 ω 고용체의 영역으로부터 서냉하면 그림 6.131에 나타낸 것과 같이 고용체의 입계에 먼저 θ 상이 석출된다.

전통적인 시효경화 처리에는 다음과 같은 과정을 응용하는데 Al-Cu계에서는 다음과 같이 요약된 형태로 나타내게 된다.

• 균질한 고용체의 영역에서 용체화 어닐링.
• 어닐링의 목적은 고용체 기지 내의 θ 상이 완전 용해되어야 함으로 Cu에 대한 ω 고용체의 용해도선 이상의 어닐링

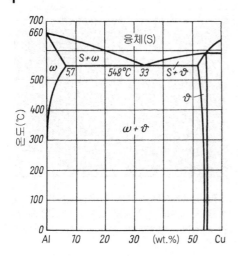

그림 6.130 Al-Cu상태도의 Al이 많은 부분.

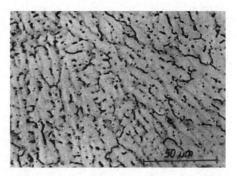

그림 6.131 5%Cu를 함유한 알루미늄 합금을 균질 w 영역으로부터 서냉한 후의 조직, 입계에 θ 석출물을 가진 ω 고용체.

온도이어야 한다. 용해를 통한 균질 고용체의 조직손상을 줄이기 위하여는 어닐링에서 상경계선을 (S + ω) 영역을 넘지 않도록 한다.

- 20℃에서 **과포화 고용체**를 얻기 위하여 **급속 냉각**.
- 수냉하면 Cu와 Al원자의 확산과정과 석출과정 $\omega \rightarrow \omega + \theta$가 억제된다. Cu와 과포화된 ω 고용체가 20℃에서 존재하는데 준안정상이다. 경화효과는 아직 나타나지 않으며, 이 상태에서 가끔 합금을 냉간변형하여 이어지는 시효에서 시효경화효과를 상승시키는 작용을 한다.
- 20℃에서 시효(**냉간경화**). 또는 높은 온도(**열간경화**)에서 시효.

시효온도와 시간에 따라서 준안정 ω 고용체의 분해가 이루어지는데 낮은 시효 온도에서는 Guinier Preston I -영역이 생성

되며, 여기에는 Cu원자가 국부적으로 집적되고, 고용체기지에 격자결함 불합치가 생겨 기지격자와 함께 **결맞음(coherent)**으로 성장한다. 이렇게 하여 생성된 **결맞음 응력**이 슬립을 어렵게 하며 그림 6.132에 나타낸 것과 같이 합금의 강도 상승을 일으킨다. 높은 시효온도는 확산과정을 촉진시키며 **부분결맞음** Guinier-Preston Ⅲ영역을 생성하여 이것은 또한 고용체의 슬립저항을 상승시켜 합금의 강도가 높아진다. 높은 시효온도와 오랜 시효시간을 적용하면 부분결맞음 Guinier-Preston Ⅱ 영역이 사라지고 θ 상의 결맞지 않은 석출이 생성된다. 결맞음 응력의 상실로 인하여 고용체 기지의 슬립저항이 감소되어 합금의 강도감소가 일어난다. 이러한 효과를 **과시효**라 한다.

- 화학조성에 따라 시효경화성 합금을 다음과 같은 군(group)으로 나눈다(DIN EN 573). :
- AlCuMg 합금(예: AlCu4Mg1, AlCu4 PbMg)

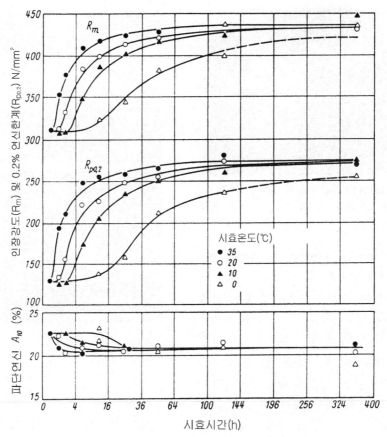

그림 6.132 AlCuMg1가 가공용 합금의 시효경화에서 0.2% 연신한계, 인장강도 및 파단연신에 미치는 시효온도 및 시효시간의 영향.

- AlMgSi 합금(예: AlMg0.7Si, AlMg1SiPb)

- AlMgSiCu 합금(예: AlMg1Si0.3 Cu, AlMg1Si0.8CuMn)

- AlZnMg 합금(예: AlZn4.5Mg1, AlZn4Mg3)

- AlZnCuMg 합금(예: AlZn4.5Mg1Cu, AlZn4.5Mg1.5Cu)

- AlLiCuMg 합금(예: AlLi2, 5Cu1, 5Mg1, AlCu2Li2Mg1.5)

언급한 원소 이외에도 합금은 최대 1%Fe, 0.3%Cr 및 0.2%Ti 등을 함유하며 어떤 합금에는 Pb함유 황동에서와 같이 추가로 Pb를 합금하여 절삭성을 향상시킨다. Pb는 조직에 미세하게 분산된 형태로 존재한다.

AlCuMg 및 AlZnCuMg 합금과 비교하면 AlMgSi 합금은 시효경화 후에 강도는 낮으나 높은 내식성을 나타낸다.

특히, AlCuMg 합금은 ω 고용체와 θ 상(Al₂Cu)간의 전위차로 인하여 부식원소를 생성할 수 있으므로 부식되기 쉽다. AlZnMg

그림 6.133 AlCu4Mg 합금의 용체화 어닐링 후 조직, ω 고용체와 각각의 일정하지 않은 초정 석출물.

합금은 **자기시효경화(self age hardening)** 의 특별한 효과를 나타내는데 : 시효경화 후에 용체화 어닐링 영역까지 재가열되고 이어지는 냉각에서 비교적 서서히 나타날 수 있으며, 과포화 된 고용체가 다시 반복 되어 시효경화된다. Li을 함유한 합금은 특히 밀도가 낮은데 Li의 낮은 밀도(0.534g cm^{-3})에 기인하며, 합금된 wt.% Li은 밀 도를 약 3% 감소시키고 합금의 탄성율을 약 6% 상승시킨다. 새로운 스칸디움(Sc)을 함유한 합금 AlMgSc는 특히 높은 내식성 을 나타내므로 해상 응용에 적합하다. 이 합금은 또한 입자경화로 기계적 강도 상승 에 응용하지만 다른 시효경화성 합금의 열 처리에서와는 구별된다. 과포화고용체는 적당한 공랭에서도 이미 달성됨으로 석출 경화는 열간시효를 통하여 달성된다. 시효 경화성 가공용 합금의 조직 생성은 열처리 상태를 통하여 결정적으로 정해진다. 그림 6.133과 6.134 a에는 합금 AlCu4Mg1과 AlZnMgCu0.5의 용체화 어닐링 상태의 조 직을 나타낸 것인데 과포화 고용체와 약간

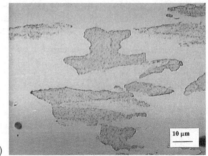

그림 6.134 AlZnMgCu0.5 합금의 조직, Almi5 로 부식, a) 용체화 어닐링 후, b) 열간시효 후.

의 초정 석출물로 되어 있다. 방향성 차이 로 입자가 다르게 부식되어 있다. 그림 6.134 b는 합금 AlZnMgCu0.5의 열간시효 후 조직을 나타낸 것으로 입자 내와 입계 에는 합금의 입자경화를 일으키는 수많은 미세분산 석출물이 존재한다. 용체화 어닐 링 후에 약간의 냉간변형을 통하여 이러한 합금형에서는 열간 경화된 상태의 기계적 특성치는 다음과 같다. : $R_{P0.2} > 370MPa$, $R_m > 450MPa$, $A_5 > 7\%$.

각종 합금의 조직에 과시효의 결과로 생 성되는 안정된 석출물(예: Al_2Cu, Al_2CuMg, Mg_2Si, $AlLi$, AL_3Sc)은 광학현미경에서 규 명할 수 있으나 광학현미경의 해상도로는 시효 경화 이전 단계에서 생성된 결맞음과

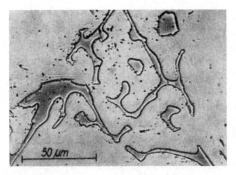

그림 6.135 연마된 시편에 존재하는 Mg_2Si석출물, 암청색 또는 다양하게 나타남.

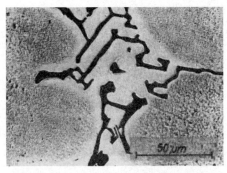

그림 6.136 Mg_2Si석출물, 어둡게 부식됨, 시편은 플루오르화수소산으로 부식.

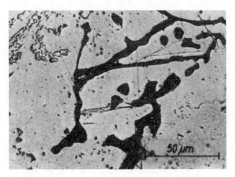

그림 6.137 Mg_2Si석출물, 용해되어 나옴, 시편은 황산으로 부식.

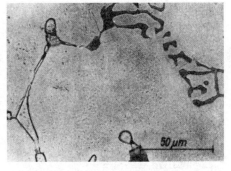

그림 6.138 Mg_2Si 및 Al_2Cu석출물, Mg_2Si는 약간 부식됨, Al_2Cu는 부식되지 않음, 시편은 플루오르화수소산으로 부식.

부분 결맞음 영역을 관찰하기는 충분하지 않다. 이러한 나노(nano)조직 분석을 위해서는 투과전자현미경(Transmission Electron Microscope : TEM)이 필요하다. 알루미늄의 가공용 및 주물용 합금의 조직에는 자주 알루미늄과 합금원소 및 동반원소 간의 반응으로 생성된 초정 석출물과 2차 석출물이 존재한다. 초정 석출물이 용탕으로부터 직접 생성되는 동안 고체 상태에서 2차 석출물의 생성이 이루어진다. 가끔 이 조직성분을 균일하게 하는 과제가 주어진다. 여기에 필요한 기구장치인 SEM, TEM 및 ESMA 등을 항상은 사용하지 않으므로 이러한 석출물을 규명하는데 현미경조직 분석방법을 개발하여 생성형태, 시편의 연마상태에서 원래의 색깔과 부식성 등으로 이러한 조직성분을 정성적으로 분석하게 된다. 석출물의 정량적 조성의 관점에서는 석출물의 정확한 화학조성은 또한 객관적인 기술적 처리에 의하여 좌우됨으로 이러한 방법은 가능하지 않다. 표 6.14에는 선택된 석출물의 현미경 조직적인 규명이 가능한 종류를 나타낸 것이다. 제시하는 조직사진(그림 6.135~6.140)은 표 6.14를 응

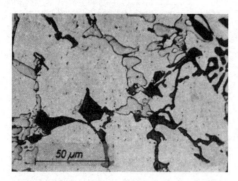

그림 6.139 Al₂Cu, Mg₂Si 및 Al₆Mn석출물, Al₂Cu와 Al₆Mn은 부식되지 않음, Mg₂Si는 용해되어 나옴, 시편은 혼합용액으로 부식.

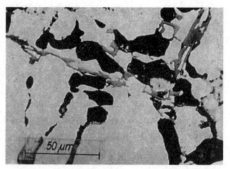

그림 6.140 Al₂Cu 및 Al₆Mn석출물, Al₂Cu는 동적색~갈색으로 부식되고 사진에는 어둡게 나타남, Al₆Mn은 부식되지 않음.

용한 예를 나타낸 것이다. 각 개인의 경험에 따라 시편 준비와 조직 사진의 평가에서 각종 석출물을 비교적 신속하고 확실하게 규명하고 구별할 수 있다.

6.6
마그네슘 및 그 합금

6.6.1
순수 마그네슘

마그네슘의 1차 회수에는 두 가지 방법이 있다. :

- 용융액상 염화마그네슘으로부터 용융 액상 전해.
- Ferro Silicon처리로 산화마그네슘을 환원시키는 실리콘 건식정련.

용융액상전해에는 Carnallite (KCl · MgCl₂ · H₂O), Dolomite(MgCO₃ · CaCO₃) 및 Mcgnesite(MgCO₃ · 6H₂O) 등의 여러 가지

마그네슘을 함유한 광물이 원료로 사용된다. 고가의 선광과정에서 이들 재료는 세척, 탈수하여 염화마그네슘으로 변환된다. 700~800℃에서 용융액상 전해를 통하여 불순물이 포함된 마그네슘을 얻게 되며 밀도가 낮기 때문에 조(bath)표면에 모이게 되어 여기서 회수된다. 실리콘 건식정련에서는 가소(calcining)된 Dolomite (MgO · CaO)로부터 가소된 Magnesite가 부화(enrich)되며, ferro-silicon(FeSi)이 나온다. 공정이 고온에서 진행되는 동안 ferro-silicon을 통하여 MgO의 환원이 일어나며 마그네슘 증가가 생성되고 농축된다. 최종 정제를 통하여 제조된 금속으로부터 원하지 않는 금속 및 비금속 불순물을 분리해 낸다. 순수 마그네슘은 순도에 따라 분류하는데 99.5~99.98%까지 영역 (DIN EN 12421, ASTM B92/B92M-89)에 존재한다. Mg의 밀도는 $1.74 g cm^{-3}$이므로 경금속에 속한다. 낮은 밀도로 인하여 마그네슘 합금은 자동차산업에서 가벼운 구조 재료로 매우 중요하다. 마그네슘은 조밀육

표 6.14 알루미늄 합금 조직 내의 선택된 조정 및 2차 석출물 규명을 위한 현미경 조직방법, Shrader에 의함

상	연마에서 자체 색깔, 부식하지 않은 시편	부식액 : 25ml H_2SO_4 80ml H_2O 70℃에서 30초	부식액 : 20ml H_2SO_4 80ml H_2O 70℃에서 30초	부식액 : 1g NaOH 100ml H_2O 50℃에서 15초	부식액 : 10g NaOH 100ml H_2O 20℃에서 5초	부식액 : 0.5ml HF 100ml H_2O 20℃에서 15초	부식액 : 0.5ml HF 1.5ml HCl 2.5ml HNO_3 95.5ml H_2O 20℃에서 15초
Si	회색	−	−	−	−	자체색깔	−
Mg_2Si	암청색~천연색	+	+	−	−	−	+
Al_2Cu	흰색~장미색	적동색	−	−	어두운 색깔	−	−
Al_3Fe	회색, Si보다 밝음	−	−	−	암갈색	약간 부식됨	약간 부식됨
Al_8Mg_5	흰색~노란빛0	−	−	처음은 밝은 갈색, 그리고 밝은 청색	암갈색, 심하게 부식됨	약간 부식됨	−
Al_6Mn	밝은 회색	−	−	갈색	어두운 색	−	−
Al_4Mn	밝은 회색 Al_6Mn보다 어두움	−	−	갈색	어두운 색	−	−
Al_3Ni	밝은 회색	−	−	약한 색깔	청색	어두운 색	강열한 색깔
Al_7Cr	밝은 회색	−	−	−	−	−	−
$Al_{11}Cr_2$	밝은 회색, Al_7Cr 보다 약간 어두움	−	−	−	심하게 불규칙적으로 부식	약간 부식됨	부식되지 않음
AlSb	밝은 회색, 공기중에서 검은색으로 변함	어두운 색깔	−	어두운 색깔	심하게 부식됨	어두운 색깔	−
Al_3Ti	밝은 회색	−	−	−	−	−	−

(−) 부식되지 않음, (+) 용해되어 나옴

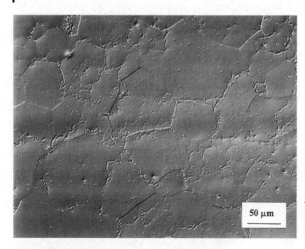

그림 6.141 연화어닐링한 마그네슘의 조직, 균일하지 않은 개재물을 가진 다면체 마그네슘 결정립.

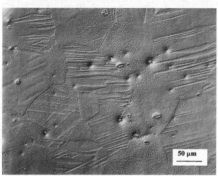

그림 6.142 20℃에서 약간 소성 변형한 후의 Mg조직, 변형 쌍정과 균일하지 않은 개재물을 가진 마그네슘 결정립.

방 결정구조(결정구조형 A3)로 결정화되며 **동질이상 변태(polymorphic transformation)** 가 나타나지 않는다. 그림 6.141은 순수한 연화어닐링한 마그네슘의 조직을 나타낸 것으로 입자에는 어둡게 부식되어 있고 균일하지 않은 개재물을 관찰할 수 있다. 육방 결정구조로 인하여 Mg는 20℃에서 슬립계의 수가 적은데 Zn처럼 금속의 냉간변형성이 제한된다. 제한적인 변형성 때문에 결정학적인 슬립을 통하여 Mg의 소성변형은 낮은 온도에서 그림 6.142에 나타

낸 것과 같이 기계적 쌍정이 관찰된다.

Mg의 소성변형성은 변형온도가 약 220℃ 이상 일 때 현저하게 상승하는데 저면슬립(슬립면 {001}) 외에 추가로 열적 활성화된 **피라미드슬립**(슬립면 {101})이 일어나기 때문이다. 그러므로 금속의 비절삭 성형은 열간변형을 통하여 양호하게 이루어진다. Mg는 **표준전압시리즈**에서 강력한 음전기적 전위를 나타내므로(-1.856V), 공기 중 산소와 물과 반응하여 표면층을 생성하며 이것은 또한 기공성 때문에 금속에 비부동태로 작용한다. 그러므로 Mg는 부식되기 쉽다. 낮은 전기 화학적 전위로 인하여 음극 보호계에서 희생 양극재료로 삽입한다. Mg의 산소와 높은 친화력으로 금속의 가공에서 문제를 야기 시킨다. 용해에서는 조(bath)를 덮어야 하며, 주조에서 액상금속이 공기 중 산소와 접촉되지 않도록 해야 한다. 분말 형태와 금속의 미세한 조각은 자기발화 경향이 있으므로 절삭가공에서는 특별한 안전장치를 해야 한다. 순수한 마그네슘의 많은 부분이 마그네슘 합금과 알루미늄 합

금으로 제조하는데 사용되며, 그 외에도 강의 탈유황과 구상 흑연주철제조에 응용되며 주철의 용탕처리에서 Mg는 주철의 양호한 기계적 성질을 갖게 하는 흑연을 라멜라(lamellar) 대신에 구상(globular) 형태로 만들 수가 있다.

6.6.2
미그네슘 합금

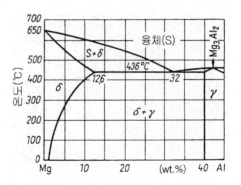

그림 6.143 Mg-Al상태도의 Mg가 많은 영역.

Mg-Al 및 Mg-Al-Zn합금계

이 합금은 가공용과 주물재료로 제조되고, 특징은 이미 알고 있는 것과 같이 낮은 밀도이므로 비행기구 및 자동차 산업에서 경량재료 구조에 큰 의미가 있다. 1세대 합금은 사용성질에서 단점을 나타내는데, 특히 공기 중에서 그리고 습기가 있는 분위기에서 내식성이 좋지 않다. 오늘날 알려져 있는 것과 같이, 다른 합금원소와 동반원소인 Cu, Fe 및 Ni 등과 결합함으로써 부식되기 쉬운 성질이 높아지는 원인이 되며, 이것은 석출물로 조직 내에 존재한다. 이 석출물은 기지 조직과 다른 전기화학적 전위를 가지고 있다. 부식매체(전해액)가 존재하면 미시적 부식원소 작용을 하여 조직을 파괴하게 된다. 새로운 경제적인 제조기술을 통하여 제 2세대 새로운 합금의 순도를 현저하게 높임으로써 내식성을 개선할 수 있다. 이러한 상태를 기반으로 하여 지금의 마그네슘 합금 응용영역이 차량산업에서 크게 증가되었다. 오늘날 hp(**high purity**)합금 종류가 알루미늄 합금과 유사하게 특별한 부식방지 조치 없이

도 습기가 있는 공기에서 응용할 수 있게 된다. 이 합금에서는 불순물 원소의 종류에 따라 최대 허용한계를 규정하는데 (ASTM B 117, DIN EN 1754)$10^{-2} \sim 10^{-3}$% 영역으로 한다. 전통적인 마그네슘 합금은 대개 3원 합금으로 합금원소 Al을 우선 받아들이며 계속된 합금원소는 Zn, Mn 및 Si이다. 알루미늄과 비교하면 이들 합금원소의 농도는 낮다. 그림 6.143은 Mg-Al상태도의 마그네슘이 많은 쪽을 나타낸 것인데 Mg와 γ 상($Mg_{17}Al_{12}$, 결정구조형 A12)은 공정부분계를 생성하며 공정점은 32%Al, 온도는 436℃에 있다. Mg의 Al에 대한 용해도는 온도가 강하됨에 따라 감소되며, 공정온도에서 육방 δ 고용체는 12.6%Al을 용해하고 100℃에서는 용해도는 2.3%Al로 감소된다. 기술적으로 사용되는 마그네슘 합금은 최대 9%Al을 함유하며 상태도에서 합금을 융체 영역으로부터 서냉하면 δ 고용체로부터 γ 상의 석출물이 생성된다.

원자의 낮은 확산속도로 인하여 재료계에서 열역학적 평형이 이루어짐으로 평형조직의 생성이 저지된다. 실제적으로 통용

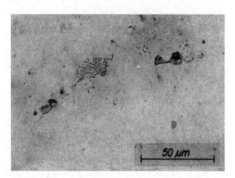

그림 6.144 사형주조 합금 G-MgAl2Zn의 초정조직, 밝게 부식된 δ 고용체, δ 입계에 입자형 및 라멜라형 γ 상.

그림 6.145 사형주조 합금 G-MgAl9의 초정조직, 밝게 부식된 δ 고용체, δ 입계에 입자형 및 라멜라형 γ 상.

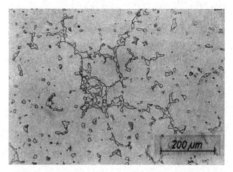

그림 6.146 금형주조 합금 GK-MgAl6Zn3의 초정조직, 밝게 부식된 δ 고용체 및 δ 입계에 입자형 γ 상.

되는 냉각조건에서 공정조직성분을 함유한 δ 고용체 외에도 많은 조직을 관찰할 수 있다. 공정의 δ 상이 이미 존재하는 δ 고용체에서 결정화되고 조대한 입자형상이 γ 상이 δ 입계에 나타남으로 공정은 변종된다. 오늘날 규격으로 되어 있지 않은 주조합금 G-MgAl2Zn 및 G-MgAl9(그림 6.144 및 145) 또한 금형주조 합금 GK-MgAl6Zn3 (그림 6.146)의 조직사진에서 그와 같은 조직을 볼 수 있다. 사형주조된 합금 조직의 δ 입계에는 입자형 γ 상 외에도 라멜라 (lamellar)조직성분이 존재하며, 그 생성형상은 강의 조직에서 펄라이트(pearlite)를 연상케 하는데 여기서는 공석으로 간주하지는 않는다. 이러한 γ 상의 라멜라는 δ 고용체로부터 석출과정을 통하여 더 많이 생성되며, 곧 균질한 δ 영역으로부터 서냉하면 용해도선에 미달된다.

압출한 가공용 합금 MgAl9Zn1(AZ91F)의 조직생성을 그림 6.147에 3종류의 길이방향 시편으로 나타낸다. 그림 a는 낮은 배율에서 선상 2차 조직을 나타내는데 압출

을 통하여 변형 방향으로 입자가 늘어나 있다. 그림 b와 c는 고배율로 다시 나타낸 것으로 연마하고 부식하지 않은 길이방향 시편에서는 조대한 선상으로 배열된 입자들을 볼 수 있는데 이것은 EDX-정성분석을 통하여 Al-Mn 화합물로 규명되었다. 그 밖에도 γ 상($Mg_{17}Al_{12}$)으로 배열된 미세한 입자들도 식별된다. 부식한 후(그림 c) 에는 또한 δ 고용체간의 입계도 보인다.

그림 6.148에는 사형주조한 마그네슘 합금의 몇 가지 기계적 특성에 미치는 알루미늄 함량의 영향을 나타낸 것으로 약

a)

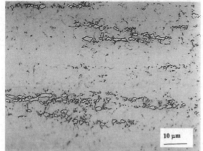

b)

c)

그림 6.147 압출한 합금 MgAl9Zn1(AZ91F)의 선상 2차 조직 : a) 낮은 배율, 길이방향 시편을 0.5% 알콜성 HNO₃로 부식 : b) 높은 배율, 연마된 길이방향 시편, 선상으로 배열된 Al-Mn상의 조대한 입자와 δ 고용체 기지에 미세한(Mg₁₇Al₁₂)입자 : c) 높은 배율, 밝게 부식된 δ 고용체선, 선상으로 배열된 Al-Mn상의 조대한 입자와 미세한(Mg₁₇Al₁₂)입자, 길이방향 시편을 0.5% 알콜성 HNO₃로 부식.

6%Al까지 인장강도, 파단연신 및 경도는 증가되는데 이 효과는 Mg의 **고용체강화**와 γ 상의 석출에 의한 **입자강화**로 설명되며,

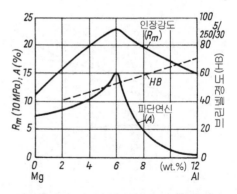

그림 6.148 알루미늄을 함유한 사형주조한 마그네슘 합금의 기계적 특성 의존성, Spitaler에 의함.

알루미늄 농도가 6%이상에서는 인장강도와 파단연신이 감소됨을 볼 수 있다. 이 효과는 전체 조직에서 조대한 γ 입자의 높은 체적률의 작용에 기인된다. 마그네슘 주조 합금은 사형주물, 금형주물, 압력주물 및 정밀주물 등으로 제조되는데 합금의 종류는 다음과 같다. :

• MgAlZn군(AZ-합금)에는 G-MgAl8Zn1 (AZ81, DIN 1729-2, 새로운 규격으로는 DIN EN 1753 : EN-MCMgAl8Zn1) 및 G-MgAl9Zn1(AZ91, DIN 1729-2, 새로운 규격으로는 DIN EN 1753 : EN-MCMgAl9Zn1), 부분적으로 주조후에 균질화 어닐링한다.

• MgAlSi군(AS-합금)에는 허가 의무 합금 G-MgAl4Si1(AS41, DIN 1729-2, 새로운 규격으로는 DIN EN 1753 : EN-MCMgAl4Si), 높은 내열성을 나타내고 열응력을 받는(약 150℃까지)구조물 등의 제조에 응용된다.

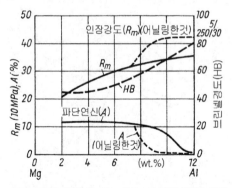

그림 6.149 압출한 마그네슘 가공용 합금에서 기계적 특성에 미치는 알루미늄 함량의 영향. Spitaler에 의함.

그림 6.149는 압출한 가공용 합금의 알루미늄 함량에 따른 기계적 성질 의존성을 나타낸 것인데 경도와 인장강도는 알루미늄 함량의 증가와 함께 상승되었고, 이 효과는 마그네슘의 **고용체경화**, 조직 내에 γ 상의 체척 증가와 또한 미세립자와 2차조직의 균일한 생성에 기인한 것이다. 파단연신은 약 6%Al까지 일정하게 유지되다가 그 이후 떨어진다. 높은 알루미늄 함량에서 파단연신의 감소는 취성의 γ 상의 양이 조직 내에 증가된 것이 원인이다. 이 설명은 어닐링 처리가 균질화된 시편의 인장강도와 파단연신에 미치는 영향을 통하여 이루어지며, 그림 6.149에서 점선으로 곡선가지에 나타낸다. 균질화 어닐링 된 시편밀도는 용해도 선 이하에서 δ 고용체로부터 이러한 석출을 통하여 γ 상의 양이 증가되어 생긴다. 이러한 조직변화는 시편의 인장강도 상승과 파단연신의 감소를 일으킨다. 인발성형품과 판과 같은 중간제품이나 또한 다이 단조품 등을 제조할 때는 MgAl3Zn1 (AZ31), MgAl8Zn1(AZ81) 및 MgAl9Zn1 (AZ91)

등의 합금을 응용한다.

Mg-Al-Mn(AM 합금) 합금계

Mn을 합금하면 Mg의 높은 내식성을 얻게 되는데 이 원소는 다른 동반원소(예 : Fe)들과 결합하여 이 결합물이 용탕으로부터 분리되기 때문이다. 압력주조 합금AM20 (EN-MgAl2Mn), AM50(EN-MgAl5Mn) 및 AM60(EN-MgAl6Mn) 등은 높은 기계적 강도와 충격인성 및 우수한 연성을 나타낸다.

Mg-Y-SE-Zr 합금계

제2세대 합금으로는 알루미늄이 없는 WE -종류(WE43, WE54)에 속하는 것으로 또한 주물 및 가공용 합금으로 응용된다. 여기서 Mg의 다원 합금에는 지르코늄(Zr), 이트리움(Y) 및 각종 희토류 원소(SE)인 Na, Ce 및 La 등을 함유하고 있다. 마그네슘에 Zr을 합금하면 조직이 현저하게 입자가 미세화 되는 효과를 얻어 이들 알루미늄이 없는 종류의 합금의 기계적 강도와 연성이 상승하는 작용을 하게 된다. 그 밖에도 이들 합금에는 높은 내식성과 내열성이 나타난다. 그림 6.150에는 압출한 가공용 합금 WE43F의 조직으로 여기에는 약 4%Y, 3% 희토류 원소 및 0.5%Zr 등을 함유하고 있으며 밀도는 $1.84 g cm^{-3}$이다. 그림 a는 길이 방향시편의 조직인데 현저하게 다면체 δ 입자로 이루어져 있으며 일부 쌍정도 함유하고 있다. 변형방향은 수평에 놓여 있으므로 길이방향 시편에는 일정한 줄모양을 볼 수 있다. 그림 b에는 단면시편의 조직을 다시 나타낸 것으로 육방형 δ

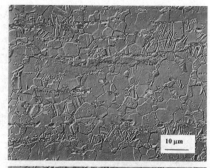

그림 6.150 가공용 합금 WE45F(Mg-4Y-3SE -0.5Zr)의 미세립자 조직, a) 길이방향 시편, 선상 2차 조직과 부분적으로 쌍정의 δ 입자와 불균일한 작은 조각, b) 단면 시편, 약간의 쌍정과 불균일한 작은 조각을 가진 다면체 δ 입자, 0.5% 알콜성 HNO_3로 부식.

고용체의 다면체 입자를 함유하고 약간의 쌍정만 존재한다. 기대한 대로 여기에는 줄 모양을 관찰할 수 없다. 두 시편 사진에는 또한 균일하지 않은 δ 입자의 작은 조각들을 볼 수 있다. WE-합금의 기계적 성질은 용체화 어닐링과 열간 시효열처리를 통하여 조정할 수 있다.

Mg-Li, Mg-Li-Al 및 Mg-Li-Al-SE 합금계

현재 Mg-Li합금(예: MgLi4), 여기에는 또한 부분적으로 다른 합금원소인 Al과 희토류원소(예: MgLi4Al3 또는 LA43, Mg Li4Al8 또는 LA48)를 함유한 합금을 계속 개발하고 실용화하기 위하여 매우 강도 높은 노력을 기울이고 있다. 다원 합금은 2원 합금과 비교하면 높은 기계적 강도를 나타낸다. 합금원소 Li은 사용 성질에 두 가지 중요한 효과를 나타내는데 낮은 밀도($0.53gcm^{-3}$)는 마그네슘 합금의 밀도(약 $1.4gcm^{-3}$)를 더욱 감소시키는 작용을 함으로써 가벼운 구조재료로 결정적인 중요성을 갖게 된다. 그 밖에도 Li원자가 Mg 결정격자 내에 들어가면 육방형 단위세포의 c/a비가 감소됨으로써 프리즘 슬립이 낮은 온도에서도 작용하게 되어 합금의 연성이 높아져 냉간 성형성이 우수하게 된다.

현재에는 임시 이식조직인 생체재료로써 마그네슘 합금을 응용하기 위한 연구가 광범위하게 집중 진행되고 있으며, 여기에는 합금(WE43)의 두 가지 성질을 적용하는데 하나는 생체조직의 이식에서 시간에 따라 생체열화를 일으키는 작용으로 여기에는 구조물의 유독성이 없거나 아주 낮아야 하고 다른 하나는 마그네슘 합금이 살아있는 경질 조직과 접촉되어 있으므로 탄성이 일정하고 강도를 가져야 함으로 이식 조직과 경질 조직사이의 계면영역에서 낮은 강성(stiffness)과 적당한 구조적 적합성을 가져야 한다.

추가 : 보충 전문문헌

1. Beck, A., Magnesium und seine Legierungen, Reihe Klassiker der Technik, Springer Verlag, 2001

2. Magnesium-Taschenbuch, Herausge-

ber: Aluminium-Zentrale Düsseldorf,
Aluminium-Verlag, 2000

6.7
티탄과 티탄 합금

6.7.1
순수 티탄

티탄 제련의 원재료에는 금홍석(Rutile : TiO_2)과 산화티탄 철광(Ilmenite : $FeTiO_3$) 등이 있다.

선광 후에 산화티탄으로 광석을 부화하여 염소처리를 하면 4염화티탄이 얻어진다. 특수 반응 장치에서 4염화티탄을 Mg (**Kroll법**) 또는 Na(**Hunter법**)에 의해 스펀지로 하여 아직도 불순물이 있는 티탄을 환원시킨다. 세정처리를 한 후 티탄 스펀지를 진공 또는 아르곤 분위기에서 용해하여 중간제품으로 계속 가공할 수 있는 주괴(ingot)로 주조한다. 여기서 매우 간단하게 나타내면 제련공정에 많은 경비가 소요되어 고가 금속의 원인이 된다는 것이다. 순도에 따라 티탄을 Ti1~Ti4의 4가지 종류로 나누는데 Ti1(1급)은 순도가 가장 높으며, 티탄의 중요한 동반원소는 Fe, O, N 및 H 등이고 특히 마지막에 언급한 3원소는 티탄과 높은 친화력을 가지고 있다. 이들은 이미 매우 적은 농도에서도 금속의 가공 및 사용 성질에 영향을 미치므로 티탄 내에 O, N 및 H의 농도 증가와 더불어 강도가 현저하게 상승하고 연성의 감소를 관찰하게 된다.

a)

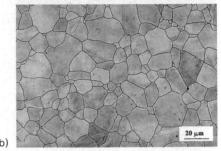
b)

그림 6.151 재결정화된 순수 티탄의 조직, a) 연마된 시편을 편광으로 관찰, b) 입계부식 후 명시야에서 관찰, Timi3으로 부식, 다면체 α 결정.

티탄에는 동질이상(polymorph)변태가 일어나는데 낮은 온도에서는 조밀육방으로 충전된 α 변태가 일어나고(결정구조형 A3), 882℃ 이상에서는 체심입방 β 상(결정구조형 A2)이 존재한다. 그림 6.151은 재결정화된 티탄(Ti 99.8)의 조직을 나타내고, 그림 6.151 a는 연마한 시편을 편광을 사용한 것이며, 입자구조를 가시화하기 위하여 육방구조의 광학적 이방성을 이용하였다. 입자간의 방향성 차이로 인하여 이러한 각기 다른 색깔로 보인다. 그림 6.151 b는 조직 사진을 비교하기 위하여 입계부식하고 **명시야(bright field)**에서 관찰 하였다.

순수티탄의 $(\beta \rightarrow \alpha)$ 변태는 β 영역으로부터 가속된 냉각으로 억제되지 않았다. 그

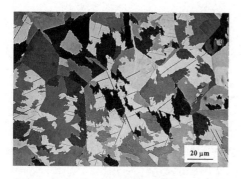

그림 6.152 순수 티탄을 1000℃에서 30분간 어닐링하고 수냉한 조직, Timi7으로 부식, 육방형 α 결정.

림 6.152는 순수티탄을 1000℃에서 수냉한 조직을 나타낸 것으로 조직 내의 입자의 크기와 형태가 그림 6.151과 비교하여 변화 되었으며 새로 생성된 입자 내에는 침상의 미세구조와 입계는 불규칙하게 진행되어 있다. 이러한 조직변화는 높은 냉각속도로 $(\beta \rightarrow \alpha)$변태 속도에 영향을 미치는 것으로 설명 된다. 수냉을 통하여 티탄원자의 확산이 억제되어 체심입방 → 조밀충전된 육방으로의 격자변태가, 결정격자의 전단을 통한 **마르텐사이트변태**에서와 유사하게 일어난다.

티탄은 낮은 밀도를 가지고($4.5 \mathrm{gcm}^{-3}$)있으므로 경금속에 속한다. 여기에 높은 기계적 강도가 결합된 티탄의 수많은 가공 및 주조 합금이 가벼운 구조에 중요한 의미를 가지며, 특히 우주항공 산업에 응용된다. 표준저항 계열(series)에서 강한 전기적 음성 전위를 나타내나($-1.75V$) 티탄은 금속의 자연적인 부동태화로 설명되며 특히 내식성이 우수하다. 금속의 산소와의 반응으로 인하여 얇고, 매우 내구성인, 치

밀하고 접착성이 좋은 산화티탄(Rutile) 보호막 층이 생성되며, 이 층은 계속된 부식 공격에서 티탄을 보호하게 된다. 가공 또는 사용부하에서 생성 될 수 있는 부동태 층의 결함은 빠르게 진행되는 재부동태화로 인하여 짧은 기간에 없어진다. 높은 내식성으로 인하여 티탄과 몇 가지 그 합금은 화학장치와 기구 또한 특수 선박구조 및 해상기술에 광범위하게 응용되며, 그외에도 이 재료의 표면에 존재하는 부동태 층은 생체 적합성이 우수하다. 그러므로 순수한 티탄과 일정한 티탄 합금은 생체재료로서 적합하다.

20℃에서 존재하는 조직구조에 따라 티탄 합금을 구분한다. :

- α 및 근사 α 합금, 조직에는 조밀 육방 충전된 α 고용체 또는 적은 β 석출물이 존재하는 α 고용체.
- $(\alpha + \beta)$ 합금, 조직은 α 상 및 체심입방 β 상으로 이루어져 있으며 마르텐사이트 상 천이를 나타냄.
- 준안정 β 합금, $(\alpha + \beta)$조직을 가지며 더 이상 마르텐사이트변태를 하지 않음.
- β 합금, 조직에는 β 상만 나타남.

그림 6.153에는 각종 2원계의 도식적인 상태도를 나타낸 것이며, 그리고 티탄의 합금원소를 두 군으로 나누었다.

하나는 이 원소가 $(\beta \rightarrow \alpha)$변태의 변태점에 영향을 미치지 않거나 또는 높은 온도로 이동 시킨다(그림 a 및 b). 이 원소는 육방형 α 상의 안정화 작용을 한다. 다

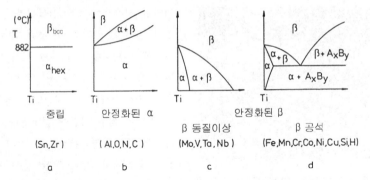

그림 6.153 티탄의 2원 재료계의 상태도를 도식적으로 나타낸 것, M.Peters에 의함.

른 합금원소(그림 c 및 d)에서 다른 원인으로 변태점을 낮은 온도로 이동시키며, 체심입방 고온상 β 의 존재영역을 확대 시킨다.

β 동형원소의 경우 이들 원소가 합금 내에 높은 농도로 존재할 때 β 상의 안정화를 20℃까지 가능하게 된다. β 공석 합금원소는 티탄과 금속간 화합물을 생성하여 조직의 불균질화를 조장하게 된다(그림 d). 기술적으로 통용되는 티탄 합금은 대부분 다원 합금이며, α 뿐만 아니라 β 안정화 원소를 함유하고 있다. 그러므로 20℃로 냉각한 후의 합금에 존재하는 조직은 원소의 종류와 농도에 의존한다. 그림 6.154는 M.Peters의 발표자료인데 3차원 변태 상태도로 α 안정화 알루미늄과 β 안

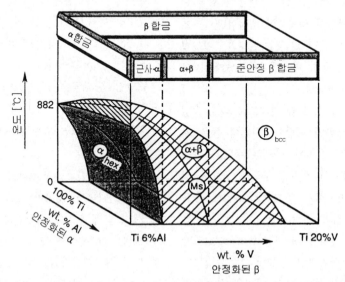

그림 6.154 조직구조에 따른 티탄 합금의 분류에서 도식적인 3차원 변태 상태도, M.Peters에 의함.

정화 바나듐의 $(\beta \rightarrow \alpha)$변태 온도위치에 미치는 영향과 이에 따른 20℃로 냉각한 후 존재하는 조직을 도식적으로 나타낸 것이다. 이 변태상태도에서 Ms 선도 나타냈으며 $(\alpha + \beta)$ 합금에서 β 영역으로부터 가속된 냉각을 통하여 원자의 확산이 제한될 수 있어 마르텐사이트변태 $\beta \rightarrow \alpha'$가 일어난다. α' 마르텐사이트는 조밀충전 된 육방결정구조(결정구조형 A3)를 가지고 합금원소가 과포화 된 준안정 고용체가 존재하며, 그 냉각 작용은 비교적 적다.

6.7.2
α 및 근사 α 합금

β 안정화 원소를 가장 적게 함유한 α 및 근사 α 합금은 가공용 및 주조용 합금으로 사용된다. 표 6.15는 통용되는 합금의 종류를 개괄한 것이다. α 및 근사 α 합금의 기본적인 합금원소는 알루미늄이다. 그림 6.155는 Ti-Al 2원재료계의 상태도를 나타낸 것인데 Al은 $(\beta \rightarrow \alpha)$ 변태온도를 높은 온도로 이동시키며 상태도의 티탄이 많은 쪽에 α 고용체의 존재영역을 확대 시킨다. 낮은 온도에서는 티탄은 약 24%Al을 고용체 형태로 용해할 수 있다. 20℃에서 합금의 조직은 조밀하게 충전된 육방형 α 고용체로 되어 있으며, 여기서 입자 크기 뿐만 아니라 입자의 생성형태와 입계가 순수한 티탄에서 변형처리를 적용한 것과 유사하게 합금의 열처리에 좌우된다. 균질한 조직구조로 인하여 높은 내식

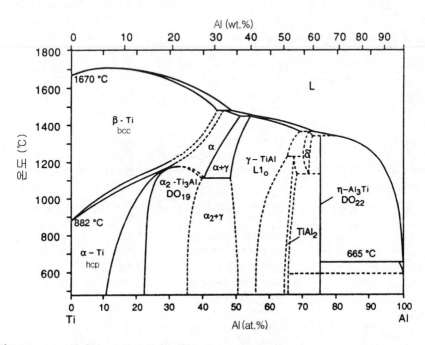

그림 6.155 Ti-Al상태도, Kumpfert에 의함.

성이 나타나며, 특히 약 0.2%Pd를 함유한 Ti-Pd 합금에서 나타난다. α 합금은 높은 내식성으로 인하여 주로 내식성 구조물(예 : 창고탱크, 용기, 관장치, 열교환기, 펌퍼), 화학 공업에서 셀루로스 및 종이공업, 아연도금 및 해상기술 등에 응용된다.

근사 α 합금은 α 입자의 조밀충전 육방 결정 구조이고 합금원소를 통한 고용체 경화로 인하여 증가된 크립강도가 나타난다. 여기서 특수한 작용은 적은양의 Si첨가로 전위크립을 방해하게 됨으로 근사 α 합금은 고온(약 550℃까지)에서 사용이 적합하다. 예를 들면 : 항공기 가스터빈의 낮은 또는 중간 압축휠 및 디스크 등.

6.7.3
$(\alpha + \beta)$ 합금

이 합금군의 대표적인 것은 표 6.15에 제시하였으며 기술적으로 가장 광범위 하게 응용되는데 이미 지난 50년 전부터 구조재료로 통용되고 있는 특수합금 TiAl6V4이 있다. 주어진 화학조성에서 $(\alpha + \beta)$ 합금의 조직생성은 기술적 처리에 좌우되며, 여기서 실제적으로 열처리 이외에도 열적·기계적 처리도 역시 응용된다.

그림 6.156은 TiAl6V4합금의 β 영역으로부터 냉각속도가 조직구조에 미치는 영향을 나타낸 것으로 그림 a에는 노내에서 냉각한 시편의 조직을 다시 나타낸 것인데 α 상의 조대한 라멜라(lamellar)와 잔류 β 상으로 되어 있고 α 입자 사이에 배열되어 있다. 고온상의 변태는 낮은 냉각속도로 인하여 확산이 제어되었다. 그림 b는 공랭한 시편의 조직으로 초정이 생성되었고 라

표 6.15 티탄의 여러 종류 합금군의 예

합금형	예	$T_{\beta/\alpha}$ [℃]
α 합금	TiAl5Sn2.5	1040
	TiPd0.2	915
	TiMo0.3Ni0.8	880
근사 α 합금	TiAl8V1Mo1	1040
	TiAl5.9Sn2.6Zr3.8Mo0.4Si0.5	1010
	TiAl5Sn5Zr2Mo2Si0.25	995
(α + β) 합금	TiAl6V4	~995
	TiAl6Nb7	945
	TiAl6V6Sn2	940
	TiAl6Sn2Zr4Mo6	975
	TiAl4Sn2Mo4Si0.5	800
준안정 β 합금	TiV10Fe2Al3	815
	TiMo15Nb2.7Al3Si0.2	795
	TiAl3V8Cr6Mo4Zr4	
β 합금	TiMo30	
	TiMo40	
	TiV35Cr55	

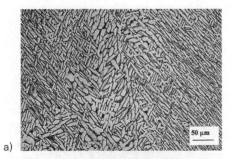

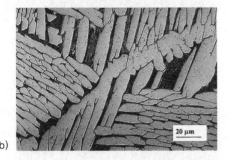

그림 6.156 TiAl6V4 가공용 합금에서 β 영역으로부터 냉각속도에 따른 조직, Timi7로 부식, a) 노냉, b) 공냉, c) 유냉, d) 수냉.

멜라 α 상은 여기서 현저한 조직성분 외에도, α와 β 상의 양으로 이루어져 있는 미세한 침상 조직 성분도 관찰된다. β 영역으로부터 합금의 작은 시편을 기름에 냉각하면 그림 c에 나타낸 조직을 갖는다. 초정 α 입자의 면적 비와 크기는 β 영역으로부터 가속된 냉각으로 인하여 현저하게 감소되었으며, 이러한 효과는 열적 활성화된 자리바꿈의 방해에 기인한 것이다. 확산 제어된 변태대신에 마르텐사이트 단계에서 고온상의 변태가 우선하여 일어나고 그 후에는 α' 마르텐사이트의 조직부분이 나타난다. 그림 d)는 수냉한 시편의 조직으로 완전히 미세한 침상 α' 마르텐사이트로 이루어져 있으며, 이전의 β 입계를 분명히 볼 수 있다. 이전에 나타낸 변태거동과 조직구조는 작은 시편에 대하여 유효하다. 이 열처리를 두꺼운 시편 또는 반제품에 적용하면 냉각속도가 변하여 불균일한 조직이 생성 되는 것을 단면에서 관찰하게 된다.

그림 6.157에는 $(\alpha + \beta)$ 합금 TiAl6Nb7 시편의 조직사진을 나타낸 것인데 β 영역으로부터 각기 다른 냉각속도로 냉각하였다. 이 합금에서는 냉각속도가 변태거동에 미치는 영향과 유사함을 나타내고 조직생성은 TiAl6V4에서와 흡사하다. β 영역으로부터 노중에서 서냉한 후에는 조대한 라멜라 α 상과 결정 내 잔류 β 상으로 구성되어 있다(그림 a). β 영역으로부터 냉각속도가 증가됨에 따라 초정 α 입자의 면적이 감소되고 침상조직성분이 나타난다(그림 b 및 c). β 영역으로부터 수냉 후의 조

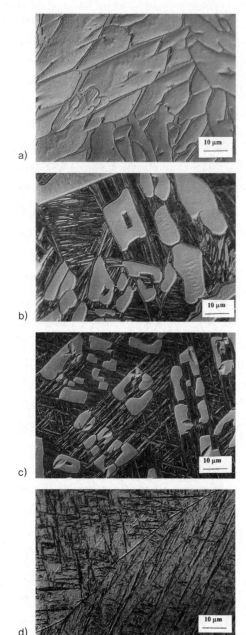

a)

b)

c)

d)

그림 6.157 TiAl6Nb7 가공용 합금을 β 영역으로부터 냉각할 때 냉각속도 의존성을 나타내는 조직, Timi7 로 부식. a) 노냉, b) 공랭, c) 유냉, d) 수냉.

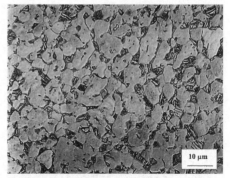

그림 6.158 TiAl6Nb7 합금의 재결정 상태 조 직. Timi3으로 부식.

직은 완전히 미세한 α' 마르텐사이트로 된 다(그림 d).

그림 6.158에는 합금 TiAl6Nb7의 전체 적인 조직을 나타낸 것으로 변형 후에 $(\alpha + \beta)$ 영역에서 재결정화 한 것인데 밝 게 부식된 α 입자와 라멜라 조직성분으로 구성되어 있고 이것은 α 및 β 상으로 이 루어져있다. 이와 같은 조직의 상조성과 입자크기는 어닐링 온도와 열처리의 유지 시간에 좌우된다. α 합금에 근사 α 합금 과 비교하면 열적·기계적 처리를 한 상태 (열간성형 + 용체화처리 + 시효)의 $(\alpha + \beta)$ 합금은 우수한 인성과 기계적 강도가 현저 하게 높다. 낮은 밀도와 사용 성질로 인하 여 항공기 구조에서 기계적 고응력 구조물 을 제조하게 된다(예 : 항공기 가스터빈의 저압 콤푸레셔 블레이드와 판, 착륙용 프 레임과 착륙용 기어 부품, 헬리콥터의 로 토 헤드 등). TiAl6V4와 TiAl6Nb7 합금은 우수한 기계적 성질 외에도 높은 생체 적 합성과 내식성이 있으므로 하중을 지지하는 이식조직에 사용된다(예 : 좌골관절, 접골 용 부목 및 나사, 치과 이식조직 등).

6.7.4
준안정 β 합금

이 합금은 불균질 ($\alpha + \beta$) 조직으로 되어 있으며, 조직 내에서 α 상의 체적비는 약 50%까지 점유할 수 있다. ($\alpha + \beta$) 합금과는 변태거동이 다르며, β 안정화 합금원소의 높은 농도로 인하여 β 영역으로부터 급랭하여도 마르텐사이트 상 천이가 나타나지 않는다(그림 6.153). 합금을 β 영역으로부터 수냉하면 β 상을 많이 관찰할 수 있다.

주어진 화학조성에서(표 6.15) 조직구조와 이에 따른 합금의 사용성질은 열적·기계적 처리에 따라 좌우된다. 이러한 여러 단계의 처리에서 공정인자(process parameter)(열간성형, 용체화 어닐링, 시효)가 조직 내에 입자 크기뿐만 아니라 생성형태 및 분포 등을 결정하게 된다. 준안정 β 합금은 ($\alpha + \beta$) 합금과 비교하여 우수한 단면 경화성이 있으므로 단면의 성질이 균일한 장점을 가지고 있다. 준안정 β 합금은 매우 우수한 정적 강도로 인하여 높은 내구강도와 충분한 파괴인성을 나타낸다. 약간 높은 밀도에도 불구하고 항공기 구조와 우주산업에서 고강도 가벼운 구조재료로 응용된다(예 : 항공기의 착륙장치, 헬리콥터의 로토 헤드, 스프링). 어떤 합금(예 : TiV15Cr3Al3Sn3, TiMo15Nb2, 6Al3SiO.2)은 우수한 냉간성형성을 나타내므로 판과 포일(foil) 제조에 적당하다.

6.7.5
안정 β 합금

이 합금은 균질한 β 조직을 나타내며, 무거운 원자 합금원소(Mo, Cr)의 함량이 비교적 높으므로 약간만이 사용되고 티탄 합금으로써의 특정한 사용성질을 가지고 있지 않다.

6.8
귀금속과 그 합금

6.8.1
개괄

금, 은 및 백금은 1700년대에는 장신구, 사치품 및 화폐로 사용되었으며, 다섯 가지 백금 동반 금속으로 Pa, Rh, Ir, Os 및 Ru 등이 1900년대에는 화학분석방법으로 개발되었다고 기술되어 있다.

다음에 다루는 모든 경우에는 Au, Pt, Pa, Ag 등과 그 합금의 최신 기술적 응용으로 장치 및 구조물에 이들 금속의 매우 우수한 전기적 성질 외에도 화학적 내구성과 대부분의 경우 낮은 산화성을 활용하게 된다.

Ag, Au, Pt 및 그 합금은 우선하는 중요성을 가지고 있다. Pa는 특히 낮은 밀도로 인하여 모든 Pt금속에서 값이 저렴함으로 Pt와 Au의 치환금속으로 특수한 역할을 한다. 그 외 Pt 동반 금속은 몇 가지 특수 응용의 경우를 제외하고는 주조 합금 금속으로 다룬다.

6.8.2
Ag 및 그 합금

6.8.2.1 순수 Ag

은(Ag)의 대부분은 Pb와 Cu 광석을 제련할 때 부산물로 나오고, 순수한 형태로는 적은 양만이 산출된다. 첫 번째의 경우, Pb정제 공정단계에서 Ag제조가 시작되었는데 Pb용탕에 Zn을 첨가하면 Ag는 Pb표면에 Ag-Zn-Pb 합금으로 분리된다. 이것은 소위 부화거품으로 정류를 통하여 Zn을 떼어낸다. 남아있는 Pb-Ag 합금은 축출공정(extract process) 계속작업으로 산화된 용탕의 용융산화 Pb로부터 조(粗)Ag가 분리된다.

구리광석에 함유된 Ag는 양극 Y(slime)에서 구리 전기분해 작업단계를 통하여 부화거품과 유사한 것을 축출노에서 또는 다른 공정작업으로 조(粗)Ag가 생산된다. Ag의 정류는 대부분 전기분해법으로 이루어지며, 회수된 재료로부터 순금속으로써 Ag가 재회수되고 스크랩은 또한 나머지 귀금속 회수와 같이 양이 많이 증가되어 국민경제에 매우 중요하다. 이것은 부수적으로 얻어지는 중고 재료의 종류와 다른 용해방법 또는 습식제련방법에 의하여 얻어진다. Ag재료의 주 수요는 전기, 전자기술, 장식 및 금속제품 산업, 기계 및 기구구조 등이며, 사진 산업에는 ≈30%나 가장 크게 차지한다.

순 Ag는 99.96%Ag를 함유해야 하며, ≤ 200ppm Cu, ≤ 1ppm Pd 및 ≤ 100ppm 기타 금속이고 이중 Pd ≤ 30ppm, Bi ≤

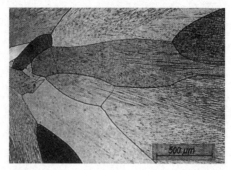

그림 6.159 주조된 순 Ag의 조직, 조대한 Ag결정립.

20ppm 및 Zn ≤ 20ppm 등의 함유가 허용된다. 전자기술에는 전도 및 접촉재료로 사용되는 Ag는 >99.9%Ag이며, 순 Ag를 "E-Ag"라고 한다. 높은 금속순도로 인하여 결함으로 외부 핵 또한 용탕을 금형에 과냉함으로써 비교적 균일한 구상의 주조조직 생성을 이룰 수 있다(그림 6.159). 순수 Au와 Pt에서와 유사하게 **횡단결정화(transcrystallzation)**와 수지상 응고가 광범위하게 억제된다. 순 Ag는 매우 변형하기 쉬워, 중간 어닐링 없이도 냉간변형도 >90%가 가능하다. 재결정온도는 낮고 순도와 선행된 변형에 따라 110~130℃에 존재한다.

연화어닐링 상태에서 0.2% 연신한계는 20~30MPa에 있으며, 인장강도는 약 140MPa에 이르고, 파단연신은 >40% 및 브리넬경도는 25~28 HB가 된다.

용기, 통 제조와 부식적인 화학 공정의 배관 등에는 순 Ag가 광범위하게 사용된다. 순 Ag는 구리, 청동 및 황동 등과 같은 모든 통용되는 운반재료에 양호한 도금성을 가지고 있다. 구조물의 내면 또는 외면에 도금한 중간제품을 가공하여 사용함으로써 부식공격으로부터 보호되며 여기서 도금 층 두께는 한계를 더욱 확대한다. 부분적으로는 용기의 외피가 손상된 경우도 Ag판이 사용된다. 접합 작업은 용융용접법으로 실시된다. Ag는 암모니아 용액, 단순한 염용액, 알카리수산화 용액, 및 비산화성 산(acid)의 희석된 용액 등에 대해서는 양호한 내구성을 가지고 있으나 유황, 할로겐, 산 용융, 산화성 산용액 청화 알카리 용액 및 복합생성용액에는 심하게 부식된다. 다른 모든 금속재료에 대하여 Ag는 가장 우수한 전기적 및 열적 전도성을 나타낸다. Ag는 약전뿐만 아니라 강전기술에도 낮은 접촉저항을 가진 적당한 가격의 귀금속 접촉재료로써 이미 응용된다. 약전기술에서는 미세한 이동에 대한 낮은 내구성과 표면층생성으로 인한 접촉저항의 저하, 특히 공기 중의 유황이 함유된 화합물의 영향 등으로 인하여 그 응용 한계가 제한된다. 강전기술에서 순 Ag는 개폐장치의 용량을 높인다면 접촉재료로써 더 이상 적합하지 않다. 낮은 강도와 경도, 낮은 재결정 온도 및 용융온도로 인하여 기계적 비마모성과 내연소성은 제한된다. 순 Ag의 용접성과 직류 개폐장치에서 재료이동 경향 등은 충분하다. 순 Ag에 비하여 내연소성 및 합금생성에 의한 용접성, 분산강화와 금속 또는 비금속 석출물에 의한 복합재료화 등으로 강도성질이 개선된다. 6.8.2.4절에서 다루게 될 Ag 산화 카드뮴 복합재료에서 우수한 용접성과 연소성으로 인하여 특히 높은 응용범위가 달성된다.

6.8.2.2 Ag-Ni

Ag와 Ni은 고체상태에서 상호 근접된 불용성이며, 액상상태에서는 넓은 **용해도 간극(miscibility gab)**이 나타난다(그림 6.160).

미세립자 Ag는 Ag-Ni 합금으로 0.15%Ni을 함유하여 고체상태에서 최대 고용도의 범위를 나타내고 액상에서 제조가능하다. 합금의 응고에서 니켈은 매우 미세한 형태로 분리되는데 이것은 일반적인 조직을 나타낼 때는 볼 수 없다.

그림 6.161과 6.162에는 재결정된 순 Ag와 열처리한 상태에서 미세립자 Ag의 조직을 상대적으로 나타낸 것으로 각기 다른

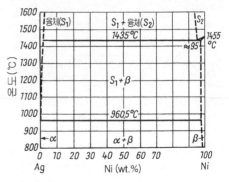

그림 6.160 Ag-Ni상태도.

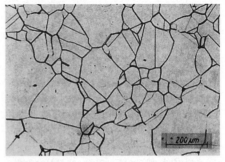

그림 6.161 순 Ag를 압연하고 재결정한 조직, 어닐링 쌍정을 가진 미소 Ag결정.

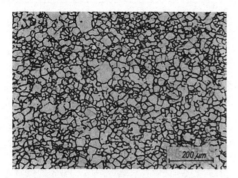

그림 6.162 순 Ag를 압연하고 재결정한 조직, 미세한 미소 Ag결정.

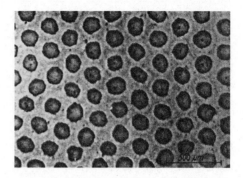

그림 6.164 Ag-Ni섬유강화 AgNi20의 단면 시편.

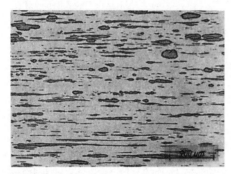

그림 6.163 섬유상 구조를 가진 압출한 합금 AgNi10의 조직. 길이방향 시편.

입자 크기와 전형적인 쌍정이 생성되어 있다. 미세립자 Ag는 매우 우수한 성형성과 순 Ag에 비하여 높은 강도와 재결정화 온도 또한 거의 같은 화학적 내구성에서 낮은 입자성장과 전기전도도의 미미한 감소 등을 나타내며, 접촉재료로서는 순 Ag에 비하여 내연소성 및 비마모성, 높은 사용온도에서 접착성과 용접성 등과 같은 높은 요구를 만족시킨다.

10~30%Ni이 함유된 Ag-Ni 접촉재료는 Ag보다 실제적으로 높은 경도와 강도, 낮은 용접성과 재료이동 또한 양호한 내연소성 등을 가지고 있다. 공칭전류 25A까지

개폐장치에 적당하며 보조전류 개폐장치(릴레이, 소형 보호장치 등)와 집안에서 사용되는 개폐장치 등에 응용된다. 이것은 상태도에 적용되는 용융야금으로는 제조되지 않음으로 분말야금에 의하여 의사(Pseudo)합금으로 생산된다. 개폐장치품을 직접 생산하기 위하여 단독 프레스 기술을 응용하면 분말제조 공정단계를 거쳐 제품이 완성되며, 혼합(경우에 따라서 혼합개별품을 합침), 프레스, 소결 및 검사 등으로 이루어진다. 압출기술의 경우에는 압출한 것을 블록(block)소결하며 중간제품으로 가공한다. 그림 6.163은 압출한 AgNi10의 조직으로 섬유상으로 길게 늘어난 니켈이 석출된 전형적인 것이다. Ag-Ni접촉재료는 연속섬유 복합재료로써 제조하게 된다. 니켈심(core)을 Ag로 입힌 피복선을 다발로 묶어 함께 성형한다. 이 방법의 응용장점은 높은 니켈함량의 재료(예, AgNi40)를 제조가능하며, 매우 균일한 니켈분포를 얻을 수 있고 섬유직경을 임의로 정할 수 있는 등이다.

그림 6.164는 20%Ni을 가진 Ag-Ni 섬유강화 복합재료인데 이와 같은 종류의 섬

유접착 선(wire)은 치밀하거나 또는 접착이 잘 된 접촉 리베팅 작업을 할 수 있다.

6.8.2.3 Ag-Cu

Ag-Cu 합금은 단순한 공정계를 형성하며(그림 6.165), α 고용체의 Ag영역은 공정온도에서 8.8%Cu를 고용하나 400℃에서는 ≈1.3%Cu만이 고용함으로써 Ag-Cu 합금은 석출 경화된다. 접촉재료로써 순 Ag에 비하여 높은 경도와 강도, 낮은 용접경향, 양호한 연소 특성 등을 가지고 있다.

단점으로는 Cu함량의 증가와 더불어 전기전도도와 내화학성은 떨어진다. Cu함량이 낮은 합금을 경질 Ag(AgCu3, AgCu4)라 하고, 순 Ag의 내화학성에 거의 도달하고 약전기술에 응용된다.

AgCu8 및 AgCu10 등과 같은 많이 합금된 Ag-Cu재료 접촉표면과 바닥에서 산화물 생성에 대한 저항이 약하여 접촉 또는 천이저항이 상승된다. 이것은 강전기술에서 중간전력 개폐장치에 유리하게 응용된다.

금속제품, 장식품 및 주화 등을 제조하는 합금에는 AgCu20 및 AgCu17를 주로 사용하는데 800er, 835er로 알려져 있다.

AgCu28(LAg72) 합금은 땜납재료로 자주 사용된다. 기술적인 가공상태에서 Cu-Ag 합금은 대개 불균질 조직이 생성된다. 그림 6.166은 α 고용체와 불균질 석출물을 가진 AgCu4의 주조조직으로 750℃에서 균질화어닐링 한 후 급랭하여 고용시켰다 (그림 6.167).

변형하고 재결정 어닐링 한 반제품에는 가끔 예를 들면 AgCu4판에서 선상조직과 같이 불균질 석출물이 나타나며(그림 6.168), AgCu28공정 합금의 주조한 상태에서 조직

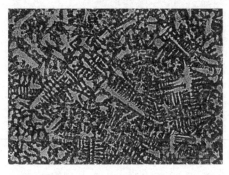

그림 6.166 AgCu4 합금의 수지상 초정조직, 초정 α 수지상 및 수지상간 영역(α+β).

그림 6.167 AgCu4 합금을 750℃에서 2시간 균질화 어닐링 한 후의 조직, 어닐링 쌍정을 가진 균질 α 고용체.

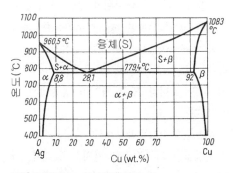

그림 6.165 Ag-Cu상태도.

그림 6.168 AgCu4판을 압연하고 재결정한 길이 시편, 밝게 부식된 α 고용체와 선으로 나타난 영역(α+β).

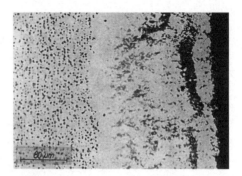

그림 6.170 AgCu20 합금을 높은 온도에서 보호가스 없이 어닐링 한 후의 조직, 오른쪽 : Cu가 부화되고 산화된 가장자리 영역, 중간 : Cu가 부화된 천이영역, 왼쪽 : β 상의 균일화를 통한 변종된 공정.

같은 모양의 β 결정이 각각 나타나 있다.

6.8.2.4 Ag-Cd

Ag-Cd상태도에서 관심 있는 Ag측을 그림 6.171에 나타낸다. 기술적으로 대부분 사용되는 합금에는 5~15%Cd를 함유하고 오직 α 고용체 영역에만 존재한다. Ag-Cd 합금은 장치재료(AgCd5)로써, 또한 적은 양이 접촉재료로 사용된다(AgCd5, AgCd8, AgCd15). 순 Ag 및 Ag 합금의 성질로는 충분하지 않은 중간 및 높은 에너지의 개폐장치에, 그리고 금속 또는 비금속 석출물을 가진 Ag복합재료에 적당하다. 6~15%Cd를 함유한 Ag-산화카드뮴 복합재료는 E-Ag 외에 저저항 강전기술의 접촉재료로 자주 응용된다. 응용영역은 기술적 뿐만 아니라 또한 경제적 관점에서 매우 넓다.

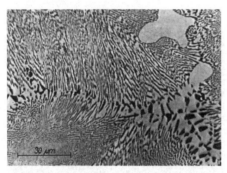

그림 6.169 은 땜납 LAg72(AgCu28)의 초정 조직, (α+β) 공정과 약간의 α 고용체.

생성을 그림 6.169에 나타낸다.

Ag-Cu 합금은 300℃ 이상의 온도에서 내부 산화경향을 나타내고 이것은 어닐링 처리할 때 가공공정에서 관찰된다. 소량만이 이러한 재료성질을 목적으로 사용하는데 합금은 ≈3~10%Cu영역에서 내부 산화된 상태를 접촉재료로 사용된다. 예로써 AgCu20의 내부 산화로 손상된 부분을 그림 6.170에 나타내는데, 높은 온도에서 보호가스 없이 열처리를 하였으므로 Cu가 부화되고 산화된 가장자리 조직이, Cu가 적은 영역과 중심부 조직에는 원래 공정의

Ag-산화 Cd복합재료의 특성은 양호한 접촉성질을 기본적으로 가지고 있으며, 산화 Cd는 >1200℃에서 승화됨으로 아크(arc)

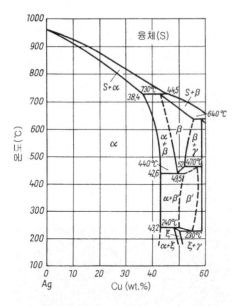

그림 6.171 Ag-Cd상태도의 Ag부화 부분.

그림 6.172 내부 산화된 합금 AgCd8.5 (Ag CdO10)의 산화전면 : a) 부식하지 않은 것, b) 부식한 것.

영향 하에서 접촉표면에 자체청결 효과가 생긴다. AgCdO를 통하여 내연소성이 아주 근본적으로 상승된다. 얼마 전부터 AgCdO 복합재료의 개폐특성을 근본적인 기초연구를 해왔으며, 경험적으로 알아낸 것을 보충하게 되었다. 환경보호로부터 Cd의 대체에 대한 우려는 지금까지는 아직 결정적인 해결방법이 시행되지 않고 있어 이러한 기초연구가 중요한 근거가 된다. AgCdO-재료의 또 다른 우수한 성질은 낮은 용접성인데 접촉재료와 버팀재료의 접합에서는 단점이 됨으로 직접 개폐장치 제조에서 뿐만 아니라 또한 개폐장치 제품에 필요한 중간제품 제조에서도 특별한 예방책이 필요하다(예, 프레스 또는 땜납성 Ag층에 도금 또는 산화처리에서 한쪽면의 피복 등).

내부 산화된 AgCdO 복합재료의 제조는 분말 야금법 뿐만 아니라 AgCd 합금으로 부터 반제품의 내부 산화로 가능하다. 산화처리에서 공기 또는 높은 압력의 산소로 이루어지는데 산소원자가 Ag에 용해되고 합금내부로 확산되어 여기서 계속 Cd와 반응하여 미세하게 분포된 CdO가 생성된다. 그림 6.172 b는 전체가 산화되지 않고 양면에 산화 전면인 AgCd8.5시편을 재결정화하고 부식한 조직으로, 영향을 받지 않은 균질하고 또한 미세한 AgCdO입자 생성으로 불균질한 산화조직을 나타낸다. 부식하지 않은 상태에서 산화 전면(front)에 조직생성은 그림 6.172 a에 다시 나타낸다. 산소와 Cd의 확산에 의하여 생성된 산화물의 입자성장이 규명됨으로써 산화된 재료의 가장자리로부터 내부로 입자수와 크기의 차이를 조정하게 된다(그림 6.173).

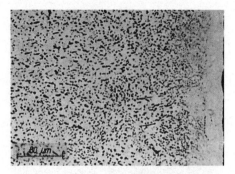

그림 6.173 내부 산화된 합금 AgCd8.5의 가장자리 조직.

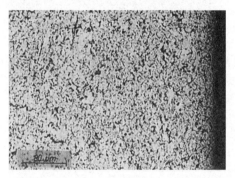

그림 6.174 분말 야금법으로 제조 된 AgCdO10 개폐기의 가장자리 조직.

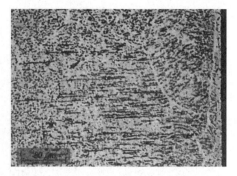

그림 6.175 내부 산화된 합금 AgCd8Sn1 (AgCdO9SnO₂1)의 가장자리 조직.

분말야금으로 제조된 Ag-CdO복합재료에서는 내부 산화된 것 보다 산화물 입자의 크기가 가장자리로부터 중심부로 AgCdO10AgCd개폐기판의 가장자리 조직을 그림 6.174에 나타낸다. AgCdO입자의 형상, 크기 및 분포 등은 내부산화에서 어닐링 조건과 첨가되는 제3합금 원소의 영향을 받는다.

여기서 예로써 나타낸 그림 6.175는 합금 AgCd8Sn1의 산화 조직으로 그림 6.173의 조직과 동일한 산화조건으로 조절하였다. 그림 6.176은 개폐기를 1.3 · 10⁶회로 시험영역에서의 표면인접 조직영역을 다시 나타낸 것으로 밝고 Ag CdO가 적은 조직 섬(island) 또한 어두운 조직영역은 산화니켈로 되어 있으며 재료이동이 이루어져 있는 특징을 나타낸다.

그림 6.177은 AgCdO10 개폐기의 산화 어닐링 후에 나타난 균열생성이며, 귀금속 조직 내에 축적된 비(卑)금속 산화물이 높은 온도에서 감소된다. Cu의 수소취성에서와 유사하게 앞에 다룬 Ag-Cd 합금의 경우에도 수소를 흡수하여 산화처리 과정에서 AgCdO가 감소되며, 수증기가 생성되고 높은 압력 하에 존재하게 되면 균열 생성이 진행된다.

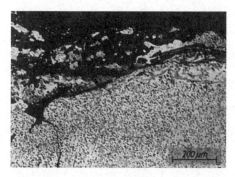

그림 6.176 내부 산화된 합금 AgCd8.5로 된 개폐기를 $1.3 \cdot 10^6$회로에서의 가장자리 조직.

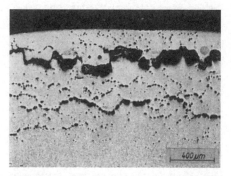

그림 6.177 합금 AgCd8.5가 수소를 흡수하고 산화 분위기에서 어닐링 한 가장자리 조직의 균열.

6.8.2.5 Ag-Pd

평형에서 나타나는 상 Ag2Pd3 및 AgPd의 좁은 존재영역을 제외하고 유럽에서는 통용되는 기술적인 합금으로 다루지 않으며, Ag는 Pd와 **전률고용체계**를 이룬다(그림 6.178). 기술적으로 관심 있는 것은 Ag측과 Pd측이다. 그림 6.179는 Ag Pd30 합금의 재결정된 판의 예로써 쌍정이 생성된 균질한 다면체형태의 조직을 나타낸 것으로 가능한 한 접촉저항이 동일하게 유지되어야 하는 접촉에 유효한 표준 합금이다.

유황의 작용에 대하여 한계저항 하에 놓이므로 Pd를 적게 함유한 합금은 많이 통용되지 않는다. Pd첨가로 전기저항이 크게 상승되고 성형성과 도금성이 감소됨으로 높은 Pd함량 합금(AgPd40)의 응용에는 제한된다. Pd에 수소의 높은 용해성과 확산속도는 Pd와 Pd-Ag 합금(PdAg23)은 분해가스로부터 수소를 제조하는 확산 셀의 근거가 된다.

6.8.2.6 분산강화된 Ag 합금

냉간성형 또는 시효경화 과정을 통하여 발생된 경화는 높은 온도에서 다시 해소되

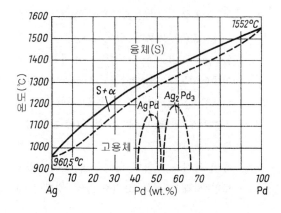

그림 6.178 Ag-Pd 상태도.

그림 6.179 합금 AgPd30판을 1000℃에서 30분간 어닐링 한 후의 조직, 어닐링 쌍정을 가진 α 고용체.

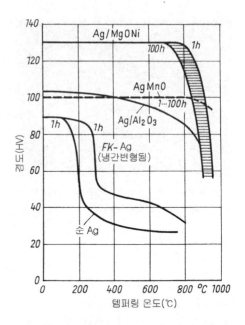

그림 6.180 템퍼링 온도에 따른 각종 Ag재료의 경도 의존성(Raub에 의함).

는 반면, 분산강화된 합금의 기계적 성질은 유지되며 또한 내부 산화된 AgCdO 복합재료는 높은 온도까지 보존 된다. 이러한 강도상승의 효과는 Ag 합금 등에서 산화마그네슘, 산화망간 또는 산화알루미늄 등과 같은 안정한 산화물을 삽입하여 사용된다(그림 6.180). 분산강화는 0.3~0.5%Mg 및 Ni 또는 0.5~1.5%Mn과 Ni 등을 함께 내부산화균질 합금에 첨가함으로 이루어지며, 산화성 원소로써 Al이 또한 사용 될 수 있다.

분산강화된 Ag 합금은 양호한 전기적, 열적 전도성 이외에도 순 Ag에 비교할 만한 내화학성을 가지고 있다. 스프링 성질과 내열성으로 작은 다른 기술적 접촉재료로써 Ag기지가 응용된다.

6.8.3
Au 및 그 합금

6.8.3.1 순수 Au

광상(deposit)에는 Au를 대부분 금속으로 함유하며, 수 %의 Au 또는 Cu와 합금으로 나타난다. 최초 광상에는 암석 톤당 5~15g Au가 함유되어 있으나 2차 광상(사금)에는 상당히 높다. 금 채취는 최초광상의 암석 또는 암석으로 된 모래를 파쇄 및 분말로 하여 습식선광하여 마지막에는 희석된 청화나트륨용액에서 Au가 용해되어 수용성 Na[Au(CN)₂]를 생성하며: 금속 Au는 Zn에 의하여 떨어져 나온다(청화축출(leaching)). Au의 정련은 용융제련으로 이루어지는데 염소가스를 조(粗) Au용탕에 주입함으로써 비(卑) 금속을 염화물로 분리시키게 된다. Au는 다른 귀금속과 비교하여 우수한 전기전도도 이외에도 여러 종류의 부식에 대하여 내식성을 가지고 있고 또한 방해가 되는 표면층 생성 경향이 가

그림 6.181 압연하고 재결정한 순 Au의 미세 립자와 균질한 조직.

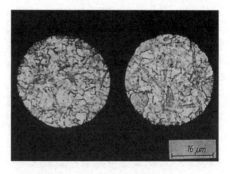

그림 6.182 금 미세선(30$\phi\mu$m)의 완전하게 는 재결정 되지 않은 조직.

장 낮다. 일반적으로 기술적 응용에 사용 되는 순 Au는 >99.96%Au의 순도를 가지 고 있다. Au는 매우 연하고, 전성이 우수 하며 연화어닐링 상태의 0.2% 항복강도 약 20~30MPa, 120~140MPa의 인장강도, 40~ 50% 파단연신 및 18~20 HB의 브린넬경 도를 각각 나타낸다. 조직은 다면체이며 많은 귀금속에서와 같이 재결정한 상태에 서는 쌍정이 나타난다(그림 6.181).

순 Au는 낮은 강도, 경도 및 내마모성과 또한 높은 가격으로 인하여 컴팩트(compact) 형태로는 많이 사용되지 않는다. 사용 예를 들면, 직경이 7.5~50μm인 Au미세선은 반 도체 기술에서 칩과 지지 스트립(stripe)사 이에 전도성 접합에 사용된다. 선 접속은 납땜 압접작업으로 온도 또는 초음파, 두 가지를 작용하여 시행된다. 그림 6.182는 직경 30μm인 두 가지의 Au미세선의 조직 을 나타낸 것인데 부분적으로 재결정된 조직은 종료 어닐링에서 생긴 것이다. 순 Au는 금속 제품과 전기-전자기술의 구조 재 제조에 얇은 도금층 형태로 폭넓게 응 용된다.

그림 6.183과 6.184는 두 가지를 도금 증착한 5μm 두께 Au층의 다른 구조(층 형상 또는 막대모양)를 나타낸 것으로 증 착조건의 변화에 기인한다. 순 Au층의 기 술적 응용은 그 화학적 성질과 내식성에 따 라 근본적으로 정해진다. 마찰성질을 높이 기 위하여 경질 Au층을 증착하게 되는데 >98%Au와 적은 양의 Ni, Co 또는 As 등을 첨가한다.

6.8.3.2 Au-Ni

Au-Ni 합금의 완전고용체 생성과 낮은 온도에서 각기 다른 조성의 두 가지 고용체 로의 분해는 3.4.2.1절에서 상태도를 근거 로 설명하였다. 2~5%Ni(표준 합금 AuNi5) 를 함유한 기술적 응용 합금에서는 기술적 으로 제공되는 높은 냉각속도를 통하여 고 용체 분해는 대개 억제되고 균질조직이 생 성된다(그림 6.185). 특히, 개폐기에 적용 되는 합금은 매우 우수한 내식성을 가져야 하며, 재료변형이 나타나는 것을 피해야 한다.

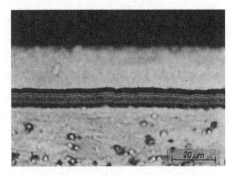

그림 6.183 긴 형상층 구조를 가진 도금 증착 Au층(두께 5μm), KCN으로 전기 화학적으로 부식함.

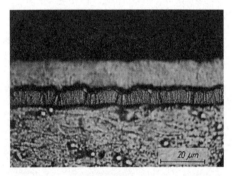

그림 6.184 증착조건을 변화시킨 막대 모양층 구조를 가진 도금 증착한 Au층, KCN으로 전기 화학적으로 부식함.

그림 6.185 AuNi5 합금의 재결정 조직.

6.8.3.3 Au-Ag

Au와 Ag는 완전 고용체계를 생성하고 고체상태에서 처럼 액체상태에서도 완전 상호 용해됨으로써 10~40%Ag영역에서 기술적으로 사용되는 합금에는 균질한 조직이 나타난다. 내화학성은 순 Ag에 대하여 근본적으로 감소가 되지 않는다. 따라서 약전분야에서 개폐기로 응용되는데 낮은 접촉부하로 작업을 하고 매우 작은 접촉으로 접촉 천이저항이 나타나야한다. Au-Ag 합금의 경도 및 내마모성, 용접성과 연소성 등은 3~5%Ni을 추가로 첨가함으로써 개선된다. Au-Ag-Ni 합금은 Au –Ag의 이미 낮은 용접성을 변화시키기위하여 사용되며, 전형적인 합금으로는 AuAg17Ni3이 있다. Au내의 Ni용해도를 낮은 온도에서는 Ag가 계속 감소시키기 때문에 이것은 불균질 조직(그림 6.186)을 갖는다.

Au-Ag-Cu 합금은 장식용으로 가장 많이 사용되는 Au재료로 주로 18, 14, 8 캐럿(Karat) 합금으로 작업을 한다. 품질표시로 캐럿으로 Au함량을 나타내는데(순 Au는 24캐럿 값을 갖는다) 언급한 3종류의 합금군 내에는 Au함량이 각각 75, 58.5 및 33.3%Au이며 여기에 합금된 Ag와 Cu의 양은 가변적이다. 이렇게 하면 기계적 및 화학적 성질뿐만 아니라 합금의 색깔도 변화된다. Ag첨가 양이 증가되면 적색으로부터 연한 붉은색, 황색 ~ 연황색, 황동색 및 청황색 등으로 변한다. Au-Cu공정 가장자리계의 **용해도간극**(그림 6.165)은 비례적으로 간단하게 구성된 3원계 Au-Ag-Cu의 넓은 공간을 차지하며 무엇보다 14

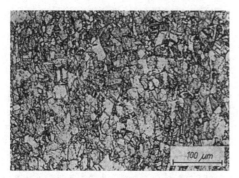

그림 6.186 AuAg17Ni3 합금선의 재결정 조직.

그림 6.188 14캐럿 Au 합금을 700℃에서 1시간 동안 어닐링 한 후 수냉한 균일한 재결정 조직, 어닐링 쌍정을 가진 균질한 α 고용체.

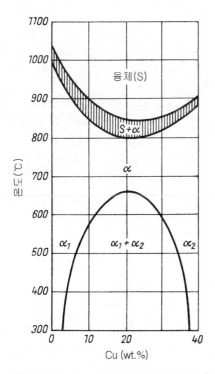

그림 6.187 Ag-58.5Au-Cu 의사 2원 절단면.

~18캐럿 합금은 열처리를 통하여 조직과 기계적 성질을 조절할 수 있다. 그림 6.187은 3원계 Ag-Au-Cu의 절단면을 근거하여 Ag-Cu 쪽에 평행한 14캐럿 합금의 용해도간극 진행을 다시 나타낸 것이

다. 서냉으로 경화되는 합금은 연화에서 급랭함으로써 양호한 작업 상태를 갖게 할 수 있다.

높은 온도와 긴 시간동안 어닐링을 하면 고용체 분해로 경도가 균질 Au-Ag-Cu 고용체로 감소된다. 편석이 증가됨에 따라 내식성(내작동성)이 감소된다. 그림 6.188은 14캐럿 Au 합금을 700℃에서 1시간 어닐링 한 후 급랭한 재결정된 조직으로 균질한 고용체 생성을 나타낸다. 이에 대하여 그림 6.189는 14캐럿 Au 합금을 350℃에서 3시간동안 균질화 어닐링 한 후의 조직으로 작은 입자와 입계에는 고용체분해가 일어나 있다. 분리된 Au-Cu 고용체의 부분만큼 최대 경화가 이루어지지 않게 된다.

6.8.3.4 Au-Si

Au-Si 합금의 조직생성은 단순한 공정계를 이루며(그림 6.190), 0.5, 1 및 2%Si를 함유한 합금은 칩 접촉 연결에서 땜납 재료로서 반도체 기술에 응용된다. 합금을

그림 6.189 14캐럿 Au 합금을 700℃에서 1시간동안 재결정 어닐링 한 후 수냉하고 350℃에서 3시간 동안 어닐링 한 조직, 균질한 고용체의 분해.

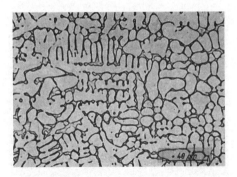

그림 6.191 AuSi0.5 합금의 초정조직, Au가 많은 수지상과 수지상간 영역에 (Au+Si)공정.

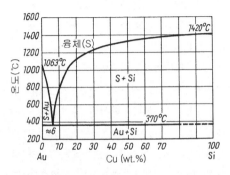

그림 6.190 Au−Si상태도.

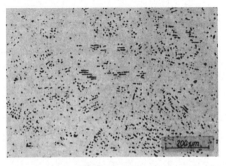

그림 6.192 AuSi0.5 합금을 350℃에서 8시간 어닐링 후의 주조된 조직, Au가 많은 기지조직과 같은 형상을 가진 Si입자.

선택하여 작업온도를 다양하게 상승시킬 수 있으며 땜납재료의 유동성질에 부합된다.

추가적인 땜납재료에는 Au-Sb, Au-Ga 및 Au-Ge 합금 등이 있다. 그림 6.191은 AuSi0.5의 주조조직으로 수지상으로 응고되었으며, Au결정의 수지상 가지 사이에는 잔류융체가 (Au+Si)공정으로 응고되었다. 이 주조 합금을 계속 가공하여 땜납 박막(foil)으로 하면 양호한 냉간 성형성을 갖게 되고 공정온도 이하에서 어닐링 하면 공정의 Si상이 균일하게 분포되고 단일화

된다(그림 6.192). 이미 언급한 주조조직은 6.3%Si를 함유한 Au-Si 모합금으로 응용되며, 미세하게 생성된 공정 내에 초정으로 분리된 Si결정을 알아 볼 수 있다(그림 6.193). Au 합금상에 각각의 도핑금속(예, Sb, Ga, B)의 적은 양이 도핑된다면 Au-Si 공정생성을 위한 순수한 실리콘 반도체의 도핑에서도 생긴다. 여기서 박막 또는 선으로 가공된 Au 합금을 도핑된 단결정면에 공급하고 가열하면 Au가 Si공정과 합금되며, 도핑금속은 반도체 격자의 얇은 두께 층 내에 용해되고 도핑 된다.

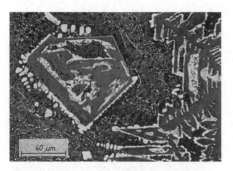

그림 6.193 6.3%Si를 함유한 과공정 Au 합금의 초정조직, 초정 Si결정과 (Au + Si)공정.

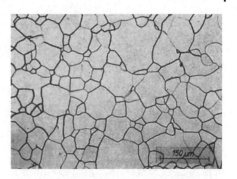

그림 6.194 장치 Pt로 된 압연판을 800℃에서 1시간 어닐링 한 후의 재결정 조직.

6.8.4
Pt 및 그 합금

6.8.4.1 순수 Pt

Pt는 Pt금속 Pa, Ir, Rh, Os 및 Ru 등과 함께 일차 노천광상에서 동반물로 그리고 사광은 대개 금속형태로 산출되지만 순수하지는 않다. Sudbury(Canada)니켈광석에서 Pt와 Pa는 또한 유화물로 산출된다. Pt군의 금속은 대개 동시에 얻어지며, 여러 단계의 선광을 통하여 정광은 니켈-구리광을 정련하고 마지막으로 유화나트륨으로 환원하여 용해하며, 유화니켈과 유화구리를 분리시킨다.

Pt금속은 니켈에 남아있으며, 이것은 전기분해 공정에서 **양극 니(slime)**로 바뀌고 여기서 Pt가 얻어진다. 정련은 습식 화학법으로 이루어진다. 물리적으로 순도가 ≥ 99.99%Pt는 열전대로 사용되며, 장치 Pt로는 Pt 99.9 및 Pt 99.95로 가공된다. Pt는 높은 용융점(1769℃)을 가지고 500~550℃ 온도영역에서 재결정된다. 특히 Au에 비하여 거의 동일한 내식성을 나타내므

로 기술적으로 응용범위가 매우 넓다. 순도에 따라 그리고 재결정한 상태에서 장치 Pt의 0.2%항복강도는 40~60MPa, 인장강도 120~150MPa, 파단연신 30~50% 및 브린넬 경도 ≈ 150 HB등을 각각 나타낸다. 장치 Pt의 재결정화로 쌍정생성 없이 다면체 조직으로 된다(그림 6.194). 장치 Pt로부터 전기화학에서 전극과 실험장치를 제조한다. 근본적으로 많이 사용되는 것은 용해 도가니, 관, 조(bath)피복, 주방용품, 가열전극 및 열전대 보호관 등이며, 광학 및 특수유리 제조에도 필요하다. 장치 Pt의 응용에서 유리용해 장치에 요구되는 재료로 적당하고 특히 고순도 광학유리 및 특수유리에는 내생적 또는 외생적 불순물을 피해야 하는데 용융된 각종 유리 종류에도 용해되지 않고 내 스케일성이 있다. 동시에 재료는 다양한 조성의 각종 유리용해에 대하여도 자체 내식성을 가져야 하며 높은 사용 온도에서 기계적 응력이 가해질 때 오랜 장치 수명에 도달하기 위하여 가능한 한 높은 치수 안정성을 가져야 한다. 장치의 사용온도는 가끔 0.8T$_s$ Pt를 초과

할 수 있으므로 이러한 재료응력이 어느 정도 높은지 장치제작에서 사용자는 Pt의 비교적 낮은 강도 한계를 분명하게 설정해야 한다.

Rh와 Ir로 인한 원하지 않는 색깔 효과는 장치 합금의 높은 강도를 위하여 사용하는 것과 광학 유리 제조에는 상반된다. Pt는 높은 온도에서 준금속 및 금속, 특히 저융점 금속과 매우 쉽게 반응하므로, 실제적으로 우선 As, Sb, B, Si, P, Sn, Pb, Zn 및 Al 등과는 환원조건하에서 그 화합물로부터 분리되게 된다면 Pt에 유해한 원소가 된다. Pt는 이들 원소와 먼저 입계에서 반응하여 1000℃보다 훨씬 낮은 온도에서 용해되는 저융점 화합물과 공정을 이루며, 또한 외부 원소와 반응하여 국부적인 용해를 일으키지 않는다하더라도 입계영역에 취성이 발생하고 내열성과 내구성이 떨어져 **입계균열**(intercrystalline crack)이 발생한다. Pt손상의 심각한 작용으로 국부**부식**(localized corrosion)이 일어난다. 그림 6.195 a, b는 장치 Pt에 외부 원자의 작용으로 인하여 매우 심하게 조직이 손상된 예를 나타낸 것인데 국부부식과 균열부근에는 유리 용해 도가니로부터 떨어져 나온 것으로 용기 내부벽의 가장자리 조직에는 부분적으로 용해된 개재물 외부 상(Phase)이 보이며 이것은 입계에 존재한다. Electro-Beam Micro Probe(EBM)로 개재물 중에 현저한 Pb를 확인하였는데 이것과 손상으로 나타낸 사진으로 입계손상이 가장자리로부터 중심으로 진행된 것을 알아볼 수 있으며, 유리 용해로부터 Pb

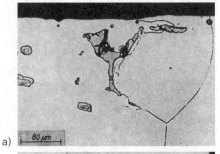

a)

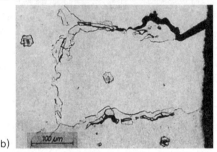

b)

그림 6.195 장치 Pt의 가장자리 조직, 유리 용해 도가니로의 비금속 개재물인 외부 재료와 반응 함 : a) 낮은 배율. b) 높은 배율.

와 반응하여 생긴 손상원인으로 규명하게 되고 연관하여 개재물 인근의 미소경도는 기지재료에 비해 2배정도 높으며 또한 개재물 자체는 약 8배나 더 높다. 장치를 1350~1400℃에서 오랜 시간 사용하였으므로 조직은 심한 조대립자로 되었다(그림 6.194와 비교).

Pt부식 손상의 두 번째 예로는 분산강화된 Pt 가열전극을 유리 용해로에 장착한 경우인데 이 구조물은 1530~1540℃에서 사용하여 부식으로 인한 벽이 관통하여 파손된 것이다. 손상된 영역의 전극표면 개재물을 주사전자현미경(SEM)에서 분석한 결과 Na, Mg, Al, Si 및 Cd 등이 주성분으로 확인되었다. 금속조직적 분석을 위하여 구멍부근을 선택하였으며, 그림 6.196에 나타낸 것과 같이 Pt 비(卑)금속 합금이 생성되었고, 용해가 구멍 모서리로부터 전극 표면으로 진행되어 용해조성의 변화로 인하여 다시 응고되었다. 이미 언급한 손상의 경우와 비교해 보면, 분산강화된 Pt에서는 높은 온도 부하에도 불구하고 조대립자 생성과 입계균열이 일어나지 않았다. 분산강화된 Pt의 안정화된 미세립자조직에서는 외부원소의 재료내부로 확산으로 인한 입계손상이, 장치 Pt의 조대립자 조직에서처럼 빠르게 진행되지 않는다는 것을 분명하게 확인할 수 있다. 분산강화된 Pt 개발의 중요한 목적은 높은 온도에서 내구성과 내크립성의 개선이다(그림 6.196).

분산강화는 적은 양의 비(卑)금속, 예를 들면 0.35~0.45%Zr의 내부산화로 이루어진다. 높은 온도에서 오랜 시간 어닐링으로 인하여 원하지 않는 입자성장과 우선하여 입계산화가 일어나기 때문에, Pt 내로 낮은 산소 용해도와 확산을 감소시키기 위하여 내부산화 기술을 적용함으로써 산화된 금속의 큰 표면적(금속분말, 칩, 박막)을 가진 작은 입자로 되어 빠르게 산화를 가능하게 한다. 산화된 박막을 열간 압축하고 압연하여 제조한 분산강화된 ZrO_2함량이 0.56wt.%인 다층판(DVS-Pt)은 재결정 상태에서는 입계와 기지에 미세한 입자조직과 산화물 입자가 존재한다(그림 6.196).

알아볼 수 있는 것 외에도 더 미세한 ZrO_2 석출물은 광학현미경에서는 해상되지 않는다.

6.8.4.2 Pt-Rh 및 Pt-Ir 합금

5~40%Rh를 함유한 Pt-Rh 합금과 5~20%Ir을 함유한 Pt-Ir 합금은 폭넓은 응용 가능성을 가진 가장 많이 사용되는 Pt 합금이다. Pt와 Rh는 연속성 고용체계를 생성하며(그림 6.199), 상태도에서 고상선과 액상선은 상호 매우 근접하여 존재한다. 유사하게 Pt-Ir계는 좁은 응고구간을 가진 연속성 고용체 경로를 생성하며 또한

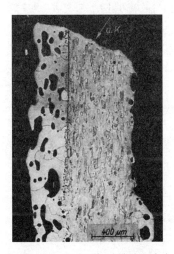

그림 6.196 DVS-Pt로 된 가열전극에서 외부 원소와 반응하여 생성된 국부부식 장소의 가장자리 조직, 하부 구멍 모서리.

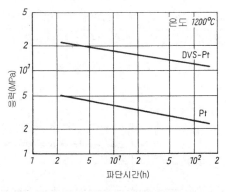

그림 6.197 1200와 1500℃에서 Pt 99.9 및 DVS-Pt에 대한 파단시간.

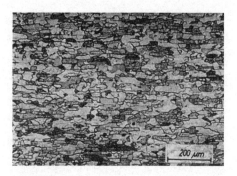

그림 6.198 DVS-Pt 판을 1200℃에서 1시간 어닐링한 후에 재결정 조직, 산화물 미세립자를 가진 선상조직.

그림 6.200 1250℃에서 300일 사용한 유리섬유 압출 컨테이너 바닥 조직, 재료 : DVS-PtRh10.

Pt용융점이 단조롭게 Ir용융점으로 상승하는 고상선과 액상선을 이룬다. Pt-Rh 합금은 용융액상 유리에 대하여 순수한 Pt보다 사용에서 크게 제한되고 강도 측면에서 대부분 재료인 PtRh10 및 PtRh20이 유리섬유 제조의 압출 컨테이너에 응용된다. Rh함량이 >20%이고 또한 제 3 합금원소를 첨가함으로써 Pt-Rh 합금의 내고온성은 더 이상 근본적으로 개선되지 않으므로 오늘날 Zr이 첨가된 내부산화에 의한 분산강화를 PtRh10에 응용하며 내구성과 또한 >1200℃에서 PtRh20의 내크립성을 갖게 된다. 그림 6.200은 DVS -PtRh10으로 된 1250℃에서 300일 사용하고 폐기된 유리섬유 압출 컨테이너 바닥 조직으로 비교적 미세립자를 나타낸다.

Pt와 Pt 합금의 추가적인 응용영역은 촉매재로 사용되며, 예를 들면 합금 PtRh5와 PtRh10의 상당 부분은 암모니아의 촉매산화와 청산제조에 촉매망으로 각각 사용된다. Pt-Ir 합금인 PtIr5는 장치재료 뿐만 아니라 접촉재료로 사용되며 Ir함량이 높은 합금은 전기접촉, 열전대, 특수한 전기배선 및 저항 등의 제조에 응용된다. 접촉재료로써 응용은 높은 개폐 주파수와 높은 기계적 하중으로 큰 접촉 안전이 필요한 특수한 경우에 제한된다.

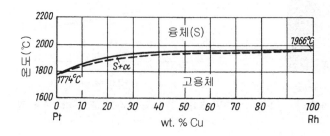

그림 6.199 Pt-Rh상태도.

표 6.16 연납땜의 화학조성과 용융범위, DIN EN 29453에 의함, E : 순도를 높인 전자급 품질

군	합금	용융범위[℃]
Sn − Pb	S−Sn63Pb37, S−Sn63Pb37E	183
	S−Sn60Pb40, S−Sn60Pb40E	183
	S−Sn50Pb50, S−Sn50Pb50E	183−190
	S−Pb70Sn30	183−255
	S−Pb90Sn10	268−302
Sn − Pb − Sb	S−Sn63Pb37Sb	183
	S−Sn60PB40Sb	183−190
	S−Pb58Sn40Sb2	185−231
	S−Pb74Sn25Sb1	185−263
Sn − Pb − Cd	S−Sn50Pb32Cd18	145
Sn − Pb − Cu	S−Sn60Pb38Cu2	183−190
Sn − Cu	S−Sn97Cu3	230−250
Sn − In	S−Sn50In50	117−125
Sn − Pb − Ag	S−Sn62Pb36Ag2	178−190
Sn − Ag	S−Sn96Ag4	221
Pb − Ag	S−Pb95Ag5	304−365

6.9 기타 비금속 합금

6.9.1
땜납 재료

땜납을 통하여 재료에 적합한 첨기재(땜납)를 사용하여 제2의 재료와 연결하여 접합한다. 용융용접과의 근본적인 차이는 접합 기지재료는 용해되지 않는다. 땜납의 용융온도는 기지재료의 용융점보다 낮다. 표면의 반응성을 높여 땜납 접합의 높은 품질을 보장하기 위하여 땜납 작업하기 전에 땜납 할 표면을 청결하게 해야 한다. 기계적 방법과 화학적 방법으로 존재하는 산화 표면층을 제거하고 표면이 금속적 광택이 나도록 함으로써 가능한 한 완전하게 표면이 액상땜납과의 젖음을 보장하게 하여 원자확산 공정의 근거가 되어 경계면 영역에서 땜납과 기지재료 간에 국부적인 합금이 생성된다. 땜납에서 기본적인 공정 보조 재료는 용제이며, 이러한 액상 또는 페이스터 형태의 보조재료는 한편으로는 이미 존재하는 표면층을 제거하는 작용을 하며, 다른 편으로는 땜납과정에서 그와 같은 접합이 반복 생성 되는 것을 억제한다. 땜납이 끝난 후에는 땜납부 영역의 부식을 없애기 위하여 존재하는 용제찌꺼기를 완전하게 제거해야 한다. 작업온도에 따라

연납땜과 경납땜으로 구별하는데 전기기술에서 전기전도 접합으로 제조하게 되는 연납땜에서는 작업온도가 약 450℃ 이하이며, 이에 비하여 경납땜에서는 기계적으로 높은 부하로 접합하여 제조하는데 작업온도는 약 450℃ 이상을 적용한다.

연납땜

중금속의 연납땜은 Sn-Pb 합금에 응용하는데 Sn 및 Pb가 많은 합금이 통용되고 있다. 2원 합금 외에도 성질을 최적화하기 위하여 Sb, Cu, Ag 및 P등을 첨가한 3원 합금도 사용된다. 표 6.16에는 몇 가지 연납땜의 화학조성과 용융범위 등을 함께 나타낸 것이다. 합금에서 기대하는 최저 용융온도는 Sn-Pb상태도에서 공정점 가까이의 화학조성($C_E = 61.9\%Sn$, $T_E = 183℃$)이다(그림 6.201).

연납땜에서 낮은 작업온도, 우수한 유동성, 좁은 용해 및 응고구간과 미세립자로 양호한 기계적 성질 및 균일한 공정조직 등으로 그와 같은 연납땜(땜납 Sn)은 매우 광범위하게, 특히 전자기술에 많이 응용된다. 전자에서 연납땜은 순도가 높으며 표시할

때 끝부분에 E라고 붙인다. 큰 응고구간을 나타내는 Pb가 많은 연납땜은 무엇보다 함석과 설치 작업에 응용된다. 땜납 합금에 Sb를 첨가하면 기지재료와 땜납의 젖음성을 향상 시킨다. 열에 민감한 구조물의 연납땜에는 Sn-Pb-Cd 및 Sn-In땜납이 적당한데 이들은 이미 낮은 온도에서 용해되었기 때문이다. 그림 6.202는 연납땜부를 2가지 다른 배율에서 나타낸 조직사진으로 그림 a는 땜납 접합부의 부식하지 않은 육안조직을 나타내는데 땜납부가 매우 좁고 땜납과 황동사이의 경계면이 좁으며, 합금영역에 해당하는 흰 가장자리를 알아볼 수 있다. 그림 b는 연납 땜과 황동간의

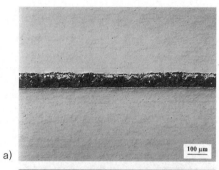
a)

b)

그림 6.202 연납땜 시편조직, a) 낮은 배율의 육안조직, 부식하지 않음, b) 경계면 영역에서 조직생성, Cumi1로 약하게 부식, 땜납재료 S-Sn60Pb40, 기지재료 : CuZn40.

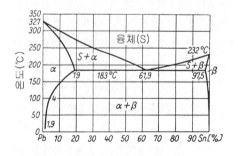

그림 6.201 Sn-Pb상태도.

천이 영역을 확대한 조직 절단면을 다시 나타낸 것으로 그림의 상부에서는 응고된 땜납의 부분적인 수지상 조직을 볼 수 있다. 좁은 합금영역은 이 그림에서도 역시 좁으며, 땜납/기지재료의 경계면에 흰 가장자리를 관찰할 수 있다. 아래 부분 그림 영역에는 황동이 존재하며 그 조직은 약하게 부식되어 나타나지 않았다.

알루미늄과 일정한 알루미늄 합금의 연납땜에는 Zn-Sn땜납, Zn-Al땜납 및 Zn-Al-Cd땜납이 응용되며, 통용되는 땜납에는 L-Zn80Sn20, L-Zn95Al5 및 L-Zn56Al4Cd40 등이 있다.

경납땜

많은 경납땜의 작업온도는 600℃ 이상이며, 높은 작업온도는 땜납에서 표면의 젖음성이 요구되고 이렇게 하여 원자의 확산 접합 및 땜납과 기지재료간의 합금생성이 이루어진다. 그림 6.203에는 경납땜부의 조직사진을 나타낸 것으로 시험 목적으로 땜납로(작업온도 700℃)에서 제조된 것이다. 그림 a에는 땜납부의 여러 영역 구조를 볼 수 있는데 그림 중간에 수평으로 진행된 접합부영역은 응고된 첨가재료이며, 이 양쪽에는 어둡게 부식된 합금영역이 나타나 있다. 상부 및 하부 그림영역에는 불균질한 황동의 조직을 관찰할 수 있는데 밝게 부식된 α 입자와 어두운 β'상 입자로 이루어져 있다. 그림 b는 땜납부의 확대한 조직 사진을 나타낸 것인데 왼쪽 그림 가장자리에는 땜납의 응고조직을 식별할 수 있고 오른쪽으로 향하여 합금영역

이 끝나며, 땜납과 다른 화학조성인 황동 사이에 원자의 확산으로 인하여 땜납과 황동을 비교하면 다른 조직 구조를 가지고 있다. 오른쪽 그림 가장자리에는 황동의 $(\alpha + \beta')$조직을 볼 수 있으며, 그림 c에는

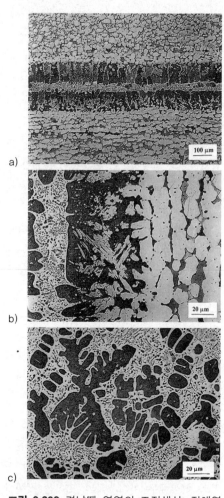

그림 6.203 경납땜 영역의 조직생성, 전해연마하고 부식한 것, 기지재료 : $(\alpha + \beta')$황동, 땜납재료 : L-Ag40Sn, a) 낮은 배율에서 접합부의 여러 영역 구조, b) 고배율에서 땜납으로부터 합금영역을 거쳐 기지재료까지의 천이, c) 땜납의 응고조직.

그림 6.204 자전거 프레임을 접속 연결한 경납땜 단면, Beraha I 으로 부식, 기지재료 : 페라이트-펄라이트 구조용강, 첨가재료 : 황동 땜납.

응고된 땜납으로부터 절단하여 확대한 조직사진으로 전형적으로 특징적인 불균질 주조조직을 나타내며, 갈색으로 부식된 초정 입자와 공정조직 성분으로 되어 있다.

Cu기지(예 : L-Cu, L-CuP8, L-Ms60) 상에 경납땜은 Cu와 Cu 합금을 덧붙이는데 적당하며, Ni 합금과 강의 경납땜에는 자주 황동 땜납(L-Ms60)이 응용된다. 그림 6.204 에는 자전거 프레임을 경납땜으로 접속 연결한 단면을 나타낸 것으로 접합부 제조에는 추가사항이 없다. 그림 중간에서 조직은 $(\alpha + \beta')$ 황동에 해당되는 진행된 접합부이며, 황갈색으로 부식된 면심입방 α 고용체와 어두운 색깔인 β 상으로 되어 있다. 현저하게 나타난 합금영역은 고배율로 인하여 식별되지 않는다. 그림 중간의 상부와 하부에는 기지재료의 조직을 식별할 수 있다. 관과 이음 파이프는 탄소함량으로 구별되지만 페라이트-펄라이트 구조용 강으로 되어 있다.

가장자리층에 인장응력이 나타나는 강의

경납땜에서 높은 작업온도로 땜납을 하게 되면 강 조직의 입계를 따라 땜납이 침투되어 입계균열이 일어나기 쉽게 되며, 이 현상을 땜납파괴라 하고 비교적 자주 일어나지는 않으며 낮은 작업온도로 땜납작업을 하면 피할 수 있다. Ag를 함유한 경납땜은 자주 단순하게 Ag땜납이라 하고 다원 합금이며 중금속 합금(비합금 및 합금강, 가단주철, 동 합금, 귀금속 합금)을 경납땜하고 경질 금속을 공구강 홀더(L-Ag27, L-Ag49, L-Ag50CdNi)에 땜납한다.

Cu기지에 경납땜한 것을 비교하면 물론 고가의 Ag땜납은 몇 가지 장점인 성질을 나타내고 비교적 낮은 작업온도, 우수한 젖음성, 높은 강도와 내식성 등이 여기에 속한다. 표 6.17에는 Ag함유 경납땜의 화학조성, 용융범위 및 작업 온도를 나타낸 것이다. 열응력을 받는 땜납접합에서는 비교적 높은 온도에서 먼저 용해되는 Zn이 없는 고온 땜납을 한다(표 6.17 : LAg85, L-Ag72). 특수한 경납땜은 Al과 Al 합금의 접합에 사용된다(예 : L-AlSi12, L-ZnAl30).

6.9.2
미찰 베어링 재료

마찰 베어링 제조에는 집단(massiv) 베어링과 복합 베어링으로 나누는데 다음과 같은 비철 금속의 합금군으로 나타낸다. :

- Cu기지 합금
- Sn 및 Pb기지 합금(베빗 : babbitt 메탈)
- Al 합금

표 6.17 화학조성(wt.%), Ag함유 경납땜의 용융범위와 작업온도, DIN 8513, 3부에 따름

군	표시	화학조성[%]	용융범위[℃]	작업온도[℃]	응용
Ag–Cu–Cd–Zn 경납땜	L–Ag67Cd	Ag 66–68 Cd 8–12 Cu 10–12	635–720	710	귀금속
	L–Ag40Cd	Ag 39–41 Cd 18–22 Cu 18–20	595–630	610	강, 가단주철, Cu 및 Ni재료
Ag–Cu–Zn–Sn 경납땜	L–Ag40Sn	Ag 39–41 Cu 29–31 Sn 1.5–2.5 Zn 잔부	640–700	690	강, 가단주철, Cu 및 Ni 재료
	L–Ag44	Ag 43–45 Cu 29–31 Zn 잔부	675–735	730	
Zn없는 특수 경납땜	L–Ag72	Ag 71–73 Cu 잔부	779–779	780	Cu 및 Ni 재료
	L–Ag85	Ag 83–87 Mn 잔부	960–970	960	강 및 Ni 합금
특수경납땜	L–Ag50CdNi	Ag 49–51 Cu 14.5–16.5 Cd 14–18 Ni 2.5–3.5 Zn 잔부			강에 Cu 합금경질 금속
	L–Ag49	Ag 48–50 Cu 15–17 Mn 6.5–8.5 Ni 4–5 Zn 잔부	625–705	690	강에 경질금속, W 및 Mo재료

전통적인 Massiv베어링과 베어링 부시(bush)에는 고강도의 Cu 합금이 적합하며, 그에 비해 Cu 합금은 강도가 낮고 또한 베빗 메탈과 Al 합금도 마찬가지로 강도가 낮아 2층 및 여러 층의 복합베어링이 사용된다.

그림 6.205에는 그와 같은 다층 복합베어링의 구조를 도식적으로 나타낸 것으로 이러한 재료의 복합은 베어링의 기능을 복합체의 구성요소에 분할함으로 이루어지며, 강지지 곡면은 베어링의 기계적 강도를 보장해 준다. 작동 층이나 또는 미끄럼 층(겹침)은 회전재료와 접촉에서 적당한 마찰 성질을 갖게되며, 미세립자와 얇은 두께는 층의 비교적 높은 강도를 지지한다. 또한 우수한 전성을 가지고 있어 회전체에서 베어링의 적응능력을 갖게 하며 또한 단단한 외부 입자가 압입될 수 있게 해 준다. Pb청동 중간층은 작동층의 작용으로 표면의 국부적으로 손상될 경우에 보호해

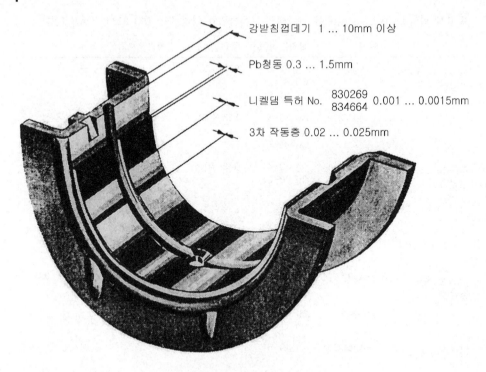

강받침껍데기 1 ... 10mm 이상

Pb청동 0.3 ... 1.5mm

니켈댐 특허 No. 830269 / 834664 0.001 ... 0.0015mm

3차 작동층 0.02 ... 0.025mm

그림 6.205 다층 복합 베어링의 도식적인 구조, G.Mann에 의함.

주며, 특히 얇은 니켈막(damm)은 확산 저해작용을 하여 베빗 메탈의 Sn이 Pb청동으로 확산을 가능한 한 억제해야 한다.

그림 6.205의 도식적 구조에 대한 보충은 그림 6.206과 6.207에 제2의 복합 베어링 단면 시편에 대하여 다시 나타낸다. 2층 베어링(그림6.206)에서는 오른쪽 그림 가장자리는 강지지 곡면으로 작동 층의 양호한 접착을 보증하기 위하여 작동 층면을 Sn도금을 하게 된다. 그림 중간에 존재하는 두꺼운 작동 층을 만들기 위하여 이 경우에는 Pb-Sn-청동을 응용한다. 작동층의 밝은 색깔 기지는 Cu-Sn고용체로 되어 있으며, Cu에는 Pb가 불용성이며 조직 내에는 균일하게 분포된 검은 입자로 존재

한다.

왼쪽 그림 가장자리는 시편에 어두운 매몰재를 볼 수 있다.

다층 복합 베어링 곡면의 구조를 그림

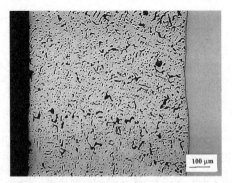

그림 6.206 2층 복합 베어링의 단면, 부식하지 않음, 오른쪽 : 강지지 곡면, 중간 : Pb-Sn청동으로 된 작동 층, 왼쪽 : 매몰재(흑색).

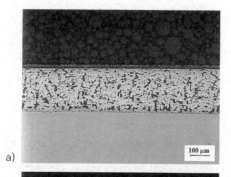

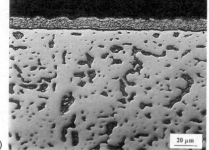

그림 6.207 다층 복합 베어링의 단면, 부식하지 않은 것, a) 전체적인 조직, b) 작동층(상부)이 니켈 막을 거쳐 강(하부)으로 천이 확대 절단면.

6.207a에 전체적인 조직사진을 나타낸다. 상부 그림 가장자리는 시편의 어두운 매몰재를 보여주고, 그 하부에는 밝은 회색의 작동 층으로 Pb가 많은 베빗 메탈로 되어 있다. 그림에서 검은 선보다 매우 적은 두께를 나타내므로 이것은 니켈막에 의해 하부로는 경계를 이룬다. Pb-Sn청동 중간층은 Cu와 Sn으로 된 밝게 나타난 혼합고용체 내에 박힌 검은 Pb입자가 균일하게 분포되어 있음을 식별할 수 있다. 하부 그림 가장자리는 강지지 곡면으로 세부사진을 6.207b에는 작동층이 니켈막을 거쳐 Pb-Sn청동으로의 천이를 확대한 절단면으로 상부 그림 가장자리는 시편의 어두운 매몰재를 각각 나타낸 것이다. 그 하부에 회색의 바벳 메탈 미끄럼 층이 니켈막으로 하부로 경계를 이루고 있으며, 니켈막의 하부는 Pb-Sn청동으로 된 중간층이 나타난다. 검은 균일하게 분포된 Pb입자는 흰색 기지재료로부터 분명하게 드러나 있다.

처음 스케치한 슬립 재료의 조건을 확인하기 위하여 베어링 메탈에서 조직구조를 지주 결정구조라 하며, 이 불균질 조직에는 경질과 연질상(Phase)이 존재하고 그림 6.208에서 변종의 차이를 나타낸다. 경질상은 기계적 강도와 경도 및 베어링 재료의 내마모성을 보장해 주며, 연질 상은 회전체에서 베어링의 적응능력과 경질 외부입자의 베어링금속이 매몰능력을 보장하

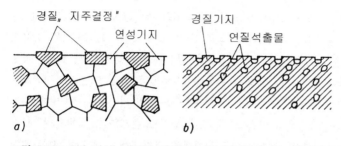

그림 6.208 금속 슬립 베어링 재료의 지주 결정구조의 도식적 설명, 변종 a) 연질기지에 경질 지주결정, 변종 b) 경질기지에 연질입자, Beyer에 의함.

며, 또한 그와 같은 연질상(예 : Cu합금에서 Pb, Al 합금에서 Sn, 회주철에서 흑연)은 자체 윤활작용을 하여 마찰을 감소시키고 베어링과 회전체간의 용접성에 기여한다.

Cu 합금

이미 언급한 바와 같이 주조 및 가공용 Cu 합금은 높은 강도를 가지고 있으며, 집단 베어링과 베어링부시 제조에 응용되고 부분적으로 두께가 두꺼운 복합베어링에도 적용된다. 이 군(group)에는 다음 합금군이 속한다. :

- 주조된 Sn청동, P함유 Sn청동, Pb함유 Sn청동
- 주조된 Cu-Pb-Sn 합금, Sn함유 Pb청동
- 주조된 Cu-Sn-Zn-Pb 합금(포금 : gun metal)
- 가공 합금 : Sn청동, 특수황동 및 다원 Al청동

Sn 청동 및 Sn-Pb 청동

그림 6.209는 원심주조한 Sn청동 GZ-CuSn10의 조직으로 매우 적은 양의 Pb (0.1%)를 함유하고 있으며, 그림 a에서와 같이 용탕은 수지상으로 응고되는데 Cu가 많은 수지상 초정으로 결정화되었음을 알아 볼 수 있다. Sn이 많은 수지상간 영역은 밝게 보이며, 이 조직영역에는 그림 b에서와 같이 $(\alpha + \delta)$ 공석이 그밖에도 약간의 검은 Pb입자가 각각 존재한다. 조직은 경질의 공석이 연질기지에 박혀있으므로

그림 6.208의 변종 a에 해당된다.

P가 함유된 Sn청동 G-CuSn8P의 조직은 그림 6.210a와 같이 역시 수지상 초정 조직이 나타나며, 합금의 P함량은 0.24%이고 합금은 원심 주조 하였다. Cu가 많은 수지상 줄기와 가지는 어둡게 보이며 수지상간 영역에 입계가 존재하고, 이것은 초정결정의 성장면에 나타난다. 그 밖에도 계속된 조직성분에는 δ 상 또는 $(\alpha+\beta)$ 공정에 해당되는 초정입자의 쌍정이 현저하게 나타난 것을 관찰할 수 있다. 그림 b에는 합금을 균질화 어닐링(700℃/4시간/공랭)한 조직을 다시 나타낸 것으로 이 열처리를 통하여 조직 내의 계속된 농도 균일화로 수지상 주조조직이 사라지고, 면심입방 α 고용체로 된 많은 다면체 조직으로 되어있다. 입자에는 수많은 어닐링 쌍정이 나타나 있으며, 그 외에도 동일하지 않은 둥근, 어두운 입자도 관찰된다. Pb함량이 0.02% 이하이므로 Pb입자는 합금의 조직에는 기대하지 않는다. 초정조직은 그림 6.208에서 변종 a에 해당하는데 경질상 (Sn이 많은, 수지상간 영역, δ 상)이 Cu가 많은 연질기지에 박혀있다.

그림 6.211에는 Pb를 함유한 Sn청동 GZ-CuSn12Pb의 조직 생성을 나타낸 것으로 또한 11.4%Sn과 1.22%Pb를 함유한 합금을 원심주조 하였다. 그림 a에는 낮은 배율에서 부식하지 않은 시편 사진으로 Cu내에 불용성 Pb가 기지조직 내에 수많은 검은 입자로 존재하며, 시편의 부식 후 미세조직을 그림 b에 다시 나타낸다. 수지상간 영역 내에서 둥근 Pb입자 외에도 계

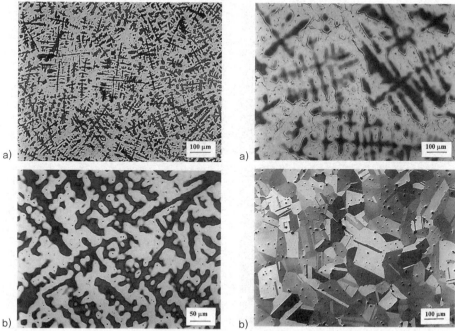

그림 6.209 Sn청동 GZ-CuSn10의 수지상 초정조직, Cumi4로 부식, a) 낮은 배율, Cu가 많은 수지상 및 Sn이 많은 수지상간 영역, 적은 Pb입자, b) 높은 배율, 수지상간 영역에서 $(\alpha+\beta)$ 공석.

그림 6.210 P를 함유한 Sn청동 GZ-CuPSn8P의 조직, Cumi4로 부식, a) 수지상 초정조직, b) 균질화 처리한 조직, 구상의 개재물을 가진 쌍정 α 고용체

속된 조직 성분에는 $(\alpha+\delta)$ 공석을 관찰할 수 있다. 그 밖에도 그림 c에는 균질화 어닐링(700℃/4시간/공랭)을 통하여 계속된 농도균일화에 도달할 수 있으며, 수지상 주조조직은 더 이상 볼 수 없다. 균질화된 조직은 수많은 어닐링 쌍정을 함유한 면심입방 α 고용체로 이루어져 있으며, 그 밖에도 기지에는 구상의 Pb입자가 박혀있다.

Pb- 및 Pb-Sn 청동조직

이 합금군의 조직 생성에 대해서는 이미 2층 복합베어링과 함께 다루었다.(그림 6.206)

그림 6.212에는 사형 주조한 Pb-Sn 청동 GS-CuPb15Sn7의 초정조직을 보충한 것으로 밝은 기지조직은 면심입방 Cu-Sn 고용체로 이루어져 있으며, 이 기지 내에 불균일한 형상과 불균일하게 분포된 Pb입자가 박혀있다. 조직생성은 연질 Pb입자가 약간 경질의 기지에 박혀 있으므로 그림 6.208 변종 b에 해당된다.

Cu-Sn-Zn-Pb 합금, 포금조직

이 Cu 주조 합금은 적당한 가격-성능 비를 나타내므로 슬립베어링 제조에 자주 사용된다. 그림 6.213에는 합금 G-CuSn5

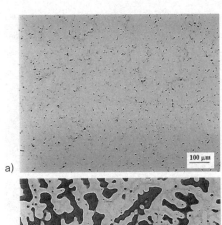

그림 6.211 Pb를 함유한 Sn청동 GZ-CuSn12 Pb의 초정조직, a) 낮은 배율에서 부식하지 않은 시편의 개괄적인 조직, b) 시편의 부식 후 수지상 주조조직, Cumi4로 부식, c) 균질화 어닐링 후의 미세조직, Pb 개재물을 가진 쌍정 α 고용체, Cumi4로 부식.

Zn5Pb5의 조직사진을 다시 나타낸 것으로 그림 a는 낮은 배율에서 부식하지 않은 시편의 사진인데 고용체기지에 균일하게 분포된 검은 입자는 Pb이며, 그림 b에는 시편을 부식 후의 합금 미세조직으로 초정조직의 수지상 구조를 분명히 볼 수 있다. Cu가 많은 어둡게 부식된 수지상 줄기와 가지는 Sn함유가 높은 수지상간 영역으로부터 분명하게 드러나 있다.

주조 및 열간성형한 다원 Al청동의 조직

이 합금은 역시 특히, 높은 기계적 응력이 작용하는 집단베어링 제조에 응용되는데 그림 6.214와 6.215에는 주조된 그리고

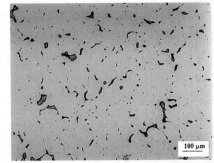

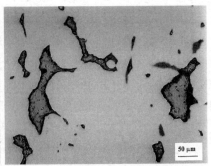

그림 6.212 사형 주조한 Pb-Sn 청동 GS-CuPb15Sn7의 초정조직, 부식하지 않은 것, a) 낮은 배율, b) 높은 배율, Pb입자가 박혀있는 밝은 Cu-Sn 고용체 기지.

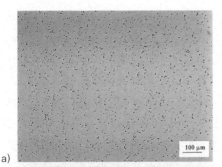

그림 6.213 합금 G-CuSn5Zn5Pb5의 초정조직, a) 부식하지 않은 시편, 고용체 기지 내의 Pb분포, b) Cumi4로 부식한 후의 수지상 미세조직.

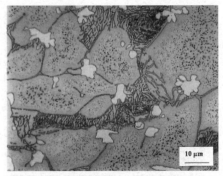

그림 6.214 주조 합금 G-CuAl10NiFe의 조대립자 및 불균일한 초정조직, Cumi5로 부식, 밝게 부식된 α 고용체, 의사(Quasi) 공석 $(\alpha+K_3)$, 조대한 K_2 및 미세 K_4 석출물.

그림 6.215 가공 합금 CuAl10NiFe의 미세립자 및 균일한 2차 조직, Cumi5로 부식, 밝게 부식된 α 고용체, 의사공석 $(\alpha + K_3)$, 조대한 K_2 및 미세한 K_4 석출물.

열간변형한 다원 Al청동의 조직으로 두 합금은 화학조성에서 약간 차이가 있는데, 사형주조된 청동은 조대한 입자와 불균일한 초정조직이며 이에 대하여 가공 합금에서는 미세립자와 균일한 조직을 관찰 할 수 있다. 두 조직의 상조성은 유사하고 밝은 색깔의 면심입방 α 고용체는 비교적 연한 기지 내에 경질 입자인 각종 K 상과 의사(quasi) 공석$(\alpha + K_3)$이 박혀있다. 이 경질 K 상에는 Fe 및 Ni과 Al의 금속간 화합물을 이룬다. 화학조성에 따라서 또한 조직 내에 나타나는 각기 다른 형상에 따라 6.1.5절에서 이미 상 K_1, K_2, K_3 및 K_4 등으로 나타낸 것과 같이 구별한다.

복합 슬립 베어링용 Pb 및 Sn주조 합금

두꺼운 두께와 얇은 두께의 복합베어링의 슬립층을 제조하기 위하여 Pb 및 Sn기지 주조 합금이 자주 응용 된다. 이 재료를 베어링 바벳 메탈이라고 하며, 다음과 같은 합금이 통용 된다. (DIN ISO 4381, 01/99 및 11/92, DIN ISO 4383, 전에는 DIN 1703) :

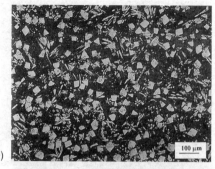

그림 6.216 Sn 주조 합금 SnSb12Cu6Pb의 조직, Nital 부식액으로 부식, a) 낮은 배율, b) 높은 배율, Sn이 많은 고용체, 침상 Cu$_6$Sn$_5$ 결정, 주사위 모양의 SbSn 결정.

– Pb 주조 합금

PbSb15SnAs (전에는 Lg PbSb14), PbSb15 Sn10 (전에는 Lg PbSn10, WM10), PbSb10Sn6

–Sn 주조 합금

SnSb12Cu6Pb (전에는 Lg Sn80, WM80), SnSb8Cu4 (전에는 Lg Sn90, WM88)

다층 복합베어링의 미끄럼층 또는 작동층을 제조하기 위하여 규격에 PbSn10Cu2, PbSn10 및 PbIn7 등과 같은 추가 합금으로 변종하게 된다. 그림 6.216에는 Sn주조 합금의 초정조직을 나타낸 것인데 화학조성은 이전에 규격으로는 Lg Sn80Cd 에 해당되며 합금 SnSb12Cu6Pb에 근접된

다. 10.6%Sb, 5.3%Cu, 0.33%As, 1.64%Cd, 0.6%Pb 및 0.18%Ni을 함유하고 있다. As 는 입자 미세화 작용으로 첨가되며 Cd는 기지의 고용체 경화 역할을 한다.

나타낸 조직은 베어링 베빗 메탈의 특징으로 연성의 Sn이 많은 기지에 경질의 취성 지주결정이 박혀있다. 기지는 시편에서 어둡게 나타나 있고 합금의 Pb함량이 낮아 Sn이 많은 α 고용체로 되어있다. 조직 내에 기하학적인 형태는 지주결정의 두 종류로 구별되는데 관찰되는 하나는 복잡한 육방결정 구조를 가진 금속간 화합물 Cu$_6$Sn$_5$ 의 주조 침상 입자들이다. 다른 하나는 사방육면체 상(Phase)인 SbSn의 조대한 입자가 관찰되며 자주 주사위 형상을 갖는다. 조직의 이들 상 조성은 X-선회절 분석의 합성으로 확인된다. Sn이 많은 바벳 메탈의 화학조성은 합금 SnSb8Cu4Cd에 근접하며 그림 6.217에 나타낸다. 이전에 나타낸 바벳 메탈 변종과 비교하면 이 합금은 적은 양의 Cu 및 Sb를 함유하며(3.6 또는 7.1%), 그 밖에도 1.25%Cd를 포함하고 있다. As, Pb 및 Ni 은 이 바벳 메탈에는 존재하지 않는다. 조직사진에서 Sn이 많은 기지는 어둡게 나타나고 여기에서 합금은 Pb 함량이 낮으므로 Sn이 많은 α 고용체로 이루어져 있다. 이 기지에는 그림 a에서와 같이 침상 지주상 Cu$_6$Sn$_5$가 존재한다. 상 SbSn의 현저한 주사위 형상을 가진 지주결정이 조직 내에 고립되어 나타나 있다(그림 b).

바벳 메탈의 적당한 사용성질을 얻기 위하여 상 조성 외에 또한 조직 내에서 상의

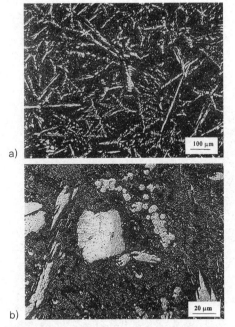

그림 6.217 Sn 주조 합금 SnSb8Cu4Cd의 조직, Nital 부식액으로 부식, a) 낮은 배율, b) 높은 배율, Sn이 많은 고용체, 침상 Cu₆Sn₅ 결정과 적은 양의 주사위 형상 SbSn 결정.

생성형상과 분포를 근본적으로 중요하게 다룬다. 기지 내에 미세하게 분포된 입자와 작은 입자크기의 지주결정을 연결하는 장점이 있다. 조직의 이러한 특징은 합금의 용해 및 주조조건에 영향을 미친다. 4.1절에는 주조온도와 주조방법(사형주물, 금형주물)이 베어링 베빗 메탈 Lg Sn80Cd의 조직생성에 미치는 영향을 나타냈다. 금형주물에서는 주조 온도가 높아지면 조직은 미세한 입자와 균일하게 된다. 이 효과는 주조온도가 상승하면 용탕 내의 핵밀도는 감소됨으로 설명된다. 금형 내에서 용탕이 급랭됨으로 용탕에는 큰 과냉이 나타나 높은 핵 밀도가 되어 미세립자로 응

고된다. 이에 비하여 사형주조에서는 주조온도의 반대효과가 조직의 입자크기에 미치게 된다. 주조온도가 상승하면 조직생성은 조대하며 불균일하게 되고 이것은 사형주조에서 용탕의 낮은 냉각속도에 기인한다. 용탕의 낮은 과냉은 낮은 핵 밀도와 핵 성장의 강화를 일으킨다. 그 결과 조대립자와 불균일 조직이 생긴다. 베어링 베빗 메탈의 응고에서 결정화 과정 진행의 설명으로 3원 재료계 Pb-Sn-Sb가 적당한데 이들 3원소는 베빗 메탈의 기본적인 성분이기 때문이다. 그림 6.218에는 이계의 농도 삼각형을 나타낸 투영도이다. 응고종료의 화학조성에 따라 각종 햇칭된 면을 통하여 제시된 평면에 투사된다. 추가적으로 각종 농도영역에 20℃에서 조직의 상 조성을 나타내는데 2원 가장자리계 Pb-Sn(61.9%Sn, 183℃에서 공정점 E1)과 Pb-Sb(13%Sb, 247℃에서 공정점 E2)는 공정계이다. 2원계 Pb-Sn은 연납땜(그림 6.201)을 다룰 때 이미 나타냈다. Pb-Sb계의 상태도는 유사한 구조를 가지며, 이 두 가지 가장자리계의 차이는 여기서 3가지의 포정부분계가 나타나기 때문에 가장자리계 Sn-Sb의 상태도는 복잡하다. 투영도(그림 6.218)에는 이 가장자리계 Sn-Sb를 간단하게 사용하였으며, 고용체 영역에서만 α와 δ로 나타내고 또한 이방 β 상의 존재영역(SbSn, 결정구조형 B1)은 근사적으로 일치시켜 나타낸다.

2원 공정 홈(groove) E1-b와 E2-b는 b점의 방향으로 떨어지고 b점에서 β 상의 존재영역과 만나는데 이렇게 하여 어두운

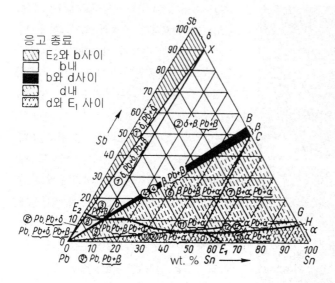

그림 6.218 Pb-Sn-Sb투영도와 20℃에서 Pb-Sn-Sb 합금의 조직 구조.

쐐기모양으로 표시되었다. 3원 공정이 3원계 Pb-Sn-Sb에 나타난다.

표 6.18에는 상의 화학조성과 용융온도 및 투영 삼각형의 좌표에서 뚜렷한 점을 함께 나타낸 것이다. 농도 삼각형 Pb-Sn-Sb에서 함금원소 Cu는 고려되지 않고, 이것은 고용체상 α와 δ내에 한 면으로 용해되어 존재한다. 다르게 생성되는 것으로는 Sn과 함께 육방결정구조(결정구조형 B8₁)를 가진 금속화합물 Cu_6Sn_5로 대개 η 상으로 나타내고 약 415℃에서 결정화되는 상태도 Cu-Sn(그림 6.33)에 해당 된다.

지금까지 관찰한 결과는 Sn 합금의 응고에서 조직을 그림 6.216과 6.217에 나타낸

표 6.18 Pb-Sn-Sb 투명도에서 상과 공정점의 화학조성(wt.%) 및 용융온도

상	화학조성	용융온도[℃]
α	Sb를 함유한 (0~10%)Sn고용체	232~246
β	금속간 화합물 SbSn	325
δ	Sn을 함유한(0~10%) Sb고용체	630~600
Pb	Sn을 함유한 (0~19%) Pb고용체	327~280
E1	61.9%Sn + 38.1%Pb	183
E2	87.0%Pb + 13.0%Sb	247
점	농도	온도[℃]
b	80%Pb + 10%Sn10%Sb	247
d	4.25%Pb + 53.5%Sn + 4%Sb	184

것을 다음과 같이 기술한다. (Cu_6Sn_5)침상의 초정 결정화는 약 400~350℃ 온도구간에서 나타나고 여기서 약 280~260℃ 온도에서 주사위 모양의 SbSn입자의 2차 결정화가 마지막으로 진행된다. 초정으로 결정화된 (Cu_6Sn_5) 침상은 잔류융체에서 망상을 생성하고 이것은 낮은 밀도를 가진 SbSn결정과 높은 밀도를 가진 잔류융체간에 중력편석을 억제한다. 아직 존재하는 잔류융체는 약 230~200℃ 온도구간에서 결정화되며 매우 낮은 Pb함량으로 인하여 여기서 관찰된 합금 α 고용체를 생성한다. 높은 Pb를 함유한 합금에서는 이 고용체 외에도 그림 6.201과 6.218에 나타낸 것과 같이 $(α + Pb)$ 공정(E_1)이 나타난다.

알루미늄 합금

다층 복합베어링의 작동층 또는 슬립 층 제조에는 압연하고 어닐링한 알루미늄 합금이 역시 사용된다. 통용되는 합금에는 (DIN ISO 4383) : AlSn20Cu (0.7~1.3%Cu), AlSn6Cu (1~1.5%Cu) 및 AlSi4Cd.

합금 AlSn6Cu는 중간층 재료로 많이 사용된다. 그림 6.219에는 합금 AlSn20Cu로 된 작동층의 다층 복합베어링 단면 시편 조직사진을 나타낸 것으로 a는 시편의 전체사진을 나타냈는데 상부 사진 가장자리에는 흑색인 매몰재이며, 그 아래는 AlSn20Cu로 된 슬립층이 연결되어 있다. 이미 이 그림에서는 미세립자와 균일한 층 구조를 볼 수 있고 슬립층의 하부 가장자리에는 순수한 알루미늄으로 된 밝은 띠 형상 영역을 나타내며, 이 알루미늄 중간

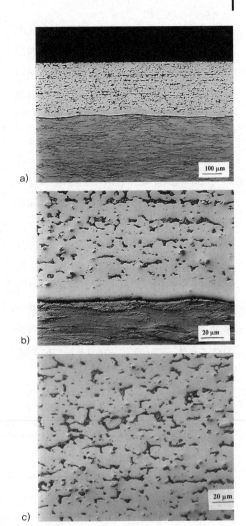

그림 6.219 AlSn20Cu-슬립 층을 가진 다층 복합 베어링으로 된 단면 조직 사진, Nital 부식액으로 부식.
a) 낮은 배율에서 전체사진,
b) 미끄럼 층으로부터 지지굴곡으로의 천이 확대 된 절단면, 부식한 것.
c) 미끄럼 층의 확대된 절단면

층은 슬립층이 아래에서 볼 수 있는 강지지 외판에 우수한 점착을 위하여 필요하다. 확대한 사진 b에서 이 순수한 알루미

늄층이 분명하게 식별된다. 사진 c는 미끄럼층의 확대된 조직부분으로 밝은 조직기지는 비교적 단단한 구리를 함유한 알루미늄의 초정 결정화 된 고용체로 이루어져 있다. 이 기지에는 연한 Sn이 박혀있고 이것은 알루미늄 합금에서 Cu기지 합금의 Pb와 유사한 역할을 한다. G.Mann에 따르면 AlSn20Cu/순수알루미늄/강의 복합재료로 제조되는데 우선 합금 AlSn20Cu를 금형에 주조 또는 수평 연속 주조한다.

Al과 Sn은 그림 6.220에 나타낸 것과 같이 액상상태에서 완전 용해성을, 고체상태에서는 성분의 완전 불용성을 나타내는 공정계를 생성한다. 상태도에는 융체로부터 면심입방 알루미늄 초정으로 결정화된다. 공정 농도(99.6%Sn)로부터 먼 왼쪽

에 나타나므로 용탕의 대부분은 이 초정 결정화에 의하여 응고된다.

융체 → Al

남아있는 잔류융체는 Sn이 많아지며 공정온도(228℃)에 도달되면 공정응고가 일어난다.

융체 → Al + Sn

공정의 알루미늄 부분은 이미 존재하는 알루미늄 결정에서 결정화되며 그 결과 조직의 초정입계에 순수한 Sn으로 된 막을 생성한다. 이 입계막은 합금의 기계적 성질에 좋지 못한 영향을 미친다. 재료를 냉

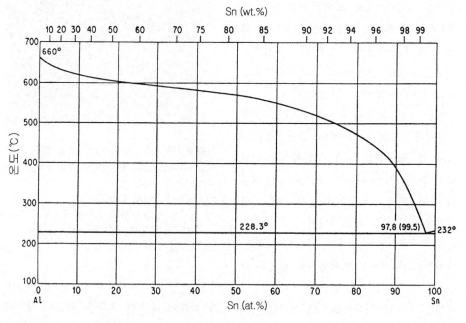

그림 6.220 Al-Sn상태도, Hansen 및 Anderko에 의함.

간압연하고 중간 어닐링을 통하여 기지조 직에 바람직한 Sn의 망상분포를 이룰 수 가 있다. 마지막으로 AlSn20Cu와 순수 알 루미늄을 압연접합으로 부분접합한다. 이 부분접합을 구조용강과 또한 압연접합하고 이 접합부를 350℃에서 어닐링 처리하여 완성한다. 제작된 중간제품은 절단 및 굽 힘 등으로 베어링 외판으로 제조된다.

❙ 참고문헌

- D. Altenpohl : Aluminium und Aluminiumlegierungen, Springer Verlag 1965
- Aluminium-Taschenbuch, 3 Bände Aluminium-Verlag Düsseldorf, 1997
- Fr.-W. Bach, T. Duda : Moderne Beschichtungsverfahren, Wiley-VCH Weinheim, 2000
- L. Baumann, O. Leeder : Einfü hrung in die Auflichtmikroskopie, Deutscher Verlag für Grundstoffindustrie Leipzig, 1991
- M. Beckert, H. Klemm : Handbuch der metallographischen Arbeitsverfahren, Deutscher Verlag fürGrundstoffindustrie Leipzig, 1984
- W. Bergmann : Werkstofftechnik, Bd. 1 und 2, Carl Hanser Verlag München, Wien, 2002
- L. B. Bertolini et al. : Corrosion of Steel in Concrete-Prevention, Diagnosis, Repair, Wiley-VCH, Weinheim, 2003
- H. K. D. Bhadeshia : Bainite in Steels, The University Press Cambridge, 2001
- W. Bleck : Werkstoffkunde Stahl, Verlag Mainz, Wissenschaftsverlag Aachen, 2001
- J. Bohm : Realstruktur von Kristallen, E. Schweizerbart'sche Verlagsbuchhandlung Stuttgart, 1995
- B. Bousfield : Surface Preparation and Microscopy of Materials, John Wiley Sons, Chichester, New York, 1992
- E. Broszeit (Hrsg.) : Mechanische Oberflächenbehandlung : Festwalzen, Kugelstrahlen, Sonderverfahren, Oberurse, DGM-Informationsgesellschaft, 1989
- O. Brümmer (Hrsg.) : Mikroanalyse mit Elektronen- und Ionensonden, Deutscher Verlag für Grundstoffindustrie Leipzig, 1981
- B. Buchmayr : Werkstoff- und Produktionstechnik mit Mathcad- Modellierung und Simulation in Anwendungsbeispielen, Springer Verlag Berlin, Heidelberg, New York, Tokyo, 2002
- R. Chatterjee-Fischer : Wärmebehandlung von Eisenwerkstoffen, Expert Verlag Renningen, 1995
- J. W. Christian : The Theory of Transformations in Metals and Alloys, Pergamon Press Oxford, London, Edinburgh, 1975
- Deutsches Kupferinstitut, Düsseldorf, Informationsdrucke über Kupfer und

Kupferlegierungen

- K. Dies : Kupfer und Kupferlegierungen in der Technik, Springer Verlag, 1967
- E. Döring : Werkstoffkunde der Elektrotechnik, Verlag Friedr. Vieweg & Sohn, Braunschweig, Wiesbaden, 1988
- Edelmetall Taschenbuch, DEGUSSA, Frankfurt/Main 1967
- G. Fasching : Werkstoffe für die Elektrotechnik, Springer Verlag, 1994
- H. Fischer : Werkstoffe in der Elektrotechnik, Carl Hanser Verlag, 1987
- G. M. Froberg : Thermodynamik für Metallurgen und Werkstofftechniker, Deutscher Verlag für Grundstoffindustrie Leipzig, 1994
- H. Goner, S. Marx : Aluminium-Handbuch, Verlag Technik Berlin, 1971
- G. Gottstein : Physikalische Grundlagen der Materialkunde, Springer Verlag Berlin, Heidelberg, 1998
- J. Grosch : Einsatzhärten: Grundlagen, Verfahren, Anwendungen, Eigenschaften einsatzgehärteter Gefüge und Bauteile, Expert Verlag Renningen, 1994
- P. Haasen : Physikalische Metallkunde, Springer Verlag Berlin, Heidelberg, New York 1994
- R. A. Haefer : Oberflächen- und Dünnschichttechnologie Teile I und II, Springer Verlag Berlin, Heidelberg, usw., 1987
- S. Hausssühl : Kristallgeometrie, VCH Weinheim, 1993
- U. Heubner : Nickellegierungen und hochlegierte Sonderedelstähle, Expert Verlag, Renningen, 1993
- E. Hornbogen : Werkstoffe - Aufbau und Eigenschaften, Springer Verlag Berlin, Heidelberg, New York, London, Paris, Tokyo, 1994
- E. Hornbogen, H. Warlimont : Metallkunde, Springer Verlag Berlin, Heidelberg, 1991
- E. Hornbogen, H. Thumann : Die martensitische Umwandlung und ihre werkstofftechnischen Anwendungen, DGM Verlag, 1986
- H. P. Hougardy : Umwandlung und Gefüge unlegierter Stähle, Verlag Stahleisen mbH Düsseldorf, 1990
- H.-J. Hunger (Hrsg.) : Werkstoffanalytische Verfahren, Deutscher Verlag für Grundstoffindustrie Leipzig, Stuttgart, 1995
- P. Jagrovic : Elektronenstrahlhä- rtung für Beschichtungen und andere Anwendungen : Prinzip, Anlagen, Verfahren Expert Verlag Renningen, 1990

- D. Jeulin : Mechanics of Random and Multiscale Microstructures, Springer Verlag Wien, New York, 2001
- K. U. Kainer : Magnesium, DGM/ Wiley, 2000
- N. Kanani : Galvanotechnik, Carl Hanser Verlag München, Wien, 2000
- J. H. Kerspe et al. : Aufgaben und Verfahren in der Oberflächentechnik, Expert Verlag Renningen, 2000
- W. Kleber : Einführung in die Kristallographie, Verlag Technik Berlin, 1965
- G. Kostorz (Hrsg.) : Phase transformations in Materials, Wiley-VCH Weinheim, 2001
- U. Krüger, U. Laudien, F. Lemke, P. W. Nogossek : DVS-Gefügekatalog Schweiß technik, Nichteisenmetalle, Band 88, DVS Verlag Düsseldorf, 1987
- Magnesium-Taschenbuch, Aluminium-Verlag Düsseldorf, 2000
- G. Masing : Ternäre Systeme, Akad. Verlagsgesellschaft Geest & Portig K.-G. Leipzig 1949
- E. Matthaei : Härteprüfung mit kleinen Prüfkräften und ihre Anwendung bei Randschichten, DGM Informationsgesellschaft Oberursel, 1987
- H. Meigh : Cast and wrought aluminium bronzes – properties, processes and structure, IOM Communications Ltd., 2000
- H. G. Meisel, G. Johner, A. Scholz : Metallographische Entwicklung des Gefüges von Nickelbasiswerkstoffen, Prakt. Metallographie 17 (1980), 261-272
- M. Merkel, K.-H. Thomas : Taschenbuch der Werkstoffe, Fachbuchverlag Leipzig, K ln, 1994
- F. R. Morral : Metallographie der Kobaltbasis- und Kobalthaltigen Legierungen, Prakt. Metallographie 10 (1973) 398-413
- H. Mughrabi (Hrsg.) : Plastic Deformation and Fracture of Materials Vol. 6 of Materials Science and Technology(Hrsg. R. W. Cahn, P. Haasen, E. J. Kramer), VCH Weinheim, New York, Basel, Cambridge, 1993
- Nichtrostende Stähle, Verlag Stahleisen mbH Düsseldorf, 1989
- W. O. Oettel : Grundlagen der Metallmikroskopie, Akad. Verlagsgesellschaft Geest & Portig K.-G. Leipzig 1958
- J. Ohser, F. Mücklich : Statistical Analysis of Microstructrues in Materials Science, J. Wiley & Sons, Chichester, New York, 2000
- P. Paufler : Phasendiagramme, Akademieverlag Berlin, 1981

- P. Paufler, G. E. R. Schulze : Physikalische Grundlagen mechanischer Festkörpereigenschaften I und II, Akademie- Verlag, Berlin WTB Band 229 und 238, 1978
- G. Petzow : Metallographisches, keramographisches und plastographisches Ätzen, Gebr. Bornträger Verlag Berlin, Stuttgart, 1994
- M. Peters, C. Leyens : Titan und Titanlegierungen, DGM/Wiley, 2002
- M. Peters, C. Leyens, J. Kumpfert : Titan und Titanlegierungen, MAT INFO, Werkstoffinformationsgesellschaft, 1998
- M. Riehle, E. Simmchen : Grundlagen der Werkstofftechnik, Wiley-VCH Weinheim, 3. Auflage 2000
- H. Riesenberg (Hrsg.) : Handbuch der Mikroskopie, VEB Verlag Technik Berlin, 3. Auflage 1998
- F. N. Rhines : Microstructology: Behaviour and Microstructure of Materials, Riederer Verlag Stuttgart, 1986
- H. Robeneck (Hrsg.) : Mikroskopie in Forschung und Praxis, GIT Verlag 1995
- T. Rudlaff : Arbeiten zur Optimierung des Umwandlungshä rtens mit Laserstrahlen, Stuttgart : Teubner, 1993
- L. E. Samuels : Metallographic Polishing by Mechanical Methods, ASM Metals Park Ohio, 1982
- W. Schäfer, G. Terlecki : Halbleiterprüfung-Licht-und Rasterelektronenmikroskopie, Hüthing Verlag Heidelberg, 1986
- W. Schatt und H. Worch (Hrsg.) : Werkstoffwissenschaft, Wiley-VCH, 2002
- P. F. Schmidt : Praxis der Rasterelektronenmikroskopie und Mikrobereichsanalyse, Expert Verlag Renningen, 1994
- K. Schmidt u. a. : Gefügeanalyse metallischer Werkstoffe- Interferenzschichtenmetallographie und automatische Bildanalyse, Carl Hanser Verlag München, Wien, 1985
- R. Schneider, W. Weil : Stochastische Geometrie, Teubner Verlag Stuttgart, Leipzig, 2000
- G. E. R. Schulze : Metallphysik, Akademieverlag Berlin, 1974
- H. Schumann : Kristallgeometrie, Deutscher Verlag für Grundstoffindustrie Leipzig, 1980
- C. T. Sims, W. C. Hagel : The Superalloys, John Wiley & Sons, New York,

1972

- P. Soille : Morphological Image Analysis, Springer Verlag Berlin, Heidelberg, 1999
- D. Stöckel : Legierungen mit Formgedächtnis, Expert Verlag Renningen, 1998
- R. Telle, G. Petzow : Light Microscopy in Materials Science and Technology in : Characterization of Materials Part I (Hrsg. E. Lifshin), VCH Verlagsgesellschaft Weingeim, 1992
- G. Vander Voort : Metallography, McGraw-Hill Book Company, 1984
- R. Vogel : Die Heterogenen Gleichgewichte(2. Auflage), Akad. Verlagssgesellschaft Geest & Porting, Leipzig, 1959
- P. Walker, W. H. Tarn : Handbook of Metal Etchants, CRC Press Inc. Boca Raton, Ann Arbor, Boston, 1991
- H. Waschull : Präparative Metallographie, Verlag für Grundstoffindustrie Leipzig, Stuttgart, 1993
- Werkstoffhandbuch Nichteisenmetalle, VDI Verlag, Düsseldorf
- Werkstoffkunde Stahl, Bd. 1 : Grundlagen; Bd. 2 : Anwendungen, Springer Verlag Berlin, Heidelberg, New York, Tokyo und Verlag Stahleisen mbH Düsseldorf, 1984
- Wieland-Kupferwerkstoffe, Wieland-Werke Ulm, 1999
- Zink Taschenbuch, Metall Verlag Berlin, Heidelberg, 1981
- Zinn Taschenbuch, Metall Verlag Berlin, 1981
- U. Zwicker : Titan und Titanlegierungen, Springer Verlag, 1974

부록 I : 기술적으로 중요한 금속과 비금속의 원자 상수(실온)

원소	기호	원자량	원자직경 [nm]	공간격자	격자상수 a	b	c 또는 α
Aluminium	Al	26.982	0.2864	kfz	4.0497		
Antimony	Sb	121.75	0.290	rh	4.5069		57.12 °
Arsenic	As	74.922	0.249	rh	4.1315		54.17 °
Barium	Ba	137.34	0.4347	krz	5.0193		
Beryllium	Be	9.012	0.2226	hxg	2.2857		3.5834
Bismuth	Bi	208.980	0.309	rh	4.7462		57.24 °
Lead	Pb	207.19	0.3500	kfz	4.9504		
Boron	B	10.811	0.1589	rh	5.057		58.06 °
Cadmium	Cd	112.40	0.2979	hxg	2.9789		5.6170
Calcium	Ca	40.08	0.3947	kfz	5.582		
Chrome	Cr	51.996	0.2498	krz	2.8847		
Cobalt	Co	58.933	0.2507	hxg	2.5075		4.0701
Iron	Fe	55.847	0.2483	krz	2.8666		
Gallium	Ga	69.72	0.2442	orth	4.5200	7.6606	4.5260
Gold	Au	196.967	0.2884	kfz	4.0787		
Iridium	Ir	192.2	0.2715	kfz	3.8391		
Kalium	K	39.102	0.4628	krz	5.344		
Carbon	C						
Graphite		12.011	0.2461	hxg	2.4613		6.7082
Diamond			0.1545	kfz	3.5669		
Copper	Cu	63.546	0.2556	kfz	3.6148		
Lithium	Li	6.939	0.3040	krz	3.5102		
Magnesium	Mg	24.312	0.3209	hxg	3.2095		5.2107
Manganese	Mn	54.938	0.2731	kub	8.9142		
Molybdenum	Mo	95.94	0.2725	krz	3.1470		
Sodium	Na	22.990	0.3716	krz	4.2908		
Nickel	Ni	58.71	0.2492	kfz	3.5238		
Osmium	Os	190.2	0.2675	hxg	2.7354		4.3193
Palladium	Pd	106.4	0.2751	kfz	3.8909		
Phosphor	P	30.974	0.218	orth	3.317	4.389	10.522
Platinum	Pt	195.09	0.2775	kfz	3.9241		
Mercury	Hg	200.59	0.3005	rh	3.005		70.53 °
Rhenium	Re	186.2	0.741	hxg	2.762		4.457
Rhodium	Rh	102.905	0.2690	kfz	3.8045		
Sulfur	S	32.064	0.1887	orth	10.437	12.846	24.370
Silber	Ag	107.868	0.2889	kfz	4.0863		
Silicon	Si	28.086	0.2352	kfz		5.4308	
Strontium	Sr	87.62	0.4303	kfz	6.0851		
Tantalum	Ta	180.948	0.2860	krz	3.3028		
Titanium	Ti	47.90	0.2896	hxg	2.9505		4.6835
Uranium	U	238.03	0.277	orth	2.857	5.877	4.955
Vanadium	V	50.942	0.2628	krz	3.0344		
Tungsten	W	183.85	0.2741	krz	3.1649		
Zinc	Zn	65.37	0.2665	hxg	2.6650		4.9470
Tin	Sn	118.69	0.3022	tetr	5.8317		3.1815
Zirconium	Zr	91.22	0.3179	hxg	3.2313		5.1479

hxg : 육방   krz : 체심입방   rh : 능연체

kfz : 면심입방   orth : 사방정   tetr : 정방정

부록 II : 기술적으로 중요한 금속과 비금속의 물리적 성질

원소	용융점 [°C]	0.1MPa에서 비등점 [°C]	밀도 [g cm⁻³]	0°C에서 비열 [J g⁻¹]	융해열 [J g⁻¹]	0°C에서 선열팽창 계수 [K⁻¹]	열전도도 [W m⁻¹K⁻¹]	전기전도도 [10⁻⁶ Ω⁻¹m⁻¹]	영율 [GPa]
Aluminium	660	2441	2.70	0.900	399	24	231	37.7	71
Antimony	630	1750	6.69	0.209	165	9.5	18.5	2.56	78
Arsenic	815	613	5.73	0.331	223	4.7	–	3.0	–
Barium	725	1630	3.58	0.192	56	16	–	–	–
Beryllium	1285	2475	1.85	1.825	1356	12	218	25.0	290
Bismuth	271.4	1560	9.78	0.125	53	13	8.4	0.9	31.7
Lead	327.5	1750	11.35	0.129	23	29	35.2	4.8	19
Boron	2300	2550	2.46	1.026	1472	2	–	$45 \cdot 10^{-12}$	441
Cadmium	321	767	8.64	0.230	54	30	92	14.6	55
Calcium	840	1485	1.56	–	230	23	130	25.6	24.8
Chrome	1495	2870	8.90	0.419	263	12	95	16.0	207
Cobalt	1860	2670	7.21	0.460	282	6	90	7.8	248
Iron	1536	2870	7.87	0.452	289	12	80	10.3	206
Gallium	29.8	2300	5.91	0.373	80	18	34	5.7	–
Gold	1063	2857	19.32	0.129	64	14	312	42.6	74.5
Iridium	2450	4390	22.42	0.129	144	6.5	147	18.9	517
Kalium	63.3	760	0.86	0.754	60	83	99	16.3	–
Carbon									
Diamond	>3800	4827	3.51	0.519	–	–	150	–	–
Graphite	>3500	4200	2.27	0.712	–	–	24	–	4.8
Copper	1084	2575	8.96	0.385	205	16.5	395	59.8	125
Lithium	180	1342	0.53	3.517	416	50	71	11.7	–
Magnesium	650	1090	1.74	1.017	379	25	170	22.5	44.1

부록 II : 기술적으로 중요한 금속과 비금속의 물리적 성질(계수)

원소	용융점	0.1MPa에서 비등점	밀도	0°C에서 비열	융해열	0°C에서 선열팽창 계수	열전도도	전기전도도	영율
	[°C]	[°C]	[g cm^{-3}]	[J g^{-1}]	[J g^{-1}]	[K^{-1}]	[W m^{-1}K^{-1}]	[10^{-6} Ω^{-1}m^{-1}]	[GPa]
Manganese	1244	2060	7,21	0,477	267	23	–	0,54	198
Molybdenm	2620	4651	10,22	0,251	253	5	140	19,2	276
Sodium	97,83	884	0,97	1,226	115	70	134	23,8	–
Nickel	1453	2914	8,90	0,444	300	13	90	14,6	206
Osmium	3025	4225	22,61	0,129	141	5	61	10,5	552
Palladium	1550	2927	12,02	0,243	157	12	70	9,2	117
Phosphor	44,1	280	1,82	0,754	81	125	–	1·10^{-15}	–
Platinum	1770	3825	21,48	0,134	112	8,9	73	9,4	147
Mercurg	−38,86	356,5	13,55	0,138	11,7	–	8,4	1,0	–
Rhenium	3180	5650	21,04	0,138	178	7	71	5,2	460
Rhodium	1965	3700	12,41	0,243	212	8,3	150	22,2	290
Sulfur	113	445	1,95···2,97	0,733	38	63	26,4·10^{-2}	5·10^{-22}	80
Silber	961	2212	10,51	0,239	111	19	427	62,9	80
Silicon	1411	3280	2,33	0,712	1655	2,5	83,5	10,0	100
Strontium	770	1375	2,58	0,301	105	–	–	4,3	–
Tantalum	2980	5365	16,66	0,142	174	6,6	55	8,0	186
Titanium	1670	3290	4,50	0,523	402	8,6	22	2,4	110
Uranium	1232	4140	18,9	0,117	53	13,5	25	3,3	165
Vanadium	1900	3400	6,02	0,485	329	8	60	3,9	131
Tungsten	3400	5550	19,26	0,134	192	4,4	162	17,7	345
Zinc	419,5	910	7,13	0,389	102	30	113	16,9	105
Tin	232	2600	7,31	0,226	60	21	66	9,1	44
Zirconium	1852	4400	6,52	0,280	225	5,5	23	2,5	95

부록 Ⅲ : 합금에서 양(농도) 표시

n 성분(원소)을 가진 합금계에서 양을 통상적으로 m_i로 나타내며, m_i는 또한 성분 i 의 무게분률로서 합금계 전체무게에서 차지하는 비율이다.

구조적인 관점에서는 원자분률 x_i를 이용하는 것이 유리하다.[1] 이는 전체계의 원자수에 대한 i원자의 수를 나타낸다.

또한 체적분률 V_i가 필요할 때가 있는데, 이는 전체체적에서 성분 i 가 차지하는 부피의 비율이다.

이 양은 서로 환산될 수 있으며, 여기에는 원자무게 A_i와 성분의 밀도 ρ_i가 필요하고 필요한 관계를 다음에 나타낸다.

- 무게분률 m_i를 원자분률 x_i로 환산 :
$$x_i = \frac{m_i/A_i}{\sum_{j=1}^{n} m_j/A_j} = \frac{m_i/A_i}{m_1/A_1 + m_2/A_2 + m_3/A_3 + ...}$$

- 원자분률 x_i를 무게분률 m_i로 환산 :
$$m_i = \frac{m_i \cdot A_i}{\sum_{j=1}^{n} x_i \cdot A_i} = \frac{x_i \cdot A_i}{x_1 \cdot A_1 + x_2 \cdot A_2 + x_3 \cdot A_3 + ...}$$

- 무게분률 m_i를 체적분률 v_i로 환산 :
$$v_i = \frac{m_i/\rho_i}{\sum_{j=1}^{n} m_i/\rho_i} = \frac{m_i/\rho_i}{m_1/\rho_1 + m_2/\rho_2 + m_3/\rho_3 + ...}$$

- 체적분률 v_i를 무게분률 m_i로 환산 :
$$m_i = \frac{v_i \cdot \rho_i}{\sum_{j=1}^{n} v_j \cdot \rho_j} = \frac{v_j \cdot \rho_j}{v_1 \cdot \rho_1 + v_2 \cdot \rho_2 + v_3 \cdot \rho_3 + ...}$$

- 체적분률 v_i를 원자분률 x_i로 환산 :
$$x_i = \frac{v_i \cdot \rho_i/A_i}{\sum_{j=1}^{n} v_j \cdot \rho_j/A_i} = \frac{v_i \cdot \rho_i/A_i}{v_1 \cdot \rho_1/A_1 + v_2 \cdot \rho_2/A_2 + v_3 \cdot \rho_3/A_3 + ...}$$

- 원자분률 x_i를 체적분률 v_i로 환산
$$v_i = \frac{x_i \cdot A_i/\rho_i}{\sum_{j=1}^{n} x_j \cdot A_j/\rho_i} = \frac{v_i \cdot \rho_i/A_i}{x_1 \cdot A_1/\rho_1 + x_2 \cdot A_2/\rho_2 + x_3 \cdot A_3/\rho_3 + ...}$$

---

1) 화학에서는 일반적으로 몰분률로 나타낸다.

부록 IV : 백분률 용액의 조제

(1) 5% 희석 수용성 가성소다액을 제조하기 위해서 5g의 무수 및 화학적으로 순수한 가성 소오다를 평량하여 95g의 증류수에 주의하여 용해하면 100g 용액이 된다.

(2) 농도가 다른 두 용액으로부터(그 용액은 역시 순수한 용액으로 되어 있을 수 있는) 그 중간농도의 용액을 조제하기 위해서는 Andrew Cross를 이용한다. 이것은 예를 들면 10% 희석 알콜성 질산에 1% 희석 알콜성 질산을 첨가하면 5% 희석 알콜성 질산이 조제된다.

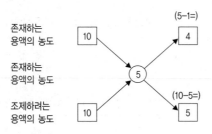

오른쪽에 뺀 숫자는 희석용액에 대한 진한 용액의 혼합비를 나타낸 것이다 : 10% 희석 알콜성 HNO_3 4parts와 1% 희석 알콜성 HNO_3 5parts를 혼합한다. 순수한 용매로 희석하면 농도가 "0"이 된다. 여기서 "parts"는 용액의 함량이 질량(mass)퍼센트라면 mass parts를 의미하며, 체적 퍼센트라면 space parts를 의미한다.

(3) 밀도가 1.455g/㎤인 황산은 물을 첨가하면 1.255g/㎤ 밀도인 황산으로 희석된다.

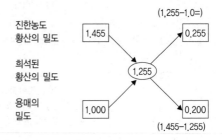

물과 진한 농도의 황산과의 혼합비는 0.255 : 0.200이 된다.

부록 V : 현미경 조직 부식제

1. 철, 강 및 주철

a. 매크로 부식제

NO.	사용목적	화학조성	비고
Fe ma1	비합금 및 합금강, 편석, 초정조직 섬유조직	Oberhoffer : 3g 염화철(III) 1g 염화동(II) 0.5g 염화주석(II) 500ml 에탄올 500ml 증류수 50ml 염산은 나중에 첨가	부식 시간은 수초~분, 미세연마된 표면, 부식 후 에탄올-염산 혼합(4 : 1)에서 씻어냄
Fe ma2	저탄소강에서 인편석, 용접영역, 초정조직	Heyn : 100ml 증류수 9g 염화암모늄동	부식시간은 2~10분, Cu-얇은층을 솜으로 물에서 닦아냄
Fe ma3	비합금 및 저합금강, 망간경질강, 용접 접합부, 2-4% 실리콘철	10g 과황산암모늄 100ml 증류수	미세연마된 표면, 사용하기 전에 조제함
Fe ma4	고합금 내식강, 용접 접합부	Adler : 15g 염화철(III) 3g 염화암모늄동 50ml 염산 25ml 증류수	연마된 표면을 솜으로 세게 문지른다.
Fe ma5	저탄소 N_2-강에서 힘의 효과 자국(흐름선)의 확인, 토마스강(인편석)	Fry : 90g 염화동 120ml 염산 100ml 증류수	부식하기 전에 150~200℃에서 5~30분 템퍼링, 그리고 우선 연마, 미세연마 ; 32% 희석 염산에 침적하여 부식한 후 암모니아 용액으로 중화시킴
Fe ma6	질화층의 깊이 규명, 오스테나이트 및 내열강, FeCrNi-주로 합금	Marble : 4g 황산동 20ml 염산 20ml 증류수	부식시간 수초~분
Fe ma7	황화철 확인	Baumann-프린트 : 브롬화 은종이, 5% 희석 황산 정착조	종이를 용액에 적시고 연마시편상에 누르고 약 3분 후에 씻어내며 정착시키고 물로 씻은 후 건조시킴, 유화물이 갈색으로 나타남
Fe ma8	인편석 확인	Fe ma1 및 Fe ma2 (Oberhoffer 및 Heyn)	P가 많은 부분은 밝게 남는다.
Fe ma9	회주철 내에 Steadite의 배열	25ml 왕수 75ml 에탄올	연마된 표면

b. 마이크로 부식제

NO.	사용목적	화학조성	비고
Fe mi1	순철, 탄소강, 저합금강, 회주철	100ml 에탄올 1~10ml 왕수	부식시간 수초~분, 여러번 부식 및 미세연마가 유리함
Fe mi2	Fe m1 처럼	100ml 에탄올 2~4g 피크린산	부식시간 수초~분
Fe mi3	칭하고 템퍼링한 강의 오스테나이트 입자 크기 확인	5ml 염산 1g 피크린산 100ml 에탄올	마르텐사이트에서 좋은결과, 200℃에서 15분간 템퍼링
Fe mi4	칭하고 템퍼링한 강의 오스테나이트 입자 크기 확인	100ml 냉간 포화된 수용성 피크린산 5~10ml 사용제 1~5 방울 염산	사정에 따라서 증류수로 희석하고 중간 미세연마
Fe mi5	비합금 및 저합금강의 편식부식, 시멘타이트 확인 경질망간강, 주철 칼라부식	Klemm I : 100ml Klemm 저장용액 2g 중 환상칼륨 Klemm 저장용액 : 300ml 증류수(40℃) 1000g 티오황산나트륨	습식부식, 부식시간 약 1~2분, 주철에는 5분
Fe mi6	비합금 및 저합금강, 마르텐사이트 및 베이나이트 조직, 페라이트형 크롬강, 경질망간강	100ml Beraha I 저장용액 1g 중황산칼륨 Beraha I 저장용액 : 1000ml 증류수, 200ml 염산 24g 중 플루오르화수소산염 암모늄	습식부식
Fe mi7	질화층의 깊이 규명	1.25g 황산동 2.50g 염화동(II) 10g 염화마그네슘 2ml 염산 100ml 증류수 에탄올 용액을 1000ml에 채움	전체 깊이와 각기 다른 층을 확인, 조성을 정확하게 할 것!
Fe mi8	질화층 부품의 화합물 층 평가	10 parts 에탄올 1 part Oberhoffer	γ 상 회색, ε 상 흰색
Fe mi9	시멘타이트와 질화철 확인	알카리성 피크린 용액 25g 수산화나트륨 75ml 증류수 100ml 용액에 추가 : 2g 피크린산 수조에 30분간 침지	사용 전에 조제, 90℃에서 부식, 시멘타이트는 질화철 보다 심하게 착색됨, 인화철은 부식되지 않음
Fe mi10	주철에서 인화철 확인	Murakami : 10g 제2철 청산칼륨 10g 수산화칼륨 100ml 증류수	사용 전 조제, 20℃에서 20분 부식, 인화철은 칼라로 되고 시멘타이트는 부식되지 않음
Fe mi11	특수탄화물과 탄화철을 구별	10g 제2철 청산칼륨 3g 수산화칼륨 100ml 증류수	사용 전 조제, 탄화철은 부식되지 않음

NO.	사용목적	화학조성	비고
Fe mi12	규소강	20ml 플루오르화수소산 10ml 질산 20~40ml 글리세린	글리세린 함량에 따라 부식은 다양함
Fe mi13	내식강(크롬강, Cr–Ni강 및 Cr–Mn–Ni강 오스테나이트형 주물 재료	V2A 부식제 : 100ml 염산, 10ml 질산, 0.3ml Vogel spar 부식제(상품명), 100ml 증류수	부식시간 수초~분, 부식온도 : 실온~70℃
Fe mi14	페라이트형 크롬강, 오스테나이트형 Cr–Ni강, 오스테나이트형 주물재료	45ml 글리세린 15ml 질산 30ml 염산	부식시간 수분까지, 사용 전 조제!
Fe mi15	오스테나이트형 Cr–Ni강, σ 상 확인	Lichtenegger 및 Bloch : 100ml 증류수 20g 중플로르화수소산염 암모늄 0.5g 제2황화칼륨 Groesbeck : 4g 과망간산칼륨 4g 수산화나트륨 100ml 증류수	칼라부식, 습식부식, 부식시간 수초~분, δ 페라이트는 흰색으로 남음. 부식시간 약 50℃에서 1~수분, 오스테나이트는 부식되지 않고, 페라이트는 약하게 부식되며, 탄화물은 심하게 부식 됨, 시그마상은 적당히 부식
Fe mi16	오스테나이트형 Cr–Ni강	100ml Beraha II 저장용액 1g 중 황산칼륨 Beraha II 저장용액 : 800ml 증류수 400ml 염산 48g 중 플로화수소산염 암모늄	칼라부식, 습식부식, 부식시간 10~20초, δ 페라이트는 우선 칼라로 되고, 다음 오스테나이트 σ 상은 흰색으로 남음
Fe mi17	고합금강 및 주물재료	60ml 증류수 30g 수산화칼륨 30g 제2철 청산칼륨	칼라부식, 사용 전 조제! σ-상 칼라로 되고, 오스테나이트는 안되며 페라이트는 황갈색
Fe mi18	오스테나이트형 Cr–Ni강	10g 수산 100ml 증류수	전해부식, 탄화물의 2V–현상, 조직의 6V–현상, 5~20초
Fe mi19	주조합금, 마르텐사이트 오스테나이트 및 페라이트 구별	5% 희석 알콜성 질산에 예비 부식, 280℃에서 2시간 템퍼링	마르텐사이트는 어두운 갈색, 페라이트는 베이지색, 반응하지 않은 오스테나이트는 밝은 청색, 반응한 오스테나이트는 자색
Fe mi20	저합금강 마르텐사이트, 중간단계 및 페라이트 구별	Le Pera : 용액 I : 1g 티오황산염 나트륨을 100ml 증류수에 넣음 용액 II : 4% 희석 알콜성 피크린산 사용 전에 용액 I과 II를 1 : 1로 혼합	습식부식, 칼라부식, 마르텐사이트는 흰색, 중간단계 조직은 검은색, 페라이트는 노란색, 갈색 또는 청색

2. Cu 및 Cu 합금

a. 매크로 부식제

NO.	사용목적	화학조성	비고
Cu ma1	Cu, 황동 및 청동, 주조조직, 용접 접합부, 땜납부	20ml 진한 질산 80ml 증류수	부식시간은 수초~수분
Cu ma2	Cu, 황동 및 청동	10g 염화철(III) 30ml 진한 염산 120ml 증류수	부식시간은 수초~수분
Cu ma3	황동	20g 과황산암모늄 100ml 증류수	부식시간은 수초~수분
Cu ma4	황동의 내부응력 확인	part I : 1g 질산수은, 100ml 증류수 part II : 1ml 진한 질산 100ml 증류수 part I과 part II를 1 : 1 비율로 혼합	부식시간은 수분 내부응력의 정도에 따라 균열생성 확인
Cu ma5	Cu, 황동	500ml 증류수 250ml 에탄올 Struers사의 전해액 D2 연마 및 부식제 250ml 인산 2ml Vogel Sparbeize 5g 요소	

b. 마이크로 부식제

NO.	사용목적	화학조성	비고
Cu mi1	황동, 청동 및 백동	10g 염화철(III) 20ml 진한 염산 100ml 증류수 또는 에탄올	부식시간은 수초~수분, 불균질 합금에서 β 상은 부식됨
Cu mi2	Cu, 황동, 청동 백동 및 Cu-Ni 합금	10g 과황산염 암모늄 100ml 증류수 5ml 진한 염산	부식시간은 수초~수분
Cu mi3	Cu, 황동, 청동 및 은 납땜	50ml 암모니아 용액(25%) 10~50ml 과산화수소(3%) 50ml 증류수	부식시간은 수초~수분 사용 전 조제 H_2O_2가 작은 경우 : 입계부식 H_2O_2가 많은 경우 : 입자면 부식

NO.	사용목적	화학조성	비고
Cu mi4	Cu 및 수 많은 Cu 합금, 땜납 및 용접 접합부	Klemm I 으로 칼라부식 : 5g 2황산칼륨 100ml 저장용액 Klemm 저장용액 : 1000g 티오황산염나트륨을 300ml 증류수에 용해, 40℃에서 저장용액 조제	부식시간은 수초~수분
Cu mi5	Cu 및 Cu 합금, 땜납 및 용접 접합부	Kelmm III로 칼라부식 : 40g 2황산칼륨 11ml Klemm 저장용액 100ml 증류수	부식시간은 수분까지
Cu mi7	알루미늄 청동	50g 질산 20g 크롬산 30ml 증류수	1% 희석 불화수소산으로 연마막을 제거함
Cu mi8	알루미늄 청동	1g 크롬산 100ml 증류수	6V에서 전해부식, 3~6초, 베릴륨청동에도 사용됨
Cu mi9		5ml 황산 10g 중크롬산 칼륨 80ml 증류수	

3. Ni 및 Ni 합금

a. 매크로 부식제

NO.	사용목적	화학조성	비고
Ni ma1	니켈 및 니켈 기지 합금	10g 황산동(II) 50ml 진한 염산 50ml 에탄올 50ml 증류수	부식시간은 수초~수분
Ni ma2	초합금	125ml 포화된 수용성 염화철(III) 용액 600ml 진한 염산 18ml 진한 질산	부식시간은 수분, 끓여 사용
Ni ma3	니켈 합금 및 용접 접합부	50ml 빙초산 50ml 진한 질산 75ml 진한 염산	부식시간은 수초~수분, 문질러 부식

b. 마이크로 부식제

NO.	사용목적	화학조성	비고
Ni mi1	니켈 및 니켈 기지 합금	3ml 진한 불화수소산 80ml 진한 질산	부식시간은 수초~수분, 시편은 부식하기 전에 끓는 물에 가열
Ni mi2	니켈 및 니켈 합금	65ml 진한 질산 18ml 빙초산 17ml 증류수	부식시간은 수초~수분
Ni mi3	니켈 및 니켈 기지 합금	10g 황산동(II) 50ml 진한 염산 50ml 증류수	부식시간은 수초
Ni mi4	Ni-Cr 합금	50ml 진한 질산 50ml 증류수	부식시간은 90~100℃에서 수분
Ni mi5	초합금	2g 염화동(II) 40ml 진한 염산 40~80ml 에탄올	부식시간은 수초~수분
Ni mi6	초합금	5ml 진한 질산 50ml 진한 염산 0.2ml Vogels Sparbeize (상품명) 50ml 증류수	부식시간은 10분까지
Ni mi7	초합금	100ml 진한 염산 2~4ml 과산화수소(30%)	부식시간은 15초까지
Ni mi8		Beraha III : 50ml 증류수 7g 중 플루오르화수소산염 암모늄 50ml 염산 0.5g 2황산칼륨	30~40℃ 습식부식, 침전부식
Ni mi9		10ml 염산 100ml 증류수	부식시간은 수초
Ni mi10		20ml 2% 희석 알콜성 질산 30ml 2% 희석 알콜성 염산	부식시간은 수초
Ni mi11		포화된 수용성 과황산 암모늄 용액	입계부식

4. Co 및 Co 합금

a. 매크로 부식제

NO.	사용목적	화학조성	비고
Co ma1	Co-Cr 합금 및 Stellite	50ml 진한 염산 50ml 증류수	부식시간은 30~40분, 가열
Co ma2	고온 Co 합금	50ml 진한 염산 25ml 진한 질산 25ml 증류수	부식시간은 수초~수분

b. 마이크로 부식제

NO.	사용목적	화학조성	비고
Co mi1	Co 및 Co-Fe 합금	1~50ml 진한 질산 100ml 메탄올	부식시간은 수초~수분
Co mi2	Co 및 Co 합금, 경질 금속	15ml 빙초산 15ml 진한 질산 60ml 진한 염산 15ml 증류수	부식시간은 30초까지, 조제한 후 1시간 내 부식
Co mi3	코발트기지 초합금	65g 염화철(III) 200ml 진한 염산 5ml 진한 질산	부식시간은 수초~수분
Co mi4	코발트기지 초합금	Marble 부식 : 20g 황산동(III) 100ml 진한 염산 100ml 증류수 황산 수 방울	부식시간은 수초~수분
Co mi5	코발트기지 초합금의 칼라부식	2g 2황산칼륨 50ml 진한 염산 50ml 증류수	부식시간은 수초~수분
Co mi6	코발트 합금 및 Stellite의 칼라부식	1g 2황산칼륨 100ml Beraha III 저장용액 : 600ml 증류수 400ml 진한 염산 50g 중 플루오르화수산염 암모늄	부식시간은 수분

5. Ag 및 Ag 합금

a. 매크로 부식제

NO.	사용목적	화학조성	비고
Ag ma1	Ag	30ml 진한 질산 70ml 에탄올	부식시간은 수분, 약간 가열
Ag ma2	은합금	10ml 진한 질산 90ml 에탄올	부식시간은 수분

b. 마이크로 부식제

NO.	사용목적	화학조성	비고
Ag mi1	Ag	5~10g 청화칼륨 100ml 증류수	부식시간은 수분, 독성!
Ag mi2	Ag	1~5g 산화크롬(VI) 100ml 진한 황산	부식시간은 수초
Ag mi3	은납땜	2g 염화철(III) 100ml 증류수	부식시간은 약 30초
Ag mi4	은납땜 및 Ag 합금	50ml 과산화수소(30%) 25ml 암모니아 용액(32%) 25ml 증류수	부식시간은 수초, 과산화수소는 마지막에 혼합, 사용 전 조제
Ag mi5	Ag 및 Ag 합금	50ml 암모니아 용액(32%) 50ml 과산화수소(30%)	부식시간은 수초, 사용 전 조제
Ag mi6	Ag 합금 및 은납땜	100ml 포화된 수용성 염화칼륨 용액 2ml 포화된 수용성 염화나트륨 용액 10ml 진한 질산	부식시간은 수초, 약간 가열하여 적용
Ag mi7		50ml 5% 희석 청화칼륨 용액 50ml 5% 희석 과황산 암모늄 용액	1~2분 부식, 매우 독성임, 사고에 주의! 솜으로 닦아내며 부식
Ag mi8		100ml 포화된 중크롬산칼륨 용액 2ml 포화된 염화나트륨 용액 900ml 증류수	솜으로 닦아내면서 부식

6. Au 및 Au 합금

a. 매크로 부식제

NO.	사용목적	화학조성	비고
Au ma1	Au	66ml 진한 염산 34ml 진한 질산	부식시간은 수초~수분, 가열부식
Au mi1	Au 및 Au 합금	왕수 60ml 진한 염산 20ml 진한 질산	부식시간은 수초~수분, 사용 전 조제
Au mi2	Au 및 Au 합금	1~5g 산화크롬(VI) 100ml 진한 염산	부식시간은 수초~수분, 닦아내며 부식
Au mi3		50ml 10% 희석 청화칼륨 용액 50ml 10% 희석 과황산염 암모늄 용액	1~2분 부식, 독성, 사용 전 조제 사고에 주의!
Au mi4	Au-Ag-Cu 합금	32g 염화철(III) 100ml 수용성 과산화수소 용액(3%) 100ml 증류수	부식시간은 수초~수분

b. 마이크로 부식제

NO.	사용목적	화학조성	비고
Pt mi1	Pt 및 저합금 Pt	10ml 진한 질산 100ml 진한 염산 50ml 증류수	부식시간은 5분까지, 뜨겁게 적용
Pt mi2		20ml 염산 80ml 증류수 NaCl로 포화된 용액	$0.1Acm^{-2}$에서 5분 전해부식, 탄소 또는 Pt 음극, 입자면 부식
Pt mi3	Pt 합금	part I : 10g 청화칼륨 100ml 증류수 part II : 10g 과황산암모늄 100ml 증류수	부식시간은 수초~수분, part I 및 part II를 1 : 1 비율로 혼합, 독성!

7. Pt 및 Pt 합금

a. 매크로 부식제

NO.	사용목적	화학조성	비고
Pt ma1	Pt 및 Pt 합금	20ml 진한 염산 80ml 포화된 수용성 염화나트륨 용액	6V 직류 전류와 Pt 음극에서 전해 부식, 부식시간은 수분

8. Zn 및 Zn 합금

a. 매크로 부식제

NO.	사용목적	화학조성	비고
Zn ma1	Zn 및 Cu가 없는 Zn 합금	진한 염산 또는 진한 질산	부식시간은 수초
Zn ma2	Zn 및 Cu가 없는 Zn 합금	50ml 진한 염산 50ml 증류수	부식시간은 수초
Zn ma3	Cu를 함유한 Zn 합금	Palmerton 부식제 : 20g 산화크롬(VI) 1.5g 황산나트륨, 무수, 100ml 증류수	부식시간은 수초~수분

b. 마이크로 부식제

NO.	사용목적	화학조성	비고
Zn mi1	Zn 및 Zn-Al-Cu 합금	5ml 진한 염산 95ml 에탄올	부식시간은 수초~수분
Zn mi2	Zn 및 저합금 Zn	Klemm I으로 칼라 부식 : 2g 2황산칼륨	부식시간은 수초
Zn mi3	Zn-Al 합금 및 갈바니 아연도금한 강의 Zn-Fe 층	1ml 진한 질산 100ml 증류수 또는 100ml 에탄올	부식시간은 수초~수분
Zn mi4	Zn 합금	Palmerton에 의한 개량된 부식제 : 5g 산화크롬(VI) 0.5g 황산나트륨 100ml 증류수	부식시간은 수분
Zn mi5	강의 아연도금층	0.3g 피크린산 30ml 에탄올 70ml 증류수	부식시간은 수초~수분, 조성은 변화될 수 있음
Zn mi6	강의 아연도금층	3 방울 질산 50 아밀 알콜	부식시간은 수초~수분
Zn mi7	Zn 합금	50ml 에탄올 50ml 인산	전해연마제, 4-6V 직류, 편광

9. Pb 및 Pb 합금

a. 매크로 부식제

NO.	사용목적	화학조성	비고
Pb ma1	Pb	20ml 진한 질산 80ml 증류수	부식시간은 수분, 닦아내며 부식
Pb ma2	Pb, 저합금 Pb 및 Sn이 적은 Pb-Sb 합금	16ml 진한 질산 16ml 빙초산 68ml 글리세린(87%)	부식시간은 80℃에서 수초~수분, 폭발성!
Pb ma3	Pb-Sn 합금	Villela 및 Beregekoff 부식제 : 10ml 진한 질산 10ml 빙초산 80ml 글리세린(87%)	부식시간은 80℃에서 수초~수분, 폭발성!
Pb ma4	가공층 제거	100ml 모리브텐산 100ml 수산화암모늄 240ml 증류수 필터링하고 60ml 질산을 첨가	교대 : 솜으로 부식하여 씻어내고 흐르는 물에서 씻어냄
Pb ma5	Pb 합금 및 용접 접합부	50ml 질산 50ml 증류수	끓는 용액에서 5분간 부식

b. 마이크로 부식제

NO.	사용목적	화학조성	비고
Pb mi1	Pb	5~10ml 질산 100ml 증류수	부식시간은 수초
Pb mi2	Pb 및 저합금 Pb	5ml 과산화수소(30%) 15ml 빙초산 60ml 증류수	부식시간은 수초
Pb mi3	Pb, Pb 합금 및 Pb기지 베어링 화이트메탈	8ml 진한 질산 8ml 빙초산 84ml 글리세린 또는 에탄올	부식시간은 80℃에서 수초, 폭발성! 사용 전 조제
Pb mi4	Pb 및 저합금 Pb	15ml 진한 질산 15ml 빙초산 60ml 글리세린(87%)	부식시간은 80℃에서 수초~수분, 사용 전 조제, 폭발성!
Pb mi5	Pb기지 베어링 화이트 메탈, 활자금속, Pb기지 연납땜	10g 염화철(III) 30ml 진한 염산 90ml 증류수 또는 에탄올	부식시간은 수분
Pb mi6	경질Pb, Pb기지 베어링 화이트메탈, 활자금속	1~5ml 질산 100ml 에탄올	부식시간은 수분
Pb mi7	경질Pb, Pb기지 베어링 화이트메탈, 활자금속	5~10g 질산은 100ml 증류수	부식시간은 수초~수분, 닦아내면서 부식

1º. Al 및 Al 합금

a. 매크로 부식제

NO.	사용목적	화학조성	비고
Al ma1	Al 및 Al 합금	Tucker 부식제 : 45ml 진한 염산 15ml 진한 질산 15ml 진한 불화수소산 25ml 증류수	부식시간은 수초~수분, 사용 전에 조제
Al ma2	Al 및 Al 합금	Flick 부식제 : 15ml 진한 염산 10ml 진한 불화수소산 90ml 증류수	부식시간은 수분
Al ma3	Al 및 Al 합금 또한 용접 접합부	Keller 부식제 : 3ml 진한 염산 5ml 진한 질산 1ml 진한 불화수소산 190ml 증류수	부식시간은 수분
Al ma4	Al 및 Al 합금	5~20g 수산화나트륨 100ml 증류수	부식시간은 수분~한시간, 사정에 따라 부식제를 약간 가열(50℃)

b. 마이크로 부식제

NO.	사용목적	화학조성	비고
Al mi1	Al 및 Al 합금	0.5ml 진한 불화수소산 100ml 증류수	부식시간은 1분까지
Al mi2	Al 및 Al 합금	1g 염화아연 25g까지 수산화나트륨 100ml 증류수	부식시간은 수초~수분
Al mi3	Al 및 Al 합금 고 Si 함유는 제외	Dix 및 Keller 부식제 : 2ml 진한 불화수소산 3ml 진한 염산 5ml 진한 질산 190ml 증류수	부식시간은 30초까지, 사용 전에 조제
Al mi4	Al-Cu 합금에 특히 적합	Kroll 부식제 : 1~3ml 진한 불화수소산 2~6ml 진한 질산 100ml 증류수	부식시간은 수초

NO.	사용목적	화학조성	비고
Al mi5	Al 및 Al 합금	1번째 부식에 : 1~2g 수산화나트륨 100ml 증류수 2번째 세척에 : 3~5ml 진한 질산 및 95ml 증류수	부식시간은 10초까지, 사용 전에 조제
Al mi6	Al-Mg 기지 합금의 결정 입계 부식되기 쉬움을 확인	9g 인산(결정) 100ml 증류수	부식시간은 3~30분
Al mi7	Al 및 Al 합금	Fuss 부식제 : 500ml 증류수 15ml 염산 15ml 질산 2.5ml 불화수소산	
Al mi8	Al 및 Al 합금	10% 희석 용액 90ml 증류수를 10ml 불화수소산에 넣고 끓이고, 여기다 많은 모리브덴산을 용해하여 가벼운 상등액으로 남게함	또한 5 또는 2% 희석 용액을 사용할 수 있음
Al mi9	Al 및 Al 합금	Barker 부식제 : 13g 보론산을 35ml 불화수소산에 용해 1 part 산 + 20 parts 증류수	양극부식 : 시편은 양극으로 Al- 또는 V2A-음극을 사용, 20V 직류 전류에서 1분 부식, 관찰 : 편광 전해부식 5~10초, 1~8V 직류 전류, V2A-음극
Al mi10	Al 및 Al 합금	90ml 인산 90ml 증류수	전해부식 5~10초, 1~8V 직류 전류, V 2A-음극

11. Mg 및 Mg 합금

a. 매크로 부식제

NO.	사용목적	화학조성	비고
Mg ma1	Mg	10ml 빙초산 100ml 증류수	부식시간은 3분까지, 닦아내며 부식
Mg ma2	Mg 및 Mg 합금	20ml 빙초산 50ml 피크린산(64%)을 에탄올에 용해 20ml 증류수	부식시간은 3분까지, 뜨거운 정류수에 침전물을 세척
Mg ma3	산화물 부식	진한 질산	3초 주기로 침지
Mg ma4		포화된 염화암모늄 용액	
Mg ma5		10g 포도산 90ml 증류수	

b. 마이크로 부식제

NO.	사용목적	화학조성	비고
Mg mi1	Mg 및 Mg 합금	2g 옥살산(결정) 100ml 증류수	부식시간은 수초
Mg mi2	Mg 및 Mg 합금	1~8ml 진한 질산 100ml 에탄올(96%)	부식시간은 수초~수분
Mg mi3	Mg 및 Mg 합금	10ml 진한 불화수소산 90ml 증류수	부식시간은 30초까지, 시편을 움직임
Mg mi4	Mg 및 Mg 합금	60ml 에틸렌그리골 20ml 빙초산 1ml 진한 질산 19ml 증류수	부식시간은 30초까지, 문질러 부식, 뜨거운 물에서 시편 씻어냄
Mg mi5	Mg 합금	10ml 알콜성 피크린산 용액(6% 희석) 1ml 진한 인산 2ml 증류수	부식시간은 수초~수분
Mg mi6	Mg-Al-Zn 합금	10ml 빙초산 10ml 에탄올 4.2g 피크린산 10ml 증류수	부식시간은 1~30초, 닦아내면서 부식, 시편은 뜨거운 물에서 씻어냄

12. Ti 및 Ti 합금

a. 매크로 부식제

NO.	사용목적	화학조성	비고
Ti ma1	Ti 및 Ti 합금	10ml 진한 불화수소산 40ml 진한 질산 50ml 증류수	부식시간은 8분까지
Ti ma2	Ti 합금	Keller 부식제 : 0.5ml 진한 불화수소산 1.5ml 진한 염산 2.5ml 진한 질산 95ml 증류수	부식시간은 수초~수분
Ti ma3	용접 접합부	2ml 진한 불화수소산 10g 질산철(III) 35g 옥살산 200ml 증류수	부식시간은 50~60℃에서 수초~수분

b. 마이크로 부식제

NO.	사용목적	화학조성	비고
Ti mi1	Ti 및 Ti 합금	Kroll 부식제 : 2ml 진한 불화수소산 4ml 진한 질산 100ml 증류수	부식시간은 30초까지, 닦아내며 부식
Ti mi2	Ti 합금	Keller 부식제 : 1ml 진한 불화수소산 3ml 진한 염산 5ml 진한 질산 190ml 증류수	부식시간은 30초까지, 시편은 따뜻한 물에서 씻어냄
Ti mi3	Ti 및 Ti 합금	10ml 진한 불화수소산 5ml 진한 질산 85ml 증류수	부식시간은 30초까지
Ti mi4	Ti 및 Ti 합금	2ml 진한 불화수소산 5ml 과산화수소(30%) 100ml 증류수	부식시간은 1분 까지
Ti mi5	Ti 및 Ti 합금	12ml 수산화칼륨 용액(40%) 15ml 과산화수소(30%) 78ml 증류수	부식시간은 30초까지, 닦아내면서 부식

NO.	사용목적	화학조성	비고
Ti mi6	Ti 및 Ti 합금	일반적인 노분위기 내에서 500~540℃로 가열부식	부식시간은 수분
Ti mi7	Ti 및 Ti 합금	Weck 칼라부식 : 2g 중 루오르화수산염 암모늄 50ml 에탄올(50% 희석) 100ml 증류수	부식시간은 수초~수분
Ti mi8	Ti 및 Ti 합금	300ml struers 회사의 OP-S 현탁액 40ml 과산화수소 20ml 빙초산	부식광택 연마, 가장 미세한 연마로부터 입자 5㎛까지, 일정한 작은 압력으로 15분간 부식연마

13. Sn 및 Sn 합금

a. 매크로 부식제

NO.	사용목적	화학조성	비고
Sn ma1	Sn 및 Sn 도금한 강판(tin plate)	10g 과황산암모늄 100ml 증류수	부식시간은 수초~수분
Sn ma2	Sn	Nital-부식제 : 5ml 진한 질산 95ml 에탄올	부식시간은 수초~수분
Sn ma3	Sn	1~5ml 진한 염산 100ml 에탄올	부식시간은 수초~수분
Sn ma4	Sn이 많은 베어링 화이트메탈, tin plate	10g 염화철(III) 2ml 진한 염산 100ml 증류수	부식시간은 수초~수분
Sn ma5	Sn-Pb 합금	10ml 진한 질산 10ml 빙초산 80ml 글리세린	부식시간은 수분, 폭발성!

b. 마이크로 부식제

NO.	사용목적	화학조성	비고
Sn mi1	Sn 및 Sn 합금	2~5ml 진한 염산 100ml 증류수 또는 에탄올	부식시간은 수분, 닦아내며 부식
Sn mi2	Sn 및 Sn 합금	Nital-부식제 : 1~5ml 진한 질산 100ml 에탄올	부식시간은 수초~수분, 경우에 따라서는 3% 희석 질산에 후 부식
Sn mi3	Sn이 많은 베어링 화이트메탈	10g 염화철(III) 5~25ml 진한 염산 100ml 증류수 또는 메탄올	부식시간은 수초~분
Sn mi4	Sn이 많은 베어링 화이트메탈, Sn 도금한 강판(Tin plate)	5~10g 과황산 암모늄 100ml 증류수	부식시간은 수초~분
Sn mi5	Sn 기지에 연납땜	50ml 빙초산 50ml 증류수 1방울 과산화수소(30%)	부식시간은 수초~분
Sn mi6	Sn 도금한 강판	4g 피크린산 100ml 에탄올	부식시간은 수초~분
Sn mi7	Sn 및 Sn 합금	칼라부식 : 5g 2황산칼륨 50ml 냉간 포화된 수용성 티오황산나트륨 용액	부식시간은 1분까지
Sn mi8	Sn 및 Sn 합금	10g 과황산 암모늄 10g 포도산 150ml 증류수	

14. 내고온금속 및 합금(Cr, Mo, Nb, Rh, Ta, V, W)

a. 마매크로 부식제

NO.	사용목적	화학조성	비고
R ma1	Mo, Nb, Ta, W, V, W 및 그 합금	30ml 염산 15ml 질산 30ml 불화수소산	부식시간은 수초~분까지
R ma2	Cr	10ml 황산 90ml 증류수	부식시간은 2~5분, 끓임
R ma3	W	75ml 증류수 35ml 질산 45ml 불화수소산	부식제로 제거, 부식시간은 최소 1시간

b. 마이크로 부식제

NO.	사용목적	화학조성	비고
R mi1	Mo, Nb, Ta, V, W 및 그 합금	30ml 염산 15ml 질산 30ml 불화수소산	부식시간은 수초~분까지
R mi2	Cr	10ml 황산 90ml 증류수	부식시간은 2~5분, 끓임
R mi3	Mo	70ml OP-S 현탁액(struers 사) 15ml 과산화수소 0.5ml 황산	부식연마, 부식시간은 3~5분
R mi4	W, Ta, Nb 및 그 기지합금	50ml 증류수 50ml 질산 50ml 불화수소산 농도는 조절 가능	부식시간은 15~20초
R mi5	Cr 및 Nb 및 그 합금	20ml 질산 60ml 불화수소산	부식시간은 약 10초
R mi6	Nb 및 Nb 기지합금, Mo 및 Mo 합금, Ta 및 Ta 기지합금, Nb-Cr 합금	50ml 증류수 20ml 불화수소산 10ml 질산 15ml 황산 농도는 조절 가능	부식시간은 수초~분까지

15. Pt 금속 및 합금 (Pt, Pd, Rh, Ir, Ru, Os)

a. 매크로 부식제

NO.	사용목적	화학조성	비고
Pt mi1	순수 Pt 및 낮은 합금을 함유한 Pd, Rh, Ru, Ir 및 Os	50ml 증류수 100ml 염산 10ml 질산	부식시간은 1~5분, 뜨겁게 사용
Pt mi2	90 이하의 귀금속을 함유한 Pt- 및 Pd 합금	용액 Ⅰ : 100ml 증류수 10g 청산칼륨 용액 Ⅱ : 100ml 증류수 10g 과황산 암모늄	용액은 1 : 1 비로 혼합, 주의!
Pt mi3	Pd-치과합금, Al, Ga, In, Sn, Fe 및 Cu 등을 함유한 Pd-비귀금속합금	30ml 글리세린 40ml 질산 40ml 염산	부식시간은 2~10초 5% 희석 수용성 염산에서 씻어냄, 사용 전 조제

근거 :

1. Petzow, G., Metallographisches, Keramographisches und Plastographisches Ätzen, 6. Auflage, Verlag Gebrüder Borntraeger Berlin Stuttgart, 1994

2. Weck, E. und E. Leistner, Metallographische Anleitung zum Farbätzen nach dem Tauchverfahren, Teil I bis III, Deutscher Verlag für Schweißtechnik, 1982

3. Krüger, U., U. Laudien, F. Lemke, P. W. Nogossek, DVS-Gefügekatalog Schweiß technik, Nichteisen-metalle, DVS-Verlag Düsseldorf 1987

4. Beckert, M. und H. Klemm, Handbuch der Metallographischen Ätzverfahren, Deutscher Verlag für Grundstoffindustrie, Leipzig 1966

▍찾아보기

0

0.05%C의 철-탄소 합금 / 535
0.15%C의 철-탄소 합금 / 536
0.80%C의 철-탄소 합금 / 537

1

1.15%C의 철-탄소 합금 / 540

2

2.15%C의 철-탄소 합금 / 542
2.5%C의 철-탄소 합금 /542
2상(dual phase)강 / 689
2원조직 / 48
2중에칭 / 698
2차정련 / 527

4

4.3%C의 철-탄소 합금 / 543

5

5.5%C의 철-탄소 합금 / 543

A

ADI(austempered ductile iron) / 730
Admiralty Metal / 750
AFM(atomic force microscopy) / 298
arret / 530
ASTM 입자번호 / 550
Auger 전자 / 281
Au-Ni 상태도 / 354

ausferrite / 730
Axio-cut-sweep 절단법 / 132

B

Bain 모델 / 405
bake hardening강 / 689
bake-경화강 / 689
Baumann print / 489
Baumann / 444
Berthol형 / 26
BF 어닐링 / 604
BG 어닐링 / 604
Boudouard 반응 / 525
Bravais type / 8
B_s 온도(bainite start) / 582
Bueckle 법칙 / 307
Burgers 벡터 / 35
Burgers Vector b / 460

C

charge coupled device / 110
chauffage / 530
Chi상 / 667
Clausius-Clapeyron관계 / 331
CLSM(confocal laser scanning microscope) / 89
Co-Ni계 상태도 / 369
Cottrell-cloud / 34
Cu-Ni 상태도 / 348
Cu-Pb계 상태도 / 374
Curie 온도 / 530
CVD 법(Chemical Vapor Deposion) / 503

D

Dalton형 / 26
Debye-Scherrer 측정법 / 269
deep etching / 210
dots per inch / 123
downsampling / 256

E

EPMA 분석 / 282

F

Faust 법칙 / 686
Fe-Cr 상태도 / 356
FIB(focused ion beam) / 297
Fick의 제 1법칙, 제 2법칙 / 337
Fitzer 에칭용액 / 215

G

Gauss 오차함수 / 338
Gibbs의 상률 / 329
GKZ 어닐링 / 605
Goldberg-조건 / 106
Goss 집합조직 / 278, 685
Grueneisen 법칙 / 416
Guinier-Preston 구역 / 41, 771

H

Haegg-Phase / 29
Heyn 부식액 / 444
high purity / 819
Hook의 법칙 / 455

Hume-Rothery-Phase / 28
Hunter법 / 824

I

IF강 / 689

J

Jominy test / 606

K

GPI-zone / 400
Kirkendall 효과 / 340
kish graphite / 443, 546, 720
Klemm 에칭용액 / 215
Kroll법 / 824
Kurdjumov-Sachs 결정방위관계 / 406, 576

L

Lambert 법칙 / 84
lamellar 펄라이트 / 538
Laplanche 상태도 / 721
Laves-phase / 28
Le Chatelier 원리 / 331
Lueders line / 689

M

Magnetron-스퍼터링 / 500
Martens 경도 HM / 311
Maurer 상태도 / 721
Maurer 조직도 / 674
MD-연마판 / 150
Meyer 지수 / 306
Mf 온도(martensite finish) / 572

Moseley 법칙 / 281
Ms 온도(martensite start) / 572
Muenz alloy / 772
Mumetall / 774

N

Naval Brass / 750
Nickel matte / 774
Nital 에칭액 / 214
Nitinol / 751, 785
Nitroc-Process / 517
Nomarski형 미분간섭콘트라스트 / 82

O

Oberhoffer 부식액 / 444
Orowan 기구 / 660

P

Pb 프린터법 / 445
Pb-Zn계 상태도 / 373
Pd-Mn 상태도 / 379
Peach-Koehler힘 / 461
pearlite reduced steel(PRS) / 641
Pellon연마천 / 174
Pendulum 어닐링 / 591
Plasma CVD / 504
Pt-Ag계 상태도 / 365
Pt-Co 상태도 / 355
PVD 증착법 / 503
인(P) 프린터 / 445

S

Sauveur도 / 545
Schmid 전단응력법칙 / 459, 466

Si tomback / 751
SIPP 상태도 / 721
slip계단 / 458
slip띠 / 458
slip면 / 457
slip방향 / 457
Slip변형 / 457

T

t1/2 법칙 / 516
Tammann 규칙 / 340, 793
Taylor인자 / 463
Tombac / 737
TRIP강 / 689
Trouton 법칙 / 327
TTA곡선 / 549
T-T-P곡선 / 409
TTT곡선 / 568

R

refroidissement / 530
resampling / 256
Richard 법칙 / 327

V

Vegard 법칙 / 21, 275

W

Wicksell-문제 / 263
Widmannstaetten / 495, 548
Wiedemann-Franz법칙 / 3, 734

X

X-선 영상 / 286
X-선 회절현상 / 266

Z

Zintl phase / 28

α

α 마르텐사이트 / 573

ε

ε 마르텐사이트 / 573
ε 개량(modification)변태 / 788

σ

σ 상 / 29, 667

ㄱ

가(π)간섭성(coherente) 파 / 61
가단주철(GT) / 716
가스질화 / 513
가스침탄 / 518
가열에칭 / 214
가장자리 탈탄 / 654
간섭 / 61
간섭막 형성 / 226
간섭막현미경 / 80, 83
간섭필터 / 68
간접흑연 생성 / 717
감광도 / 104
감광성 / 103
감광성지수 / 103
감광층 / 100
감소형고용체 / 21, 26

강결합 / 14
강제 용해 / 571
강화지수 / 689
개구수 / 70
개량처리(modification) / 803
거리변환 / 242
거시영상 / 96
거시적 균일 / 234
거시적 등방성 / 234
거시적(macro) / 634
거친 연마(grinding) / 137
격자간원자 / 34
격자결함 / 32, 469, 771
격자결함 불합치 / 775
격자공간 / 23
격자면 / 5
격자방향 / 5
격자변이전단 / 404
격자불변전단 / 404
격자선 / 11
격자왜곡(distortion) / 776
격자점 / 11
결맞게(coherent) / 660
결맞음 응력 / 812
결맞음(coherency) / 771,
    776, 812
결정 성장 속도 / 423
결정격자 응력 / 612
결정군 / 7
결정립 / 4, 43
결정립계 / 4, 44
결정립계 에칭 / 210
결정립계밀도 / 261
결정방위 에칭 / 210
결정입내 에칭 / 210
결정편석 / 437, 442, 594, 754

결정형 / 13
결정형상 에칭 / 218, 221
결합엔탈피 / 332
겹침 / 489
경계면밀도 / 235
경년변화 / 690
경사절단면 / 128
경자성강 / 686
경질 망간강 / 702
경통렌즈 / 65
경화 / 463
경화능(Hardenability) / 568,
    647
경화성 / 606
경화조직 / 572
계면에너지 / 423
고강도 용접성 구조강 / 640
고분해능 TEM / 295
고상선 / 343
고속도강 / 710
고온현미경 / 317
고용체 / 20
고용체 / 332
고용체강화 작용 / 790
고용체강화 / 821
고용체경화 / 465, 822
고용체편석 / 437
고용형 / 773
고유 경계면 / 540
공간격자 / 5
공공(vacancy) / 32
공구강 / 709
공동(cavitation) / 751
공석반응 / 378, 534
공석변태 / 369
공식(pitting corrosion) / 785

공용간극 / 353
공유결합 / 14
공정(eutectic)합금 / 359
공정반응 / 378, 534
공정온도 / 357
공정점 / 357
공정조성 / 357
공초점영상 / 85
공초점주사현미경 / 85
과공정(hypereutectic)합금 / 359
과냉 / 556
과시효 / 354, 812
과열에칭 / 226, 713
과포화 고용체 / 812
관통조직 / 48
광학적 반사능력 / 2
교차응력 / 805
구경조리개 / 70
구면수차(spherical
    aberration) / 72
구상화 어닐링 / 570
구상흑연(GGG) / 716
구역벽(domain wall) / 774
구조물 크기 / 606
구조에칭법 / 218
구조용강 / 634
구형태의 입자에 대한 입체화
    / 263
굴곡적분 / 233
굴절률 / 55
굴절타원체 / 57
규칙격자 / 23
규칙화 변태 / 396
균일(homogeneous) 합금 / 326
그라인딩 균열 / 614
극미세밀링법 / 185

극미소경도 / 302
극점도 / 278
금속간화합물 / 26, 750
금속결합 / 14, 16
금속성 유리 / 686
금속직조천 / 178
금형주조 / 527
급속 냉각 / 812
기계적 쌍정(mechanical
    twin) / 463, 793
기계적 특성곡선 / 755
기계-화학적 미세연마 / 187
기공성 셀(cell) 형태의
    시스템 / 236
기본인자(basic parameter) /
    235
기본 입체 관계식 / 261
길이분률 / 253
깊은 에칭 / 210

나노 압입시험 / 311
나선전위 / 35, 460
내기후성강 / 670
내부산화 / 727
내부에너지 / 327
내생적 비금속 개재물 / 526
내열강 / 681
내적 전반사 / 56
냉각곡선 / 349
냉각제 / 606
냉간가공강 / 710
냉간경화 / 812
냉간균열 / 639
냉간업셋(upset) / 692
냉간인성강 / 660

냉간집단(massive)성형방법 /
    693
냉경주철(GH) / 716
노멀라이징 / 626
노이만 띠(Neumann band) /
    465
노치 충격인성 / 620
놋쇠 (red bronze) / 753
농담단계 / 103, 105
누프(Knoop)경도 HK / 303
능면체정 / 8

ㄷ

다각형화(polygonization) / 38,
    470
다결정 / 4
다면체(polyhedron) 조직 /
    237
다면체 / 643
다양한 용접성 / 640
다이아몬드 / 170
다이아몬드구조 / 15
다중에칭 / 216
다형격자변태(polymorphic
    lattice transformation) /
    774
단결정 / 4
단계별 절단법 / 132
단범위규칙 / 23
단순격자 / 9
단순에칭 / 519
단위격자 / 5, 6
단위격자상수 / 17
대각경계(large angle grain
    boundary) / 470, 471, 778
대상물체 / 247

대상물체의 밀도 / 259
대칭 / 6
대칭조작 / 6
도료탁본 / 206
도립 반사광학현미경 / 68
돋보기상 / 96
동소변태 / 395
동소체 / 19, 30
동적 재결정화 / 623
동종핵 / 431
동질다형(polymorph)변태 / 734, 793, 818
동질이상 / 30
둥지균열 / 314
뒤틀림경계 / 38
등온변태 / 549
등온단면 / 389
등축상 / 234
디지털카메라 / 115
딤플(dimple)생성 / 635
뜨임탄소(temper carbon) / 654, 714, 717

ㄹ

라멜라균열 / 639
라이브영상 / 115
래스 마르텐사이트 / 407
래핑 / 140
레데뷸라이트(ledeburite) / 358, 534
레플리카법 / 295
렌즈식 / 63
롤러 베어링강 / 706

ㅁ

마그네슘 상태도 / 346
마르텐사이트 변태 / 396, 404, 825
마르텐사이트 전단 / 571
마르텐사이트 / 372, 571
마모방지액 / 170
마스크 / 196
마운팅 / 133
마이크로톰 / 185
마춤에칭 / 224
망상격자면 / 12
망상면 / 6
매크로 편석 / 556
면간거리 / 50
면분석 / 289
면심격자 / 8
면적분률 / 252
명시야(bright field) / 824
명시야상 / 75, 293
명암슬릿 / 293
미리보기영상 / 116
미분간섭콘트라스트 / 81
미세강관 / 688
미세균열(micro crack) / 634
미세사진법 / 96
미세연마 / 137, 141, 170
미세연마 기반물질 / 169
미세연마재 / 169
미세연마천 / 178
미세영상 / 96
미세영상법 / 96
미세조직도 / 345
미소경도 / 302
미소경도측정 / 312

미소방사선사진법 / 229
미소합금 원소 / 624
미소합금 / 529
밀러지수(Miller indices) / 12

ㅂ

바이스(Weiss) 영역 / 774
바이어스-전압 / 500
박판시료법 / 296
박판탁본 / 204
박편(flake)민감성 / 652
반(mottled)주철 / 717
반사 / 6
반사계수 / 58
반사능력 / 3
반사도 / 90
반전 / 7
밝기 / 121
방사선사진 / 229
방사형 균열 / 313
배열엔트로피 / 335
배위수 / 2
백점 현상 / 593
백주철 / 717
버미큐라(vermicular)흑연 / 716
벌집구조 / 635
베이나이트화 / 626
변태 어닐링 / 598
변태변화 / 478
변태엔트로피 / 327
변태응력 / 612
변형경화 / 589
변형에칭 / 219
변형왜곡 / 771
변형유기마르텐사이트 / 407

병렬 원자이동 / 578
병진 / 5
병진경계 / 37
병진주기 / 5, 50
보강간섭 / 61
보론부화 / 511
보자력 / 469
복굴절 / 56, 79
복탄화물 / 654, 702
복합상강 CP / 690
복합현미경 / 64
본체부분 / 99
볼록렌즈 / 62
부동태화(passivation) / 671
부동태효과 / 801
부분 결맞음 마르텐사이트 / 576
부분 결맞음 / 579, 812
국부부식(localized corrosion) / 846
부식공 / 220
부식균열 / 614
부피밀도 / 234, 235
부피분률 / 251
부하 / 184
분광색 / 53
분산조직 / 48
분할변환 / 242
분해거리 / 70
분해능 / 70, 108, 109
불균일 변태 / 395
불균일(heterogeneous) 합금 / 326
불꽃경화 / 650, 687, 701
비 경계면 / 256
비등축상 조직의 특성 / 262

비 선분길이 / 257
비 오일러 수 / 260, 261
비가역 합금 / 656
비가역성(irreversibility) / 704
비결맞음(incoherency) / 772
비금속 개재물 / 528, 584
비디오법 / 109
비점수차(astigmatism) / 73
비정질상 / 42
비커스 경도 / 302, 303
비합금강 / 528
빙정석(Cryolite : Na$_3$AlF$_6$) / 799

ㅅ

사면체공간 / 25
사진분석 / 242
사진처리 / 239
산소취련법 / 526
산화물 프린터법 / 445
산화재 / 190
3원공정조직 / 391
3중점 / 330
상(phase) / 19
상경계 / 4
상관분석 / 247
상면만곡(curvature of image field) / 73
상부 베이나이트 / 581
상부 임계냉각속도 / 568
상호확산 / 340
새집형 흑연 / 719
색대역폭 / 121
색수차 / 56, 73
색온도 / 119
색완화 / 119

색조 / 121
석출경화 / 400, 589
석출과정 / 399
석출균열 / 639
석출물 / 40
석출속도 / 641
선명도 / 108
선분석 / 289
선상 탄화물 / 709
선영에칭 / 216
선철 / 525
선형집합조직 / 277
선흡수계수 / 274
설퍼 프린터 / 444
섬유상시스템(fiber system) / 236
성형공구 / 792
세척 / 184
세포조직 / 48
소각경계 / 38, 470
소각입계 에칭 / 219
소멸간섭 / 61
소성변형(지연) / 578
숏 피닝(shot peening) / 499, 654
수소 프레이크(flake) / 614
수소취성 / 737
수지상 가지거리 / 556
수지상 / 426
수지상정 / 360
수직이방성 / 689
수직절단면 / 128
수평분해능 / 120
스테인레스강 / 671
스텔라이트(stellite) / 714
스퍼터링 / 500

스펙트럼감도 / 104
스폰지형 천 / 178
스폰지형 / 727
슬래그화 / 526
습식연마 절단법 / 130
습식연마지 / 155
시각도 / 72
시간 / 184
시간-온도 곡선 / 554
시간-온도(T-T) 곡선 / 408
시간-온도-재결정화 곡선 / 585
시료채취 / 127
시멘타이트 / 370
시차열분석법 / 414
시효경화효과 / 772, 802
시효경화현상 / 713
신축도(stretching degree) /
    262
실황영상모드 / 120
쌍정생성 / 463
쌍정외침 / 464
쌍정층(lamellar) / 463

ㅇ

아결정립(sub-grain) / 470
아결정립계 / 38, 40
아공정(hypoeutectic)합금 /
    359
아날로그카메라 / 114
아브라미(Avrami)식 / 403
아연증발 / 745
아크로매트(achromate) / 74
아포크로매트(apochromate) /
    74
알루미나 / 170
암시야상 / 77

압출용강 / 692
액상선 / 343
양극 니(slime) / 845
양극처리 / 223
양방향 효과(two way effect)
    / 788
어닐링 쌍정(annealing twin) /
    733, 774, 800
어닐링 템퍼링 / 606
어닐링(solution annealing) /
    587, 626
어댑터 / 99
에너지분산형 X-선
    분광분석법 / 287
엔탈피 / 327
엠브리오(embryo) / 419
역(power)편석 / 437
역위상경계 / 38, 40
역위상경계에너지 / 38
역편석 / 754
연결선(tie line) / 753
연마 / 150
연마각 / 141
연마-래핑 / 150
연마시간 / 196
연마전압 / 196
연마천 / 163
연속냉각변태곡선 / 410
연신변형(stretcher strain
    또는 Lueders line) / 690
연자성강 / 683
연화어닐링 / 570
열간가공강 / 710
열간경화 / 812
열간균열 / 639
열간등압(hot isostatic press)

    / 778
열영향부 / 495, 640
열적-기계적 성형 / 626
열적에칭 / 226
열전도도 / 2, 3
열팽창계 / 416
염욕질화 / 513
염화철(전해철) / 529
영상영역 / 110
영상조절과정 / 98
오스테나이트 / 626, 370
오실레이션컷 / 131
오일러 수의 밀도 / 259
왜곡수차(distortion
    aberration) / 73
용융액상전해 / 799, 816
용융아연 / 793
용접조직 / 571
용체화처리(Solution
    treatment) / 770
용해균열 / 639
용해도간극(miscibility gab) /
    833, 842
용해속도 / 641
우르자이트(wurtzite, ZnS)
    구조 / 15
우회기구(Orowan mechanism)
    / 466
원균열 / 314
원래 오스테나이트 입계 /
    622
원소형 탄소(흑연, temper
    carbon) / 532
원자가전자농도 / 27
원천 콘크리트 / 646
위상차 / 61

위상차현미경 / 78
위스커(whisker) / 465
유도경화강 / 687, 701
유동곡선(flow curve) / 689
유동속도 / 196
유연한 연마물질 / 150
유효전기전도도 / 238
음극선 발광 / 281
음전하(electro-negative
    potential) / 807
음파현미경 / 300
응고균열 / 639
응력복굴절 / 58
응력부식균열(stress corrosion
    cracking) / 740, 773, 806,
    811
응력상태 인자 / 638
응력유기(induced) 마르텐사
    이트생성 / 408, 787
의사 공석구조 / 605
의사(Pseudo)탄성 / 749, 785
이력(hysteresis) / 530, 656
이방성(anisotropy) / 779
이식조직(implant) / 790
이온결합 / 14, 15
이온에칭 / 225
2원공정홈 / 386
이종원자 / 34
이종핵 / 431
2차전자 / 281
2차전자영상 / 283
인공시효(artificial aging) /
    796
인화공정 / 102
인화물공정 / 727
인화용지 / 100

일반 구조용강 / 633
일반경도(universal hardness,
    HU) / 311
일방향-형상기억효과(One
    way-Shape memory effect)
    / 788
임계응력 / 456
임계자유에너지 / 422
임계자유엔탈피 / 422
임계전단응력 / 4, 693
임계핵반경 / 422
임계혼합온도 / 373
입계균열(intercrystalline
    crack) / 846
입계부식(intercrystalline
    corrosion) / 676, 806, 811
입계석출 / 568
입계응력균열(intercrystalline
    stress cracking) / 702
입자강화 / 821
입자붕괴 / 676
입자시스템(particle system) /
    236
입자의 평가인자 / 233
입자편석 / 437
입자형 베이나이트 / 643
입체해석학의 응용가능성 /
    265
입체현미경 / 90

ㅈ

자가효과 / 148
자기시효경화(self age
    hardening) / 814
자기어닐링 효과 / 574, 576
자기이력 손실 / 469

자속(magnet flux) / 686
자유도 / 329
자유엔탈피 / 328, 421
자유전자 / 2
자화 전환손실 / 684
자화도 / 686
잔류 오스테나이트 / 573
잠복기(incubation period) /
    543, 548
장범위규칙 / 23
재공급 / 148
재료 / 709
재료상태 인자 / 638
저면심격자 / 8
저온현미경 / 321
저탄소 / 785
적니(red mud) / 799
적층결함 / 38, 659, 703
적층결함(stacking fault)
    에너지 / 38, 463
전기-슬래그 정련법
    (Electro-Slag Refining) /
    528
전기적인 미세연마 / 190
전기전도도 / 1, 3
전기화학적 도금증착
    (ECD:Electro-Chemical
    Deposition) / 505
전기화학적 연마 / 190
전기화학적 전위 / 746, 794
전나무 결정 / 556
전단변형 / 575
전단응력 / 463
전류밀도(I)-전위(E,
    potential)-곡선 / 224
전류밀도-전압-곡선 / 194

전위(dislocation) / 34
전위밀도 / 36, 462
전위속도 / 462
전위에칭 / 218, 220
전위크립(creep) / 775
전자가스 / 2
전자빔 기화 / 500
전자빔 마이크로
　분석기(EBMA) / 286
전자에너지손실분광분석기
　(EELS) / 297
전자파 / 52
전자회절영상 / 292
전정색(panchromatic)재료 /
　104
전체간섭콘트라스트 효과 / 83
전해미세연마 / 204
전해셀(cell) / 799
전해액 / 196
전해액 온도 / 196
전해에칭(electrolytic etching)
　/ 222
전해연마법 / 193
전해연마액 / 196
절단각 / 540
절단방법 / 130
절단장비 / 130
점격자 / 5
점군 / 7
점분율 / 255
접종(inoculation) / 432, 781
접종하지 않은 것 / 432
접촉모서리효과 / 144
정립 반사광학현미경 / 68
정방형 구조(bct) / 575
정벽면(habit plane) / 577

정적 재결정화 / 623
정착(fix) / 102
제어된 압연 / 623
조각편석 / 437
조대립자 어닐링 / 597
조동(blister copper) / 733
조밀육방충전 / 16
조밀입방충전 / 16
조성적 과냉 / 426
조직 매개변수 / 540
조직응력 / 612
조직적인 시료채취 / 127
조직평가인자 / 233
조직형태 / 754
주강 / 571
주괴편석 / 444, 446
주사위면 집합조직 / 686
주사전자현미경 / 282
주사탐침현미경 / 298
주사터널현미경 / 298
주상(columnar)결정 / 779
주철상태도 / 721
주철의 성장 / 546
중간단계 템퍼링 / 606
중간상 / 20, 26
중력편석 / 374
증기압 / 330
지렛대법칙 / 442
지향성 응고 / 425
직접퀜칭 / 519, 698
직접흑연 생성 / 717
진동미세연마법 / 185
질소부화 / 511
질소포텐셜 / 514
질화강 / 687
집단(massive) 변형 / 649

집합조직 / 277, 470, 713
징크블렌드구조 / 15

채도 / 121
천연섬유직조물 / 175
천이온도 / 638
철-탄소 합금 / 535
청열취성 / 652
체심격자 / 8
초기 도자율 / 684
초석 시멘타이트 / 566
초석 조직성분 / 571
초석 페라이트 / 566, 643
초점심도 / 71, 85
총굴곡 / 233
촙 컷(chop cut) / 130
추가고용체 / 21
추출레플리카법 / 296
축각 / 8
축비 / 457
충격인성 / 469
취성파괴 안전성 / 642
층상(lamella) 시스템 / 236
층상조직 / 48, 362
층상조직구조 / 265
치환형고용체 / 20, 21
침상조직요소 / 265
침입형고용체 / 20, 23
침전 에칭 / 210
침탄질화 / 517

카메라스시템 / 99
카보닐철 / 529
칼날전위 / 35, 460

코런덤 / 139
코마(coma) / 73
콘크리트 구조용강 / 644
쾌삭강(free cutting steel) / 687, 695
퀜칭균열 / 455, 578, 612, 698
퀜칭변형(distortion) / 613
퀜칭지연 / 612
큐리(curie)온도 / 682
크롬주철 / 716

ㅌ

탄성경도 / 584
탄성한계 / 456
탄소 당량농도 / 601
탄소부화 / 511
탄소언덕 / 516
탄화아연(Zinccarbonate) / 794
탈부동태화 물질 / 190
탈산 / 526
탈아연 / 743
탈탄반응 / 526
템퍼링 강 / 523
템퍼링 상태 / 606
템퍼링 취성 / 614
투과전자현미경(TEM) / 289
투영기 / 65
투영도(projection diagram) / 796
트래버스컷 / 130, 132
특성 X-선 / 280
특성스펙트럼 / 273
특수한 에칭액 / 214
특수황동 / 749

ㅍ

파고효과 / 147
파장분산형 분광분석 / 287
판상 마르텐사이트 / 407
판형집합조직 / 277
팔면체공간 / 24
패턴팅(patenting) / 691
펄라이트 단계의 변종된 조직 / 569
펄라이트 / 370
페라이트 형강 / 626
페라이트 / 370
편광 / 75
편광상태 / 55
편광필름 / 57
편광현미경 / 79
편석(segregation) / 771
편석거동 / 557
편석계수 / 557
편석정반응 / 377
편정반응 / 374
편정온도 / 375
편정조성 / 375
평균굴곡 / 233
평면 아크로매트(plano achromate) / 74
평면 아포크로매트(plano apochromate) / 74
평면파 / 52
평행절단면 / 128
평형정지전위 / 224
포석반응 / 372, 379
포정계(peritectic system) / 738
포정반응 / 379, 534

포화분극 / 686
폴링(poling) / 733
표면결함 / 82
표면경화(EB 경화) / 511, 523
표면경화강 / 687, 698
표면기복(Relief) / 577
표면탁본 / 205
표준스케일판 / 100
표준전압시리즈 / 818
표준화 / 626
표피(shell)퀜칭 / 618
프리즘 반사경 / 67
플라즈마에칭 / 228
플라즈마질화 / 513
플로킹 가공, flocking / 180
피라미드슬립 / 818
피로강도 / 646
피로균열 / 805
피로파괴 / 648

ㅎ

하부 베이나이트 / 581
항복강도 / 456
항복점 / 456
항자력 / 686
해면철 / 525, 727
핵생성율 / 422
헐레이션 / 109
현미경 광도계 / 90
현상액 / 102
협동적 원자 움직임 / 577
형상기억효과 / 764, 785
형상변화속도 / 462
형상응력 / 613
형태변형 / 577

혼합색 / 54
혼합엔탈피 / 333
혼합전위 / 460
혼합절단법 / 130
화학-기계적 미세연마 / 187
화학량론적 / 514
화학적 / 210
화학적 미세연마 / 190
확산 / 337
확산계수 D / 337

확산층 생성제 / 190
활주시스템 / 36
회색필터 / 68
회전 / 7
회절 / 61
회주철 / 717
횡단결정화(transcrystallzation)
/ 430, 832
횡단슬립 / 461
후방산란전자 / 281

후방산란전자영상 / 283
후방전자회절 / 285
휨균열 / 314
흑-백 조직 / 605
흑색파단(black fracture) /
654, 714
흑화곡선 / 103
흡수계수 / 58
흡수필터 / 68

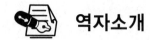 **역자소개**

김정근 (ckkim@kut.ac.kr)

- 학력 ： 부산대학교 금속공학과(공학박사), 홍익대학교 금속공학과(공학사 · 석사)
- 경력 ： (사) 한국재료조직학회(KSM) 1, 2, 3대 회장,
  Helmholtz Centre Berlin for Materials and Energy(HZB),
  Institute for Solar Energy Research Hameln(ISFH) 객원교수,
  Institute for Materials Research, German Aerospace Center(DLR),
  Berlin 공대 박사후 과정, 독일 직업교육관리자과정(GTZ),
  Roland-Mitsche-Preis 2006 수상
- 현재 ： 한국기술교육대학교 신소재공학과 명예교수,
  Practical Metallography Journal editorial board,
  KSM 명예회장
- 연구 ： 복합재료, 금속조직, 태양전지 등
  분야

박노진 (njpark@kumoh.ac.kr)

- 학력 ： 독일 클라우스탈공대 금속공학과(Dr.-Ing. · Dipl.-Ing), 성균관대학교 금속공학과(공학사)
- 경력 ： 독일 클라우스탈공대 금속연구소 연구원, 미국 워싱턴주립대학교 객원교수
- 현재 ： 금오공과대학교 신소재시스템공학부 교수,
  (사)한국재료조직학회 부회장, (사)대한금속 · 재료학회 이사
- 연구 ： 미세조직분석, X-선공학, 집합조직분석, 형상기억합금 등
  분야

이상봉 (sangbong.yi@gkss.de)

- 학력 ：독일 클라우스탈공대 재료공학과(Dr.-Ing.) 금오공과대학교 재료공학과(공학사 · 석사)
- 경력 ：독일 막스플랑크연구소 연구원, 독일 클라우스탈공대 연구교수
- 현재 ：독일 GKSS 연구소 마그네슘 연구부 연구원
- 연구 ：마그네슘 합금, 금속조직분석, 집합조직분석, 중성자 및 싱크로트론 회절법 등
  분야

정오표

497페이지 그림4.143에서 그림 a), b), c)누락

 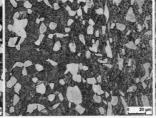 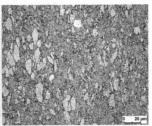

a) 기지조직, α 상(밝은 부분)
과 마르텐사이트($\beta+\alpha$) 영역
(어두운 부분)으로 이루어짐,

b) 열처리된 기지조직으로부터
심하게 열간성형된 영역으로의
천이

c) 늘어난 α 입자와 ($\beta+\alpha$) 영
역을 가진 심하게 열간성형된
조직으로 마르텐사이트 조직이
없어짐.

금속조직학
Metallografie

발 행 일 | 2009년 4월 1일 초판
재 판 | 2015년 9월 1일

원 서 명 | Metallografie (14판)
원 저 자 | Herrmann Schumann · Heinrich Oettel
공 역 | 김정근 · 박노진 · 이상봉

발 행 인 | 박승합
발 행 처 | **NODE MEDIA** 노드미디어 [(구) 도서출판 골드]
등 록 | 제 302-2008-000043호
주 소 | 서울시 용산구 한강대로 320(갈월동)
전 화 | 02-754-1867
팩 스 | 02-753-1867
홈페이지 | http://www.enodemedia.co.kr

정가 55,000원

ISBN 978-89-8458-213-2-93550